Forschung zur Bibel   Band 40

herausgegeben von

Rudolf Schnackenburg
Josef Schreiner

in den Verlagen Echter und Katholisches Bibelwerk

forschung zur bibel

Hans-Jürgen Findeis

Versöhnung – Apostolat – Kirche

Eine exegetisch-theologische und
rezeptionsgeschichtliche Studie
zu den Versöhnungsaussagen
des Neuen Testaments
(2 Kor, Röm, Kol, Eph)

Echter Verlag

D 6

© 1983 Echter Verlag
Druck und buchbinderische Verarbeitung: Echter Würzburg
Fränkische Gesellschaftsdruckerei und Verlag GmbH
Umschlag: Christoph Albrecht
ISBN 3 429 00695 3

VORWORT

Die vorliegende Untersuchung ist die um den dogmatischen Teil gekürzte
und überarbeitete Fassung meiner im SS 1979 vom Fachbereich Katholische
Theologie an der Westfälischen Wilhelms-Universität Münster unter dem
Titel "Versöhnung - Apostolat - Kirche. Eine exegetisch-theologische
und rezeptionsgeschichtliche Studie zu den Versöhnungsaussagen des NT
(2 Kor, Röm, Kol, Eph) - mit Berücksichtigung der Versöhnungstheologie
Karl Barths" angenommenen Dissertation. Sie wurde verfaßt unter der
Leitung von Herrn Prof. Dr. Wilhelm Thüsing. Ihm als meinem verehrten
Lehrer danke ich für fruchtbare Assistentenjahre (1972-1975), für die
ausdauernde Anteilnahme und die kritische, doch immer wohlwollende Förderung meiner Studien.

Danken möchte ich auch dem Zweitgutachter, Herrn Prof. Dr. Peter Hünermann, der mein Interesse an der Verbindung von exegetischen und dogmatischen Fragestellungen unterstützt hat. Zu danken habe ich auch seiner
ehemaligen Assistentin, Frau Dr. Margot Wiegels, für zahlreiche vertiefende Gespräche über theologische und philosophische Probleme. Zu Dank
verpflichtet bin ich dem Fachbereich Katholische Theologie der Universität Münster für die Annahme der Dissertation und die Verleihung des
Doktortitels, dem Rektorat der Universität für die vom Fachbereichsrat
vorgeschlagene Verleihung eines Preises für Dissertationen und den Heraus-
gebern Prof. Dr. R. Schnackenburg und Prof. Dr. J. Schreiner für die Aufnahme der Arbeit in ihre Reihe.

Gerne danke ich Herrn Prof. Dr. Helmut Merklein, der seinem Assistenten
in Wuppertal und Bonn (seit 1978) großzügig die Möglichkeit zu eigener
Forschung und zum Gedankenaustausch gab.

Danken möchte ich auch meinen Freunden, die mich seit meiner Studienzeit
im Seminar der S.A.M. in Leuven (Belgien) begleiten, sowie den Mitdokto-
randen, die meine Untersuchungen durch ihre Kritik anregten. Besonderen
Dank schulde ich Familie Wölfl in Billerbeck/Westf., die mich als "ihren"
Studenten freundschaftlich aufnahm, Herrn Pater Bernhard Dicks OSB (Abtei
Gerleve), der mir seit dem ersten Semester in Münster mit Rat und Tat zur
Seite stand, Herrn Propst Wilhelm Garg und Herrn Franz Berheide, die mir

den Weg zur weiterführenden Schule und zum Studium ebneten, schließlich meinen Eltern und Geschwistern, die unter nicht geringen Opfern meine Schulausbildung und mein Universitätstudium ermöglichten und mich zum Durchhalten ermunterten. Ihnen und meinen Freunden möchte ich diese Arbeit als Zeichen meiner Dankbarkeit widmen.

Wuppertal, im August 1982

Hans-Jürgen Findeis

INHALT

1. EINLEITUNG

1.1 Aspekte des Versöhnungsgedankens

Der Begriff der "Versöhnung" erlebt auf zahlreichen sowohl theologischen als auch nicht-theologischen Gebieten eine Renaissance. Die Neubesinnung auf den Versöhnungsgedanken hat, was die katholische Kirche und Theologie betrifft, die Feier des Heiligen Jahres wesentlich gefördert[1]. Auch die Neuordnung der liturgisch-sakramentalen Bußformen und die Neuumschreibung des Bußsakraments als "Feier der Versöhnung" riefen die Bedeutung des Versöhnungsgeschehens von Gott her durch Jesus Christus und zwischen den Menschen für das Leben des einzelnen Glaubenden und der Kirche als gemeinschaftlicher Ganzheit in Erinnerung[2]. Ebenso belegen die Dokumente des Zweiten Vatikanischen Konzils den Versuch, unter verschiedenen Gesichtspunkten den Versöhnungsgedanken zu thematisieren[3], wobei sich bereits das Anliegen des Heiligen Jahres und

---

1 Am 9.5.1973 gab Papst Paul VI. den Entschluß bekannt, das Heilige Jahr 1975 unter der Leitthematik von Versöhnung und Erneuerung zu begehen (AAS 65,1973,322-325). Vgl. auch die Adhortatio Apostolica "Paterna cum benevolentia" vom 8.12.1974 (AAS 67,1975, 5-23). - Die Ausführungen in der Einleitung verstehen sich als Annäherungen an einen vielschichtigen Kontext heutigen theologischen Redens von Versöhnung und heutiger Exegese der ntl. Versöhnungstexte. Sie sollen keinen vollständigen Abriß der zahlreichen Varianten christlichen und außerchristlichen Versöhnungsverständnisses sondern lediglich einige wichtige und z.T. provokative Aspekte und Beispiele bieten. Eine differenzierte und theologisch vertiefte Auseinandersetzung ist einer späteren Veröffentlichung des erweiterten, hier nicht aufgenommenen Teils der Dissertation vorbehalten, der die rezeptionskritische Untersuchung der Versöhnungstheologie in der Kirchlichen Dogmatik K.Barths beinhaltet.

2 Vgl. u.a.: R.Kaczynski, Bußliturgie; P.Journel, Liturgie; B.Häring, Versöhnung; J.Imbach, Vergib, bes. 88-127; Chr.Duquoc, Versöhnung; H.Schuster, Umkehr; P.M.Zulehner, Umkehr, bes. 93-161; kritisch z.B. A. Mayer, Friede. - Zum eucharistiesakramentalen Versöhnungsaspekt: J.M.Tillard, Brot; über das Herrenmahl als Gedenken der Versöhnung und als Einladung der Welt zur Versöhnung: J.Moltmann, Kirche 272. 282-284.285f; zu Taufe und Versöhnung ebd. 265.267. - Zum Bußakt der Meßfeier als Ausdruck dafür, daß die Eucharistiefeier als ganze Geschehen der Versöhnung mit Gott und den Brüdern ist: H.B.Meyer, Bußakt. - Informationen zum bußgeschichtlichen Hintergrund bieten K.Rahner, Schriften XI; M.Mügge, Reconciliatio, bes. 186-382; A.Ziegenaus, Umkehr.

3 Vgl. SC 5; LG 6.11.28; UR 4.15.24; NA 2.4; GS 22.78; AG 3; PO 5.

der Erneuerung des Bußsakraments andeutet. Es wird beispielsweise aber auch das Versöhnungsmotiv auf das Verhältnis zwischen orientalischen und abendländischen Christen angewandt[4].

Erste (obgleich noch nicht durchgreifende) Auswirkungen dieser Ansätze in der Theologie zeichnen sich ab, wo - teilweise in grundsätzlichen Reflexionen - die theo-logischen, christologisch-soteriologischen, anthropologischen, ekklesiologischen bzw. missionstheologischen und eschatologischen Aspekte zur Sprache kommen oder wo gesellschaftliche, politische und insbesondere pastorale Implikationen des Versöhnungsgedankens entfaltet werden[5]. Es wächst die Einsicht in Kirche und Theologie, daß die Situation dieser Zeit die Christen herausfordert, "ein belebendes Versöhnungspotential einzubringen"[6] und die Gemeinde nicht nur als "Vorhut der Weltversöhnung" theologisch auszulegen, sondern sie gemäß ihrem Selbstverständnis als "Gemeinde der Versöhnten" hinsichtlich ihrer konstitutiven universalen Dynamik zu aktivieren[7].

Bei näherer Beleuchtung des aktuellen Versöhnungsverständnisses ist zu beobachten, daß der Begriff der Versöhnung in der gegenwärtigen theolo-

---

4 Vgl. UR 15.

5 Vgl. z.B. G.Doman-P.Lippert, Versöhnung; P.Schwenninger-F.Schlösser, Versöhnung; K.Forster (Hg.), Vergebung; W.Zauner, Versöhnungstheologie. Im Rahmen der Moraltheologie bzw. theologischen Ethik, wo der Versöhnungsgedanke unter dem Gesichtspunkt des sittlichen Handelns insbesondere im Zusammenhang der Feindesliebe im Sinne der Versöhnungspflicht oder der Verhältnisbestimmung von Versöhnungsbereitschaft und Sühneforderung Beachtung fand (so z.B. F.Tillmann, Verwirklichung 251-259, bes. 256f.259), wird Versöhnung als "Begründungskategorie christlicher Ethik" auf dem Hintergrund entsprechender Thematisierungen durch die evangelische Theologie des 19. Jahrhunderts in neuer und grundsätzlicher Weise gewürdigt und in ihrer Bedeutung "für eine sich ökumenisch vermittelnde Ethik" herausgestellt (Ch.Walter, Kategorie 460-464.473). - Auch Überlegungen zum Strafvollzug und zur Straffälligkeitshilfe können unter die Leitfrage gestellt werden: "Versöhnen durch Strafen?" (W.Molinski (Hg.), Versöhnen). Mit Blick auf das Rechtsverständnis: S.Meurer, Recht.

6 A.Exeler, "Befreiung der Gefangenen" 21. Vgl. den kritischen Verweis D.Bonhoeffers auf die Unfähigkeit der Kirche "Träger des versöhnenden und erlösenden Wortes für die Menschheit und für die Welt zu sein" (ders., Widerstand 206f).

7 H.-W.Gensichen, Glaube 102f (mit Bezug auf 2 Kor 5,18-21).

gischen Sprache keineswegs inhaltlich eindeutig bestimmt ist[8]. Das hat
seinen Grund darin, daß das Versöhnungsgeschehen über den traditionellen Rahmen der Versöhnungstheologie hinaus in Beziehung zu Erfahrungs-
feldern und Tatbeständen gesetzt wird, die die theologische Reflexion
zu neuen Bestimmungen des Versöhnungsbegriffs führen und die Dimension
eines auf die neuzeitliche Situation des Menschseins angewandten Versöhnungsgedankens deutlicher hervortreten lassen. In diese Richtung
weist ebenfalls der außertheologische Sprachgebrauch.

Das sich verbreiternde Bedeutungsspektrum des theologischen Versöhnungsbegriffs kennzeichnet deshalb auch nicht nur die gegenwärtigen soteriologischen Aussagen. Vielmehr spiegeln sich in ihnen Variationen
von Erlösungs- und Versöhnungsvorstellungen wider, die sich in der Entwicklung der christlichen Soteriologie herausgebildet haben[9]. So läßt
sich die Vieldeutigkeit des theologischen Versöhnungsbegriffs theologiegeschichtlich zurückverfolgen, wobei sich einmal epochale oder epo-
chal dominierende Modelle von Erlösungs- und Versöhnungslehren erarbei-
ten lassen, zum anderen aber gerade die neuzeitliche Theologiegeschichte nicht auf ein epochales soteriologisches Modell zurückgeführt werden
kann[10].

---

8 Die fehlende terminologische Präzision zeigte schon M.Kählers Übersicht über den theologischen Sprachgebrauch (ders., Versöhnung 1-38).
  M.Kähler mußte abschließend feststellen: "Es wird sich nach diesen
  Ergebnissen nicht behaupten lassen, daß unsere deutsche Theologie den
  einflußreichen Ausdruck der Versöhnung den Paulinischen Stellen von
  der καταλλαγή entlehnt habe" (ebd. 37). Zur Terminologie s. auch
  O.Weber, Grundlagen 203-218; L.Goppelt, Versöhnung 147-148. Vgl. die
  Untersuchung von G.Sauter, Versöhnung. - Die Vieldeutigkeit des Versöhnungsbegriffs ist in den einleitenden Bemerkungen und bei den genannten Autoren in Rechnung zu stellen.

9 Vgl. neben den dogmengeschichtlichen Standardwerken die Übersichten
  in den theologischen Nachschlagewerken. S. auch trotz der Schematisierung der dogmengeschichtlichen Entwicklung die Darstellung von
  F.Ch.Baur, Versöhnung; vgl. im übrigen auch die historischen Teile
  in H.Mandel, Versöhnungslehre, und O.Bensow, Lehre.

10 Vgl. W.Pannenberg, Christologie 32-43; B.A.Willems, Erlösung 31-56;
   H.Kessler, Erlösung 11-17; G.Greshake, Wandel (zur neuzeitlichen
   Entwicklung bes. 94-99); D.Wiederkehr, Glaube. Daneben auch R.Lachen-
   schmid, Christologie; L.Scheffczyk (Hg.), Erlösung; G.Bitter, Wand-
   lungen; ders., Erlösung, bes. 43-138; O.Knoch, Diskussion; ders.,
   Heilsbedeutung.

3

Die Differenzierung der Soteriologie und die Vieldeutigkeit des heutigen theologischen Versöhnungsbegriffs haben also weit zurückreichende
theologiegeschichtliche Wurzeln. Vor allem aber wirken Fragestellungen,
Begriffsbestimmungen, Deutungsversuche und Konzeptionen, nicht zuletzt
auch Kontroversen der Theologie des 19. Jh. nach[11].

Die kirchlich-orthodoxe Konzeption der Versöhnungslehre nach dem Modell
der Satisfaktionstheorie bot (nach den kritischen Ansätzen bei den So-
zinianern und Arminianern) seit der zweiten Hälfte des 18. Jh., besonders aber seit dem 19. Jh. den Bezugspunkt einer regen philosophisch-
theologischen Auseinandersetzung, die sowohl Korrektur und Ablehnung
traditioneller Auffassungen als auch biblische und systematische Ver-
tiefungen und Weiterentwicklungen zeitigte. Als signifikante Beispiele
aus dem 19. Jh. sind vor allem Werke von G.W.F.Hegel[12], D.F.Strauß[13],

---

11 Vgl. die zusammenfassenden Untersuchungen: G.A.F.Ecklin, Erlösung;
W.Lütgert, Erlösungsgedanke; A.Eröss, Lehre; M.Huber, Jesus Christus;
A.Heuser, Erlösungslehre. Eine apologetisch geprägte Auseinanderset-
zung mit Neuinterpretationen der Satisfaktionslehre bietet K.Staab,
Lehre (bes. 218-281). Staab geht kritisch auf Hermes, Günther und
Schell ein. Das Thema Erlösung ist eng mit der Entwicklung der Chri-
stologie zusammenzusehen, diese erfordert wiederum die Berücksichti-
gung der Leben-Jesu-Forschung einerseits und des Idealismus anderer-
seits. Vgl. dazu S.Faut, Christologie; E.Günther, Entwicklung; R.
Slenczka, Geschichtlichkeit.

12 Insbes. Hegels Religionsphilosophie; vgl. ders., Grundlinien § 360
u.a. - Zur ekklesiologischen Dimension des Hegelschen Versöhnungsbegriffs s. H.Scheit, Geist, bes. 143-227 (bzw. -268); Grundsätzliches
in M.Theunissen, Lehre. Vgl. weiterhin u.a. P.Cornehl, Zukunft, bes.
93-162; W.-D.Marsch, Gegenwart (zur Kirche bes. 264-267); eine Übersicht über die Entwicklung der Christologie Hegels in U.Gerber, Entwürfe 154-177; vgl. ausführlich H.Küng, Menschwerdung. - Auch die
Bedeutung I.Kants für die Neuinterpretation der Versöhnungslehre im
19. Jh. (etwa durch A.Ritschl) müßte neben der Hegels in Betracht
gezogen werden. Wichtig, aber kaum beachtet, ist F.W.J.Schellings
Versöhnungsreflexion (vgl. H.Mandel, Versöhnungslehre 254-270. Mandel bezieht sich auf Schellings "Philosophie der Mythologie"). Im
Rahmen dieser - exegetisch ansetzenden - Arbeit muß jedoch auf Darstellung und Diskussion des Zusammenhangs zwischen den versöhnungstheologischen Konzeptionen des 19. und 20. Jh. mit philosophischen
Reflexionen der Versöhnung verzichtet werden.

13 D.F.Strauß, Glaubenslehre II. - An die philosophische Distanzierung
von der kirchlichen Versöhnungslehre durch D.F.Strauß als Kontrast-
beispiel zum Vermittlungsversuch von F.Ch.Baur erinnert wieder K.G.

F.Ch.Baur[14], A.Ritschl[15] und M.Kähler[16] zu nennen. Nicht vergessen werden dürfen die Anstöße, die von A.Tholuck, aber auch von G.Thomasius,
J.Ch.K. von Hofmann und nicht zuletzt von F.Schleiermacher ausgegangen
sind[17]. Für das 20. Jh. kommt der Kirchlichen Dogmatik K.Barths mit
ihrer breit entfalteten Versöhnungslehre eine große Bedeutung zu[18].
Doch gab und gibt es daneben weitere beachtenswerte Versuche, den tra-

---

Steck, Versöhnung 8-10. Zu der im Hintergrund stehenden Christologie
s. G.Müller, Spekulation 118-122; U.Gerber, Entwürfe 213-222 (bes.
217-220).

14 F.Ch.Baur, Versöhnung. Vgl. dazu F.G.Steck, Versöhnung 10-18.

15 A.Ritschl, Rechtfertigung und Versöhnung I-III. - Ritschl setzt sich
kritisch von F.Ch.Baur ab und wendet sich vom Standpunkt eines no-
etisch-ethischen Subjektivismus gegen den juridisch geprägten Gedanken objektiver Versöhnung (Satisfaktionslehre). Daß sich seine Konzeption von der evangelisch-orthodoxen Verhältnisbestimmung von Versöhnung und Rechtfertigung unterscheidet, zeigt bereits der Titel
seines Werkes an. - Zur Umgestaltung der traditionellen Drei-Ämter-
lehre und der Zweiständelehre (vgl. A.Ritschl, ebd. III 394ff), die
in gewisser Weise K.Barths Zusammenfügung beider Lehren vorbereitet,
s. R.Slenczka, Geschichtlichkeit 250-252; zur ethischen Christologie
und Soteriologie Ritschl im Anschluß an I.Kants "praktischen" Reli-
gionsbegriff s. G.Müller, Spekulation 122-127; auch U.Gerber, Entwürfe 256-268; über den Zusammenhang von Versöhnung, Reich Gottes
und Ethik s. Ch.Walther, Kategorie 462-464.

16 M.Kähler, Versöhnung; ders., Wissenschaft, bes. 316-466. - M.Kähler
hat sich oft den Fragen der Versöhnungslehre gewidmet, wie die Liste
seiner veröffentlichten und unveröffentlichten Schriften aufweist
(vgl., H.-G.Link, Geschichte Jesu 415-420). Zu Entwicklung und Grund-
zügen der Kählerschen Versöhnungslehre s. H.-G.Link, ebd. 297-389.
411-413; Ch.Seiler, Entwicklung, bes. 113ff. 124ff. Beachtenswert
ist Links Urteil (a.a.O. 402) über die sachlichen versöhnungstheologischen Konvergenzen zwischen M.Kähler und K.Barth. - Vgl. U.Gerber,
Entwürfe 268-280.

17 A.Tholuck, Lehre; G.Thomasius, Christi Person (bes. III); ders.,
Versöhnung (gegen J.Ch.K. von Hofmann); J.Ch.K. von Hofmann,
Schriftbeweis (bes. II/1, 186-472); F.Schleiermacher, Glaube (bes.
§§ 100f. 104). - An die versöhnungstheologische Mitte der Glaubenslehre Schleiermachers und die Bedeutung des Geistes der Gemeinde für
die Vermittlung der Versöhnung auf den einzelnen hin hat H.Dembowski
neuerdings wieder hingewiesen (ders., Schleiermacher 132. 137).

18 K.Barth, Kirchliche Dogmatik (= KD) IV/1-4.

ditionellen Versöhnungsgedanken zu vergegenwärtigen[19]. Gegenüber diesen Bemühungen hebt sich die Reflexion des Versöhnungsbegriffs in der
"Gott ist tot"-Theologie (hier z.B. Th.J.J.Altizer) ab, die unter Aufnahme sowohl von dichterischer Vision als auch von apokalyptischen Motiven und in Anleihe an die philosophische Denkweise Hegels zu einer
extrem verfremdenden Zuspitzung der systematisch-theologischen Tradition vorstößt. Der bestimmende radikal-kenotische Standpunkt führt dazu, Fleischwerdung und Kreuzigung (als deren Erfüllung) in Verbindung
mit dem Versöhnungsprozeß neu zu definieren. Bezüglich der Kreuzigung
besagt das abgekürzt: Sie ist nicht das stellvertretende, dem gerechten
und gnädigen Gott dargebrachte Opfer des unschuldigen Gottessohnes für
eine gänzlich schuldige Menschheit, sondern der negative Prozeß, in dem
sich Gott, der souveräne und transzendente Schöpfer, selbst verneint
und vernichtet. Dadurch wird die Transzendenz in Immanenz umgekehrt und
der Versöhnungsprozeß der Selbstverneinung und Selbstvernichtung Gottes
(eben seines Todes) universalisiert bzw. in Geschichte und Erfahrung
verleiblicht. In diesem Prozeß, der noch auf seine Vollendung zuläuft,
steht der heutige Christ, konfrontiert mit einer totalen Finsternis,

---

19 Vor allem im angelsächsischen und skandinavischen, aber auch im nie-
   derländischen Raum ist die dogmatische Versöhnungslehre (ihre geschichtliche Entwicklung, ihre Haupttypen und teilweise auch ihre
   biblisch-theologische Begründung) Gegenstand der theologischen Forschung gewesen: z.B. G.Aulen, Haupttypen; ausführlich ders., Christus Victor; O.Tiililä, Strafleiden. Weiterhin neben anderen: E.
   Brunner, Mittler (bes. 392-496); K.Heim, Haupttypen; ders., Jesus;
   H.Alpers, Versöhnung; D.M.Baillie, Gott; W.-D.Marsch, Gegenwart;
   P.Cornehl, Zukunft, bes. 313-358; R.Budiman, Realisering; H.Wiersin-
   ga, Verzoening; F.Buri, Dogmatik II 303-514; ders., Heilswerk 45-49.
   Vgl. insbesondere auch P.Tillichs Soteriologie der Befreiung aus
   Entfremdung (dazu A.Grün, Erlösung 176.185), für die der von Paulus
   aufgenommene Gedanke des "Neuen Seins" systematisch bestimmend ist
   (P.T., Theologie II 178-194, bes. 182-189; ders., Neue Wirklichkeit
   85-95) und die auf dem Hintergrund des durch G.W.F.Hegel und K.Marx
   ins Bewußtsein gehobenen Entfremdungsbegriffs entwickelt wird
   (ders., Entfremdung). Schließlich ist auf die Dogmatik G.Ebelings
   zu weisen, in deren christologisch-soteriologischem Teil (Bd. 2)
   Versöhnung die Bedeutung eines Leitbegriffs zuerkannt wird. Eine
   vergleichbare zentrale Stellung nahm der Versöhnungsgedanke in dem
   unvollendeten dogmatischen Werk K.Barths ein. - Zur neueren Auseinandersetzung um die Satisfaktionslehre Anselms von Canterbury s.
   noch R.Haubst, Satisfaktionslehre; G.Greshake, Erlösung; W.Kasper,
   Jesus Christus 254-269, bes. 260-263.

in der sich der Tod Gottes geschichtlich aktualisiert und in der der
Christ "den Antichristen oder die Totalität von Gottes Leichnam als
letzte kenotische Gottesoffenbarung zu akzeptieren" hat[19a]. Auch in der
Philosophie ist der Versöhnungsbegriff Gegenstand der Reflexion und
Diskussion geblieben[20]. Eine umfassende systematische Aufarbeitung der
Versöhnungsproblematik in Theologie und Philosophie der Neuzeit steht
noch aus.

19a Th.J.J.Altizer, ...daß Gott tot sei 129-141 (Zitat 140). Kennzeichnend für diese Auffassung sind folgende Aussagen: "Begreifen wir die
Kreuzigung als die ursprüngliche Einsetzung und Verkörperung der
Selbstumkehrung aller transzendenten Lebensmacht, dann können wir
die Versöhnung verstehen als einen universalen Prozeß, der sich ereignet, wo immer es Leben und Kraft gibt, wo immer Entfremdung und
Unterdrückung durch Selbstverneinung ihres letzten Ursprungs aufgehoben sind" (130). - "Indem wir die Kreuzigung als einen die Urhei-
ligkeit Gottes umkehrenden Versöhnungsakt erkennen, dürfen wir uns
diesen nicht als in der Entäußerung des transzendenten Heiligen
vollendet vorstellen, sondern müssen seine Vollendung vielmehr als
die letzte Ausweitung einer entleerten und verneinten Heiligkeit auf
die Totalität der Erfahrung begreifen. Erst wenn eine selbstvernein-
te Heiligkeit in die Fülle der Erfahrung eingegangen ist, wird sich
die Versöhnungsbewegung vollenden" (131). - Die Aufnahme und Interpretation des Antichristmotivs erscheint als ein mythisch-spekulati-
ves Element in der Nachgeschichte von 2 Thess 2,3f.6-12; 1 Joh 2,18.
22f; 4,3 und 2 Joh 7, weniger von vergleichbaren Bildaussagen in
Off, und hat Vorläufer in Philosophen wie F.W.J.Schelling (Philosophie der Offenbarung) und F.Nietzsche (Der Antichrist). Auf die seit
Jean Pauls Traumbild und Hegels Aussagen immer wieder in Philosophie
und Theologie aktualisierte Rede vom Tode Gottes kann hier nicht
näher eingegangen werden (vgl. Literatur zur neueren Diskussion in
H.Küng, Gott 782f Anm. 36), wichtig ist an dieser Stelle für uns nur
die Allianz mit dem Versöhnungsgedanken. Vgl. in diesem Zusammenhang
auch die Neuinterpretation der soteriologischen Stellvertretungster-
minologie durch D.Sölle, Stellvertretung (dazu: D.Wiederkehr, Konfrontationen 100-118). - Zur Rede vom Tode Gottes und dem der Theologie aufgegebenen Sachproblem s. die Erörterung von E.Jüngel, Gott
55-137, in der die Bedeutung Bonhoeffers und Hegels herausgearbeitet
ist.

20 Z.B. H.Barth, Sühne; ders., "Wort"; T.Koch u.a., Dialektik; vgl.
P.Cornehl, Zukunft 352-358, dazu: W.Nierth, Zukunft. - Allgemein ist
hierzu die philosophische Reflexion über den Begriff der Totalität
zu rechnen, in dem die klassische deutsche Philosophie den Versöh-
nungs- und Erlösungsgedanken mitdachte. Vgl. insbesondere die überwiegend gegen den christlichen Erlösungs- bzw. "Versöhnungs"-Glauben
gerichteten Theoriebildungen zur Entfremdungsproblematik (vor allem
in der marxistisch geprägten Philosophie), dazu B.Baczko, Weltanschauung, bes. 106-127; J.Israel, Begriff; J.Möller, "Befreiung". S.

Neben der neuzeitlichen (kritischen) Wiedererinnerung an das Potential des Versöhnungsgedankens in der Theologie und der philosophischen Reflexion fällt auf, daß "Versöhnung" im politischen und gesellschaftlichen Bereich, aber auch auf den Gebieten der interreligiösen Begegnung und der interkulturellen Relationen die Funktion einer Leitidee einzunehmen beginnt, durch die gegenwärtige, mittel- und langfristige Aufgaben und Handlungsziele definiert werden[21]. Die konkrete Bedeutung von "Versöhnung" wird in diesem Zusammenhang nicht selten mit Hilfe von Begriffen wie Friede, Solidarität, Dialog, Begegnung, Verständigung, internationale Zusammenarbeit, Entspannung und anderen expliziert. Das,

---

auch die kritische Auseinandersetzung mit vereinseitigenden Tendenzen im Verständnis der Selbstentfremdung: R.König, Freiheit; zum Begriff und zu seiner Geschichte: E.Ritz, Entfremdung.

21 Dazu einige Beispiele aus der Literatur: W.Vischer, Versöhnung; O.F.Nolde, Versöhnungen; H.W.Schlüter, Diplomatie; D.Schellong, Versöhnung; E.Schering, Leibniz; W.Becker, Schritte; W.Gabriel, Gewalt. Vgl. auch J.v.Musulin, Bruder. - Der Budapester Fundamentaltheologe und Erzabt A.Szennay orientiert sich in seinem theologischen Verständnis von Versöhnung an der Freund und Feind umarmenden Kreuzesgeste Jesu und sieht den Maßstab christlichen Versöhnungshandelns in Jesus selbst, d.h. konkret im Zuerst der Versöhnung mit dem Bruder vor dem Hinzutreten zum Altar (Mt 5,23f). Mit Blick auf die heutige Situation fordert er auf, jeder Akzeptierung und Legitimierung von Krieg, Unterdrückung, Rache, Ausrottung und Durchsetzung des Rechtsstandpunktes entgegenzutreten. "Ein wirklich aus dem Geist christlicher Versöhnung stammendes Bestreben" sollte nicht nur "die Möglichkeit von institutionellen Retorsionen, von Kriegen mit konventionellen oder Atomwaffen auf ein Minimum" reduzieren, sondern sie vielmehr "liquidieren" (ders., Thema 195). Dieser Auffassung entspricht der evangelische Systematiker J.Thompson (Belfast), wenn er die ethisch-praktischen Implikationen der Versöhnungslehre für die nordirische Konfliktsituation im Sinne von "some kind of partnership in Government" konkretisiert (ders., Doctrine 50-52, bes. 52). Angesichts der wirtschaftlichen und sozialen Ungerechtigkeit wie auch der gravierenden politischen Unfreiheit in Südafrika aktualisiert K.Nürnberger, Reconciliation, die christliche Versöhnungsbotschaft in Richtung auf befreiendes Handeln und erweitert das Verständnis der persönlichen Versöhnung durch die Forderung struktureller Versöhnung. Zu erinnern ist schließlich auch an die unter dem Leitgedanken der Versöhnung bzw. Aussöhnung durch die Kirchen der EKD und durch die deutschen Bischöfe seit 1965 angebahnte und unterstützte Verständigung mit den "östlichen Nachbarn". Vgl. dazu u.a. E.Wilkens (Hg.), Vertreibung (Lit.). - Im Kontext der Friedensforschung wird Versöhnung im politischen Bereich verstanden als Friedensstrategie Dritter zu gewaltmindernder oder gewaltverhindernder Konfliktstabilisierung (E.-O. Czempiel, Schwerpunkte 117f).

was durch Versöhnung aufzuheben ist, wird als Entfremdung, Konflikt, Aggression, Krieg, Kampf, Entzweiung oder ähnlich gekennzeichnet.

Einen besonderen, für die Theologie ungewohnten Gesichtspunkt bringen Christen ein, die in einer sozialistischen Gesellschaft leben, wenn sie - in kritischer Wendung gegen die sog. Kirchen der entwickelten kapitalistischen Länder - den biblischen Versöhnungsgedanken mit dem Standpunkt der "Parteilichkeit für Friede und Fortschritt" zu verbinden versuchen[22]. Dieser Sichtweise nicht fern stehen solche Versuche von Theologen, die z.B. in Auseinandersetzung mit der am Gemeinwohl orientierten Beurteilung von gesellschaftlichen Konflikten durch die christliche Soziallehre einerseits und mit der marxistischen Klassenkampftheorie und -praxis anderseits für die "christliche Versöhnungshoffnung" keinen Ausweg aus der historischen Situation des Klassenkampfes sehen und die Ausnahme von den alle erfassenden Klassenbeziehungen nicht zulassen. Gegen eine idealistische und privatistische Behandlungsweise der Versöhnungsfrage im klassenkämpferischen Gesellschaftskontext wird geltend gemacht, daß in der gegebenen Situation eine Entscheidung für oder ge-

---

22 G.Wendelborn, Versöhnung. Vgl. den verwandten Standpunkt von G. Bassarak, Dienst 130: "Versöhnung hat einen anderen Inhalt, wenn die Kirche versucht, dem Ausbeuter oder dem Ausgebeuteten zu predigen... Die Wahrheit der Versöhnung liegt niemals in der Mitte. Das biblische Wort von der Versöhnung ist parteilich." Mit Bezug auf das Wort der Versöhnung fährt Bassarak dann fort: "Es könnte sein, daß das Wort der Kirche unheimlich wird, wenn sie ernsthaft begänne, sich auf seine biblische Bedeutung zu besinnen und einzulassen. Es könnte sein, daß es dann nicht mehr so oft und so rauschend, so wohltuend und angenehm, so köstlich und berauschend, so nach Opium schmeckend erklänge. Aber es könnte sparsamer, sorgfältiger, redlicher, vollmächtiger gebraucht werden." (ebd. 131). Aus der ökonomisch-gesellschaftlichen und parteipolitischen Blickrichtung der marxistischen Ideologie wird jedes Bemühen um eine "Klassenversöhnung" (im Sinne der Konvergenztheorie und des Sozialpartnerschaftsgedankens) abgelehnt und die Position des allseitigen Klassenkampfes unter Führung der Partei bezogen (so G.Judick, Klassenkampf, bes. 293: "Frieden, Fortschritt, Gleichheit sind nicht zu erreichen durch Versöhnung der Ausgebeuteten und ihren Ausbeutern. Sie verlangen den Kampf der Arbeiterklasse und ihrer Vorhut, der marxistischen Partei..."). - Zur Forderung der Parteilichkeit vgl. J.Moltmann, Kirche 373-378 ("Katholizität und Parteinahme"). - S. noch den negativen parteipolitischen Begriff des "Versöhnlertums" im SED-Deutsch der DDR (Duden 6, 2776).

gen eine bestimmte Klasse zu treffen sei, und d.h. der Intention nach:
für eine dem Klassenkampf adäquate geschichtswirksame Praxis der Versöhnungshoffnung im vorgegebenen kapitalistischen Gesellschaftssystem,
was von den christlichen Gemeinden und Gruppen eine neue Definition
der Zielrichtung ihres Engagements abverlange[22a]. Nicht minder provo-
kativ stellt sich die kritische Aufnahme der Versöhnungstheologie durch
die sog. Schwarze Theologie dar, die sich vom Rassenkonflikt als ihrem
spezifischen situativen Kontext her begreift. Nach Ansicht von Vertretern dieser Theologie haben die Weißen die biblische Botschaft der Versöhnung in Mißkredit gebracht, da sie die menschheitliche Gesellschaft
und die christliche Glaubensgemeinschaft aller Menschen zerspalteten,
um ihre rassistische Unterdrückungsherrschaft auszuüben. Damit die Versöhnung Wirklichkeit wird, muß - so die Parole dieser Theologie - der
schwarze Mensch, der Sklave, die Befreiung von den Unterdrückern er-
kämpfen. Versöhnung wird damit zu einer revolutionären Kategorie[23].

22a So z.B. A.Durand, Klassenkampf. Vgl. auch den politischen Bezug in
J.Kern, Versöhnung: Danach bieten die ntl. Versöhnungsaussagen von
1 Kor 7 und Mt 5 "keine Gebrauchsanleitungen für konkrete politische Entscheidungen von heute" (198), sie lassen aber auch keine
pauschale, sondern nur eine bestimmte Versöhnungsforderung zu (199).
Im weiteren wird ein politisches Versöhnungsverständnis diskutiert
mit Bezug auf das Verhältnis von Sozialismus und Christentum und zum
anderen von Sozialismus und Kapitalismus. Vgl. dazu die Überlegungen
G.Girardis zum "gemeinsamen Friedensengagement" von Christen und
Marxisten, deren revolutionäres Ziel definiert wird als "Errichtung
einer neuen Ordnung durch solidarische Aktion der Menschen in welt-
weitem Maßstab", jedoch unter Einschluß der "inneren Konversion"
(ders., Solidarität 36).

23 Vgl. J.H.Cone, Schwarze Theologie 14-16 ("Zweierlei Versöhnung?");
ders., Schwarze Theologie (1971) 155-164. D.M.B.Tutu, Versöhnung 57:
"Damit Versöhnung stattfinden kann, muß es vielleicht zu einer Konfrontation zwischen Schwarz und Weiß kommen. Versöhnung kann nur
zwischen Gleichen stattfinden, und solange der Weiße den Schwarzen
als seinen Unterlegenen ansieht, ist es unwahrscheinlich, daß es zu
einer Versöhnung kommen wird". - Kritisch gegen einen militanten
Versöhnungsbegriff äußert sich J.D.Roberts in seinem Entwurf einer
Black Theology, nach dem die Bemühung um Befreiung und Versöhnung
von der Liebe der Bergpredigt bestimmt sein müsse (ders., Liberation). - Mit Blick auf die Apartheid-Politik, die den konkreten gesellschaftlichen Problemkontext der südafrikanischen Schwarzen
Theologie entscheidend prägt, stellt A.A.Boesak, Relationship, einmal heraus, daß Versöhnung, die im befreienden Handeln Christi
gründet, zu verstehen ist als Abkehr von der Entfremdung des Men-

Weitere Bedeutungsdimensionen gibt der personal ausgelegte Versöhnungsbegriff in anthropologischen, psychologischen und soziologischen Be-
ziehungsfeldern frei. So kann er in Beziehung gebracht werden zu dem
durch Entfremdung und intrapersonalen Konflikt gefährdeten Werdeprozeß
der nach Identität suchenden Person, zu den gestörten interpersonalen
Relationen, den vielschichtigen Phänomenen sozialer (Gruppen-)Konflikte
und den auf sie angewandten Konfliktlösungsmodellen[24].

schen von Gott, vom Mitmenschen und von sich selbst. Zum andern
macht er geltend, daß vor dem Verzeihen der Afrikaner erst notwendigerweise zur Selbstachtung gefunden haben muß. Vgl. auch seine
Auseinandersetzung mit anderen Konzeptionen der Black Theology in
ders., Studie (bes. 152-162) und die Beiträge in EvTh 34 (1974) 1-
95. - Ihren Niederschlag findet diese im Erfahrungs- und Konflikt-
feld des Rassismus neu verstandene Versöhnungsbotschaft auch in der
europäischen Theologie (u.a. J.Moltmann, Kirche 206f), so daß auch
von ihr die Überwindung des Rassismus als Aufgabe des kirchlichen
Versöhnungsdienstes anerkannt wird. Doch es gibt erhebliche Bedenken gegen eine politisch-aktive Verwirklichung der anti-rassistisch
konkretisierten Versöhnungsaufgabe, wie die Kontroverse um das
Anti-Rassismusprogramm des ÖRK deutlich gemacht hat (vgl. dazu Ch.
Meyers-Herwartz, Rezeption).

24 Vgl. z.B. D.Mieth, Art. Friede, in: WChrE 96-98; ders., Art. Konflikt, ebd. 162-164. Hier eröffnet sich einer anthropologischen Konkretion des theologischen Versöhnungsbegriffs das neuzeitliche Problemfeld der Selbstentfremdung, der Entpersönlichung und Funktionalisierung in einer technokratischen Gesellschaft, der Identitätskri-
se und des Identitätsverlusts im Kontext gesellschaftlicher Anomie
(und damit verbunden der Fehlformen der Identitätssuche) bzw. der
nicht gelingenden Ich-Synthese im Lebensprozeß des Individuums, um
nur einige Stichworte zu nennen. Daß dabei die zwischenmenschliche
und gesellschaftliche Realisierung der Versöhnung ebenso wie die
Versöhnung der Völker nicht ohne Einbeziehung des einzelnen Menschen
und seines primären Lebensraumes betrachtet und erstrebt werden können, deutet z.B. W.Heinen an. Seiner Meinung nach ist das Gelingen
der Versöhnung in den familiären Relationen die Grundvoraussetzung
für den Erfolg der allgemeinen zwischenmenschlichen und der noch
weiter ausgreifenden Versöhnung (ders., Fragen 43; Theologie 20-22).
Es liegt auf der Hand, daß bei einer derartigen Thematisierung des
Versöhnungsgedankens psychologische Erkenntnisse zum Tragen kommen
und sich die soziologische Konfliktforschung (vor allem im Zusammenhang der weiterentwickelten Gruppentheorie, der experimentellen Beobachtung von gruppendynamischen Prozessen, schließlich der immer
bedeutsameren Friedensforschung) auszuwirken beginnt. Vgl. u.a. H.J.
Krysmanski,Soziologie (Lit.); P.R.Hofstätter, Gruppendynamik (Lit.)-
Zwar ist bei der Übernahme der vorliegenden Modelle in einen theologischen Reflexions- und kirchlich(-gesellschaftlichen) Handlungszusammenhang auf die im einzelnen divergierenden ideologischen Kom-

Generell läßt sich sagen: das geschichtliche Umfeld der komplexen, technisierten, pluralistischen und dynamischen Gesellschaft mit den unübersehbaren Erscheinungen der Dissoziierung der in ihr lebenden und sie gestaltenden Menschen prägt als situativer Kontext die neuere außertheologische, teilweise aber auch die theologische Thematisierung der Versöhnung entscheidend mit. Das hat zur Folge, daß die theologische (sowohl die biblische als auch vor allem die vorherrschende traditionell-dogmatische) Determinierung des Versöhnungsbegriffs gesprengt wird. Mehrere Bedeutungen von "Versöhnung" differenzieren sich in verschiedenen wissenschaftlichen und sprachlichen Zusammenhängen aus. Ihnen ist jedoch weithin gemeinsam, daß sie das menschliche Selbstsein, die zwischenmenschlichen Relationen oder - noch weiter ausgreifend - das gesellschaftliche Leben von erheblicher Komplexität und Konfliktgeladenheit betreffen, also die "horizontale" (personale, soziale und politische) Dimension der "Versöhnung" im Blick haben.

Das theoretische Bemühen um Aufhellung und Überwindung der in der Neuzeit allenthalben gegenwärtigen Entfremdungs- und Konfliktphänomene und die aktive Ausrichtung auf das (Zukunfts-)Ideal der Versöhnung des Menschen mit sich selbst und mit dem Mitmenschen, der gesellschaftlichen Schichten wie auch der Gesellschaften und Kulturen oder der Menschheit überhaupt bilden den Anstoß zur theologischen Sachfrage, die im Mittelpunkt der folgenden exegetisch-theologischen Studien steht. Nicht minder fordert die Wiederentdeckung der kirchlichen Versöhnungspraxis, die sowohl in den Sakramenten der Buße und der Eucharistie verankert ist als auch Lösungsalternativen zur Überwindung zwischenmenschlicher und gesellschaftlicher wie auch internationaler Konflikte beisteuert, eine Besinnung auf die versöhnungstheologische Mitte und die sich aus ihr ergebenden Konsequenzen für die ekklesiale Diakonie der Versöhnung.

ponenten zu achten, doch bleibt die Sensibilisierung für die aufgeworfenen Fragestellungen und die Lösungsperspektiven grundsätzlich begrüßenswert, zumal die Entwicklung mancher Konflikte gerade auch im innerkirchlichen Bereich vielleicht auf diesem Wege transparent gemacht, mit größerem Verständnis und positivem Ergebnis angegangen und nicht zuletzt entdramatisiert werden können. Zu bedenken wäre, ob und inwieweit auch die Religionspädagogik, als "Versöhnungspädagogik" konzipiert und realisiert, einen Beitrag zur Versöhnungsbereitschaft und -fähigkeit im religiösen und sozialen Sinn zu leisten und auf diese Weise sich auch am Bemühen einer allgemeinen Friedenspädagogik zu beteiligen vermag.

1.2   Zur Thematik

1.2.1 Problemstellung

Die inhaltlich leitende exegetisch-theologische Frage konzentriert sich
auf einen Problembereich der Versöhnungstheologie. Es handelt sich um
das Begründungsverhältnis zwischen Apostolat und Kirche einerseits und
dem Geschehen der Versöhnung andererseits. Mit anderen Worten dienen
die folgenden Untersuchungen einer (an den ntl. Sichtweisen orientierten) exegetisch-theologischen Klärung des Verständnisses von Apostolat
und Kirche. Insbesondere müssen deren (diakonische) Verwirklichungswei-
sen aus der Perspektive der Vorgabe geschehener Versöhnung der Menschen
bzw. der Menschheit (und sogar des Alls) mit Gott erschlossen werden.
Dabei ist zu beachten, daß Apostolat und Kirche in der Vorgabe der geschehenen Versöhnung ursprunghaft gründen und somit in ihrem Sein und
in ihrer Funktion von dieser Vorgabe her bleibend konstituiert sind.

Die Versöhnung mit Gott bestimmt also grundlegend die theologische Perspektive, sie steht aber nicht für sich im Mittelpunkt des Interesses
der Untersuchung. Immer unter der Voraussetzung, daß die Versöhnung
durch Christus mit Gott das fundamentale Ereignis ist, richtet sich das
spezielle Frageinteresse auf das im Versöhnungsgeschehen angelegte apostolatstheologische und ekklesiologische Moment des "Dienstes der Versöhnung" (2 Kor 5,18). Entsprechend der Perspektive, die durch die Vor-
gabe der Versöhnung definiert ist, erscheint die Kirche als die dynamische soziale Gestaltungsform der Versöhnung durch Christus mit Gott in
der durch Kreuzestod und Auferweckung eschatologisch qualifizierten
Zeit. Die Kirche ist deshalb die dynamische soziale Gestaltungsform der
Versöhnung, weil sie (ausgehend vom Versöhnungshandeln Gottes durch den
Kreuzestod Jesu Christi) auf die Integration und Sozialisation der divergierenden und dissoziierten Menschheitsgruppen ausgerichtet ist und
die versöhnten Menschheitsgruppen (wie auch jeden einzelnen versöhnten
Menschen) in die Bewegung der Antwort auf die geschehene Versöhnung
hineinnimmt.

Ausgangspunkt und Grundlage der exegetisch-theologischen Analyse und
Reflexion bilden relevante ntl. Texte, deren versöhnungstheologische
Aussagen das apostolatstheologische und ekklesiologische Moment aufge-

nommen und mit verschiedenen Akzentsetzungen, Situationsbezügen und theologischen Perspektiven ausformulieren. Es handelt sich im einzelnen um die Stellen 2 Kor 5,18-20; Röm 5,10f; Kol 1,20f und Eph 2,16 in ihrem jeweiligen engeren und weiteren gedanklichen Zusammenhang[25].

Die inhaltliche Untersuchung dieser versöhnungstheologischen Aussagen des Paulus und der deuteropaulinischen Autoren wird mit einer rezeptionsgeschichtlichen und rezeptionskritischen Betrachtungsweise verbunden. Dieser methodische Ansatz nimmt neuere literaturwissenschaftliche bzw. linguistische Anstöße auf und versucht, sie für die ntl. Exegese fruchtbar zu machen. Er beschränkt sich jedoch nicht auf die historische Anwendung der Rezeptionsfrage, sondern erweitert den rezeptionsgeschichtlichen und rezeptionskritischen Horizont, indem er die ntl. Texte als Rezeptionsaufgabe und als Rezeptionspotential erkennen läßt und die in ihnen ausgesprochene Versöhnungstheologie als Moment einer umfassenderen Rezeptionsgeschichte des Glaubens zu verstehen lehrt[26].

1.2.2   Der forschungsgeschichtliche Zusammenhang

Das exegetisch-theologische Sachproblem der apostolatstheologischen und ekklesiologischen Implikationen der ntl. Versöhnungsaussagen ist in der hier unternommenen Weise noch nicht zusammenhängend untersucht worden. Die Fragestellung steht aber in enger Verbindung mit der exegetischen Forschung zu 2 Kor 5,18-21, zum pl. Apostolatsverständnis, zu Tradition und Redaktion in Kol 1,15-20 und Eph 2,14-18, zur Ekklesiologie des Eph und zum Terminus "Versöhnung" im Neuen Testament.

1.2.2.1   Die Versöhnungstexte und der Versöhnungsgedanke in der neu-
testamentlich-exegetischen Forschung

Da die ntl. Exegese der Versöhnungstexte in 2 Kor, Röm, Kol und Eph den primären forschungsgeschichtlichen Kontext der folgenden Untersuchungen

---

25 Im Zusammenhang mit der Versöhnungsaussage Röm 5,10f ist Röm 11,15
   zu berücksichtigen. - S.u. 3.2.5.

26 Näheres s.u. 1.3.1-1.3.2.

bildet, sind hier einige Problemzusammenhänge und Fragestellungen anzusprechen, auf die in der Exegese einzugehen sein wird bzw. die in den Einzelanalysen mitzubedenken sind.

1) Die Formulierungen der Versöhnungsaussagen in 2 Kor 5,18f (vgl. V. 21), vor allem aber in Kol 1,20 (im Rahmen von 1,15-20 bzw. 1,12-20) und in Eph 2,16 (im Rahmen von 2,14-18 bzw. 2,11-22) werfen die Frage auf, ob Paulus und die Autoren der Deuteropaulinen auf bereits in feste Formen gebrachtes Traditionsgut zurückgegriffen haben, um es mit Hilfe redaktioneller Überarbeitung der eigenen theologischen Aussage dienstbar zu machen.

Die exegetische Forschung zu Kol 1,15-20 hat wahrscheinlich gemacht, daß der Kol-Autor an dieser Stelle auf einen (gemeindlichen) Hymnus zurückgreift. Umfang, Form und Inhalt, aber auch die Herkunft dieses Hymnus sind wiederholt Gegenstand der exegetischen Diskussion gewesen, ohne daß in den Details ein Konsens erreicht werden konnte[27]. Auch für Eph 2,14-18 scheinen Form und Terminologie dafür zu sprechen, daß der Verfasser von Eph zumindest hymnisches Material in seine Aussagen einbezogen hat. Doch es ist zu fragen, ob nicht Eph eher einen - schon auf Paulus einwirkenden und im weiteren pl. mitgestalteten - Traditionsstrang hellenistisch-judenchristlicher Kreise aufgenommen und im Rahmen seiner theologischen Konzeption auf der Basis von Kol im Sinne einer eigenständig fortgeführten Theologie pl. Prägung mit Blick auf eine geänderte ekklesiale Situation neu formuliert hat[28].

Auf dem Hintergrund der an Kol 1,15-20 und Eph 2,14-18 gewonnenen Erkenntnisse oder Meinungen stellt sich im Blick auf die pl. Versöhnungsaussagen (vor allem 2 Kor 5,18f) die Frage nach der Bezugnahme auf hym-

---

27 Eine ausführliche Forschungsübersicht bietet H.J.Gabathuler, Jesus Christus; in knapper Form auch E.Schweizer, Kol 51, Anm. 105. Vgl. Ch.Burger, Schöpfung 3-53; A.Feuillet, Sagesse 163-273. - Eine Gegenposition vertritt z.B. W.G.Kümmel, Einl 247 (insgesamt 246-248); vgl. B.Rigaux, Paulus 197: "Die hymnische Struktur ist jedenfalls sehr lose".

28 Für einen ursprünglichen Hymnus sprechen sich u.a. Ch.Burger (Schöpfung 117-139) und J.Gnilka (Christus; s. auch ders., Eph 147-152) aus. Vgl. dagegen (mit Ausnahme vielleicht eines hymnischen Fragments in V. 14): H.Merklein, Tradition; ders., Christus 15.88-98. Merklein folgt darin R.Deichgräber, Gotteshymnus 165-167; s. jetzt auch ders., Paulinische Theologie, bes. 52-62.

nische Tradition oder nach der Integration vorgegebener Aussageelemente (z.B. Versöhnung der Welt) in die pl. Formulierung. Vor allem E.Käsemann[29] hat unter Hinweis auf die (seiner Meinung nach sogar auf vorchristliche gnostische Herkunft zurückzuführende) traditionelle Form von Kol 1,15-20 die Verarbeitung von Tradition durch Paulus geltend gemacht. Damit ergibt sich für die Exegese von 2 Kor 5,18f, wo die Form hymnisch geprägt zu sein scheint, die Aufgabe, die vorpl. Aussage formal und inhaltlich zu rekonstruieren und darüber hinaus den Zusammenhang der "ursprünglichen" und der pl. Versöhnungsaussage mit dem soteriologischen Motiv von V. 21a und mit der Dikaiosyne-Aussage von V. 21b zu untersuchen, zumal auch für V. 21 Tradition in Anspruch genommen worden ist[30].

Ober E.Käsemann und die übrige Forschung zu Kol 1,15-20 und Eph 2,14-18 hinausgehend, hat Ch.Burger den Nachweis einer wechselseitigen Beeinflussung von Kol und Eph auf sukzessiven Traditionsstufen zu führen versucht[31]. Wenn auch Burgers Analysen wegen ihrer inneren Konsequenz und ihres fast durchgängigen Rückbezugs auf die wichtigsten Forschungsbeiträge zu den Problemen der beiden genannten Texteinheiten bestechen, bleiben sie doch hypothetisch, was die Textrekonstruktionen und die Oberarbeitungstheorie betrifft. Davon abgesehen läßt Burgers Untersuchung des Traditionsguts in Kol 1,15-20 und Eph 2,14-18 erkennen, welche Bedeutung der rezeptionsgeschichtlichen und -kritischen Frage hinsichtlich der pl. und deuteropl. Versöhnungsaussagen zukommt. Das gilt nicht nur für das Verhältnis der beiden deuteropl. Texte zueinander, sondern erst recht für ihre Beziehung zur pl. Versöhnungstradition, wie

---

29 E.Käsemann, Erwägungen, bes. 49f; dagegen z.B. H.Kasting, Anfänge 141 A. 49. - E.Käsemann (a.a.O. 50-52) weist dem Anfang der Tradition ein innerkosmisches Verständnis der Versöhnung zu. Ober die kosmologische Variante der Versöhnung der Welt mit Gott sei es zur anthropologischen Deutung der Versöhnung gekommen.

30 E.Käsemann, Erwägungen 50. Anders P.Stuhlmacher, Gerechtigkeit 74-77 (gegen E.Käsemann, bes. 77f Anm. 2); zurückhaltend D.Lührmann, Rechtfertigung 444 (insgesamt 444f).

31 Ch.Burger, Schöpfung.

sie in 2 Kor 5 und Röm 5 (und 11) greifbar ist[32].

Der Vergleich der rezeptiven Konkretionen des Versöhnungsgedankens in Kol 1 und Eph 2 einerseits und dann der deuteropl. Auslegung der Versöhnung mit den Versöhnungsaussagen des Paulus wird ergeben, daß von 2 Kor und Röm über Kol zu Eph die Tendenz zur ekklesiologischen Zentrierung der Versöhnungswirklichkeit zunimmt.

2) Da die methodische Frage nach der Rezeption über eine historisch-exegetische Bestandsaufnahme hinaus das Augenmerk auf die im Neuen Testament angelegten Strukturmomente einer Thematisierung dessen, was Versöhnung und Dienst der Versöhnung im Erfahrungs- und Problemhorizont der Neuzeit theologisch bedeuten, richtet, ist ein kritischer exegetischer Einwurf gegen die systematische Ausfaltung des Versöhnungsgedankens zu beachten. E.Käsemann nämlich äußerte unter Verweis auf den ntl. Befund erhebliche Bedenken gegen eine allein am Versöhnungsbegriff ori-

---

32 Ch.Burger geht nur sporadisch auf 2 Kor 5,17-19 und Röm 5,10f ein (s. ders., ebd. 62f. 100f). Die erste Monographie zu Röm 5,1-11 hat U.Wolter vorgelegt (ders., Rechtfertigung). - Über die im folgenden behandelte Rezeptionsproblematik im Rahmen der pl. und deuteropl. Briefliteratur hinaus bliebe die Frage nach der Grundlage des ntl. Versöhnungsgedankens beim Jesus der Geschichte zu stellen (vgl. den - wenn auch auf die Deutung des eigenen Todes durch Jesus eingeschränkten - Ansatz bei F.Büchsel, Theologie 54). Sie hat durch P. Stuhlmacher Aktualität gewonnen, der - ohne auf die pl. und deuteropl. Versöhnungstexte einzugehen - "Jesu Werk als messianische Versöhnung" begreift (ders., Jesus als Versöhner 95). Nach ihm machen die Jünger Ostern die Erfahrung definitiver Versöhnung. Diese Erfahrung ermöglicht es ihnen, unter Einbeziehung des atl. Sühnegedankens den Tod Jesu als "ein die Versöhnung definitiv heraufführendes Werk Gottes" zu verstehen (ebd. 103). Deshalb verkündige bereits das vorpl. Kerygma als "Versöhnungsevangelium" den gekreuzigten Jesus (d.h. "das persongewordene Wort Gottes von der Versöhnung"!) als "Versöhner" (ebd. 104). Daß dieser exegetische Standpunkt dogmatisch beeinflußt ist, braucht nicht eigens hervorgehoben zu werden. Es bleibt das Verdienst P.Stuhlmachers, an die versöhnungstheologische Relevanz der Rückfrage nach Jesus und den Zusammenhang der nachösterlichen Versöhnungstheologie mit dem Wirken Jesu erinnert zu haben. - Vgl. auch die knappe sachliche Anknüpfung beim irdischen Jesus durch H.Merkel, EWNT II (1981) 650.

entierte Soteriologie. Er macht gegen eine dogmatische Überbetonung des
Versöhnungsgedankens geltend, daß die Kategorie der Versöhnung im ntl.
Schrifttum nur vereinzelt und überdies nur bei Paulus und in den deuteropl. Briefen Kol und Eph (zudem in Aufnahme von Tradition) Verwendung
finde[33]. Es könne keine Rede davon sein, daß "Versöhnung" im Kontext
pl. und deuteropl. Theologien den Rang eines soteriologischen Überbe-
griffs erlangt habe. Der Versöhnungsgedanke stelle sich in der exegetischen Betrachtung vielmehr als eine Variation der soteriologischen
Grundthematik des Paulus und der Deuteropaulinen Kol und Eph dar. Nach
E.Käsemann ist es angesichts der geringen Zahl ntl. Versöhnungsaussagen
und der Relativierung des Versöhnungsbegriffs durch andere (z.T. signi-
fikantere und gewichtigere) soteriologische Termini und Anschauungen
vom Standpunkt der Exegese her nicht gerechtfertigt, wenn in der dogmatischen Theologie die gesamte Soteriologie unter das Leitmotiv der Versöhnung gestellt wird. Statt einem ntl. Nebenmotiv in unangemessener
Weise zentrale Bedeutung zu geben, müsse die Dogmatik dem Rechnung tragen, daß der Versöhnungsgedanke allein in der Rechtfertigungslehre eine
Funktion habe.

Wenn auch auf dem Hintergrund der seit dem 19. Jh. festzustellenden
versöhnungstheologischen Konzentration gerade in der evangelischen
Theologie die kritische Stellungnahme[33a] E.Käsemanns ohne Zweifel eine gewisse Berechtigung hat, so sind doch die Voraussetzungen seiner Einwände selbst nicht über jede Kritik erhaben. Einmal ist zu fragen, ob eine
die geringe Zahl von versöhnungsterminologisch formulierten Aussagen
ins Spiel bringende kritische exegetische Argumentation überhaupt sehr
weit tragen kann, zumal die angerufene Rechtfertigungslehre selbst in
ihren entscheidenden Momenten kaum über Paulus (d.h. vorwiegend in Gal
und Röm) hinaus das allein gültige und wirksame soteriologische Modell

---

33 Die skizzierte Kritik findet sich in: E.Käsemann, Erwägungen. -
B.Klappert meint wohl zu Recht, dieser Aufsatz sei "als indirekte
Anfrage auch an die Versöhnungslehre Barths" zu sehen (ders., Pro-
missio 232 Anm. 11). Vgl. kritisch G.Sauter, Versöhnung 42f.

33a Sowohl von systematisch-theologischer als auch von exegetischer
Seite wurde bis in die Gegenwart die zentrale Bedeutung der Versöhnungsbotschaft hervorgehoben (vgl. H.J.Iwand, Versöhnungslehre 214;
G.Sauter, Versöhnung 42; L.Goppelt, Versöhnung 147; s. oben die einleitenden Ausführungen).

geworden ist. Zöge man das ganze Spektrum ntl. Soteriologien heran,
ließe sich leicht zeigen, daß auch E.Käsemann _eine_ - wenn auch sicher
bedeutsame - Konzeption als ausschließliche kritische Norm setzt. Doch
darüber hinaus ist zu überlegen, ob die Einwände E.Käsemanns nicht auch
aus der Verkennung des in den unbestreitbar wenigen, aber komprimierten
ntl. Versöhnungsaussagen angelegten offenen theologischen Entwurfs resultieren. Jedenfalls lassen sowohl die pl. als auch die deuteropl.
Versöhnungstexte gerade in ihren jeweiligen spezifischen Akzentuierungen und Interpretationsmomenten ein theologisches Potential erkennen,
das innerntl. noch nicht ausformuliert worden ist.

Des weiteren sind Bedenken anzumelden gegenüber der Tendenz, unter Verweis auf die Aufnahme von, wie Käsemann meint, vorchristlichen Traditionen, die Verwertung dieser Traditionen vor allem im deuteropl. Kontext zu diskreditieren und damit zugleich die Bedeutung der Versöhnungsaussagen selbst zu mindern. Hier offenbart sich nicht nur ein ge-
spanntes Verhältnis zu den allein von Paulus her beurteilten deuteropl.
Schriften und Theologien, sondern vor allem eine unbegründete Gering-
achtung der interpretativen theologischen Leistung nicht zuletzt auch
der Autoren von Kol und Eph in der Aufarbeitung und Integration von
Deutungsmustern, die durch die Tradition angeboten werden und deren
theologische und gemeindliche Relevanz von ihnen durchschaut und ge-
nutzt wird. Gerade um die differenzierte Würdigung der Aufnahme und
Auswertung von traditionellem Material durch Kol und Eph wird es hier
gehen müssen. Dabei wird im einzelnen zu fragen sein, in welcher Weise
bei der Interpretation und Korrektur des Traditionsguts Impulse der pl.
Versöhnungsaussagen und der pl. Theologie überhaupt wirksam werden. Zudem ist zu überlegen, welches unerschlossene Potential in den ntl. Versöhnungsaussagen enthalten ist, das infolge einer erinnernd-nachdenken-
den Verdeutlichung ihrer wesentlichen Strukturmomente in einer weiter-
denkenden Auslegung auf Entfaltung drängt. Es wird sich dann zeigen,
welche Grenzen einer Systematisierung von den ntl. Aussagen aus gesetzt
sind.

3) Doch bleiben wir noch bei dem von E.Käsemann angesprochenen Problem
der Verhältnisbestimmung von Versöhnung und Rechtfertigung stehen, das
in der Exegese der Versöhnungsaussagen in 2 Kor 5 und Röm 5 akut wird

und (nicht unabhängig von der innerdogmatischen Erörterung) die Interpretation des pl. Versöhnungsgedankens weithin prägt.

Das Verhältnis von Rechtfertigung und Versöhnung wird in der Paulus-Exegese unterschiedlich bestimmt:

- Die Versöhnungsaussage gilt als "Zuspitzung" der Rechtfertigungslehre. Durch die Versöhnung wird die iustificatio impiorum radikalisierend auf die inimici ausgeweitet[34].
- Der argumentative Zusammenhang der Dikaiosyne-Wendung von 2 Kor 5,21b mit V. 18-20 kann auch so beurteilt werden, daß in der Versöhnung die Grundvoraussetzung für die Rechtfertigung geschaffen ist[35].
- Als weitere Möglichkeit bietet sich an, im Rahmen der pl. Theologie Versöhnung als "Sachparallele" zur Rechtfertigung zu begreifen, da sowohl in der Rechtfertigung als auch in der Versöhnung Gott der Handelnde ist, der durch Christus "die rechte Relation" des Menschen zu ihm (Gott) neuschafft[36].

---

34 E.Käsemann, Erwägungen 49; ders., Röm 130.

35 W.Fürst, 2. Korinther 230; entgegengesetzt R.Bultmann, Theologie 285f (Versöhnung als "Folge der δικαιοσύνη" und "Frieden haben" Röm 5,1 als "Sinn der δικαιοσύνη"). - Nach F.Büchsel "schließt die Versöhnung die Offenbarung der Gerechtigkeit Gottes in sich" (ders., Theologie 97). - Vgl. noch die dem Schema "objektiv" - "subjektiv" verpflichtete Auffassung von Ch.F.Schmid, Theologie 536 ("Rechtfertigung nichts anderes als subjektiv gewordene, in das Bewußtsein angeeignete Versöhnung"); vgl. ebd. 521 zu καταλλαγή und ἱλασσήριον

36 W.Thüsing, Rechtfertigung 312; vgl. 314. 319; s. die Differenzierung in ders., Per Christum 106-108. 190-195. - Nach O.Michel bringt "Versöhnung", die bei Paulus immer im Zusammenhang mit "Rechtfertigung" steht, zum Ausdruck, "daß mit der Rechtfertigung auch ein neues Verhältnis zwischen Gott und Mensch gegeben ist". Darin interpretiert "Versöhnung" auch das mit "Frieden" Bezeichnete (ders., Röm 183); ähnlich W.Foerster, in: ThWNT II 414, 15-24. Von der Sinngleichheit geht W.G.Kümmel aus; er benennt aber auch den Unterschied: "Versöhnung" meint insbesondere die wiederhergestellte "personhafte Beziehung des Menschen zu seinem göttlichen Herrn", die in einem vergangenen Handeln Gottes gründet (ders., Theologie 183). Vgl. auch P.Feine, Theologie 234-236; L.Goppelt, Theologie II 465-471, bes. 467-470.

- Katallage und Dikaiosyne können als zwei soteriologische Ausdrücke gewertet werden, "die komplementär sind und sich gegenseitig interpretieren"[37].
- Es wird geltend gemacht, daß Paulus sein Verständnis des Heilsgeschehens (d.h. des Handelns Gottes in Jesus Christus für die Menschen) und des neuen Verhältnisses des Christen zu Gott unter Verwendung verschiedener Begriffe und Vorstellungen ausdrückt. Dementsprechend gilt für die Rechtfertigungslehre des Paulus, daß sie u.a. mit den Aussagen über die Versöhnung, die Erlösung und die Sohnschaft zusammengeschaut werden muß. Innerhalb des soteriologischen Aussagekomplexes des Paulus bildet also die Versöhnungsaussage "einen festen Bestandteil seiner Deutung des Kreuzesgeschehens"[38].
- Eine weitere Deutung des Verhältnisses von Rechtfertigung und Versöhnung zielt auf eine stärkere Differenzierung ab, um die relative Selbständigkeit des Versöhnungsbegriffs zu wahren. Ihr geht es insbesondere um die Einordnung von Rechtfertigung und Versöhnung in das jeweilige "Begriffsfeld" ("Rechtfertigung" im Zusammenhang mit Gesetz und Glaube, "Versöhnung" auf dem Hintergrund von Feindschaft). "Rechtfertigung" besagt demnach: Gottes Heilshandeln wird durch den Glauben (also ohne das Gesetz) wirksam. In der "Versöhnung" beendet Gott durch den Tod seines Sohnes das gestörte Verhältnis zwischen sich und den feindlichen Menschen und stellt von sich aus die Gemeinschaft her. Als übergeordneter Gesichtspunkt, von dem aus "Rechtfertigung" und "Versöhnung" in einem sachgerechten Verhältnis zueinander erscheinen können, wird der Friedensbegriff genommen. Die konkrete textuelle Orientierungsmarke ist Röm 5,1 (vgl. dazu V. 9f)[39].

4) Jedoch nicht nur Röm 5,1 in Verbindung mit V. 9f stellt die Aufgabe, den jeweiligen sachlichen Akzent herauszuarbeiten, der sich bei Paulus mit den soteriologischen Begriffen Frieden, "Rechtfertigung" und Ver-

---

37 E.Dinkler, Verkündigung 178 A. 33; vgl. 176 A. 28 (unter Einschluß von εἰρήνη), G.Bornkamm, Paulus 150.

38 G.Delling, Botschaft 92 (Zitat). 109; insgesamt 85-124.

39 J.Blank, Paulus 287.

söhnung verbindet. Auch für Kol 1,20 ist zu fragen, welche inhaltlichen
Momente eine Abgrenzung von Versöhnung und Friedensstiftung nahelegen,
bzw. wie sie durch den Autor des Kol einander zugeordnet werden. Analoge Überlegungen treffen auch für Eph 2,16 (im Kontext) zu. Zusätzlich
sind Divergenzen und Konvergenzen im Vergleich zwischen Paulus, Kol und
Eph zu bedenken.

5) Ebenfalls wichtig für die Beurteilung bibeltheologischer Systemati-
sierungen ntl. soteriologischer Vorstellungen, Terminologien und Konzeptionen ist die theologische, aber religionsgeschichtlich und traditionsgeschichtlich verschärfte Frage nach der Bedeutung des Sühnemotivs
für die ntl. Versöhnungstheologie bzw. nach dem Vorgang ihrer (späteren) Verbindung und den sich daraus ergebenden Konsequenzen für das
Verständnis der Versöhnung.

Die exegetische Forschung[40] tendiert mehr und mehr zu einer Differen-

---

40 Z.B.: E.Käsemann, Erwägungen 48; G.Delling, Botschaft 91; E.Dinkler,
Verkündigung 176 A. 28; 177 A. 29; 183 A. 147; M.Limbeck, Versöhnung
27; G.Friedrich, Verkündigung 95-100; vgl. schon L.Usteri, Entwicklung 106-109. Siehe auch G.Theißen, Symbolik 287-293 (Rechtferti-
gungssymbolik betont die Vertikale, die Versöhnungssymbolik die Horizontale. Diese Unterscheidung ist jedoch überakzentuiert und ntl.
keineswegs gestützt.). W.Thüsing, Zugangswege 129, wirft die Frage
auf, "wieweit 'Sühne' einfach der Sache nach gleichbedeutend mit
'Nachlassung der Sünden' als 'Versöhnung' ist". R.Budiman ordnet
zwar - vom breiteren Sprachgebrauch her gesehen durchaus richtig -
καταλλαγή dem menschlich-sozialen und ἱλασμός dem kultischen
Bereich zu, geht aber doch von "de principiele gelijkheid von beide
woorden" aus (ders., Realisering 5). K.H.Schelkle, Theologie II 123,
möchte an der Verbindung des pl. Versöhnungsbegriffs mit dem atl.
Sühnebegriff festhalten, und E.Lohmeyer, Kol 43f.66f.69.71, sieht
einen Zusammenhang zwischen den ntl. Versöhnungsaussagen (bes. des
Kol) und der jüdischen Feier des ntl. Versöhnungstages". Gegen die
Preisgabe des Sühnegedankens zugunsten der Versöhnungslehre stellte
sich O.Michel, Röm 154; ebenso in bezug auf die pl. Rechtfertigungs-
und Kreuzestheologie: P.Stuhlmacher, Thesen 512; U.Wilckens, Christologie, bes. 77-80 (78: grundlegende Bedeutung des Sühnegedankens
"im Kontext der paulinischen Soteriologie"). Mit Blick auf die pl.
Versöhnungsaussagen urteilt O.Hofius, Erwägungen 180: "Zwischen Sühne und Versöhnung kann nicht so unterschieden werden, daß man eine
der beiden Größen zum sekundären Interpretament der jeweils anderen
erklärt. Weder hat die Sühneaussage lediglich dienende Funktion im
Rahmen einer völlig unkultisch gedachten Versöhnungsanschauung, noch
dient umgekehrt die Versöhnungsaussage bloß der Erläuterung des Sühnegedankens. Versöhnung und Sühne sind im Gegenteil die zwei zusam-
mengehörigen Seiten ein und derselben Sache - der Sache des Kreuzesgeschehens". Generell betont M.Hengel, Sühnetod 9, die "zentrale

zierung zwischen "Versöhnung" und "Sühnung", während sich in der dogmatischen Soteriologie aufgrund der traditionell vorherrschenden Satisfaktionstheorie beide Begriffe derart vermischen, daß selbst dort, wo
von "Versöhnung" die Rede ist, regelmäßig "Sühne" bzw. stellvertretend
sühnende Genugtuung gemeint ist. Das hat zur Konsequenz, daß "Versöhnung" weithin von dem durch Sünde schuldig gewordenen Menschen her,
wenn auch christologisch vermittelt, definiert wird: Der Mensch, für
den Jesus Christus, der Gottmensch, stellvertretend eintritt, ist der
Versöhnende, Gott der Versöhnte. Diese seit Anselm von Canterbury in
der westlichen Theologie wirksame und vergröberte Vorstellung steht jedoch im Gegensatz zu den ntl. Versöhnungsaussagen[41].

Glaubensaussage der Urkirche" vom stellvertretenden Sühnetod Jesu
dürfe nicht wegen des heutigen Verständnisproblems eingeschränkt
werden, sondern sie sei philologisch und historisch "in ihrer Entstehung zu erhellen und ... von ihren antiken Denkvoraussetzungen
her zu begreifen". - Auf die umfangreiche exegetische Diskussion
über den atl.-jüdischen Hintergrund (vgl. K.Koch, Sühne; S.Lyonnet-
L.Sabourin, Sin; H.Thyen, Studien, bes. 16-30; H.Gese, Sühne; K.
Grayston, ΙΛΑΣΚΕΣΘΑΙ) und die ntl. Genese des auf Jesus bezogenen
Sühnetodgedankens kann an dieser Stelle nicht näher eingegangen werden (vgl. z.B. E.Lohse, Märtyrer; J.Gnilka, Martyriumsparänese; M.
Hengel, Sühnetod; R.Schürmann, Jesu Todesverständnis). Es sei hier
lediglich die Zuspitzung der traditionsgeschichtlichen Frage auf das
historische und theologische Problem des Todesverständnisses Jesu im
Zusammenhang seines Wirkes für die Basileia Gottes vermerkt. Zum Verlauf der exegetischen Diskussion über die ntl. Soteriologien vgl. K.
Kertelge (Hg.), Jesu Tod; M.-L.Gubler, Deutungen; jetzt auch die
Übersicht von G.Friedrich, Verkündigung 9-46. - Angesichts der historisch-exegetischen Unsicherheit, bei Jesu Verständnis des eigenen
Todes die soteriologische Deutung im Sinne des Sühnetodes festzuma-
chen, versucht der Dogmatiker W.Kasper den Ansatz einer im Heilsbe-
griff der eschatologischen Gottesherrschaft selbst angelegten "verborgenen Soteriologie Jesu" (Jesus Christus 141; ähnlich K.Rahner,
Grundkurs 251.276-279).

41 S. schon F.Ch.Baur, Paulus II 165f. Vgl. z.B. auch H.Weinel, Theologie 231; G.Fitzer, Ort; W.G.Kümmel, Theologie 183. E.Lohse, Grundriß
82. - Nach R.Bultmann ist die Theorie von der Genugtuung durch Sühne
nicht anderes als eine zu eliminierende "primitive Mythologie"
(ders., Neues Testament 20); ähnlich F.Gogarten, Verkündigung 449-
451. Beider Urteil entspricht dem Ansatz der entmythologisierenden
existentialen Interpretation. Vgl. zur Verbindung von (substraktions-
methodisch vorgehender) Entmythologisierung und Existenzphilosophie
in der existentialen Interpretation des Kerygmas mit der ausdrücklichen Zielbestimmung, im Kontext neuzeitlicher säkularer Weltanschauung die "Aufgabe der Predigt als eine persönliche Botschaft zu ver-

6) Ein weiteres theologisches Einzelproblem, das vor allem von Kol und Eph her exegetischerseits erörtert wird[42], nicht weniger aber auch (nicht zuletzt unter Berufung auf die kosmische Christologie und Soteriologie von Kol 1,15-20) zum Gegenstand systematischer (ökumenischer) Diskussion geworden ist[43], läßt sich mit dem Stichwort der All-

---

deutlichen", beispielsweise die Darstellung in R.Bultmann, Jesus Christus (Zitat: 38). Die umfangreiche und z.T. heftig geführte Auseinandersetzung über Bultmanns hermeneutischen und theologischen Ansatz, an der sich auch katholische Neutestamentler wie A.Vögtle (Entmythologisierung), R.Schnackenburg (Formgeschichte), K.H.Schelkle, (Entmythologisierung) und Systematiker wie H.Fries (Entmythologisierung) neben anderen beteiligt haben und in der die fundamentaltheologischen und pastoralen Implikationen der Verantwortbarkeit und Verkündbarkeit des christlichen Kerygmas, nicht zuletzt der Ermöglichung des Glaubensvollzuges gerade mit Blick auf ein bestimmtes (deshalb auch überholbares) philosophisches Welt- und Menschenverständnis des heutigen Hörers kaum genügend bedacht worden sind, wird bezüglich des hermeneutischen und theologischen Grundproblems aufgrund der Erkenntnis, "daß die neutestamentliche Theologie mehr sein muß als eine historische Bestandsaufnahme des urchristlichen Glaubens und theologischen Denkens" (R.Schnackenburg, Ntl. Theologie 32) fortzusetzen sein, zumal sich nach Bultmann auch in der aktuellen Versöhnungsthematik entmythologisierende Auswirkungen, teilweise in der Form oppositioneller Weiterführung, abzeichnen (s. die Fragen in K.Rahner, Mittler 224f). Im übrigen steht für die weitere Überprüfung der Entmythologisierungstheorie R.Bultmanns die Aufgabe an, den zugrundeliegenden Begriff von Mythos und Mythologie hinsichtlich seines forschungs- und geistesgeschichtlichen Hintergrundes (vgl. R. Marlé, Bultmann 45-48; M.Wiles, Mythos) und unter Einbeziehung des Mythosbegriffs in der neueren Religionswissenschaft (z.B. M.Eliade), Kulturanthropologie, Religionsphilosophie und insbesondere der Analyse religiöser Symbolsprache (vgl. zum letzteren z.B. I.Hermann, Begegnung 25-50) kritisch zu beleuchten und zu modifizieren (vgl. R.Marlé, a.a.O. 68-79; P.Stuhlmacher, Verstehen 190-192), wobei etwa im Blick auf neuere theologische Versuche auch nach der Bedeutung des Mythos im Rahmen einer "narrativen Theologie" zu fragen wäre. Daß sogar mit Heidegger über Bultmann hinauszugehen ist, betont zu Recht U.Mann, der von Heidegger kommend die Forderung aufstellt, es gelte "das biblische Kerygma in den Mythos von heute zu übersetzen" (ders., Religionsphilosophie 117)! - Auf die Problematik der an sich theozentrisch strukturierten Anselmschen Satisfaktionstheorie, die sich mit der Angstvorstellung eines unversöhnten und Versöhnung fordernden Gottes verbindet, weist W.Dantine (Versöhnung 32-35) hin; zu relevanten Aspekten vgl. aber G.Greshake, Erlösung 342ff. - H.G. Pöhlmann, Abriß 216, sieht positiv die Lösung des Satisfaktionsproblems im Verständnis Gottes als "versöhnten Versöhner", der will, "daß auch wir versöhnte Versöhner sind" (im Original kursiv).

versöhnung bezeichnen. Der Sache nach geht es um die Hinordnung der Schöpfung - als Schöpfung - auf die sie in ihrem ursprünglichen Sein erneuernden und vollendenden Versöhnung bzw. um die eschatologische Perspektive der Einholung der gesamten Schöpfung in die Versöhnung[44]. Anhand von Aussagen in Kol und Eph, von denen her auch die Theologien einer kosmischen Versöhnung (gegründet auf einer kosmischen Christologie) ihre Legitimation zu belegen suchen, ist die Konzeption einer Allversöhnung, die eine alte theologiegeschichtliche Tradition[45] für sich in Anspruch nehmen kann, kritisch zu überprüfen[46].

---

42 R.Schnackenburg, Ntl. Theologie 89: "Die kosmische Bedeutung der Rettungstat Christi leuchtet besonders unter dem Gedanken der Versöhnung auf, der freilich im Hinblick auf eine Aussöhnung der 'Gewalten und Mächte' (vgl. Kol 1,20) mit Gott und eine schließliche 'Allversöhnung' noch ein schwieriges Problem enthält."

43 Eine Darstellung der Auseinandersetzung über die kosmische Christologie in der evangelischen Ökumene bietet Th.Ahrens, Diskussion; vgl. D.v.Allmen, Réconciliation.

44 Zum Problem vgl. W.Michaelis, Versöhnung, und H.Schumacher, Zeugnis. - Zu einer den Kosmos einschließenden eschatologischen Sicht der Versöhnung s. das allgemeine Urteil R.Schnackenburgs: "Vom Neuen Testament her muß man den Nachdruck auf die kosmische Heilsvollendung legen, nicht auf die 'individuelle' Eschatologie, die allzulange beherrschend im Mittelpunkt stand" (ders., Ntl. Theologie 145; s. jedoch die Abgrenzung gegen "eine letzte, kein Geschöpf ausnehmende Versöhnung des Alls", ebd. 146).

45 Vgl. die Recapitulatio mundi-Theorie des Irenäus und Origenes'Lehre von der ἀποκατάστασις πάντων in Verbindung mit der Vorstellung eines zyklischen, schließlich sich in dem neuen Himmel und der neuen Erde vollendenden Weltprozesses ...; F.Mußner-J.Loosen, in: LThK I (²1957)508ff;H.Crouzel,in:SMI 231-234; W.Breuning, Apokatastasis. - Zum ntl. Apokatastasisbegriff vgl. Apg 3,21; zum angesprochenen Gedanken vgl. Eph 1,10. Eine biblische Legitimierung versucht W.Michaelis, Versöhnung.

46 Vgl. W.Beinert, Christus (jedoch exegetisch nicht immer befriedigend).

7) Neben den bislang angesprochenen Fragen, die sich auf die zu behan-
delnden Texte beziehen, ohne daß sie jedoch in das Zentrum der folgenden Exegesen rücken, soll der forschungsgeschichtliche Zusammenhang
dieser Arbeit hinsichtlich ihrer Problemstellung noch ein wenig auf dem
Hintergrund einiger neuerer Untersuchungen verdeutlicht werden. Es handelt sich dabei um den apostolatstheologischen Aspekt der Versöhnungsaussage 2 Kor 5,18-20 (bzw. -6,2), das ekklesiologische Moment im Rahmen von Kol 1,15-20 (bzw. -23) und um die ekklesiologische Zuspitzung
des Versöhnungsgedankens in Eph 2,14-18 (bzw. 2,11-22).

Die apostolatstheologische Implikation der pl. Versöhnungsaussage 2 Kor
5,18-21 wird z.B. von J.Roloff[47] in einen gemeindlichen Kontext gestellt. Zugleich deckt er mit Blick auf V. 20 die dort angesprochene
enge Beziehung zwischen dem apostolischen Dienst am "Wort der Versöhnung" und dem Wirken Christi auf: im Wort des Apostels "spricht der erhöhte Herr zur Gemeinde", und zwar in einer nicht mehr hinterfragbaren
Weise[48]. Paulus versteht nach J.Roloff seinen Dienst im Sinne der
"Christus-Repräsentation". Im versöhnungstheologischen Kontext besagt
das näherhin: der Apostel (als offizieller Gesandter in der Autorität
des "Stellvertreters Christi"[49]) ruft das Wort von der Versöhnungstat
Gottes aus, vergegenwärtigt es und verlängert es "auf die Kirche hin".
Weil in dem Wort des Apostels Christus selbst durch den Apostel die
Kirche anspricht, "findet die Kirche im Apostel und seinem Dienst Chri-
stus selbst"[50]. So richtig die christologische Dimension des Apostolats

---

47 J.Roloff, Apostolat, bes. 122f.

48 Ebd. 96; vgl. 103. 122. 136.

49 J.Roloff, Apostolat 123. 272f. Zum forschungsgeschichtlichen Hintergrund s. ebd. 10-15. 18-20. 31-37.

50 Ebd. 123.

erkannt ist, um so bedenklicher erscheint ihre Auslegung mit Hilfe von
Vorstellungen, die bereits dogmatisch besetzt sind. Es bleibt zu fragen,
ob die Kategorien "Christus-Repräsentation"[51] und "Stellvertreter Christi" dem in 2 Kor 5,20 ausgedrückten Apostolatsverständnis zuträglich
sind und den Apostolat des Paulus nicht eher in ein vorgegebenes Amts-
verständnis einpassen.

Im Unterschied zu J.Roloff sieht E.Güttgemanns in 2 Kor 5,18-21 keine
Beschränkung oder Konzentration des "Dienstes der Versöhnung" auf die
Gemeinde[52]. Vielmehr wird der Menschheit (vgl. V. 19a) und der Gemeinde
die Versöhnung "von Gott durch die Diakonie der Apostel ausgeteilt"[53].
Güttgemanns generalisiert nicht nur den Adressatenkreis des Versöhnungsdienstes, sondern den Apostolat selbst. V. 20 wird nicht nur als
Aussage über das Wirken des Paulus verstanden, sondern als Bestimmung
des Apostolats nach Art des Paulus. Richtig ist ohne Zweifel die Hervorhebung der theo-logischen Dimension des Apostolats, die mit der
christologischen zusammengesehen werden muß. E.Güttgemanns spricht einen bedeutsamen Aspekt an, wenn er unter Einbeziehung des situativen
Kontextes feststellt, Paulus liege daran, der Gemeinde klarzumachen,
daß es keine Versöhnung mit Gott gibt ohne das vom Apostel verkündete
"Wort der Versöhnung". Doch ist gerade die Konkretion des Versöhnungsgeschehens in der gespannten Situation des 2 Kor von besonderem Interesse; diese aber bietet der Kontext der apostolatstheologischen Argumentation in 2 Kor 2,14 - 7,4, die in charakteristisch pl. Weise auf
die Bekräftigung der angezweifelten Legitimation und Befähigung hinzielt.

Die Problemstellung dieser Untersuchungen trifft E.Güttgemanns in besonderer Weise, wenn er in der Deutung der pl. Aussage darauf abhebt,

---

51 Vgl. die systematische Ausweitung des Gedankens der Christusreprä-
   sentation über den historischen Apostolat hinaus auf den bleibenden
   Apostolat bis zur Parusie, wie sie sich z.B. bei H.Riesenfeld findet
   (dazu die Darstellung von J.Roloff, ebd. 33f).

52 E.Güttgemanns, Apostel 313.

53 Ebd.

daß dem Apostolat "in der Ausrichtung der Versöhnung" eine wesentliche Bedeutung zukommt, und diese dann vor allem darin sieht, daß durch den Apostolat "die Universalität der Versöhnung gewahrt bleibt"[54]. Doch weist diese zugleich apostolatstheologische und versöhnungstheologische Feststellung bereits über den unmittelbaren Aussagezusammenhang von 2 Kor 5,18-21 hinaus auf eine systematische textübergreifende Reflexion. Das gilt noch mehr für die Ausführungen, in denen zu Recht der innere Zusammenhang zwischen der "Versöhnung durch den Tod Jesu" und dem "Dienst der Versöhnung" des Apostolats herausgearbeitet wird, jedoch zur Explikation die Kategorie der Zeit herangezogen wird[55]. Damit berührt E.Güttgemanns nicht mehr allein ein exegetisches Problem, wie es sich im historischen Text des Paulusbriefes darstellt. Er nimmt vielmehr schon eine grundsätzliche systematische Frage auf, nämlich die Frage nach der Zeitdimension der Versöhnung, die aus ntl. Sicht unlösbar mit dem geschichtlichen Ereignis des Todes Jesu verbunden ist.

Bezugnehmend auf 2 Kor 5,20 charakterisiert J.Blank[56] die Funktion des Paulus als die eines eschatologischen "Versöhnungs- und Friedensboten", der die vollzogene "Weltversöhnung" ansagt und um die Akzeptierung der Versöhnung mit Gott zuredend bittet. Durch das "Wort der Versöhnung", das der Apostel verkündet, wird "Teilhabe an der Versöhnung und das Eingehen auf das Versöhnungsangebot" ermöglicht[57]. Versöhnung[58] ist deshalb "das entscheidende Motiv der apostolischen Bekehrungspredigt"[59]. In diesem Punkte zeigte sich also eine Konvergenz mit E.Güttgemanns. Beide verallgemeinern 2 Kor 5,20[60] im Unterschied zu J.Roloff. Hin-

---

54 Ebd. 314.

55 Ebd. 316. 317-322.

56 J.Blank, Paulus 325.

57 Ebd. 286.

58 Im Sinne der Beseitigung der "Gottesfeindschaft" durch den Tod Christi und der Neubegründung der Relation zwischen Gott und Menschen ebd. 287.

59 Ebd. 287.

60 Während J.Blank und E.Güttgemanns die missionarische Dimension des "Wortes der Versöhnung" hervorheben, bringt J.Roloff das Wort in Beziehung zur Gemeinde als seinem Adressaten.

sichtlich Röm 5,10f bemerkt J.Blank das Fehlen der vermittelnden "Zuwendung" der Versöhnungstat in Dienst und Wort[61], wenn er auch eine entsprechende Ergänzung für möglich hält. Es wird aber von ihm nicht erkenntlich gemacht, daß der Röm selbst in seinen apostolatstheologisch-missionsbezogenen Aussagen (bzw. Anliegen) den Weg dazu ebnet, obgleich in Röm nicht explizit vom Dienst der Versöhnung gesprochen wird[62].

H.Kasting[63], der in Kol 1,15-20 (im Kontext) und in Eph 2,14-18 und nicht zuletzt in 2 Kor 5,18-20 Grundgedanken einer ntl. begründeten Missionstheologie ausgesagt sieht, findet in 2 Kor 5,18-20 dieselbe Gedankenstruktur wie in Eph 2,14-18. Diese besteht einmal in der Zentrierung auf die Soteriologie unter dem Leitbegriff der Versöhnung (in Kol und Eph verbunden mit dem des Friedens) und zum anderen in der Ausfaltung der vorausgesetzten geschehenen Versöhnung mittels der das Heilsgeschehen der Versöhnung fortsetzenden Verkündigung. Wie nach Kol die Allversöhnung und der kosmische Friede noch durch die Kirche, d.h. durch ihre Mission, geschichtlich durchgesetzt werden muß, und wie nach Eph die Botschaft der Friedensstiftung im Kreuz durch die Mission zu den "Fernen" kommt, so erfolgt nach 2 Kor 5,18-20 die Proklamation der Versöhnung der Welt durch das Wort der Versöhnung. Der Aufruf, die objektive Versöhnung an sich geschehen zu lassen und sich der Gotteskindschaft zuzuwenden, hat seinen Ort in der missionarischen Verkündigung des Paulus. - Durch die Verbindung und den Strukturvergleich der Versöhnungsaussagen 2 Kor 5,18-20, Kol 1,15-20 und Eph 2,14-18 berühren die Ausführungen H.Kastings das Anliegen dieser Arbeit, jedoch bleibt der hier leitende Gesichtspunkt der Rezeption innerhalb einer von Paulus ausgehenden Deutungsgeschichte in Kastings Analyse der deuteropl. Aussagen unbeachtet. Eine mit H.Kasting gemeinsame Komponente haben die folgenden Exegesen von 2 Kor 5,18-20, Kol 1,15-20 und Eph 2,14-18 darin, daß auch in ihnen nach der "Gedankenstruktur" gefragt wird. Im ein-

---

61 J.Blank, Paulus 280-287 (hier 286).

62 Vgl. aber z.B. Röm 15,15-21. Dazu: D.Zeller, Juden 67-69; vgl. H. Schlier, "Liturgie". - D.Zeller stellt zu Recht Röm in den Zusammenhang mit dem missionarischen Engagement des Paulus: "Die Missionsaufgabe des Apostels verbindet Thematik und Anlaß, ausgerechnet an die Römer zu schreiben" (ders., Juden 74).

zelnen ist aber zu prüfen, ob die von H.Kasting empfundene Spannung
zwischen der (in allen Texten festgehaltenen) realisierten Versöhnung
und der geschichtlichen Durchsetzung der Versöhnung durch die missionarische Verkündigung tatsächlich besteht, bzw. wie diese Spannung einer "paradoxen Gedankenstruktur" jeweils gelöst wird[64].

Schließlich sei noch auf die Ausführungen zu den apostolatstheologischen Implikationen von 2 Kor 5,18ff eingegangen, die sich in den Studien zur pl. Ekklesiologie von J.Hainz finden[65]. Er folgt weitgehend
der Exegese von J.Blank, ergänzt sie aber vor allem unter Rückgriff auf
G.Bornkamm. Treffend versteht J.Hainz 2 Kor 5,18ff als "eine positive
Darlegung des paulinischen Apostolatsverständnisses im Rahmen einer
kurzen Zusammenfassung seiner Soteriologie"[66]. Er weist auf die ursprungshafte Verankerung des Apostolats als Dienst und des Wortes der
Versöhnung in dem von Gott ausgehenden Versöhnungsgeschehen hin und definiert die spezifische Funktion der Apostel (in Anlehnung an J.Blank)
als Vermittlung, durch die die Versöhnungstat Gottes im "Wort der Versöhnung" der Menschheit zugewendet wird[67]. Mit Bezug auf G.Bornkamm betont J.Hainz (jedoch stärker als Bornkamm) das Repräsentationsmotiv im
pl. Apostolatsverständnis und folgt damit J.Blank[68]. Damit ergeben sich
dieselben Anfragen an den Text, wie sie schon mehrmals in den Blick ka-
men. Sie betreffen vor allem den Adressatenkreis von 2 Kor 5,20 (unter
Berücksichtigung des Kontextes und der Funktion des Briefes), die Bedeutung des Repräsentationsmotivs für die pl. Apostolatstheologie (auf

---

63 H.Kasting, Anfänge 138-144.

64 H.Kasting, ebd. 142.

65 J.Hainz, Ekklesia 272-279. 285. 298f; vgl. ders., Amt 111f (ebd. 111
   zu 2 Kor 5,18-20: "die wohl tiefste Begründung des apostolischen Amtes - ja jedes späteren Amtes in der Kirche". Mit Verweis auf H.v.
   Campenhausen, Kirchliches Amt 34; ders., Apostelbegriff 97).

66 J.Hainz, Ekklesia 273.

67 J.Hainz, ebd. 274; ders., Amt 111 ("das Apostelamt als das Medium
   der Vermittlung jener Versöhnungstat des für uns gekreuzigten Christus").

68 J.Hainz, ebd. 275-279. Vgl. o. zu J.Blank; s. auch G.Bornkamm:
   ThWNT VI 682.

der Basis der ausgewählten Texteinheit) und vor allem die Auslegung des Zusammenhangs zwischen der geschehenen Versöhnung, dem durch den "Dienst der Versöhnung" einladend zugesprochenen "Wort der Versöhnung" und seiner Annahme. Obschon Röm 5,10f (wie auch 11,15) auffälligerweise relativ selten einbezogen wird[69], verdient gerade diese Versöhnungsaussage besondere Berücksichtigung.

8) Aus dem Forschungsüberblick ergeben sich für die Exegese der pl. Versöhnungsaussagen (2 Kor 5,18-20 bzw. 21; Röm 5,10f) folgende Gesichtspunkte:

Unter Berücksichtigung des möglichen traditionsgeschichtlichen Hintergrunds gilt das Interesse den von Paulus gesetzten (redaktionellen) Akzenten. Von besonderer Wichtigkeit sind dabei die Fragen nach dem (traditionsgeschichtlichen und sachlichen) Verhältnis der Versöhnungsaussage einerseits und der "Rechtfertigungs"-aussage und dem Sühnemotiv andererseits (2 Kor 5,18b.19ab.20b und 21; Röm 5,10f und 9) und nach dem Verhältnis von kosmologischer und anthropologischer Interpretation des Versöhnungsgeschehens (2 Kor 5,19a und V. 18b.19b.20b.21; Röm 5, 10f). Dem theologischen Sachinteresse der folgenden Untersuchung entsprechend werden die Exegesen der pl. Versöhnungstexte vor allem den Zusammenhang zwischen dem "Dienst der Versöhnung" und der Versöhnung durch Christus mit Gott herausarbeiten. Hinsichtlich des "Dienstes der Versöhnung" stellt sich aus der bisherigen Forschung die Frage ein, ob in der pl. Aussage ein ekklesialer oder ein apostolischer "Dienst" gemeint und ob die Gabe des "Wortes der Versöhnung" der Gemeinde/Kirche oder nur dem Apostel (d.h. Paulus, eventuell zusammen mit seinen Mitarbeitern) zugeteilt ist. Dabei muß geprüft werden, ob traditionsgeschichtlich der Dienstgedanke schon in der Paulus eventuell vorgegebenen Versöhnungsaussage mit dem Versöhnungsgeschehen verbunden war oder ob diese Zusammenschau originär pl. ist. Darüber hinaus gilt es den Adressatenkreis und den Charakter des "Wortes der Versöhnung" vom Text her näher zu bestimmen, da in der Forschung einmal dieses Wort als ein missionarisches, ein andermal als ein gemeindebezogen-paränetisches verstanden wird.

---

69 S. aber z.B. W.Thüsing, Per Christum 190-200 und J.Blank, Paulus 285-287.

Da in den exegetischen Analysen von 2 Kor 5,18-21 und Röm 5,9-11 in der
Regel der Einzeltext im Vordergrund steht, bietet sich im folgenden die
Möglichkeit, die beiden Texte vergleichend einander zuzuordnen, um auf
diesem Wege sowohl die Schwerpunkte der einzelnen Aussagen voneinander
abzuheben als auch Konvergenzpunkte und sachliche Ergänzungen herauszuarbeiten. Auf der Basis der anhand von 2 Kor und Röm gewonnenen Struktur der pl. Versöhnungsaussage läßt sich unter Einbeziehung von Kol und
Eph ein Vergleich zwischen Paulus und den Deuteropaulinen durchführen,
der Gemeinsamkeiten und Divergenzen zwischen den Versöhnungsaussagen
der einzelnen ntl. Autoren und eine theologische Tendenz in der Konkretisierung des Versöhnungsgedankens durch Paulus und die Deuteropaulinen
erkennen läßt.

9) Aufgrund der angesprochenen Forschung zu Kol 1,15-20 und Eph 2,14-20
sind in der exegetischen Untersuchung der deuteropl. Versöhnungsaussagen folgende Fragen zu beachten:

In den Deuteropaulinen Kol und Eph ist einmal zu überprüfen, auf welcher Textebene die Einbeziehung der Ekklesiologie in die Versöhnungszusage vollzogen wird. Zum anderen ist für die Exegese der hier inter-
essierenden synchronen Textebene von Kol 1,15-20 und Eph 2,14-18 der
Gesamtkontext zu berücksichtigen. Schließlich wird vor allem im Blick
auf Eph nach der Funktion der Ekklesiologie und nach deren Begründungszusammenhang mit Christologie und Soteriologie zu fragen sein. Bedeutsam wird sowohl für Kol als auch für Eph sein, daß die jeweilige Verbundenheit von Theologie, Christologie, Soteriologie und Ekklesiologie
die Voraussetzung für einen missionarischen Weltbezug ist[70].

---

70 Die missionarische Universalität des Apostolats und der Kirche im
   Verständnis von Kol und Eph hat vor allem E.Schweizer herausgearbeitet (vgl. ders., Antilegomena; Missionary Body; Der missionarische
   Leib Christi). Der Auffassung E.Schweizers folgt, wenn auch z.T.
   leicht modifiziert, F.Hahn, Mission 126-134. Vgl. dazu H.Kasting,
   Anfänge 138-140. - Missionstheologische Aspekte in Kol und Eph haben
   untersucht: W.Bieder, Mysterium Christi (bes. 44-46); R.P.Meyer,
   Kirche; dies., Heil (bes. 77-150). Meyer bemüht sich in der zuletzt
   genannten Arbeit um eine vergleichende Gegenüberstellung der mis-
   sionstheologisch relevanten, aber z.T. umstrittenen Reflexionen K.
   Rahners über die Notwendigkeit von Kirche, Verkündigung und Mission
   unter der Voraussetzung des allgemeinen Heilswillens Gottes einerseits und der Theologie des Eph andererseits. Die Versöhnungsaussage

1.2.2.2 Die ekklesiologische Dimension der Versöhnung in systematischer Betrachtung

Vorbemerkung: Im Rahmen einer exegetisch-theologischen Untersuchung der ntl. Versöhnungsaussagen kann das systematisch-theologische Verständnis der Versöhnung nicht zum eigentlichen Gegenstand erhoben werden. Dennoch hat auch der Exeget bei dem Bemühen, den ihm vorgegebenen Schrifttext hinsichtlich seiner historisch ursprünglichen Aussagedimensionen zu beleuchten, den systematisch-theologischen Kontext seiner Auslegung als Ort des reflex verantworteten öffentlich-kirchlichen Glaubensbewußtseins mitzubedenken[71]. - Diese Auffassung der exegetischen Arbeit ist nicht selbstverständlich. Folgende Überlegungen können aber die Grenzüberschreitung als im Selbstverständnis der Exegese selbst begründet rechtfertigen: Einmal sichert die Berücksichtigung des systematisch-theologischen Kontextes, daß das theologische und geistesgeschichtliche Vorverständnis bei der exegetisch-theologischen Inhaltsanalyse des Textes einer kritischen Prüfung unterzogen, Exegese also nicht Eisegese wird[72] und nicht vorweg die zu erhebende Bedeutung der (historischen) Aussage auf ein bestimmtes Spektrum festgelegt ist. Zum

---

findet jedoch bei der Behandlung von Eph 2,14-16 nur geringe Berücksichtigung (Heil 117-119); das Interesse ist bes. auf den Somabegriff ausgerichtet. Keine eingehende und differenzierte Erörterung der universal-missionarischen Perspektiven von Kol und Eph bietet R. Schnackenburg, Kirche, in den einschlägigen Kapiteln (46-51. 122-126). Bemerkenswert ist vor allem das Verständnis der missionarischen Verkündigung als Antwort der Kirche auf ihre "vocation dans le dynamisme de la réconciliation", das D.v.Allmen vor allem aus Kol gewinnt (ders., Réconciliation 44f).

71 Zu dem Problem des Verhältnisses von Exegese und Dogmatik vgl. W. Kasper, Exegese; ders., Methoden (bes. 37-45); H.Petri, Exegese; K.Rahner, Exegese (bes. 28-35); ders., Biblische Theologie; ders., Hl.Schrift (bes. 523f); E.Schillebeeckx, Exegese; H.Schlier, Biblische und dogmatische Theologie; R.Schnackenburg, Auswertung; ders., Funktion (bes. 24-34); auch ders., Auslegung; O.Semmelroth, Dogmatik; W.Thüsing, Zugangswege 82-97. - S. auch Th.Lorenzmeier, Exegese; G.Ebeling, Dogmatik I 19-21. Ebeling stellt bei grundsätzlicher Anerkennung der Abgrenzung und Spannung zwischen historisch-theologischen Disziplinen und Dogmatik das Postulat auf: "Die historisch-theologischen Disziplinen sind nur in dem Maße theologische Disziplinen, wie sie an der dogmatischen Fragestellung partizipieren", ohne aber "von einer bestimmten Dogmatik abhängig" zu werden (ebd. 21). (R.Bultmann (Glauben I 133) hat dagegen das Theologische der Exegese allein in ihrem "Gegenstand", d.h. im NT, begründet gesehen.) - W.Pannenberg, Wissenschaftstheorie 374-383, konstatiert ein "Dilemma zwischen historisierender Entleerung des theologischen Gehaltes und historisch gewaltsamer 'theologischer' Deutung" und konzipiert einen Ausweg in die Richtung, daß "die historische Methodik der Schriftexegese sich von vornherein im Rahmen einer theologisch orientierten Religionsgeschichte im Sinne einer Theologie der Religionen bewegt" (ebd. 381), wobei die systematische Theologie selbst

anderen dient der systematisch-theologische Seitenblick der innertheo-
logisch interdisziplinären Dialogfähigkeit der Exegese, da er - wenn
auch nur in einer verkürzten und vorläufigen Weise - den Frage- und
Problemhorizont, die Strukturmomente und die Verstehenskategorien zugänglich macht, die die gegenwärtige Theologie prägen und die das theologische Frageinteresse der Exegese und ihre die methodischen Mittel
der historischen Kritik übersteigenden Systematisierungs- und Aktuali-
sierungsversuche beeinflussen. Zugleich kann die vom historischen Bewußtsein geleitete Exegese, die für die Geschichtlichkeit der biblischen und der theologischen Aussagen überhaupt, aber auch für die Geschichtlichkeit des Auslegungsvorgangs sensibel ist und andere Disziplinen (wie z.b. die Dogmengeschichte) sensibilisiert, darauf aufmerksam machen, daß die theologischen Fragestellungen und Reflexionen der
Gegenwart in einen Überlieferungs- und Auslegungsprozeß eingebunden
sind[73]. Dieser eröffnet dem Überlieferungsgut in einer gewandelten zeitgenössischen Situation einen neuen Horizont der Auslegung und Vergegenwärtigung, macht aber auf der anderen Seite die Präzisierung von theologischen Fragestellungen, Verstehenskategorien, Denkformen und -struk-
turen in der kritischen Rückfrage nach dem ursprünglichen Sinngehalt
der konstitutiven Überlieferung und nach deren Wirkgestalt gerade
im veränderten Kontext der theologischen Auswertung dieser Grundüberlieferung notwendig. Denn nur in der Dialektik des Eingehens auf den
Gegenwarts- und Zukunftshorizont des Überlieferungs- und Auslegungspro-
zesses und des selbstkritischen, diesen Prozeß in seiner Geschichte
durchschreitenden Rückfragens nach dem ursprünglichen und verpflichtenden Gehalt des Überlieferten und Ausgelegten gewinnt die Theologie ihren in der Gegenwart verantwortbaren Stand bei ihrer Sache. Im Dienst
der verantworteten Grundüberlieferung des Glaubens stellt sich aber der
dialogbereiten und -fähigen Exegese die Aufgabe, ihrerseits die von ihr
angestrengte kritische Rückbindung an den konstitutiven Grund der Glau-
bens- und Theologiegeschichte in die aktuelle Wirkungsgeschichte dieses
Grundes einzubringen. Die Wahrnehmung dieser Aufgabe setzt voraus, daß
die Exegese vom Geschehen der Wirkung in Theologie und kirchlicher Verkündigung Kenntnis nimmt und die Auslegung auf dem Hintergrund aktueller Glaubensreflexion als integrierten Teil der Wirkungsgeschichte kritisch reflektiert[74].

Das theologische Verständnis der Versöhnung unterscheidet mehrere Di-

mensionen. Die Grunddimension beinhaltet die Versöhnung mit Gott durch

Jesus Christus. Diese ermöglicht und fordert die zwischenmenschliche

---

von der Theologie der Religion aus neuzukonstituieren sei (ebd. 419-
425).

72 Vgl. K.Lehmann, Horizont 51f (zu R.Bultmanns Begriff des Vorverständnisses) 60-62 (Problem der Voraussetzungslosigkeit der historisch-kritischen Exegese); H.-G.Gadamer, Wahrheit 250-284 (Problem
der Vorurteile und die Vorstruktur des Verstehens); M.Riedel, Verstehen 36 (Vorverständnis in der philosophischen Hermeneutik);
K.Frör, Hermeneutik 50-55; G.Hasenhüttl, Glaubensvollzug 31-61 (zu
R.Bultmann); s. die Zuspitzung durch H.Braun, Verstehen, bes. 290f
(Begriff der "Vorgabe").

Dimension des Versöhnungsgeschehens. In neueren Entfaltungen des christlichen Versöhnungsgedanken erfolgt eine weitere Differenzierung, indem zu der Versöhnung mit Gott und mit dem Mitmenschen die Versöhnung des Menschen mit sich selbst hinzutritt. Während so neben der sozialen die personale Dimension gewürdigt wird, erweitert sich andererseits der soziale Aspekt über das zwischenmenschliche Versöhnungsgeschehen hinaus: Versöhnung wird in Beziehung gesetzt zur gesellschaftlichen Realität. Doch auch diese soziologische Dimension der Versöhnung findet noch eine Erweiterung durch die Betonung der geschichtlichen, auf Zukunft offenen Dynamik der Versöhnung einerseits und des Einbezogenseins des Kosmos andererseits. Charakteristisch ist für diese Entwicklung, daß sich die soziologische mit der geschichtlichen Dimension in einer futurisch-eschatologischen Perspektive verbinden und darin auch die kosmologische aufnehmen kann, insbesondere aber die gesellschaftsbezogene verändernde Praxis in den Vordergrund tritt.

Diese Ausdifferenzierung mit ihren unterschiedlichen Akzentsetzungen hebt sich ab von der überkommenen dogmatischen Versöhnungskonzeption. In der Lehrtradition sind zwei Grundformen der Versöhnungstheologie bestimmend geworden: die erste integriert den Versöhnungsgedanken in die Soteriologie; die zweite legt ihn sakramententheologisch aus. Bemerkenswert ist, daß die ekklesiologische Dimension der Versöhnung weithin bis in die Gegenwart kaum Beachtung gefunden hat, wenn auch vor allem für die evangelische Theologie einige Ausnahmen gemacht werden können (z.B. K.Barth). Ein Wandel vollzieht sich in der katholischen Dogmatik zumindest in dem Punkt, daß durch die neue theologische Durchdringung des Bußsakraments Ansätze für die Entwicklung des ekklesiologischen Aspekts des Versöhnungsgeschehens gewonnen werden. Jedoch ist dadurch eher die Aufgabe der systematischen Theologie unterstrichen als gelöst, nämlich die Kirche als Moment der Versöhnung zu bestimmen und die ekklesiologische Dimension des Versöhnungsgeschehens in Zuordnung zu den anderen zu durchdenken. Diese Aufgabe wäre innerhalb der in Gang gekommenen Reflexion über die Rückbindung der Ekklesiologie an eine soteriologische Christologie und von daher an eine soteriologische und

---

73 Dieses bedenkt H.Leroy, Friede 10, zu Recht im Blick auf "die Situation unserer heutigen Fragen nach Frieden und Versöhnung" als Kon-

eschatologische Theo-logie aufzunehmen[75].

Das Zurücktreten der ekklesiologischen Dimension des soteriologischen Versöhnungsgedankens sowohl in der katholischen als auch in der evangelischen Theologie muß vor allem darauf zurückgeführt werden, daß "Versöhnung mit Gott" vorwiegend auf den einzelnen ausgelegt (also individualisiert und privatisiert) wurde und infolgedessen die soziale bzw. ekklesiale Komponente unentfaltet blieb[76]. Zumindest erhält in der evangelischen Theologie die Frage nach der subjektiven Aneignung der objektiven (transsubjektiven), ein für allemal geschehenen Versöhnung ein charakteristisches Schwergewicht[77]. Die katholische Theologie ent-

---

text für die exegetischen Bestandsaufnahme der biblischen Friedens- und Versöhnungsthematik.

74 Unter diesen Vorzeichen war in der ursprünglichen Fassung der Dissertation die Versöhnungstheologie der Kirchlichen Dogmatik Karl Barths exemplarisch in die Untersuchung einbezogen und rezeptionskritisch mit dem exegetischen Befund konfrontiert worden.

75 Die theologische Diskussion befaßte sich in Verbindung mit dem Vaticanum II und dessen Folge intensiv und kontrovers mit einer Vielzahl ekklesiologischer Themen, wobei häufig institutions- und amtsrelevante Fragestellungen ein Übergewicht bekamen (vgl. z.B. die Übersicht von K.Kertelge, Gemeinde 9-30; zum ökumenischen Dialog s. R. Weibel, Christus). Infolge der Neubesinnung auf die Christologie gelangt man nun wenigstens grundsätzlich zur Einsicht, daß zur Vermeidung eines theologischen Ekklesiozentrismus und zur Klärung ekklesiologischer Probleme stärker als bislang auf den - nicht auf die Frage der Stiftung der Kirche und des Amtes reduzierten - Zusammenhang von Ekklesiologie und Christologie zu achten ist (vgl. W.Kasper, Jesus Christus 13f; s. auch J.Moltmann, Kirche 17-21. 83). Systematisch-theologisch bietet sich ein neuer Zugang zu diesem Zusammenhang, wenn die Reflexion einer geschichtlich bestimmten, universal verantworteten Christologie in die ekklesiologischen Konsequenzen hinein weitergeführt, mit der Rückgewinnung der soteriologischen Dimension der Christologie(W.Kasper,a.a.O. 20-26.62-71)zugleich der soteriologische Individualismus überwunden und vom solidarisch-befreienden Für-Sein Christi, des Gekreuzigten und Erhöhten, her das diakonische Für-Sein der Kirche Christi radikal zu Ende gedacht wird (vgl. ebd. 254-269; auch 301-322; weiterhin z.B. J.Moltmann, Kirche, 103-116).

76 Ein Wandel zeichnet sich jedoch z.B. in der Ekklesiologie J.Moltmanns ab. Vgl. auch schon W.Elert, Glaube 401. 419f. - Auch die kosmologische Dimension der Versöhnung fällt nahezu völlig aus. Einen neuen Vorstoß in diese Richtung unternimmt W.Dantine, Versöhnung.

77 Damit verbunden ist das durch die Systematisierung der evangelischen Orthodoxie aufgeworfene Problem der Verhältnisbestimmung von Recht-

wickelt ihrerseits die subjektive Dimension der Soteriologie im wesentlichen in der Gnadenlehre und thematisiert das Verhältnis "Versöhnung -
Kirche" primär im sakramenten-theologischen Kontext[78]. Der eigentliche
systematische Ort des Versöhnungsgedankens ist im allgemeinen die Soteriologie, wobei "Versöhnung" in der Regel von der stellvertretend
sühnenden Genugtuung Christi her im Sinne von Sühne (Versühnung) bestimmt wird[79]. Daneben kommt die systematische Theologie in ihrem eschatologischen Ausblick noch einmal auf die Versöhnung zu sprechen,
wenn das Problem der All-Versöhnung verhandelt wird. Im Zuge der Neubesinnung der Theologie auf die Eschatologie, die die eschatologischen
Fragen über die "Letzten Dinge" aus ihrem dogmatischen Schattendasein
befreit und den Kanon dogmatischer Themen insgesamt "eschatologisiert",

---

fertigung, Versöhnung und Heiligung (s. dazu H.Alpers, Versöhnung
39f. 181-183. 196-200; vgl. katholischerseits - in Auseinandersetzung mit K.Barth - H.Küng, Rechtfertigung, bes. 23-25. 37-41. 77-85.
194-266; s. auch J.Auer, Evangelium der Gnade 71-188, bes. 91ff:
Rechtfertigung und Heiligung). In der neueren Diskussion zeichnet
sich eine Verschiebung der Fragestellung ab, für die nicht nur theologische Gründe ausschlaggebend sind: Es geht jetzt um die Zusammenschau von Befreiung und Versöhnung als Wesensbestimmungen des Heils
(vgl. u.a. J.M.Lochmann, Versöhnung; J.Moltmann, Umkehr 98-104; W.
Kasper, Jesus Christus 15; zu den möglichen politischen und ideologischen Komponenten dieses Ansatzes s. R.Bosc, Bemerkungen 33-37).
Auch H.Kessler entwickelt mit Bezug auf die neuzeitliche Emanzipa-
tionstheorie und -praxis seine jesulogische Soteriologie unter dem
Leitgedanken "Erlösung als Befreiung" und versteht sie als Gegenent-
wurf zur inkarnationstheologischen bzw. staurozentrischen Soteriologie. In den Mittelpunkt tritt die emanzipatorische Praxis Jesu, wobei seine Gotteserfahrung und -beziehung durchaus als deren ermög-
lichender Grund angesehen wird (ders., Erlösung; auch Erlösung als
Befreiung / 1972,1974/; vgl. dazu die weithin positive Würdigung von
D.Wiederkehr, Christologie 25-30; auch ders., Glaube 34-43.102ff;
kritisch jedoch J.B.Metz, Erlösung 123-125; J.Ratzinger, Vorfragen
152 Anm. 19). S. auch die Auseinandersetzung mit Kesslers Ansatz von
C.Mayer, Satisfactio.

78 Auf den Unterschied zwischen evangelischer und katholischer Theologie weist auch W.Trillhaas hin (ders., Dogmatik 302-306). Es bleibt
aber zu berücksichtigen, daß die evangelische Theologie gleichsam im
Gegenzug zum katholischen sakramentalen Versöhnungsverständnis eine
sakramental zu nennende Sicht des Wortdienstes der Versöhnung entwickelt hat und sich dabei vor allem auf 2 Kor 5,18-21 bezieht (vgl.
z.B. E.Dinkler, Verkündigung).

bleibt - wie schon angedeutet - auch die dogmatische Aussage über die Versöhnung nicht mehr an die Soteriologie gebunden: Anstatt die objektive Versöhnung in herkömmlicher Weise zu betonen (Rekurs auf die Versöhnung mit Gott bzw. Gottes mit den Menschen im Kreuzestod), wird Versöhnung von der eschatologischen Zukunft her zu deuten versucht. Es steht nicht mehr die geschehene Versöhnung mit Gott im Mittelpunkt, vielmehr erfolgt eine Umorientierung des Versöhnungsgedankens auf die Zukunft erfüllter Versöhnung. Die Glaubensexistenz ist nicht mehr allein von der Nachgeschichte der durch den Kreuzestod Wirklichkeit gewordenen Versöhnung mit Gott her definiert, sondern Versöhnung erscheint als eschatologischer Prozeß, der in Kreuzestod und Auferweckung seinen Anfang nahm und als Geschichte antizipierter Versöhnung noch ein Zukunftsziel hat[80]. Diese eschatologische Sichtweise der Versöhnung hat

---

79 Die Interpretation der Versöhnung im Sinne von Versühnung (Sühne) steht - nach biblischen und patristischen Ansätzen - in der Wirkungsgeschichte der Satisfaktionstheorie des Anselm v. Canterbury, auch wenn sie der eher zwischen Anselm und Abälard vermittelnden Konzeption von Thomas v. Aquin folgt (s. H.Kessler, Bedeutung). - Zur geschichtlichen Entwicklung der Soteriologie und zu ihren Haupttypen s. die Skizze von G.Greshake, Wandel. Greshakes Versuch einer "Typologisierung der Erlösungsvorstellungen" nimmt das Anliegen von F.Ch.Baur und G.Aulén auf. Sein Bemühen, "tiefer auf die Verstehens- und Erfahrungsbedingungen einzugehen, die den verschiedenen Erlösungstypen und ihren Wandlungen zugrunde liegen (a.a.O. 71), eröffnet einen weiterführenden Ansatz. Zur Typologie vgl. noch K.Heim, Haupttypen; K.Barth, KD IV/1, 140-170; J.M.Lochmann, Versöhnung, 68-87.

80 Auf diese Weise greift die Versöhnungslehre über den herkömmlichen und keineswegs unumstrittenen Rahmen hinaus (Lehre von den drei Ämtern Christi, genauerhin die Explikation des munus sacerdotale, in deren biblisch-theologischer Grundlegung vor allem auf Hebr zurückgegriffen wird und das Leben Jesu zwar in das Gesamtwerk der Erlösung eingebunden, aber nicht eigens soteriologisch thematisiert ist. Vgl. z.B. zur Drei-Ämter-Konzeption katholischerseits L.Ott, Grundriß 211-235, zur Versöhnung 223; J.Alfaro, Heilsfunktionen Christi, in: MySal III/1, 649-710, wo jedoch der Versöhnungsgedanke keine tragende Bedeutung erhält, und evangelischerseits F.Buri, Dogmatik II 375-433). - Der Versöhnungsgedanke gewinnt eine futurisch-eschatologische Dimension hinzu, indem die geschehene Versöhnung auf die Zukunft des Reiches Gottes, der Erlösung und der neuen Schöpfung ausgerichtet wird. So zeichnet sich bei J.Moltmann deutlich das Anliegen ab, "die versöhnende Leidensgeschichte Christi" (verstanden als "Anfang der Erlösung in einer unerlösten Welt") zu verbinden mit dem eschatologischen Horizont der "Erlösung" (verstanden als

auch ihre Konsequenzen für die Ekklesiologie, da die Kirche (in ihrer Praxis) selbst von der noch ausstehenden vollendeten Wirklichkeit der Versöhnung aus in ihrem eschatologischen Wesen und in ihrer eschatologischen Sendung begriffen wird.

Die ekklesiologische Dimension der Versöhnung ist in der katholischen Theologie nicht als eigenes Thema im Kontext des ekklesiologischen Traktats entfaltet. Der Sache nach aber ließe es sich dort aufnehmen, wo über die wesentliche Bezogenheit der Kirche auf das Heilswerk nachgedacht wird[81]. Terminologisch explizit kommt die ekklesiologische Dimension der Versöhnung vor allem im bußtheologischen Kontext zur Sprache, jedoch spezifiziert unter dem Leitbegriff der reconciliatio cum eccle-

---

"die erhoffbare Zukunft der Versöhnung"), aus der der Mensch schon jetzt aufgrund erfahrener Versöhnung in einer zu veränderndem Handeln aktivierenden Hoffnung lebt (ders., Mensch 164-167; Umkehr 104). Bei dem zuletzt genannten Gesichtspunkt ist theologisch auf Eindeutigkeit in dem Sinne zu achten, daß Erlösung nicht als eine vom Menschen machbare und zu machende Zukunft, als emanzipatorische Selbsthilfe mißverstanden werden kann (vgl. G.Greshake, Erlösung 344). - Ohne ein Engagement für den "relativen Frieden" auszuschließen, geben deshalb G.Howe und H.E.Tödt, Frieden 42, zu bedenken: "Die eschatologische Hoffnung der Christen kann nicht unmittelbar eingetragen werden in ein bestimmtes dynamisches Verhalten gegenüber der Welt". In demselben Sinne auf der Basis des biblischen Friedensbegriffs: H.H.Schmid, Frieden 60-62. - Desgleichen wird eine an ntl. Versöhnungsaussagen orientierte Theologie gegen einen exklusiv futurisch-eschatologischen Begriff der Versöhnung kritische Einwände machen müssen. (Zur Neubestimmung der Beziehung zwischen der präsentischen und der futurischen Dimension des Heils in der systematischen Theologie: D.Wiederkehr, Glaube 109-122). Eine in diesem Zusammenhang mitzubeachtende Akzentverlagerung wird in der neueren soteriologischen Diskussion dort wirksam, wo die sich in Jesus eröffnende neue Möglichkeit für den Heilsempfänger, damit das Ziel des Gotteshandeln in den Vordergrund und das Thema von Schuld und Sühne in den Hintergrund treten.

81 Erforderlich ist eine (biblisch zu verankernde) Modifikation des vorherrschenden inkarnatorischen Denkschemas, nach dem die Ekklesiologie in Analogie zur Inkarnationschristologie z.B. unter dem Leitgedanken der "Kollektivinkarnation", der "Fortsetzung der Inkarnation" oder ähnlich konzipiert wird (ältere Beispiele bei U.Valeske, Votum 165f; s. auch R.Weibel, Christus 15-17. 32-35). Weiterhin stellt sich die Frage nach der Einordnung der Ekklesiologie bzw. nach der Aufgliederung ekklesiologischer Themenkreise im dogmatischen System (zur älteren Diskussion vgl. U.Valeske, ebd. 24f).

sia[82]. Die Zentrierung des Versöhnungsgedankens auf die reconciliatio peccatoris cum ecclesia (als Vermittlungsweise der reconciliatio peccatoris cum Deo) und damit auf die effektive sakramentale Gnadenvermittlung durch die Kirche hatte zur Folge, daß weder das ursprungshafte Gegründetsein der Kirche selbst und ihres Dienstes in der durch Christus geschehenen Versöhnung mit Gott noch das (dem Sünder helfende) Mitwirken der ganzen Kirche am sakramentalen Versöhnungsdienst in der notwendigen Reflexheit und Ausdrücklichkeit mitthematisiert worden sind[83].

Im Zuge der erneuerten Bußtheologie vertieft sich jedoch das Verständnis von reconciliatio in Richtung auf die theo-logischen und christologischen Grunddimensionen, wodurch auch Ansätze für eine versöhnungstheologisch verankerte Ekklesiologie eröffnet sind[84]. Amtskirchliche

---

82 Vgl. M.Mügge, Reconciliatio.

83 Die Gefahr, daß die sakramentale Versöhnung vorrangig als ein Geschehen zwischen Gott und dem einzelnen Menschen aufgefaßt wird und infolgedessen die ekklesiologischen und universalen Aspekte zurücktreten oder unbeachtet bleiben, wurde oft weit stärker empfunden als der Mangel einer reflektierten Fundierung der sakramentalen Versöhnung in einer soteriologischen Christologie (vgl. jetzt aber den neuen Kontext der Absolutionsformel), der die Lossprechung an das Versöhnungswerk zurückbindet, und Nr. 8 der Vorbemerkung des Ord-Paen). Eine gewisse Klammer bot sich jedoch in dem (seit Hilarius von Poitiers, Ambrosius, bes. seit Anselm von Canterbury) soteriologisch und (seit Tertullian und Cyprian von Carthago) bußtheologisch relevanten Begriff der Genugtuung an (vgl. DS 1690f. 1529). - Symptomatisch für die unterentwickelte systematische Explikation der Versöhnungsthematik in der katholischen Theologie ist es auch, wenn in der 1. Auflage des LThK kein Artikel mit dem Stichwort "Versöhnung" zu finden ist und in der 2. Aufl. unter "Versöhnung" nur ntl.-exegetische Ausführungen stehen! - S. jetzt aber den beachtlichen Schritt in Richtung auf eine theologische Fundierung, den die Erklärung der deutschen Bischöfe "Der Priester im Dienst der Versöhnung" (14.11.77) unternimmt. Sie setzt nicht nur betont theo-logisch beim Ratschluß und Tun des barmherzigen Gottes an, sondern bietet auch den Versuch, Versöhnung als "trinitarisches Geschehen" zu begreifen.

84 S. die Übersicht von M.Mügge, Reconciliatio 13-85; vgl. dazu die für M.Mügge maßgeblichen Arbeiten von K.Rahner, Schriften XI (auch ders., Vergessene Wahrheiten; Sakrament der Buße); weiterhin P.Anciaux, Sakrament; bes. 154-158; W.Beinert, Ekklesiale Dimension.

Äußerungen haben diese Entwicklung im katholischen Bereich zu unterstützen vermocht[85]. Sie bringen in Erinnerung, daß die bußsakramentale
Versöhnung mit der Kirche (und durch die Kirche mit Gott) in der durch
Christus bewirkten Versöhnung mit Gott ihren Grund hat. Die Kirche wird
als geschichtliche und sakramentale Gemeinschaft der Versöhnten begriffen, die zum versöhnenden Zeugnis in der Welt berufen ist. Auch die sozial-ethischen und politischen Implikationen des versöhnenden Handelns
der Christen finden Berücksichtigung[86]. In diesem mehrdimensionalen
Verständnis von Versöhnung konvergiert die amtskirchliche Theologie in
einigen Aspekten mit der neueren Entwicklung des Versöhnungsverständnisses. Für diese ist kennzeichnend, daß die Vor-gabe der Versöhnung
mit Gott nicht außer acht gelassen wird, doch neben der Bindung der
Versöhnung an ein bestimmtes Ereignis der Vergangenheit (Kreuzestod)
die futurisch-eschatologische Dimension des Versöhnungsgeschehens (die
Zukunft der absoluten Versöhnung) zunehmend an Bedeutung in der theologischen Reflexion gewinnt. Zeichnet sich bereits hierin eine bemerkenswerte Perspektivenverschiebung ab, so um so mehr darin, daß aus der im
Kreuzestod Jesu geschehenen, geschenkten und auf zukünftige Vollendung
hindrängenden Versöhnung Impulse für die Konkretion versöhnenden Handelns der Kirche und der Christen abgeleitet werden[87].

Die Wende zur ekklesialen Praxis der Versöhnung, die die bußsakramenta-

---

85 Es fehlt noch eine systematisch- und exegetisch-theologische Vertiefung. Gelegentlich gemachte programmatische Aussagen bedürfen
der Entfaltung (vgl. z.B. J.Ratzinger, Dogma 255: Die Kirche ist
ihrem Auftrag nach "eine Kraft der Vereinigung und Versöhnung". S.
auch F.Schlösser, Bußliturgie 108: Die Kirche ist zu verstehen als
"Sakrament der Versöhnung".).

86 AAS 67 (1975) 5-23. - Die zuletzt genannten Implikationen wurden
nicht immer genügend beobachtet (vgl. etwa M.Seybold, Versöhnung),
sind aber z.B. auf der Gemeinsamen Synode der Bistümer in der Bundesrepublik Deutschland in einzelne Beschlüsse eingegangen (s.u.).

87 Vgl. J.Moltmann, Umkehr 98-104 (Versöhnung in Freiheit); ders.,
Mensch 164-169; W.Zauner, Versöhnungstheologie, bes. 88-91; A.Exeler,
"Befreiung der Gefangenen" 26-29; P.Nordhues, Versöhnung, bes. 113-
121 (Nordhues hebt nachdrücklich auf die praktische Konkretion des
Versöhnungsdienstes ab, sieht in differenzierter Weise die Konflikt-
bereiche unserer Zeit und entfaltet entsprechende "Wege und Weisen
der Versöhnung".) J.M.Lochmann, Versöhnung 87-92; W.Dantine, Versöhnung, bes. 102-110. H.Steege kritisiert das Mißverständnis der

le Versöhnung einschließt, darüber hinaus aber auch weitere zeitgemäße
Formen des Versöhnungsdienstes ins Auge faßt, zeichnet sich auch in
mehreren Beschlüssen der Synode der bundesdeutschen Bistümer ab. Wenn
auch der bußsakramentale Gedanke der "Wiederversöhnung mit der Kirche"
im Zusammenhang mit der Neuordnung der liturgischen Buße einen verhältnismäßig breiten Raum einnimmt und seine zentrale Bedeutung behauptet
und wenn auch der "Dienst der Versöhnung" demgemäß vorrangig unter dem
Gesichtspunkt des priesterlichen Dienstes beim Vollzug der liturgischen
Formen der Buße seine spezifische Charakterisierung erfährt[88], so werden doch auch andere, unter den Konfliktbedingungen der Zeit besonders
aktuelle Realisierungsweisen des Versöhnungsdienstes vorgestellt. Es
werden beispielsweise "die je verschiedenen Dienste für Verkündigung
und Mission, für soziale Hilfe, Entwicklung und Frieden" als Manifesta-
tionen der Sendung der Kirche verstanden, deren Ziel "die Versöhnung
mit Gott und der Menschen untereinander in Gerechtigkeit und Liebe
(vgl. 2 Kor 5,14-21)" ist[89].

Der sich hier andeutende Ansatz verdient in einer ekklesiologischen Reflexion weiter entfaltet zu werden, da er einmal die grundsätzliche Bestimmtheit der Kirche durch die "vertikalen" (auf das Verhältnis zwischen Gott und Mensch bezogenen) und die "horizontalen" (zwischenmenschlichen bzw. gesellschaftlichen) Komponenten[90] der Versöhnung
festhält und zum anderen eine erste Differenzierung der Dienste innerhalb der einen auf Versöhnung hinzielenden Sendung der Kirche bietet.
Jedoch mangelt es ihm an einer christologisch-soteriologischen Vermitt-

---

Versöhnung im Sinne der sich von der Welt abwendenden Einzelbekeh-
rung und betont den öffentlichen Versöhnungsdienst, da offenkundig
"das Wirksamwerden der versöhnenden Gnade Christi in Wort und Tat
seiner Zeugen die einzige große Zukunftshoffnung ist" (ders., Versöhnung 145.146). S. noch zur Weiterführung der Versöhnungslehre in
die Ethik hinein durch die evangelische Theologie des 19. Jh.: Ch.
Walter, Kategorie 460-464, auch 470-473.

88 Synode: Sakramentenpastoral 4.3 und 5.

89 Synode: Entwicklung und Friede 0.4.

90 Diese Mehrdimensionalität der Versöhnung theologisch zu begründen
und im Dienst zu bewähren, ist die Herausforderung unserer Zeit an
Theologie und Kirche. Vgl. W.Kasper, Jesus Christus 15; richtung-
weisend J.M.Lochmann, Versöhnung 7: "Das Thema der Theologie ist
von seinem biblischen Haus aus ein 'zweidimensionales Thema'. Würde

lung. Auch die ausgefallene Zuordnung des sakramentalen Versöhnungsdienstes der Kirche zu den anderen Formen des ekklesialen Dienstes bedarf der theologisch reflektierten Ergänzung.

> Für den Realismus des in den kirchlichen Dokumenten zum Ausdruck
> kommenden Versöhnungsverständnisses spricht, daß in ihnen die ge-
> samtkirchliche Praxis und die Praxis des einzelnen Christen in Be-
> ziehung gesetzt sind zur Friedlosigkeit unserer Zeit und die zahl-
> reichen Konfliktbereiche im zwischenmenschlichen Leben, in den Ge-
> sellschaften und im Verhältnis der Staaten und Völker als Heraus-
> forderungen zum Engagement für die Versöhnung wahrgenommen werden.
> Gerade die Hinweise auf innerkirchliche Konflikte bekunden die Ein-
> sicht, daß die Botschaft der Versöhnung der Kirche zur Aufgabe
> macht, nicht nur im Außenraum wirksames Zeugnis im vielfältigen
> Dienst der Versöhnung zu geben, sondern auch (um ihrer Wahrheit und
> Identität, um ihrer Glaubwürdigkeit und Effizienz willen) ihrer ur-
> sprünglichen und wesentlichen Bestimmtheit als "Gemeinschaft der
> Versöhnten" zu entsprechen[91].

Die erwähnte Ergänzung des liturgisch-sakramentalen Versöhnungsdienstes
der Kirche durch soziale und politische Formen läßt eine Akzentverschiebung erkennen, die als Reaktion auf ein privatistisches Versöh-
nungskonzept und auf die Betonung der objektiven Versöhnungswirklichkeit bzw. des sakramentalen Versöhnungsvollzuges aufzufassen ist[92].

Der Umschlag vom sakramentalen Empfang der Versöhnung in kirchlichen
Symbolhandlungen zur gesellschaftlichen Praxis der Versöhnung[93] ist von
der Kritik an einer sakramentalen (individualisierten und introvertier-
ten) Versöhnungspraxis begleitet. Die Kritik hat zum Inhalt, daß die
sakramentale Versöhnungspraxis der Kirche über die Entfremdungszwänge
und über unerfüllte, verhinderte oder als Unterdrückung praktizierte
Versöhnung hinwegtröstet, daß sie nicht - als kontrafaktische Verspre-
chung - mit einer sich entäußernden, gesellschaftskritisch protestie-
renden, Entfremdungszwänge negierenden und aus ihnen befreienden Ver-

---

man, dem ökumenischen Sprachgebrauch folgend, die eine Linie als
'Vertikale', die andere als 'Horizontale' bezeichnen, so hieße dies:
Im neutestamentlichen Kreuz, im apostolischen 'Wort vom Kreuz' treffen sich - real und symbolisch - die beiden Linien. Sie werden nicht
vermischt, aber auch nicht getrennt, sondern konstituieren erst in
ihrem unauflösbaren Spannungsverhältnis das volle Thema der Theologie". Ähnlich auch J.Thompson, Doctrine 47. - H.Steege, Versöhnung
12, variiert den Gedanken dahin, daß die Annahme des Wortes der Versöhnung sich erweist im Übergang der Vertikalen (der zugesprochenen
Versöhnung mit Gott) in die Horizontale (in das Sich-Bewähren und
Auswirken der Versöhnung im Leben der Menschen mieinander in Liebe).

söhnungspraxis zusammengeht und eine potentielle Lebensform vermittelt[94]. Die Verschärfung der Sakramentenproblematik und die damit verbundene Kritik der vorwiegenden Form des Versöhnungsdienstes sind Re-
flexe einer neuen Sicht nicht nur des Symbols bzw. der Symbolhandlung,
sondern auch der Kirche.

Die kritische Auswertung des theologischen Versöhnungsbegriffs, in der
ein durch die neuere Gesellschafts- und Ideologiekritik geschärftes Bewußtsein zur Geltung kommt, betrifft jedoch nicht nur das Verhältnis
von Versöhnung (als Wirkung sakramentalen Vollzugs oder als Ziel ge-
sellschaftskritischen Engagements) und sozialem bzw. politischem Handlungsfeld. Der Versöhnungsgedanke hat gerade wegen seiner ekklesiologischen Implikation auch eine über die Sakramentenpraxis hinausreichende
kritische Funktion gegenüber der Realgestalt von Kirche. Die von ihm
ausgehenden Impulse werden heute insbesondere im Blick auf innerkirchliche Konflikte aufgenommen[95]. Sie beschränken sich aber nicht darauf.
Eine versöhnungstheologisch verankerte Ekklesiologie hat die bestehende
Kirche hinsichtlich ihrer Strukturen und Verhaltensweisen darauf kritisch zu überprüfen, ob sie zum einen die innerkirchliche Gemeinschaft
der Versöhnten ermöglichen und fördern und ob sie zum anderen dem
Dienst der Versöhnung in der Welt und für die Welt Wirksamkeit verlei-
hen[96]. Eine versöhnungstheologisch verankerte Ekklesiologie wird aber
auch darauf abheben, daß es nicht nur die "horizontale" Dimension der
ekklesialen Versöhnungspraxis wahrzunehmen gilt, sondern daß die inner-

---

91 AAS 67 (1975) Nr. 11; vgl. Nr. 18-36. S. auch Synode: Entwicklung
   und Frieden 2.2.9.

92 Vgl. Ch.Duquoc, Versöhnung.

93 Ch.Duquoc, a.a.O. 12: "Je mehr ein Christ den historischen Kampf um
   die Versöhnung ernst nimmt, desto weniger wird ihm die Bedeutung der
   gegenwärtigen Formen der sakramentalen Versöhnung ersichtlich."
   Ebd. 13: "Die Versöhnung wird ... zunächst in ihrer negativen Seite,
   dem Kampf, gelebt und erlebt."

94 F.Schupp, Glaube 244. 245. 264f. 268f (Kritik an der "Formel vom
   'Opfer der Versöhnung'").

95 Vgl. A.Müller, Unversöhnte Kirche; M.Josuttis, Konflikte, J.B.Metz,
   Theologie der Welt 130: "Sie (sc. die Kirche) muß den Primat der
   Versöhnung zur Geltung bringen, auch gegenüber den Christen selbst,
   die diesen Primat nicht akzeptieren wollen; denn diesen Primat der

kirchliche, zwischenmenschliche und gesellschaftliche Realisierung der
Versöhnung zusammengehen muß mit der sie tragenden und provozierenden
Antwortbewegung in Gebet, Liturgie und sakramentalem Leben der kirch-
lichen Glaubensgemeinschaft.

Die vorausgehend angesprochenen aktuellen Aspekte der ekklesiologischen
Dimension der Versöhnung, deren teilweise kirchen- und gesellschafts-
kritischen Komponenten nicht zu übersehen sind, stehen in der theologischen Reflexion und in den kirchenamtlichen Aussagen nicht selten isoliert nebeneinander und bedürfen noch der Einbindung in eine umfassende
Reflexion des Wesens der Kirche und der Sendung der Kirche[97]. Im Blick
auf diese Reflexion ist festzuhalten: Unter der Rücksicht der Vor-Gabe
der Versöhnung durch Jesus Christus mit Gott hat die Wesensdefinition
deutlich zu machen, daß die Kirche (als Bestandteil der Vor-gabe durch
das Versöhnungshandeln Gottes in Christus konstituiert) die im Kreuzestod Jesu grundgelegte, aufgrund seiner Auferweckung und Erhöhung bleibend wirksame und im Vollzug befindliche Versöhnung der Menschen und
der Menschheit mit Gott in der Zeit geschichtlich-gesellschaftlich expliziert und manifestiert. Das aber besagt: die Kirche ist in der geschichtlich-gesellschaftlichen Konkretheit ihrer Gestalt und ihrer
Vollzüge das Signum der Versöhnung mit Gott und (darin eingeschlossen
und darauf bezogen) das Signum der in sich zu bruderschaftlicher Gemeinschaft versöhnten Menschheit. Indem die Kirche aber in dem Grundge-
schehen der Versöhnung, im Kreuzestod Jesu, als Gemeinschaft in Christus zum Dienst der Versöhnung grundgelegt ist, ist sie bestimmt, unter
dem Kreuz Medium des Versöhnungshandelns Gottes zu sein. Dadurch, daß
die Kirche in ihrem Dienstengagement zur Versöhnung mit Gott und untereinander einlädt, macht sie im Ausgang aus sich den geschichtlichen,
vom Kreuzestod Jesu ausgehenden Prozeß der Versöhnung allen erfahrbar.
Sie erinnert an die Initiative Gottes zur Versöhnung, die im Kreuzestod
das Fundament der Versöhnung mit Gott und untereinander legte[98], und

---

Versöhnung nicht anerkennen, ist in einem theologischen Sinne selbst
Versöhnungslosigkeit." Vgl. auch die Konkretion von A.Exeler mit Bezug auf ein brennendes innerkirchliches Problem: "Versöhnung mit den
laisierten Priestern" (ders., "Befreiung der Gefangenen" 27f).

96 Synode: Entwicklung und Friede 2.2.9. Vgl. J.M.Lochmann, Versöhnung
90f: "Das Versöhnungsgeschehen hat befreiende Konsequenzen für die

eröffnet die aus diesem Grund erwachsende Hoffnung auf die im Anbruch befindliche universale und inklusive Versöhnung.

Daß Erinnerung und Hoffnung nicht leer sind, bezeugt die Kirche, indem sie selbst aus dieser bestimmten Erinnerung und aus der erinnernd konkretisierten Hoffnung als Gemeinschaft der Versöhnten lebt und dadurch ein einladendes "Zeichen der Hoffnung auf die versöhnte Welt Gottes"[99] ist. Als dieses Zeichen weist die Kirche über sich selbst hinaus auf die Erfüllung in der Basileia Gottes und auf das endgültige Offenbarwerden der alles einenden Herrschaft Gottes, der alles in allem ist[100]. Somit ist die Kirche auf einen zweifachen Horizont bezogen: auf den Horizont geschehener Versöhnung im Kreuzestod Jesu und auf den Horizont der sich in der Zukunft erfüllenden Versöhnung mit Gott und untereinander[101]. Als Schnittfeld beider Horizonte ist die Kirche "Standort der Versöhnung"[102] in der Geschichte. Oder anders: Die Kirche zeugt davon, daß die Versöhnung nicht nur eine gegen die Faktizität des Konflikts, der Entfremdung und der Entzweiung hochgehaltene Idee, nicht "schöner Schein" oder ein Vertröstungsmythos des Menschen, aber auch nicht mehr Leistungsziel des Menschen ist, sondern daß die Versöhnung der Menschen mit Gott und untereinander von Gott her durch Jesus Christus in der Geschichte ihren Einstand genommen hat. Von diesem versöhnenden Handeln Gottes durch Christus her baut sich in der durch die Versöhnung konstituierten Kirche ein Kraftfeld auf, das in der eschatologischen Dynamik des Geistes Impulse zur Realisierung der umfassenden (das Verhältnis zu Gott und der Menschen zueinander einschließenden) Versöhnung in die Welt gibt. Zugleich aber vermittelt die Kirche dadurch, daß sie zur Antwort auf die geschehene Versöhnung einlädt und selbst "vertikal" (in Gebet und Kult) und "horizontal" (z.B. in sozialer, von zwischenmensch-

---

Struktur der Gemeinde; für ihre 'Kirchenordnung'." S. auch G.Lindbeck, Kirchenkritik.

97 Die folgende Bestimmung von Wesen und Sendung der Kirche ist als vorläufige Formulierung zu verstehen. Sie wird im Anschluß an die exegetischen Arbeitsgänge noch einmal zu bedenken sein.

98 J.M.Lochmann betont aus der Sicht der einschlägigen ntl. Versöhnungsaussagen zu Recht: "Das Kreuz ist der eigentliche Realgrund unserer Versöhnung." (ders., Versöhnung 67).

99 J.Moltmann, Umkehr 103.

licher und gesellschaftlicher Entfremdung befreiender Diakonie) ihre
Antwort vollzieht, die gegenwartskritische Perspektive auf die Vollgestalt der Versöhnung[103].

Die Frage nach dem Begründungsverhältnis von Apostolat bzw. Kirche und
Versöhnung (und nach den daraus zu ziehenden Folgerungen für die Realisierung von Apostolat bzw. Kirche) erschließt also eine Vielzahl von
Gesichtspunkten für eine systematische Reflexion und für einen interdisziplinären Dialog. Darauf sollten im Vorfeld der Exegese die Ober-
legungen zu einigen Grundtendenzen in der systematischen Betrachtung
des Zusammenhangs von Versöhnungstheologie und Ekklesiologie anhand
einiger Beispiele hinweisen.

1.3 Methodischer Ansatz

Die Untersuchung verbindet mit der Sachfrage nach dem Begründungsverhältnis von Apostolat und Kirche einerseits und Versöhnung durch Christus mit Gott andererseits und nach der sich daraus ergebenden Konsequenz für die Realisierung des Apostolats und der Kirche die Frage der
Rezeption theologischer Texte. Dieser methodische Ansatz ist im folgenden zu verdeutlichen.

1.3.1 Die Frage nach der Rezeption in der gegenwärtigen Theologie

Weder dem Begriff noch dem Vorgang der Rezeption wurde von seiten der
Theologie - mit Ausnahme der Homiletik - bis in die jüngste Vergangenheit besonderes Interesse geschenkt[104]. Um so auffälliger ist die Häu-
figkeit, mit der die Theologie nun in verschiedenen Zusammenhängen von
"Rezeption" spricht.

---

100 1 Kor 15,28.

101 Auf die Zusammenschau beider Horizonte ist besonders zu insistieren,
     da der gegenwärtig in die Diskussion gebrachte Versöhnungsbegriff
     infolge der Verbindung mit dem Reich-Gottes-Begriff tendenziell
     futurisch-eschatologisch ausgelegt (vgl. z.B. H.Küng, Wahrhaftig-
     keit 211) oder aus den ntl. vorgegebenen Zusammenhang mit dem Kreu-
     zestod Jesu herausgelöst wird (vgl. die soteriologischen Arbeiten
     von H.Kessler).

102 J.M.Lochmann, Versöhnung 67.

Während die rechtshistorische Forschung seit längerem dem Phänomen der Rechtsrezeption besondere Beachtung schenkt[105] und auch die Kanonistik seit dem 19. Jh. dem Rezeptionsproblem nachgeht[106], wendet sich die Theologie vor allem im Rahmen der Konzils- und Dogmengeschichte dem Rezeptionsvorgang zu[107]. In Verbindung mit dem Zweiten Vatikanischen Konzil wurde die Frage der Rezeption ökumenisch relevant[108]. Infolge der Wiederentdeckung der Konziliarität durch die ökumenische Bewegung[109] stellen sich die im Ökumenischen Rat der Kirchen vereinigten Kirchen der Reformation und der Orthodoxie der dringlichen und schwierigen theologischen Aufgabe, über den ökumenischen Dialog der Kirchen zu einer wechselseitigen und gemeinsamen Rezeption der kirchlichen Glaubenstraditionen zu gelangen. Als Ziel des Rezeptionsprozesses wird der Konsens in einem die Kirchen und Theologien übergreifenden und bindenden Bekenntnis des Glaubens angestrebt[110]. In dem auf die Bekenntnisgemeinschaft hinzielenden Prozeß wechselseitiger und gemeinsamer Rezeption von Lehrtraditionen bietet sich den Kirchen die Möglichkeit der Verständigung über die in Erinnerung gebrachte gemeinsame Vergangenheit. Er eröffnet darüber hinaus die Chance, die Geschichte der getrennten Entwicklungen und der (apologetisch als echt und maßgeblich verteidigten) Eigentraditionen in die gemeinsame Zukunft des Glaubens hinein zu

---

103 Auf der Linie pl. Theologie kann diese Perspektive mit dem Begriff "Erlösung" bezeichnet werden. J.Moltmann reaktualisiert dafür den ntl. und in der evangelischen Theologie des 19. Jh. bedeutsamen Reich-Gottes-Gedanken (vgl. ders., Kirche).

104 Symptomatisch sind das Fehlen einschlägiger Artikel in den theologischen Lexika und Handbüchern und die bislang nicht erreichte terminologische Eindeutigkeit in der Verwendung des Rezeptionsbegriffs.

105 Grundlegend und auch für die konzils- und dogmengeschichtliche Fragestellung anregend: F.Wieacker, Privatrechtsgeschichte (vgl. A.Grillmeier, Konzil 303-309); K.Kroeschell, Rechtsgeschichte I 239f (kritisch).

106 Vgl. A.Grillmeier, a.a.O. 310-314; G.Alberigo, Wahl; H.Müller, Rezeption.

107 Vgl. A.Grillmeier, Konzil; ders., Rezeption des Konzils von Chalkedon; weiterhin: H.Bacht, Lehramt, bes. 157-162; Y.Congar, Rezeption; P.-W.Scheele, Fragen; J.Beumer, Das Erste Vatikanum. - A. Grillmeier sucht in reflektierter Weise den Anschluß an die sich vor allem in der evangelischen Theologie auswirkenden Hermeneutik-

überwinden[111].

Weniger unter dem Einfluß der konzils- bzw. dogmengeschichtlichen und der ökumenisch-theologischen Rezeptionsdiskussion als vielmehr in der Konsequenz der literaturwissenschaftlichen Rezeptionsthematik[112] voll-

diskussion (bes. H.-G.Gadamer, J.Habermas), wobei er auch aus Habermas' ideologiekritischem Ansatz dogmengeschichtliche Fragestellungen abzuleiten vermag (ders., Altkirchliche Christologie, bes. 69-109; zur Rezeption 154-157). H.G.Stobbe läßt leider in seiner kritischen Bestandsaufnahme der "katholischen Gadamer-Rezeption" (ders., Hermeneutik) Grillmeiers Bemühen um eine dogmengeschichtlich angewandte Hermeneutik unerwähnt. Neben den Exegeten R.Schnackenburg und F.Mußner und vor allem neben dem Dogmatiker L.Scheffczyk hätte A.Grillmeier eine Würdigung verdient, zumal dieser auf "ökumenisch-hermeneutische Aufgaben" ausdrücklich verweist (a.a.O. 161-166).

108 L.Stan, Rezeption; M.Krikorian, Rezeption; W.Hryniewicz, Ekklesiale Rezeption; G.Gassmann, Rezeption; F.Wolfinger, Rezeption.

109 L.Vischer, Konziliare Bewegung; H.J.Margull (Hg.), Die ökumenischen Konzile.

110 L.Vischer, Skizzen 42ff; ders., Konziliare Bewegung, bes. 243-245 (245: "Die ökumenische Bewegung ist ein großer Vorgang nachträglicher gemeinsamer Rezeption".); W.Hryniewicz, Ekklesiale Rezeption; G.Gassmann, Rezeption; s. auch W.Küppers, Rezeption. Die Überlegungen sind durch W.Hryniewicz, Ökumenische Rezeption, unter Einbeziehung der Frage nach der konfessionellen Identität im Prozeß der ökumenischen Rezeption weitergeführt worden. Zu diesem Gesichtspunkt vgl. H.G.Stobbe, Konflikte; P.Lengsfeld, Konziliare Gemeinschaft.

111 S. auch den Versuch von N.N.Nissiotis, über einen "trinitarisch begründeten Traditionsbegriff", der aus einem "pneumatologisch-trinitarischen Ansatz des Offenbarungsverständnisses" entwickelt wird, die verschiedenen Bewertungen der kirchlichen Tradition und die Absolutsetzung einer einzelkirchlich-konfessionellen Tradition zu relativieren und auf eine umfassende Dynamik der Tradition hin zu übersteigen (ders., Theologie der Tradition, bes. 202-205. 208-211).

112 Aus der wachsenden Literatur seien hier nur einige Titel, z.T. von repräsentativen Aufsatzsammlungen, aufgeführt: G.Grimm (Hg.), Literatur; ders., Rezeptionsgeschichte; E.Gülich/W.Raible, Textmodelle, bes. 280-305 (zum rezeptionsorientierten Ansatz von G.Wienold); H.U.Gumbrecht, Konsequenzen; P.U.Hohendahl (Hg.), Rezeptionsforschung; ders. (Hg.), Sozialgeschichte; J.Ihwe (Hg.), Literaturwissenschaft 1 und 3; W.Iser, Leser; ders., Akt; H.R.Jauß, Literaturgeschichte; ders., Leser; U.Klein, Rezeption; H.Link, Rezeptionsforschung; J.v.Stackelberg, Rezeptionsformen; J.Stückrath, Rezeptionsforschung; F.Vodička, Struktur; R.Warning (Hg.), Rezeptionsästhetik; H.-D.Weber, Rezeptionsgeschichte; B.Zimmermann, Literaturrezeption; s. auch H.Glinz, Textanalyse I und II (mit Untersuchungen zu F.Kafka). Im Zusammenhang mit der Rezeptionsforschung

zieht sich in der Exege eine Erweiterung der traditions- und redak-
tionsgeschichtlichen Fragestellungen in Richtung auf eine historische
Rezeptionskritik[113]. Diesem Anliegen sind auch die folgenden exegetischen Untersuchungen verpflichtet. Sie konzentrieren sich zwar ihrem
Gegenstand gemäß auf die Rezeptionsstufe bzw. Rezeptionsstufen der ntl.
Texte. Jedoch greift der methodische Ansatz weiter aus. Die Rezeptionsgeschichte des Neuen Testaments und die historische Rezeptionskritik
ntl. Schriften (hier: 2 Kor, Röm, Kol und Eph) lassen sich als Teil-
aspekte in eine zugleich geschichtliche und theologische Rezeptionsanalyse einordnen, die über den ntl. Rezeptionskomplex hinaus die Konkretisierung der ntl. Rezeptionsvorlagen in den christlichen Theologien
und lehramtlichen Aussagen bis hin zu Äußerungen der Volksfrömmigkeit
und der missionarischen Verkündigung in unterschiedlichen sozio-kultu-
rellen Kontexten (Inkulturation und Kontextualität) erforscht und
schließlich nach der möglichen und geforderten theologischen Konkretisierung des ntl. Rezeptionspotentials im Problemhorizont der Gegenwart
fragt (vgl. die Aktualisierung der (bibl.) Befreiungstheologie z.T. unter Aufnahme neuzeitlicher Blickrichtung und Handlungsweisen in Latein-
amerika). Diese bis auf die Gegenwart verlängerbare Erfassung des Rezeptionsvorgangs ist auf der anderen Seite dahin zu ergänzen, daß die
ntl. Texte aufgrund der auf sie anzuwendenden Dialektik von "Produktion"
und "Rezeption" selbst in dem Rezeptionszusammenhang z.B. mit atl. und
jüdischen Texten gesehen werden.

1.3.2 Rezeptionsgeschichte und Rezeptionskritik theologischer Texte

Gehen wir, um den methodischen Ansatz differenzierter darzustellen, vom
Methodenkanon der Exegese aus, dann läßt sich die rezeptionsgeschicht-

---

sind auch die Forschungen zur Kommunikation und zur pragmatischen
Texttheorie zu beachten. Vgl. z.B. M.Braunroth u.a., Ansätze, D.
Breuer, Textanalyse; ders., Einführung; O.W.Haseloff (Hg.), Kommu-
nikation; E.Gülich/W.Raible, a.a.O. 14-59; U.Maas/D.Wunderlich,
Pragmatik; S.J.Schmid, Texttheorie; D.Wunderlich (Hg.), Pragmatik.

113 K.Berger, Exegese; vgl. schon A.Stock, Umgang 37-40. - S. jetzt
z.B.: G.Lohfink, Paulinische Theologie; H.Merklein, Eph 4,1-5,20;
ders., Paulinische Theologie; U.B.Müller, Rezeption.

liche und rezeptionskritische Betrachtung biblischer Texte vor allem mit der Traditions- und Redaktionskritik verbinden. Auf der anderen Seite kann die Frage nach der Rezeption von einem auslegungsgeschichtlichen Standpunkt aus gestellt werden, wobei das Augenmerk vor allem auf die in der Auslegungsgeschichte sich z.B. in Kommentarwerken oder in Predigten darbietenden "Interpretationsmöglichkeiten" eines Textes gerichtet ist. Die Realisierung des auslegungsgeschichtlichen Ansatzes läßt im wesentlichen zwei Wege zu: Gegenüber einer ausschließlich an den einzelnen Auslegungen ausgerichteten synchronen Untersuchungsweise, die auf die Erfassung der jeweils relevanten Typenmerkmale abzielt, steht die diachronische, die die historische Dimension und den Zeitcharakter einbezieht und an "Verknüpfungslinien zwischen Auslegungssituation und Auslegung" interessiert ist[113a]. Ohne Zweifel kommt die redaktionskritische Frage nach der literarischen und theologischen Leistung der ntl. Autoren einer verfasserorientierten Rezeptionskritik[114] nahe,

---

113a Ein Beispiel dafür bietet U.Berner, Bergpredigt. Zur Methode ebd. 9f. Bemerkenswert ist die parteinehmende Zielsetzung der Darstellung, die "die Applikation als zentrales Merkmal einer Hermeneutik gerade von ethischen Texten" hervorhebt und die "Konvergenz von theologischer und historisch-kritischer Auslegung in einer weisenden, auf ethische Praxis gerichteten Auslegung" fordert (106f). - Einen instruktiven Ansatz, der von einer homiletischen Fragestellung geleitet ist, aber methodisch auch für die rezeptionskritische Analyse von Auslegungstexten (hier Predigten über Lk 6,17.20-26) relevant ist, enthält die Untersuchung von O.Fuchs, Sprechen. Aufschlußreich ist die Effizienz einer kritischen Komparatistik der ntl. Perikope und der Predigtbeispiele auf der Basis einer strukturalen Analyse. Problematisch ist m.E. jedoch, daß der historische Situationskontext bei dieser formalen Betrachtungsweise trotz der Einbeziehung des pragmatischen bzw. kommunikativen Moments nicht hinreichend in der Untersuchung und kritischen Würdigung sowohl der Perikope als auch und vor allem der aktualisierenden Predigtauslegung aufgearbeitet wird (vgl. die verstreuten Andeutungen 351-359). Es stellt F.Kamphaus, Exegese 347, mit Recht fest: "Die Bedingungen für eine biblische Predigt sind nur halb (und damit im Grunde gar nicht) erfüllt, wenn der Prediger lediglich auf den vorgegebenen Text achtet und sich nicht mit derselben Offenheit und Intensität seinen Hörern zuwendet". Hilfen dafür von der Soziologie und Psychologie erwartet, die methodische Integration der Situationsanalyse in die Textanalyse und in die auf den Hörer und seine Situation bezogene aktualisierende Neuvertextung bleibt aber ungeklärt.

so daß z.B. in Weiterführung der (bislang überwiegend in der Synoptiker-
forschung praktizierten) Redaktionskritik eine "rezeptionsorientierte
Redaktionskritik" entwickelt werden kann[115]. Es bleibt dann aber zu
fragen, welche Bereicherung die Aufnahme des Rezeptionsgesichtspunktes
für die Redaktionskritik bringt, wenn auch die Rezeptionskritik primär
am "historischen und theologischen Standort des Verfassers" interessiert ist[116].

Da die methodologische Erschließung des Rezeptionsvorgangs schon vor
der Exegese in den Literaturwissenschaften als Aufgabe erkannt und diskutiert worden ist, ist es geboten, die außertheologische Rezeptionsforschung in die Überlegungen zu einer theologischen Rezeptionskritik
einzubeziehen. Wegen der Uneinheitlichkeit der bisher entwickelten
textbezogenen und am Kommunikationsgeschehen orientierten Rezeptions-
theorien[117] ist es jedoch nicht möglich, ein durch einen literaturwissenschaftlichen Konsens gestütztes Theorie- und Methodenkonzept als Bezugspunkt oder als Basis einer theologischen Rezeptionsdiskussion und
als Richtschnur für die exegetische Rezeptionsanalyse zu nehmen. Angesichts der konkurrierenden außertheologischen Konzeptionen und der noch
geringen praktischen Erprobungen[118] verbleibt der Exegese (aber auch
z.B. der systematischen Theologie[119]) das Problem, ein ihrem Gegen-

---

114 K.Berger, Exegese; z.B. 91-111. 202-205.

115 Ebd. 203.

116 Ebd.

117 H.Link, Rezeptionsforschung 113-141.

118 In der Rezeptionsforschung dominiert noch die Theoriediskussion,
    die wesentlich durch die Kontroverse zwischen den Vertretern eines
    rezeptionsästhetischen (wie z.B. W.Iser; H.R.Jauß) und eines marxi-
    stisch-leninistischen (z.B. M.Naumann; R.Weimann) Modells bestimmt
    ist. Vgl. die ideologiekritische Stellungnahme zu beiden Ansätzen
    von P.V.Zima, "Rezeption", der seinerseits eine "methodologische
    Alternative" unter dem Leitgedanken "Text als Intertext" entwirft
    (ebd. 302-309). An Einzeluntersuchungen seien hier als Beispiele
    genannt: A.Buck, Rezeption der Antike; W.Barner, Produktive Rezep-
    tion, und Ch.Rischer, Literarische Rezeption; W.Bauer u.a., Text;
    H.-B.Guthmüller, Rezeption; vgl. auch die rezeptionsgeschichtlichen
    Analysen in G.Grimm, Rezeptionsgeschichte 162-255. Eine umfangrei-

standsbereich entsprechendes Modell rezeptionsgeschichtlicher und re-
zeptionskritischer Forschung in Auseinandersetzung mit den außertheolo-
gisch entwickelten und diskutierten Modellen und Konzeptionen zu erar-
beiten[120].

Das im folgenden realisierte Modell einer Rezeptionsgeschichte und Re-

---

che Bibliographie zu den rezeptionstheoretischen Ansätzen und zur
rezeptionsgeschichtlichen Forschung findet sich ebd. 352-418. - Zur
Entwicklung einer empirischen Rezeptionsforschung vgl. W.Faulstich,
Domänen, und N.Groeben, Rezeptionsforschung. S. auch die Untersuchungen von Ch.Meyers-Herwartz, Rezeption, und H.-Th.Wrege, Wirkungsgeschichte.

119 Für die systematische Theologie ist die Rezeptionsforschung durch
die Untersuchungen zur Rezeption der Konzilien vorbereitet. Das Ar-
beitsfeld müßte jedoch erweitert werden. So sind z.B. die Fragen
des geschichtlichen Ortes dogmatischen Verstehens, der Vermittlung
des Wahrheitsanspruchs der Schrift, der Bedeutung der Tradition und
ihres Verhältnisses zur Schrift unter dem Gesichtspunkt der Rezeption neu zu stellen und textbezogen zu untersuchen. Für den Dialog
zwischen historisch-exegetischer und systematischer Theologie erschließen sich neue Möglichkeiten, wenn die Dogmen- und Theologiegeschichte als Auslegungs- und Rezeptionsgeschichte verstanden
wird, deren erster Niederschlag bereits in der Schrift gegeben ist
(vgl. K.Lehmann, Verhältnis, bes. 426-433).

120 Als ein Versuch in diese Richtung ist K.Berger, Exegese, zu begrüs-
sen, wenn auch kritische Anfragen nicht unterbleiben können. So ist
z.B. auf eine schärfere Unterscheidung von Wirkungs- und Rezeptionsgeschichte zu achten. Vgl. dazu G.Grimm, Rezeptionsgeschichte 22-31.
Die wirkungsgeschichtliche Fragestellung in der Exegese (vgl. jetzt
das Unternehmen EKK) ist durch H.G.Gadamers philosophische Hermeneutik entscheidend angeregt und beeinfluß worden. Ein Beispiel für
die Anknüpfung an Gadamer bietet z.B. P.Stuhlmachers "Hermeneutik
des Einverständnisses" (ders., Verstehen 205-225; zu Gadamer 197-
201, jedoch ohne Berücksichtigung der Kritik von seiten J.Habermas'
und der anschließenden Diskussion), die sogar in der Feststellung
gipfelt: "Im Leben aus der Versöhnung für die Versöhnung hat die
Hermeneutik des Einverständnisses mit den biblischen Texten ihren
umfassendsten Bewährungshorizont" (225; vgl. die "Verifikation"
225-247). Zum Vorgang der Gadamer-Rezeption in der katholischen
Theologie (vornehmlich in der Exegese) s. jetzt H.G.Stobbe, Hermeneutik.

zeptionskritik theologischer Texte unterscheidet mehrere Stufen eines komplexen Rezeptionsprozesses, wobei neben den Adressaten sowohl Paulus selbst als auch die deuteropl. Autoren als Rezipienten erscheinen und insbesondere das Verhältnis von Kol und Eph zu den pl. Versöhnungsaussagen als auch die Beziehung zwischen Kol und Eph unter dem Gesichtspunkt des Rezeptionsvorgangs betrachtet werden. Hinter dem Modell einer mehrstufigen Rezeptionsgeschichte und Rezeptionskritik, die in diesem Fall ntl. Texte und Theologien umfaßt, aber auch nachntl. Texte und Theologien bis hin zu zeitgenössischen einschließen kann, steht die Auffassung, daß die exegetische Textanalyse und die Erarbeitung ntl.-theologischer Konzeptionen (ebenso wie die systematische Reflexion) wesentlich als Rezeptionsvorgänge zu verstehen sind und in einem theologiegeschichtlichen und kirchlichen Rezeptionszusammenhang stehen, den es rezeptionskritisch aufzuhellen gilt[121].

Historisch und theologisch gesehen sind alle Stufen vermittelt durch

---

121 Ein Beispiel für einen bewußten ntl.-exegetischen Rezeptionsvorgang im Horizont der Gegenwart bieten H.Schliers "Grundzüge einer paulinischen Theologie". Abgesehen von der Frage, ob sie der historischen Theologie des Paulus gerecht werden, zeichnet sich hier das Bemühen ab, die Stufe der "historischen Deskription" zu übersteigen, um durch eine "gegenwärtige Aussprache" mit dem Kerygma der pl. Briefe eine "vorgetriebene aktualisierte Übersetzung" zu erreichen (H.Schlier,ebd. 9. 12). Die Konzentration auf den "Sachverhalt" läßt jedoch zuwenig den historischen Kontext und die historische Ausprägung dieses Sachverhalts durchscheinen. Charakteristisch für den Ansatz H.Schliers sind auch die Überlegungen zu den Schwierigkeiten bzw. (aus seiner Sicht) zur Unmöglichkeit einer dialogischen Rezeption im Umgang mit historischen Texten (ebd. 10-12). Nach H. Schlier ist der nur einseitig dialogische, wenn nicht sogar undialogische Vorgang der Besinnung auf die Theologie des Paulus durch "die absolute Ungleichheit der miteinander Redenden hinsichtlich ihrer Erkenntnis, ja hinsichtlich der Möglichkeit ihrer Erkenntnis" begründet. Zum anderen erlaubt es die bereits "vom apostolischen Unterredenden" definitiv vorgegebene, nicht erst per discussionem herauszuarbeitende Wahrheit nur noch, daß sie durch die "Verhüllung im Menschenwort des Apostels hindurch gehört und dann bedacht, durchdacht und in die Sprache und ins Wort gebracht" bzw. "ins Licht jeweilig heutigen Verständnisses gerückt" wird (ebd. 11f). Demgegenüber ist u.a. zu fragen, ob diese asymmetrische Kommunikation nicht im Bedenken, Neuformulieren und durch das Ins-Licht-Rücken der Wahrheit im Verstehens-, Erfahrungs- und Lebenshorizont der Gegenwart aufgebrochen wird und aufgebrochen werden muß, damit die Wahrheit "von damals" zur Wahrheit für heute wird, die im Heute sich als befreiende Wahrheit "bewahrheitet".

die Wirkungsgeschichte Jesu von Nazareth[122], näherhin durch die Wirkungsgeschichte in der Form der nachösterlichen Transformation[123] der
vorösterlichen Basileia-Botschaft und der damit zusammengehenden Neu-
auslegung von Sendung und Person Jesu in der Perspektive von Kreuzestod und Auferweckung. Sie sind näherhin aber dadurch vermittelt und
aufeinander bezogen, daß die Formulierungen des Versöhnungsgedankens
z.B. durch die Deuteropaulinen trotz Aufnahme nichtpl. Aussagemomente
auf der Konkretisierung des Versöhnungsgedankens durch Paulus aufbauen.
Es liegt deshalb nahe, die Folge der Versöhnungstexte rezeptionsge-
schichtlich zusammenzusehen, wobei die pl. Versöhnungsaussagen als Aus-

---

122 Die ntl. (ebenso die dogmatischen) Versöhnungsaussagen und -konzep-
    tionen sind als Deutungen der durch den Kreuzestod und die Aufer-
    weckung Jesu konstituierten eschatologischen Heilswirklichkeit Kon-
    kretisierungen der Wirkungsgeschichte Jesu. - Vgl. hier auch die
    Einbeziehung der wirkungs- und rezeptionsgeschichtlichen Betrach-
    tung in die historische Rückfrage nach Jesus durch F.Hahn, Über-
    legungen. K.Berger weist zu Recht darauf hin, daß "schon die älte-
    ste Formulierung christlicher Traditionen als Wirkungsgeschichte"
    zu sehen ist, in der Jesus mit der Aufnahme seiner Botschaft und
    seines Anspruchs zur Wirkung kommt (ders., Exegese 269).

123 Die Wirkungsgeschichte Jesu von Nazareth ist aufgrund des Kreuzes-
    todes, vor allem aber aufgrund der Erfahrung des Auferweckten und
    der Geistsendung nicht nur eine konservierende Nachgeschichte des
    historischen Jesus. Die nachösterliche Wirkung Jesu nimmt vielmehr
    eine Transformationsgestalt im Kontext der durch Kreuz und Aufer-
    weckung Jesu initiierten neuen Erfahrungssituation an, in der sich
    Leben, Botschaft und Anspruch Jesu in einem neuen Sinnzusammenhang
    dem nachösterlichen Glauben und Leben auftun. (Zum Transformations-
    bzw. Transpositionsbegriff s. W.Thüsing, Zugangswege 128 u.ö.; vgl.
    besonders die Bemerkung zum christologischen "Plus" der nachöster-
    lichen Transposition ebd. 142.) Liest man die Wirkungs- und Rezep-
    tionsgeschichte als Transformationsgeschichte, stellen sich Fragen
    ein wie die nach der "Strukturgleichheit" (ebd. 227) zwischen dem
    vorösterlichen Sachverhalt und der nachösterlichen Transformation
    dieses Sachverhalts und nach der Strukturgleichheit der einzelnen
    nachösterlichen Transformationsstufen untereinander. Auch das Pro-
    blem der Kontinuität und Diskontinuität zwischen den nachösterli-
    chen Transformationen und in ihrem Verhältnis zum vorösterlichen
    Sachverhalt ergibt sich hier erneut ebenso die Frage nach dem Zu-
    sammenhang von Neuheit und Kontinuität. Vgl. dazu W.Thüsing, Ntl.
    Theologien. - S. zum Problemkomplex auch K.Berger, Exegese 162-164.

gangspunkt gewählt sind[124].

Aus dem rezeptionsgeschichtlichen Zusammenhang der ntl. Versöhnungsaussagen darf nicht gefolgert werden, daß sich die jeweils folgende Rezeptionsstufe zwingend aus der vorausgegangenen ergibt und diese voll aus-
schöpft. Die sachliche Kontinuität und der gedankliche Fortschritt ist
vielmehr im einzelnen kritisch zu prüfen. Die einzelne Konkretisierung
der Rezeptionsvorgabe[125] muß dabei auf dem Hintergrund der Verschieden-
heit der Aussagekontexte und der Situationsbezüge, des historischen
Verhältnisses des jeweiligen Autors zu seinen Lesern, der möglichen
oder wahrscheinlichen Erwartungen und Fragestellungen der Leser in ihrem eigenen Situationsbezug und historischen Kontext, aber auch des
theologischen Denkens und der adressatenbezogenen Wirkabsicht des Autors und der möglichen Anknüpfungspunkte beurteilt werden[126]. Damit ist
schon gesagt, daß die Primär-Betrachtung der Texte auf der jeweiligen
historischen Ebene zu erfolgen hat. Das bedeutet für die Untersuchung,
daß die Autor-Leser-Beziehung in den ntl. Texten und durch sie nicht
isoliert vom ursprünglichen historischen Kommunikationsrahmen nur text-
immanent analysiert werden kann, obwohl es im einzelnen wegen der fehlenden Quellen schwierig bleibt, die historischen Gegebenheiten allein
aus den ntl. Texten selbst präzise genug zu bestimmen. Den Aussagen
über die Wirkabsicht des Autors und besonders über den Erwartungshori-
zont und die rezeptive Disposition und erst recht über die Folgen der
Kommunikation auf der Seite des Autors wie auf der Seite der Angerede-

---

124 Dieser Ausgangspunkt ist nicht willkürlich, da sich bei Paulus zum
 ersten Mal Ausformulierungen des ntl. Versöhnungsgedankens in einer
 terminologisch bestimmten Weise finden. Damit wird aber nicht verneint, daß schon bei ihm Tradition rezipiert wird.

125 Die Rezeptionsvorgabe ist das "Angebot", auf das sich die Rezeption
 bezieht und das als "textueller Wirkfaktor" den Rezeptionsprozeß
 mitbestimmt (G.Grimm, Rezeptionsgeschichte, 19. 263f Anm. 54); Kritisches zum Begriff bei H.R.Jauß, Fortsetzung, bes. 347-351 (in
 Auseinandersetzung mit M.Naumann).

126 Vgl. die Skizze einer historischen Rezeptionskritik in K.Berger,
 Exegese 91-107.

ten haftet infolgedessen immer etwas Hypothetisches an[127].

Ist auch die Partnerposition[128] des historisch ursprünglichen Lesers (oder Hörers) im Kommunikationsgeschehen zwischen dem Autor und seinen Adressaten nur von den ntl. Briefen selbst und damit aus der Reaktion und Aussageperspektive der Autoren bestimmbar, so läßt sich doch andererseits manche Einsicht in das Rezeptionsverhalten der Autoren selbst gewinnen. Damit verschiebt sich die Rezeptionsproblematik von der eigentlich gefragten Leserrolle auf die Seite des Rezeption intendierenden Autors. Der jeweilige Autor erscheint somit selbst im Status des Rezipienten. Es verändert sich die Frage nach der Rezeption eines Textes durch die Adressaten innerhalb der historischen Kommunikation zwischen Autor und Leser zur Frage nach dem Rezeptionsgeschehen innerhalb der kommunikativen Relation zwischen den als Autoren fungierenden Rezipienten. Diesem Fragekomplex der rezeptionsgeschichtlichen und rezeptionskritischen Textbetrachtung sind die folgenden Untersuchungen insbesondere gewidmet[129]. Die zuerst genannte historische Primärbeziehung zwischen Autor und Adressaten in einer bestimmten Kommunikationssituation und Problemkonstellation wird aber mitberücksichtigt. Generell ist für beide Rezeptionsprozesse - für den Vorgang der Primärrezeption durch die intendierten Leser wie für den der Sekundärrezeption[130] - in Betracht zu ziehen, daß die jeweiligen "Ausgangstexte" des Rezeptions-

---

127 Infolge der Textlage und der aufs Ganze gesehen recht groben historischen Kenntnis von Situation und Folge eines ntl. Textes (wie z. B. von 2 Kor 2,14 - 7,4) müssen die Ergebnisse einer historischen Rezeptionsforschung vor allem im Blick auf die ursprünglichen Adressaten fragmentarisch bleiben.

128 Die Position des intendierten oder impliziten Lesers, aber auch des realen historischen Lesers (zur Unterscheidung s. H.Link, Rezeptionsforschung 28. 36-38. 41-42; vgl. auch K.Berger, Exegese 99f) mit seinen Verstehensvoraussetzungen, Erwartungen, Fragen, Vorurteilen.

129 Unter diesem Aspekt steht die Arbeit dem am Autor orientierten Rezeptionsansatz K.Bergers nahe.

130 Die Sekundärrezeption vollzieht der Leser, der nicht dem ursprünglich intendierten bzw. historisch realen Leserkreis zugehört. Der Problembereich der Sekundärrezeption schließt nicht nur die nachntl. Rezeption und Auslegungsgeschichte ein. Zu ihm ist auch das Verhältnis der deuteropl. Versöhnungsaussagen zu den pl. Versöhnungsaussagen zu rechnen.

geschehens (des Textverarbeitungsprozesses) immer schon "Resultattexte"
sind, in denen sich ein vorausliegender Rezeptionsvorgang niederschlägt[131].

Die rezeptionskritische Rückfrage von den brieflichen "Resultattexten"
zu den verwerteten "Ausgangstexten" (oder Traditionen im weiten Sinne)
macht erkennbar, daß die sprachliche Konkretisierung eines theologischen Sachverhalts (oder einer Erfahrung, einer Hoffnung etc.) in einer
vorgeprägten Verstehenswelt und unter Verwendung vorgegebener Äußerungen geschieht. Die Rezeptionskritik zeigt aber auch auf, daß die Konkretisierung im gleichen Zuge aktiv oder produktiv ist. Als "produktive" Rezeption wirkt sie an der Veränderung der Verstehenswelt, an der
Fortsetzung der Kommunikation, an der Konstitution von Bedeutung und
an der Erschließung neuer Erfahrungen und Lebensformen mit[132].

Der Rezipient trägt also Entscheidendes zur Wirkung eines Textes, einer
Aussage oder eines Gedankens bei, indem er - zugleich angeregt und an-
geleitet durch die Rezeptionsvorlage und doch in freier Verantwortung -
den Text, die Aussage oder den Gedanken mit seinen eigenen Erwartungen,

---

131 So ist z.B. auch 2 Kor 2,14 - 7,4 als "Ausgangstext", der zur Re-
    zeption vorgegeben ist, bereits selbst ein komplexer "Resultat-
    text", in den unterschiedliche Traditionen, Aussage- und Vorstel-
    lungsmodelle und Kommunikationsergebnisse durch Rezeption Eingang
    gefunden haben.

132 "Jede Entstehung eines Textes ist innovierte Fassung von Tradition
    in einer bestimmten Situation" (K.Berger, Exegese 161). Die neue
    Situation, in der die Rezeption geschieht, bewirkt oft eine Bedeu-
    tungsverschiebung oder -bereicherung aufgrund des veränderten situa-
    tiven und sprachlichen Kontextes, in den die Tradition (die Rezep-
    tionsvorgabe) integriert wird. Zugleich wird aber auch mit der
    sprachlichen bedeutungskonstitutiven Innovation der Kontext beein-
    flußt, ein neues Erfahrungspotential eröffnet und ein Kommunika-
    tions- und Handlungsimpuls freigesetzt. Aufgrund dessen übersteigt
    sich die Rezeption auf weitergehende Konkretionen hin und nimmt
    ihre Wirkung sowohl auf die aufgenommene Tradition als auch auf die
    Erfahrungssituation, auf Leben und Denken, auf Glauben und Handeln
    Gestalt an. In der Rezeption tut sich also nicht nur die Tradition
    in ihrem unausgeschöpften Sinnpotential auf, sondern es bricht sich
    an der erschlossenen und neu zur Sprache gebrachten Tradition die
    Gegenwart, um sich neuen Perspektiven, Sinnzusammenhängen, Erfah-
    rungen und Handlungsweisen zu öffnen.

Vorstellungen und Meinungen konfrontiert und die Aussageganzheit des Textes herstellt[133]. Er nimmt das sich ihm öffnende Aussagepotential und Erfahrungsangebot in die eigene Verstehenswelt und Erfahrung hinein, selektiert die Bedeutungsträger und assimiliert sie einem anderen Bedeutungsganzen und weist ihnen so neue Bedeutungen zu, läßt aber auch den mitgebrachten Bedeutungszusammenhang durch die Rezeption einer ihm gegenüberstehenden sinngefüllten Mitteilung neu bestimmen und ordnen.

Gerade das aktive Moment der Rezeption, das Mitwirken an Existenz und Bedeutung eines literarischen Werkes (eines Textes) tritt in der außertheologischen Rezeptionsforschung verstärkt in den Vordergrund des Interesses[134]. Inwieweit auf der historischen Ebene der ntl. Texte "produktive Rezeption" geschieht[135], soll am Beispiel einer Folge von Versöhnungsaussagen überprüft werden.

1.4 Arbeitsgang

Die Sachfrage nach den apostolatstheologischen bzw. ekklesiologischen Implikationen der Versöhnungsaussagen 2 Kor 5,18ff; Röm 5,10f; (11,15); Kol 1,20.22 und Eph 2,16 wird in Verbindung mit der rezeptionsgeschichtlichen und rezeptionskritischen Betrachtung der zugrundeliegenden Texte und des in ihnen entwickelten versöhnungstheologischen Gedankens in folgenden Einzelschritten abgehandelt:

Die ntl. Aussagen werden in chronologischer Reihenfolge, ausgehend von 2 Kor, unter Berücksichtigung des engeren und weiteren Kontextes wie auch des situativen Hintergrundes untersucht. Auf die exegetisch-theologische Analyse des einzelnen Textes folgt jeweils eine rezeptionskri-

---

133 Inwieweit dieses Handeln des Rezipienten durch "Leer-" bzw. "Unbestimmtheitsstellen" oder aber durch "Bestimmtheits-Stellen" herausgefordert und motiviert wird, ist unter Rezeptionsforschern umstritten (s. G.Grimm, Rezeptionsgeschichte 44-46).

134 In der modernen Rezeptionsforschung findet das aktive Moment der Rezeption besondere Beachtung (vgl. z.B. H.R.Jauß, Literaturgeschichte; s. dazu H.Link, Rezeptionsforschung 45-48). Zum "aktiven Leser" vgl. noch G.Grimm, Rezeptionsgeschichte 17-22.

135 Zum Verhältnis von "Produktion" und "Rezeption": K.Berger, Exegese 160-162; G.Grimm, Rezeptionsgeschichte 147-153; H.Link, Rezeptionsforschung 86-89. 89-93 ("reproduzierende Rezeption").

tische Bestandsaufnahme.

Die Rezeptionskritik ist so differenziert, daß zunächst die Rezeptions-
phänomene, die sich am exegesierten Textzusammenhang erkennen lassen,
skizziert werden. Im Anschluß an die historische Rezeptionskritik wird
versucht, die einzelne ntl. Aussage mit dem gegenwärtigen theologischen
und außertheologischen Problemhorizont zu konfrontieren. Dieser Vorgang
hat zum Ziel, Möglichkeiten und Grenzen der theologischen Rezeption im
Kontext gegenwärtiger Entfremdungserfahrung und Versöhnungssehnsucht zu
erkunden. Hierdurch wird ebenso wie durch die ausdrückliche Reflexion
auf die Sachfrage die Grundlage geschaffen für die zusammenfassende und
weiterführende Schlußbetrachtung über inhaltliche Ansätze für die re-
zeptiv-produktive Konkretisierung des ntl. (pl. und deuteropl.) Versöhnungsgedankens in einem veränderten situativen und theologischen
Rahmen.

2. DER APOSTOLAT DES PAULUS ALS "DIENST DER VERSÖHNUNG".
DIE VERSÖHNUNGSAUSSAGE IM 2. KORINTHERBRIEF

Paulus entfaltet in seinen Briefen wiederholt und unter verschiedenen Gesichtspunkten sein Verständnis des Apostolats[1]. Offensichtlich sah er sich durch Vorgänge in den Gemeinden, die sich aufgrund seiner missionarischen Verkündigung des Evangeliums gebildet hatten, und durch das Auftreten von Aposteln mit einem anderen Selbstverständnis und mit einer anderen Botschaft immer neu veranlaßt, seinen Auftrag und seinen Anspruch als Apostel vor der Öffentlichkeit seiner Adressatengemeinden zu begründen und zu bekräftigen. Charakteristisch für das Verfahren, durch das Paulus seinen Apostolat als legitim und authentisch nach-

---

1 Vgl. J.Roloff, Apostolat 38-137 (eine übersichtliche Bestandsaufnahme der Forschung über den urchristlichen und insbesondere über den pl. Apostolat ebd. 9-37); E.Güttgemanns, Apostel (eine kritische Darstellung der Deutungen der "apostolischen Leiden" ebd. 13-30; Literatur zum Thema Apostolat ebd. 1 Anm. 1-3); K.M.Fischer, Bedeutung (in Auseinandersetzung vor allem mit der genannten Arbeit von E.Güttgemanns); K.Kertelge, Gemeinde 77-91; J.Hainz, Ekklesia (eine recht umfassende Darstellung des pl. Apostolatsverständnisses mit dem Schwerpunkt auf dem Verhältnis von Apostel und Gemeinde). Zur Forschungsgeschichte vgl. weiterhin U.Brockhaus, Charisma 112-123; F.Hahn, Apostolat; J.A. Kirk, Apostelship; ältere Übersichten geben O.Linton, Problem (bes. 69-101) und E.M.Kredel, Apostelbegriff. - Wenn auch der Apostolat nicht das Hauptthema der pl. Theologie ist, darf doch nicht übersehen werden, daß in allen Briefen des Paulus längere Ausführungen oder doch zumindest Anspielungen zu finden sind, die den Apostolat zum Gegenstand haben und ihn eng mit dem Gesamten der Theologie, nicht zuletzt mit den sie auszeichnenden Grundstrukturen und Theologumena verbinden (vgl. G.Bornkamm, Paulus 172). Diese Eingebundenheit der pl. Apostolatstheologie in das Ganze der Theologie wie auch die damit zusammenhängende existentielle (d.h. persönlich gelebte und durchlittene) Gestalt dieser Theologie, die in der oft nachdrücklichen Aussage über den eigenen Weg des Glaubens und des Aposteldienstes ihren unvergleichlichen Ausdruck findet, sind in der Forschung zum Apostolat und zur Theologie des Paulus nicht immer ausreichend herausgestellt, manchmal aber auch zu sehr unter biographischen und psychologischen Gesichtspunkten untersucht worden. So überspitzt z.B. J.Jeremias den Sachverhalt, wenn er den "e i n e n Schlüssel zur paulinischen Theologie" allein im Damaskusgeschehen findet (ders., Schlüssel 20-27; Zitat 20). Vgl. zur älteren Diskussion über das sog. Damaskuserlebnis: B.Rigaux, Paulus 64-93.

weist, ist nun, daß Paulus neben einer expliziten Berufungstheologie[2] durchgängig um die theo-logische und christologische Fundierung seiner Apostolatstheologie bemüht ist und auf den inneren Zusammenhang zwischen Inhalt und Dynamik des Evangeliums und der Verwirklichung des Apostolats besonderes Gewicht legt[3].

Ein eindrucksvolles Dokument der theologisch reflektierten und zugleich situationsorientierten und teilweise polemischen Rechtfertigung des pl. Apostolats ist der sog. 2. Korintherbrief[4]. In ihm spricht Paulus auch explizit vom "Dienst der Versöhnung" (5,18b). Die Bestimmung des Apostolats als "Dienst der Versöhnung" steht in einer gedrängten versöhnungstheologischen Aussage (V.18-21), die eine zentrale Stellung in der apostolatstheologischen Argumentation von 2,14-7,4 einnimmt. Dieser Aussagezusammenhang bietet sich somit als Ausgangspunkt und Basis für die exegetisch-theologische Untersuchung der Frage nach den apostolatstheologischen und ekklesiologischen Implikationen des Versöhnungsgedankens an.

2.1 Der Text 2 Kor 2,14 - 7,4 und sein kommunikativer Charakter

Paulus entwickelt in 2 Kor 2,14 - 7,4 nicht nur seine Gedanken "über" den Apostolat, sondern er spricht als Apostel "mit" den Gläubigen der Gemeinde Korinths in einer bestimmten Situation und mit einer bestimm-

---

2 Dabei ist nicht nur an Gal 1f zu denken. - Zur pl. Berufungstheologie s. J.Roloff, Apostolat 41-57; W.Thüsing, Per Christum 168f; J.Blank, Paulus 184-238; K.Kertelge, "Gnade Gottes"; ders., Apostelamt 162-169; ders., Gemeinde 87-91; ders., Apokalypsis. Vgl. auch A.-M.Denis, L'investiture; M.Sabbe, Aspecten 509-511; E.Güttgemanns, Apostel 81-94. Eine Problemskizze zu Gal 1f bietet P.Stuhlmacher, Evangelium I, 63-108. S. dazu auch J.Eckert, Verkündigung 163-228; J.Hainz, Ekklesia 104-126, zu weiteren relevanten pl. Aussagen 67f, 172-179.

3 K.Kertelge, Apostelamt 169-172 ("Paulus denkt immer von der sachlichen Einheit von Apostolat und Evangelium aus"; ebd. 172); ders., Gemeinde 84: "Die Verkündigung des Evangeliums ist die apostolische Grundfunktion" (im Original kursiv). Vgl. ebd. 87-91 (Hier kommt jedoch der mit der christologischen Grundlegung zu verbindende theo-logische Aspekt der pl. Apostolatstheologie zu kurz.).

4 Die Bedeutung des 2 Kor für die pl. Apostolatstheologie wird in der Forschung allgemein hervorgehoben, obgleich dieser Paulusbrief aufs Ganze gesehen bislang wenig kommentiert worden ist und deutschsprachige Kommentare aus neuerer Zeit fast völlig fehlen (vgl. aber R. Bultmann, 2 Kor; katholischerseits K.Prümm, Diakonia).

ten Wirkabsicht, wobei er selbst mit Erwartungen der Gemeindemitglieder ihm gegenüber konfrontiert ist. Der Text ist also nicht nur Träger einer "Mitteilung", sondern Medium der Kommunikation zwischen dem abwesenden Apostel und der Gemeinde Korinths. Mit ihm versucht Paulus, die Beziehung zur Gemeinde zu erneuern und eine beständige kommunikative Relation aufzubauen, in der das "Wort der Versöhnung" wirksam werden kann.

2.1.1 Die Textgrundlage: 2 Kor 2,14 - 7,4

2 Kor 2,14 - 7,4 stellt einen geschlossenen thematischen Aussagezusammenhang innerhalb des 2 Kor dar, der sich auch unter literarischem Gesichtspunkt als eine Einheit aus dem jetzigen Kontext herauslösen läßt.[5]

---

5 Die literarkritische Diskussion des 2 Kor, die zuerst auf die Differenzen zwischen den Kap. 1-9 und 10-13 abhob, kann hier nicht im einzelnen dargestellt und gewürdigt werden. Vgl. dazu C.Clemen, Einheitlichkeit 20f. 57-67 (Hypothesen des 18. und 19. Jh.); E.Golla, Zwischenreise 6-10. 79-107; W.G.Kümmel, Einleitung 249-255 (Kritik an der Unterscheidung mehrerer Brieffragmente, eventuelle Ausnahme 6,14-7,1); J.Schmid, Einleitung 439-448 (grundsätzliche Anerkennung der Hypothese von einer Sammlung mehrerer selbständiger Briefe bzw. Briefteilen im 2 Kor); H.-M.Schenke/K.M.Fischer, Einleitung I 109-112. 116-121 (drei redaktionell komponierte Briefe); zur Beurteilung von 2 Kor 10-13 seit A.Hausraths "Vierkapitel-Brief"-Hypothese, die in Kap. 10-13 ein Fragment des "Tränenbriefs" (vgl. 2,4) vermutete, s. H.D.Betz, Apostel 1-9. Weiterhin: R.V.Tasker, Unity; O.Olivieri, Differenza; A.M.G.Stephenson, Partition Theories; W.H.Bates, Integrity (56: "die Einheit des Briefes nur als Hypothese" vertretbar); N. Hyldahl, Frage; H.Zimmermann, Jesus Christus 227-231 (Unterscheidung von vier Briefen in 2 Kor, wobei 2 Kor 2,14-7,4 aufgelöst wird: 2,14-5,13; 6,3-10 zu 2 Kor I; (2 Kor II = 10,1-13,10); 5,14-6,2. 11-13; 7,2-4 zu 2 Kor III. - Für die neuere literarkritische Beurteilung wurden wichtig: R.Bultmann, Probleme (bes. 307 Anm. 17; im Gefolge von J.Weiß); G.Bornkamm, Vorgeschichte (bes. 172-187. 190-194); E. Dinkler, Korintherbriefe 18. 21-23; W.Schmithals, Gnosis 90-94; W. Marxsen, Einleitung 96-108; D.Georgi, Kollekte 56-58 (zu 2 Kor 8f); ders., Gegner 16-24 (vgl. G.Bornkamm, a.a.O.). Im Detail gibt es jedoch unter den genannten Exegeten Differenzen, die sich insbesondere auf die Zugehörigkeit von 2 Kor 2,14 - 6,13; 7,2-4 als Einheit (vgl. 2,13; 7,5) einerseits und den Kap. 10-13 andererseits,auf die Einordnung der sich im Situationsbezug und in der Aussageperspektive unterscheidenden, jedoch auf dieselbe Kollektenaktion anspielenden Kap. 8 und 9, wie auch auf die Chronologie der Brieffragmente und den pl. Ursprung von 6,14-7,1, einem die gedankliche Verbindung von 6,13 und 7,2 sprengenden Abschnitt, beziehen. - Vgl. die kritische Darstellung der neueren Diskussion in: B.Rigaux, Paulus 155-159.

Die Kap. 10 - 13, die in der Forschung regelmäßig zur Bestimmung der Gegnerschaft und zur Auslegung von 2,14 - 7,4 herangezogen werden[6], sind dagegen einer anderen Phase der Auseinandersetzung zuzurechnen[7]. Während nämlich die apostolatstheologischen Ausführungen in unserem Text überwiegend sachlicher Art sind, heben sich die Kap. 10 bis 13 durch die offensive Schärfe der Argumentation deutlich ab. Zwar fehlt es auch in 2,14 - 7,4 nicht an Anspielungen auf Unstimmigkeiten und an polemisch-abweisenden Stellungnahmen, doch das Übergewicht kommt der

---

6 So z.B. E.Käsemann, Legitimität; zuletzt O.Georgi, Gegner, bes. 219f (ein forschungsgeschichtlicher Überblick zur Gegnerfrage ebd. 7-16). Vgl. auch J.Munck, Paulus 162-189; M.Rissi, Studien 14f; H.D.Betz, Apostel (zustimmend zur Kennzeichnung der Gegner durch D.Georgi, ebd. 8); G.Theißen, Legitimation 213 Anm. 3; W.Schmithals, Gnosis 106-109; E.Güttgemanns, Apostel 94-124. 135-170. 282-322; D.Lührmann, Offenbarungsverständnis 45-48. J.-F.Collange, Enigmes (bes. 320-324) beschränkt sich jedoch auf 2,14 - 7,4; H.Baum, Mut, bes. 16-27. - In der exegetischen Forschung haben vor allem die Kap. 10 - 13 des 2 Kor bis in die jüngsten Arbeiten hinein das Interesse auf sich gezogen. (Vgl. z.B. D.Georgi, Gegner; J.Zmijewski, Stil). Eine damit vergleichbare Bedeutung kam aus verschiedenen Gründen 2 Kor 3,6 bzw. 7-18 (bes. V. 17f); 4,7-12 (in Verbindung mit 6,3-10) und nicht zuletzt 5,1-10 (im Zusammenhang mit der Frage nach der Entwicklung und den religionsgeschichtlichen Verbindungen der pl. Eschatologie) zu. Vgl. z.B. I.Hermann, Kyrios; M.Rissi, Studien; N.Baumert, Täglich sterben; F.G.Lang, Korinther.

7 2 Kor 2,14 - 7,4 steht am Anfang der Auseinandersetzung des Paulus mit Entwicklungen in der korinthischen Gemeinde, die nach dem bzw. trotz des 1 Kor eingesetzt und zu einer erneuten Infragestellung des pl. Apostolats geführt haben, während in 2 Kor 10-13 eine weitere Eskalation im Konflikt zwischen Paulus einerseits und der Gemeinde (oder Teilen von ihr) und den mit dem Paulus-Apostolat konkurrierenden "Dienern" andererseits zu erkennen ist (so auch G.Bornkamm, Vorgeschichte 177f). "In 10-13 tobt der Kampf in aller Heftigkeit und sein Ausgang ist völlig ungewiß (vgl. 12,14; 13)", bemerkt Ph.Vielhauer, Geschichte 151, zutreffend, jedoch rechnet er auch 2,14 - 7,4 unter Verweis auf den analogen Charakter von 1 Kor 4,14-21 zu dieser Phase und dementsprechend verbindet er beide Einheiten im sog. Tränenbrief (ebd. 152f). M.Dibelius, Geschichte 104, betrachtet Kap. 10-13 dagegen als "das eigenhändig geschriebene und hier etwas lang geratene Schlußwort". Über die Vorgänge in Korinth nach 1 Kor und im Verlauf der 2 Kor-Korrespondenz vgl. G.Bornkamm, a.a.O. 163-171; D. Georgi, Gegner 25-29 (in Auseinandersetzung mit W.Schmithals, Gnosis 94-103); H.D.Betz, Apostel 9-12; A.Suhl, Paulus 226-256 bzw. -263 (in Auseinandersetzung vor allem mit W.Schmithals und D.Georgi); s. auch W.G.Kümmel, Einleitung 243-249; J.Schmid, Einleitung 435-439; Ph.Vielhauer, Geschichte 143-150; H.-M.Schenke/K.M.Fischer, Einleitung I 112-116.

Besinnung auf die grundsätzlichen Momente des pl. Aposteldienstes zu, die dann auch im Kontext von Kap. 10 - 13 ihre argumentative Bedeutung haben[8]. Abgesehen von den verbindenden theologischen Strukturlinien, die als Konstanten des pl. Apostolatsverständnisses angesehen werden können, zeigt sich der situative Unterschied z.B. darin, daß Paulus die Opponenten im Rahmen von Kap. 10 - 13 ihrer Herkunft und ihrem Selbstverständnis nach näher bestimmt (vgl. etwa 11,22f) und die Personalisierung der Kontroverse verstärkt. Während in 2,14 - 7,4 die Wir-Form dominiert[9], überwiegt in Kap. 10 - 13 die Ich-Rede[10].

Spricht also der besondere Charakter von Kap. 10 - 13 dafür, diesen Textabschnitt einem anderen Brief als dem zuzuordnen, aus dem 2,14 - 7,4 stammt, so legen weitere Spannungen und Brüche in der Gedankenführung des 2 Kor wie auch thematische Verdopplungen und Rückverweise auf vorausgegangene briefliche Äußerungen die Annahme nahe, daß der jetzige 2 Kor Resultat einer nachpl. Kompositionsarbeit ist[11].

---

8 Vgl. besonders die Bedeutung des Leidensthemas (bzw. des Motivs der Schwachheit) in beiden Brieffragmenten: 4,8-13. 16f; 6,3-10; 11,23-33; 12,7-10; 13,4. 9. Die ekstatische Erfahrung, die in 5,13 nur angedeutet und nicht zu einem tragenden Argument erhoben wird, erhält in 12,1-6 breiteren Raum, ohne jedoch als maßgeblicher Nachweis für die Qualifikation zum Apostolat anerkannt zu werden (s. neben dem Redestil - "Narrenrede", H.Windisch, 2 Kor 366 - vor allem die Rahmung durch das Leidensthema 11,23-33 und 12,7-10). Eine beachtenswerte Parallelität besteht auch in der kritischen Auseinandersetzung mit der Selbstempfehlung und dem Selbstruhm: vgl. 3,1; 4,2; 5,12; 6,3f; 7,4 und 10,8. 12-17 (zu V. 17 vgl. 1 Kor 1,31); 11,10. 12. 16-18. 21; 12,1-11. Eine weitere wichtige Entsprechung ist in dem Hinweis zu sehen, daß die Rede des Apostels "vor Gott in Christus" geschieht: vgl. 2,17 (4,2; 5,11. 20) und 12,19 (13,3). Andererseits spielen in 2,14 - 7,4 Fragen wie z.B. die der "Zeichen des Apostels" (12,12) oder des Unterhaltsverzichts (11,7-12. 20; 12,14-18; vgl. aber auch 6,10) keine Rolle. Auffällig ist auch, daß die Kap. 10 - 13 "im Unterschied zu 2,14 - 7,4 keine wirklich lehrhaften Stellen" enthalten (D.Georgi, Gegner 23).

9 Vgl. N.Baumert, Täglich sterben 29-36.

10 S. schon den betonten Einsatz 10,1. - Auf diesen Unterschied zwischen den beiden Brieffragmenten weist auch D.Georgi, Gegner 23 Anm. 4, hin.

11 Vgl. A.Lindemann, Paulus 22f. Zu den einzelnen Hypothesen s. die oben Anm. 5 genannte Literatur. - H.Köster, Einführung 486, setzt

Die seit J.S.Semler[12] geführte Diskussion über die Einheitlichkeit des
2 Kor und die chronologische Reihenfolge der in 2 Kor zusammengefaßten
Brieffragmente ist zwar bis in die Gegenwart kontrovers geblieben[13],
hat aber auch gezeigt, daß erhebliche Gründe die radikalere Teilungshypothese stützen. Die folgende Exegese geht deshalb von der Hypothese
aus, daß die Texteinheit 2,14 - 7,4 ein Brieffragment ist[14]. In der
Chronologie der Korrespondenz des Paulus mit der Gemeinde in Korinth
hat es seinen Platz nach dem 1 Kor, für dessen literarische Einheit die
größte Wahrscheinlichkeit spricht, wenn sich auch in der neueren Forschung Stimmen für eine literarkritische Zergliederung dieses Briefes

---

die Zusammenstellung des jetzigen 2 Kor wegen fehlender Zitate in
1 Clem und bei Ignatius v.Antiochien "erst nach der ersten Edition
der Paulusbriefe" an.

12 W.G.Kümmel, Einleitung 251.

13 Bedenken gegen eine literarkritische Auflösung des 2 Kor äußern z.B.:
A.Wikenhauser, Einleitung 283; B.Rigaux, Paulus 156-159; W.G.Kümmel
(s. oben Anm. 5); N.Hyldahl, Frage; vgl. auch J.Hainz, Ekklesia 142
Anm. 2 (zu 2,14 - 7,4; im Anschluß an H.Lietzmann); H.D.Preuß/K.Ber-
ger, Bibelkunde II 380f. N.Baumert, Täglich sterben 26 Anm. 16,
lehnt sich zwar an W.Schmithals, Gnosis 90-94 an, rechnet aber im
Unterschied zu Schmithals 2 Kor 6,14 - 7,1 zum sog. Brief "C" (2,14-
6,13; 7,2-4) und charakterisiert die einzelnen in 2 Kor zusammengefaßten Brieffragmente lediglich als "Interpretationseinheiten" (vgl.
ebenso I.Hermann, Kyrios 20 Anm. 1). Ähnlich versteht auch H.Baum,
Mut 16, "auf Grund dieses Beieinander sowohl der zeitlichen Situation, der Hörer wie vor allem der thematischen Anliegen des Paulus"
den 2 Kor "als eine Interpretationseinheit". Für eine differenzierte
literarkritische Beurteilung sind dagegen z.B. A.Suhl, Paulus 224-
226; Ph.Vielhauer, Geschichte 150-155. Weitere Literatur s. oben
Anm. 5.

14 Ausgenommen ist 6,14 - 7,1 (so auch z.B. R.Bultmann, G.Bornkamm,
H.-M.Schenke-K.M.Fischer, H.Köster). Hierbei handelt es sich um die
Interpolation einer judenchristlichen Paränese (6,15 Χριστοῦ), die
erst im Zuge der späteren Komposition und Edition des jetzigen 2 Kor
eingefügt wurde. - Zur älteren Diskussion vgl. C.Clemen, Einheitlichkeit 20f.58f; P.W.Schmiedel, 2 Kor 252ff; H.Windisch, 2 Kor 212.219
(Windisch erwägt den unmittelbaren Anschluß von 6,14-7,1 an 6,1f;
ebenso M.Dibelius, Geschichte 104). - In der neueren Forschung vertritt W.Schmithals den pl. Ursprung. Zuerst wies er den Text dem
sog. "Brief A" zu (ders., Gnosis 88.93), jetzt aber dem "Brief B"
(ders., Korintherbriefe 288 Anm. 70). Weiter sprechen sich für pl.
Herkunft und Zugehörigkeit zum Kontext aus: K.Prümm, Diakonia I 379-
381; C.K.Barrett, 2 Cor 193-203. J.F.Collanges, Enigmes 281-284.302-

erheben[15].

2.1.2 Die kommunikative Situation und Funktion der paulinischen Aussage über den Apostolat als "Dienst der Versöhnung" nach 2 Kor 2,14 - 7,4

Da es an Quellen fehlt, um die Entwicklung in der korinthischen Gemeinde und in den Beziehungen zwischen ihr und Paulus konkret und belegbar nachzuzeichnen, sind nur recht allgemeine Mutmaßungen über die historischen Vorgänge möglich, die die Niederschrift von 2 Kor 2,14 bis 7,4 veranlassen. Sie stützen sich im wesentlichen auf Andeutungen des Paulus in 2 Kor und auf einen Vergleich mit der rekonstruierten Hinter-

---

305.319, unterscheidet in seinem Lösungsvorschlag zwei Briefausgaben: zur ersten, gerichtet an Korinth, rechnet er 2,14-6,13; die zweite umfaßt 2,14-6,2 und 6,14-7,4 und hat Christen in Achaia (oder eine andere Gruppe in Korinth) mit engeren Beziehungen zu den Konkurrenten des Paulus zum Adressaten, so daß sich in 6,14-7,1 die Auseinandersetzung mit den Gegnern sprachlich niederschlägt (vgl. 4,14; 11,13f). In Auseinandersetzung mit neueren Stellungnahmen betont M.E.Thrall, Problem, den Kontextbezug (4,3-6; 5,11.18-20; 6,2) und die Kontinuität mit 6,2. V. 16b-18 wird als Zitation einer "existing catena of scriptural allusion" durch Paulus beurteilt (ebd. 144-148). Vgl. auch J.D.M.Derrett, 2 Cor 6,14ff (Midrasch des Paulus über Dtn 22,10); G.D.Fee, II Corinthians (sprachliche und gedankliche Nähe zu 1 Kor 3,16f; 10,14-22). - Argumente für den unpl. Charakter bieten (vor allem unter Verweis auf die Affinität zu Qumran): J.A.Fitzmyer, Qumran; J.Gnilka, 2 Kor 6,14-7,1; E.Kamlah, Form 28-30; H.Braun, Qumran 201-204; G.Klinzing, Umdeutung 172-182; s. schon K.G.Kuhn, Rouleaux 203 Anm. 1 und 2 (von einem durch Qumran geprägten Judenchristen); weiterhin: W.Grossow, Echtheit; L.Cerfaux, Chretien 260-265. H.D.Betz, 2 Cor 6,14-7,1, vermutet ein nichtpl. Fragment, in dem sich die Theologie der judenchristlichen Gegner widerspiegelt, mit denen sich Paulus in Antiochien und Galatien konfrontiert sah. - Trotz großen Zögerns muß auch W.G.Kümmel, Einleitung 254, die Möglichkeit "der sekundären Einfügung eines paulinischen Fragments" einräumen; an der ursprünglichen literarischen Einheit des 2 Kor hält er aber schließlich doch fest. Vgl. noch J. Lambrecht, Fragment.

15 Vgl. z.B. die literarkritischen Analysen von W.Schenk, 1. Korintherbrief; W.Schmithals, Korintherbriefe, bes. 288 Anm. 70 (tabellarische Übersicht). Schmithals modifiziert hiermit seine in Gnosis 84-89 vertretene Hypothese in Auseinandersetzung mit der genannten Arbeit von W.Schenk. Über ältere Hypothesen informiert knapp C.Clemen, Einheitlichkeit 20-57. Zu den Teilungsversuchen von J.Weiß (Urchristentum 271f; 1 Kor XL-XLIII) und W.Schmithals (Gnosis 84-89) nimmt H.Conzelmann, 1 Kor 13-16, kritisch Stellung und tritt selbst für

grundsituation des 1 Kor[16].

Im folgenden liegt der Schwerpunkt nicht auf der Erschließung der historischen Gegebenheiten. Vielmehr ist nach den Faktoren der kommunikativen Beziehung zwischen Paulus und der Gemeinde gefragt, die im Text ihren Niederschlag gefunden haben und auf die der Text ausgerichtet ist. Es geht deshalb nicht allein um die außertextliche historische Situation, sondern auch und vor allem um die innertextliche Situation und das situationsverändernde Kommunikationsgeschehen zwischen Paulus, dem sich im Brief mitteilenden Apostel, und der Gemeinde von Korinth, dem Adressaten, der im Text als Dialogpartner mit seinen Erwartungen präsent ist und der durch den Brief zur Einstellungs- und Verhaltensänderung bewegt werden soll.

---

die literarische Einheit ein (vgl. auch ders./A.Lindemann, Arbeitsbuch 202f, insbesondere gegen E.Dinkler, Korintherbriefe 18). Eine Auseinandersetzung mit der neueren Forschung bietet A.Suhl, Paulus 203-213. Er spricht sich für die Aufteilung des 1 Kor auf 2 Briefe aus (vgl. die Tabelle ebd. 208). S. weiterhin die Übersichten über Problem- und Forschungsstand in: W.G.Kümmel, Einleitung 238-241; J. Schmid, Einleitung 428-432; W.Marxsen, Einleitung 86-88; H.-M. Schenke/K.M.Fischer, Einleitung I 92-94. 98f. - Im folgenden wird für 2 Kor die Teilungshypothese (und die Chronologie) G.Bornkamms zugrunde gelegt (vgl. ders., Vorgeschichte, bes. 172-194; ders., Paulus 246-248). Bornkamm setzt nach 1 Kor folgende Briefe an: (1) 2,14-7,4; (2) 10-13 (= Tränenbrief nach dem "Zwischenbesuch"; (3) 1,3-2,13; 7,5-16 ("Versöhnungsbrief" nach beendetem Streit); (4) Kap. 8, möglicherweise wegen 8,20 zusammen mit (3); (5) Kap. 9 an die sonstigen Gemeinden Achaias. Somit bestand die wahrscheinlich in Korinth durchgeführte nachpl. Redaktion des 2 Kor in der Komposition eines Briefes aus Teilen mehrerer Briefe, wobei auch 6,14-7,1 um der polemischen Note willen Aufnahme fand (vgl. A.Lindemann, Paulus 22f). Zur Stellung von Kap. 10-13 als Ketzerpolemik mit eschatologischem Akzent s. G.Bornkamm, Vorgeschichte 179ff. Zu analogen Briefkompositionen aus Brieffragmenten in der urchristlichen Literatur s. Ph.Vielhauer, Geschichte 154.

16 Vgl. W.G.Kümmel, Einleitung 235-238. 243-249; J.Schmid, Einleitung 425-428. 435-439; G.Bornkamm, Vorgeschichte; D.Georgi, Gegner 25-29; R.Baumann, Mitte 7-19 (Forschungsübersicht zu 1 Kor) 280f; A.Schreiber, Gemeinde (eine gruppendynamische Untersuchung der Gemeindeentwicklung); vgl. auch A.Suhl, Paulus 111-129. 213-217. 223. 226-256; W.Marxsen, Einleitung 88-95; H.Köster, Einführung 554-556.560f.

2.1.2.1 Der situative Kontext

Die historische Situation, auf die Paulus mit 2 Kor 2,14 - 7,4 reagiert, steht in Verbindung mit der des 1 Kor, hat jedoch einige neue
Merkmale.

Wie 1 Kor zeigt, hat es im Anschluß an die Gründungsphase infolge der
Abwesenheit des Paulus eine innergemeindliche Entwicklung gegeben, die
auch die Stellung des Paulus als Apostel in der Gemeinde bzw. gegenüber
der Gemeinde problematisch werden ließ[17]. Zu den innergemeindlichen
Spannungen trug nicht zuletzt das Eintreffen von Wandermissionaren und
Gläubigen bei, die nicht dem Mitarbeiterkreis des Paulus zugehörten und
sich nicht ausschließlich an das pl. Evangelium als Gegenstand und
Leitlinie der Verkündigung hielten[18]. Die Bildung von rivalisierenden

---

17 J.Eckert beispielsweise meint zwar, daß der Apostolat des Paulus
   erst nach dem 1 Kor zum Problem wurde (ders., Verteidigung 11 Anm.
   36), jedoch finden sich bereits in 1 Kor (vgl. 4,1. 3f. 6ff; 3,22f;
   9,1ff) Anhaltspunkte für "konkrete Vorwürfe" gegen den pl. Apostolat
   (G.Theißen, Legitimation 209f; vgl. auch J.Munck, Paulus 188f). Daß
   für die Entwicklung der Gemeinde ebenso wie für den abwesenden Apostel die Frage von "Leitung und Führung" wichtig geworden ist, zeigt
   auch A.Schreiber, Gemeinde (bes. 90. 103. 134-146. 147-161) unter
   gruppendynamischen Gesichtspunkten. Zu diesem Problemkomplex s.
   jetzt die religionssoziologisch ansetzende Untersuchung von B.Holm-
   berg, Paul.

18 Es spricht manches dafür, daß die Konflikte in der Gemeinde Korinths
   und die Spannung zwischen Teilen in ihr und Paulus mit dem Aufeinan-
   dertreffen verschiedener Formen missionarischen Apostolats unter-
   schiedlicher Herkunft zu tun haben. G.Theißen, der sich in seinen
   Untersuchungen von soziologischen Fragestellungen leiten läßt, führt
   die Auseinandersetzung auf die Konkurrenz von Wandercharismatikern
   und Gemeindeorganisatoren (wozu auch Paulus gerechnet wird) zurück,
   schenkt jedoch dem Zusammenhang zwischen Paulus-Apostolat und Evangelium und der daraus resultierenden Differenz zu anderen Aposto-
   lats- und Verkündigungsformen zu geringe Beachtung (vgl. ders., Legitimation 205-221). Im übrigen ist die Bestimmung und Einordnung
   der Gegnerschaft weithin kontrovers (vgl. R.Baumann, Mitte 7-19).
   Die Wahrscheinlichkeit spricht dafür, daß die Hauptströmung in der
   korinthischen Gemeinde von einem enthusiastischen Pneumatikertum
   (verbunden mit hellenistisch-prägnostischen Merkmalen) geprägt war
   (R.Baumann, a.a.O. 280f). - Vgl. die oben Anm. 16 genannte Literatur. Dazu S.Arai, Gegner; R.Mcl.Wilson, How Gnostic; zur sog.
   Kephaspartei Ph.Vielhauer, Paulus.

Gruppen und die Favorisierung von Einzelgruppenführern bedrohten zugleich die Einheit der Gemeinde und die Leitungsfunktion des Gründungsapostels. Doch es handelt sich in dieser Phase nicht nur um einen typischen Gruppenprozeß, der nach dem Ausscheiden der für die Sammlung und für den anfänglichen Zusammenhalt der Gläubigen maßgeblichen Person des Apostels Paulus zu erwarten war und notwendigerweise auf Auflösung und Neuformierung hinauslief[19]. Paulus selbst macht in 1 Kor vielmehr deutlich, daß er um die mit der Aufspaltung der Gemeinde verbundene Infragestellung seines Evangeliums weiß, die auch zur Relativierung und Ablehnung seines von diesem Evangelium her allein richtig zu verstehenden und zu lebenden Apostolats führen muß[20].

Der Problemkomplex, der mit dem Stichwort "Evangelium und apostolische Existenz" zu umschreiben ist, konnte offenbar durch den 1 Kor nicht durchschlagend geklärt werden. Die Fragen nach den Qualitäten des wahren Apostels, nach der Legitimation des Paulus-Apostolats, ebenso nach dessen Bedeutung für die Gemeinde und nach der Verbindlichkeit der pl. Verkündigung über die Gründungszeit hinaus blieben lebendig und verschärften sich sogar noch, wie 2 Kor 2,14 - 7,4 und dann auch die polemische Auseinandersetzung in Kap. 10 - 13 belegen (vgl. auch 1,23f; 2,1-11; 7,6-16).

Die Gemeinde-Situation, auf die sich die apostolatstheologischen Aussagen in unserem Text beziehen, stellt sich nach den Andeutungen des Paulus so dar: "Gewisse Leute" sind in der korinthischen Gemeinde aufgetreten, die durch das Vorzeigen von "Empfehlungsbriefen" das Interesse der Gläubigen für ihren Anspruch und ihr Wirken wecken konnten (3,1b) und offensichtlich ihren Dienst als Alternative zum Apostolat des (ab-

---

19 A.Schreiber, Gemeinde.
20 S. besonders den in den Kap. 1 - 4 und 15 hergestellten Zusammenhang zwischen der Verkündigung von Kreuz und Auferweckung einerseits und Aposteldienst andererseits (vgl. auch Kap. 9). Zu 1 Kor 1,1-3,4 vgl. R.Baumann, Mitte; zu 3,f; 9 und 15,1-11 vgl. J.Hainz, Ekklesia 48-54. 67f. 69-73. S. auch K.Maly, Gemeinde 29-92. 119-123; K.Kertelge, Ursprung 164-172; P.Stuhlmacher, Evangelium (jedoch über Paulus hinausgehend); J.Eckert, Voraussetzungen 48-51.

wesenden) Paulus anboten. Von wem bzw. von welchen Gemeinden die Empfehlungen ausgestellt worden sind, läßt sich nicht ausmachen[21]. Es wird auch nicht in 2,14 - 7,4 deutlich, ob die von Paulus als "gewisse Leute" apostrophierten Konkurrenten seines Apostolats einer der in 1 Kor erwähnten Gruppierungen zugerechnet werden müssen oder zugereist sind und nur bei einer Gruppe oder bei der ganzen Gemeinde Anklang fanden[22]. Über ihr Selbstverständnis läßt sich aufgrund der sehr pauschal bleibenden Charakterisierung der Gegner und aufgrund der Argumentationsführung in 2 Kor 2,14 - 7,4 lediglich die Vermutung äußern, daß

---

21 Auf die Empfehlungsbriefe geht Paulus außer in 3,1 nicht mehr ausdrücklich ein. Auch in der Situation des verschärften Konflikts (Kap. 10-13) spielt er nicht mehr auf sie an. In 10,12.18 geht es explizit nicht um gemeindliche Empfehlungsschreiben, sondern um die (an allein berechtigten Kriterien zu messende) Selbstempfehlung. Vgl. in diesem Zusammenhang die Auseinandersetzung um die rechte δοκιμή 13,3.7. Lediglich Kap. 8 und 9 lassen sich als Empfehlungsschreiben für Titus und seine beiden Begleiter (ἀπόστολοι ἐκκλησιῶν 8,23) verstehen (vgl. 9,3.5). - G.Theißen, Legitimation 203. 214, weist darauf hin, daß die Empfehlungsschreiben nur für Wandermissionare von Bedeutung sein können, die von Gemeinde zu Gemeinde wechseln und als "Abgesandte" von Gemeinden in bereits durch andere Missionare erschlossene Gebiete eindringen. Die Empfehlungen mit der Autorität der Jerusalemer Gemeindeleitung in Verbindung zu bringen, ist unbegründet (gegen E.Käsemann, Legitimität; H.Conzelmann, Geschichte 87; vgl. schon F.Ch.Baur, Geschichte I 60f). Zu fragen ist, ob die Empfehlungspraxis in das Umfeld oder den Einflußbereich der Antiochenischen Gemeinde gehört. - Vgl. zu 3,1-3 (bes. 2b): W.Baird, Lettres.

22 Der Gebrauch von Empfehlungsbriefen weist wohl nicht nur auf Beziehungen zu anderen Gemeinden hin sondern vor allem auf die Ankunft von Fremden (deutlich 11,4). - In der Forschung ist der Zusammenhang der von Paulus in 2 Kor 2,14 - 7,4 (und Kap. 10-13) anvisierten Gegner mit den in 1 Kor angesprochenen Parteiungen ebenso umstritten wie ihre Herkunft, ihr Selbstverständnis und ihre Theologie. So sieht man in ihnen Judaisten, Vertreter der Christuspartei, gnostisch beeinflußte hellenistische Judenchristen, Gesandte der Jerusalemer Gemeinde, Leute des Stephanuskreises, Vertreter des hellenistischen Diasporajudentum bzw. der jüdisch-hellenistischen Missionsbewegung usw., wobei sich die Hypothesen z.T. in ihrer Begründung und in der Verwendung religionsgeschichtlichen Vergleichsmaterials überschnei-

sie in ihrer Verkündigung nicht mit dem pl. Evangelium übereinstimmten und bei ihrem Auftreten großes Gewicht auf die Demonstration der Doxa legten. Möglicherweise stellten sie ihren Dienst in Kontinutität mit dem Moses-Dienst und deuteten ihre Doxa als (eschatologische) Wiederholung der Doxa des Moses[23], ihre Verkündigung somit als pneumatische Aktualisierung der authentischen atl. Tradition.

Da Paulus im Rahmen von 2,14 - 7,4 an keiner Stelle die Konkurrenzapostel mit der jüdischen Gemeinde oder mit der jüdisch-hellenistischen Missionsbewegung in Verbindung bringt oder ihre jüdische Herkunft aus-

---

den. Vgl. die Skizze einiger ausgewählter Positionen in I.Dugandzic, "Ja" Gottes 97-101. - Grundsätzliches zum Problem der historischen Verifikation der Gegner bei Marxsen, Einleitung 78f; vgl. auch H.-M. Schenke/K.M.Fischer, Einleitung I 46f. (Jedoch ist deren Annahme einer einzigen antipl. Front von "Extremisten verschiedener Schattierungen aus dem Bereich der offiziellen Kirche" (ebd. 47), d.h. der Gemeinden Jerusalems und Antiochiens, problematisch.) Zur Identifikation der Gegner in 1 und 2 Kor s. noch Ch.Machalet, Paulus. Nach ihm kämpft Paulus in den Phasen der 2 Kor-Korrespondenz nur mit einer Opposition, deren genaue Kennzeichnung aus den Anspielungen nicht zu gewinnen ist. Eine kritische Bestandsaufnahme zur Gegnerfrage hat K.Berger, Gegner, vorgelegt.

23 D.Georgi ist darin Recht zu geben, daß die Gegner, wenigstens nach der Argumentation des Paulus vor allem in 2 Kor 3, in Moses den Typos ihres Dienstes sahen, ohne jedoch ihrer Verkündigung ein betont nomistisches Gepräge zu geben. Zumindest scheint Paulus in der Gesetzesfrage nicht das zentrale Problem zu sehen; s. aber die grundlegende Gramma-Pneuma-Antithese 3,6 (vgl. V. 3) und dann auch V. 14-16. Ob jedoch sowohl für die Deutung Moses und Jesu durch die Gegner als auch für ihr Selbstverständnis das θεῖος - ἀνήρ - Motiv entscheidend war, bleibt trotz der intensiven Bemühung D.Georgis um einen fundierten Nachweis letztlich offen und fraglich. Vgl. D.Georgi, Gegner, bes. 145-182. 192-205. 216-218. 220-234. 258-273. 292-300. Die Auffassung Georgis wird von J.Gnilka für den 2 Kor akzeptiert und auf die philippischen Irrlehrer übertragen (ders., Phil 211-218, bes. 216-218). Dagegen halten H.-M.Schenke/K.M.Fischer, Einleitung I 122 Anm. 4, D.Georgis Deutung der Gegnerposition des 2 Kor von dieser Vorstellung her für "abwegig". Vgl. dazu auch G.Friedrich, Gegner 210ff.

drücklich anmerkt[24], geht er, soweit es die kargen Anhaltspunkte in 2,14 - 7,4 zu erkennen geben, davon aus, daß die Gegner hellenistisch-judenchristlichen Kreisen angehören, die ihr jüdisch-hellenistisches Erbe aus einem enthusiastischen (gegenwartseschatologischen) Bewußtsein neu interpretieren. Da eine Kontroverse über das Gesetz mit Ausnahme gewisser pl. Implikationen in Kap. 3 nicht erkennbar wird, scheint sich das Traditionsinteresse der Gegner vor allem auf Moses als Typos des endzeitlichen Doxa-Besitzes konzentriert zu haben.

Der theologische Unterschied zwischen den Vertretern eines Moses-Dienstes in endzeitlicher Doxa-Gestalt und Paulus ergibt sich, wenn nicht nur den Empfehlungsbriefen, der typologischen und präsentisch-eschatologischen Umdeutung der Tradition von der Doxa des Moses auf die gegenwärtige Existenz und der Demonstration der Doxa Beachtung geschenkt wird, sondern wenn in Anlehnung an die Argumentationsweise des Paulus nach dem Stellenwert der Christologie in der Wertung der Moses-Tradition und in dem enthusiastischen Selbstverständnis der Gegner gefragt wird. Diese Frage nämlich macht deutlich, daß die Situation von erheblicher theologischer Brisanz ist und eine vielschichtige Argumentation in der Stellungnahme des Paulus erforderlich macht. Halten wir uns an die Akzente, die Paulus in seinen Ausführungen setzt, so müssen wir davon ausgehen, daß aus der Sicht des Paulus das entscheidende Defizit in der Selbsteinschätzung und in der Theologie der Gegner auf der Seite der Christologie liegt. Nicht nur das Motiv des Leidens Jesu scheint für sie existentiell irrelevant gewesen zu sein (vgl. dagegen 4,7-12; 6,4-10). Auffälligerweise muß ihnen auch wenig daran gelegen haben, ihren gegenwärtigen Doxa-Besitz im Zusammenhang mit der Doxa-Existenz Christi zu sehen[25]. Die Doxa-Existenz Christi als des Pneuma-Kyrios trat offensichtlich hinter der Doxa des Moses zurück.

Die historische Situation des Brieffragments 2 Kor 2,14 bis 7,4 ist al-

---

24 Vgl. dagegen 2 Kor 11,22f (sowohl Berufung auf das Judentum als auch Selbstbezeichnung als "Diener Christi")! Diese Stelle spielt eine wesentliche Rolle in der Argumentation für die palästinische Herkunft der Gegner (vgl. z.B. E.Käsemann, Legitimität, bes. 20-30; C.K.Barrett, Opponents 251; ders., 2 Kor 28-32; ders., ΨΕΥΔΑΠΟΣΤΟΛΟΙ).

25 Vgl. die pl. Argumentation 2 Kor 3,17f; 4,4. 6. 10f; 5,17 (Neuschöpfung in Christus).

so durch das Auftreten "gewisser Leute" bestimmt, die in ihrem Selbstverständnis einen von Paulus abweichenden Legitimationsstandpunkt vertreten. Sie kombinieren die Demonstration ihres endzeitlichen Doxastandes mit der Vorlage von gemeindlichen Empfehlungsschreiben, um ihre Befähigung zum Aposteldienst gegenüber der Gemeinde zu belegen. Ein neues Merkmal enthält insbesondere die Vorstellung von der reaktualisierten Moses-Doxa, die auch die Christologie beeinträchtigt.

Der Einfluß, der von den "gewissen Leuten" ausgeht, führt erneut zur Distanzierung der Gemeinde von ihrem Gründungsapostel. Es rührt sich der Zweifel an der Authentizität eines Apostolats, dessen Doxa von der Schwäche der Person nach der Erfahrung der Gemeindeglieder verdeckt ist. Die Frage nach dem Beweis für die Befähigung zum Apostolat, der dem durch die andernorts anerkannten Herrlichkeitsapostel gesetzten Maßstab gerecht wird, ist damit zugleich von grundsätzlichem und existentiellem Charakter. Paulus stellt sich ihr in der Weise, daß er die Kriterien des wahren Apostolats an der Realisierung seines eigenen Apostolats aufzeigt und auf diesem Wege die Gemeinde zur Anerkennung seines Apostolats und zur Gemeinschaft mit ihm auffordert.

2.1.2.2 Die situationsverändernde Funktion von 2 Kor 2,14 - 7,4

Die Äußerungen des Paulus in seinem Brief an die Korinther sind als Stellungnahme zu einer konkreten Situation zu verstehen, die von den Adressaten herbeigeführt wurde. Diese Situation spitzt sich zu in einer kritischen Frage nach der apostolischen Qualifikation des abwesenden Gemeindegründers. Das Eingehen des Paulus auf die mit der Situation verbundenen Fragestellung zwischen sich und der Gemeinde, ist von einer Intention geleitet, die die Formulierung der brieflichen Reaktion mitbestimmt, aber nicht mit der inhaltlichen Seite der theologischen Argumentation vollkommen abgedeckt ist. Für die Wechselbeziehung zwischen Apostel und Gemeinde bedeutet das: die zur Sprache gebrachte Intention des Paulus ist auf seiten der Empfänger nicht schon dann erreicht, wenn sie die Äußerungen verstehen, die Bedeutung der Argumentationsfolge erkennen und den theologischen Inhalt begreifen. All das muß natürlich geschehen und wird von Paulus vorausgesetzt. Seine Intention ist aber nicht allein auf den semantischen Bereich des inhaltlichen Textverständnisses festgelegt, sondern zielt über das Verstehen, Erkennen und Akzeptieren des theologischen Gehalts auf den Vollzug einer Handlung in Entsprechung zu den Anstößen, die Paulus in seinem Brief gibt. Die theologische Argumentation zur Lösung der Fragestellung in der neuen gemeindlichen, Paulus als Apostel unmittelbar betreffenden Situation schließt einen an die Gemeindeglieder gerichteten Handlungsauftrag ein; dessen Vollzug ist die eigentliche Akzeptierung der Argumentationsabsicht. In ihm ist auch der eigentliche Erfolg der pragmatischen Grundlinie der Aussagefolge des Paulus zu sehen.

Die Äußerungen des Paulus sind nicht situationsabstrakt, vielmehr zeigt sich in 2 Kor 2,14 - 7,4 eine Bezugnahme zur aktuellen Situation. Einige Hinweise auf die Situationsverknüpfung wurden schon gegeben. Die Gegenwartsorientierung der Argumentationskette wird z.B. auch in der dominierenden präsentischen Aussageform deutlich, in der aber nicht nur die augenblickliche individuelle Situation des Apostels, sondern die typisierend verallgemeinerte Grundsituation des Apostels mit der Problemsituation der Gemeinde gleichzeitig wird[26]. Es handelt sich also nicht um die Verschränkung der konkreten biographischen Situation des Paulus mit der beschreibbaren aktuellen Situation der Gemeinde, sondern um die bereits theologisch verstandene Grundsituation des Apostels, die auch in der Gegenwart die Existenz und das Selbstverständnis des Paulus prägt und von der aus ein Licht auf die Situation der Gemeinde fällt.

Als bewußte Einbindung in die Situation ist auch die pauschale polemische Anspielung auf das Verhalten und die Verkündigungspraktiken anderer zu werten[27], doch sind die ausdrücklichen Anmerkungen zu den Gegnern wegen ihres sehr schablonenhaften Charakters auch von den konkreten Gegebenheiten in Korinth ablösbar und generell in polemischen Zusammenhängen brauchbar. Trotz dieser Einschränkung sind die Hinweise

---

26 Darin ist ein Faktor zu sehen, der zum einen die zeitliche und räumliche Distanz zwischen den Kommunikationspartnern (Paulus - Gemeinde) überbrückt und zum anderen auf die durch das Medium des Briefes vermittelte wechselseitige Bezogenheit von Apostel und Gemeinde hinweist.

27 2,17a; 3,1b; 3,5. 6. 7-18; 4,2-6. 7. 13. 18; 5,11. 12f; 6,3f.

auf andere Verkündiger als Rückmeldungen an die potentiellen Empfänger des Briefes zu verstehen, durch die Paulus die Kenntnis der Vorgänge in der Gemeinde anzeigt[28]. Aufs Ganze gesehen beläßt es Paulus bei einigen (zumindest für uns heute dunklen) Andeutungen, die für ihn jedoch zur Kontrastierung seines Apostolatsverständnisses ausreichen und durch die er den gegen ihn erhobenen Verdacht mangelnder bzw. unausgewiesener Qualifikation in einen Vorwurf der sekundären Legitimation und der unlauteren, ins Verderben führenden Rede gegen die Gegner wendet[29].

Neben der Bezugnahme auf die vorgegebene Situation findet sich in den Aussagen des Briefes noch ein anderer Situationszusammenhang. Paulus stellt nämlich, die aktuellen Spannungen mit der Gemeinde überholend, in seinen Ausführungen einen Situationskontext her, in dem die Gemeinde mit ihrem Gründungsapostel verbunden ist. Das geschieht dadurch, daß die Dialogpartner in die Aussage hineingenommen werden, die die Ausrichtung des Aposteldienstes auf die Gemeinde zum Inhalt haben[30]. Vor allem aber werden die Grundtatbestände christlicher Existenz so formuliert, daß die Gemeinsamkeit zwischen den Aposteln und den Gläubigen Korinths unübersehbar ist[31].

Deutet sich hier bereits eine andere Wertung der augenblicklichen Situation an, so schlägt sie vor allem dort durch, wo Paulus - von Anfang an in einer thematisch grundsätzlichen Weise - die Gegenwart unter dem Gesichtspunkt des endzeitlichen Offenbarungshandelns Gottes als Entscheidungszeit versteht oder sie in Verbindung bringt mit der eschatologischen Vorstellung vom neuen Geschöpfsein in Christus, das das Alte ablöst[32]. Es zeigt sich darin, daß Paulus sich nicht auf die faktischen Gegebenheiten fixiert, sondern die Situation mit einem situationskri-

---

28 Das bedeutet aber nicht zwingend, daß Paulus einen Einblick hat in die faktische Situation der Gemeinde, die Lage richtig einschätzt und eine klare Vorstellung von den Gegnern hat. Paulus erfährt nur von den Geschehnissen und den gegnerischen Vorstellungen durch Vermittlung anderer.

29 Vgl. bes. 2,17a; 3,1b. 5. 6-18; 4,2.

30 Vgl. 3,2f; 4,5 (13).15; 5,11. 12. 20; 6,1f. 11. 12a; 7,3f.

31 Vgl. 3,18; 4,14; 5,10. 21.

32 Vgl. 2,14-16a; 4,2-4; 5,17; 5,18 - 6,2.

tisch-theologischen Wirklichkeitsverständnis konfrontiert und damit das eigentlich Problematische der Situation aufdeckt. Welche Konsequenzen sich daraus für die Gläubigen ergeben, sagt Paulus vor allem in 5,20 und 6,1f. 5,20 impliziert in kontextueller Verbindung mit 6,1f und im Rahmen der Kommunikationssituation die nachdrückliche Bitte an die Adressaten, das an sie ergehende Versöhnungsangebot wahrzunehmen und ihre Situation als heilskritischen Zustand zu betrachten. Das Problematische des gemeindlichen Vorgangs ist damit im Sinne einer faktischen Diskrepanz der durch Paulus in seiner Funktion als Apostel angesprochenen Gemeinde zu der Versöhnungswirklichkeit erhellt; die Überwindung dieser Lage kann nur in der annehmenden Öffnung für das Versöhnungsgeschehen bestehen. Die Versöhnungsaussage impliziert also Versöhnlichkeit in einer fundamentalen Weise, d.h. eine radikale Änderung der Einstellung der Gemeindeglieder zur Tiefendimension ihres ursprünglichen Seins.

Die Wirkabsicht in Richtung auf eine Akzeptierungshandlung, die nicht von dem eben angesprochenen Zusammenhang getrennt werden kann, aber vor allem mit der augenblicklichen Konfliktsituation verbunden ist und deren Beseitigung anstrebt, kommt in 5,12 und in 6,11-13 zusammen mit 7,2-4 klar zum Ausdruck. Nach 5,12 zielt Paulus mit der Selbstauslegung seines Apostolatsverständnisses auf eine bestimmte Reaktion der Adressaten ab. Sie sollen im Anschluß an den Brief gegenüber den "gewissen Leuten" für Paulus Partei ergreifen. Das ist die Erwartung, die Paulus im Blick auf die Empfänger an seine Ausführungen knüpft. Vorausgesetzt ist, daß die angesprochenen korinthischen Gemeindeglieder die in dem Brief gegebene Antwort auf die Frage nach der ἱκανότης nicht nur als ausreichend akzeptieren, sondern sie zum καύχημα für Paulus verwenden. In einer solchen adressatenverschobenen Fortführung des Gesprächsbeitrags des Paulus durch die Gemeinde selbst dokumentiert sich das Einverständnis mit dem Apostel. Während in 5,12 die Absicht des Briefes auf die Verhaltensänderung der Gemeinde explizit thematisiert ist[33],

---

33 Paulus "bespricht" nicht nur die ausschlaggebenden Merkmale des authentischen, von jeder menschlichen Legitimation freien Aposteldienstes, sondern er versteht seine Ausführungen als Appell an die Gemeinde zur aktiven Solidarität mit ihrem Apostel.

kommt in 6,11-13 und 7,2-4 ein weiteres Moment der konkreten situations-
verändernden Funktion von 2,14 - 7,4 zur Sprache, das im Grunde erst
das Engagement für Paulus und den von ihm realisierten Aposteldienst
ermöglicht und trägt. An diesen Stellen nämlich richtet Paulus den Appell an die Gläubigen, sein Angebot zur einvernehmlichen Gemeinschaft
positiv zu beantworten. Paulus möchte also mit seinem Brief die Einstellung der Gemeinde dem pl. Apostolatsverständnis und ihr Verhalten
ihm gegenüber verändern.

Paulus breitet also in 2 Kor 2,14 - 7,4 keine situationslose Reflexion
über den Apostolat aus, sondern zielt auf die Ablösung der Konfliktsituation durch ein neues Gemeinschaftsverhältnis zwischen sich und den
Briefempfängern hin. Dieses soll nicht nur auf ein Einverständnis über
seine ἱκανότης durch Gott aufbauen, sondern auch von der persönlichen Zuwendung bestimmt sein.

2.1.2.3 Die Erwartung der korinthischen Briefempfänger

Will Paulus mit seiner Argumentation zugunsten seines eigenen Apostolats bei den angesprochenen Korinthern Erfolg haben, muß er in einem
deren Erwartung an einen Apostel wenigstens z.T. erfüllen, z.T. aber
auch korrigieren. Die Erwartung ist demnach einmal von der Situation
her vorgegeben, zum anderen wird sie durch den Text erst beim Hörer
aufgebaut und gelenkt[34].

Im Rahmen der Situation erwarten die Mitglieder der Gemeinde Korinths
von Paulus, daß er ebenso wie die "gewissen Leute" Referenzen von anderen Gemeinden beibringt[35]. Inhalt der Empfehlung durch andere hat

---

34 Es ist hier also nicht mehr nur nach der Erwartung gefragt, die Paulus z.B. mit seinem Brief verbindet, sondern nach der, die die Empfänger dem Paulus gegenüber haben. Doch gilt das nur insoweit, als
sie sich in den Äußerungen des Paulus reflektiert, da keine Anhaltspunkte für die Erwartung der korinthischen Gemeinde außerhalb des
Brieffragments gegeben sind. Direkt zu Wort kommt allein der Adres-
sant (Paulus), nicht aber der Adressat (Gemeinde). Daß die Erwartung
der Korinther nicht erfüllt wurde, zeigt die Reaktion des Paulus in
2 Kor 10-13 (vgl. bes. die Bemerkung 10,9-11, s. auch V. 1f; 11,6).

35 3,1b. - Die Bezugnahme auf die Gegner bleibt auffällig unscharf
(vgl. auch 2,17a; 5,12).

offensichtlich die demonstrierte Doxa zu sein[36], denn nur sie kann als Ausweis der ἱκανότης gelten[37].

Diese vorgegebene Erwartung, von der Paulus Kenntnis erhalten hat, sieht sich in 2 Kor 2,14 - 7,4 mit einem Brief konfrontiert, in dem der Anspruch auf den Aposteldienst auch gegenüber den Adressaten nicht durch gemeindliche Empfehlungen oder durch die Auflistung von Ereignissen oder Taten, in denen der Doxa-Besitz in beeindruckender Weise vor den Gemeinden manifest wurde, abgestützt ist. Dennoch ist die Kommunikation zwischen Paulus und der Gemeinde dadurch nicht verhindert. Paulus wählt nämlich ein Argumentationsverfahren, das Vorstellungen der Gemeinde berücksichtigt, sie zugleich aber korrigiert[38]. Bereits mit 2,14-17 werden die Erwartungen der Hörer auf ein Verständnis des Apostolats ausgerichtet, das weder die selbstgewisse Selbstdarstellung und Selbstempfehlung noch die beglaubigende Empfehlung durch andere zuläßt. Die Verstehensmomente, die in 2,14-16a und V. 17 um die Frage nach der ἱκανότης (V. 16b) gruppiert sind, lenken die Erwartung, die sich auf den Apostel konzentriert, um. Die Grundkoordinaten der folgenden Aussagen zum Apostolat ergeben sich nicht primär aus der Zuordnung von Apostel, Doxa und Gemeinde, sondern aus der Unterordnung des Apostels unter Gott und Christus innerhalb einer von Gott geführten endzeitlichen Aktion, in der Gott selbst seine γνῶσις offenbar macht[39].

Paulus legt seine Argumentation nicht darauf an, die "Apostelrolle" - d.h. die Erwartungen an sein Verhalten als Ausweis der Legitimation vor dem Forum der Kritiker - im Sinne der Angesprochenen zu umschreiben, zu belegen und damit äußere Normen anzuerkennen. Seine Ausführungen steuern vielmehr gegen die ihm zugemutete Rolle. Er bleibt nicht in der Verteidigerstellung des Herausgeforderten, sondern er fordert die Gemeinde heraus. Er versucht also, die Erwartung der Gemeinde, wie sie

---

36 Ein erheblicher Teil der Ausführungen bezieht sich direkt oder indirekt auf die Doxa des Dienstes und seiner Verkündigung (s. bes. die Kap. 3f).

37 Vgl. 2,16a; 3,5f.

38 Vgl. z.B. 3,1-3; 4,10-12. 16-18; 5,12f.

39 2,14; 4,2-4.6; vgl. auch 3,3. 6; 4,7; 5,19f; 6,1f.

vielleicht ihm gegenüber artikuliert worden ist oder aus der Situation in Korinth erschlossen werden konnte, auf seine Argumentationsebene hin umzulenken, um so mit der Gemeinde in Korrespondenz der Erwartungen von seiner Seite und von seiten der Gemeindeglieder eine tragfähige und wirksame Front gegen die "gewissen Leute" aufzubauen.

2.1.2.4 Die Versöhnungsaussage in der kommunikativen Spannung zwischen Paulus und den Briefempfängern der Gemeinde Korinths

Die Konfliktsituation zwischen Paulus und der Gemeinde, die den aktuellen Rahmen für das Brieffragment 2 Kor 2,14 - 7,4 abgibt, ist auch in der Versöhnungsaussage 5,18f und vor allem in der Versöhnungsbitte von V. 20 mitangesprochen. Die Versöhnungsthematik schließt eine pragmatische Dimension in der Kommunikation mit der Gemeinde ein. Kontrastiert man die Zweifel an der Befähigung des Paulus zum Aposteldienst mit dem in V. 18f erhobenen Anspruch, daß der von Paulus vollzogene Aposteldienst seinen Grund im Versöhnungshandeln Gottes hat, so verschärft sich sogar noch die Differenz zwischen Paulus und der Gemeinde (und der in ihr auftretenden Konkurrenten), wenn nicht die vorausliegende Argumentation eine Einstellungsveränderung erreicht hat.

Entscheidend ist jedoch ein anderer Gesichtspunkt. Vor allem die Versöhnungsbitte (V. 20) und die Hervorhebung des jetzt gegenwärtigen Heilskairos (6,2) decken auf, daß die Spannung zwischen Apostel und Gemeinde die Frage akut werden läßt, ob die Gemeinde tatsächlich das Angebot der Versöhnung mit Gott schon beantwortet hat bzw. durch die Orientierung an den "gewissen Leuten" überhaupt beantworten kann. Die von Paulus erstrebte Gemeinschaft mit den Gläubigen Korinths setzt demnach nicht nur neues Einvernehmen der Konfliktpartner voraus; ihre Grundlage ist vielmehr die Antwort auf die Versöhnungsbitte des Apostels Paulus, d.h. die von den Gläubigen belebte Versöhnungsgemeinschaft mit Gott aufgrund des Dienstes des Paulus. Die Versöhnungsaussage in 5,18ff enthüllt somit die theologische Tiefendimension des Konflikts und den einzigen Lösungsweg zur Veränderung der Situation.

2.1.3 2 Kor 2,14 - 7,4 als weiterer Kontext von 5,14 - 6,2.

Der Gedankengang

Das in den sog. 2. Korintherbrief eingearbeitete Brieffragment 2,14 -
6,13 und 7,2-4 enthält einen geschlossenen Aussagezusammenhang[40]. Den
Textanfang bildet ein Dankgebet des Apostels an Gott (2,14-16a), das
typisch ist für den Eingangsteil pl. Briefe[41]. Das Fragment klingt aus
mit einem persönlich gehaltenen Appell des Paulus an die Adressatengemeinde (6,11-13; 7,2-4). Die zwischen diesen beiden Eckpfeilern entfalteten Gedanken sind die Antwort des Paulus auf die Frage nach den wesentlichen Merkmalen für die Befähigung zum Apostolat und nach ihrem
konkreten Nachweis in der Verwirklichung seines Aposteldienstes.

1) Paulus legt bereits mit der kompakt formulierten, hymnusartigen Danksagung das theologische Niveau seiner Argumentation fest. Im Vorgriff
auf den Beweis der Legitimität seines Apostolats nennt er die Grundkoordinaten seines Apostolatsverständnisses, indem er seinen Aposteldienst
als Moment des endzeitlich-gegenwärtigen und universalen triumphalen
Offenbarungshandelns Gottes bestimmt. 2,17 unterstreicht, daß für Paulus allein Gott und Christus die Referenzpunkte seines Legitimitäts-
und Qualifikationsnachweises sind, nicht jedoch "die Vielen" (vgl.
11,18). Diese geben nur den negativen Kontrast ab. Als Maßstab für die

---

40 H.D.Wendland, 2 Kor 176: "die großangelegte Rechtfertigung und theologische Begründung des Paulus verliehenen Apostelamtes, die eine der
bedeutendsten Stücke der vorliegenden Briefkomposition darstellt, ist
eine Hauptquelle für das Selbstverständnis des Paulus als Apostel".
41 Vgl. 1 Thess 1,2-10; 1 Kor 1,4-9; 2 Kor 1,3-11; Phil 1,3-11; Phlm
1,4-7; Röm 1,8-15. Der Gal macht die einzige (situationsbedingte)
Ausnahme. Kennzeichnend für 2 Kor 2,14-16a ist, daß hier der Apostolat des Paulus Gegenstand des Dankens ist, ohne daß die Gemeinde in
den Dank eingeschlossen wird. Zur Gedankenbewegung und zum Bildmaterial der Danksagung vgl. E.Lohmeyer, Wohlgeruch; H.Windisch, 2 Kor
96-99; T.W.Manson, 2 Cor. 2,14-17; H.Schürmann, Existenz; U.Luz, Geschichtsverständnis 255-258 (jedoch Überakzentuierung des Prädestinationsgedankens in 2,15f); R.Bultmann, 2 Kor 66-72 (ebenfalls Annahme des Prädestinationsgedankens); B.Mayer, Heilsratschluß 130-135
(gegen die prädestinatianische Deutung). - Das Bild vom Triumph
kehrt in Kol 2,15 wieder, meint jedoch dort ein Handeln des Erhöhten
an den Mächten (H.Schlier, in: ThWNT V 882, 14-16; R.Schnackenburg,
Herrschaft 216f; E.Schweizer, Kol 117; auf die Kreuzigung bezogen
von G.Delling, in: ThWNT III 160, 3-5). - Zu 2,14-17 ausführlich:
H.Baum, Mut 71-109.(Er behandelt den Abschnitt jedoch im Zusammenhang des ganzen 2 Kor); jetzt auch G.Barth, Eignung, bes. 261-269.

authentische Verwirklichung des Apostolats und als Muster, an dem sich
die beizubringenden Belege für die Qualifikation zum Apostolat zu orientieren haben, kommen sie für Paulus nicht in Betracht[42]. Sowohl das
Dankgebet als auch die Charakterisierung authentischer Verkündigung in
V. 17 machen deutlich, daß Paulus die generelle Frage nach der Befähigung zum Dienst als Apostel (V. 16b) auf seine Person, auf die konkrete
Gestalt seines Apostolats und insbesondere auf seine Verkündigung bezieht. Die Personalisierung der Leitfrage prägt also die folgende Argumentation[43].

2) Bereits das erste Argument für die ἱκανότης des Paulus (3,1-3),
das zugleich den aufgrund von 2,14-16a und 17 erwartbaren Vorwurf der
Selbstempfehlung und die Forderung von gemeindlichen Empfehlungsbriefen
zurückweisen soll, enthält die Koordination, die für den Beweisgang des
Paulus symptomatisch sind. Das aus den Empfehlungsbriefen herausgelöste
Brief-Motiv deutet Paulus so um, daß nicht nur die faktische Gemeinde
Korinths (die Adressatengemeinde) gegen die von der Gemeinde verlangten
und selbst ausgestellten Empfehlungsschreiben ausgespielt wird. Die
theologische Bedeutungsverschiebung zielt vor allem darauf ab, daß die
Gemeinde sich als "Brief Christi" erkennt. In dieser Eigenschaft weist
sie hinaus auf Christus als ihren eigentlichen Urheber. Die christolo-
gische Relation der Gemeinde impliziert aber auch die Relation zum
Gründungsapostel. Denn gerade als "Brief Christi" ist die Gemeinde Aus-

---

42 An keiner Stelle des Brieffragments wird positiv auf die Gegner Bezug genommen. Vgl. die signifikante Aussage 2,17 (mit dem zweifachen,
die Differenz von Anfang an (οὐ γάρ) energisch herausstreichenden
" ἀλλ' ὡς ") und die Gegenüberstellungen in 3,1f. 5. 7-9. 12f; 4,1f.
5; 5,12c; 6,3f. - Ob Paulus in seinem Argumentationsgang "die Position der Gegner nicht total bestreitet, sondern zum Teil aufnimmt,
sie aber anders orientiert" (so W.Marxsen, Einleitung 79), ist historisch auf der Basis des Brieffragments nicht überprüfbar. Eine
effektive Kommunikation mit der Gemeinde, und eine solche sucht Paulus fraglos zu erreichen (vgl. nur 5,11. 12; 6,11-13; 7,2-4), setzt
aber voraus, daß Paulus Elemente aus der zumindest möglichen Vor-
stellungs- und Sprachwelt der intendierten Kommunikationspartner und
aus der (wenn auch nur vermeintlichen) Gegnerposition in die eigene
Aussage aufnimmt.

43 Vgl. die überwiegende Form der "Wir"-Rede (s. aber den Übergang zur
"Ich"-Rede 5,11; 6,13; 7,3f), die neben der - in Kap, 10-13 dann
noch gesteigerten - Personalisierung auch ein Solidarisierungsmoment
enthält.

weis für das Wirken des Apostels, aufgrund dessen die Gemeinde Gestalt
annahm. In dem primären Zeugnis für Christus ist das sekundäre für den
Apostel eingeschlossen, der an der "Herstellung"[44] der Gemeinde als
Mitteilungsmedium Christi für einen universalen Adressatenkreis[45] in
Unterordnung unter dem "Autor" Christus beteiligt war. Die nähere Bestimmung der Gemeinde als durch den "Geist des lebendigen (d.h. lebenschaffenden) Gottes" konstituierte (V. 3) weist voraus auf 3,17f, wo
der pneumatologisch-christologische Konvergenzpunkt der Pneumageprägt-
heit der Gemeinde (V. 2f) und des Aposteldienstes (V. 6ff) den Höhepunkt der ersten Argumentationsfolge markiert. In Verbindung mit V. 2
legt V. 3 offen, daß Paulus den Rekurs auf die Gemeinde als Empfehlung
für den Apostel der inneren argumentativen Struktur nach als christolo-
gisch-pneumatologisches Argument verstanden wissen will, mit dem sich
die Gemeinde identifizieren kann, wenn sie sich selbst als endzeitliche
geisterfüllte Gemeinde annimmt und im Zeugnis vor den Menschen realisiert[46].

3) Auch in V. 4-6 unterstreicht Paulus, daß sein Apostolatsverständnis
christologisch und theo-logisch verankert ist. Die Aussagen über die
zweifache theozentrische Relation des Apostolats[47] und deren Vermitt-

---

44 Mit διακονηθεῖσα ist trotz der Unterordnung des Apostels impliziert (vgl. K.Prümm, Diakonia II/1,105), daß die Gemeinde Resultat
   der "dienstlichen" Arbeit des Apostels in der Verkündigung ist. Gerade als "Werk im Herrn" ist die Gemeinde "das Siegel meines Apostolats im Herrn" (1 Kor 9,1f). Vgl. 1 Kor 4,15b; 15,10.

45 Vgl. 3,2b. - Die Gemeinde selbst hat kraft des Pneuma, das der Gemeinde Gestalt gibt und in ihr wirkt, bereits in ihrer Existenz eine
   eschatologische Verkündigungsfunktion für die Welt. Vgl. 1 Thess
   1,7-9; Röm 1,8; 16,9.

46 Das Zeugnis, das die geistgewirkte Gemeinde als "Brief Christi" vor
   "allen Menschen" gibt, ist zugleich Zeugnis der Gegenwart des Pneuma
   in der auf die Erbauung der Gemeinde hinzielenden Verkündigung des
   Paulus-Apostolats. Vgl. 1 Thess 1,5-10; 2 Kor 12,11f; s. auch die
   Argumentation in 13,3-6.

47 Der neubundliche Dienst ist in zweifacher Weise theozentrisch bestimmt: einmal hinsichtlich der πεποίθησις des Dienstträgers, die
   "durch Christus auf Gott hin" ausgerichtet; zum anderen hinsichtlich
   der Befähigung, die der Apostel von Gott empfangen hat (vgl. 3,5-6).
   Die Befähigung durch Gott ist die Grundlage des Vertrauens auf Gott
   (vgl. W.Thüsing, Per Christum 189f). S. auch die Gegenüberstellung
   2 Kor 1,9; Phil 3,3f.

lung durch eben denselben Christus, durch den nach V. 2f auch die Gemeinde bewirkt worden ist, sichern noch einmal das Fundament für das im einzelnen zu entwickelnde Verständnis des Apostolats und legen die für Paulus maßgeblichen Referenzen für den Befähigungsanspruch und die Legitimation als Apostel fest.

4) V. 7-18 explizieren die bereits in V. 6 auf die Dienste bezogene Gramma-Pneuma-Antithese. Der qualifizierte Unterschied, der aus dem Gegensatz von tötendem Gramma und lebendig machendem Pneuma für die jeweils korrespondierende Dienstform abgeleitet wird, wird nun unter den leitenden Gesichtspunkten der Teilhabe an der Doxa und des Vollzugs des Apostolats in παρρησία verdeutlicht.

Der argumentative Schwerpunkt liegt zunächst (V. 7-11) auf dem Nachweis, daß die Doxa der διακονία τοῦ πνεύματος (V. 8) bzw. τῆς δικαιοσύνης (V. 9)[48] übergroß und unvergänglich ist und deshalb der Doxa der διακονία τοῦ θανάτου (V. 7) bzw. τῆς κατακρίσεως (V. 9) nicht nur quantitativ, sondern qualitativ überlegen ist. Dem auf diese Weise negativ charakterisierten Moses-Dienst (V. 7) wird zwar die Doxa nicht grundsätzlich abgesprochen[49], doch unterstreicht Paulus, daß sie als vergängliche letztlich mit der bleibenden Doxa nicht vergleichbar

---

48 Auf den Apostel, nicht auf die Gemeinde zu beziehen (gegen P.Stuhlmacher, Rechtfertigung 205). Zum Verständnis des Verhältnisses von Dienst und Dikaiosyne ist nicht nur auf die polemische Opposition zur Verbindung des (Moses-)Dienstes mit dem tötenden Gramma und der Verurteilung zu achten, so daß Dikaiosyne forensische Bedeutung hätte (gegen D.Hill, Greek Words 147), sondern vor allem auf den positiven interpretativen Zusammenhang zwischen Pneuma und Dikaiosyne (W.Thüsing, Rechtfertigung 313; vgl. auch P.Stuhlmacher, Gerechtigkeit 76). - Vgl. der Sache nach 5,17a in Verbindung mit V. 18-21. - Der polemische Hintergrund der Rede vom "Dienst der Dikaiosyne (d.h. der vom Pneuma getragenen heilshaften Gottesrelation)" wird erneut greifbar in 11,15 (s. auch 6,7). Zum implizierten Verkündigungsaspekt s. bes. Röm 1,16f; 1 Kor 1,18. 21; 2,4f. Zur Opposition von "Dienst des Todes" und "Dienst der Dikaiosyne" vgl. 1 QH 1,27; 6,19; 1 QS 4,9. Eine mit der Argumentationsstruktur von 2 Kor 3,7-9 vergleichbare Aussage bietet Röm 6,16-19.

49 Das Argumentationsverfahren erfordert diese Voraussetzung, um den kontrastierenden "Vergleich" durchführen zu können, der auf die eschatologische Differenz zwischen den beiden Dienstweisen hinsichtlich ihrer jeweiligen Doxa und damit auf das Plus auf der Seite des neubundlichen Dienstes (3,6) hinzielt.

ist und gar nicht mehr ins Gewicht fällt (V. 10). Diese Gedanken entwickelt Paulus im Zuge einer eigenwillig verfremdenden allegorisieren-
den Exegese von Ex 34,29ff[50]. Die Logik der Argumentation stützt sich
auf das dreimal durchgeführte Schlußverfahren a minore ad maius[51]. Das
Urteil ist geleitet von der Auffassung, daß die eschatologische καινη
διαϑηκη (V. 6a) bereits in Kraft gesetzt ist (vgl. 5,17).

Mit V. 12 beginnt ein neuer Gedankenschritt (ἔχοντες οὖν), der jedoch durch die zusammenfassende Wendung von V. 12a an den vorausliegenden Kontext V. 7-11 (in Verbindung mit V. 5f) zurückgekoppelt ist. Das
neue Thema gibt V. 12b an: die πολλὴ παρρησία des Apostels gegenüber
den Menschen (vgl. 7,4)[52], die in der Doxa gründet und in der die Doxa
der endzeitlichen Diakonia allen erkennbar wird.

Wie in V. 7-11 bedient sich Paulus auch in diesem Zusammenhang des Moses-Dienstes zur Kontrastierung. Die seit V. 6 (vgl. schon V. 3) im
Hintergrund stehende Gramma-Pneuma-Antithese wird in die Antithese von

---

50 Paulus greift in den LXX-Text von Ex 34 ein (vgl. I.Dugandzic, "Ja"
   Gottes 95) und unterwirft den Sinn der atl. Aussagen seinem Argumentationsanliegen, so daß man von einer "produktiven Rezeption" in bewußter Antithese zur Gegnerposition sprechen kann. "Die Verknüpfung
   der Motive mag sprunghaft erfolgen, die dazu führenden Assoziationen
   sind als solche nicht sinnlos" (E.Käsemann, Perspektiven 256f). Ob
   Paulus in 2 Kor 3,7-18 eine textuell-fixierte "gegnerische Vorlage"
   polemisch verfremdet und uminterpretiert, wie z.B. D.Georgi, Gegner
   274-282 (bes. 282) und in anderer Weise S.Schulz, Decke, annehmen
   (vgl. ansatzweise schon H.Windisch 2 Kor 112), ist möglich (H.Con-
   zelmann, Weisheit 181), aber allein literarkritisch und religionsgeschichtlich nicht zwingend zu entscheiden (vgl. U.Luz, Geschichtsverständnis 129; E.Käsemann, a.a.O. 256 "leuchtet nicht ein"). Abgesehen davon ist der polemische Unterton nicht zu überhören (H.Conzel-
   mann, a.a.O. 181; E.Käsemann, Perspektiven 266; anders U.Luz, Bund
   324; I.Dugandzic, a.a.O. 96).

51 Zum rabbinischen Qal- Vachomer - Schlußverfahren s. Str.-Bill. III
   223-226. 230. Vgl. auch C.Maurer, Schluß (zu 2 Kor 3,7-11, bes.150);
   E.Brandenburger, Adam 221-222.

52 A.Oepke, Gottesvolk 208, setzt einen ruckartigen Themawechsel bei
   V. 14 an. Für den Neuansatz bei V. 12 spricht sich z.B. H.Windisch
   (2 Kor 117) aus. Windisch versteht V. 12-18 als Applikation von V.
   7-11 auf die "Christen und Juden in der Gegenwart" des Paulus (ebd.).
   R.Bultmann (2 Kor 82) faßt V. 12-18 als "Folgerung" aus V. 7-11 und
   erkennt richtig, daß die apostolatsbezogene Aussage in V. 17f verallgemeinert wird und die Gesamtgemeinde in den Blick nimmt. Vgl. I.
   Dugandzic, "Ja" Gottes 123; zu 2 Kor 3,4-18: 93-96. 102-125.

παρρησία und κάλυμμα umgewandelt (V. 12b.13a). Bedeutsam bleibt auch das Stichwort καταργεῖσθαι aus V. 7 und 13 (vgl. V. 13.14). Die Entfaltung des mehrfach variierten κάλυμμα- Motivs in V. 13-16 (und 18) ist auf die christologische Aussage ausgerichtet, daß die "Hülle" ἐν Χριστῷ (d.h. in der Gemeinschaft mit dem erhöhten Christus) beseitigt wird (V. 14c.16)[53].

Der Zielpunkt des Gedankens von V. 12-18 liegt in V. 17[54], der zugleich die Grundlage von V. 16 (vgl. Ex 34,34) und von V. 18 ist. Die freimütige Öffentlichkeit und Offenheit[55], die nach V. 12b den Herrlichkeitsdienst der διακονία τοῦ πνεύματος kennzeichnet, sind Wirkung des Pneuma-Kyrios, der die Freiheit von der Macht des κάλυμμα schenkt (V. 17), obgleich diese die παρρησία verhindernde Macht noch bis in die Gegenwart herrscht, wie Paulus im Blick auf die Verlesung der παλαιὰ διαθήκη (bzw. des "Moses") bei den υἱοὶ Ἰσραήλ feststellen muß (V. 14-15). Mit der Freiheit des Pneuma-Kyrios empfängt der Apostel

---

53 I.Hermann, Kyrios 36. - Der Gedanke wird V. 17 christologisch-pneumatologisch vertieft und V. 18 ekklesiologisch auf die endzeitliche und schon gegenwärtige Doxa aller Glaubenden hin konkretisiert.

54 V. 17 ist eine der Problemaussagen in den pl. Briefen, die die Exegese immer neu herausgefordert haben (vgl. K.Prümm, Auslegung). Zum Sachproblem vgl. vor allem I.Hermann, Kyrios. S. auch E.Schweizer, in: ThWNT VI 415f; W.Thüsing, Per Christum 154f; ders., Zugangswege 263-266 (Korrektur an I.Hermann unter Einbeziehung von 3,18 und 4,4); weiterhin: W.Kramer, Christos 163-167; R.Bultmann, 2 Kor 99-101. - W.Schmithals, Gnosis 299-308, scheidet V. 17 als gnostische Glosse aus. Demgegenüber betont D.Hill, Greek Word 279 Anm. 1, zu Recht die kontextuelle Eingebundenheit. B.Byrne, Sons 122-126, behandelt 3,17f als Paralle zu Röm 8,14-30 (bes. 21.29b). Beachtenswert ist der Hinweis auf die mit 2 Kor 3,18 vergleichbare Erwartung von syr Bar 51,3. 5.7-12, daß die Gerechten in die sogar die Engel übertreffende Herrlichkeit umgewandelt und der Schau der unsichtbaren Welt teilhaft werden. Von "progressiverGlorifikation" (125) bzgl. 2 Kor 3,18 zu sprechen, ist m.E. problematisch und deutet sich wohl auch in syr Bar 51,10 nur an. - Z.St. s. noch J.D.G.Dunn, 2 Cor III.17; zu V.17a: K.Prümm, Israels Kehr; J.Schildenberger, 2 Kor 3,17a; B.Schneider, Dominus.S. auch die Übersicht von K.Prümm, Auslegung.

55 Die Parrhesie des Apostels, die in der "Hoffnung" auf die bleibende Doxa verankert ist, bezieht sich hier nicht primär auf das Verhältnis zu Gott (vgl. V. 4 πεποίθησιν τοιαύτην ἔχομεν διὰ τοῦ Χριστοῦ πρὸς τὸν θεόν), sondern meint das öffentliche und freimütige, nicht vom ἐγκακεῖν und von der αἰσχύνη gezeichnete Auftreten bei der Verkündigung des Evangeliums vor den Menschen (vgl. den Gegensatz V. 13; s. auch 4,1f. 16); so ebenfalls R.Bultmann, Theologie 324; anders H.Schlier, in: ThWNT V 881f (bes. 881,7-25);

zusammen mit allen Gläubigen (ἡμεῖς δὲ πάντες)[56] durch das Pneuma,
durch das der erhöhte Christus wirkt, bereits in der Gegenwart die
eschatologische Gabe der Doxa[57]. Durch das unverhüllte Anschauen der
Doxa des (Pneuma-)Kyrios wird der Gläubige in dessen Eikon umgestaltet

---

zum Begriff der Parrhesie vgl. ebd. 869-877 (sprach- und reiligions-
geschichtlicher Hintergrund); ergänzend W.C. van Unnik, Achterground
(aramäische Äquivalente); E.Grässer, Freiheit 339-341 (griechisches
Verständnis und die Differenz des Paulus dazu); K.Berger, Exegese
146f (partielle Synonymität von Sich-Rühmen und freimütig Reden). Zu
2 Kor 3,12 vgl. 1 Thess 2,2-7; Phil 1,20; s. auch 2 Kor 7,4.

56 Die Gemeinde als Gesamtheit ist in ihrer Hinwendung zum Kyrios Ort
der vom Pneuma-Kyrios geschenkten Freiheit und gibt als solche Zeugnis von ihrer pneumatischen Wirklichkeit (vgl. V. 2f). Somit besteht
für das Verhältnis zwischen Paulus (als Apostel) und der Gemeinde
nicht mehr die "unüberbrückbare Gespaltenheit zwischen Mose und Israel" (J.S.Vos, Untersuchungen 139). Vgl. den Gegensatz von V. 18 zu
V. 13 (-15), aber auch die gedankliche Verschiebung im Vergleich mit
V. 7: An die Stelle des Nicht-anschauen-Könnens der Doxa des Moses
durch die "Söhne Israels" tritt das Anschauen (vgl. unten Anm. 58)
der Doxa des Erhöhten durch die Glaubenden. Somit umschließt V. 18
nicht nur den Gegensatz zwischen dem Moses-Dienst und den "Söhnen
Israels" und den zwischen dem Moses-Dienst und dem in seiner Doxa
eschatologisch qualifizierten Paulus-Dienst, sondern unterstreicht
besonders den Gegensatz zwischen den "Söhnen Israels" und ἡμεῖς
πάντες und impliziert die Antithese zwischen Moses, dessen Doxa
vergänglich ist und an der die Söhne Israels keinen Anteil erhalten,
einerseits, und Christus als Pneuma-Kyrios, durch den alle auf ihn
bezogenen Glaubenden (unter Einschluß des Paulus) an seiner Doxa
(vgl. 4,4. 6; 1 Kor 2,8; Röm 6,4) teilhaben, andererseits.

57 V. 18 betont in singulärer Weise die Präsenz der endzeitlichen Doxa
(vgl. H.Conzelmann, Weisheit 182), enthält aber auch ein Steigerungsmoment von der gegenwärtigen zur zukünftigen Doxa (I.Hermann,
Kyrios 34). Einem enthusiastischen Mißverständnis werden im nachfolgenden Kontext deutliche Grenzen gezogen (vgl. bes. 4,16f; aber auch
4,7-13; 5,1-8; 4-10).
Zum futurisch-eschatologischen Aspekt uneingeschränkter direkter
Schau vgl. 2 Kor 5,7 (4,19); 1 Kor 13,12; zur futurischen Herrlich-
keitsgestalt des Leibes in der Mitgestaltung mit dem verherrlichten
Christus Phil 3,21; vgl. 1 Kor 15,47-53; 2 Kor 4,17; 5,1-8; Röm 5,2;
8,23. Die Verbundenheit von Freiheit, Doxa und Pneuma in der gegenwärtigen υἱοθεσία mit der Perspektive auf die noch ausstehende
Vollendungsdoxa zeigt sich gut in Röm 8,18. 21. 23. - Vgl. in diesem
Zusammenhang auch 1 Joh 3,2, wo über das Jetzt (νῦν) der Gotteskindschaft hinaus der Blick auf das Noch-nicht (οὔπω) der erfüllten Zukunft gerichtet wird: Die Zukunft bringt das Offenbarwerden der Kinder Gottes in der Doxa, und zwar im Sinne der Gottähnlichkeit in der
Gottesschau (ὀψόμεθα αὐτόν) (mit R.Schnackenburg, Johannesbriefe
149-153; W.Thüsing, Erhöhung 216 Anm. 46). Entgegen dieser Deutung
versteht R.Bultmann, Johannesbriefe 53, V. 2b dahin, daß die Glau-

und partizipiert somit an dessen Doxa-Wesen[58].

Mit V. 17f erreicht die Darlegung der eschatologischen Differenz der beiden in V. 6 genannten Dienste ihren Scheitelpunkt. In Korrespondenz zu V. 2f, wo das ekklesiologische Argument für die ἱκανότης des Paulus christologisch-pneumatologisch zentriert ist, ist auch der apostolatstheologische Gedanke von V. 7-18 auf die christologisch-pneumatologische Aussage ausgerichtet, die sich in V. 18 mit der ekklesiologischen verbindet. Jedoch geht die theozentrische Grundlinie auch hier nicht verloren. Sie ist nicht nur von V. 4-6 her mitzudenken, sondern ist sowohl durch den Anklang an 3,3 (πνεύματι θεοῦ ζῶντος) als auch vor allem durch den Sachzusammenhang mit dem folgenden Kontext (4,4.6) erhalten[59]. Nicht zuletzt ist sie in den Begriffen Doxa, Pneuma

benden durch die Schau des bei der Parusie offenbar werdenden erhöhten Christus diesem gleich werden und an seiner Doxa teilhaben. Jedoch besteht im joh. Denken keine derartige Alternative, da das Erkennen Gottes das Erkennen des von ihm Gesandten, Jesus, einschließt bzw. die Schau Jesu die Schau Gottes vermittelt (vgl. Joh 7,28f; 8,19; 12,45; 15,24; 17,3; 1 Joh 4,12-16) und die Doxa Jesu in Prä-, Post- und irdischer Existenz letztlich die Doxa des Vaters ist. Vgl. noch die Aussagen Joh 1,14 (wir haben seine Doxa gesehen); 14,9 (wer Jesus schaut, schaut den Vater); 17,24 (die Schau der Doxa Jesu, die Gott ihm in seiner Liebe gegeben hat; vgl. V. 22); weiterhin: 11,40 (der Glaubende sieht im Offenbarerwirken Jesu die Doxa des Vaters; vgl. V. 4; 2,11). Zu diesem joh. Themenkreis s. W.Thüsing, Erhöhung, bes. 216-219. 226-233).

58 Die Bedeutung von κατοπτρίζεσθαι ist in der Forschung umstritten. Für die Übersetzung "widerspiegeln" spricht sich z.B. J.Dupont, Chrétien (s. auch ders., Gnosis 119f. 121) aus. Er steht damit in der Tradition der griechischen Väter. Demgegenüber vertritt z.B. N. Hugedé, Métaphore, die Bedeutung "(im Spiegel) schauen". Er folgt darin dem lateinischen Verständnis und alten Übersetzungen. Ebenso z.B. H.Lietzmann, Kor 113; H.Windisch, 2 Kor 127f; R.Bultmann, 2 Kor 93-97 (zahlreiches religionsgeschichtliches Vergleichsmaterial); D. Georgi, Gegner 273; ebenso W.Bauer, Wb 839f. Beispiele aus der Deutungsgeschichte bei Ph.Bachmann, 2 Kor 174f Anm. 2. - Wenn auch sprachgeschichtlich die Bedeutung nicht eindeutig zu sichern ist, lassen sich doch insbesondere religionsgeschichtliche Analogien für die Spiegelschau (in Verbindung mit der Verwandlung) anführen. Darüber hinaus weist auch der Zusammenhang mit dem engeren vorausgehenden Kontext auf dieses Verständnis hin. So spricht V. 18a von allen Glaubenden, d.h. von den zum Kyrios Bekehrten (V. 16), und bildet folglich primär einen Kontrast zu den Negativaussagen über die "Söhne Israels" (V. 13b-15), nicht aber zur Doxa auf dem Angesicht des Moses (V. 7; vgl. V. 13a). - Vgl. die Argumente bei H.Windisch, 2 Kor 128; R.Bultmann, 2 Kor 94; W.Thüsing, Per Christum 127 (mit

und Eikon mitthematisiert. Auch die in V. 16 und 18 verwerteten LXX-Aussagen (Ex 34,34; 16,7. 10; 24,17) vermögen noch durch den Kyriostitel - trotz der christologischen Transformation durch Paulus - einen LXX-kundigen Hörer daran zu erinnern.

5) Daß mit V. 18 nicht der Abschluß der Argumentationskette erreicht ist, zeigt διὰ τοῦτο in 4,1 an, wenn auch das anschließende ἔχοντες τὴν διακονίαν ταύτην einen gedanklichen Einschnitt andeutet (vgl. 3,12).

Mit 4,1-6 wird der Problemhintergrund erneut ausdrücklich anvisiert. Der vorausgegangene Kontext ist resümiert und mit neuen Akzenten versehen. Die Rückbezogenheit von V. 1-6 nicht nur auf 3,12-18 (oder sogar nur V. 17f) zeigt sich in einzelnen Stichworten und Wendungen ebenso wie im Argumentationsverlauf[60]. Während in V. 18 die Doxa des Apostel-dienstes mit der Doxa aller Gläubigen in eins gesehen ist, engt sich der Blickwinkel in 4,1-6 wieder auf den Apostolat ein.

In sachlicher Entsprechung zu 3,4-6 und in einer gewissen formalen Nähe zu V. 12f verankert Paulus den hinsichtlich seiner Herrlichkeitsdimension dargestellten Dienst nicht in seiner menschlichen Fähigkeit, sondern in dem ihm geschenkten Erbarmen[61]. Damit wird erneut der Verdacht der Selbstempfehlung zurückgewiesen. Wie die berechtigte Hoffnung auf die bleibende Doxa die παρρησία trägt (3,12), so das in der Teilhabe an der Doxa des Pneuma-Kyrios erfahrene Erbarmen Gottes ganz entspre-

---

Verweis auch auf 1 Kor 13,12). Zu 2 Kor 3,18 a. auch J.Jervell, Imago 183-192. Eine bemerkenswerte analoge Aussage findet sich bei Philo (Leg.All. III 101) in einer Umschreibung von Ex 33,13.

59 Zu Recht betont von W.Thüsing, Per Christum 154f (s. auch ders., Zugangswege 263-266) mit Blick auf den Zusammenhang von 2 Kor 3,17. 18 und 4,4. Vgl. ebenfalls I.Dugandzic, "Ja" Gottes 91f.

60 Vgl. 4,1 mit 3,4. 5f. 12; 4,2 mit 2,17; 3,12f (s. auch 4,13; 5,11; 6,3f. 11f; 7,2-4); 4,3-4a mit 2,15-16a; 3,14f; 4,4bc mit 3,17f (vgl. den Gegensatz zum Glanz des Dienstes des tötenden Gramma 3,6-11 und das Verhüllungsmotiv in bezug auf die Verlesung der alten Diatheke, der Urkunde der vergangenen Heils- und Gottesordnung, bzw. in bezug auf die Herzen der Kinder Israels V. 14f); 4,5 mit 3,1-3; V. 16-18 (Kyrios); 4,6 mit 2,14; 3,5f (vgl. auch den Gegensatz zur Hülle auf den Herzen der Söhne Israels V. 15) und V. 16-18. S. auch D.Georgi, Gegner 248 Anm. 3. Nach Ph.Bachmann, 2 Kor 177, hebt διὰ τοῦτο "die anzuführende neue Tatsache ... als wirklich und eben in dem Vorausgehenden begründet" hervor.

chend den Mut[62] zur unbeirrten Verwirklichung des Apostolats. Es ist Ausdruck dieses Mutes, wenn sich Paulus ausschließlich in den Dienst der φανέρωσις τῆς ἀληθείας stellt und sich eben dadurch empfiehlt (4,2)[63]. Die Empfehlung allein durch die Verkündigung des Wortes Gottes, in der sich die Wahrheit dieses Wortes kundtut, erweist in der συνείδησις der Menschen, an die sich das Wort Gottes wendet und die sich von diesem Wort ergreifen lassen (4,2c.3f; vgl. 5,11), seine Lauterkeit (vgl. 4,2bc; 2,17). Daß es sich bei dieser Art von Selbstempfehlung nicht um eine Selbstlegitimation unter Berufung auf das eigene Vermögen handeln kann, ist durch ἐνώπιον τοῦ θεοῦ nachdrücklich hervorgehoben (4,2c)[64].

Die Präzisierung dessen, was in der Verkündigung als ἀλήθεια offenbar wird, bietet V. 4-6. Das Offenbarwerden der Wahrheit geschieht im "Aufleuchten des Evangeliums von der Doxa Christi, der ist Eikon Gottes"

---

61 Die Befähigung durch Gott (3,5f) wird auf diese Weise noch einmal bekräftigt. - Vgl. 1 Kor 7,25b; 15,10 (Apostel durch die Gnade Gottes) der Sache nach auch Gal 1,15; s. auch in einem anderen Argumentationszusammenhang die Freiheit Gottes in der Zuwendung des Erbarmens Röm 9,14-18 (bes. V. 16). - Der soteriologische Hintergrund des Erbarmens wird in 2 Kor 5,18f thematisch.

62 Der Terminus ἐγκακεῖν ist im NT und auch in der außerntl. Literatur nur wenig gebraucht (H.Windisch, 2 Kor 132). In unserem Zusammenhang wird er noch einmal V. 16 aufgenommen (διὸ οὐκ ἐγκακεῖν). Vgl. bei Paulus noch Gal 6,9. - Das Verständnis ist bei den Kommentatoren uneinheitlich: "Furcht kennen" (H.D.Wendland, Kor 185); "müde, nachlässig werden" (H.Windisch, a.a.O.); "verzagen" (W.Bauer, Wb 426 O.Kuss, 2 Kor 208; H.Lietzmann, 2 Kor 114); "feige sein" (R.Bultmann, 2 Kor 103; Opposition θαρρεῖν 5,6.8); "unwillig sein", "sich übel nehmen" (N.Baumert, Täglich sterben 115-117; vgl. ebd. 338-341). Baumerts Auffassung, Paulus weise den möglichen Widerwillen gegenüber dem Dienst - und damit gegenüber Gott und der Gemeinde - zurück, läßt sich weder für 4,1 noch für V. 16 halten. Im Zusammenhang mit 3,4 (πεποίθησις) und 12 (παρρησία) bezeichnet ἐγκακεῖν am ehesten die Mutlosigkeit in der Durchführung des Verkündigungsdienstes. So auch Ph.Bachmann, 2 Kor 179.

63 Vgl. 2,14c. 15; 4,4.6 (φωτισμὸς τοῦ εὐαγγελίου bzw. τῆς γνώσεως); 6,7. D.Lührmann, Offenbarungsverständnis 63 Anm. 4 weist zu Recht die Auffassung zurück, Paulus nehme Bezug auf die gnostische φανέρωσις τοῦ πνεύματος (vgl. 1 Kor 12,7; s. dazu W.Schmithals, Gnosis 150-158). Zum Offenbarungsverständnis in 2 Kor 2,14 - 7,4 vgl. D.Lührmann, a.a.O. 61-66.

(V. 4bc), d.h. nach dem parallelen V. 6: "im Aufleuchten der Erkenntnis der Doxa Gottes auf dem Antlitz Christi"[65]. Diese Erkenntnis aber ist dem Apostel von Gott gegeben[66], und sie allein gibt er weiter. Auf eine kurze Formel gebracht, die die Gegenüberstellung der beiden Verkündigungsweisen in V. 2 unterstreicht, hat die Verkündigung des Paulus Jesus Christus als Kyrios im Sinne von 3,17f und 4,4.6 zum Inhalt. Die Differenz und die Relation des Apostels zum Kyrios findet im Kontext der Verkündigung darin ihren Ausdruck, daß der Apostel sich als "Skla-

---

64 Vgl. 2,17b; 5,11. - Der Verkündigungsdienst geschieht "in der Verantwortung vor Gott" (R.Bultmann, 2 Kor 105) und unterscheidet sich darin wesentlich von den Gegnern, gegen deren Lebensführung und verfälschenden Umgang mit dem Wort Gottes Paulus in 4,2 vehement polemisiert und damit ihrem Legitimationsanspruch jede Berechtigung abspricht. Zu den Vorwürfen des Paulus vgl. H.Windisch, 2 Kor 132f; R.Bultmann, a.a.O. 102-104.

65 In der christologischen Eikon-Aussage greift Paulus (vgl. auch 1 Kor 11,7) wohl auf hellenistisch-judenchristliche Gemeindetradition, die ihrerseits weisheitstheologisch beeinflußt war, zurück (vgl. Kol 1,15). Vgl. z.B. R.G.Hamelton-Kelly, Pre-Existence 144-147. Jedoch kommt in unserem Zusammenhang die schöpfungstheologische Bedeutungskomponente, soweit sie mit kosmologischen Spekulationen verbunden ist, nicht zum Tragen. Vielmehr ist der Eikon-Begriff in 2 Kor 4,4 auf den Erhöhten (den Pneuma-Kyrios 3,17.18) in seiner Teilhabe an der Doxa Gottes (vgl. 4,6) übertragen, von dem aus die endzeitliche - bereits gegenwärtige - Umgestaltung der auf ihn ausgerichteten Glaubenden in die Doxa gewirkt wird. (Vgl. die Neuschöpfungsaussage 5,17). - Zum Eikon-Begriff vgl. G.Kittel, in: ThWNT II, bes. 386-396 (z.St. 394,5-31); F. W.Eltester, Eikon (bes. 130-152); J.Jervell, Imago (bes. 194-197. 209. 214-218); E.Larsson, Christus; H.Wildberger, Abbild; N.Kehl, Christushymnus 52-81. Z.St. s. weiterhin L.Cerfaux, Christus 267f; W.Thüsing, Per Christum 126. 131. D.Georgi, Gegner 253f, hebt zu Recht auf die antithetische Differenz zwischen Moses und Christus ab, die sich sowohl in den auf Christus bezogenen Doxa-Aussagen (vgl. bes. 4,6: Doxa Gottes auf dem Antlitz Christi) als auch in deren Verbindung mit dem christologischen Eikon-Begriff zeigt (ebd. bes. 253 Anm. 33; vgl. M.E.Thrall, Christ 148-150).

66 Die Gabe der Erkenntnis wird gedeutet als schöpferischer Akt Gottes (vgl. Gen 1,3 zusammen mit ψ 111,4). Vgl. H.Windisch, 2 Kor 138f. - Die "Erkenntnis der Doxa Gottes auf dem Angesicht Christi" (vgl. 3,6) ist selbst inhaltlich nichts anderes als das Evangelium (vgl. V. 3a und bes. 4c), durch dessen Verkündigung (V. 5) die Gnosis, die Gott im "Herzen" des Apostels (vgl. 3,2; 5,12; 6,11; 7,3) hat aufleuchten lassen (R.Bultmann, 2 Kor 110), selbst vor den Menschen aufleuchtet - zur Rettung oder zum Verderben (vgl. 2,14-16a; 4,3f). Somit konkretisiert 4,2 die Aussage, daß Paulus nicht von sich selbst

ve" der Gläubigen διὰ 'Ιησοῦν[67] verkündet (vgl. 2,14-17; 3,1-3). Demgegenüber ist die Selbstempfehlung (im Sinne von 3,1 und nicht von 4,2c)
nichts anderes als Selbstverkündigung, die - im Widerspruch zum Herr-
sein des Pneuma-Kyrios als Inhalt des unverfälschten Wortes Gottes -
den Verkündiger an die Stelle des Kyrios setzt und zum Herrn über das
Wort Gottes und über die Gemeinde erklärt (4,2; vgl. 2,17; 3,1-3).

Im Vergleich mit 3,7-18 tritt also in 4,1-6 einmal die akute Problemsituation stark in den Vordergrund, zum anderen werden wesentliche theologische Aspekte vertieft. Die Doxa, die dem "neubundlichen" Apostolat
eignet und die ihm vom Pneuma-Kyrios zuteil wird, ist über die Doxa
Christi als der Eikon Gottes auf die Doxa Gottes selbst zurückgeführt.
Das Kalymma-Motiv, das sich in 3,14ff auf das Verhältnis der "Söhne Israels" zu den Schriften der παλαιὰ διαθήκη bezieht, wird in 4,3f
aufgenommen, um das Verhältnis der durch den "Gott des Aions" Geblende-
ten (vgl. 3,14a) zum Evangelium negativ zu charakterisieren. Auf der
anderen Seite besteht ein enger Zusammenhang zwischen dem unverhüllten
Anschauen der Doxa des Kyrios (V. 18a) und dem Evangelium von der Doxa
Christi (4,4b; vgl. V. 6). Indem die Gläubigen - befreit von dem Kalymma
ma und in ihrem Erkenntnisvermögen unbeeinträchtigt durch den "Gott des
Aions" - das "Aufleuchten des Evangeliums" sehen, schauen sie im Evangelium die Doxa Christi als des Herrn und des Ebenbilds Gottes. Sie erkennen durch das wahre Wort des Apostels die "Doxa Gottes auf dem Antlitz Christi" (V. 6).

Es zeigt sich somit, daß auch 4,1-6 die für den Apostolat konstitutive
christologische und theo-logische Referenz ebenso wie die mit der Christusrelation korrespondierende Gemeinderelation des Apostels (vgl. 3,2f)
ins Spiel bringt.

---

aus fähig ist, etwas aus sich selbst zu ersinnen (3,5a), und bekräftigt zugleich die Authentizität der Verkündigung (4,5) durch den legitimierenden Rekurs auf die Tat Gottes (vgl. 3,5b-6). - 5,19 ergänzt den Gedanken 4,6 durch den Zusammenhang von Versöhnungshandeln
Gottes und Beauftragung mit dem "Wort der Versöhnung".

67 Vgl. V. 11a. - Nach der Hervorhebung der Herrschaftsstellung Christi
als Charakteristikum der pl. Verkündigung verbindet sich in V. 5b
mit dem auf die Gemeinde bezogenen Sklavendienst (vgl. auch 1,24) in
der Christusverkündigung ein Hinweis auf den Kreuzestod Jesu (so z.B.
A.Plummer, 2 Cor 119; H.Conzelmann, Grundriß 292f). Zur Selbstbezeichnung als δοῦλος vgl. Gal 1,10; Röm 1,1 und Phil 1,1 (zusammen
·mit Timotheus), wo mit dieser Prädikation zugleich die Unterordnung
unter Christus und die Gebundenheit an ihn ausgedrückt ist (J.Hainz,
Ekklesia 172-174). S. dazu auch G.Sass, Bedeutung, bes. 32; K.H.
Rengstorf, in: ThWNT II 279f.

6) Thesenartig eröffnet 4,7 einen neuen Gedankenkreis (ἔχομεν δέ)[68], wobei der Neueinsatz an 3,4-6, aber auch an die Bildaussage 2,14 erinnert. Das Leitproblem ist nun die Differenz zwischen dem θησαυρός des "Evangeliums von der Doxa Christi", das Paulus in seiner Diakonie verkündet (4,4-6)[69], und der vergänglichen irdischen Existenz des Verkündigers (V. 7a)[70], die keinen unmittelbaren Eindruck von der Doxa vermittelt. Die theo-logische Erklärung für diesen Sachverhalt gibt V. 7b in einer Weise, die 3,5 nahesteht: in der Spannung zwischen der Botschaft und ihrem Übermittler erweist sich gerade, daß im Evangelium allein die δύναμις Gottes zur Wirkung kommt[71]. Durch V. 8f bringt Paulus in einer Reihe von Antithesen allgemein gehaltene Beispiele,

---

68 4,7-12 (vgl. V. 16b. 17a) stellt zum ersten Mal die Leidensexistenz des Verkündigers in den Mittelpunkt der Argumentation. Vgl. dazu H.Krätzl, Leiden 21a-37; D.Georgi, Gegner 286-290; E.Güttgemanns, Apostel 94-126; M.Rissi, Studien 42-64, J.Zmijewski, Stil 308-310. Den für Paulus charakteristischen apostolatstheologischen Zusammenhang von Dienst und Leiden skizziert G.Bornkamm, Paulus 172-184. - Die Abgrenzung der Texteinheit ist durch N.Baumert, Täglich sterben, neu zur Diskussion gestellt worden. Baumert entscheidet sich für einen Einschnitt zwischen V. 11 und 12 (ebd. 72); dem widerspricht jedoch die Gedankenführung und der offensichtliche Neuansatz mit V. 13. 4,7-12 als Aussageeinheit sehen z.B. auch K.Prümm, Diakonia I 228-245; M.Rissi (a.a.O.) und J.-F.Collange, Enigmes 144-160, während E.Güttgemanns (a.a.O.) 4,7-15 als geschlossene Perikope betrachtet (vgl. auch u.a. F.W.Grosheide 2 Kor 123-134; H.-D.Wendland, Kor 188-191).

69 H.Lietzmann, 2 Kor 115; H.Windisch, 2 Kor 141f; E.Güttgemanns, Apostel 97; C.K.Barrett, 2 Cor 137f. - J.B.Souček, Christus 309, bezieht dagegen θησαυρός auf den "inneren Menschen" (4,16), während M.Rissi, Studien 45, an den Dienst der Evangeliumsverkündigung denkt (ähnlich z.B. R.Bultmann, 2 Kor 114). Zum sprachgeschichtlichen Hintergrund F.Hauck, in: ThWNT III 136f.- Zu 4,4ff vgl. 1 Kor 2,6-13.

70 Das "tönerne Gefäß" ist bildhafte Bezeichnung der menschlichen Schwachheit des Apostels. Zu Analogien in der Qumran-Literatur vgl. H.Braun, Qumran I 199; zu vergleichbaren Aussagen in LXX, im hellenistischen Sprachgebrauch und im rabbinischen Judentum vgl. H.Windisch, 2 Kor 142; R.Bultmann, 2 Kor 114; C.K.Barrett, 2 Kor 137f; C.Maurer, in: ThWNT VII 359-362 (vor allem 360,47 - 361,2).

71 In der Macht Gottes (vgl. 6,7), die sich im Evangelium des leidenden Verkündigers mitteilt (vgl. 1 Thess 1,4; 1 Kor 1,18. 24f; Röm 1,16), erweist sich das "Urheberrecht" Gottes am Evangelium (E.Jüngel, Paulus 102). 4,7 unterstreicht so entschieden die Ablehnung der Berufung auf die Selbstmächtigkeit. Vgl. 3,5f; 4,5; s. auch 2,14. 17 (aus Gott); 3,12 (Hoffnung); 4,1 (Erbarmen) und besonders 5,15. 18ff.

durch die der Grundsatz von V. 7 von der typischen Erfahrungssituation seines Aposteldienstes aus konkretisiert wird. Den Akzent trägt dabei nicht die menschliche Notlage, sondern das Bestehen der Gefährdung dank der Dynamis Gottes bzw. der Lebensmacht Jesu (V. 7b. 10b. 11b)[72].

Eine Wendung zur christologischen Argumentation erfolgt in V. 10f. Die parallel strukturierten Aussagen erschließen einen im Brieffragment bislang nicht thematisierten Gesichtspunkt, nämlich den Zusammenhang der Existenz des Apostels, die permanent den Leiden (bis hin zur Auslieferung in den Tod) ausgesetzt ist, mit dem Todesgeschick Jesu (bes. V. 10a)[73]. Jedoch darf diese wichtige kreuzestheologische Dimension im pl. Verständnis der Leidensexistenz des Apostels nicht isoliert ausgedeutet werden, denn das Charakteristische in V. 10f ist die Perspektive der Aussagen, die mit der von V. 7 und 8f korrespondiert[74]. Die Partizipation des Apostels in seiner somatischen sterblichen Existenz an der

---

72 Zur teleologischen Ausrichtung der paradoxen, antithetischen Formulierungen vgl. J.Zmijewski, Stil 309f. Das Leidensgeschick wird weder als Gottverlassenheit erfahren noch Anlaß zur Infragestellung der Gottverbundenheit. Vielmehr erkennt Paulus darin die Gegenwart der unverfügbaren, die Dienstexistenz tragenden Lebensmacht Gottes. Daß darauf das ganze Gewicht liegt, erweist sich auch in V. 10f. - Vgl. 2 Kor 6,4-10; 11,23-33; 1,3-11; s. auch 1 Kor 4,9-13; Phil 1,13. 19-26. 29f; 4,11-13.

73 Vgl. E.Güttgemanns, Apostel 100f. 112-124. E.Güttgemanns erkennt die "christologische Deutung" der Apostel-Leiden (ebd. 100) in V. 10f (bes. 10a) und sucht selbst nach einer theologisch adäquaten Interpretation in kritischer Auseinandersetzung mit der sog. "mystischen" Interpretation (ebd. 102-112). Seine Intention ist es, den "Epiphaniecharakter der apostolischen Leiden" zu erweisen (ebd. 117-119; vgl. auch 119-124; bes. 123f), wobei es in manchen Einzelheiten zu Übersteigerungen (vgl. z.B. die Aussage, daß "die apostolische Existenz die somatische Epiphanie des Gekreuzigten" ist; ebd. 123) und spekulativ geprägten Exegesen kommt. - Z.St. s. auch R.C.Tannehill, Dying 84-90.

74 V. 11 versteht sich als begründende Erläuterung von V. 10. Parallelgestaltet liegen die Teilaussagen V. 10a und V. 11a auf der Linie von V. 8f, steigern jedoch die Leidenssituation durch den Gedanken der permanenten Schicksalsgemeinschaft mit Jesus in der Hingabe in den Tod. V. 10b und 11a ist das Motiv der Dynamis Gottes (V. 7b) in den christologischen Lebensbegriff umgesetzt.

νέκρωσις τοῦ Ἰησοῦ (der Tötung Jesu)[75] hat keine Bedeutung für sich, sondern ist funktional einem bestimmten Ziel zugeordnet: dem Offenbarwerden der ζωὴ τοῦ Ἰησοῦ (V. 10b.11b). In der Schicksalsgemeinschaft mit dem Gekreuzigten stellt sich die Lebensgemeinschaft mit dem Auferweckten, der identisch ist mit dem Gekreuzigten (Jesus!), schon jetzt dar (vgl. V. 14)[76].

Mit V. 12 wendet sich Paulus erneut dem Verhältnis Apostel - Gemeinde zu. Die äußerst knapp und pointiert antithetisch formulierte Folgerung (ὥστε) aus V. 10f hat einige überraschende Züge. Im Vergleich mit V. 10f fällt auf, daß Paulus seine Apostelexistenz an dieser Stelle (V. 12a) nur durch das Wirken der Todesmacht bestimmt sieht. Die funktionale Spannung von Todesgeschick und Offenbarwerden des Lebens Jesu wird somit auf ein Teilmoment, das Durchdrungensein von der Todesmacht, reduziert. Demgegenüber ist - in betont einseitiger Weise - den Gläubigen die Teilhabe an dem bereits jetzt wirksam werdenden Leben des erhöhten Christus zugesprochen (V. 12b; vgl. V. 10b.11b), ohne daß jedoch hier ein kausaler oder finaler Zusammenhang mit der Dominanz der Lebensmacht auf der Seite des Apostels explizit hergestellt ist[77]. Auf dem Hintergrund des vorausgegangenen Kontexts scheint V. 12a das ἐν ὀστρακίνοις

---

75 Das Verständnis von νέκρωσις ist in der Forschung uneinheitlich. Die hier gewählte Übersetzung scheint der Parallelität mit V. 11a am besten zu genügen. Anders M.Rissi, Studien 49 (Todesohnmacht als Gegensatzbegriff zu Dynamis V.7); E.Güttgemanns, Apostel 116 (der Zustand des Totseins); zu wesentlichen Deutungstypen s. ebd. 114-116. Ebenso aber H.Windisch, 2 Kor 145; J.Georgi, Gegner 286 (vgl. die Deutung von V. 10f, die vor allem auf die "Bindung an die irdische Vergangenheit Jesu" ausgerichtet ist, ebd. 286-289). - Vgl. z.St. die Aussagen Gal 6,17; 1 Kor 15,31; 2 Kor 1,3-10 (bes. V.5); Phil 1,20f, 3,10.

76 Nach G.Theißen, Symbolik 297, "liegt in 2 Kor 4,10f die Vorstellung einer Epiphanie des Erlösers im Erlösten vor" (vgl. oben Anm. 73). Diese gnostisch eingefärbte Sicht ist dadurch zu korrigieren, daß bei Paulus ein klares Bewußtsein der Differenz von Kyrios und Sklave (vgl. V. 5) vorhanden ist, andererseits aber seine endzeitliche (Dienst-)Existenz in der Gemeinschaft mit dem Erhöhten von der Identität Christi, des Gekreuzigten und Auferweckten, geprägt ist.

77 Für die Seite der Gemeinde vgl. 3,3. - Vgl. N.Baumert, Täglich sterben 72-82 (N.Baumert versteht V. 12 jedoch nicht als Konklusion, sondern als Eröffnung einer neuen Aussagereihe.). Zur Antithese vgl. auch 1 Kor 4,10; 2 Kor 13,9.

σκεύεσιν (V. 7a) noch einmal aufzunehmen und - entsprechend dem Motiv von der irdisch-sterblichen Existenz des Apostels (V. 10f) - im Sinne der Todesunterworfenheit auszulegen. Paulus steht ausdrücklich zu der sein Wirken dauernd begleitenden Erfahrung, der Todesmacht ausgeliefert zu sein, als paradoxem und nur auf der Linie von V. 10f verstehbarem Aufweis seiner Befähigung zum Apostolat (vgl. V. 16f).

7) Mit 4,13 beginnt Paulus einen neuen Abschnitt seiner Ausführungen über den Apostolat, der bis 5,11 reicht[78]. Die Argumentation ist wesentlich bestimmt durch die futurisch-eschatologische Perspektive[79]. Das Rahmenthema ist die Verkündigung des Apostels (4,13 mit 15; 5,11).

4,13-15 sprengt keineswegs den gedanklichen Zusammenhang[80], sondern bereitet den Übergang zu den anschließenden eschatologischen Ausführungen vor. Für die apostolatstheologische Argumentation sind folgende Momente bedeutsam. Einmal appliziert Paulus in V. 13 das (LXX-)Schriftwort, nach dem das Reden des von Todesnot gezeichneten, aber geretteten Psalmbeters im Glauben gründete (ψ 115,40), auf sich. Wie den Psalmisten drängt das πνεῦμα τῆς πίστεως[81] den Apostel trotz der anhaltenden Todesbedrohung zur Verkündigung. Der Glaube aber, der zum Verkündigungs-

---

78 N.Baumert, a.a.O. nimmt 4,10-5,10 einmal als thematische Einheit ("Deutung gegenwärtiger Heilserfahrung"), während er auf der anderen Seite einen mit 4,12 beginnenden und mit V. 15 endenden Unterabschnitt erkennt und 4,12 - 5,10 als "eine eschatologische Aussagereihe" (ebd. 17) mit primär präsentisch-eschatologischer Thematik behandelt. - Generell sieht man in 5,10 den Abschluß des eschatologischen Abschnitts und ordnet V. 11 einer neuen thematischen Einheit zu, die bis V. 13 oder 21 oder bis 6,2 reicht. Den Schnitt zwischen 5,11 und 12 vertritt auch W.Foerster, Grundriß 74. V. 11 steht noch ganz im Bann der eschatologischen Thematik und deutet die Gegenwartssituation des Verkündigers aus dem Blickwinkel von V. 9f, während V. 12 eine neue Themenreihe eröffnet.

79 Anders N.Baumert, a.a.O.

80 Gegen H.Windisch, 2 Kor 147.

81 N.Baumert, Täglich sterben 83f, bezieht "denselben Geist des Glaubens" auf V. 12b "Leben in euch". Diese Möglichkeit erwägt auch z.B. H.Windisch, 2 Kor 148, stellt dann aber einen Zusammenhang mit dem folgenden Psalmistenwort her.

dienst motiviert, hat die Auferweckung des Kyrios Jesus durch Gott[82]
zum Inhalt und, darauf gründend, die Auferweckung des Apostels "mit Jesus", d.h. in der Gemeinschaft mit dem Auferweckten, dessen Leidens-
schicksal den Verkündiger jetzt zeichnet, damit das Leben des Auferweckten eben darin schon offenbar wird (V. 14; vgl. V. 10f). Damit ist
die überpointierte Aussage von V. 12a aufgebrochen. Dadurch, daß sich
mit der künftigen Auferweckung des Apostels die Hinführung[83] zusammen
mit den Glaubenden verbindet (V. 14), wird überdies die Entgegensetzung
von Tod und (gegenwärtigem) Leben und von Apostel und Gemeinde in V. 12
durch die futurisch-eschatologische Sicht der Gemeinschaft des auferweckten Apostels mit der Gemeinde in der Gegenwart Gottes überboten.

Ein weiteres bedeutsames apostolatstheologisches Moment enthält die
summarisch begründende Aussage von V. 15[84], in der nicht nur V. 13f
oder V. 7-15 zusammengefaßt und theozentrisch ausgerichtet werden. Die
gesamte Darstellung des Wirkens und der Existenz des Apostels ist hier
sowohl auf die Gemeinde (vgl. 3,2f; 4,5) als auch vor allem - mit Blick
auf die intendierte Danksagung der Begnadeten - auf Gott bezogen. 4,15
nimmt somit die absteigende theozentrische Linie von V. 7 auf und überführt sie in die aufsteigende Antwortlinie (vgl. 2,14.15; 3,4.6).

8) Während 4,13-15 die Beziehung zwischen dem Leidensgeschick und der
vom Pneuma getragenen Glaubensgewißheit künftiger Auferweckung einer-

---

82 Paulus nimmt hier Bekenntnistradition auf und erweitert sie bzw.
   appliziert sie auf die Kommunikationspartner. Es besteht die Möglichkeit, daß die Tradition das καὶ ἡμᾶς σὺν Ἰησοῦ ἐγερεῖ noch
   kannte, wobei in den ἡμᾶς die Gemeindeglieder allgemein gemeint waren. Im Kontext des Briefes ist die abschließende Einbeziehung der
   angesprochenen Gemeindeglieder sicher von Paulus. Sollte das Zwi-
   schenstück bereits mit der Tradition verbunden gewesen sein, hat es
   Paulus betont auf sich ausgelegt.

83 H.Windisch, 2 Kor 150. N.Baumert, Täglich sterben 94f. 98, denkt
   nicht an eine zukünftige mit der Auferweckung verbundene Vorführung
   der mit Christus Verbundenen, sondern deutet die Aussage um auf die
   gegenwärtige öffentliche Präsentation durch Gott.

84 Eine typische zusammenfassende Aussage. Zum Gebetsmotiv vgl. 2 Kor
   1,11; Phil 1,19; Röm 15,30ff. Es fällt die strenge Theozentrik in V.
   15 auf, aber auch, daß in dem behandelten Brieffragment des 2 Kor
   nicht auf die Bedeutung des Gebetes der Gemeinde f ü r den Apostel
   hingewiesen wird.

seits und Verkündigung andererseits thematisiert, engt sich die Sachfrage mit V. 16ff auf die eschatologische Existenz des Apostels ein. Die
gegenwärtige Spannung zwischen Tod und Leben und die Finalität der vom
Tode gezeichneten leiblichen Existenz kommen zwar noch einmal zur Sprache, werden jedoch ansatzweise vom futurisch-eschatologischen Horizont
her neubedacht (V. 16f). Voraussetzung des Gedankens bleibt der Glaube
an die Auferweckung (V. 14). Er läßt nicht zu, daß Paulus in der Durchführung seines Dienstes, der die zunehmende Zahl der Begnadeten auf die
Verherrlichung Gottes ausrichtet, trotz der unausweichlichen existenz-
gefährdenden Umstände, den Mut verliert.

Im Vergleich zum vorausgegangenen Argumentationsstrang (V. 7-12) enthält der Abschnitt V. 16-17 die folgenden neuen Aspekte. Die Leidenserfahrung von V. 8f und das Todesgeschick, das in V. 10f eng mit Jesus
verbunden war, sind jetzt dem "äußeren Menschen" zugerechnet (V. 16b),
d.h. entsprechend der Korrespondenz zu V. 10f: dem sterblichen sarkischen Menschsein, das vernichtet wird durch den Tod (vgl. V. 12a). Auf
der Linie der Wirkmacht Gottes, die sich in der Existenznot des Apostels zeigt (V. 7 bis 9), und des offenbar werdenden "Lebens Jesu" (V.
10b.11b) gilt nun entgegengesetzt für den "inneren Menschen"[85], daß er
(durch das Pneuma bzw. das Leben) Tag für Tag erneuert wird. Hierauf
liegt der Schwerpunkt von V. 16[86]. Der Gedanke des ἀνακαινοῦσθαι,
der sachlich verbunden ist mit 3,18, wird später noch einmal aufgenommen (5,17; vgl. 6,9). Die pneumatologische Komponente, die bereits vorgegeben ist (vgl. neben 3,3.6 bes. V. 17f), ist im folgenden Kontext
besonders hervorgehoben (5,5). Beachtenswert ist weiterhin, daß mit
4,17 wiederum (vgl. V. 14) die futurisch-eschatologische Perspektive
des Apostelseins anklingt. Das gegenwärtige (also nur vorläufige) ge-

---

85 Der "innere Mensch" ist der von Gott bestimmte und auf ihn bezogene,
der durch das Wirken des Pneuma erneuert wird. Vgl. J.Behm, in:
ThWNT II 696f; ebd. III 454, 21-34. - Zur Aufnahme des Motivs im Eph
und zum religionsgeschichtlichen Hintergrund s. A. van Roon, Authen-
ticity 325-341.

86 N.Baumert, Täglich sterben 38, begreift V. 16 (verbunden mit V. 17f)
als die Grundthese, die in 5,1-10 expliziert wird. Für seine Auffassung nimmt er die Synonymität von "innerem Menschen" (4,16) und
"himmlischem Haus" in Anspruch.

ringe Leiden, das in V. 8-12 noch sehr massiv zur Sprache gekommen war,
ist hingeordnet auf die "ewige" (also bleibende) überreichliche Doxa.
Damit ist das Leiden nicht mehr unter dem Gesichtspunkt seiner gegenwärtigen gemeindebezogenen Funktion für das Offenbarwerden des Lebens
Jesu (V. 10f) bzw. der in ihm zur Wirkung kommenden Dynamis Gottes (V.
7ff) gesehen. Auch erfährt der so nachdrücklich vertretene Anspruch auf
die gegenwärtige Doxa des "neubundlichen" Dienstes (3,7-18) eine gewisse Modifikation, da die Doxa in 4,17 als Frucht der Leiden[87] dem Apostel zuteil wird, und zwar als künftige und bleibende Vollendungsdoxa.
Die prinzipielle Aussage über die eschatologische Grundhaltung des Apostels (V. 18) deutet zudem darauf hin, daß Paulus die Leiden dem Sicht-
baren und Vergänglichen zurechnet, die Doxa demgegenüber dem Unsichtbaren und Ewigen.

9) Die Differenz zwischen der Jetztzeit und der Zukunft und zwischen
dem Vergänglichen und dem Ewigen ist in 5,1-10[88] mit Hilfe eines reich-
haltigen Bildmaterials[89] expliziert. Im Anschluß an 4,17f wird nun die
Antithese von V. 18 auf die individuelle somatische Existenz ange-

---

87 Die Vollendungsdoxa steht noch aus. - Zur apk. Erwartung vgl. z.B.
   syrBar 48,50.

88 Zur Forschungsgeschichte vgl. F.G.Lang, Korinther. Von den neueren
   Arbeiten vgl. A.Feuillet, Demeure; R.F.Hettlinger, 2 Corinthians;
   E.E.Ellis, Eschatology; R.Berry, Death; C.-H.Hunzinger, Hoffnung;
   K.Hanhart, Hope;Chr.Demke, Auslegung; U.Borse, Todes- und Jenseits-
   erwartung; bes. P.Hoffmann, Toten bes. 253-285 (Hoffmann behandelt
   2 Kor 5,1-10 im Rahmen einer Untersuchung der pl. Eschatologie);
   E.Luz, Geschichtsverständnis 359-369; E.Schweizer, Leiblichkeit;
   L.Schottroff, Glaubende 147-154 (unter bes. Berücksichtigung der
   Gnosis). Einen Vergleich mit Seneca unternimmt J.N.Sevenster, Paul
   235-240. - E.Käsemann, Perspektiven 45, sieht Paulus in 2 Kor 5,2ff
   "in metaphysischem Grauen vor der Nacktheit des Zwischenzustandes".

89 R.Bultmann, Probleme 298-306; vgl. P.Hoffmann, Toten a.a.O., und
   L.Schottroff, Glaubende, a.a.O.
   Zum apk. und rabbinischen Traditionshintergrund vgl. W.D.Davies,
   Paul 314-317; zur Herkunft des Bildmaterials auch P.v.d.Osten-Sacken,
   Römer 106-108. 109-111. 113f Anm. 117. 116f. 122 Anm. 150 und 151
   (zu 2 Kor 5,1-10: 104-124).- Paulus bedient sich einer auch von der
   Gnosis her bekannten Sprache und Anschauungsweise (mit Einschränkungen in V.7 und 10), nicht aber, um auf gnostische Gegner zu zielen,
   sondern um im Anschluß an 4,18 ihm wichtige Aspekte darzustellen
   (so E.Haller, Strukturen 16; s. auch E.Luz, Geschichtsverständnis
   365). Zu 4,16-18 als Hinführung zu 5,1-10 s. P.v.d.Osten-Sacken,
   a.a.O. 104f; vgl. auch U.Luz, a.a.O. 367-369.

wandt[90]. Dabei geht es aufs Ganze gesehen weniger um das Sein des Menschen vor und nach dem Tod oder vor und nach der Parusie[91]. Mit Blick auf die von Gott geschenkte Vollendungsgestalt in der Teilhabe am "Leben" (5,4) bzw. in der Heimat beim Herrn (V. 1-3.6-8) zielt die Argumentation auf den eschatologischen Existenzvollzug des Glaubenden (V. 7; = Paulus) in Ausrichtung auf die Vollendung, d.h. geleitet vom Pneuma als Zurüstung zum "Leben" (V. 5)[92] und in Verantwortung vor dem Kyrios (V. 9-11)[93]. Die Ausführungen zeigen, wie ernst Paulus das Soma-Sein des Menschen und damit zusammenhängend die Bedrohung durch den Tod (vgl. 4,8-12.16f) nimmt. Sie konkretisieren aber insbesondere seine - in den Leiden sich bewährende - Erwartung hinsichtlich der eschatologischen Vollendung, so daß ein sachlicher Zusammenhang mit 4,14 und 17 besteht, und sie unterstreichen nachdrücklich Verantwortungsbewußtsein und Rechtschaffenheit des Paulus gegenüber dem Kyrios (V. 9f; vgl. V. 1).

---

90 Nach C.F.D.Moule ist das Verhältnis zwischen dem gegenwärtigen und dem zukünftigen Soma von Paulus in 1 Kor 15 und 2 Kor 5 unterschiedlich gesehen. Während nach 1 Kor das pneumatische Soma über das gegenwärtige materielle Soma gestreift wird, besteht nach 2 Kor eine unaufhebbare Diskrepanz zwischen dem materiellen und dem pneumatischen Soma (St.Paul 116). - Zum Verhältnis von 2 Kor 5,1-10 und Röm 8,18-27 vgl. P.v.d.Osten-Sacken, Römer 104-124 (z.T. enge Berührungen). - Zum Bekleidungsmotiv vgl. Gal 3,27; Röm 13,14; 1 Kor 15,53.

91 Es läßt sich vielleicht mit F.J.Steinmetz, Heils-Zuversicht 23, sagen, daß Paulus "ein sehnsüchtiges Verlangen nach Überwindung des Todes" zeigt (vgl. 5,4), jedoch wird die Ausschaltung der Todesmacht durch Christus nicht so ausdrücklich thematisiert wie in 1 Kor 15,26. Dagegen zeigt sich bes. im ersten Teil eine "Sehnsucht nach der neuen eschatologischen Leiblichkeit" (2 Kor 5,2-4; vgl. V 8f) ab (P.v.d. Osten-Sacken, Römer 104).

92 Das Pneuma ist eschatologische Vor-gabe Gottes, im Vorfeld der futurisch-eschatologisch definierten Vollendung. Vgl. 3,3.6.8.17f; 4,13f.16. - Eine etwas gesuchte Deutung bietet N.Baumert, Täglich sterben 210-222, wenn er im Geist die "Vorleistung" Gottes sieht, damit der Apostel "die Belastung des im Oberkleidungsprozeß spürbaren täglichen Sterbens" nicht nur erträgt, sondern sie zu tragen bereit ist.

93 Vgl. P.Hoffmann, Toten 280. Gegen E.Kamlah, Form 207 ("denn der Wunsch, dem Herrn zu Gefallen zu leben, ist mit dem Wunsch nach Oberkleidung mit dem neuen, dem Herrn wohlgefälligen Wesen identisch").

Im apostolatstheologischen Kontext, den es auch für 5,1 bis 10 zu beachten gilt[94], meldet sich hier der futurisch-eschatologische Vorbehalt
gegenüber einem Apostolatsverständnis, das die Doxa bereits in der Gegenwart am irdischen Soma des Verkündigers als voll realisiert fordert
und deshalb auf die Demonstration der endzeitlichen Doxa in der äußeren
Erscheinung des Apostels entscheidendes Gewicht legt. Die eschatologische Thematik nimmt also den in 4,7-12 implizierten Vorbehalt auf, verändert jedoch den Gesichtspunkt. Das Leidens- und Todesgeschick des
Apostels, das vorher in Beziehung zur Dynamis Gottes und zur νέκρωσις
wie auch zur ζωή Jesu stand, erhält jetzt einen futurisch-eschatologischen Sinnzusammenhang[95].

5,11 resümiert V. 9f und nimmt das Verkündigungsmotiv von 4,13-15 wieder auf. Paulus macht geltend, daß er in seinem Aposteldienst nicht von
unlauteren Motiven bestimmt sein kann. Denn der φόβος τοῦ κυρίου
(gen.obj.)[96], der sich im Eifer für einen dem Kyrios wohlgefälligen
Dienst zeigt (5,9) und in dem das Wissen um das unausweichliche (δεῖ)
und alle umfassende Gericht über die Taten (V. 10) lebendig ist, legt
die Handlungsweise des Apostels fest. Während es aber erforderlich ist,
Menschen davon zu überzeugen[97], daß Paulus sich in seinem Dienst von
der "Furcht des Herrn" leiten läßt, erübrigt sich das Gott gegenüber.
Nicht erst im Gericht wird das Tun des Paulus offengelegt, sondern sein

---

94 U.Luz, Geschichtsverständnis 367, generalisiert den Aussagenkomplex
4,7 - 5,10. So sieht er in 5,1-10 "die von der Zukunft gehaltenen
und auf sie ausgerichteten christlichen Existenz" thematisiert. So
richtig diese Feststellung in der Sache ist, muß doch der apostolatstheologische Argumentationszusammenhang stärker herausgehoben werden.

95 N.Baumert, Täglich sterben, deutet dagegen 5,1-10 auf die Heilserfahrung in der Gegenwart um. Vgl. die Skizze seiner Hypothese ebd.
36-40.

96 "Furcht" meint nicht den Schrecken, der von dem richtenden Kyrios
(Christus) ausgeht, sondern die im praktischen Verhalten sich aus-
wirkende Furcht gegenüber dem Kyrios in Analogie zur Gottesfurcht.
Sie ist als Grundhaltung des Apostels das Gegenteil von Selbstver-
trauen und Selbstgerechtigkeit. - Vgl. die Parallelität von 5,11 und
3,12!

97 Ob Paulus hier in positiver Weise ein "Schlagwort" der faktischen
Gegner aufnimmt (R.Bultmann, 2 Kor 148), ist m.E. fraglich. Vgl. Gal
1,10 und 1 Kor 2,4.

Wirken ist bleibend offenbar vor Gott[98]. Aber auch den Menschen erschließt sich die Aufrichtigkeit, wenn sie ihrem Gewissen folgen, sich also in der Beurteilung des pl. Apostolats an den Maßstäben Gottes orientieren[99]. Gerade das aber erhofft Paulus (ἐλπίζω) dezidiert von den Korinthern als Empfänger seines Briefes, durch den er sie von der Legitimität seines Apostolats überzeugen möchte.

10) Während V. 11 der Sache nach an die Aussage über die Lauterkeit der Verkündigung in 2,17 erinnert, zeigt sich in 5,12a eine Parallele zu 3,1. Beide Male wird auf den Vorwurf angespielt, Paulus empfehle sich selbst. Daß es Paulus keineswegs um eine Selbstempfehlung geht, explizieren die folgenden Ausführungen: 5,12b - 6,2 (bes. 5,14 - 6,2) und 6,3-10, wobei in 6,4 die auf Selbstruhm abzielende Selbstempfehlung dialektisch ins Positive gewendet wird[100]. Analog zu 3,1-3, wo die Gemeinde als öffentliche Empfehlung für den Apostolat des Paulus dargestellt ist, wendet sich 5,12 an die Adressatengemeinde, die sich anhand der pl. Argumente rühmend zu Paulus bekennen soll. Das argumentative Hauptgewicht trägt 5,14 - 6,2[101], wo die soteriologische Seite des pl. Apostolatsverständnisses entwickelt und mit Blick auf die Adressaten konkretisiert wird. Paulus verdeutlicht hier noch einmal, daß seine Befähigung von Gott stammt (vgl. 3,4-6): Der Aposteldienst ist im Versöh-

---

98 Vor Gott steht der Apostel in seinem Verkündigungsdienst wie in seiner gegenwärtigen Darstellung seines Apostolatsverständnisses gegenüber der Gemeinde bereits in der Situation von V. 11 (vgl. 2,17; 4,2). - Daß auch der Apostel durch das Gerichtsgeschehen betroffen ist, unterscheidet Paulus als den Leidenden von der Erwartung, daß der leidende Gerechte als endzeitlich Erhöhter mitrichtende oder das Urteil vollstreckende Funktion erhält (vgl. die rabbinischen Aussagen bei Str.-Bill. II 543; IV 871f; 1103f; s. auch Dan 7,22; Weish 3,8; vgl. auch slav Hen 22,4-10; syrBar 13,3). - Vgl. 1 Thess 2,4; Gal 1,10.

99 Die rechte Beurteilung des Apostels ist nicht zu trennen vom Offenbarwerden der Wahrheit des vom Apostel verkündeten Evangeliums (4,2).

100 Vgl. 4,2. - Deshalb verdient der Apostel bei seinem Wirken Vertrauen (F.W.Grosheide, 2 Kor 156).

101 Parallel zu 5,13 begründet 5,14 - 6,2 warum die Gemeinde im Dienst des Paulus einen Anlaß zum Rühmen hat. Selbst die unmittelbare Anrede der Gemeinde 5,20 - 6,2 ist noch als Gegenstand dieses Rühmens gedacht.

nungshandeln Gottes grundgelegt und auf die Verwirklichung der Versöhnungsgemeinschaft des Menschen mit Gott ausgerichtet.

2.1.4 Der argumentative Beitrag des Kontextes

Die Übersicht über den weiteren Kontext von 2 Kor 5,14 - 6,2 und die Gedankenfolge lassen eine Grundthematik der Argumentation erkennen: Paulus macht seine Qualifikation für den endzeitlichen Verkündigungsdienst und die Legitimität seines Apostolatsanspruchs gegenüber der Gemeinde evident, indem er seine "Diakonie" in Beziehung setzt zum Handeln Gottes und zum Wirken des gekreuzigten und erhöhten Christus, seine Funktion bei der Konstituierung der Gemeinde aufzeigt, Ursprung, Inhalt und Zielrichtung seines Einsatzes für die Verkündigung des Wortes Gottes expliziert und das Spezifische seiner Existenz als Apostel, aber auch das mit allen Gläubigen Konvergierende herausstellt. Der Apostolat erscheint dabei zugleich im Lichte seiner eschatologisch bestimmten universal-missionarischen und gemeindebezogenen Funktion.

Der in der Danksagung grundgelegte apostolatstheologische Ansatz[102], nach dem das Wirken des Verkündigers Paulus dem universalen endzeitlichen Offenbarungswerk Gottes in der weltweiten Darbietung des Evangeliums unter- und eingeordnet ist und dieses, weil sich aufgrund des Verkündigungsgeschehens Rettung und Verderben entscheiden, eschatologische Relevanz hat, erfährt in der anschließenden Argumentation zugunsten der Befähigung des Paulus zum Aposteldienst und zugunsten der lauteren Verwirklichung dieses Dienstes seine Konkretion mit Seitenblick auf ein andersartiges Apostelverständnis.

Die Entwicklung des apostolatstheologischen Gedankens nimmt ihren Anfang bei zwei Fragen, in denen Paulus die Zweifel an der Authentizität seines Verkündigungswirkens und der Legitimität seines Dienstes gegenüber der Gemeinde zusammengefaßt sieht. Die eine ist grundsätzlicher Art und bezieht sich auf die Befähigung überhaupt (2,16; 3,5); die andere ist aktueller Art und hat die Dokumentierung der Befähigung durch gemeindliche "Empfehlungsschreiben" (3,1b), also die Notwendigkeit ei-

---

102 Vgl. H.Schürmann, Existenz; H.Baum, Mut 71-103.

ner Anerkennung des Apostelstatus durch die Form eines Befähigungsgut-
achtens von seiten der Gemeinden zum Gegenstand. Beide Fragen greifen
ineinander in der Frage der Selbstempfehlung (3,1a), die ebenfalls eng
mit der Situation verbunden ist[103]. Die gemeindliche Bestätigung der
Befähigung erscheint als besonderer, vom Standpunkt anderer als der
einzige Weg die grundsätzlich gestellte Befähigungsproblematik eindeutig zu entscheiden und unkontrollierbare Selbstempfehlung auszuschalten.
Paulus geht es aber um die Klärung des Grundsätzlichen, ohne von Anfang
an das Faktum der Empfehlungsschreiben für das Verständnis des Apostolats als theologische Basis und als normatives Kriterium anzuerkennen.
So wird die Frage nach der ἱκανότης von Paulus zur situations- und
sachrelevanten theologischen Schlüsselfrage erhoben, in der die Problematik der besonderen Qualifizierung und der Legitimierung des Anspruchs
auf die Stellung eines Apostels im Verhältnis zur Gemeinde konzentriert
ist und durch deren Beantwortung sich die Bedeutung der Empfehlungsschreiben positiv oder negativ entscheidet[104].

Bereits in 1 Kor[105] hatte sich Paulus nicht nur mit Blick auf seine
Teilhabe an der Erfahrung der Christuserscheinungen als ἔκτρωμα
(15,8)[106] und in betonter Weise (ἐγώ) als den "Geringsten der Apostel"
(V. 9a; vgl. 2 Kor 12,11)[107], sondern auch - unter Verweis auf seine

---

103 Auf die Problematik des Verhältnisses der beiden Fragen von 3,1a zu
V. 1b geht D.Georgi, Gegner 241-246, ein.

104 Mit Recht hebt J.Blank, Paulus 191, hervor: "Die Frage nach der
ἱκανότης ist ... von grundsätzlicher Bedeutung für das paulinische Verständnis des apostolischen Amtes".

105 Vgl. J.Blank, a.a.O. 185-197; H.Conzelmann, 1 Kor 305-308; J.Hainz,
Ekklesia 67f; K.H.Rengstorf, in: ThWNT III 295f.

106 Nach J.Blank, a.a.O. 189 (vgl. insgesamt die Diskussion 187ff),
wird durch diesen Begriff "die Stellung des Apostels Paulus als
'Ausnahmeerscheinung' bestimmt". Vgl. ähnlich J.Roloff, Apostolat
96 Anm. 181 ("der paulinische Apostolat als der große und einzige
Ausnahmefall neben dem der übrigen Apostel"). - E.Güttgemanns, Apostel 89, hält im Anschluß an J.Weiß u.a. ἔκτρωμα für ein Paulus
diskreditierendes "Schimpfwort der Gnostiker" in Korinth (vgl. auch
J.Schneider, in: ThWNT II 463ff). J.Blank, a.a.O. 188, hält dies
für möglich. - Nach A.Schaefer, 1 Kor 309, wählte Paulus diese Bezeichnung für sich, "um sein eigenes vollständiges Unvorbereitet-
sein" für die Apostolatsaufgabe auszudrücken (vgl. V. 9), wodurch
der positive Gegenakzent von V. 10 um so stärker hervortreten könne.

107 Vgl. die "Steigerung" (H.Schlier, Eph 152) in Eph 3,8 (τῷ ἐλαχιστο-
τέρῳ) in Nachwirkung von 1 Kor 15,9; s. auch 1 Tim 1,15.

Verfolgertätigkeit gegen die ἐκκλησία τοῦ θεοῦ (vgl. Gal 1,13.23; Phil 3,6) - als unfähig (οὐκ ἱκανός) bezeichnet, Apostel zu heißen (V. 9b), d.h. der Sache nach: zum Apostel berufen zu werden. Sah er schon in diesem Zusammenhang seine Sendung und sein erfolgreiches Wirken[108] als Apostel allein in der ihm von Gott geschenkten und sich in seiner Arbeit beständig mächtig erweisenden Charis begründet (V. 10)[109], so führt die Argumentation in unserem Brieffragment den Nachweis der ihm zugeeigneten Fähigkeit zum Dienst als Apostel ebenfalls von Gott her (ausdrücklich 2 Kor 3,5f).

Nachdem also die thematische Perspektive im Anschluß an die Dankaussage auf die Frage nach der ἱκανότης festgelegt und unmittelbar - mit einem kontrastierenden Verweis auf andere Verkündiger - von Paulus in einer Selbstaussage positiv beantwortet ist (2,17), tragen die Ausführungen über die Gegenwart der endzeitlichen Doxa und Zoe im Vollzug des vom Pneuma geleiteten Dienstes (der καινὴ διαθήκη 3,6) und über die soteriologische Komponente des pl. Apostolatsverständnisses die Hauptlast des Argumentationsganges[110]. Die eschatologische Kennzeichnung des Apostolats verbleibt mit ihren präsentischen Akzenten in einem auf den Zukunftspol endzeitlicher Existenz ausgerichteten Spannungsbogen (4,7 - 5,11). Das soteriologische Fundament des pl. Apostolatsbegriffs ist in diesem Zusammenhang bereits punktuell zur Sprache gebracht (vgl. 4,10f), beherrscht aber nicht den Gedankengang; es wird zum zentralen Gegenstand in 5,14-15 und 18-21, wo die präsentisch-eschatologischen Implikationen unter den Gesichtspunkten der Christuserkenntnis und - ebenso allgemein wie grundsätzlich - des neugeschöpflichen Seins in Christus

---

108 D.Georgi, Gegner 47f, bringt die Erwähnung des Erfolges in 1 Kor 15,10 in Verbindung mit einem leistungsorientierten "Wetteifer" bei den am Missionsgeschehen Beteiligten, der dazu geführt habe, "daß auf Erfolge geachtet wurde und man sie als Kriterien mit in die Debatte hineinbrachte".

109 Vgl. zur Bedeutung des Charisbegriffs im Apostolatsverständnis des Paulus: J.Blank, Paulus 192-197.

110 Die Gliederung der Argumentation unter den Leitgedanken "Herrlichkeit" (2,14 - 4,6) und "Niedrigkeit" (4,7 - 6,10) wird der Entwicklung des Gedankens und den theologischen Schwerpunkten (vor allem 5,14-21 bzw. - 6,2) nicht gerecht (gegen den neuerlichen Versuch von H.Merkel, Bibelkunde 140). Nicht eindeutig ist die Strukturierung des Inhalts von 2,14 - 7,4 in H.D.Preuß-K.Berger, Bibelkunde II 381-386, da einmal 4,7 - 5,21 unter der Überschrift "Tod und Auferweckung" zusammengefaßt, zum anderen 5,12-21 gesondert hervorgehoben wird ("Bedeutung des Todes Jesu für den apostolischen Dienst").

(V. 16f) jedoch in den Duktus der Argumentation eingebunden sind[111].
Beachtenswert ist, daß Paulus sowohl im Zusammenhang mit den Aussagen
über δόξα und ζωή als auch im Anschluß an die soteriologische Begründung die Leidensgestalt dieses Dienstes hervorhebt[112].

Die Wesensmerkmale der Befähigung und der lauteren Verwirklichung des
Verkündigerdienstes entwickelt Paulus in zwei größeren, in sich unter-
gliederten Argumentationskomplexen, die jeweils bei dem Vorbehalt der
Selbstempfehlung einsetzen (3,1; 5,12). Die Gliederung der ersten Argumentationseinheit (3,1 - 5,11) kann sich an den thesenartigen Formulierungen mit ἔχειν (3,4. 12; 4,1. 7. 13) orientieren. Sie geben den
leitenden thematischen Aspekt an, wobei zugleich in summarischer Form
die Rückbindung an den vorausliegenden Abschnitt sichergestellt ist.
In 4;13 - 5,11 markieren εἰδότες (4,14; 5,6. 11) bzw. οἴδαμεν (5,1)
die einzelnen thematischen Schlüsselsätze. Die zweite Aussagefolge
5,12 - 6,10, in deren theologischem Mittelpunkt die Versöhnungsaussage
mit dem Stichwort des "Dienstes der Versöhnung" steht, kennzeichnet
Paulus einleitend ausdrücklich als ἀφορμὴ καυχήματος (V. 12b) für
die Gemeinde gegenüber den Vertretern eines mit dem Paulus-Apostolat
konkurrierenden und ihn diskreditierenden Dienstes.

Fragen wir mit Blick auf die folgende Exegese von 2 Kor 5,14 - 6,2 zusammenfassend nach dem Beitrag des weiteren Kontextes zum Verständnis
des Paulus-Apostolats als διακονία τῆς καταλλαγῆς, so ist dieser
in folgenden wichtigen theologischen Grundlinien zu sehen:

1) Die theozentrische Grundstruktur der apostolatstheologischen Argumen-
   tation zeigt sich darin, daß der im Brieffragment ausschließlich als
   "Dienst" bezeichnete Apostolat auf das Werk Gottes bezogen ist. Die
   Befähigung wird auf Gott zurückgeführt. Die Voraussetzung zum Dienst
   ist nicht beim Menschen, sondern wird von Gott gegeben (3,5-6). Die
   Verkündigung geschieht von Gott her, vor Gott und in ihrer Zielrich-

---

111 Die Aussagen über die Doxa des Apostolats (wie auch über die Zoe),
    die bei aller Betonung der Präsenz im gegenwärtigen Dienst doch
    futurisch-eschatologisch ausgerichtet sind (bes. 4,17), verbinden
    sich im soteriologischen Argumentationszusammenhang mit den Gedan-
    ken des neuen Lebens für Christus, der neuen Weise der Erkenntnis
    Christi, der Neuschöpfung in Christus und des Dikaiosyne-Gottes-
    Seins in Christus.

112 Vgl. 4,7-12.16f; 6,4-10; s. auch 11,23-33; 12,10. Eine differen-
    zierte Analyse dieser Texte (ausgenommen 12,10, aber unter Berück-
    sichtigung von 1 Kor 4,10-13 und Röm 8,35-39) bietet J.Zmijewski,
    Stil 232-323. - Das in die Apostolatstheologie integrierte, mit der
    Kreuzestheologie verschränkte und auf den futurisch-eschatologi-

tung auf Gott hin[113]. Die Wirkmacht Gottes in der Realisierung des Apostolats und die fundamentale Hinordnung des Apostels auf Gott sind zentrale Aspekte in der Verdeutlichung der Befähigung und der Lauterkeit des Paulus in der Ausführung seines Dienstes. Diese theozentrische Grundlinie der pl. Apostolatstheologie wird in 5,14 - 6,2 neu akzentuiert.

2) Mit der theozentrischen ist eng die pneumatologisch-christologische Grundstruktur verbunden[114]. Am stärksten kommt diese in Kap. 3 zur Geltung, wobei ergänzende Verdeutlichungen in 4,4-6 ebenso zu beachten sind wie das Lebensmotiv in V. 7-12 (bes. V. 10f) und die Aussage über die Pneumagabe 5,5. Die pneumatologisch-christologische Grundstruktur ist jedoch nicht nur apostolatstheologisch relevant, sondern prägt auch die theologische Kennzeichnung der Gemeinde (3,3) und des endzeitlichen Verwandlungsgeschehens zur Doxa-Eikon, das alle Gläubigen unter Einschluß des Apostels erfaßt (V. 18). Daß für die διακονία τῆς καταλλαγῆς die pneumatologisch-christologische Komponente mit zu berücksichtigen ist, macht nicht zuletzt auch die (parallele) Charakterisierung des neubundlichen Dienstes als διακονία τοῦ πνεύματος und τῆς δικαιοσύνης im Zuge der Auseinandersetzung mit dem die gegnerische Position bezeichnenden Moses-Dienst (2 Kor 3,4-9) deutlich.

Die Beziehung des Dienstes auf die Dikaiosyne (V. 9) weist auf die Einbindung des Aposteldienstes in das Versöhnungsgeschehen und dessen Zielrichtung (das Dikaiosyne-Werden) hin, worauf 5,18-21 eingeht. Im dortigen Zusammenhang wird auch die pneumatologische Dimension nicht nur der pl. Dienst-, sondern auch der Dikaiosyne-Theologie mitzubedenken sein.

---

schen Horizont bezogene Verständnis des Leidens erscheint somit als wesentliches Korrektiv für die exklusive Orientierung an der Doxa auf der Seite der Gegner!

113 Vgl. die leitthematische Aussage 2,17 mit ihrer Wesensbestimmung apostolischer Verkündigung; s. auch 2,14f; 3,5f; 4,2.6.15; 5,11; 5,18 - 6,2.

114 Sie ist vor enthusiastischer Verselbständigung durch die Verbindung mit dem Gedanken der Leiden des Apostels und der darin sich reflektierenden Kreuzestheologie und durch die soteriologische Verankerung des Aposteldienstes (5,14-21) geschützt.

3) Bedeutsam ist weiterhin das den Gedankengang im weiteren Kontext durchgehend prägende eschatologische Verständnis des Aposteldienstes, das nicht von den vorausgenannten Grundlinien zu trennen ist, sondern sich vielmehr auch in ihnen ausspricht bzw. von ihnen her bestimmt ist. Die besondere Note erhält die eschatologische Sicht des Aposteldienstes dadurch, daß der Pneuma- und Doxa-Besitz, der diesen Dienst als eschatologischen qualifiziert, ebenso wie die Gegenwart der Dynamis Gottes und das Offenbarwerden des "Lebens Jesu" mit dem Leidensgeschick, in dem die Christusgemeinschaft als Leidensgemeinschaft gelebt wird, verbunden sind (3,6 - 4,12). Diesen Aspekt seiner Aposteltheologie zieht Paulus in einer besonderen Reflexion über die eschatologische Existenz weiter aus, in der die eschatologische Spannung von Vergehen und Erneuerung, von Leiden und zukünftiger Vollgestalt der Doxa, von Sterblichkeit und zukünftigem Vollbesitz des Lebens als charakteristisches Merkmal für die eschatologische Existenz thematisiert wird (bes. 4,16 - 5,8).

Im Blick auf 5,14 - 6,2 und den engeren Kontext dieses Aussagezusammenhangs ist zu fragen, in welcher Weise dieser eschatologische Verständnishorizont wirksam bzw. mit neuen Akzenten versehen wird.

4) Unter verkündigungstheologischem Gesichtspunkt erscheint der Dienst in einem universal-eschatologischen missionarischen Horizont (2,14-16a). Der Vollzug der Verkündigung als eschatologischer Grundfunktion dieses Dienstes im Zusammenhang des Offenbarungshandelns Gottes erweist die Befähigung und Lauterkeit des Verkündigers (2,17; 4,2-6; 5,11)[115], indem er nichts anderes zur Sprache bringt als das "Wort Gottes" (2,17; 4,2; vgl. 5,19; 6,7) bzw. das "Evangelium" (4,3. 4) und so den "Duft der Erkenntnis" zur Wirkung kommen läßt (2,14).

Als spezifischer Inhalt kommt die Doxa Christi als der Eikon Gottes, die zu erkennen Paulus von Gott in einem schöpfungsgleichen Akt ge-

---

115 Vgl. 2 Kor 1,12: ἐν ἁπλότητι (andere LA ἁγιότητι) καὶ εἰλικρινείᾳ τοῦ θεοῦ. - Zum Gegründetsein der Lauterkeit des Apostels in der Lauterkeit Gottes vgl. H.Baum, Mut 108f.

währt worden ist, in den Blick (4,4. 6). Ausgerichtet auf diese christologische Botschaft, verwirklicht sich der Dienst als Verkündigungsdienst des Kyrios und in der Gemeinschaft mit ihm und darin als Dienst für die Gemeinde (V. 5). Ausgerichtet auf die Konstituierung der Gemeinde (3,2f), weist der Dienst zugleich die pneuma-gewirkte Gemeinde über sich hinaus. Einmal spricht Paulus der Gemeinde eine missionarische Funktion zu (3,2), zum anderen richtet er sie aus auf die Danksagung Gottes (4,15).

Auch 5,18 - 6,2 handelt vom Wortdienst. Dabei kommt es zu einer bedeutsamen Vertiefung und Aktualisierung der Botschaft dieses Dienstes, indem zum einen der Dienst und die Beauftragung mit dem Wort auf die Versöhnungstat Gottes durch Christus als deren Ursprung zurückgeführt, zum anderen die Gemeindebezogenheit dieses Dienstes hinsichtlich ihrer theozentrischen Finalität in der Konsequenz dieser Tat neu bestimmt wird.

2.2   Exegetisch-theologische Untersuchung von 2 Kor 5,14 - 6,2

2.2.1   Der engere Kontakt
2.2.1.1 2 Kor 5,12f

1) 2 Kor 5,12 eröffnet[116] den Gedankenzusammenhang 5,12 - 6,10 mit der Zurückweisung des Vorwurfs, er empfehle sich gegenüber der Gemeinde wiederum nur selbst, wenn er sein (vom φόβος τοῦ κυρίου geleitetes) Wirken als Apostel mit dem Verweis auf das Offenbarsein vor Gott und die Gewissenserkenntnis der korinthischen Gläubigen als wahrhaftig darstellt (5,11). Das Stichwort der Selbstempfehlung erinnert an 3,1 (vgl. 4,2). Vergleichbar mit 5,12 bezog sich der Einwand auch dort auf die vorausgegangene Feststellung, Paulus habe die Befähigung zum Dienst im endzeitlichen Werk Gottes, wie aus der unverfälschten Verkündigung des Wortes Gottes ὡς ἐκ θεοῦ κατέναντι θεοῦ ἐν Χριστῷ selbst bestätigt werde. Parallel zu 2,17 verbindet auch 5,11 aufgrund des sachli-

---

116 Neueinsatz einer Argumentationslinie in Parallele zu 3,1. - Der Einschnitt zwischen 5,11 und 12 ist in H.D.Preuß-K.Berger, Bibelkunde II 385, berücksichtigt, nicht jedoch z.B. im "Nestle".

chen Zusammenhangs mit 4,2 das Offenbarsein des Apostels vor Gott und in den Gewissen der einzelnen Gläubigen mit dem Aufgehen der Wahrheit des Wortes Gottes, das der Apostel verkündet. Sowohl in 3,1 als auch in 5,12 zielt der Einwand der Selbstempfehlung auf die pl. Verkopplung von Evangelium und Apostolat[117], da diese keinen Platz läßt für eine menschliche Legitimationsinstanz, die sich über das Verkündigungsgeschehen stellt und Kriterien an den Apostolat anlegt, die nicht aus dem Evangelium gewonnen sind.

Daß es Paulus in der vorgebrachten und noch vorzubringenden Argumentation für seine Befähigung und Lauterkeit nicht um Selbstempfehlung (d.h. Selbstruhm) geht, sondern daß er einem gemeindlichen Interesse dient, ist Inhalt der Aussage von V. 12. Seine Ausführungen zum Apostolat zielen nicht darauf ab, sein Ansehen zu stärken. Paulus macht der Adressatengemeinde klar, daß er mit seinem Brief die Position der Gemeinde gegenüber den Konkurrenzaposteln stärken möchte. Die vorausgegangene Verdeutlichung der Befähigung zum Aposteldienst ebenso wie die noch folgenden Aussagen sollen der Gemeinde ἀφορμὴ καυχήματος[118] sein (vgl. 11,12). D.h. der Brief soll den Anlaß geben, daß die Gemeinde mit Hilfe der Argumente, die Paulus vorträgt, gegen die Gegner Stellung bezieht, indem sie für den von Paulus vertretenen Apostolat Partei ergreift. In 5,12 steht also der Selbstempfehlung (bzw. dem Selbstruhm) das Rühmen des Apostels (καυχήματος ὑπὲρ ἡμῶν) durch die Gemeinde entgegen. Voraussetzung dafür aber ist, daß die in V. 11b erhoffte Gewissenseinsicht der korinthischen Gläubigen in die Rechtmäßigkeit und Wahrhaftigkeit des Paulus-Apostolats tatsächlich erfolgt ist bzw. durch diesen Brief erreicht wird.

---

117 Vgl. als Hintergrund zu 3,1 die Behauptung der Lauterkeit des Aposteldienstes mit Verweis auf die Verkündigung (2,17; s. dazu 4,2); ebenso unmittelbar 5,12 in bezug auf V. 11.

118 Dem Rühmen des Apostels durch die Gemeinde korrespondiert, daß der Apostel sich seiner Gemeinde rühmt (vgl. 7,4; 8,24) und die Gemeinde ihm zum eigentlichen Ruhm wird (vgl. 1,14; 1 Thess 2,19f; 1 Kor 15,31; Phil 1,26; 2,16). - Nach D.Georgi, Gegner 296, konnten die Gegner mit Verweis auf ihre "pneumatischen Krafttaten und Erlebnisse" eine "Handhabe zum Rühmen" der Gemeinde anbieten.

Unterscheidet V. 12ab zwischen Selbstempfehlung und dem Geben einer
ἀφορμὴ καυχήματος , so V. 12c zwischen ἐν προσώπῳ καυχᾶσθαι und
καυχᾶσθαι ἐν καρδίᾳ[119]. Das ἐν προσώπῳ καυχᾶσθαι charakterisiert die Gegner, auf die Paulus über die Gemeinde mit seiner Argumentation zielt. Wessen sich nun die in Korinth aufgetretenen Konkurrenten
rühmen, ist auf der Grundlage des Brieffragments nicht im einzelnen genau auszumachen[120]. Keine Hinweise finden sich dafür, daß Paulus darauf
anspielt, sie hätten sich auf die jüdische Abstammung berufen, um ihre
Autorität zu festigen[121]. Die für diese Erklärung herangezogene Aussage
11,22 gehört zu einer späteren Situation. Abwegig ist es auch, aus der
Verbindung von 5,12c mit V. 16 zu folgern, die Rivalen des Paulus-Apostolats hätten die persönliche Beziehung zum irdischen Jesus ausgespielt[122]. Dieser Deutungsversuch setzt voraus, daß das persönliche
Verhältnis zu Jesus in der Auseinandersetzung um den rechten Apostolat
eine wesentliche Rolle zukam und daß V. 16 auf ein derartiges Argument
zu beziehen ist. Die Argumentationsfunktion und die inhaltlichen Akzente stützen jedoch nicht diese Auswertung von V. 16 für V. 12c. Zieht
man V. 16 heran, kommt nur ein zu κατὰ σάρκα γινώσκειν analoges
Verständnis von ἐν προσώπῳ καυχᾶσθαι in Betracht. Demnach ist das
ἐν προσώπῳ καυχᾶσθαι Ausdruck einer Selbsteinschätzung, die dem

---

119 Die Gegenüberstellung der beiden Rühmungsweisen ist typischer anti-
    thetischer Stil des Paulus (vgl. N.Schneider, Eigenart 51. 62);
    vgl. hier 1 Thess 2,17 (Gegenüberstellung von πρόσωπον und
    καρδία). - S. auch Gal 2,6. Die Auseinandersetzung mit dem Sich-
    Rühmen der Gegner setzt Paulus in 2 Kor 10,8 und bes. 12 bis 18;
    11,16-19; 12,1-13 fort. - Die Bedeutung der Kauchesis-Thematik in
    der pl. Theologie hat bes. R.Bultmann (ThWNT III 648-653; Theologie
    242f) herausgearbeitet.

120 D.Georgi, Gegner 292, denkt an das Rühmen der "pneumatischen Gaben
    und Erfahrungen". Vgl. auch E.Güttgemanns, Apostel 282f; G.Frie-
    drich, Gegner 183f.

121 So bei der Annahme judaistischer Gegnerschaft.

122 Vgl. H.Lietzmann, 2 Kor 124; s. auch C.K.Barret, 2 Cor 165f ("not
    unreasonable").

Maßstab der Sarx folgt[123]. Eine andere Möglichkeit der Konkretisierung bietet sich an, wenn die Verwendung von ἐν προσώπῳ in den midraschartigen Ausführungen von 3,7-18 (vgl. noch 4,6) beachtet wird[124]. Die dort verhandelte Frage nach der endzeitlichen Qualität der Doxa, die der Moses-Dienst besitzt (3,7-11. 13), deutet darauf hin, daß die gegenwärtig wahrnehmbare und eschatologisch interpretierte Doxa zum zentralen Gegenstand der Diskussion über den legitimen Apostolatsdienst geworden ist. Somit ergibt sich für 5,12c der Vorwurf des Paulus, die Gegner rühmten sich der Gegenwart der endzeitlichen Vollendungsdoxa in ihrer Gestalt (vor allem auf ihrem Gesicht?) und ließen außer acht, daß diese noch ausstehe (vgl. 4,16 - 5,8).

Das kontrastierende ἐν καρδίᾳ (καυχᾶσθαι), das das negative Verhalten der Gegner besonders herausstreicht, ist für sich und auch vom vorausgegangenen Kontext her nur schwer zu deuten[125]. Mit Bezug auf 4,6 bietet sich folgendes Verständnis an: der wahre Apostel rühmt sich der im Herzen aufgeleuchteten Erkenntnis der Doxa Gottes ἐν προσώπῳ Χριστοῦ. Nicht auszuschließen ist, daß ἐν καρδίᾳ assoziativ an V. 11 anknüpft und als Ort der "Furcht gegenüber dem Herrn", die als eschatologische Grundhaltung das Wirken des vor Gott lauteren Apostels bestimmt, gemeint ist[126]. Spannt man einen Bogen zu 3,3, dann läßt sich

---

123 Vgl. hier auch 2 Kor 11,18 in Opposition zu 11,17 ! - Nach E.Schweizer, der 5,12 mit V. 16 verbindet, ist das Prosopon für Paulus irrelevant, weil er nicht mehr κατα σαρκα urteilt (ThWNT VII 130, bes. Anm. 261). Vgl. auch E.Güttgemanns, Apostel 282f Anm. 3: die Antithese der beiden Rühmungsweisen impliziert die Opposition von Bindung an die Sarx einerseits und Leben aus der "neuen Schöpfung in Christus" (V. 17) mit den wahren Wirkungen des Pneuma andererseits.

124 Vgl. z.B. J.L.Martyn, Epistemology 282f.

125 Vgl. H.Windisch, 2 Kor 178. - Es meint sicher mehr als nur die wahre innere Disposition (vgl. E.B.Allo, z.St.) oder das Unsichtbare (R.Bultmann, 2 Kor 150).

126 So W.Fürst, 2 Korinther 223. Jedoch wird damit nicht der volle Gehalt erfaßt, der sich vor allem aus dem folgenden soteriologisch bestimmten Gedankengang und aus den vorausgegangenen einschlägigen Aussagen ergibt, die einmal an die Gabe des Pneuma (3,3) und an die Gotteserkenntnis im Christusevangelium (4,6) denken lassen und zum anderen an die von der Agape Christi bestimmte Lebenshinordnung auf Christus (5,14f).

aufgrund der dortigen Zuordnung von Pneuma und "Herzen" auch das Rühmen ἐν καρδία als ein Rühmen des Pneuma verstehen, das seine Berechtigung in der verwandelnden Einbeziehung des ganzen mit Christus verbundenen Menschen in die endzeitliche, auf die Vollendung von Leben und Herrlichkeit hindrängende Dynamik des Pneuma hat[127]. Auf jeden Fall impliziert ἐν καρδία, daß der sich so Rühmende vor Gott offenbar ist (V. 11) und vor Gott Anerkennung findet.

2) 5,13 gibt die erste Begründung für V. 12. Die zweite begründende Aussage schließt in V. 14 an. Die antithetische Argumentationsweise in V. 13 läßt fragen, worauf sich die einzelnen gegenübergestellten Glieder in ihrer Begründungsfunktion beziehen und wie sie sich zueinander verhalten. Unter formaler und sachlicher Rücksicht besteht eine gewisse Nähe zwischen V. 13a und V. 11b (θεῷ πεφανερώμεθα) und zwischen V. 13b und 11c bzw. 12b[128]. Nicht ist jedoch V. 13 mit den in V. 12c konfrontierten Rühmungsweisen zu parallelisieren[129]. Als unmittelbarer Bezug kommt für V. 13 nur V. 12b in Frage. Paulus begründet demnach, worin die Gemeinde die Gelegenheit zu sehen hat, für ihn rühmend vor den Gegnern einzutreten. Die beiden begründenden Momente beinhalten einmal, daß Paulus ekstatische Erfahrungen gemacht hat und diese für Gott geschehen sind, und zum anderen, daß er besonnen ist, und zwar im Interesse der Gemeinde. Das viel diskutierte Problem, welche religiöse Erfahrung (Bekehrungserlebnis von Damaskus, Glossolalie, Entrückungserfahrungen) hinter ἐξέστημεν steht, ist im Rahmen des Brieffragments nicht beantwortbar[130]. Wichtiger ist auch vielmehr, daß Paulus für sich zwar ekstatische Erfahrung in Anspruch nimmt, diese aber ausschließlich in seine Gottesbeziehung integriert, sie also nicht zum Zweck der Selbstempfehlung (d.h. der eigenen καύχησις) ausspielt. Damit ist

---

127 Auch E.Güttgemanns, Apostel 282f Anm. 3 stellt den sachlichen Zusammenhang zwischen καρδία und πνεῦμα heraus.

128 J.-F.Collange, Enigmes 250.

129 So z.B. aber D.Georgi, Gegner 255. 296.

130 In 5,13a eine Reaktion auf einen Vorwurf der Gegner oder der Gemeinde zu sehen, ist aus dem Briefzusammenhang nicht beweisbar. Vgl. hierzu die Erörterungen von H.Windisch, 2 Kor 179f und R.Bultmann, 2 Kor 150f.

V. 13a nicht als Gegenstand des Rühmens durch die Gemeinde ausgeschlossen, aber die Akzente sind eindeutig gesetzt: Paulus verwertet die ekstatische Erfahrung nicht, um daraus ein Argument für die Befähigung zum Aposteldienst abzuleiten. Nur in der vernünftigen Rede dient er der Gemeinde, und nur auf sie hat sich das Rühmen durch die Gemeinde zu beziehen[131].

2.2.1.2 2 Kor 6,3-10

Im Anschluß[132] an 5,14 - 6,2 zeigt Paulus in 6,3-10, daß er sich bei der Ausübung des "Dienstes der Versöhnung" unter den schwierigen eschatologischen Existenzbedingungen aufgrund der in ihm wirkenden Dynamis Gottes als über jeden Tadel erhabener "Diener Gottes" bewährt (vgl. 4,7-12). Der Text ist stilistisch geformt[133]. Entsprechungen zur literarischen Gestaltung finden sich in den Peristasenkatalogen, die in der kynisch-stoischen Diatribe Verwendung fanden[134]. Doch sind auch die Parallelen in der apk. Literatur nicht zu übersehen[135]. Zudem spielt 6,9 auf ψ 117,18 an.

Die Funktion der Texteinheit 6,4b-10 ist in V. 3-4a angezeigt, wobei

---

131 Vgl. 1 Kor 14,2.18f, wo bereits die Argumentationsstruktur von 2 Kor 5,13 vorbereitet ist.

132 H.Windisch, 2 Kor 178 und 201-203, schließt 6,3-10 an 5,12 an und rechnet mit der "Möglichkeit von Blattvertauschungen" (ebd. 178). H.Lietzmann, 2 Kor 127, sieht einen Bruch zwischen 6,1f und 3-10. Demgegenüber faßt E.Güttgemanns, Apostel 316f, 5,11 - 6,10 als Einheit auf. J.Zmijewski, Stil 310, verbindet 6,3-10 mit 5,13. - Zweifellos wird die soteriologische Thematik von 5,14 - 6,2 nicht unmittelbar fortgeführt, dennoch besteht eine syntaktische Verbindung zwischen 6,1a und V. 3, so daß V. 3-10 als Entfaltung von συνεργοῦντες (vgl. ὡς θεοῦ διάκονοι) anzusehen ist.

133 W.Bousset, 2 Kor 191: "Die Sprache erhebt sich zu einem rhythmisch gegliederten Hymnus." - J.-F.Collange Enigmes 290, meint deshalb: "Il es vraisemblable que Paul utilise, dans les v. 4-10, un texte préexistant." - Es ist aber doch wohl eher an ein formales Grundmodell und vorgegebene Aussageelemente zu denken, die Paulus aufnimmt und in seinem Sinn theologisch auffüllt (bes. V. 6c, 7a.9-10; vgl. die Korrespondenz von V. 9a und 3,2; V. 9bc und 4,7-11.17f). - Zur Stilform vgl. J.Zmijewski, Stil 289-307, bes. 319-323; Bl.-Debr. § 468,2.

134 Vgl. R.Bultmann, Stil 71f. 80; H.D.Betz, Apostel 98.

eine gewisse Entsprechung zu 5,12 besteht[136]. Während aber in 5,12a die Selbstempfehlung gegenüber den Gläubigen Korinths abgewiesen wird, wird in 6,4a das Selbstempfehlungsmotiv im Blick auf den folgenden Peristasenkatalog paradox verfremdet und generalisierend ins Positive gewendet (vgl. 4,2). Demgegenüber wird die positive Aussage vom Geben einer ἀφορμὴ καυχήματος (5,12b) dahin umformuliert, daß der Apostel keinen Anstoß gibt (6,3a; vgl. Röm 14,13b). Ersetzt wird die Zweckbestimmung. Nach 5,12 zielt Paulus mit dem Geben einer ἀφορμὴ καυχήματος darauf ab, daß die Gemeinde solche Argumente gegenüber den sich in falscher Weise Rühmenden hat, die Paulus als Apostel der Gemeinde und damit der Gemeinde selbst zum rechten Ruhm gereichen. Jetzt verbindet sich mit der Vermeidung des Anstoßes der Sinn, die Diakonia vor Tadel zu schützen (6,3). Die Einleitung zum Peristasenkatalog zeigt also die von Paulus intendierte Zusammenschau der Textabschnitte 5,12 - 6,2 und 6,3-10[137]. Auch 6,4b-10 hat die Funktion einer ἀφορμὴ καυχήματος und gehört deshalb eng mit der unmittelbar vorausliegenden Aussageeinheit zusammen, jedoch nicht als Inhalt des παρακαλεῖν (6,1f)[138], sondern als zugleich existenznahe und theologische Verdeutlichung dessen, was 5,14 - 6,2 (auf dem Hintergrund der vorausgegangenen Darlegungen über die eschatologische Leidensexistenz) für den Vollzug des Aposteldienstes impliziert.

Für die Gliederung[139] von 6,4b-10 in einzelne Abschnitte bietet der Gebrauch von ἐν, διά und ὡς einen ersten Anhaltspunkt. Demnach sind als Untereinheiten zusammenzufassen: V. 4a-7a (ἐν), 7b-8a (διά), 8b-10 (ὡς). Eine weitere Differenzierung ergibt sich dadurch, daß sich

---

135 SlavHen 66,6f; vgl. W.Schrage, Leid.

136 So auch J.Zmijewski, a.a.O. 310f.

137 Vgl. Ph.Bachmann, 2 Kor 276f. 282 (zur Einheit von 5,9 - 6,10 neben 3,1 - 4,6 und 4,7 - 5,8); E.Güttgemanns, Apostel 317. - Gut bemerkt E.Haller, Strukturen 34: "An die Stelle der Empfehlungsbriefe tritt der Peristasenkatalog (6,3ff)."

138 6,3-10 unterstreicht die Lauterkeit dessen, der als Gesandter Christi beauftragt ist, im Versöhnungswerk Gottes mitzuarbeiten.

139 Vgl. J.-F.Collange, Enigmes 290; s. auch H.Windisch, 2 Kor 204-209; O.Kuss, 2 Kor 219; R.Bultmann, 2 Kor 170; J.Zmijewski, Stil 310(-314).

die Reihe von ἐν ὑπομονῇ bis ἐν νηστείαις (V. 4a-5) von der anschließenden Wortgruppe mit der Präposition εν inhaltlich unterscheidet. In V. 4b-5 werden vielfältige Prüfungen genannt, denen die "Geduld" ausgesetzt ist und in denen sie sich bewährt. V. 6-7a dagegen
zählt Gaben auf, durch die der "Diener Gottes" qualifiziert ist.

Somit läßt sich die Aussagefolge V. 4b-10 in folgende Einheiten unter-
teilen:

1) V. 4b-5: Die Bewährung der ὑπομονή in vielfältigen Prüfungen

2) V. 6-7a: Die Qualifikation durch Gaben

3) V. 7b-8a: Die Mittel und Umstände des Dienstes

4) V. 8b-10: Die Paradoxie der Dienstexistenz.

(1) Auf der Linie der Grundthese von 2,16b-17, daß sich die Befähigung
zum Dienst in der Lauterkeit des Dienstvollzuges selbst erweist, und im
Konnex mit 5,18 - 6,2 unterstreicht Paulus mit 6,3 bzw. 4b-10 im Rahmen
des Brieffragments noch einmal nachdrücklich die in Frage gestellte
Lauterkeit (bzw. Tadellosigkeit und Unanstößigkeit V. 3-4a) seiner
Dienstausübung. Als positives Argument führt er gleichsam leitthematisch
die "große Geduld" als spezifisch eschatologische Grundhaltung ein[140].
Die Größe der Geduld und damit das Maß der eschatologischen Bewährung
läßt sich aus dem Umfang der Existenzbedrohungen erschließen, die zu
bestehen sind. Die ersten drei synonymen Umschreibungen der Gefährdungs-
lage (Leiden, Notlage, Drangsale)[141] zielen auf endzeitliche Prüfungen,
in denen sich der "Diener Gottes" (V. 4a) zu bewähren hat. Die Verbindung von ἐν θλίψεσιν und ἐν στενοχωρίαις erinnert an 4,8. Dort
formuliert Paulus jedoch verbal und antithetisch, um in der Explikation
von V. 7 darauf abzuheben, daß die Macht Gottes in der generellen Situation des Leidens wirksam ist und es unmöglich macht, daß der Apostel
durch die permanente Leidenserfahrung in ausweglose Bedrängnis und Rat-

---

140 Vgl. Röm 5,3. Die Geduld kommt von Gott (vgl. 2 Kor 1,6 im Kontext;
bes. Röm 15,5); gestärkt durch den Geist, ist sie existentieller
Ausdruck der Hoffnung und des Vertrauens auf Gott (vgl. Röm 5,3-5;
8,25 u.a.) S. hier bes. die paradoxe, den Anspruch der Gegner in
deutlicher Korrektur aufnehmende Aussage 2 Kor 12,12!

losigkeit gerät. In 6,4 erscheinen Leiden und Bedrängnisse zunächst nur
als Ort der Bewährung in Geduld, doch wird in V. 6 auch ausdrücklich
die Dynamis Gottes genannt. V. 5 konkretisiert die Leidenserfahrung:
Schläge, Gefängnisse und (progromartige) Tumulte[142] bedrohen die Durchführung des Dienstes von seiten der Gegner. Daneben hat der Verkündiger
Mühsal auf sich zu nehmen und Entbehrungen durchzustehen, die sich aus
der Durchführung der Verkündigung selbst ergeben[143].

(2) Der ersten Auszeichnung der in Leiden bewährten Geduld werden in
V. 6 weitere Gaben angefügt, die die Qualifikation zum Dienst ausweisen[144]. In Anspielung auf V. 3f und das in 2,17 eingeführte εἰλικριν-
εία-Motiv ist zuerst die Unbescholtenheit in der Dienstausübung genannt. Darauf folgen das Charisma der Erkenntnis und die Gaben der Langmut und Güte, die von Paulus zur Frucht des Geistes gerechnet werden
(Gal 5,22; 1 Kor 13,4; vgl. Röm 2,4).

Die weiteren Gaben, die jeweils mit einem Attribut versehen sind und
somit als besondere Gruppe hervorstechen, umfassen: das πνεῦμα ἅγιον[145],
das als eschatologische Vor-Gabe Gottes nicht nur die Lebenskraft für
den sich in der irdischen und dem Tode übergebenen Leiblichkeit nach
der Vollendung sehnenden Apostel ist (5,5), sondern in spezifischer Weise den neubundlichen Dienst auszeichnet (3,6): die "ungeheuchelte Liebe", die als Gabe eng mit dem Pneuma verbunden ist und die proexisten-
tielle Handlungsorientierung des Dieners bestimmt (vgl. 5,14)[146]; das
"Wort der Wahrheit", das Paulus in seinem Evangelium verkündet (vgl.
4,2); schließlich die Dynamis Gottes, die im Leiden und in der von

---

141 J.-F.Collange, Enigmes 293; R.Bultmann, 2 Kor 172. - Vgl. 2 Kor 4,8;
    12,10; 1 Thess 3,7; Röm 2,9; 8,35.

142 H.Windisch, 2 Kor 205. - Vgl. 2 Kor 11,23.27; 12,10.20 (Gemeinde!).

143 H.Windisch, a.a.O.; R.Bultmann, 2 Kor 172. - Vgl. 1 Kor 4,11-13;
    1 Thess 2,9; Phil 4,12.

144 Vgl. J.-F.Collange, Enigmes 294. - Im Mittelpunkt steht wieder die
    "Lauterkeit" und "Befähigung" des Apostels (vgl. 2,16f); es geht um
    positive Merkmale.

145 Durch "Pneuma" hebt Paulus hervor, daß alles, was als menschliche
    Auszeichnung gedeutet werden kann, allein Gabe des Geistes ist, der
    in ihm wirkt.

146 Vgl. Gal 5,22. - Der enge Zusammenhang von Pneuma und Agape ist

Schwachheit gezeichneten Verkündigung wirksam ist (vgl. 2,14.17b; 4,7; 1 Kor 1,18.24; 2,3-5; dagegen 4,20 im Zusammenhang mit V.8; 1 Thess 1,5).

(3) Die folgende Gruppe von Aussagegliedern (V. 7b-8a) ist in sich zwar durch die Verwendung der Präposition διά formal zusammengehalten, läßt sich aber zu einem Teil (V. 7b) noch mit der vorausgehenden Einheit und zum anderen Teil (V. 8a) mit seinen antithetischen Wendungen auf den nachfolgenden Abschnitt (V. 8b-10) beziehen[147]. V. 7b führt ein Kampfmotiv ein, das sich mit dem Gedanken der im Dienst wirkenden Macht Gottes verbinden läßt. Es bringt zum Ausdruck, daß der lautere Dienst mit den Waffen ausgestattet ist, die der Gerechtigkeit entsprechen und sie durchsetzen[148]. Sie sind sowohl für den Angriff (Schwert oder Speer in der rechten Hand) und für die Verteidigung (Schild in der linken Hand) zweckdienlich. Das Kampfbild, das Paulus auch sonst geläufig ist[149] und sich assoziativ auch mit dem Bild des Triumphzuges verbinden läßt (vgl. 2,14), zeichnet den Diener als einen für die gerechte Sache engagierten Kämpfer[150], der zum Bestehen des mit dem Dienst aufgegebenen Kampfes wohl gerüstet ist. "Gerechtigkeit" setzt zudem einen Gegenakzent zu dem sich auf Täuschung und Verfälschung stützenden Kampf der Gegner (vgl. 2,17; 4,2).

---

auch in 5,14 impliziert, jedoch kreuzestheologisch näher bestimmt. Zur Wendung vgl. Röm 12,9.

147 J.-F.Collange, Enigmes 296. - Der Gebrauch des (anaphorischen) Artikels in V. 7b ist eine Ausnahme in diesem Abschnitt!

148 So auch C.F.G.Heinrici, 2.Sendschreiben 322. Vgl. Röm 6,13; 13,12.

149 1 Thess 5,8; 2 Kor 10,3-5; bes. den Gegensatz Röm 6,13; vgl. noch 13,12. Sportliche Metaphorik 1 Kor 9,24-27; Phil 3,14. - Das Stichwort Gerechtigkeit in Verbindung mit dem Waffenmotiv verweist auf prophetische und weisheitliche Elemente in der bildlichen Rede über das endzeitliche gerichtliche Handeln Gottes (vgl. Jes 59,17; Weish 5,17-22; bes. V. 17-19), die hier auf den Apostel appliziert sind und seinen endgültigen Triumpf (wie den des weisheitlichen Gerechten) über seine Gegner implizieren. Vgl. die Aufnahme des Kampfmotivs in Eph 6,10-17, das paränetisch auf die Gemeinde in der Auseinandersetzung mit den Mächten bezogen ist (dazu F.Mußner, Eph 303-314).

150 Ph.Bachmann, 2 Kor 281.

V. 8a enthält zwei Gegensatzpaare, deren einzelne Bedeutungsträger
chiastisch aufeinander bezogen sind: Ehre (auch: guter Ruf)[151] - Schande, schlechter Ruf - guter Ruf. Die Präposition διά bezeichnet hier
die Begleitumstände[152]. Somit besagt V. 8a: Sowohl dort, wo der Dienst
des Paulus auf Anerkennung stößt, als auch dort, wo er Verdächtigungen
und üble Nachrede auf sich zieht, wird Paulus nicht irritiert und von
seinem Dienst abgebracht. V. 8a steht also nicht in Spannung zur einleitenden Beteuerung des Paulus, seine Diakonie (der Versöhnung) sei
frei von Anstößigkeit, die Vorwürfe auslösen müßte; denn Schande und
schlechter Ruf sind gemäß der einleitend signalisierten Intention und
Funktion von 6,4b-10 nicht als Folge eines unlauteren Dienstes zu sehen,
sondern bezeichnen den Versuch, die bestehende Lauterkeit zu diskreditieren und das weitere Wirken durch die Untergrabung des Ansehens zu
beeinträchtigen.

(4) Die mit V. 8a eröffnete antithetische Aussageweise setzt sich in
V. 8b-10 fort. Die sieben paradoxen Antithesen, die jeweils mit ὡς ,
beginnen und in der Konstruktion an ὡς θεοῦ διάκονοι anschließen,
bestehen mit Ausnahme von V. 8b, V. 9b (ζῶμεν) und V. 10b (πτωχοί)
aus Partizipialphrasen (V. 10bc zudem mit Akkusativobjekt). Herausgeho-

151 W.Bauer, WB 404. - Mit Ausnahme von 2 Tim 2,20 findet sich ἀτιμία
    nur bei Paulus,δυσφημία und εὐφημία nur hier.
152 R.Bultmann, 2 Kor 174. - Vgl. hierzu die Schmähung des Gerechten
    durch die Gottlosen Weish 5,4; s. auch 10,14 in Anspielung auf die
    Josephstradition. Röm 1,30 erscheint üble Nachrede als Kennzeichen
    des gottlosen Menschen.

ben erscheinen einmal V. 9b (ἰδοὺ ζῶμεν) und V. 10 durch die generalisierende Zeitpartikel ἀεί und durch die allgemeinen Akkusativobjekte πολλούς, μηδέν bzw. πάντα.

Die Antithesen sind so strukturiert, daß einer Reihe von "Negativmerkmalen" eine Reihe von "Positivmerkmalen" gegenüberstehen, wobei die "Positivmerkmale" den Akzent tragen. Kontrastiert werden die negative Einschätzung und die positive Wirklichkeit des Paulus-Dienstes bzw. zwei nach einem nicht die ganze Wirklichkeit erfassenden Urteil sich ausschließende, tatsächlich aber paradoxal zusammengehende Weisen oder Seiten der einen Existenz als Diener Gottes[153]. Die beiden Seiten lassen sich umschreiben als Schwäche und Stärke. Formal und inhaltlich besteht damit eine gewisse Analogie zu 4,8f, jedoch ist die stilistisch gleichmäßige Gestaltung der Aussagenreihe in 6,8b-10 nicht so konsequent wie in 4,8f. Auch die Blickrichtung divergiert. In 4,8f konzentriert sich alles auf die Erfahrung, die Paulus mit dem Machtwirken Gottes in den durchlittenen Grenzsituationen gemacht hat[154].

6,8b und 9a bezieht sich auf die Verkündigung des Paulus. Die negative Einschätzung besteht darin, daß das Wirken des Paulus als Verführung betrachtet und ihm keine breite öffentliche Wirkung eingeräumt wird[155].

---

153 6,4. - E.Kamlah, Form 194: 6,8-10 enthält die pl. Paradoxie des "'zwar im Fleisch, aber dem Geiste nach'".

154 4,7 (Dynamis Gottes).

155 R.Bultmann, 2 Kor 175; vgl. zum Motiv der Verführung auch 2,17; 3,12f; 4,2-4; 5,11f; 7,2; s. auch 12,16; zur Anerkennung vgl. 3,1f; dazu 1 Kor 9,1f.

Im Gegensatz dazu stehen die Wahrhaftigkeit des Verkündigers, der das
Wort der Wahrheit empfangen hat (V. 7) und nur ihm dient, und die tat-
sächliche Kenntnisnahme von ihm bzw. Anerkennung, die er als wahrhafti-
ger Diener findet. Der Beleg dafür ist nach 3,2f die Gemeinde selbst.
Andererseits wurde bereits in 4,2 und 5,11 deutlich gemacht, daß die
Einsicht in die Wahrhaftigkeit nur dort gegeben ist, wo die Wahrheit
des verkündigten Wortes und die Wahrhaftigkeit des Verkündigers in den
Gewissen der Hörer aufgeht. Im sachlichen Zusammenhang mit V. 8a enthält V. 8b und 9a Beispiele für die üble Nachrede. Ob die Aussagen auf
gegen Paulus gerichtete Polemik zurückgreifen, kann nicht mehr entschieden werden, da die Inhalte nicht Reflex einer konkreten Situation sind,
sondern offensichtlich zur typisierenden Kennzeichnung der Situation
des Aposteldienstes von Paulus benutzt werden[156].

In der Thematik sich 4,7-11 nähernd, kontrastiert 6,9bc die Todesbedrohung mit dem Lebensbesitz. Die Aussage folgt nicht der Unterscheidung
von Beurteilung und Wirklichkeit. Es handelt sich vielmehr in V. 9bc
um die doppelte Umschreibung der paradoxalen Existenz des Apostels vom
Standpunkt des Apostels (Paulus) selbst aus[157]. (Der Gedanke lehnt sich
an ψ 117,17f an.) V. 9b enthält die paradoxe Grundaussage über die eschatologische Existenz dessen, der in den Dienst der Versöhnung gestellt ist: die Existenz ist gezeichnet durch die Gleichzeitigkeit des
Sterbezustands (part. praes.) und des Lebensbesitzes. In dieser Gleichzeitigkeit dominiert aber nicht das Sterben, sondern das Leben triumphiert über das bzw. im Sterben. Sprachlich ist der Triumph durch den
Übergang vom Partizip zum kontrastierenden ἰδοὺ ζῶμεν nachdrücklich
hervorgehoben[158].

Auf die Rückgebundenheit dieses Inhalts der Selbstempfehlung als Diener
Gottes an 4,7-12 wurde schon hingewiesen. Von dieser Stelle aus wird
deutlich, daß in dem Leben, das trotz des gegenwärtigen Sterbezustands
über das Sterben mächtig ist, das "Leben Jesu" offenbar wird und daß

---

156 Vgl. H.Windisch, 2 Kor 207f.

157 Anders R.Bultmann, 2 Kor 175: These: "für menschliche Augen"; Antithese: "nur für den Glauben sichtbar". Vgl. auch K.Prümm, Diakonia
I 368.

158 Vgl. 5,17; 6,2.

das Sterben als Sterben in der Solidarität mit Jesus zu verstehen ist[159]. Weitere Aussagen im Kontext des Brieffragments geben dem Gedanken zusätzliche Konturen. Von 5,17 aus beinhaltet 6,9b, daß das Leben, das über den Tod herrscht, nichts anderes ist als Anteilhabe am eschatologischen neuen Geschöpfsein in der Gemeinschaft mit dem gekreuzigten und auferweckten Christus und in der Hinordnung auf ihn (vgl. 5,14f). In ihm bezeugt sich die im neubundlichen Dienst wirksame Lebensmacht des Pneuma (3,6. 8; vgl. 5,5), die nicht nur in der vom Sterben gezeichneten Existenz des Apostels gegenwärtig ist und seinen Dienst in Abhebung vom Dienst des Todes qualifiziert, sondern auch durch die Verkündigung dieses Dienstes Leben schenkt (vgl. 2,15f).

V. 9c konkretisiert V. 9b, indem exemplarisch das Sterben als Züchtigung[160] umschrieben wird (vgl. V. 4b-5). Vor allem aber liegt auch hier der Akzent darauf, daß die Züchtigung nicht den Tod zur Folge hat.

V. 10a bleibt noch mit dem Erfahrungsbereich von V. 9bc verbunden. Die Aussage ist von Tradition geprägt[161]. Die bedrückende Erfahrung des als Sterben begriffenen Leidens, die sich allein in Trauern[162] ihren erwartungsgemäßen menschlichen Ausdruck geben sollte, wird vom eschatologischen Verständnis der Leiden aufgebrochen. Kontrastierend mit der Trauer erscheint so die beständige ($\alpha\epsilon\iota$) Freude als positives und charakteristisches Merkmal der eschatologischen Leidensexistenz eines Dieners Gottes (vgl. auch 7,4). Die Freude ist also streng eschatologisch zu verstehen. Als solche ist sie Frucht des Geistes (Gal 5,22). In ihr wird die Gegenwart der Leiden vom Sinnhorizont der eschatologischen Lebensmacht her transzendiert und transparent für die Erfüllung der Freude im Heiligen Geist[163].

Den Schlußakkord in dem als Empfehlung der Gemeinde angebotenen "Peristasenkatalog" bilden die Antithesen von V. 10bc, für die sich sprachliche Parallelen im Kynismus und in der Stoa finden[164]. Die Antithesen

---

159 Vgl. bes. 4,11a in Parallele zu V. 10a.

160 Vgl. ψ 117,18; s. auch 1 Kor 11,32; vgl. Apk 3,19; Hebr 12,6 (Spr 3,13).

161 Vgl. 1 Thess 1,6; Gal 5,22; 2 Kor 8,2; Röm 14,17. - S. R.Bultmann, Theologie 340f; W.Nauck, Freude.

162 Zur Trauer des Apostels vgl. 2 Kor 2,1-5; Phil 2,27f; auch Röm 9,2.

163 Vgl. Phil 4,4 ("Freut euch im Herrn allezeit".) Das Motiv der Freude findet sich bes. in Phil 1,4.18.25; 2,2.17.28.29; 3,1; 4,1.10. Vgl. auch 1 Thess 1,6. - Vgl. W.Schrage, Leid 145; s. auch W.Nauck, Freude.

sehen das Auszeichnende des Apostolats in der Paradoxie von Armut und Reichtum: Auf der einen Seite steht das Armsein (V. 10b), das V. 10c radikal im Sinne von "nichts haben" faßt[165]. Damit kontrastiert in V. 10b πολλοὺς πλουτίζοντες, wodurch das Armsein des Dienstes in funktionale Beziehung zu anderen gestellt wird[166]. Das zweite Gegensatzmoment konzentriert demgegenüber den Blick auf den Apostel.

Die einzelnen gegensätzlichen Aussageglieder sind verschiedenen Ebenen zugeordnet. Die bis zur absoluten Besitzlosigkeit gesteigerte Armut ist die Negation dessen, was der Mensch durch sich selbst erwerben, wodurch er seinen im Besitz gründenden Status demonstrieren und worauf er sein ἐν προσώπῳ καυχᾶσθαι aufbauen kann. Dazu ist sowohl der materielle Reichtum als auch die "Weisheit dieser Welt"[167] zu rechnen. Das aber, wodurch der Diener Gottes reich macht, ist in der Konsequenz der auf Gott zurückgeführten Gaben und Befähigung aus dem Bereich Gottes. In Anknüpfung an 4,7 (im Kontext) ist dabei an den von Gott gegebenen Schatz des Evangeliums (bzw. das "Wort der Versöhnung" 5,19) zu denken. Mit πάντα κατέχοντες umschließt die gesteigerte Schlußantithese alles, was im Rahmen der vorausgegangenen Argumentation als Beweis für die Befähigung zum Dienst aufgeführt worden ist[168].

2.2.1.3 Der Beitrag des engeren Kontextes zum Verständnis von 2 Kor 5,14 - 6,2

Folgende Momente der Rahmenaussagen 5,12f und 6,3-10 sind für das Verständnis von 5,14 - 6,2 von Bedeutung:

1) Als Bezugspunkt der rühmenden Verteidigung des Paulus-Apostolats durch die Gläubigen Korinths (5,12) erhält der Argumentationskomplex 5,14 - 6,2 die zentrale Funktion eines Kriteriums für das rechte Sich-

---

164 H.Windisch, 2 Kor 209.

165 Vgl. D.L.Mealand, "As Having Nothing".

166 Vgl. zum Kontrast 4,7. 6,10b meint nicht den "inneren Reichtum", sondern den Reichtum des Evangeliums (anders H.Windisch, 2 Kor 209).

167 1 Kor 2,6.

168 Vgl. hier auch die "Haben"-Wendungen 3,4.12; 4,1.7.13; 5,1.

Rühmen[169] und die Lauterkeit des Dienstes. Da sich nämlich erstens das Kauchema der Gemeinde zugunsten des Paulus-Apostolats gegen die ἐν προσώπῳ καυχώμενοι richtet, zweitens das negativ gewertete Sich-Rühmen ἐν προσώπῳ explizit von dem positiv gewerteten Sich-Rühmen ἐν καρδίᾳ abgehoben wird und drittens in der Konsequenz dieser Gegenüberstellung das Kauchema der Gemeinde nur dann legitim ist, wenn in ihm das καυχᾶσθαι ἐν καρδίᾳ des Paulus zur Geltung kommt, kann 5,14 - 6,2 als Basis des gemeindlichen Kauchema nichts anderes sein als Konkretion des καυχᾶσθαι ἐν καρδίᾳ, damit aber zugleich Destruktion des καυχᾶσθαι ἐν προσώπῳ und Begründung für die Unmöglichkeit der Selbstempfehlung für Paulus[170].

2) Indem Paulus in 5,13 ekstatische Geschehen der Gottesrelation integriert, demgegenüber das Besonnensein als Charakteristikum für das Verhältnis des Apostels zur Gemeinde versteht, ist für 5,14 - 6,2 festgelegt, daß hier nicht ekstatische Erfahrungen und Pneuma-Demonstrationen als Grundlage für das Kauchema der Gemeinde dargestellt werden, sondern sich die Aussagen im Dienste der Gemeinde vom σωφρονεῖν leiten lassen[171].

---

169 Die Frage nach der rechten Kauchesis steht nicht nur über 5,12-15, sondern betrifft die ganze Argumentationskette. Gerade 5,12 belegt aber, wie eng Paulus die apostolatsbezogene Frage nach dem Aufweis der ἱκανότης mit dem legitimen Rühmen verbindet (vgl. 3,1), so daß die Auseinandersetzung mit den Gegnern auch auf den Punkt das allein begründete Rühmen bzw. Selbstempfehlen zugespitzt wird (vgl. auch H.Baum, Mut 27). Paulus reagiert jedoch nicht auf den "Vorwurf des καυχᾶσθαι" (so aber R.Bultmann, 2 Kor 147), sondern er selbst stellt das Thema. Vgl. 1 Kor 1,29-31 u.ö.: Gal 6,13f; Röm 2,17.23; 3,27; 4,2 u.ö.

170 Soweit sie nicht durch das Evangelium in den "Gewissen der Menschen vor Gott" geschieht (4,2) oder den "Diener Gottes" empfiehlt (6,4).

171 Das Verb findet sich nicht in LXX. - Paulus setzt hier wahrscheinlich einen bekannten Gegensatz (von μαίνεσθαι und σωφρονεῖν) argumentativ um, nimmt aber V. 13a durch θεῷ den rein negativen Sinn. Vgl. hierzu 2 Kor 11,1.16-18 (Sich-Rühmen des Toren). 21b.23; 12,6.11 (mit Verweis auf die Paulus gebührende Empfehlung durch die Gemeinde). - Vergleichsmaterial aus dem hellenistischen Sprachraum bei C.F.G.Heinrici, 2. Sendschreiben 277f Anm. 3; H.Windisch, 2 Kor 179. - Zur pl. Kriteriologie für ekstatische Geisterfahrung s. 1 Kor 14,2.18f. Nach W.Schmithals, Gnosis 181 besteht ein Zusammenhang zwischen nüchterner Rede (V. 13b) und Überredung (V. 15) als den Merkmalen des Paulus einerseits und der "individuellen ekstati-

3) Die auf 5,14 - 6,2 folgende Aussageeinheit 6,3-10 stellt in der Form einer paradoxen Selbstempfehlung (V. 3f) die ganze Existenz des Paulus als Zeugnis für die unanstößige Verwirklichung des "Dienstes" (d.h. kontextuell: des Dienstes der Versöhnung) dar. Für die mit 5,12 gestellte Frage nach dem rechten Sich-Rühmen gibt 6,3-10 in dem Sinne die Antwort, daß es nur ein legitimes Sich-Rühmen gibt, wenn die eschatologische Dienst-Existenz als ganze in das Rühmen eingeht, also nicht um die eschatologische Dimension des Leidens und der Armut als Chance und Zeugnis der Bewährung und als Erfahrungsbereich geschenkter Stärke verkürzt wird[172]. Demgemäß ist auch nur die Einheit von Schwäche und Stärke das über jede Anstößigkeit erhebende und unterscheidende Kennzeichen des lauteren Dienstes der Versöhnung[173].

2.2.2 Die Argumentationsstruktur in 2 Kor 5,14 - 6,2

Die Strukturierung der Aussagenfolge in 2 Kor 5,14 bis 6,2 und der in ihr entwickelten Argumentation scheint auf den ersten Blick unproblematisch zu sein. Dennoch divergieren die in der Forschung vertretenen Auffassungen zum Teil erheblich[174].

Die diskutierten Fragen beziehen sich auf den Zusammenhang von 2 Kor 5,14 - 6,2 mit 5,11-13 bzw. 12f[175], auf das Verhältnis von V. 16 zu V.

---

schen Religiosität" (V. 13a) und dem "Gott-offenbar-Sein" (V. 15) als den Kennzeichen der Gegner andererseits. Paulus hebe so seinen auf die "missionierende Predigt" ausgerichteten Apostolat als einzig richtigen hervor.

172 Vgl. 4,7-12; s. dazu 12,9-10 (Verbindung von Schwachheit des Apostels, Rühmen der Schwachheit und Empfang der Dynamis Christi); 1 Kor 4,9-13 (V. 10: Verbindung von Verständigsein in Christus, Stärke und Ansehen mit Blick auf die Gemeinde; zur Gegenüberstellung vor Apostel und Gemeinde an dieser Stelle vgl. 2 Kor 4,12).

173 Vgl. auch den Kontext von 2 Kor 12,1-10.

174 Vgl. E.Güttgemanns, Apostel 304-316 (zu 5,13 - 6,2). J.Sickenberger, 2 Kor 98-101; K.Prümm, Diakonia I 316-318; H.-D.Wendland, 2 Kor 201-204.

175 H.Windisch, 2 Kor 180, hält 5,14 - 6,2 nicht für einen sachlich an 5,12f anschließenden Aussagezusammenhang (vgl. 178. 202f zu 6,3-10).

14f und 17[176] und die Verbindung zwischen V. 17 (bzw. V. 14-17) und V.
18 (bzw. V. 18-21 oder - 6,2)[177]. Des weiteren wird die gedankliche
Einheit von V. 18 - 21 und der Anschluß von 6,1f als problematisch empfunden[178]. Die Lösung dieser Fragen führt zu abweichenden Gliederungs-
entwürfen, in denen weithin lediglich darin eine Übereinkunft besteht,
daß 5,14f zusammengehören und mit V. 18 ein neuer Gedankenschritt erfolgt[179]. Als Hauptabschnitte erscheinen V. 14-17 und 18-21 am häufigsten in der Analyse dieses Textes[180]. Darüber hinaus wird eine Aufteilung in rhythmisch gegliederte Texteinheiten vorgeschlagen: 5,14f. 16f.
18f. 20f und 6,1f[181]. Davon abweichend kann jedoch auch 5,20 - 6,2 zusammengenommen werden[182]. Bezüglich 5,21 ist dann aber zu überlegen, ob
diese Aussage Teil der Ermahnung ist oder aber als erläuternde Weiterführung mit V. 18f zusammengehört, so daß erst 6,1f die Ermahnung von

---

176 Teilweise rechnet man V. 16 zu V. 17-19 (so R.Bultmann, 2 Kor 155-
164; ders., Probleme 309; E.Dinkler, Verkündigung 170) oder zur
Einheit V. 13-17 (E.Güttgemanns, Apostel 304-312) oder zum Abschnitt
V. 16-21 (J.Sickenberger, 2 Kor 99) oder verbindet ihn mit V. 17
(H.Windisch, 2 Kor 180) oder sieht in ihm einen "Zwischengedanken"
(z.B. H.-D.Wendland, 2 Kor 202). W.Schmithals scheidet ihn als Glosse aus (ders., Gnosis 286-299).

177 Ph.Bachmann, 2 Kor 263 (ab V. 18 neuer Gedanke); H.-D.Wendland,
2 Kor 20: V. 17 als Rückgriff auf V. 14f; V. 18 Neuansatz. - E.Gütt-
gemanns, Apostel 304-316 (sachliche Einheit von V. 18-21); ebenso
K.Prümm, Diakonia 317. R.Bultmann versteht V. 18f als positive und
V. 16f als negative Folgerung aus V. 14 und 15 (ders., Probleme
309).

178 Während z.B. E.Dinkler, Verkündigung 170, 5,20 bis 6,2 als Einheit
betrachtet, nimmt J.-F.Collange, Enigmes 266-280, 5,18-21 als in
sich geschlossene Aussage. H.-D.Wendland, 2 Kor 207f, verbindet in
seiner Exegese V. 21 mit 18f und sieht in 6,1 die Fortsetzung von
5,21, gleichzeitig hält er V. 21 für die Begründung von V. 20b.

179 Vgl. E.Dinkler, Verkündigung 171-173. 176 (V. 18 als Zusammenfassung von V. 14-17 und Themawechsel, jedoch innerhalb der Gedankeneinheit V. 16-19 !); J.Blank, Paulus 314-316 (V. 14f kerygmatische
Begründung; V. 18-20 Aufnahme und Weiterführung des Verkündigungs-
themas); bes. H.Windisch 180.181.191.

180 Vgl. z.B. J.-F.Collange, Enigmes 252-280. Vor allem wird unter sachlichem Gesichtspunkt V. 18-21 zusammengenommen.

181 So bes. H.Windisch 180; M.Hengel, Kreuzestod 65.

182 Vgl. z.B. H.Lietzmann, 2 Kor 97.

5,20 aufnimmt[183].

Von der Frage der Aussageordnung in 5,14 - 6,2 nicht zu trennen sind
die Überlegungen, welches der zentrale Gedanke in dieser Texteinheit
ist, von dem aus die Aussagenfolge inhaltlich bestimmt und geeint ist.
Auch an diesem Punkt stehen sich verschiedene Auffassungen gegenüber.
So wird z.B. V. 14a als leitender "Grundsatz"[184] verstanden. Andere sehen in V. 14c (εἷς ὑπὲρ πάντων ἀπέθανεν) den thematischen Grundgedanken[185]. Daneben wird die Meinung vertreten, "für Paulus selbst" be-
stehe der "Höhepunkt" der Erörterung in V. 20[186]. Doch bleibt auch die
Möglichkeit, entweder in V. 21 oder in der Zuordnung von V. 14f und V.
18-21 mit Spitze in V. 21 den Schwerpunkt der Ausführungen in 5,14 - 6,2
zu legen[187].

Um die Aussagefolge 5,14 - 6,2 zu strukturieren, müssen sowohl formale
Textsignale als auch inhaltliche Gesichtspunkte berücksichtigt werden[188]. Auszugehen ist davon, daß mit V. 14a ein Gedankenschritt vollzogen wird, der in seiner Begründungsfunktion auf V. 12 bezogen ist.
Wie bereits angedeutet wurde, zielt der mit V. 14 beginnende Abschnitt
darauf ab, den Hauptinhalt des καύχημα gegenüber den Gegner zu präzisieren, zugleich aber den Hauptgrund für die Unmöglichkeit der Selbstempfehlung und für die Destruktion des Selbstruhms der konkurrierenden
Verkündiger anzugeben[189].

Der Hauptgrund für die Lauterkeit des Paulus in seinem Dienst und der
zentrale Inhalt des Rühmens durch die Gemeinde (und damit das Kriterium
rechten Sich-Rühmens) sind in V. 14a genannt: ἡ ἀγάπη τοῦ Χριστοῦ

---

183 So kann V. 21 als Abschluß der Aussagefolge mit einer gewissen argumentativen Sonderstellung oder als Bestandteil der Bitte gesehen
werden, der erklärende Funktion hat. Vgl. dazu z.B. G.Schnedermann,
2 Kor 254; H.Lietzmann, 2 Kor 127; J.Blank, Paulus 325.

184 J.Blank, Paulus 313.

185 F.Hahn, "Siehe" 248.

186 W.Fürst, 2 Korinther 222.

187 Vgl. W.Thüsing, Rechtfertigungsgedanke 311f.

188 Vgl. F.Hahn, "Siehe" 248.

189 Vgl. W.Thüsing, Rechtfertigungsgedanke 313 (bes. Anm. 33). 316f.

συνέχει ἡμᾶς . In der Form eines Urteils wird V. 14a in V. 14c-15 expliziert. Die "Agape des Christus" (gen. subj.) wird somit vom Tode Christi ὑπὲρ πάντων her verstanden (V. 14c. 15a; vgl. auch V. 15b). V. 14d zieht eine erste generelle Folgerung (ἄρα) für "alle". V. 15 führt den Gedanken von V. 14cd interpretierend weiter, wobei V. 15a die Aussage V. 14c aufnimmt, ohne aber zu wiederholen. An die Stelle von V. 14d tritt in V. 15b der ἵνα-Satz. Er trägt den Akzent in der Aussagebewegung von V. 14c-15[190].

Aus V. 14c-15 ergeben sich zwei Folgerungen (V. 16 und 17)[191]. Zunächst wird für die Gegenwart, die durch den in V. 14c-15 beschriebenen Vorgang eschatologisch-soteriologisch qualifiziert ist (ἀπὸ τοῦ νῦν) das Erkennen κατὰ σάρκα in der Beziehung zum Menschen generell abgelehnt (V. 16a). V. 16bc bringt eine Steigerung[192]. Was für die anthropologische Ebene gilt, trifft erst recht für die christologische zu. Dabei grenzt V. 16bc ausdrücklich zwei Erkenntnisstadien streng voneinander ab. Die eine Erkenntnis, die jetzt nicht mehr in Kraft ist, geschah auf die Weise der Sarx. Von der neuen Erkenntnisweise im eschatologisch qualifizierten Jetzt wird das positive, sie auszeichnende Merkmal nicht ausdrücklich genannt. Die an V. 16 anschließende zweite Folgerung (V. 17) steht sachlich im engen Zusammenhang mit V. 14f[193]. Abgesetzt von V. 16, wo "Wir" Subjekt der Aussage ist, formuliert V. 17a allgemeiner und signalisiert so den Rückbezug auf das ebenfalls allgemein und grundsätzlich gehaltene Urteil V. 14c-15. V. 17b hebt auf die in V. 14c-15 mitgedachte und hinter V. 16 stehende eschatologische Wende ab und akzentuiert wie V. 15b und V. 16ac das eschatologische Neue, das bereits in V. 17a als "Neues-Geschöpfsein in der Christusgemeinschaft" bestimmt worden ist.

---

190 Vgl. die Parallelität von V. 15 und 21.

191 Beide ὥστε-Sätze sind parallel auf V. 14c-15 bezogen.

192 H.Lietzmann, 2 Kor 125 (jedoch in dem Sinn, daß Paulus aufgrund von V. 14cd betone, er gebe nicht nur der irdischen Beziehung zu Menschen keine Bedeutung mehr, sondern erst recht halte er "die Umstände des irdischen Lebens Christi" für irrelevant).

193 S. bes. den Zusammenhang von "Leben für Christus" und "Neuschöpfung in Christus".

Mit V. 18a beginnt ein neuer Gedankenkreis[194]. In ihm kommt - nach der christologischen Grundlinie (V. 14-17) - die Theozentrik besonders zur Geltung: Gott ist das Subjekt der beiden Aussagereihen V. 18 und 19. Beide Verse sind deutlich parallel formuliert, wenn auch V. 18a summarisch den vorausgegangenen Gedanken in die Versöhnungsaussage hinein vermittelt und V. 19b einen ergänzenden Gesichtspunkt (die Nichtanrechnung der Übertretungen) einführt. Auch setzt V. 19 umfassender an als V. 18, der sich ausschließlich auf "uns" bezieht. Ebenfalls sticht die grammatikalische Konstruktion von V. 19a ab[195].

V. 20 nimmt V. 18c und den damit korrespondierenden V. 19c auf. V. 20b konkretisiert das Wort der Versöhnung (V. 19c) als unmittelbare Anrede. Daß als Adressaten die korinthischen Gemeindeglieder intendiert sind, ergibt sich aus dem Kontext (vgl. 5,12.13b).

Die Einordnung von 5,21 wird dadurch erschwert, daß der sachliche Zusammenhang mit V. 18f zwar außer Frage steht, zum anderen aber 6,1f an V. 20 anknüpft. So korrespondiert 6,1a mit 5,20a, und 6,1b unterstreicht die gemeindebezogene Funktion der Versöhnungsbitte. V. 2 gibt die Schriftbegründung für V. 1b und klingt mit einer gegenwartseschatologischen Aktualisierung des Schriftzitats aus, wodurch nach V. 1b noch einmal die unmittelbare Bedeutung der Versöhnungsbitte von 5,20b für die Adressaten des Briefes hervorgehoben ist. Eingerahmt in Aussagen, in denen nicht nur die Legitimation und Funktion des Dienstes explizit angesprochen ist, sondern der Versöhnungsdienst in der konkreten Situation der Gemeinde gegenüber realisiert wird, gibt V. 21 als Teil der Bitte von V. 20b sowohl die Voraussetzung für das in der Bitte intendierte und für die Gemeinde aktuell werdende Geschehen als auch die Finalität des Versöhnungsgeschehens und damit die Zielrichtung des sich in der Bitte vollziehenden Dienstes an[196].

---

194 Das Versöhnungsthema wird eingeführt, jedoch im sachlichen Zusammenhang mit V. 14f und 17.

195 J.Héring, 2 Cor 53, deutet ἦν καταλλάσσων als einen möglichen Aramäismus.

196 Vgl. dazu unter 2.2.3.6 (bes. 159-161).

Die drei Hauptabschnitte in der Gedankenfolge von 5,14 - 6,2 lassen sich unter apostolatstheologischem Gesichtspunkt[197] wie folgt thematisch zusammenfassen:

5,14-17   definiert die Existenz des Apostels als eschatologische Pro-existenz.

5,18-19   begründet den Apostolat als "Dienst der Versöhnung", der mit dem "Wort der Versöhnung" beauftragt ist, im Versöhnungshandeln Gottes "durch Christus".

5,20 - 6,2 weist auf die Botenlegitimation und die parakletische Verkündigungsfunktion des Dienstes hin und verwirklicht sie in der Anrede der Gemeinde.

2.2.3   Auslegung von 2 Kor 5,14 - 6,2

2.2.3.1 Die Pro-Existenz des Apostels aufgrund der Pro-Existenz Christi (2 Kor 5,14f)

Leitthematisch gibt V. 14a das Grundmotiv des Apostel-Dienstes an. Es ist die ἀγάπη τοῦ Χριστοῦ[198], die Paulus in Beschlag genommen hat, so daß nur sie ihn bei der Durchführung seines Dienstes antreibt (συν-

---

197 Anders E.Dinkler, Verkündigung 170. Er gliedert unter dem Gesichtspunkt der "Offenbarung der in der Verkündigung" (offensichtlich im Anschluß an R.Bultmann; vgl. ders., 2 Kor 147); "5,11-15: Der neue Maßstab des Urteils; 5,16-19: Die Begründung der Verkündigung im Heilsgeschehen; 5,20 - 6,2: Die Verkündigung als eschatologisches Geschehen".

198 Gen. subj.: W.Thüsing, Per Christum 102 (und Anm. 116); J.Blank, Paulus 313. - Vgl. hier bes. Gal 2,20b: "Sohn Gottes, der mich geliebt hat und sich für mich hingegeben hat" (in Aufnahme von Tradition, jedoch in betonter Applikation auf die eigene, wenn auch exemplarisch verstandene Glaubensexistenz des Paulus; s. z. St. F.Mußner, Gal 183). - Daß der Antrieb durch die Agape Christi die Antwortbewegung der Agape des Apostels zu Christus miteinschließt vermerken z.B. W.Fürst, 2 Korinther 224, und J.-F.Collange, Enigmes 253 Anm. 2. Vgl. auch K.Prümm, Diakonia I 319 (bes. Anm. 2).

ἔχει)[199]. Was Paulus mit ἀγάπη τοῦ Χριστοῦ gedanklich verbindet, ist in der Form eines Urteils (κρίναντας τοῦτο) expliziert. In dem Urteilen selbst kommt aber bereits die "Liebe Christi" zur Wirkung (vgl. V. 16)[200]. Der Inhalt des Urteils ist in zwei parallelen, mit epexegetischem καί verbundenen Aussagen formuliert. Aus der formalen Gestaltung folgt, daß das betonte ὑπὲρ πάντων ἀπέθανεν V. 14c. 15a) die Basis des Gedankens[201] ist und in besonderer Weise die ἀγάπη τοῦ Χριστοῦ charakterisiert. Jedoch ist zu beachten, daß in V. 15b ein weiteres Moment hinzutritt (ἐγερθέντι): nicht nur das Sterben ist Tat der Liebe Christi, sondern auch im Wirken des Auferweckten realisiert sich die Liebe. Die argumentative Spitze findet sich in V. 15b, wobei jedoch V. 14d vorausgesetzt ist. Nur weil V. 14d als Folge von V. 14c gilt, ist V. 15b als Finalität von V. 15a möglich.

1) Paulus begründet also die Lauterkeit seines Dienstes damit, daß er die Gemeinde auf die Liebe Christi als die einzig ihn bestimmende Wirkmacht und als Richtschnur seines Handelns verweist. Damit kommt ein Aspekt des pl. Apostolatsverständnisses ins Spiel, der bislang noch nicht entfaltet worden ist[202]. Zur näheren Bestimmung von ἀγάπη τοῦ Χριστοῦ greift Paulus auf die gemeindliche Bekenntnistradition[203] zu-

---

199 Vgl. H.Köster, in: ThWNT VII 875-883 (bes. 881, 24-30): "in Anspruch genommen sein, ganz beherrscht sein". Das Bedeutungsmoment des aktivierenden Bestimmtseins ist aber mitzuhören. Vgl. Ph.Bachmann, 2 Kor 252. - E.Dinkler, Verkündigung 171: das persönliche Betroffen- und Beherrschtsein vom Sterben für alle als Liebestat Christi. In dieser Deutung ist jedoch das Andrängen der (vom Kreuzestod bleibend gezeichneten) Agape des Erhöhten nicht mitthematisiert (vgl. V. 15b: das "Für" der Auferweckung).

200 S. unten 2.2.3.2.

201 F.Hahn, "Siehe" 248: "die Hauptthese".

202 Zum Wirken Christi durch den Apostel vgl. 2,15 (der Apostel als "Wohlgeruch Christi für Gott" in der missionarischen Verkündigung); 3,3; 4,10f; 5,20. Hinter der Bestimmung des Apostolats als eines "Dienstes des Pneuma (3,8) steht das Wirken des Pneuma-Christus (3,17f; vgl. V. 3: die Gemeinde, die der Apostel durch seine Verkündigung auferbaut hat, ist als "Brief Christi" errichtet durch das Pneuma des lebenden und lebendig machenden Gottes).

203 Vgl. K.Kertelge, Verständnis 120-123. - F.Hahn, Hoheitstitel 57, zählt 2 Kor 5,14f zu den von Jes 53 beeinflußten soteriologischen Aussagen. S. dagegen K.Kertelge, a.a.O. 122. Zum soteriologisch

rück, modifiziert sie jedoch[204]. Indem er die gemeindlich vorgegebene Deutung des Kreuzestodes[205] mit der Vorstellung der "korporativen Persönlichkeit"[206] verbindet und damit das Sterben für die Beziehung zwischen dem "Einen" und "allen" integriert, gelingt es ihm, die universal-eschatologische Heilsbedeutung des Kreuzestodes in ihrer Konsequenz für "alle" schärfer zu formulieren und geltend zu machen[207]. Darüber hinaus verändert sich das von der Tradition angebotene Verständnis des Todes Jesu in einer bezeichnenden Weise: An die Stelle des Motivs stellvertretender Sühne[208] tritt nun der Gedanke der Solidarität zwischen dem "Einen" und "Allen"[209]. Dabei ist aber zu beachten, daß die Solidarität von dem "Einen" (also Christus) ausgeht, also in dem Sterben-für Christi gründet[210]. Aufgrund der solidarischen Gemeinschaft zwischen Christus als dem Einen und den Menschen in ihrer Gesamtheit ereignet sich in dem Sterben des Einen, der alle repräsentiert und so in sein Sterben ein-

---

qualifizierten ὑπέρ vgl. noch K.H.Schelkle, Passion 133; H.Riesenfeld, in: ThWNT VIII, 511-515. Zum pl. Gebrauch der ὑπέρ-Wendung s. auch G.Wiencke, Paulus 63-69.

204 K.Kertelge, a.a.O. 121f. - H.Lietzmann, 2 Kor 124, sieht das Besondere von V. 14f in der Verbindung der juridischen mit der mystischen Vorstellung. H.Windisch betont einseitig die mystische Gemeinschaft im Sterben, R.Bultmann, 2 Kor 153, ihm gegenüber den rechtlichen Aspekt.

205 Vgl. K.Kertelge, a.a.O. 116-120; s. auch die Rekonstruktion der sog. "Sterbensformel" durch K.Wengst, Formeln 78-86; weiterhin: E.Lohse, Märtyrer 131-135; E.Käsemann, Perspektiven 61-107 (bes. 72f).

206 K.Kertelge, a.a.O. 121. - Vgl. Röm 5,12-19; 1 Kor 15,21f. 45ff; s. dazu die religionsgeschichtliche Untersuchung des Hintergrundes in E.Brandenburger, Adam 123f. 139ff; E.Käsemann, Röm 134-138 (Kritik an der exegetischen Bezugnahme auf die sog. corporate personality unter Verweis auf das Eindringen ekklesiologischer Bedeutungsnuancen).

207 Mit "alle" sind in der grundsätzlich gemeinten soteriologischen Aussage nicht nur die Gläubigen (so z.B. R.Bultmann, 2 Kor 153), sondern "alle" Menschen erfaßt (so z.B. E.Käsemann, Perspektiven 73).

208 Vgl. K.Kertelge, Verständnis 116-118.121. Zur Sühnevorstellung s. E.Lohse, Märtyrer.

209 K.Kertelge, a.a.O. 122, betont stärker die "schicksalhafte Verbundenheit aller mit dem Einen" bzw. die "Repräsentation aller durch den Einen".

210 Vgl. V. 18ff (Initiative zur Versöhnung bei Gott).

schließt, das Sterben aller. Daß diese Gemeinschaft im Todesgeschick den Tod transzendiert und ihm eine neue Qualität gibt, ist in dem soteriologisch verstandenen ὑπὲρ πάντων begründet.

2) Die strikte logische Fortsetzung im Sinne des Kerygmas von Tod und Auferweckung (vgl. V. 15b) wäre es, wenn parallel zu V. 14cd der Gedanke entwickelt würde: einer ist für alle auferweckt, also sind alle auferweckt[211]. Paulus vermeidet jedoch diese unmittelbare Weiterführung, da sie einem enthusiastischen und gnostischem Mißverständnis Vorschub leistet und seinem eigenen eschatologischen Denken widerspricht. Charakteristischerweise zieht Paulus auch in den Adam-Christus-Typologien Röm 5,12-21 und 1 Kor 15,21f. 47-49, denen dieselbe Vorstellung der korporativen Persönlichkeit zugrundeliegt[212], nicht diese direkte Konsequenz. Vielmehr wendet er die Feststellung δι' ἀνθρώπου ἀνάστασις νεκρῶν (1 Kor 15,21b), die auf die gegenwärtige Wirklichkeit auslegbar ist, im parallelen V. 22b ins Futur (ἐν τῷ Χριστῷ πάντες ζωοποιηθήσονται). Auch in Röm 5,17-21 schwingt das eschatologische Futur noch mit.

Indem 2 Kor 5,15a noch einmal bei V. 14c ansetzt und damit den soteriologischen Indikativ des die Agape radikal vollziehenden "Sterbens-für-alle" unterstreicht, gibt V. 15b das Ziel des Sterbens Christi und des Sterbens aller an. Diejenigen, die im Tode mit Christus verbunden waren und infolgedessen in das Leben des Auferweckten und Erhöhten hineingenommen sind (οἱ ζῶντες), haben eine neue Sinnrichtung ihres Lebens erhalten[213].

Die Sinnrichtung in der Teilhabe am Leben Christi wird zweifach umschrieben. Die erste Bestimmung des Lebenssinns ist negativ[214] und reflektiert die Situation vor der Wende, die der Tod des Einen an Stelle

---

211 Vgl. H.Windisch, 2 Kor 183.

212 Vgl. dazu den berechtigten Hinweis auf die qualitative Andersartigkeit des christologischen Verständnisses der Vorstellung: W.Thüsing, Per Christum 210 (zu 1 Kor 15,21).

213 V. 15b ist als Indikativ, nicht als (paränetischer Imperativ zu sehen.

214 "Sich selbst leben". - Vgl. die Argumentation 1 Kor 6,19f.

aller und für alle herbeigeführt hat[215]. Die zweite Kennzeichnung des Lebenssinns ist positiv und in betonter Opposition zur ersten formuliert. Sie stellt einen Zusammenhang her zwischen dem Für-sein des gestorbenen und auferweckten[216] Christus und dem Für-sein der "Lebenden". Die Konsequenz des soteriologischen Ereigniszusammenhangs zwischen dem Tod Christi für alle und dem Tod aller ist also nach V. 15b die Ablösung der egozentrischen Lebensweise. Das Neue, das in dem Sterben für alle grundgelegt und eröffnet ist, ist das eschatologische Leben, das sich nicht auf das eigene Selbst fixiert, sondern sich in Antwort auf die Pro-Existenz Christi, deren Radikalität im Tod für alle ihren letztgültigen Ausdruck fand und von daher das Handeln des Auferweckten bestimmt, als Pro-Existenz in Hinordnung auf den Gekreuzigten und Auferweckten verwirklicht.

3) An dieser Stelle bietet es sich an, einige Sachparallelen zu berücksichtigen, die ergänzende Aspekte zum Verständnis von 2 Kor 5,14f beitragen und die grundsätzliche Bedeutung der Argumentationsrichtung für das pl. Denken illustrieren:
In einem sachlichen Zusammenhang mit 2 Kor 5,14f steht Gal 2,19-20, wenn auch der Problemkontext verschieden ist. Während die Aussagen des Gal sich auf die Frage der Geltung bzw. Wiederaufrichtung des Gesetzes beziehen und näherhin eine Begründung für die Ablehnung der Auffassung liefern, Christus sei ἁμαρτίας διάκονος (V. 17), findet sich in 2 Kor 5,14f weder eine Anspielung auf das Gesetz noch auf die Sünde, wenn man nicht das "sich selbst Leben" als Charakteristik der Sünde versteht[217]. Die Parallelität von Gal 2,19 und 2 Kor 5,14 ist aber dennoch unverkennbar. Vergleichbare Aussagemomente sind: "ich bin durch das Gesetz dem Gesetz gestorben"; "mit Christus bin ich gekreuzigt worden" (Gal 2,19ac; vgl. 2 Kor 5,14cd); "Sohn Gottes, der mich geliebt und sich

---

215 Diese Wende ist schon angedeutet durch die antithetische Parallelität von V. 14d (gestorben sein) und 15b (leben) und durch den Übergang von V. 15a zu V. 15b (ἵνα-Satz).

216 In V. 15b ist die doppelgliedrige Glaubensformel von Tod und Auferweckung in die Aussage integriert.

217 Vgl. V. 19b. 21a.

für mich hingegeben hat" (Gal 2,20b; vgl. 2 Kor 5,14c. 15a mit dem übergeordneten Liebesgedanken); "damit ich Gott lebe" (Gal 2,19b) und die Aussagen mit dem Stichwort ζῆν in V. 20 (vgl. 2 Kor 5,15b). In Gal 2,19f resultiert also das "Leben für Gott" einerseits aus dem bleibenden Mitgekreuzigtsein (perf. pass.) mit Christus, durch das für Paulus gilt, daß er durch das Gesetz dem Gesetze gestorben ist[218]. Andererseits vollzieht sich das Leben für Gott auf die Weise, daß Christus in dem Apostel lebt und so das Leben des Apostels auf Gott hinordnet (V. 19b. 20a). Dem Leben Christi in Paulus korrespondiert aber auf Seiten des Apostels der Glaube an Christus als Antwort auf dessen liebende Selbsthingabe (V. 20b). Dieser letzte Aspekt hat unverkennbar sein Gegenstück in 2 Kor 5,15b[219], weniger ausgeprägt ist dagegen dort die theozentrische Dimension der durch das Leben Christi getragenen Pro-Existenz der Menschen. Andererseits entspricht sachlich Gal 2,20a der Gegenüberstellung der beiden Lebensweisen in 2 Kor 5,15b.

Weiterhin kann Röm 7,4-6 hinzugezogen werden, zumal sich dabei auch einige analoge Aussagestrukturen zu Gal 2,19f ergeben. Die zwei Existenzweisen, die in Röm 7,4-6 kontrastiert werden, sind einmal dadurch charakterisiert, daß die im Fleische Lebenden den παθήματα τῶν ἁμαρτιῶν unterworfen waren und dem Tod Frucht brachten, weil sie im Gesetz festgehalten wurden und dem "alten Buchstaben" dienten. Demgegenüber ist die neue Existenzweise ein Dienst im "neuen Geist" (vgl. 2 Kor 3,6). In diesem Dienst bringt der Mensch Frucht für Gott.

Die Grundlage des neuen Lebens nennt Paulus in Röm 7,4 und 6. Danach ist der Glaubende dem Gesetz gestorben, und zwar, wie formelhaft gesagt ist, διὰ τοῦ σώματος τοῦ Χριστοῦ (V. 4)[220]. Diesen Gedanken unter-

---

218 Vgl. 5,24f; 6,14; Röm 6,6.10; 7,4.6. - S. zu Gal 2,19f: W.Thüsing, Per Christum 109-114; J.Blank, Paulus 298-301; s. auch L.Cerfaux, Christus 77.

219 W.Thüsing, Per Christum 112. - Es ist zu beachten, daß Gal 2,20 noch das "Leben im Fleische" mitthematisiert, was in 2 Kor im weiteren Kontext ebenfalls Parallelen hat (bes. 4,10f und das Glaubensmotiv V. 13; s. auch die Auseinandersetzung um das κατὰ σάρκα 5,16).

220 Nicht der ekklesiale Leib, sondern der Leib Christi, durch dessen Tod die Freiheit vom Gesetz bewirkt hat und jetzt möglich ist. Vgl. H.Schlier, Röm 216f.

streicht V. 6 mit Blick auf die eschatologische Gegenwart: Die Herrschaft des Gesetzes ist gebrochen; der Glaubende ist durch die Taufe
vom Gesetz endgültig losgekommen und als Eigentum des Auferweckten in
ein neues pneuma-bestimmtes Dienstverhältnis gestellt (vgl. 6,4). In
ihm bringt er nicht mehr dem Tod (7,5.7f), sondern Gott Frucht (V. 4;
vgl. 6,10f. 22).

Vergleicht man nun die Aussagen des Röm mit Gal 2,19f und 2 Kor 5,14f,
ergeben sich folgende Gemeinsamkeiten: der Übergang vom alten zum neuen
Leben vollzieht sich im Sterben bzw. im Getötetwerden, wobei in Gal und
Röm ausdrücklich auf das Gesetz Bezug genommen wird. Die Befreiung von
der Macht des Gesetzes durch den (Tauf-)Tod ist einerseits mit dem
Kreuzestod Jesu, andererseits mit der Herrschaft des Auferweckten bzw.
mit dessen Leben, das in der Christusgemeinschaft empfangen wird, verbunden. An allen drei Stellen ist hervorgehoben, daß die neue Existenzweise dem Leben eine neue Richtung gibt. Gal 2,19b (vgl. implizit V.
20b) und Röm 7,4c thematisieren ausdrücklich die Hinordnung auf Gott
als Konsequenz der Einbeziehung in die Herrschaft bzw. in das Leben des
Auferweckten, während die theo-zentrische Perspektive von 2 Kor 5,15b
kontextuell mitgegeben ist (vgl. V. 18-21).

Eine weitere Sachparallele zu 2 Kor 5,15b - in der Aussageeinheit V.
14f - bietet Röm 14,(6)7-9 innerhalb eines paränetischen Kontextes.
Auch hier steht dem sich selbst Leben und Sterben als ausschließende
Alternative das Leben und Sterben für den Herrn gegenüber (V. 7f)[221].
Die totale Ausrichtung auf den Kyrios erscheint als einzige adäquate
Antwort auf die in Tod und Auferweckung (ἔζησεν)[222] begründete univer-
sale und absolute Herrschaft Christi über Lebende und Tote (V. 9). Le-
ben und Sterben für den Herrn ist Verwirklichung des τοῦ κυρίου εἶναι
(V. 8c)[223].

Schließlich ist in unserem Zusammenhang noch auf Röm 6,1-11 zurückzu-

---

221 Vgl. W.Thüsing, Per Christum 30-38 (zu Röm 14,4-12).

222 Ingressiver Aorist als Bezeichnung des definitiven Aktes (E.Käse-
mann, Röm 359; B.-Debr. § 331). V. 9 nimmt für die doppelstruktu-
rierte Glaubensformel (vgl. 2 Kor 5,15b; 1 Kor 15,3; Gal 1,4) auf
und setzt für das ἀνέστη des Bekenntnisses um der Entsprechung
zu V. 8 (ζῆν) willen ἔζησεν (s. K.Wengst, Formeln 45-46; zur
textkritischen Beurteilung ebd. 45).

223 Zum Herrschaftsgedanken vgl. W.Thüsing, Per Christum 32.

kommen[224]. Die Verbindung zwischen dem Tod Christi und dem Tod bzw. Tauf-Tod des alten, der Sünde im "Leib der Sünde" dienenden Menschen einerseits und zwischen der Auferweckung und dem Leben Christi für Gott und dem neuen Leben der mit Christus Gestorbenen andererseits findet sich hier wieder. Dem Gegensatz von "sich selbst leben" und "für den Gekreuzigten und Auferweckten leben" in 2 Kor 5,15b korrespondiert in Röm 6,1-11 eine analoge Gegenüberstellung: das Leben des "alten Menschen" (Röm 6,6)[225] ist der Macht der Sünde bzw. des Todes ausgeliefert und dient der Sünde[226]. Begründet im Mitbegraben-, Mitgekreuzigt- und Mitgestorben-sein mit Christus (vgl. V. 4-6. 8) ist dagegen die καινότης ζωῆς. Im neuen Leben haben die Getauften teil am Leben des Auferweckten. Sie richten ihr Leben entsprechend der Theozentrik des Lebens des Auferweckten auf Gott aus[227]. Der anschließende Abschnitt (6,12-23)[228], in der die kontrastierende Argumentationsweise weitergeführt wird, geht auf die Gottesrelation im Lebensvollzug der Glaubenden ein und konkretisiert das περιπατεῖν ἐν καινότητι ζωῆς (V. 4c). Einem Begriff kommt in diesem Zusammenhang eine besondere Bedeutung zu: δικαιοσύνη[229]. Gerade die Dikaiosyne-Aussagen umschreiben das, was Paulus V. 11b als Leben für Gott in Christus bezeichnet. Zusammenfassend kann man sagen, daß sie V. 1b im Sinne der totalen Selbstübereignung (vgl. V. 13. 19) in den Sklaven-Dienst Gottes interpretieren[230]. Für diesen Dienst sind die Glaubenden (vgl. V. 17b)[231] und Getauften

---

224 Vgl. neben den Röm-Kommentaren von E.Käsemann und H.Schlier: N.Gäumann, Taufe; W.Thüsing, Per Christum 67-93; H.Frankemölle, Taufverständnis.

225 Vgl. E.Käsemann, Röm 161 (vorpl. Begriff aus der Adam-Christus-Typologie).

226 Vgl. 7,6 "in der Neuheit des Pneuma"; s. dazu 2 Kor 5,17; Gal 6,15.

227 W.Thüsing, Per Christum 71.

228 Vgl. W.Thüsing, a.a.O. 3-96.

229 Vgl. 6,13.16.18.19.20.

230 W.Thüsing, Per Christum 95.

231 Zur Beurteilung von V. 17b als Glosse s. die kritischen Ausführungen in: E.Käsemann, Röm 172f: Übernahme von Tradition, die an den Taufvorgang gebunden war; H.Schlier, Röm 290f: für den Aussagezusammenhang "von der Sache geradezu erfordert".

von der Sünde (bes. V. 18. 20. 22) und ihrem Sklavendienst zum Tode (V. 16; vgl. V. 17) befreit worden, indem sie mit Christus gestorben sind. Der Vollzug der Freiheit im gehorsamen Dienst der Dikaiosyne[232] ist identisch mit dem eschatologischen Leben für Gott (V. 11b)[233], in dem schon jetzt (V. 22) in Jesus Christus das "ewige Leben", das das τέλος, das Vollendungsziel, des Dienstes der Dikaiosyne ist, als Heilsgabe (χάρισμα) von Gott empfangen wird (V. 22b. 23b).

Die zur Ergänzung und Vertiefung hinzugezogenen Aussagen Gal 2,19f; Röm 6,1-11 (mit der Entfaltung von V. 11 in V. 12-23); 7,4-6 und 14,7-9 belegen, daß die Überleitung von der Aussage über die Heilsbedeutung des Kreuzestodes zum Gedanken der Pro-Existenz derer, die in das Sterben und in das Leben Christi hineingenommen sind, typische Züge des pl. Denkens aufweist. Für 2 Kor 5,14f sind jedoch einige besondere Beobachtungen zu vermerken. An dieser Stelle kommt im Vergleich zu den mitberücksichtigten Aussagen aus Gal und Röm der universale soteriologische Denkansatz stärker zur Geltung[234]. Ein Unterschied ist auch darin zu sehen, daß 2 Kor 5,15b die eschatologische Pro-Existenz der Lebenden nicht theozentrisch[235], sondern wohl in Entsprechung zu V. 14a christozentrisch definiert. Im Aussagezusammenhang ist aber die theozentrische Dimension der Pro-Existenz mitangesprochen[236].

4) Fragen wir nun abschließend nach dem argumentativen Gehalt von 2 Kor 5,14f in bezug auf V. 12f, so ergibt sich:

---

232 Aufgrund der Opposition zur "Sündenmacht" hat Dikaiosyne selbst Machtcharakter. Vgl. das Begriffsfeld von Sklavesein und Gehorsam und auch das Motiv des Herrschaftswechsels; s. auch den Wechsel von Kriegsdienst-, Sklavendienst- und Kulturterminologie.

233 Zur Entfaltung von 6,11b in 6,12 - 7,6 s. W.Thüsing, Per Christum 93-101; zu 6,11 ebd., bes. 67-92: vgl. auch K.Kertelge, "Rechtfertigung" 253-275.

234 Jedoch hat diese Feststellung ihre Grenzen im direkten Stellenvergleich, schließt also nicht den universalen Ansatz in Röm und Gal aus!

235 Auch dies gilt nur in einem engen Rahmen, da das theozentrische Moment implizit in der Auferweckungsaussage enthalten ist.

236 Vor allem in den Versöhnungsaussagen und in V. 21b (Gerechtigkeit Gottes werden in Christus).

- Die ἀφορμὴ καυχήματος (V. 12) besteht darin, daß Paulus in seinem
  Wirken (gerade auch für die Gemeinde (vgl. V. 13b) allein von der
  Agape Christi gedrängt wird und von jeder Selbstbezogenheit frei ist.
  Er lebt in der Konsequenz der Wende, die im Tode Christi für alle geschehen ist, gemäß der Finalität, die für die lebensbestimmend geworden ist, die durch den Tod Christi zu neuem Leben gelangt sind. Somit
  verrichtet er seinen Dienst in pro-existentieller Hinordnung auf
  Christus, der in letzter Radikalität seiner Agape mit allen solidarisch werdend für alle starb und als Auferweckter in eben dieser Radikalität seiner Agape wirkt.

- Als kritische Aussage gegen das falsche Sich-Rühmen entlarvt V. 14f
  das Sich-Rühmen ἐν προσώπῳ (V. 12c) wie das auf das eigene Vermögen bestehende Selbstempfehlen als Fixierung auf das eigene Selbst,
  das durch den Tod Christi für alle überwunden worden ist. Das Sich-
  Rühmen ἐν προσώπῳ ist ein Versuch, die selbstbezogene Existenz vor
  der Wende festzuhalten, und steht im Widerspruch zu der radikalen
  Liebe Christi, in der Christus für alle gestorben ist und in der er
  als Auferweckter wirkt. Es widerstreitet der christozentrischen Pro-
  existenz des durch den Tod Christi eröffneten neuen Lebens. Indem also die Kauchesis-Destruktion in 2 Kor 5,14f bei der Pro-Existenz des
  gekreuzigten und auferweckten Christus ansetzt und das eschatologische Leben in dem als selbstlose Liebestat verstandenen Sterben-für
  Christi eröffnet und auf den pro-existierenden Christus bezogen sieht,
  folgt für das sich im Rühmen ausdrückende Selbstverständnis, daß es
  nur dann legitim ist, wenn es sich von der Agape Christi bestimmen
  läßt und mit dem selbstlosen Leben für Christus eine Einheit bildet[237].

2.2.3.2 Die der Pro-Existenz Christi adäquate Erkenntnisweise (2 Kor 5,16)

Aus 2 Kor 5,14f zieht Paulus in V. 16 eine erste Folgerung (ὥστε)[238].

---

237 Die Destruktion der falschen Kauchesis durch die Agape-Christi betont auch R.Bultmann, 2 Kor 154, er läßt aber den positiven Zusammenhang mit der rechten Kauchesis nicht genügend deutlich werden.
238 V. 16 steht nicht als "Zwischenbemerkung" oder "Zwischensatz" zwischen V. 14f und V. 17 (gegen H.Lietzmann, 2 Kor 125; R.H.Strachan,

Sie betrifft die eschatologische Erkenntnisweise nach der im Tode Christi geschehenen Wende zum Leben für Christus und reflektiert somit auch den im κρίνειν (V. 14b) wirksam gewordenen Erkenntnismaßstab. Am Erkennen des Menschen (V. 16a) bzw. am γινώσκειν Χριστόν (V. 16bc)[239] wird konkretisiert, was es heißt, von der Pro-existenz Christi her und entsprechend ihrer Finalität in pro-existentieller Hinordnung auf Christus zu leben. Subjekt der Aussage (betontes ἡμεῖς) sind nicht die Gläubigen. Es geht wie in V. 14ab (vgl. V. 12f) um Paulus[240].

1) V. 16 gliedert sich in eine generelle Folgerung, die sich auf die Erkenntnisrelation zum Menschen bezieht (V. 16a), und in eine spezielle, die die Erkenntnisrelation zu Christus zum Gegenstand hat (V. 16bc). Der Schwerpunkt liegt in der Aussage über die veränderte Weise des

---

2 Cor 112; H.D.Wendland, 2 Kor 202; J.Cambier, Connaissance 76 u. a.), sondern auch der Sache nach ist die durch ὥστε signalisierte Kohärenz mit V. 14f gegeben, obgleich die Blickrichtung im Vergleich zu V. 14f (bes. 15b) spezifiziert ist. Keineswegs handelt es sich also nur um eine "äußerliche Beziehung der Gedanken" (gegen W. Bousset, 2 Kor 188). - R.Bultmann, der V. 16 und 17 (!) als Explikation der negativen Aussage V. 14 über das weltlich Vorfindliche deutet, verkennt bei seiner Schematisierung des Gedankengangs in 5,11-19 die Beziehung von V. 16 (und 17) zu V. 15 (vgl. ders., Probleme 308f).

239 εἰδέναι und γινώσκειν sind bedeutungsgleich und meinen nicht eine äußere Bekanntschaft, sondern tendieren zum verstehenden Erkennen aufgrund der vom "Leben-für" bestimmten personalen Relation. - Vgl. 1 Kor 2,11, wo sich εἰδέναι ebenfalls auf die Erkenntnisrelation zum Menschen bezieht, während γινώσκειν auf Gott ausgerichtet ist. S. auch 1 Kor 13,12 den Zusammenhang von endzeitlich-vollendetem Erkennen und Erkanntsein in Liebe. - Zu 2 Kor 5,16 s. A.Sand, "Fleisch" 176f; J.B.Souček, Christus 303; R.Bultmann, in: ThWNT I 704 Anm. 67; vgl. ebd. 710, 12-16 den Hinweis auf die Bedeutungsnuance von Anerkennung im Erkenntnisbegriff von 2,14; 4,6 und 10,5. J.Blank, Paulus 320 betont zu Recht, daß "Erkennen" an unserer Stelle "nicht nur als noetische Funktion, sondern als Relationsbegriff zu fassen" ist.

240 So auch z.B. H.Lietzmann, 2 Kor 126f; F.W.Grosheide, 2 Kor 164; allgemein auf den Glaubenden beziehen V. 16 z.B. R.Bultmann, 2 Kor 155; M.Rissi, Studien 69 Anm. 169.

γινώσκειν Χριστόν (V. 16bc)[241]. Für V. 16a wie auch für V. 16bc ist
nun eigentümlich, daß beide Male die Geltung der Sarx als Maßstab und
Modus für das Erkennen (und Beurteilen) im endzeitlichen Jetzt[242] ne-
giert wird (V. 16ac), jedoch das erkenntnisleitende Moment und die er-
kenntnisbestimmende Macht nicht expressis verbis genannt sind. Die besondere Rolle, die V. 16b zukommt, läßt sich aus der Entgegensetzung
zweier auf Christus bezogenen Erkenntnisweisen ablesen. Im Unterschied
nämlich zu V. 16a wird mit V. 16b eine Überlegung eingeschoben, die Bezug nimmt auf die frühere Christuserkenntnis, aber durch V. 16c auf der
Linie von V. 16a für abgeschafft und nicht mehr maßgeblich erklärt wird.
Während V. 16a zwar in der Form der Negation auf die Vergangenheit anspielt, nimmt V. 16b insoweit eine Sonderstellung ein, als Paulus in
V. 16bc ausdrücklich zwischen Vergangenheit und Gegenwart unterscheidet
und vom Standpunkt der Aussage V. 14f aus und im Wechsel der argumentativen Perspektive von V. 16b einen "realen Fall" zu bedenken gibt, der
in die Form einer das Argumentationsziel (die adäquate Christuserkenntnis im eschatologischen Jetzt) bekräftigenden Annahme gekleidet ist[243].
Indem Paulus die Argumentation auf die christologische Ebene bringt,
räumt er in V. 16b ein, daß er Christus auf die Weise der Sarx (κατὰ
σάρκα) gekannt hat. Das argumentative Anliegen, das Paulus mit V. 16
verbindet und das in Entsprechung von V. 14f vor allem im christologischen Aussageteil V. 16bc zum Ausdruck kommt, verbietet es aber sowohl

---

241 Χριστός ist hier nicht im strengen Sinn als "messianologische
Kategorie" gebraucht (richtig J.B.Souček, Christus 305), sondern
meint den gekreuzigten und auferweckten Christus (V. 14f), was aber
nicht als Verkürzung auf den die "Funktion andeutenden Namen zu
verstehen ist" (gegen J.B.Souček, ebd.).

242 Es ist das "Jetzt", das durch die Wende vom Tod zum Leben in Christus als Endheilszeit konstituiert ist (V. 14f.17; s. auch 6,2:
ἰδού νῦν). Vgl. D.Georgi, Gegner 293 Anm. 1: "Das νῦν meint
den Beginn des neuen Äon in seiner grundsätzlichen und allgemeinen
Bedeutung" (im Anschluß an R.Bultmann und W.G.Kümmel).

243 Der Streit, ob V. 16b "real" oder "hypothetisch" gemeint sei, ist
müßig, da auf jeden Fall die Realität der von der Sarx gezeichneten
Christuserkenntnis als vergangen betrachtet wird und mit Blick auf
die Gegenwart des eschatologisch neuen, christozentrischen Lebens
nur noch in hypothetischer Weise argumentative Bedeutung hat.

über V. 16b isoliert zu spekulieren als auch über die Gegenüberstellung in V. 16bc christologische Konstruktionen zu errichten[244].

In der Exegese und in der systematisch-theologischen Auswertung hat sich V. 16 bis in die jüngste Diskussion hinein als "locus obscurus et difficilis"[245] erwiesen. Vor allem in der Auseinandersetzung über den Ansatz der pl. und der dogmatischen Christologie berief man sich wiederholt auf die Aussagen dieses Verses. So wurde versucht, unter Bezugnahme auf V. 16 das historische und theologische Verhältnis des Paulus zu Jesus und die Streitfragen über die Relevanz des "historischen Jesus" für den Christusglauben zu klären[246]. Da es nicht an Übersichten fehlt, die die Auslegungsgeschichte dieses Verses bis in die jüngste Vergangenheit hin exemplarisch darstellen[247], brauchen die Deutungsvarianten an dieser Stelle nicht im einzelnen entfaltet zu werden. Auch die Auseinandersetzung mit der christologischen Frage nach der Glaubensrelevanz des "historischen Jesus", die die Kerygma-Theologie durch ihre Opposition gegen die Leben-Jesu-Theologie des 19. Jh. neu aufwarf, ohne sie aber durch den exklusiven Rekurs auf das Kerygma vom gekreuzigten und auferweckten Christus endgültig klären zu können, kann hier zurückgestellt werden, da sachgerechte und kritische Stellungnahmen exegetischerseits vorliegen[248].

---

244 Die Erörterungen über "das Verhältnis der urchristlichen Christusbotschaft zum historischen Jesus" (so der Titel einer Stellungnahme R.Bultmanns zur wiederauflebenden Jesus-Frage) sind nicht unwesentlich vom jeweiligen Verständnis der Aussagen in 2 Kor 5,16bc geprägt. S. dazu die anschließenden Ausführungen und Anmerkungen.

245 G.Estius, 2 Cor 343.

246 Kritische Anstöße für die neuere Diskussion gingen nicht zuletzt von K.Barth und R.Bultmann aus, deren Entscheidung für das Christus-Kerygma (bei Bultmann verknüpft mit der existentialen Interpretation) als Antwort auf die Jesusbilder der sog. liberalen Theologie zu verstehen ist. Ihr Einspruch hat jedoch die Belebung der "Rückfrage nach Jesus" nicht aufhalten können. Dennoch sollte aber auch das christologische und gesamttheologisch relevante Anliegen gerade auch von K.Barth und R.Bultmann wieder stärkere Beachtung finden. Das kann in der Weise geschehen, daß der am urchristlichen Christus-Kerygma und dann vor allem an dessen pl. und joh. Explikation orientierte Ansatz rückgebunden wird an den methodisch- und theologisch-kritisch reflektierten Ansatz beim "Jesus der Geschichte" und seiner Basileia-Botschaft in Einheit mit seinem Basileia Handeln. Vgl. den Entwurf von W.Thüsing, Zugangswege, bes. 123-126 und 133-233.

247 Vgl. zuletzt R.Pesch, Christus 9-21.

248 Vgl. J.Blank, Paulus 304-326; R.Pesch, a.a.O. 22-34; s. weiterhin F.C.Porter, Paul; O.Michel, "Erkennen"; J.B.Souček, Christus; J. Cambier, Connaissance; J.L.Martyn, Epistemology; J.W.Fraser, Knowledge; H.-W.Kuhn, Jesus; s. auch E.Güttgemanns, Apostel 351-372; W.Schmithals, Jesus Christus 36-59.

2) Exegetisch ist der im Text ausdrücklich signalisierte Folgezusammenhang zwischen V. 16 und V. 14-15 ernstzunehmen[249]. V. 16 bezieht sich
demnach auf das Grundsatzurteil V. 14c-15 zurück und wird damit selbst
von diesem Urteil mitbestimmt. Jedoch spitzt sich die Argumentation
entsprechend V. 14a (und V. 12f) wieder auf Paulus zu. In exemplarischer
Weise verdeutlicht V. 16 mit Bezug auf Paulus die gnoseologischen Implikationen der Aussagen, daß alle gestorben sind und die Lebenden nicht
mehr sich selbst, sondern Christus leben (V. 14d. 15b). Die explizite
Folgerung aus V. 14c-15 besteht also darin, daß durch das Sterben Christi für alle mit der Konsequenz des Todes aller und durch die darin geschehene Neukonstituierung und Neuorientierung des Lebens auch ein Wandel in der Erkenntnisweise eingetreten ist[250].

Wodurch ist aber nun der Wandel, dem sowohl die Erkenntnisrelation zum
Menschen allgemein als auch zu Christus insbesondere unterworfen ist,
charakterisiert? Paulus drückt die umstürzende Veränderung dadurch aus,
daß er das Erkennen "auf die Weise der Sarx" für die Gegenwart, die
durch den in V. 14f beschriebenen Vorgang herbeigeführt und von da aus
als eschatologische Gegenwart bestimmt ist, für abgeschafft betrachtet
(V. 16ac). Kontextuell läßt sich der Gedanke dahin verdeutlichen, daß

---

249 Der Text ist Richtmaß, nicht die Logik des Exegeten, der eine an-
geblich sachgerechtere und konsequentere Argumentation bei Paulus
sucht.

250 Die neue Erkenntnisweise spricht Paulus auch in anderen Zusammenhängen an. Vgl. z.B. 1 Kor 8,1-3; 13,2 (Erkenntnis und Liebe). 8-13
(eschatologischer Vorbehalt gegenüber dem gegenwärtigen Erkennen;
vgl. 2 Kor 5,7; 4,18). Die neue Erkenntnis erschließt dem Glaubenden das Selbstverständnis, für die Sündenmacht tot zu sein, für
Gott aber in Christus zu leben (Röm 6,11; vgl. 2 Kor 5,14f). Vgl.
weiterhin insbesondere Phil 3,8.10f. Die wahre Christuserkenntnis
impliziert die Preisgabe des πεποιθέναι ἐν σαρκί, den Gottes-
Dienst im Pneuma und das Sich-Rühmen, das Christus zum Inhalt hat
(Phil 3,3f); es setzt voraus, daß der, der Christus erkennt, von
Christus ergriffen ist und so durch Christus und sein Pneumawirken
in der Gemeinschaft mit ihm lebt. Die Korrespondenz von Erkennen
und Erkanntwerden (1 Kor 8,3; 13,12; Gal 4,9; vgl. Hos 12,1) bzw.
von Ergreifen und Ergriffenwerden (Phil 3,12f) macht deutlich, daß
dem Erkennen das Erkanntsein in der Liebe Gottes (in Christus) als
Bedingung der Möglichkeit rechten menschlichen Erkennens voraus-
geht.

das Erkennen auf die Weise der Sarx sich dort ereignet, wo der Erkennende das Leben auf sich selbst konzentriert (V. 15b). Sarkisches Erkennen geht mit egozentrischem Leben zusammen, das seinerseits im καυχᾶσθαι ἐν προσώπῳ (V. 12c) seinen spezifischen negativen Ausdruck findet. "Erkennen κατὰ σάρκα" in Beziehung zum Menschen (V. 16a) heißt also, ihn unter den Bedingungen und in den Grenzen der Selbstbezogenheit des Erkennenden erkennen, damit aber immer auch nur als einen einschätzen, der als sich selbst Lebender in Konkurrenz zum eigenen Lebensinteresse und Selbstbewußtsein steht[251]. Das Neue des Erkennens, das der pro-existentiellen Orientierung entspringt, besteht demgegenüber darin, daß der Mensch im Horizont und in der Perspektive der Liebe Christi erkannt wird als einer, für den Christus gestorben ist, damit er ein neues Leben habe[252].

Mit V. 16bc wendet Paulus die erste, auf das Verhältnis zum Menschen allgemein bezogene Bestimmung der Erkenntnisweise auf die Christusrelation an. Er reflektiert damit zugleich auf den Erkenntnisstandpunkt und die erkenntnisleitende Kraft des Urteils V. 14c-15. Die zweigliederige Aussage V. 16bc hebt noch nachdrücklicher als V. 16a auf den Bruch zwischen zwei Erkenntnisweisen ab[253]. An dem Sachverhalt der Vergangenheit (dem Erkennen auf die Weise der Sarx) ist Paulus an sich nicht mehr interessiert; er dient als Kontrasthintergrund für die eigentliche relevante Aussage V. 16c[254].

Was Paulus unter "Christus nicht mehr auf die Weise der Sarx erkennen" versteht, kann nur kontextuell erschlossen werden. Ausgangspunkt muß auch hier primär V. 14f sein. Im Sinne dieses Zusammenhangs gilt für die Christuserkenntnis dasselbe wie für die generelle Menschenerkenntnis. Christus sarkisch erkennen bedeutet dann: ihm vom Standpunkt der

---

251 Es besteht ein Zusammenhang zwischen εἰδέναι κατὰσάρκα und ζῆν ἑαυτῷ, καυχᾶσθαι ἐν προσώπῳ bzw. συνιστάνειν ἑαυτόν.

252 Die neue Weise des auf den Menschen bezogene ist bestimmt von dem soteriologischen Urteil V. 14f.

253 Vgl. εἰ καὶ ἐγνώκαμεν - ἀλλὰ νῦν οὐκέτι γινώσκομεν.

254 Vgl. auch den Kontext von "Sich selbst leben" und "dem Gestorbenen und Auferweckten leben" V. 15b.

Selbstbezogenheit erkennen. Christus nicht auf sarkische Weise erkennen heißt demgegenüber: ihn so erkennen, wie er nur in der christozentrischen Lebensrelation unter dem Antrieb der Liebe Christi erkannt werden kann[255]. Wie in der Menschenerkenntnis wirkt sich auch in der Christuserkenntnis die Zentrierung des Lebens des Erkennenden aus: Worin der Erkennende sein Leben gründet, wodurch er sich in seinem Leben bestimmen ("antreiben", vgl. V. 14a) läßt und woraufhin er es ausrichtet, ist entscheidend für die Erkenntnisweise[256]. Jedoch ist eine wesentliche Differenz zwischen den Erkenntnisbeziehungen zum Menschen und zu Christus zu berücksichtigen. Paulus setzt zwar in seiner Argumentationsfigur gleichsam induktiv beim Menschen an (V. 16a), um dann zu Christus zu kommen (V. 16bc), die sachliche Priorität stellt sich jedoch im Unterschied zur Gedankenfolge in V. 16 so dar: die eschatologische nicht-sarkische Erkenntnisbeziehung zum Menschen hat die nicht-sarkische Christuserkenntnis, in der der Erkennende die Mitte und Zielbestimmung nicht nur seines eigenen Lebens und Erkennens erkennt, zur Voraussetzung[257]. Nicht ohne Grund geht der Folgerung V. 16a bereits die inhaltliche Bestimmung der Christuserkenntnis voraus (V. 14f), mit der zugleich ein entscheidendes Urteil über den Menschen gefällt ist. Von

---

255 Die eschatologische Christuserkenntnis hat V. 14f zur Grundlage. Sie schließt vom unmittelbaren Kontext die soteriologische Funktion Christi für die Versöhnung mit ein. Vom weiteren Kontext aus gesehen, impliziert die rechte Christuserkenntnis insbesondere die Erkenntnis der Doxa Gottes auf dem Angesicht Christi (der Eikon Gottes 4,4. 6) und des Pneuma Christus (3,17f).

256 Vgl. Phil 3,8-11. Dazu J.Gnilka, Phil 193: "Die altbiblische Vorstellung kommt darin zum Ausdruck, daß die Erkenntnis als eine den Menschen und seinen Gehorsam beanspruchende, seine Willigkeit fordernde gedacht ist". Mit diesem Gedanken, der das ganze Sein des Menschen in Anspruch nehmenden anerkennenden Erkenntnis Christi verbindet sich hier die Vorstellung, daß die Erkenntnis den von der Eigengerechtigkeit Befreiten und in die Christusgemeinschaft Hineingenommen in ein Umwandlungsgeschehen hineinzieht. Vgl. dazu 2 Kor 3,17f; 4,4 (mit dem kontrastierenden Verstockungsmotiv). 6 in Verbindung mit 5,16; s. auch 2,14f.

257 R.Bultmann, 2 Kor 155, betont einseitig die Begründung von V. 16a durch V. 14 und sieht in V. 16bc "nur den extremen Fall des Satzes V. 16a, an dem der Sinn von V. 16a ganz deutlich wird". Damit ordnet er den fundierenden christologischen Erkenntnisaspekt dem anthropologischen unter.

Christus her und in Beziehung auf ihn als den Gekreuzigten und Auferweckten weiß Paulus, was es mit dem Menschen auf sich hat und wie es um
ihn vor Gott einst stand und jetzt steht. In der rechten Christuserkenntnis erschließt sich die Erkenntnis des Menschen in einer neuen Weise, nämlich im soteriologischen und eschatologischen Horizont. Diesen
Horizont hat V. 14f unter dem Gesichtspunkt der im Kreuzestod geschehenen Wende zum neuen Leben thematisiert. V. 17 wird diesen Gedanken aufnehmen und bekräftigen: das durch den Kreuzestod als Liebestat Christi
eröffnete (christozentrische) Leben hat aufgrund der Christusgemeinschaft die Qualität der καινὴ κτίσις [258].

3) Fragen wir abschließend nach dem Gehalt und der argumentativen Bedeutung von V. 16, so ist vor allem folgenden Momenten Beachtung zu schen-
ken: Paulus kennzeichnet in V. 16 seinen gnoseologischen Standpunkt in
der Konsequenz von V. 14f[259]. Grundlegend ist dabei einmal die Zusammenschau von Existenz und Erkennen[260]. Der Ort der Existenz und die Weise
ihres Vollzuges bestimmt wesentlich den Vorgang des Erkennens. Auf dem
Hintergrund von V. 14f macht V. 16 deutlich, daß der sarkisch für sich
Lebende (und dementsprechend sich selbst Rühmende) den Menschen, also
auch sich selbst, und Christus nur auf die Weise der Sarx, also in bezug auf sein selbst-zentriertes Leben, erkennen kann, während der durch
den Kreuzestod Christi mit seiner der Sarx verpflichteten Seinsweise
Gestorbene und zum neuen selbstlosen Leben-für Befreite gemäß dieser
Pro-Existenz erkennt. Das bedeutet: Da der Kreuzestod als Liebestat
Christi das Grundereignis der Wende zum sarkischen autozentrischen zum
(pneumatischen) pro-existentiellen Leben ist, ist das Erkennen, das die-

---

258 Vgl. auch den Gegensatz von ἀρχαῖα und καινά V.17b, der die
    eschatologische Differenz von "sich selbst leben" und "nicht mehr
    sich selbst leben" und von "auf die Weise der Sarx erkennen" und
    "nicht mehr auf die Weise der Sarx erkennen" wie auch von καυχᾶσθαι
    ἐν προσώπῳ und καυχᾶσθαι ἐν καρδίᾳ unterstreicht.

259 So z.B. auch F.Büchsel, Theologie 98f. D.Georgi, Gegner 255f schließt
    demgegenüber V. 16 vor allem an V. 12f an. - S. oben Anm. 237.

260 Vgl. den behandelten Folgezusammenhang zwischen "Christus nicht
    mehr auf die Weise der Sarx erkennen" (V. 16c) und "Leben für Chri-
    stus" (V. 15b).

sem Leben konform ist, wesentlich vom Kreuzestod her bestimmt. Der Kreuzestod markiert die Diskontinuität der Erkenntnisweise[261]. Die eschatologische Erkenntnisweise ist im strengen Sinne neu, weil das Leben des Erkennenden in der Relation zu Tod und Auferweckung Christi radikal neu ist (vgl. V. 15. 17). Erwächst das Erkennen im eschatologischen Jetzt aus dem Leben für den gekreuzigten und auferweckten Christus (V. 15b) und in der Lebensgemeinschaft mit ihm (V. 17a), kann die Quelle der Erkenntnis nur das Leben schenkende Pneuma sein, das in der Christusgemeinschaft empfangen wird[262]. Die nicht-sarkische Erkenntnis in Konformität mit der nicht-sarkischen (nicht autozentrischen) Existenzweise ist deshalb die einzig adäquate eschatologische, weil sie vom Wendepunkt des Kreuzestodes Christi für alle her in der Perspektive der Pro-Existenz Christi, des Gekreuzigten und Auferweckten (V. 15b), aus der Kraft des Pneuma geschieht, durch das Christus jetzt als Kyrios befreiend und neugestaltend wirkt (vgl. 3,17f). Das charakteristische Merkmal der pneumatischen Erkenntnis im pl. Sinne ist also, daß sie das Kreuz als bleibendes Signum der Pro-Existenz Christi und als Konstitutivum des vom eigenen Selbst befreiten, auf Christus hingeordneten Lebens fest-

---

261 5,16 handelt nicht von der Diskontinuität "zwischen dem Erdenleben Jesu und seiner Erhöhung", die durch den Kreuzestod und die Auferweckung Jesu entstanden ist, sondern von der eschatologischen Diskontinuität von "einst" und "jetzt (nicht mehr)" auf der Seite des Menschen, der in die eschatologische Finalität des Kreuzestodes durch den mit allen solidarisch gewordenen Christus hineingezogen ist und am Leben des auferweckten und erhöhten teilhat (gegen D.Georgi, Gegner 292f;, vgl. zu der von Georgi postulierten Christologie bzw. richtiger Jesulogie im Anschluß an die θεῖος - ἀνήρ-Vorstellung ebd. 254-256; 282-292 bzw. -300).

262 Die pneumatische, von der Agape angetriebene Dynamik der Christuserkenntnis (und - darin eingeschlossen - der Menschenerkenntnis) bestimmt auch die folgende Argumentation in V. 17 und dann vor allem von V. 18-21, in der deutlich wird, daß bei Paulus die positive eschatologische Antithese zum Erkennen κατὰ σάρκα, nämlich das Erkennen κατὰ πνεῦμα und damit κατὰ ἀγάπην Χριστοῦ bei Paulus das Erkennen κατὰ σταυρόν mitumfaßt. Deshalb vereinigt sich in der rechten Christuserkenntnis die Erkenntnis Christi als des Erhöhten und durch das Pneuma gegenwärtig wirkenden Herrn mit der Erkenntnis Christi als des Gekreuzigten. Die Betonung des κατὰ σταυρόν durch J.L.Martyn, Epistemology, hat von daher ihre Berechtigung, wenn sie nicht die Verbindung mit dem κατὰ πνεῦμα und κατὰ ἀγάπην Χριστοῦ aufgibt.

hält und sich damit der radikalen Agape Christi als Kriterium wahrer eschatologischer Existenz und Erkenntnis unterstellt[263].

Indem Paulus in V. 16 das Leben-für hinsichtlich seiner gnoseologischen Dimension konkretisiert und sein Erkennen in der eben dargelegten Weise als nicht-sarkisch ausweist, legt er zugleich offen, daß das Sich-Rühmen ἐν προσώπῳ als Ausdruck des sich selbst Lebens zusammenfällt mit einer sarkischen Weise des Erkennens, und zwar sowohl in Beziehung auf Menschen als auch insbesondere auf Christus[264]. Für die Auseinandersetzung mit den Gegnern macht V. 16 somit deutlich, daß ihr Anspruch auf pneumatische Erkenntnis nach Ausweis ihres Lebens und Selbstbewußtseins haltlos ist. Vor allem impliziert die gnoseologische Folgerung, daß das Urteil der Gegner über Paulus und ihre Christuserkenntnis sarkischen Kriterien folgt[265].

2.2.3.3 Das In-Christus Sein als Wirklichkeit der καινὴ κτίσις (2 Kor 5,17)

In der Form einer positiven Schlußfolgerung expliziert 2 Kor 5,17 parallel zu V. 16 die existentielle Konsequenz der soteriologischen Aussage V. 14f in einem betont präsentisch-eschatologischen Rahmen weiter und verdeutlicht damit noch einmal die eschatologische Komponente der

---

263 Die Agape als Kriterium der Erkenntnis ist bes. im 1 Kor herausgestellt (vgl. 8,1-3; 13).

264 Vgl. 2 Kor 11,18: das Sich-Rühmen κατὰ σάρκα ist nicht ein Reden κατὰ κύριον, sondern ἐν ἀφροσύνῃ (V. 17; vgl. 5,12f).

265 V. 16 enthält also ein polemisches Element gegen die, die als καυχώμενοι ἐν προσώπῳ den Paulus-Apostolat diskreditieren. Jedoch läßt die Aussage nicht zu, einen Vorwurf fehlender Jesusbeziehung gegen Paulus abzuleiten, wie vor allem die Exegeten annehmen, die Paulus in Auseinandersetzung mit Judaisten sehen. Dabei spielen auch die Fehldeutung von 1 Kor 9,1 und die Bezugnahme auf 2 Kor 11,4 eine Rolle (vgl. E.Käsemann, Legitimität 33f). S. hier auch die mit Bezug auf 2 Kor 5,16 vertretene Hypothese von J.Weiß, Paulus habe Jesus vor seinem Tod gekannt (vgl. E.Güttgemanns, Apostel 351-357; gegen J.Weiß z.B. schon H.A.A.Kennedy, Theology 49: "a quite erroneous exegesis").

gnoseologischen Thematik von V. 16[266].

1) Der sachliche Anknüpfungspunkt von V. 17a ist nicht V. 14d, sondern der Gedanke des neuen Lebens in Hinordnung auf Christus von V. 15b[267]. Der Zusammenhang mit V. 16 besteht darin, daß die Implikation des eschatologischen Jetzt hinsichtlich der Seinsweise des Menschen zur Sprache kommt und die Abgrenzung der beiden Erkenntnisweisen zugleich verallgemeinert und bekräftigt wird. Der Gegenüberstellung von sarkischem und nicht-sarkischem Erkennen (V. 16) folgt nun die eschatologische Antithese von Altem und Neuem (V. 17b). Sie hat ihre Entsprechung in der Opposition von Gestorbensein und - auf Christus hingeordnetem - Leben (V. 14d. 15b).

2) V. 17a greift über das "Wir" von V. 16 hinaus[268] und stellt in generalisierender Weise einen Bedingungszusammenhang her zwischen dem In-Christus-Sein und dem καινή-κτίσις-Sein. Die Zugehörigkeit zu Christus aufgrund kollektiver Verbundenheit mit ihm in Tod und Leben (V. 14f) wird nun unter dem Gesichtspunkt ihrer eschatologischen Bedeutung mit Hilfe einer anderen Terminologie[269] neu umschrieben. Die Wende vom

---

266 Als Folgerung aus V. 14f versteht auch J.E.Belser, 2 Kor 183, V. 17, wobei jedoch mit V. 17 der bis V. 16 auf Paulus zugespitzte Gedanke auf alle Gläubigen erweitert wird. J.Sickenberger, 2 Kor 99, deutet V. 17 näherhin als Urteil über "die Christen" in Entsprechung zum Urteil über Christus.

267 A.Plummer, 2 Cor 179, sieht in V. 17 (in Parallele zu V. 16) "a second consequence from v. 15". C.F.G.Heinrici, 2. Sendschreiben 290, unterscheidet dabei - ebenfalls von V. 15 ausgehend - zwischen V. 16 als "Folge für das subjective Verhalten" und V. 17 als Folgerung für die "objective Beschaffenheit" insbesondere aus V. 15b. Vergleichbar differenziert H.Lietzmann, 2 Kor 126, zwischen spezieller (V. 16) und allgemeiner Folgerung (V. 17), während H.Windisch, 2 Kor 189, dagegen V. 16 als negative und V. 17 als positive, begrifflich abgehobene Aussage betrachtet in der Konsequenz von V. 14f, insbesondere aber als "positive Folgerung aus V. 16".

268 Anders R.Bultmann, 2 Kor 158, der εἴ τις inhaltlich mit ἡμεῖς gleichstellt und V. 16f in gleicher Weise auf alle Gläubigen bezieht, während P.W.Schmiedel, 2 Kor 245, von denselben Anhaltspunkten aus V. 17 wie V. 16 als antijudaische Aussage auf Paulus bezieht.

269 Vgl. H.D.Wendland, 2 Kor 206: "Dies 'dem Herrn leben' nennt Paulus jetzt das Sein 'in Christus'" und Neuschöpfung. Wendland hebt zu Recht die eschatologische Denkweise von V. 17 hervor und erkennt

Tod, in dem alle (infolge des solidarischen Todes Christi für alle) hinsichtlich ihrer sarkischen, auf das eigene Selbst bezogenen Existenz gestorben sind, zum christozentrischen, der Finalität des Todes und dem bleibenden Fürsein Christi entsprechenden Lebens, wird nun begriffen als Geschehen der Neuschöpfung, das der an sich erfährt, der Anteil hat an der Lebensgemeinschaft mit dem Auferweckten.

Das In-Christus-Sein ist also für Paulus der alleinige Ort[270], wo der Mensch (als Glaubender) an der Wirklichkeit der endzeitlichen Neuschöpfung schon jetzt partizipiert, indem er selbst zum "Neuen Geschöpf" wird[271]. Das eschatologische neugeschöpfliche Sein ist nicht mehr nur zu erwartende Zukunft[272], sondern ist infolge der im Kreuzestod erfolgten Überwindung des alten, sarkischen Seins und aufgrund des Wirkens des Auferweckten[273], der in seiner Doxa die Eikon Gottes ist und der die in Hinordnung auf ihn Lebenden durch das Pneuma in seine Eikon umgestaltet (vgl. 4,4. 6; 3,18), schon jetzt präsent.

---

eine Argumentation "im Stile der Aionen-Theologie", die jedoch nicht mehr spätjüdisch allein auf Zukunft ausgerichtet ist, sondern im Horizont endzeitlicher Zukunft das Gegenwärtigsein der Wende in Christus betont.

270 "Ort" ist übertragen im Sinne des Eingefügtseins in die Christusgemeinschaft durch Glaube und Taufe, was jedoch weder statisch noch mystisch zu verstehen ist. "Das ἐν Χριστῷ ist also nicht Formel der Mystik, sondern der Eschatologie, bzw. es hat eschatologischekklesiologischen Sinn". (R.Bultmann, 2 Kor 158).

271 Von εἴ τις her und entsprechend dem soteriologischen Gedanken ist καινὴ κτίσις auf den in Christus neugeschaffenen Menschen zu beziehen und deshalb nicht ungeschützt allgemein durch "neue Schöpfung zu übersetzen.

272 Vgl. demgegenüber die kosmologische und futurisch-eschatologische Blickrichtung der Apokalyptik. S. dazu G.Schneider, Neuschöpfung 35-43; auch 47 (Belege aus dem rabbinischen Judentum).

273 Das Leben und die neuschaffende Lebensmitteilung des Auferweckten ist "der Erweis der neuen Wirklichkeit, die mit seinem Tode angebrochen ist" (K.Kertelge, "Rechtfertigung" 135). Vgl. auch W.Thüsing, Per Christum 133 (der verherrlichte Christus "als Erstling der Entschlafenen in seiner Person schon die neue Schöpfung"). A.Grabner-Haider, Art. D. Neue 808: "Christus als der auferstandene Herr ist das Novum der Schöpfung, die bleibende Wirklichkeit und endgültige Möglichkeit für Welt und Menschen".

3) Der von Paulus verwendete Begriff der καινὴ κτίσις verweist auf
ein breites Spektrum von Vorstellungen der jüdischen Tradition[274]. Diese reicht zurück bis zur prophetischen Verheißung der eschatologischen
Neuschöpfung von Himmel und Erde (vgl. Jes 66,17f; 66,22) oder der
Schaffung des neuen Bundesvolkes, das in Liebe und Gesetzestreue Gott
anhängt und dessen Sünde Gott nicht mehr gedenkt (Jer 31,22. 31-34)[275].
Die Apokalyptik aktualisiert die prophetische Tradition der Hoffnung
auf Neuschöpfung auf und räumt ihr einen besonderen Stellenwert ein[276].
In der Qumrangemeinde ist nun zu beobachten, daß der futurisch-eschatologische Ausblick auf die Neuschöpfung ergänzt wird durch den Gedanken,
daß der in den Kreis der Frommen Eintretende zur neuen Schöpfung erneuert wird[277]. Auch im hellenistischen Judentum erscheint die Vorstellung
von der Neuschöpfung, wobei ebenfalls schon an eine Antizipation gedacht ist[278]. Bei Philo tritt demgegenüber das Motiv der ausstehenden
bzw. antizipierten Neuschöpfung zurück. An seine Stelle tritt der un-
eschatologische Begriff der bleibenden, sich aber verjüngenden Erde,
der "Selbsterneuerung" und der παλιγγενεσία[279]. Einen weiteren be-
achtenswerten Traditionsstrang findet man in rabbinischen Aussagen[280].
In ihnen kommt der eschatologische Aspekt nicht mehr voll zum Zuge[281].
Der Begriff der Neuschöpfung verliert seine kosmologische Bedeutung.
Kennzeichnend ist vor allem die Transposition des eschatologischen Neuschöpfungsgedankens in die Vorstellung von der am Versöhnungstag erfol-
genden Erneuerung durch Buße und Sündenvergebung[282]. Vergleichbar mit

---

274 Vgl. G.Schneider, Neuschöpfung 15-34 (AT). 35-51 (Frühjudentum);
Zur Gnosis ebd. 59-63. S. auch ders., Idee. Über den jüdischen Hin-
tergrund informieren E.Sjöberg, Wiedergeburt; ders., Neuschöpfung;
H.-W.Kuhn, Enderwartung 48-52. 75-78; F.Mußner, Christus 94-96.

275 G.Schneider, Neuschöpfung 15-31.

276 A.a.O. 35-43.

277 A.a.O. 39-41.

278 A.a.O. 32-34 (zur LXX). 41f (zu Joseph u. Aseneth).

279 A.a.O. 43-46.

280 A.a.O. 46-51.

281 A.a.O. 46f.

282 A.a.O. 48-51.

der Deutung der Bekehrung als Antizipation der Neuschöpfung in der hellenistisch-jüdischen Missionsbewegung bzw. der Anwendung des Neuschöp-
fungsmotivs auf den in die Gemeinde Eintretenden (Qumran) versteht auch
das rabbinische Judentum die Bekehrung eines Proselyten als Neuschöpfung[283]. Im Hintergrund von V. 17a scheint ebenfalls die Bekehrung (mit
der Taufe) zu stehen, durch die der Eintritt in die Christusgemeinschaft
erfolgt[284]. Jedoch wird dieser Aspekt hier nicht eigens herausgearbeitet. Das besondere Gewicht der Aussage von V. 17a besteht darin, daß in
der Verlängerung des Gedankens von V. 14f und unter Verwendung eines
Motivs der jüdischen Zukunftserwartung[285] eine grundsätzliche Feststellung getroffen wird: die Konstitution des Lebens aufgrund des alle erfassenden Kreuzestodes und in dessen Finalität hat die eschatologische
Qualität der neuen Schöpfung durch Gott. Der Eintritt der neuen Schöpfung steht also nicht mehr aus, sondern ist in der Konsequenz des Heilsgeschehens von Tod und Auferweckung Christi bereits mit dem Sein "in
Christus" erfolgt. Die kosmologische Dimension der apk. Neuschöpfungs-
erwartung bleibt für die pl. Aussage in 2 Kor außer Betracht[286]. Auch
kontextuell legt sich die Einbeziehung des Kosmos nicht nahe. Spricht
schon das für den pl. Gebrauch des Neuschöpfungsgedankens wesentliche
"in Christus" und das auf alle (vgl. V. 14f) hin offene "einer" gegen
eine kosmologische Ausweitung, so unterstützt auch die universale, aber
nicht den Kosmos einschließende Aussage V. 14c-15 die strenge anthropologische, gleichsam personalisierende Deutung. In dieselbe Richtung
weist auch die interpretierende Näherbestimmung von "Kosmos" durch
αυτοι im Rahmen der folgenden Versöhnungsaussage (V. 19ab). 2 Kor 5,17
erlaubt es deshalb nicht, über kosmologische Implikationen, die in der
apk. Neuschöpfungsvorstellung relevant sind, Aussagen zu machen[287]. Die

---

283 A.a.O. 50.

284 A.a.O. 77. 80f; vgl. auch z.B. A.Wikenhauser, Kirche 272.

285 Der futurisch-eschatologische Aspekt ist durch V. 17b auf die Gegenwart gewendet.

286 Es ist aber zu fragen, ob nicht in Röm 8,20-22 dieser Traditionsstrang noch durchscheint. Vgl. dazu P.v.d.Osten-Sacken, Römer 263-
266.

287 A.Vögtle, Zukunft 182: καινὴ κτίσις steht V. 17 "in einem kollek-
tiv-ekklesiologischen, nicht aber in eigentlich kosmologischen Horizont". Beide Momente verbindet P.Stuhlmacher, Erwägungen 20.

Frage nach dem Verhältnis der Neuschöpfung des Menschen "in Christus" zur Zukunft der Geschöpfe bzw. des Kosmos in einer kosmischen Neuschöpfung als der Vollendung des proleptischen Neugeschöpfseins des Menschen steht außerhalb des Blickfelds von V. 17[288].

4) In den pl. Briefen erscheint der Begriff καινὴ κτίσις noch einmal: Gal 6,15b. Im Vergleich dazu wird in der parallel strukturierten Aussage Gal 5,6 die καινὴ-κτίσις-Wendung ersetzt durch πίστις δι' ἀγάπης ἐνεργουμένη. Der Vordersatz 6,15a ist in 5,6a durch die Hinzufügung von ἐν Χριστῷ 'Ιησοῦ modifiziert. Hinzu kommt, daß an die Stelle von ἔστιν (6,15a) in 5,6a ἰσχύει tritt. Eine weitere Variante bildet 1 Kor 7,19, wo jedoch das Stichwort der neuen Schöpfung nicht mehr aufgenommen ist. Konstant bleibt hier der Vordersatz von Gal 5,6a und 6,15a in seinen wesentlichen Aussagemomenten ("Beschneidung", "Vorhaut") bei formalen syntaktischen Veränderungen. An die Stelle von 5,6b und Gal 6,15b (καινὴ κτίσις) tritt in 1 Kor 7,19b τήρησις ἐντολῶν θεοῦ. Das Aussagegefälle und die kontrastierende Struktur sind also in Gal 5,6; 6,15 und 1 Kor 7,19 gleich. Die wesentlichen Varianten finden sich jeweils im zweiten, mit ἀλλά eingeleiteten Teilsatz. In allen drei Aussagen handelt es sich um die Aufhebung von Beschneidung und Unbeschnittensein, jedoch spricht nur Gal 6,15 von der Ablösung durch die "neue Schöpfung".

Im Blick auf den argumentativen Ort von 2 Kor 5,17 ist es bemerkenswert, daß Gal 6,15 innerhalb des eigenhändig geschriebenen und so als bedeutsam ausgewiesenen Schlußteils (6,11-18) in die Polemik gegen die Gegner einbezogen ist[289]. Diese richtet sich gegen die Hochschätzung der Beschneidung und die nachdrückliche Forderung an die Gläubigen der galatischen Gemeinden, sich der Beschneidung zu unterziehen. Was nun die Argumentation des Paulus betrifft, stellt sie sich als kreuzestheologi-

---

288 Vgl. dagegen A.Klöppers Unterscheidung von bewußter und unbewußter Natur, die es ihm ermöglicht, die prophetische Verheißung der Neuschöpfung nach 2 Kor 5,17 für die bewußte Kreatur schon erfüllt und für die unbewußte Kreatur für die Parusie erwartet zu sehen (ders., 2. Sendschreiben z.St.).

289 Vgl. z.St. A.Oepke, Gal 156-166; F.Mußner, Gal 409-420; J.Eckert, Verkündigung 31-39.

sche Destruktion des sich auf die Beschneidung beziehenden Selbstruhms der Gegner dar[290]. Paulus entlarvt ihr Bemühen, die Gläubigen für die Beschneidung zu gewinnen, als ein Streben nach Ansehen[291] und als ein Ausweichen vor der Verfolgung "um des Kreuzes willen" (V. 12). Damit ist noch einmal ein Zusammenhang in Erinnerung gerufen, der bereits 5,11 im Blick auf den Apostolat des Paulus angesprochen worden war. Es ist der Zusammenhang zwischen der Verkündigung ohne Beschneidungsforderung und der Verfolgung als Reaktion auf das "Skandalon des Kreuzes" in eben dieser Verkündigung, nach der die Dikaiosyne nicht durch das Gesetz und nicht durch die Beschneidung gemäß dem Gesetz erlangt wird[292]. In 6,13 wird als Schlüsselmotiv hinter der Forderung der Beschneidung die Ruhmsucht genannt[293]. Diejenigen, die trotz ihrer eigenen Beschneidung das Gesetz nicht halten, möchten die Beschneidung der Galater erreichen, um sich deren Sarx (d.h. deren "Fleisch", an dem die Beschneidung vollzogen ist) zu rühmen. In Antithese zum Sich-Rühmen der Gegner, das zusammenfällt mit dem Versuch, das Skandalon des Kreuzes aus der Welt zu schaffen (5,11), hat das Rühmen des Paulus das Kreuz zum Inhalt[294], durch das der negativ qualifizierte Kosmos "gekreuzigt", d.h. überwunden ist und die Bindung des Apostels an ihn gelöst ist. Als mit Christus Gekreuzigter (2,19) ist er von dem Kosmos, in dem das Gesetz herrscht und die Beschneidung bzw. das Unbeschnittensein von Belang ist, befreit. Die radikale Veränderung, die sich durch die Kreuzigung des Kosmos im Kreuze Christi ereignet hat, hat eine neue Wirklichkeit heraufgeführt: die καινὴ κτίσις, in der Beschnitten- oder Unbeschnittensein irrelevant sind. Wer also die Beschneidung fordert und sich der Beschneidung rühmt, verkennt das Kreuz als Ende des Kosmos und der ihm zugehörigen Beschneidung und trennt sich mit der in der Beschneidung

---

290 F.Mußner, Gal 413-415.

291 Nach F.Mußner, Gal 411, "überphysiognomiert" Paulus mit seiner polemischen Stellungnahme die Gegner, die keineswegs als Juden zu identifizieren seien.

292 Vgl. Röm 1,17f. - Zum implizierten Anspruch der getreuen Beobachtung des Gesetzes vgl. Gal 5,3; s. auch 3,10.

293 Vgl. Röm 2,21f.

294 Vgl. 1 Kor 1,17; 2,2 im Zusammenhang mit der Kauchesis-Destruktion.

erfolgten Unterwerfung unter das Gesetz von Christus (5,2-4) und hat
damit keinen Anteil an der Dikaiosyne (5,5; vgl. 3,10-12. 2,16. 19-21)
und an der καινὴ κτίσις [295].

Die "neue Schöpfung" ist also die durch das Kreuz Christi herbeigeführte eschatologische Wirklichkeit, in der die Ordnung des Kosmos außer
Kraft gesetzt ist. In ihr ist nicht das Gesetz (mit seiner Beschneidungsforderung) Kanon des Lebens (V. 16)[296], sondern "der Glaube, der
durch die Agape wirksam ist" (5,6). Der Glaube aber wird durch die Liebe wirksam, weil das Pneuma, durch das das Leben empfangen wird, das
Leben bestimmt (5,13-25; vgl. 3,2-5).

Wie in 2 Kor 5,17 steht auch Gal 6,15 in einem Kontext, der durch die
Auseinandersetzung mit einer aktuellen Gegenposition geprägt ist und
nach dem rechten Inhalt des Sich-Rühmens fragt. Sachlich ist von Bedeutung, daß auch die Aussage Gal 6,15 die neue Schöpfung kreuzestheologisch verankert (V. 14; vgl. 2 Kor 5,14f. 18f. 21) und sie präsentisch-
eschatologisch versteht. Aus der Verbindung von Gal 5,6 und 6,15 ergibt
sich derselbe Grundgedanke wie in 2 Kor 5,17, daß nämlich "in Christus",
in dem nach Gal 3,26f alle Glaubenden und Getauften ohne Unterschied
als καινὴ κτίσις eins sind, der alte Kosmos abgeschafft und die
neue Schöpfung Wirklichkeit geworden ist. Auch hinsichtlich der Gal-
Aussage, daß die Teilhabe an der neuen Schöpfung eine bestimmte Handlungsweise impliziert, das Leben der Agape im Pneuma, besteht mit 2 Kor
insoweit eine Übereinstimmung, als in 5,14f das Angetriebensein von der
Agape Christi die Pro-Existenz des Lebens bestimmt, das nach V. 17
nichts anderes ist als das neugeschöpfliche Sein in der Gemeinschaft
mit dem erhöhten Christus[297].

---

295 F.Mußner, Gal 415, verbindet die Neuschöpfung mit der Taufe; dage-
    gen vgl. z.B. W.G.Kümmel, Theologie 191.

296 Vgl. F.Mußner, Gal 415f.

297 Der in 2 Kor 5,14f. implizierte Handlungsmaßstab ist kritisch bzw.
    legitimierend auf die beiden Rühmensweisen V. 12 und auf V. 13 zu-
    rückbezogen, weist aber auch auf die Realisierung des "Dienstes der
    Versöhnung" voraus.

5) Die eschatologische Differenz zwischen der "neuen Schöpfung" und dem "Kosmos", die nach Gal 6,15 darin deutlich wird, daß durch die Kreuzigung des Kosmos Beschneidung und Unbeschnittensein außer Kraft gesetzt worden sind und keine Relevanz für die Teilhabe an der neuen Schöpfung haben, stellt 2 Kor 5,17b durch eine knappe antithetische Aussage heraus. Die Gegenüberstellung von "Altem" und "Neuem", die einem traditionellen eschatologischen Schema folgt[298], betont nicht nur die Diskontinuität zwischen der vergangenen und der neuen Wirklichkeit[299], sondern weist vor allem auf die absolute Neuheit der "in Christus" gegenwärtigen neugeschöpflichen Existenz hin (ἰδού)[300].

Im Zusammenhang mit 5,14-16 unterstreicht V. 17b die eschatologische Bedeutung des Todes Christi für alle und darin des Todes aller. Im Kreuzestod ereignet sich die Abschaffung des Alten und die Wende zum Neuen: Zum anderen wird auch die Differenz zwischen den beiden Erkenntnisweisen noch einmal deutlich: das Erkennen auf die Weise der Sarx, das mit dem Leben für sich selbst zusammenfällt, ist dem Alten zugerechnet und mit dem Alten beseitigt. Somit ist auch die Unterscheidung der beiden auf Christus bezogenen Erkenntnisweisen letztlich eschatologischer Art. In der Teilhabe an der Christusgemeinschaft und darin an der neugeschöpflichen Wirklichkeit kann Christus nur noch entsprechend der Gegenwart des endzeitlichen und bleibenden Neuen erkannt werden[301].

---

298 K.Kertelge, Rechtfertigung 100 Anm. 189. Der Argumentationsfigur nach ist es in 2 Kor 5,17b nach dem Einst-Jetzt-Schema strukturiert, das auch V. 15f mitprägt (vgl. P.Tachau, "Einst" 12. 95). Zur Anthropologisierung vgl. G.Schneider, Neuschöpfung 77. 86.

299 Vgl. den Wechsel von V. 14d zu 15b, wobei er in V. 15b noch einmal zur Sprache kommt in der Gegenüberstellung der beiden Lebensweisen. V. 17b entzieht V. 17a dem Entsprechungsschema von Urzeit und Endzeit.

300 V. 17b unterstreicht die eschatologische Qualität und Geltung der Aussage V. 17a. Vgl. die Aktualisierung des ἰδού in 6,2. - Ph. Bachmann (2 Kor 262) geht fehl, wenn er so deutet, daß die göttliche Allmacht "in Christus in die alte Welt eine neue hineinbaut". In 5,17 ist die Ablösung absolut verstanden. Es handelt sich wesenhaft um ein neues Sein. Vgl. F.W.Grosheide, 2 Kor 167: "wie in Christos is, is niet een jong, maar een anders geworden schepsel".

301 Darin aber ist er in der rechten Weise erkannt, weil er als Auferweckter und bei Gott Lebender selbst καινὴ κτίσις in Person ist (W.Thüsing, Per Christum 105f. 133).

6) Im Vorblick auf den nachfolgenden Kontext (5,18-21) ergibt sich eine wichtige Vertiefung des pl. Verständnisses der Neuschöpfung. Einmal wird nämlich das neugeschöpfliche Sein in der Christusgemeinschaft mit dem Versöhnungshandeln Gottes durch Christus in Verbindung gebracht (V. 18f). Zum anderen wird entsprechend der Korrespondenz von V. 17a und 21b die Neuschöpfung in Christus in Beziehung gesetzt zum Dikaiosyne-werden in Christus.

Was die Versöhnungsaussagen betrifft, heben sie explizit hervor, daß die Heraufführung des Neuen (V. 17b), d.h. die Neuschöpfung des Men-schen in der Christusrelation (V. 17a) von Gott gewirkt wird. Der theo-zentrische Aspekt ist zwar bereits in V. 15b (ἐγερθέντι)[302] und in der Schöpfungsterminologie V. 17 angelegt, bekommt aber durch V. 18a (τὰ δὲ πάντα ἐκ τοῦ θεοῦ) sowohl für V. 17 (in Weiterführung von V. 14f) als auch für V. 18-21 besondere Bedeutung. Der Zusammenhang zwi-schen dem Neuschöpfungs- und dem Versöhnungsgedanken besteht nun darin, daß das Neuwerden des in die Christusgemeinschaft Integrierten und die Abschaffung des Alten im versöhnenden Handeln Gottes durch Christus verankert werden. Aus diesem Begründungszusammenhang folgt, daß das neugeschöpfliche endzeitliche Sein sich in der Lebensgemeinschaft mit dem gegenwärtig durch das Pneuma wirkenden Christus (vgl. 3,17) als Re-lation der Versöhnten mit Gott vollzieht[303]. Impliziert 5,17a auf der Linie von V. 15b, daß das neue Leben unter dem Andrängen der Agape Chri-sti und in Hinordnung auf den Auferweckten die Realisierungsform der neugeschöpflichen Existenz ist, so ergänzt V. 18-21 die christozentri-sche Relation des neugeschöpflichen Seins durch die theozentrische: der Mensch ist als neues Geschöpf in seiner christozentrischen Existenz hineingenommen in die Versöhnungsgemeinschaft mit Gott. V. 17b macht zudem durch die klare eschatologische Abgrenzung von Altem und Neuem und durch die Hervorhebung der Gegenwart des Neuen deutlich, daß Gottes Versöhnungshandlung als absoluter Neuanfang zu verstehen ist, der in

---

302 W.Thüsing, a.a.O. 105f.

303 Das neugeschöpfliche Sein in Freiheit von der Sünde (V. 19b) ist wesentlich "in Christus" auf Gott bezogen (vgl. V. 21b). - A.Grab-ner-Haider, Paraklese 63.

der Gegenwart zur Wirkung kommt und durch den das Alte (d.h. das Unver-
söhntsein des Sünders) end-gültig überwunden ist. V. 17 als Fortsetzung
von V. 14f und als Aspekt der Versöhnungsaussage beinhaltet also, daß
die im Tode Christi für alle grundgelegte und in der Lebensgemeinschaft
mit ihm als dem Erhöhten Wirklichkeit seiende endzeitliche Neuschöpfung
Tat Gottes ist, in der die Vergangenheit des Menschen als Sünder (vgl.
V. 19b. 21a; auch V. 14f) aufgehoben und er zum Sein in Gemeinschaft
mit Gott geschaffen wird.

In dieselbe Richtung weist V. 21. Hier wird das Neuwerden zum Neuen Geschöpf in sachlicher Entsprechung näher bestimmt als Werden zur Dikaiosyne Gottes in der Finalität des Kreuzestodes[304]. Auf dem Hintergrund
von V. 17 erhält somit dieses Geschehen, das wie die Neuschöpfung ebenfalls in der Teilhabe an der Christusgemeinschaft zur Wirkung kommt,
den Charakter der endzeitlichen schöpferischen Tat Gottes, durch die
das neugeschöpfliche Sein als Sein der Dikaiosyne Gottes konstituiert
wird[305].

Es zeigen sich aber auch Verbindungslinien zwischen dem Neuschöpfungsgedanken von 5,17 mit Aussagen und Motiven des vorausgehenden weiteren
Kontextes, die das Bedeutungsspektrum des pl. Neuschöpfungsbegriffs in
2 Kor weiter aufhellen. Der wichtige sachliche, durch den Schöpfungsgedanken gestützte Zusammenhang von V. 17 mit der Eikon-Christologie in
4,4. 6 und 3,18 wurde schon kurz angedeutet[306]. Nach 4,4 und 4,6 ist
der auferweckte und erhöhte Christus als der durch das Pneuma wirkende
Kyrios (3,17f), in seiner Doxa die Eikon Gottes[307]. In seiner Herrlich-
keitseikon werden die Doxa und die schöpferische Wesensgestalt Gottes
gegenwärtig. Als christologische Applikation der auf Adam bezogenen

---

304 Auf die "sachliche Identität" der Dikaiosyne- mit der Neuschöpfungs-
    aussage verweist W.Thüsing, Per Christum 107.

305 Vgl. P.Stuhlmacher, Gerechtigkeit 75: Das neue Sein ist von der
    Macht der Dikaiosyne Gottes bestimmt.

306 S. oben 104.

307 Der christologische Eikon-Begriff ist in diesem Zusammenhang escha-
    tologisch verstanden und nicht auf die Schöpfungsmittlerschaft be-
    zogen.

Aussage Gen 1,27[308] impliziert dieser Gedanke bereits, daß der erhöhte pneumamächtige Christus der endzeitliche Adam und als solcher ursprungshaft εἰκὼν τοῦ θεοῦ ist[309]. Aus diesem Grunde werden die Glaubenden, die durch die Pneuma-Macht des Erhöhten von der tötenden Macht des Gramma und vom Kalymma frei geworden sind, in ihrer Relation zum Kyrios durch die schöpferische Macht des Pneuma in die Eikon des Pneuma-Kyrios umgestaltet. Auf diesem Hintergrund beinhaltet also der Gedanke der Neuschöpfung in Christus von 2 Kor 5,17 einmal, daß der in der Christusgemeinschaft Neugeschaffene an der durch das Pneuma geschenkten Freiheit teilhat. Im komplexen Sinne von V. 17b bedeutet das die Freiheit vom Alten. Zum anderen läßt sich V. 17a dahin konkretisieren, daß der in die Lebensgemeinschaft Christi Integrierte neugeschaffen wird zur Eikon des Pneuma-Kyrios.

Auch ein anderer Gesichtspunkt verdient in diesem Zusammenhang Beachtung, da er die sachliche Verbundenheit von V. 16 und V. 17 in einer bestimmten Richtung verständlich macht. Gedacht ist hier an die vom Schöpfungsgedanken geprägte Aussage 4,6, nach der die Erkenntnis der Herrlichkeit Gottes auf dem Angesicht Christi durch einen Akt Gottes zuteil wird, den Paulus seiner schöpferisch-endzeitlichen Qualität von Gen 1,3 her versteht. Für 2 Kor 5,16 und 5,17 als Folgerungen aus V. 14f zeigt somit 4,6, daß die eschatologische nicht-sarkische Erkenntnisweise in Verbindung mit der neuen Existenz in einem endzeitlich schöpferischen Handeln Gottes gründet.

7) Der argumentative Gehalt von 2 Kor 5,17 stellt sich somit wie folgt dar:

In weiterführender Explikation von V. 14c-15 (bes. 15b) formuliert Paulus in V. 17 einen grundsätzlichen eschatologischen Gedanken. Er kann sich dabei sowohl auf apk. Anschauungen als auch auf eine urchristliche Tradition stützen, die jüdische Proselytenterminologie aufgenommen und auf das Taufgeschehen angewandt hat[310]. Dennoch bezieht sich seine Aus-

308 Vgl. J.Jervell, Imago Dei.
309 H.Windisch, 2 Kor 137, spricht von der "Identität" Christi und des Urmenschen, so daß Christus die erneuerte Menschheit repräsentiert.
310 Einzelbelege z.B. in G.Schneider, Neuschöpfung, bes. 35-43. 50f.

sage nicht direkt auf die Taufe, sondern auf die aus dem Kreuzestod (und der Auferweckung) Christi als Ereignis der eschatologischen Wende folgende Wirklichkeit des neuorientierten Lebens (V. 15b)[311].

Die neue Wirklichkeit, auf die der Tod Christi für alle hinzielt, ist nach V. 15b das Leben für Christus. V. 17 geht einen Schritt weiter, indem das neue Leben explizit in der Christusgemeinschaft verankert und hinsichtlich seiner eschatologischen Qualität näher gekennzeichnet wird. Es ist das Leben, das in der Gemeinschaft mit dem Erhöhten und durch das Pneuma wirkenden Christus als Leben des neuen Geschöpfes empfangen wird. Der Mensch hat also aufgrund des inklusiven Todes Christi und in der Bindung an den, der als Auferweckter und Erhöhter ursprungshaft "neue Schöpfung" ist, eine neue Daseinsbestimmung und Seinsweise erhalten[312].

Die Neuschaffung des Menschen in der Christusrelation ist streng eschatologisch verstanden. Durch sie geschieht für den Menschen die Aufhebung des Alten (V. 17b). Das heißt nach dem Kontext: die Aufhebung der auf sich selbst konzentrierten Existenz bzw. des Sünder-Seins. Als Neues Geschöpf ist er von der vergangenen Welt und seiner eigenen Vergangenheit frei[313]. Er ist end-gültig neu geworden und partizipiert an der sich "in Christus" vergegenwärtigenden Heilszukunft.

Der ausgesprochen präsentisch-eschatologische Zug[314] im pl. Verständnis der καινὴ κτίσις kann für sich genommen überakzentuiert erscheinen. Berücksichtigt man jedoch den Kontext, ergeben sich wichtige ergänzende Aspekte, die die Komplexität des pl. Neuschöpfungsgedankens erkennen

---

311 Das Neuschöpfungsmotiv in Verbindung mit der schematischen eschatologischen Antithese zielt auf die endzeitliche, das menschliche Sein radikal verändernde Folge des In-Christus-Seins, an dem der Mensch durch Glaube und Taufe teilhat, indem er "in das Auferstehungsleben Christi integriert wird" (H.Schwantes, Schöpfung 30).

312 Das Daseinsbestimmende ist das Pneuma des Kyrios bzw. Gottes, das lebendig macht und dem Leben seine Hinordnung auf Christus und durch ihn auf Gott gibt (vgl. V. 21; s. bes. 3,17f; 5,5).

313 Die Vergangenheit ist mehrfach angesprochen: in V. 14f durch den Gedanken des Selbst-Lebens zum Tode, in V. 19b durch die Sündenvergebung und bes. in V. 21a durch die Interpretation des Todes Jesu als Identifikation mit dem Geschick des Menschen unter der Sündenmacht.

314 Besonders betont von A.Vögtle, Zukunft.

lassen. Paulus vertritt keineswegs einen eindimensionalen ethusiasti-
schen (entweltlichten bzw. ungeschichtlichen) Neuschöpfungsbegriff[315],
sondern stellt den ohne Zweifel betont präsentischen Gedanken endzeitlicher Neuschöpfung in das Spannungsfeld einer christologisch-soteriologisch verankerten eschatologischen Existenzdeutung. Diese unterscheidet nicht nur zwischen Einst und Jetzt (bzw. zwischen Alt und Neu)[316],
sondern setzt das eschatologische Jetzt in Beziehung zur eschatologischen Zukunft. Vom Blickpunkt der Vollendung aus erweist sich das Jetzt
des Neuen (der Neuschöpfung in Christus) als reales Gegenwärtigwerden
der eschatologischen Zukunft. Zugleich bricht aber auch die Differenz
des Jetzt zu dem noch Ausstehenden auf. Das Jetzt der neuen Schöpfung
des Menschen in Christus ist Gegenwart der Zukunft im Horizont noch
nicht vollendeter, aber gewiß sich vollendender Zukunft.

Diese Spannung spiegelt sich im Umfeld der Neuschöpfungsaussage von
2 Kor 5,17 wider. Von da aus wird deutlich, daß die endzeitliche Leidenserfahrung in ihrer Transparenz für das Machtwirken Gottes und das
"Leben Jesu" ebenso zum neugeschöpflichen Sein gehört[317] wie die Sehnsucht nach der Wohnung ἐκ θεοῦ und nach dem Beim-Herrn-Sein, weil in
der dem Tode ausgelieferten sarkischen Existenz, die durch die Neuschöpfung nicht aufgehoben ist, das Sterbliche noch nicht von der Zoe
verschlungen ist[318]. So gehört auch zur pl. Sicht endzeitlicher Existenz, daß die neugeschöpfliche Seinsweise in Christus sich dem Pneumawirken (des Erhöhten) verdankt und in der Pneumagabe die Zurüstung zum
noch ausstehenden, sich aber bereits im Leiden manifestierenden Leben
geschenkt ist[319]. Zum anderen weist Paulus darauf hin, daß die Umwandlung in die Doxa-Eikon (3,18; vgl. 4,17) noch nicht vollendet ist und
die Erneuerung des "inneren Menschen" (durch das Pneuma) gerade unter
der eschatologischen Bedingung erfolgt, der gemäß der "äußere Mensch"
in seinem "sterblichen Fleisch" aufgerieben wird (4,16).

Auch für den Zusammenhang zwischen der endzeitlich neuen Erkenntnisweise (vgl. V. 16) und der der neugeschöpflichen Seinsweise wird die eschatologische dialektische Spannung relevant. So konstatiert Paulus im
Rahmen des Brieffragments einmal, daß infolge der Hinwendung zum Kyrios
und aufgrund der durch das Pneuma geschenkten Freiheit die unverhüllte
Schau der Doxa des Kyrios dem Glaubenden gewährt ist (3,16-18) und
durch die schöpferische Tat Gottes die Erkenntnis der Doxa Gottes auf
dem Antlitz Christi zuteil wird (4,6). Doch zum anderen bekräftigt er,
daß das Erkennen des Glaubenden an das "Aufleuchten des Evangeliums"
(4,4) gebunden ist. Vor allem in 5,7 wird eine deutliche eschatologische Differenz markiert zwischen dem Jetzt des Glaubens und der Zukunft

---

315 Dieser Eindruck kann bei R.Bultmann aufgrund der auch in diesem Zusammenhang benutzten und negativ besetzten Kategorie des "Vorfind-
lichen" entstehen (R.Bultmann, 2 Kor 159; vgl. auch z.B. H.Thyen,
Studien 181: das In-Christus-Sein als "Ort jenseits der Geschichte").

316 Vgl. P.Tachau, "Einst" 12-95.

317 Vgl. 4,10f. 16f; s. auch Gal 6,15 in Verbindung mit V. 12.

318 Vgl. in unserem Zusammenhang die Reflexion 5,1-8.

319 Vgl. 5,5; 4,10f. 16f.

des Schauens[320].

Eine Korrektivfunktion gegen eine enthusiastische Überinterpretation der Wirklichkeit der Neuschöpfung fällt auch dem Versöhnungsgedanken (5,18-21) zu. Denn er bekräftigt nicht nur, daß die Neuschöpfung durch die Versöhnung des Sünders mit Gott (und zwar durch den Kreuzestod) heraufgeführt wird (vgl. V. 14f)[321], sondern er macht auch geltend, daß sich das neugeschöpfliche Sein nicht anders verwirklicht als in der die geschehene Versöhnung annehmenden Antwort auf die Versöhnungsbitte[322]. Die Neuschöpfung vollzieht sich als endzeitliche Wirklichkeit der Gegenwart in der Weise der dialogischen Relation "in Christus" (vgl. V. 15b) zu dem, der ihr Urheber und Zielpunkt ist[323].

Die anthropologische Spezifizierung des eschatologischen Neuschöpfungsgedankens scheint zwar den einzelnen Menschen im Blick zu haben. Doch handelt es sich um den Menschen, der an der kollektiven ("alle" einbeziehenden) Wirkung des Kreuzestodes Christi und an der Gemeinschaft mit dem Erhöhten teilhat, in der alle auf Christus hin Lebenden verbunden sind. In dem Gemeinschaftsmoment der Verbundenheit mit Christus ist auch der ekklesiologische Aspekt der Neuschöpfung angelegt. Dennoch wird in 2 Kor 5,17 nicht die Ekklesia, d.h. das In-Christus-Sein im Sinne des Soma Christi, als Neuschöpfung identifiziert[324], wenn sich auch pl. gesehen das In-Christus-Sein realiter mit der Gliedschaft am Soma Christi verbindet. Die kosmologische Dimension der Neuschöpfung, die insbesondere durch das apk. Verständnis repräsentiert ist, zieht Paulus in 2 Kor nicht in Betracht[325]. An ihre Stelle tritt die universale Perspektive, daß sich die καινὴ κτίσις unter der Bedingung des

---

320 Vgl. 1 Kor 13,12. - A.Schaefer, Kor 431, deutet εἶδος in 2 Kor 5,7 als "die äußere Gestalt oder Form von dem, was Objekt des Sehens ist". - H.Windisch, 2 Kor 167, sieht hierin die "Dämpfung aller mystischen und enthusiastischen Überspannungen".

321 Der Zusammenhang von Neuschöpfung und Sündenvergebung ist schon in der jüdischen Tradition vorgegeben. Vgl. Midr Ps 18, § 6 (69a); Pesikt r 40.

322 Vgl. die Verbindung von V. 20b mit V. 21 und die sachliche Parallele von V. 21b und V. 17a.

323 Der Schöpfungsgedanke verweist in sich schon auf Gott; das "in Christus" unterstützt die Theozentrik des eschatologischen Neuschöpfungsbegriffs durch den implizit gegebenen Verweis auf Gott, der Christus auferweckt hat.

324 Herausgestellt z.B. von R.Bultmann, 2 Kor 158; A.Vögtle, Zukunft 182 (vgl. insgesamt 174-183).

325 Mit der Anthropologisierung der Kategorie verbindet sich die Radikalisierung der eschatologischen Differenz.

In-Christus-Seins an jedem infolge des Todes Christi ὑπὲρ πάντων
verwirklicht[326].

Fragen wir zum Schluß nach der gegnerbezogenen argumentativen Spitze
von V. 17 im Zusammenhang von V. 12-16, so ist diese einmal darin zu
sehen, daß Paulus in Abgrenzung von den Gegnern implizit geltend macht,
er sei als einer, der, von der Liebe Christi gedrängt, in der Finalität
des Kreuzestodes für Christus lebt, bereits καινὴ κτίσις. Aber nicht
nur seine Existenz bestimmt Paulus in V. 17 eschatologisch, sondern
auch seinen Apostolat. Als Dienst der δικαιοσύνη und des Pneuma (3,6.
8) ist sein Wirken Teil des endzeitlich Neugewordenen, und dementsprechend zielt es in der Verkündigung darauf hin, jeden der Christusgemeinschaft zuzuführen und so der καινὴ κτίσις teilhaft werden zu
lassen. Unter dem Gesichtspunkt der Kritik an den Gegnern folgt aus V.
17, daß Paulus sie mit ihrem Dienst dem durch das eschatologisch Neue
abgelösten Alten zuordnet. Ihr Anspruch auf die authentische Diakonia
und auf den Besitz der Doxa, der sich im καυχᾶσθαι ἐν προσώπῳ Ausdruck verleiht, wird damit ebenso wie in 3,7-18 entschieden relativiert.
Ihr Dienst führt deswegen zu Tod und Verurteilung (3,7. 9), weil er die
Herrschaft des Alten (des tötenden Gramma) aufrichtet. Und ihre Doxa
ist vergänglich (V. 11), weil sie Doxa nach Maßgabe des Alten ist und
somit zusammen mit dem Alten vergeht[327].

2.2.3.4 Die ursprungshafte Zusammengehörigkeit von Versöhnung, Dienst und Wort der Versöhnung (2 Kor 5,18f)

2.2.3.4.1 Vorbemerkung zu Auslegungsproblemen

Der Aussagekomplex 2 Kor 5,18f bildet zusammen mit V. 20f den zentralen
pl. Bezugspunkt für die exegetische Klärung der Frage nach den apostolatstheologischen bzw. ekklesiologischen Implikationen des Versöhnungs-

---

326 Das "kollektive" bzw. "korporative" Aussagemoment verbindet V. 17
mit V. 14f.
327 Vgl. hier auch den Begriff der παλαιὰ διαθήκη (2 Kor 3,14).

geschehens[328]. Vor einer systematisierenden, an Paulus orientierten Bestimmung des Verhältnisses von Versöhnung einerseits und Dienst der Versöhnung andererseits muß jedoch die Exegese der pl. Aussagen selbst stehen. Diese sieht sich aber mit zahlreichen Problemen konfrontiert, die einleitend zu skizzieren sind[329].

1) Zunächst ist festzuhalten, daß die Versöhnungsaussagen in der V. 14 einsetzenden Argumentationskette ein deutliches Eigengewicht haben, wenn sie auch sachlich eng mit V. 14f und V. 17 verbunden sind. Mit V. 18a wird der Gedankengang V. 14c-17 summarisch eingeklammert und zu einer neuen Thematik übergeleitet[330]. Dabei wird insbesondere der Inhalt von V. 17, die Abschaffung des Alten im Neuwerden des "in Christus" lebenden Menschen, bekräftigt und dahin vertieft, daß Gott der Urheber des endzeitlich Neuen, also der Neuschöpfung in Christus ist[331]. Die sachliche Verbundenheit zwischen V. 17 und V. 18f besteht darin, daß Gott in der Neuschöpfung, die sich für den in der Gemeinschaft mit Christus Lebenden definitiv im eschatologischen Sinne ereignet hat, und in der Versöhnung, die "durch" bzw. "in Christus" geschehen ist, der Handelnde ist. Damit ist zugleich die theo-logische Tiefendimension von V. 14f (und 17) offengelegt.

2) Vergleicht man V. 18bc und V. 19, so erscheinen beide Aussagen als Variationen über das Thema "Versöhnung und Dienst" bzw. "Versöhnung und Wort-Dienst", wenn der Spezifizierung in V. 19c Rechnung getragen werden soll. Die sachlich parallelen Momente in der Durchführung des zweiteiligen Themas erlauben es, einerseits V. 18 (a)b und V. 19ab und andererseits V. 18c und V. 19c zu verbinden, wobei zuerst der Teilaspekt des versöhnenden Handeln Gottes durch bzw. in Christus zur Sprache

---

328 Hier stellt Paulus in singulärer Weise seinen Apostolat als "Dienst der Versöhnung" dar. Vgl. aber auch die folgenden Ausführungen zur ekklesiologischen Komponente in den Versöhnungsaussagen von Röm 5; Kol 1 und Eph 2.

329 Vgl. oben die Skizze in 1.1.2.1.

330 Mit τὰ δὲ πάντα ist an dieser Stelle kein kosmischer oder universaler Bezug angezeigt, sonder nur der zusammenfassende Übergang zu einem weiteren Gedankenschritt (vgl. z.B. Ph.Bachmann, 2 Kor 263; anders z.B. H.Windisch, 2 Kor 191).

331 Vgl. oben 2.2.3.3.

kommt, während die zweite Aussagegruppe den Dienst bzw. das Wort (jeweils im engen Zusammenhang mit dem Versöhnungsgeschehen zum Inhalt hat. Diese Zweilinigkeit des Gedankens erstreckt sich auch auf die beiden unmittelbar folgenden Verse, so daß einmal V. 21 unter sachlichem (soteriologischem) Gesichtspunkt mit V. 18 (a)b und 19ab zusammengestellt werden kann, während V. 20 als Aussage über den Dienst und über Vollzugsform und Inhalt des Wortes an V. 18c und 19c anschließbar ist[332]. Ein anderes Bild ergibt sich, wenn die Versöhnungsterminologie als Unterscheidungsfaktor an den Text herangetragen wird. Dann gehören V. 18-20 zusammen, während in V. 21 das Stichwort "Versöhnung" ausfällt: V. 21 enthält eine zweigliedrige Aussage mit dem Akzent auf dem Finalsatz (V. 21b), in dem die Dikaiosyne-Terminologie den V. 18-20 prägenden Versöhnungsbegriff ablöst.

3) Wenden wir uns einer detaillierteren Analyse von V. 18f zu, ergeben sich neben der sachlichen Korrespondenz doch einige Differenzen in der Ausformulierung des bestimmenden Gedankens. Es fällt nicht nur der Wechsel des Tempus auf, sondern auch der nicht streng beibehaltene Gebrauch des "Wir"[333]. So betreffen das Versöhnungsgeschehen und die Stiftung des Dienstes nach V. 18bc die "Wir". V. 19a dagegen bezieht die "Welt" (vgl. dazu V. 19b αὐτοῖς) in die Versöhnung mit Gott ein, während das "Wort der Versöhnung" nach V. 19c wiederum den "Wir" aufgegeben ist. Ins Auge springt auch, daß der Versöhnungsgedanke (V. 18b. 19a) durch das Motiv der Nichtanrechnung der Übertretungen in V. 19a erläutert wird (vgl. V. 21a). Hinzukommt die Ablösung des "durch Christus" von V. 18b in V. 19a ("in Christus"). Zudem fällt auf, daß die vorherrschende partizipiale Konstruktion in V. 19a modifiziert ist. Und zwar zeichnet sich die mit dem unklassischen ὡς ὅτι[334] eingeleitete umschreibende Formulierung durch die Hinzufügung der Kopula ἦν aus.

---

332 F.Hahn, "Siehe" 251; M.Hengel, Kreuzestod 77f.

333 Die Problematik ist in den Kommentaren offenkundig, die das "Wir" entweder auf Paulus (und seine Mitarbeiter) oder auf die Gemeinde beziehen.

334 Vgl. Bl.-Debr. § 396. - Als Einleitung für eine folgende traditionsbestimmte Aussage verstehen E.Käsemann, Erwägungen 50, und D.Lührmann, Rechtfertigung 445.

Dieser Sachverhalt wirft die in der Forschung wiederholt verhandelte Frage auf, ob ἦν mit dem Partizip καταλλάσσων oder aber mit θεός und ἐν Χριστῷ zusammengelesen werden muß, so daß (ὡς ὅτι) θεός ἦν ἐν Χριστῷ eine übergeordnete Aussagefunktion erhielte[335].

Die theologische Bedeutung dieser Detailfrage liegt darin, daß im zweiten Fall nicht nur ein Handlungszusammenhang zwischen Gott und Christus im Versöhnungsgeschehen ausgesagt ist, sondern die Verbundenheit zwischen Gott und Christus ein gewisses Eigengewicht erhält, wenn auch in soteriologisch-funktionaler Ausrichtung auf die Versöhnung der "Welt" mit Gott. Das sachlich Neue von V. 19a im Vergleich mit V. 18(a)b könnte demnach darin bestehen, daß Gott nicht nur "durch Christus" versöhnend handelt, sondern in enger Verbundenheit mit der "Person Christi"[336]. Bei einem derartigen Verständnis kommt es dann aber darauf an, wie die Verbundenheit bzw. das "in Christus" im pl. Sinne zu begreifen ist, da sich sonst ein dogmatisch naheliegender Gedanke, nämlich die Wesenseinheit von Vater und Sohn (als Menschgewordenem) in der Zeit bzw. die Präsenz des Vaters im sterbenden Sohn, der Deutung unterlegt[337].

Ebenfalls durch die Ausdrucksweise angestoßen ist eine Deutung von V. 19a, die nicht auf die Klärung des Verhältnisses von Gott und Christus im Versöhnungsgeschehen abzielt, sondern eine weitere Fragestellung aufwirft, die bereits den Dienstgedanken berührt. Indem θεὸς ἦν ... καταλλάσσων als Aussage über den "Fortgang" der Versöhnung, soweit sie die Welt betrifft, verstanden wird, modifiziert diese Exegese von V. 19a entscheidend das vorherrschende Verständnis der Versöhnungstat Gottes. Zwar wird nicht in Frage gestellt, daß das Grundlegende der Versöhnung geschehen ist und nicht fortgesetzt oder wiederholt wird, dennoch ist die ausschließliche Orientierung an der Abgeschlossenheit der Versöhnungshandlung im einmaligen Ereignis des Kreuzestodes Jesu

---

335 Vgl. E.Güttgemanns, Apostel 314; F.-J.Collanger, Enigmes 270. - In der neueren Forschung überwiegt das Verständnis gemäß der zuerst genannten Lesart. - H.Windisch, 2 Kor 193, folgt dagegen noch M. Luther. Zum Problem s. A.Plummer, 2 Cor 183. - Zur Verbindung von εἶναι mit dem Part.Präs. vgl. Bl.-Debr. § 353.

336 W.Thüsing, Per Christum 198.

337 Darauf weist auch K.Prümm, Diakonia I 342, hin.

aufgegeben. An ihre Stelle tritt der Aspekt der "Durchführung der Versöhnung", die dem Dienst obliegt[338].

Die theologische Überakzentuierung des Dienstes als Kontinuitätsform der Versöhnungstat kann jedoch der bedeutsamen Frage nach der Gegenwartsdimension des Versöhnungsgeschehens nicht gerecht werden, da sie den zur Beantwortung notwendigen christologischen Zusammenhang unberücksichtigt läßt[339].

4) Eine in der Exegese kaum noch diskutierte Frage, an die hier wieder zu erinnern ist, betrifft den Sinn der Durch-Christus-Wendung in V. 18b. In der Forschung hat sich die Auffassung durchgesetzt, daß "durch Christus" bedeutungsgleich ist mit "durch den Tod Christi"[340]. Entsprechendes gilt für das "in Christus" von V. 19a, das weithin als stilistische, sachlich nicht durchschlagende Variation des "durch Christus" verstanden wird[341]. Davon abweichend besteht aber auch die Meinung, daß διὰ Χριστοῦ nicht allein auf den Kreuzestod bezogen werden dürfe, sondern im Zusammenhang mit der Verleihung des Dienstes (V. 18c) und in Verbin-

---

338 So F.Büchsel, in: ThWNT I, 257.

339 Vgl. die folgenden Abschnitte 4) und 6).

340 So z.B. H.Lietzmann, 2 Kor 126. - In der Regel wird auf Röm 5,10a Bezug genommen. - H.Windisch, 2 Kor 193, verweist zudem auf Röm 3,25; 5,9. 11. - Nach A.Bisping, 2 Kor 71, bedeutet "durch Christus" die Hingabe Christi als Sühnopfer (ἱλαστήριον). Von G.Estius, 2 Cor 348, wird der Satisfaktionsgedanke eingetragen (im selben Sinne auch A.Stöger, Versöhnungstheologie 126; dagegen z.B. G.Fitzer, Ort 181). Vgl. ebenso R.Cornely, 2 Cor 169, der auch die Inkarnationsvorstellung in seine Deutung hineinnimmt (s. auch A. Schaefer, Kor 443). E.-B.Allo, 2 Cor 171, findet hier bei Paulus sogar "Elemente" des auf der hypostatischen Union aufruhenden Erlösungsdogmas. Berechtigt ist die Kritik von G.Estius, a.a.O., an der Auffassung, es gehe hier um die Lehre und das Beispiel Christi. - R.Budiman, Verzoening 200, bezieht sich sowohl auf den Kreuzestod als auch auf die Bekehrung, akzentuiert dann aber besonders (von V. 17a her) den Aspekt der Glaubens- bzw. der pneumatischen Lebensgemeinschaft mit Christus. - Es ist nicht akzeptabel, wenn K.Prümm, Diakonia I 341, in der διὰ-Wendung Christus "nur seiner Menschheit nach als Werkzeug des Vaters bei der Erlösung betrachtet" sieht. G.Bornkamm, Paulus 150, versteht die Aussage als Umschreibung von "Gottes Tat in der Hingabe Christi".

341 So wiederum H.Lietzmann, a.a.O.; weiterhin u.a. F.Neugebauer, In Christus 85f; K.Prümm, Diakonia I, 342f; R.Bultmann, 2 Kor 160.

dung mit V. 20 einen besonderen Gesichtspunkt mit zum Ausdruck bringe, nämlich das "Wirken des erhöhten Christus" (in Personidentität mit dem Gekreuzigten) in der "Zueignung der Versöhnung an uns"[342]. Sowohl für V. 18 als auch für V. 19 ist somit zu untersuchen, ob der christologische Aspekt der Versöhnungsaussage primär bzw. ausschließlich kreuzestheologisch bestimmt ist oder ob auch Christus als der Erhöhte (in Identität mit dem Gekreuzigten) versöhnungstheologisch zur Geltung kommt.

5) Weitere Fragen ergeben sich aus dem bereits registrierten Gebrauch von "Wir", aus der Sondererwähnung des Kosmos in V. 19a und aus der über die Versöhnungsaussage von V. 18 überschießenden Angabe der Nichtanrechnung der Übertretungen im interpretativen Konnex mit der "Welt"-Versöhnung (V. 19b).

Was das "Wir" betrifft, das sich auf die Dienstträger (Apostel) bzw. sogar allein auf Paulus beziehen, aber auch generell die Glaubenden (entsprechend der Situation die korinthische Gemeinde bzw. zusammen mit Paulus) meinen oder von wechselnder Bedeutung sein kann[343], hängt sein Verständnis davon ab, ob es sich in dem Dienstmoment der Versöhnungsaussage um eine Bestimmung des Apostolats (des Paulus) oder aber (auch) der Gemeinde handelt[344]. Die Entscheidung auf der Ebene der pl. Aussage wird sich dabei nicht auf V. 18f allein stützen können, sondern wird insbesondere V. 20 (und 6,1) und die argumentative Absicht des Kontextes mitberücksichtigen müssen.

Auf den unter verschiedenen Rücksichten bereits angesprochenen V. 19

---

342 W.Thüsing, Per Christum 199; vgl. 198. - A.Schettler, Formel 21.

343 Vgl. E.Güttgemanns, Apostel 313. - K.Kertelge, "Rechtfertigung" 101 Anm. 190, deutet mit A.Plummer, 2 Cor 182, das ἡμᾶς von V. 18b auf alle Christen, wobei er sich auf die Verallgemeinerungen in V. 19a (κόσμον) beruft. V. 18c legt er jedoch auf den bzw. die Apostel aus.

344 M.Hengel, Kreuzestod 80: "Dieser Auftrag ist im Grunde an alle Christen gerichtet. Christliche Existenz ist nicht möglich, wenn nicht die Gabe der Versöhnung zu unserer verpflichtenden Aufgabe wird". R.Bultmann bezieht V. 18c und V. 19c auf die Gemeinde (ders., 2 Kor 162).

müssen wir an dieser Stelle deshalb noch einmal zurückkommen, weil er sowohl wegen der Bezugnahme auf den "Kosmos" (V. 19a) als auch wegen der interpretierenden Einführung des Nichtanrechnungsgedankens (V. 19b) eine Sonderstellung einnimmt. Hinsichtlich des Argumentationsgangs enthält V. 19ab im Vergleich zu V. 18 eine universalisierende Tendenz ("Kosmos", "ihnen"), weiter also das Verständnis der Versöhnung von V. 18 auf einen universalen Bezugshorizont aus. Gerade die von V. 18bc her nicht notwendigerweise zu erwartende Einführung des "Kosmos" hat neben den formalen Momenten die Frage veranlaßt, ob nicht in V. 19a mit Traditionsgut zu rechnen sei, dessen Versöhnungsbegriff ursprünglich kosmologisch bestimmt gewesen ist[345]. Der kosmologische Versöhnungsgedanke kann dann von der Tradition in einer zweifachen Weise verstanden sein: einmal als Versöhnung des Kosmos mit Gott, zum anderen als Versöhnung des Kosmos in sich[346]. Wegen der interpretativen Beziehung von V. 19b auf V. 19a und der daraus folgenden Verbindung von (kosmischer) Versöhnung und Sündenvergebung ist jedoch die traditionsgeschichtliche Frage noch weiter zu differenzieren. Die Frage lautet dann: Ist V. 19a bereits vorpl. - auf einer bestimmten Stufe - mit dem ebenfalls traditionsgeprägten Motiv der Nichtanrechnung der Übertretungen (V. 19b) verkoppelt worden, oder geht die Hinzufügung von V. 19b auf das redaktionelle Konto von Paulus[347]? Diese Fragestellung ist von einigem Gewicht, da sich gerade durch die Berücksichtigung von V. 19b mitentscheidet, welchem Traditionskreis der Versöhnungsgedanke (in Einheit mit dem Deu-

---

345 E.Käsemann, Erwägungen 52 (s. dazu P.Stuhlmacher, Gerechtigkeit 77f Anm. 2). - D.Lührmann, Rechtfertigung 445, erkennt eine traditionsgeschichtliche Nähe zu Eph 1,7-10 und Kol 1,14.20, weniger dagegen zu Röm 3,24-26 und betont für 2 Kor 5,19 (in Verbindung mit V. 17 und 21) den Bezug der Versöhnung des Kosmos auf den Glaubenden.

346 Für die innerkosmische Versöhnung wird auf Kol 1,20 rekurriert, aber auch auf Eph 1,10. Während diese Deutung für die genannten Stellen unter traditionsgeschichtlicher Rücksicht diskutabel erscheint, muß sie für Eph 2,14. 16 zurückgewiesen werden.

347 Für den Traditionsbezug s. bes. Röm 4,25. - Am häufigsten verwendet Paulus παράπτωμα im Rahmen von Röm 5,12-21 (V. 15. 16. 17. 18 und 20) und dann nochmals in 11,11. 12. Als weitere Stelle ist noch Gal 6,1 zu nennen.

tungsmoment der Sündenvergebung) zuzurechnen ist[348]. Denn ohne Zweifel wird die "kosmische" Versöhnung[349] in Verbindung mit dem (jüdisch-) hamartiologischen Aspekt[350] von V. 19b nicht nur anthropologisiert, sondern durch den Gedanken, die Versöhnung geschehe in der Form der Beseitigung einer in den Übertretungen manifest werdenden Trennung des Sünder-Menschen von Gott, in einen anderen Vorstellungs- und Bedeutungszusammenhang hineingestellt.

6) Schließlich - und damit kehren wir zum eigentlichen theologischen Fragepunkt der Exegese zurück - stellt sich in V. 18f das Problem ein, wie der hier in der Form von Parallelaussagen von Paulus angedeutete Zusammenhang zwischen dem Versöhnungsereignis und der Stiftung des "Dienstes der Versöhnung" bzw. der Beauftragung mit dem "Wort der Versöhnung" zu begreifen ist, zumal die Verflechtung des (apostolischen) Dienstgedankens mit einer soteriologischen Aussage für Paulus singulär ist[351] und auf ihr der spezifische argumentative Akzent liegt[352].

Alternativisch lassen sich zwei Möglichkeiten des Verständnisses in Erwägung ziehen. Einmal kann der angesprochene Zusammenhang so gefaßt

---

348 M.Wolter, Rechtfertigung 79f, hält dafür, daß in 2 Kor 5,19a die von Jes 57,19 ausgehende jüdische Tradition (vgl. Str.-Bill. III 586) wie in Kol 1,22 und Eph 2,16 einwirkt und diese sich in 2 Kor 5,19b mit der jüdischen Hamartologie verbindet. Die Aussage über die Versöhnung des "Kosmos" habe deshalb, im Gegensatz zur Deutung der Versöhnung in Kol 1,20, nichts mit der hellenistischen Kosmologie gemeinsam. F.Hahn, "Siehe" 247, nimmt an, daß der ntl. bei Paulus erstmals greifbare Versöhnungsgedanke seinen Ursprung in der hellenistischen Umwelt hat, jedoch durch das nachatl.-hellenistische Judentum vermittelt und so vom "Urchristentum" aufgenommen worden sei, um "die Bedeutung des Sühnetodes Jesu für die nichtjüdische Welt" auszudrücken (vgl. ebd. 252). Jedoch konstatiert er, daß die Vorgeschichte des ntl. Versöhnungsgedankens noch nicht genügend geklärt worden sei (ebd. 247).

349 Vgl. D.Lührmann, Rechtfertigung 445. - E.Brandenburger, Frieden 52, vermutet bei Paulus die sekundäre Verarbeitung der "Konzeption der kosmischen Friedensstiftung".

350 Hierin ist mit M.Wolter, Rechtfertigung 80, der spezifische Zug von V. 19ab zu sehen.

351 H.Windisch, 2 Kor 194f.

352 A.Plummer, 2 Cor 182, überzieht, wenn er 5,18c als Gedankenspitze ansieht. - Die Bedeutung von V. 18f (bzw. von 5,18 - 6,2) wird von D.Georgi, Gegner, nicht beachtet.

werden, daß die an den Kreuzestod gebundene Versöhnung mit Gott als Geschehen in geschichtlicher Vergangenheit zugleich das Gründungsereignis des Dienstes ist. Mit anderen Worten würden in V. 18f der Dienst und das Wort der Versöhnung hinsichtlich ihres Ursprungs in der Versöhnungshandlung Gottes betrachtet[353]. Jedoch läßt sich demgegenüber auch erwägen, ob nicht neben dem "kreuzestheologischen" Gesichtspunkt, der sich an der vergangenen Gottestat der Versöhnung orientiert, die christologische Dimension des gegenwärtigen Wirkens des Erhöhten auch hinsichtlich des Dienstes stärker in Rechnung zu stellen ist. Demnach würde in V. 18f nicht nur ausgesagt, daß in der geschehenen Versöhnung durch den Kreuzestod die Berufung zum Dienst und die Zuwendung der Versöhnung im Wort grundgelegt und bleibend darauf bezogen sind, sondern es würde deutlicher herauskommen, daß die konkrete Beauftragung zum Dienst (in der Teilhabe an der Versöhnung) und die Ausübung des Dienstes durch das die Versöhnung zuwendende Wort mit dem Wirken des Erhöhten verbunden sind[354].

In Anbetracht der Ausdifferenzierung des Dienstgedankens von 5,18f in V. 20 (vgl. 6,1) wird die Lösung der aufgeworfenen Alternative nicht nur in den konzentrierten Versöhnungsaussagen von V. 18f zu suchen sein. Zum anderen hat jedoch Vorsicht zu walten, daß in V. 18f nicht schon Gesichtspunkte eingetragen werden, die zwar der pl. Gesamtperspektive gerecht werden, aber nicht den komprimierten Aussagen von V. 18f.

---

353 In der Forschung, soweit sie auf diese Frage eingeht, hat die Verankerung des Dienstes an den Kreuzestod als Versöhnungstat Gottes ein deutliches Übergewicht. Vgl. E.Dinkler, Verkündigung 186.

354 Vgl. die Betonung der Zusammenschau von geschehener Versöhnung im Kreuzestod einerseits und Zuwendung der Versöhnung wie auch der Gabe des Dienstes durch den erhöhten, jetzt bei Gott lebenden und durch das Pneuma wirkenden Christus andererseits bei W.Thüsing, Per Christum 197-200.

2.2.3.4.2 Gott als Urheber der Versöhnung und des Dienstes der Versöhnung (2 Kor 5,18)

Die an die zusammenfassende Wendung 2 Kor 5,18a[355] anschließende doppelgliedrige partizipial formulierte Aussage (V. 18bc) setzt die inhaltliche Bestimmung des im Dienst des Paulus der Gemeinde gegebenen Kauchema und damit zugleich die Destruktion des falschen Selbstruhms der Gegner wie auch des Verlangens nach Autorisierung zum Apostolat durch Gemeindemitglieder (3,1f) fort (vgl. V. 12), gibt dem Gedankengang jedoch eine Wende. Die Argumentation zugunsten der Legitimität seines Dienstes und der Authentizität seiner Verkündigung konzentriert Paulus jetzt auf die Beziehung zwischen dem die Versöhnung mit sich gewährenden Handeln Gottes durch Christus (V. 18b)[356] und dem von ihm ausgeübten Dienst, der jetzt als "Dienst der Versöhnung" definiert wird (V. 18c)[357].

1) Die soteriologische Basisaussage 2 Kor 5,18b, in der das Heilsgeschehen zum ersten Mal im NT mit Hilfe des Versöhnungsbegriffs umschrieben ist[358], konzentriert sich auf folgende wesentliche Momente[359]:

---

355 Mit V. 18a ist ein Signal gesetzt, daß die Argumentation zu einem zentralen Inhalt gelangt. - Der Umfang dessen, was mit V. 18a rückbezüglich summiert wird, wird von den Kommentatoren unterschiedlich bestimmt. Die primäre Beziehung zu V. 17 nehmen z.B. J.Calvin, D.F.G.Heinrici, A.Klöpper, J.E.Belser, A.Plummer, H.Lietzmann, F.W. Grosheide (jeweils z.St.) an, während C.K.Barrett V. 18a mit V. 16f verbindet und Ph.Bachmann in τὰ πάντα die Zusammenfassung von V. 11-17 sieht. R.Bultmann (2 Kor 159) und E.Dinkler (Verkündigung 176) beschränken dagegen den Rückbezug auf V. 14 und V. 16f und deuten V. 18f als Weiterführung von V. 15. - E.Güttgemanns, Apostel 315 Anm. 239, faßt τὰ πάντα "vor allem" als Anknüpfung an V. 17a. - An die Transformation einer kosmologischen Formel unter soteriologischem Vorzeichen ist in V. 18a nicht zu denken (gegen H.Windisch, 2 Kor 191, vgl. auch J.Héring, 2 Cor 53). Das Gewicht des Einsatzes liegt auf der unmittelbaren inklusiven Theozentrik!

356 Vgl. V. 19ab.

357 Vgl. V. 19c und V. 20. - M.Hengel, Kreuzestod 77, versteht V. 18c. 19c und V. 20 als Aussage, daß Gott "den Raum für die Bewährung der Versöhnten" schenkt.

358 Vgl. daneben V. 19f; Röm 5,10f; 11,15; dann deuteropl. Kol 1,20. 22 und Eph 2,16. - Daß die Versöhnungsterminologie im griechischen bzw. hellenistischen Sprachgebrauch, insbesondere für den religiösen keine besondere Rolle spielt, betont F.Büchsel, in: ThWNT I, 254. Zur Terminologie s. auch K.Prümm, Diakonia II/1, 319-323; zum helle-

In hervorgehobener Weise (V. 18a; vgl. 19a) wird Gott als Urheber und handelndes Subjekt des Versöhnungsaktes gesehen. Gott ergreift aber nicht nur die Initiative zur Versöhnung, sondern er ist ebenfalls das Ziel des Versöhnungsgeschehens. Weiterhin ergibt V. 18b: die Versöhnung mit Gott ist "durch Christus" realisiert. Und schließlich betrifft die Versöhnungstat Gottes "uns".

2) Entsprechend der unmittelbar vorausgegangenen Argumentation, die mit "Wir" immer Paulus meint (vgl. V. 12ab.13.14a.16), ist ἡμᾶς wohl ebenfalls mit Paulus zu identifizieren. Die Versöhnungsaussage in V. 18b ist also dahin zugespitzt, daß Paulus als Dienstträger selbst nicht nur der Versöhnung mit Gott bedurfte, sondern daß er ihr von Gott her durch Christus teilhaft geworden ist. V. 18b spricht von der Versöhnung nicht in der Form einer Reflexion über den objektiven Tatbestand der Versöhnung; vielmehr ist der Gedanke personbezogen formuliert und schließt den Aspekt der erfahrenen Zueignung ein[360]. Für dieses Verständnis kann die Verkopplung von V. 18b (ἡμᾶς) mit dem Dienstgedanken V. 18c (ἡμῖν) geltend gemacht werden, der im Rahmen der Problemstellung des Brieffragments ebenso auf Paulus abzielt wie der mit V. 18c sachlich zusam-

---

nistischen und jüdischen Sprach- und Vorstellungshintergrund vgl. L.Goppelt, Versöhnung 149-153. Nach ihm hat die pl. Versöhnungsaussage ihren "Platz im Leben" in der ideologisch verherrlichten Pax Romana (ebd. 153).

359 Sie werden in 2 Kor selbst nicht differenziert expliziert.

360 Vgl. W.Thüsing, Per Christum 197. - Vgl. hier den auf Paulus hin konkretisierten und zugespitzten Rechtfertigungsgedanken in Gal 2,19-21; Phil 3,8f. - Auch A.Menzies, 2 Cor 43, betont den Bezug von ἡμᾶς auf Paulus selbst und "the personal reconciliation", setzt aber das in V. 18 angesprochene Versöhnungsgeschehen mit "the Apostle's conversion" in eins. Vgl. A.Klöpper, 2 Kor 302, der in diesem Zusammenhang auf die pl. Einheit von "Bekehrung und Dienstausrüstung" verweist. Die Argumentation ist jedoch nicht auf die Verbindung von Versöhnung und Bekehrung ausgerichtet, sondern zielt einen fundamentalen Sachverhalt an; es geht um den einen (der Bekehrung und der Berufung vorausliegenden, sie ermöglichenden und darin sich in der Einzelperson durchsetzenden) Grund, von dem her die Existenz des Paulus im "Dienst der Versöhnung" bleibend bestimmt ist. Dieser Gesichtspunkt klingt bei A. Menzies in den weiteren Ausführungen an, wenn er in V. 18f den neubundlichen Dienst - im Sinne von 2 Kor 3 - "according to the essential quality" inhaltlich näher gekennzeichnet sieht.

menhängende parallele V. 19c ($\dot{\eta}\mu\tilde{\iota}\nu$)[361]. Erst mit V. 20b werden die angesprochenen korinthischen Gläubigen explizit in die Versöhnungsaussage, und zwar in der Form der Anrede ($\varkappa\alpha\tau\alpha\lambda\lambda\acute{\alpha}\gamma\eta\tau\epsilon$) durch den zum Dienst der Versöhnung bestellten Paulus einbezogen. Jedoch geschieht diese Anrede im Horizont der Erweiterung des Versöhnungsgedankens in V. 19, wo in Weiterführung von V. 18 die Versöhnungshandlung Gottes auf einen universalen Personenkreis ("Kosmos") bezogen und in Verbindung damit die missionarische Bestimmung des mit dem "Wort der Versöhnung" beauftragten "Dienstes der Versöhnung" aufgezeigt wird. In V. 21 umfaßt das "Wir" Apostel und Gemeinde, wie aus der soteriologischen Wendung $\dot{\upsilon}\pi\grave{\epsilon}\rho$ $\dot{\eta}\mu\tilde{\omega}\nu$ folgt[362].

Wenn also von der Argumentationsführung her V. 18b Paulus im Blick hat, so ist doch die Versöhnungsaussage der Sache nach nicht nur auf Paulus begrenzbar, wie sogleich V. 19a deutlich macht[363]. Dagegen spricht auch der generalisierende V. 17 und die umfassende soteriologische Aussage V. 14c-15. Aus diesem Grunde können die folgenden Ausführungen auch allgemeiner formuliert werden. Dennoch ist aber an der besonderen argumentativen Perspektive festzuhalten: V. 18 und 19 weisen die Legitimität des Paulus-Apostolats und dessen spezifische Sendung auf, indem der Dienst und das Wort im Versöhnungshandeln Gottes selbst fundiert werden. Die Rückführung der Befähigung zum Dienst auf Gott (3,5f; vgl. 2,16b) geschieht jetzt in der Weise, daß die Befähigung zusammengesehen wird mit der durch Christus zuteil gewordenen Versöhnung mit Gott. Entsprechend der Ausrichtung der Befähigung zum neubundlichen Dienst (3,4-6), der als Dienst des lebendig machenden Pneuma und der Dikaiosyne näher gekennzeichnet worden ist (V. 7-9), erschließt Paulus mit der Ursprungs-

---

361 Anders z.B. R.Bultmann, 2 Kor 162.

362 Mit $\dot{\upsilon}\pi\grave{\epsilon}\rho$ $\dot{\eta}\mu\tilde{\omega}\nu$, einer aus der urchristlichen Tradition der Deutung des Todes Jesu überkommenen Formel, verbindet Paulus eine inklusive Bedeutung, da V. 21 einmal in sachlicher Beziehung zu V. 14f (und V. 17) steht und zum anderen das Fundament der Versöhnungsbitte expliziert.

363 A.Menzies, 2 Cor 43, bemerkt unter Berücksichtigung des Gesamtgedankens treffend, daß die Paulus zuteil gewordene Versöhnung "an instance of the general reconciliation of the world" ist. Vgl. die Ausweitung von V. 18b durch V. 19a.

bestimmung des Dienstes im Versöhnungshandeln Gottes nun die mit diesem Ursprung gegebene Funktionsbestimmung, den spezifischen Auftrag des "Dienstes der Versöhnung" (V. 18c.19c).

3) Hinsichtlich der theo-logischen Grunddimension der pl. Versöhnungsaussage besteht in der exegetischen Forschung kein Dissens[364]. Daß Gott der alleinige Urheber und Initiator (ἐκ τοῦ ϑεοῦ), der Handlungsträger (d.h. der mit sich Versöhnende) und der Zielpunkt des Versöhnungsgeschehens (ἑαυτῷ) ist, prägt den Gedanken von V. 18 (a)b ebenso eindeutig wie die Aussage V. 19a[365]. Dieselbe theozentrische Struktur findet sich in der Versöhnungsbitte V. 20b (vgl. auch V. 21; 6,1b). Die Versöhnung ist also nicht ein Vorgang, in dem sich Gott mit sich selbst[366] oder mit dem Menschen bzw. mit der Menschheit versöhnt[367]. Es wird auch nicht Gott durch den Menschen bzw. durch die Menschheit versöhnt. Vielmehr ist es Gott selbst und allein, der andere, d.h. den Menschen bzw. die Menschheit mit sich versöhnt[368]. Mit dieser ausge-

---

364 Im Blick auf die traditionelle dogmatische Soteriologie wird exegetischerseits oft mit Recht die Theozentrik der pl. Versöhnungsaussagen geltend gemacht: Vgl. u.a. schon die Auseinandersetzung mit Rückert bei L.Usteri, Entwicklung 105-109. 121-124. 227f. S. weiterhin z.B. A.Schaefer, Kor 443; W.Thüsing, Per Christum 190; L.Cerfaux, Christus 94.

365 J.F.Collange, Enigmes 267, weist auf den auffällig häufigen Gebrauch von ϑεος in 2 Kor 5,18-21 hin.

366 Gegen W.Fürst, 2 Korinther 227. In Auseinandersetzung mit A.Ritschl insistiert P.W.Schmiedel, 2 Kor 247, darauf, daß "die Idee einer Umstimmung Gottes", d.h. der Aufgabe des Zorns gegen die Sünder, für Paulus "die einzige Form" sei, "Gottes Strafgerechtigkeit und Gnade gegen einander auszugleichen". Diese "Form" deutet sich in den Versöhnungsaussagen des 2 Kor jedoch durch nichts an.

367 Ebenso ausdrücklich J.Héring, 2 Cor 53.

368 Weil der Handlungsprimat bei Gott liegt, ist es sachlich inadäquat, Versöhnung in Analogie zu einem partnerschaftlichen Vorgang zwischen zwei Personen zu verstehen, wenn auch andererseits an dem personalen Moment des Versöhnungsgeschehens unbedingt festzuhalten ist (vgl. z.B. V. 20b). Sonst wird die pl. Versöhnungsaussage zu einem Mythologumenon. Dem widerstreitet aber der pl. Gottesbegriff, die Rückbindung der Versöhnung an den Kreuzestod Jesu und an das gegenwartsrelevante Wirken des Erhöhten (als Person in Identität mit dem Gekreuzigten), der in das Versöhnungsgeschehen integrierte Dienst mit seiner Wortverkündigung und die Einladung zum Empfang der Versöhnung hier und jetzt.

sprochen stark hervorgehobenen Theozentrik des pl. Versöhnungsbegriffs verbindet sich das christologische Moment, auf das noch näher einzugehen ist[369]. Hier gilt zunächst, daß Gott im Versöhnungsgeschehen der Tätige ist und daß in seinem Handeln etwas mit dem Menschen (ἡμᾶς) geschieht. Gott bewirkt eine Umwandlung des Verhältnisses des Menschen zu ihm: die Trennung von Gott in dem auf das eigene Selbst zentrierten Leben (V. 15b) wird beseitigt und neue Gemeinschaft konstituiert[370]. Die eschatologische Dimension dieses Geschehens hat V. 17 vorgezeichnet: es ereignet sich in der Versöhnung mit Gott die Ablösung des Alten durch das Neue. Für den Menschen heißt das: die von Gott dem Menschen durch Christus gewährte Versöhnung impliziert die Neuschöpfung zum Sein (in Christus V. 17a) auf Gott hin[371].

Mit diesem Verständnis der pl. Versöhnungsaussage, das sich sowohl auf 2 Kor 5,18f als auch auf Röm 5,10f stützen kann, kollidiert eine Exegese, die sich eher von psychologischen, religionsgeschichtlichen und auch z.T. von dogmengeschichtlich vorgeprägten Fragestellungen leiten läßt. Ihre Problematik ist von der Forschung gesehen worden, so daß sich eine sachgerechtere Deutung durchzusetzen vermochte. Ohne Frage bieten die pl. (aber auch die deuteropl.) Versöhnungsaussagen keinen Anhalt dafür, Versöhnung als Umstimmung des zürnenden Gottes zu begreifen. Ebenso ist in ihnen nicht an eine (psychologisch gemeinte) Umstimmung des feindlich gegen Gott gesinnten Menschen gedacht, von einer Umstimmung zweier im Streit liegenden Partner (Gott und Mensch) ganz zu

---

369 Die Theozentrik impliziert somit keinen Kontrast zwischen Gott und Christus, wie H.L.Goudge, 2 Cor 58, mit Recht geltend macht. Dennoch ist auf der anderen Seite die soteriologische Nuancierung der Aussage ernst zu nehmen, die alles Gewicht auf den Handlungsprimat Gottes legt.

370 W.Thüsing, Per Christum 106. - V. 19b zeigt, daß die Herstellung der personalen Relation des Menschen mit Gott durch die Versöhnung die Gewährung der Sündenvergebung voraussetzt (vgl. V. 21), da der Mensch als in der Sünde auf sich selbst zentrierter (vgl. V. 15) von Gott getrennt ist.

371 Die im Neuschöpfungsgedanken implizierte Theozentrik wird durch V. 18 versöhnungstheologisch expliziert. Zu Recht betont F.Büchsel (in: ThWNT I 255, 28-30), daß der "Gesamtlebensbestand des Menschenlebens" eine Veränderung in der Versöhnung erfährt.

schweigen[372]. Jeder Versuch, Versöhnung als vom Menschen bzw. von Christus (stellvertretend) erwirkte Umstimmung Gottes auszulegen, verfehlt die doppelte Theozentrik, die als wesentliches Strukturmoment der pl. Versöhnungsaussage erkannt worden ist. Zudem stand hinter der Vorstellung einer Umstimmung Gottes - von einem gegen den Menschen (als Sünder) feindlich gerichteten und ihn verurteilenden zu einem ihm gnädigen und Heil gewährenden Verhalten - nicht selten ein unpl. Begriff des "Zornes" als einer gleichsam charakterlichen Eigenschaft oder "Gemütsstimmung" Gottes[373]. Demgegenüber ist es bemerkenswert, daß Paulus in den Versöhnungsaussgen des 2 Kor ohne einen Hinweis auf den Zorn Gottes auskommt und auch in Röm 5 vom Zorn Gottes nicht in Verbindung mit der Versöhnung spricht, sondern im Kontext der "Rechtfertigung" (V. 9b). Im übrigen fällt auch das theo-logische Motiv des Zornes in den Versöhnungsaussagen der Deuteropaulinen Kol und Eph, obwohl sie es im engeren oder weiteren Kontext verwenden (vgl. Kol 3,6; Eph 2,3; 5,6), aus.

4) Zusammen mit dem theo-logischen ist das christologische Moment der Versöhnungsaussage charakteristisch für Paulus. Die Einheit des versöhnenden Handelns Gottes und der Partizipation an der Versöhnungsgemein-

---

372 Vgl. die Diskussion bei H.Windisch, 2 Kor 191-193; J.Weiß, Urchristentum 384; G.Wiencke, Paulus 73f. Im übrigen ist in 1 Kor 7,11, wo die Relevanz des Versöhnungsgedankens für die zwischenmenschliche (eheliche) Gemeinschaft zum Tragen kommt (vgl. dazu POxy 104, 207), auch nicht von der wechselseitigen Umstimmung und Versöhnung die Rede. Es geht vielmehr darum, daß die christliche Frau ihren Mann verlassen hat (also nach griechischem und römischen Recht die Scheidung herbeigeführt hat) und nun von sich aus die Versöhnung mit ihrem Mann bewirken soll (vgl. F.Büchsel, in: ThWNT I, 255,3-10).

373 Gegen diese Auffassung äußert sich W.Gutbrod, Anthropologie 178. Vgl. auch J.Dupont, Réconciliation 13f. 26. - Die Beziehung der Versöhnung auf den Zorn Gottes hat nicht so sehr ntl. Gründe (vgl. 2 Makk 5,20; vgl. 7,33; 8,29; 1,5; Jos Ant. VII 184; s. auch bBer 7a; zit. G.Stählin, in: ThWNT V, 424 Anm. 302). - Die Mehrzahl der pl. ὀργή-Aussagen findet sich im Röm (daneben überhaupt nur noch im 1 Thess). Dementsprechend wird die pl. Thematisierung des Zornes Gottes vor allem anhand von Röm 1,18 - 3,20 erörtert (vgl. G. Bornkamm, Offenbarung; s. weiterhin R.Bultmann, Theologie 288f; H.Conzelmann, Grundriß 263-265; auch G.Stählin, in: ThWNT 427-432f) und von dort in den Gedanken des 2 Kor eingetragen. Richtig hebt J.Blank, Paulus 285, hervor, daß der pl. Versöhnungsbegriff mit dem "Charakter einer 'Beschwichtigung' des Zornes Gottes" auch den "Leistungscharakter" verloren hat.

schaft mit Gott "durch Christus" ist in 2 Kor 5,18ab klarer formuliert als in Kol 1,20.22 und hebt sich ab von der christologisch ansetzenden und theozentrisch ausgerichteten Konzeption des Eph (vgl. 2,16.18.22). Die exegetische Problematik, die die Durch-Christus-Wendung aufwirft, ist bereits oben angesprochen worden[374]. Es handelt sich dabei vor allem um die Alternative zwischen einer ausschließlich kreuzestheologischen Deutung und einem Verständnis, das auch das Wirken des Erhöhten miteingeschlossen sieht. Die dritte Möglichkeit, "durch Christus" allein auf das Wirken des auferweckten und bei Gott lebenden Christus zu beziehen, hat in der Forschung keine breite Berücksichtigung gefunden[375].

Für das rechte Verständnis der Durch-Christus-Wendung im Rahmen der Versöhnungsaussage V. 18b bieten sich folgende Anhaltspunkte: Als erstes ist zu beachten, daß "durch Christus" in einer soteriologischen Aussage steht, nach der Gott das handelnde Subjekt der Versöhnung ist und der Versöhnungsvorgang die Neuordnung der Beziehung des Menschen zu Gott bewirkt. Hinzukommt, daß das Versöhnungsgeschehen als realisiert gekennzeichnet ist (Aorist). Daraus folgt: die Durch-Christus-Wendung beinhaltet die "soteriologische Funktion"[376] Christi im Versöhnungsgeschehen. Christus wirkt nicht als Versöhner[377], vermittelt auch nicht

---

374 Vgl. 2.2.3.4.1 (4).

375 Diese Auffassung ist durch A.Schettler vertreten worden. Er sieht generell in der exegetischerseits weithin vertretenen Beziehung der Durch-Christus-Wendung auf den Kreuzestod eine "Auslegung aus dogmatischer Voreingenommenheit", läßt andererseits aber die kreuzestheologische Interpretation in Aussagen der "Vermittlung des Heils" zu (ders., Formel 4).

376 K.Kertelge, Rechtfertigung 101. - Die Präposition διά verbindet mit dieser Funktion eine "instrumentale", nicht eine "kausale" Bedeutung (W.Kramer, Christos 85 Anm. 289; zu Recht gegen A.Schettler, Durch Christus 21f). Zu den pl. διά-Wendungen vgl. neben W.Kramer, a.a.O. 81-86 auch O.Kuss, Röm 213 bis 218 und die weitere Differenzierung in W.Thüsing, Per Christum 165-168; insgesamt 164-237 (zu 2 Kor 5,18f b es. 197-200). S. auch A.Oepke, in: ThWNT II, 65-68).- J.Héring, 2 Cor 53 Anm. 4 verweist auf die Distinktion von 1 Kor 8,6 (ἐξ οὗ und δι' οὗ), wo einmal die Urheberschaft und zum anderen die Mittlerschaft zum Ausdruck kommt. - W.Gutbrod, Anthropologie 180, bemerkt richtig, "daß jene Vermittlung durch Christus mehr als bloß benutztes und dann entbehrliches Mittel ist".

377 Vgl. dagegen Eph 2,16.

ein die Versöhnung mit Gott intendierendes Tun des Menschen auf Gott
hin, sondern die Tat Gottes auf den Menschen hin, und zwar so, daß der
Mensch in der von Gott initiierten und grundgelegten Relation zu Gott
steht[378]. Von hier ausgehend ist nun zu fragen, ob das "durch Christus"
allein kreuzestheologisch bestimmt ist.

Greift man über den Textzusammenhang des Brieffragments 2 Kor 2,14 -
6,13 und 7,2-4 hinaus und wählt Röm 5,10a (abgetrennt von V. 11) als
Deutekanon für 2 Kor 5,18b, scheint eine Aussageparallele vorzuliegen,
durch die die Bezugnahme auf den Kreuzestod eindeutig ist. Aber auch in
V. 14c und 15a läßt sich ein Anhaltspunkt dafür finden. Ebenso weist
V. 19a in diese Richtung. Dasselbe trifft für V. 21a, für sich genommen,
zu. Andererseits läßt sich einmal generell geltend machen, daß Paulus
die Funktion Christi für das Heil nicht allein an den Kreuzestod bindet[379]. So bleibt auch in V. 14f trotz der Betonung, die auf dem Tod
als radikalen Vollzug der Agape, des Für-alle-Seins, liegt, der soteriologisch gedeutete Geschehenszusammenhang von Tod und Auferweckung
(durch Gott) erhalten (vgl. V. 15b). Auch die aus V. 15 gezogene Folgerung, daß nämlich die durch den Tod des Einen (Christus) Gestorbenen
nun Anteil haben an dem Leben der Neuschöpfung in Christus (V. 17a),
ist eng mit dem Wirken des Erhöhten verbunden. Gehen wir zu V. 21 über,

---

378 Vgl. A.Oepke, in: ThWNT II 66, 8-13.

379 So betont z.B. D.E.H.Whiteley, Theology 152, daß bei Paulus "the
death and resurrection are integrally united in God's purpose for
our salvation". Vgl. auch R.Bultmann, Theologie 292-306 (bes. 292f).
- Bereits die in hellenistisch-judenchristlicher Tradition vorge-
prägte Aussage Röm 4,25 stellt einen heilshaften Geschehenszusammenhang von Tod und Auferweckung her (vgl. F.Hahn, Hoheitstitel
62f; K.Wengst, Formeln 101-103; E.Käsemann, Röm 122). Eine traditionsgeschichtliche Ableitung von Röm 4,25 aus Mk 9,31 versucht
W.Popkes, Christus 263-266. - Auch G.Fitzer, Ort 174f. 178f., betont die christologische "Doppelpoligkeit" und Spannungseinheit
von Kreuzestod und Auferweckung bei Paulus. Er weist "die reforma-
torische Überbetonung der theologia crucis" zurück (ebd. 175) und
macht geltend, "daß die Auferstehung Jesu für das paulinische Denken der Inbegriff seines Christseins, des 'In-Christus-Seins'" ist
(ebd. 179). S. auch G.Wiencke, Paulus 71, der jedoch ausdrücklich
"Christi ganzes menschliches Leben" als unter Gottes Ratschluß der
Versöhnung stehend einschließt. Vgl. schließlich noch L.Cerfaux,
Christus 96.

läßt sich nicht nur wie in V. 15 eine auf die soteriologische Finalität hinzielende Aussage erkennen, sondern ebenfalls wie in V. 15b die soteriologische Einheit des Todes für uns (V. 21a) einerseits, und der Gemeinschaft mit dem Erhöhten (V. 21b) andererseits.

Bemerkenswert ist weiterhin: Während Paulus in V. 18b vom Geschehensein der Versöhnung mit Gott durch Christus in der Form des Aorists und in V. 19a in der Form des Imperfekts ($\tilde{\eta}\nu\ \varkappa\alpha\tau\alpha\lambda\lambda\acute{\alpha}\sigma\sigma\omega\nu$) spricht, wendet er sich in V. 20b der Adressatengemeinde zu und formuliert die Versöhnungsbitte im Aorist. Wie diese Bitte ausweist, begreift Paulus den Versöhnungsgedanken also nicht nur in der Retrospektive auf ein einmaliges Geschehen der Vergangenheit, sondern er versteht die Versöhnung als eine (von Gott her geschehene) Wirklichkeit, die in der Gegenwart der Gemeinde aktuell wird. Im übrigen ist zu bedenken, daß die christologisch bestimmte Argumentation im weiteren Kontext des Brieffragments (2,14 bis 5,11) vor allem den Erhöhten und sein Wirken (insbesondere durch den Apostel und im Bezug auf die Gemeinde) im Blick hatte, wenn auch in Verbindung mit der pl. Leidensdeutung ein Zusammenhang mit dem Tod Jesu hergestellt wurde (4,10f). Das bedeutet, daß die Aussage über die Versöhnung mit Gott durch Christus bereits im Verstehenshorizont des gegenwärtigen Wirkens des Erhöhten steht. Das "durch Christus" in V. 18b ist somit sowohl von der Verstehensvorgabe des weiteren als auch des engeren Kontextes (V. 14 - 15,17) aus offen für die Bedeutung "durch das Wirken des erhöhten Christus" (vgl. bes. V. 20), ohne daß jedoch der Bezug zum Kreuzestod dadurch aufgegeben ist. Vielmehr ist er integrierter Bestandteil der Durch-Christus-Wendung[380].

Was nun die aoristische Formulierung als mitdeterminierender Faktor des "durch Christus" betrifft, so ist sie zusammenzusehen mit der sachlich korrespondierenden christologisch-soteriologischen Aussage V. 14c-15. Sie streicht heraus, daß die Versöhnung mit Gott als Aufhebung der Aporie des sich selbst Lebens (V. 15b) in der souveränen Tat Gottes grün-

---

380 Es wirkt in der Gegenwart der, durch dessen Tod die Versöhnung mit Gott von Gott selbst grundgelegt ist und dessen Proexistenz als Erhöhter die Proexistenz des Gekreuzigten auf die christozentrisch Lebenden wirksam werden läßt.

det, die als Stiftungstat der Gemeinschaft mit Gott nicht nur im voraus zum Tun des Menschen, sondern insbesondere in Überwindung des den Abstand von Gott bekräftigenden Tuns des Menschen die Trennung - von Gott aus gesehen - endgültig überwunden hat. Ereignis geworden ist die Versöhnung in dem solidarischen, die Agape radikal aus-lebenden Tod Christi für alle, in dem alle als sich selbst Lebende gestorben sind, und in der Auferweckung Christi durch Gott, so daß alle, die in der Verbundenheit mit Christus durch den erhöhten Christus in das neue Leben hineingezogen werden, als "durch Christus" mit Gott Versöhnte "in Christus" neugeschaffen werden und in der Hinordnung auf Christus in der Gemeinschaft mit Gott leben.

5) Der mit καί angefügte und wie V. 18b partizipial formulierte zweite Teil der Aussage über das Handeln Gottes stellt den "Dienst" in den Mittelpunkt. Paulus interpretiert also nicht nur Tod und Auferweckung Christi (V. 14f) vom Versöhnungshandeln Gottes her als Geschehen der Versöhnung mit Gott und führt nicht nur die endzeitliche Wende vom Alten zum Neuen auf die schöpferische Macht Gottes und seine souveräne Versöhnungstat zurück (V. 17f), sondern er erachtet die Versöhnungsaussage (V. 18b) als Grundlage für die Charakterisierung seines Dienstes. Diese argumentative Zielrichtung, die der auf den Apostolat des Paulus ausgerichteten Thematik des Brieffragments entspricht und im engeren Kontext durch V. 12 und V. 14ab angezeigt ist, gibt V. 18c in Verbindung mit V. 18b ein besonderes Gewicht[381].

Indem V. 18c den Dienstbegriff wieder aufnimmt, wird ein Zusammenhang mit den Dienstaussagen insbesondere von Kap. 3 hergestellt[382]. Während dort - nach der Vorbereitung in V. 3 und im Anschluß an die Gramma-Pneuma-Antithese V. 6 - die Überlegenheit des neubundlichen, vom lebendig machenden Pneuma erfüllten Dienstes im Kontrast zum "Dienst des Todes" (V. 7; vgl. V. 6) bzw. der "Verurteilung" (V. 9) dargestellt wurde

---

381 V. 18c ist der Zielpunkt der Argumentationsbewegung in V. 18. Vgl. A.Plummer, 2 Cor 182; K.Prümm, Diakonia I 341.

382 Vgl. 3,7. 8. 9; s. auch V. 3 (διακονηθεῖσα) und V. 6 (διακόν-ους); weiterhin 4,1 (vgl. V. 5 δούλους ὑμῶν). Zum letzten Mal verwendet Paulus den Dienstbegriff im Rahmen des Brieffragments in 6,3.

und die bleibende Doxa als eschatologisches Unterscheidungsmerkmal des neubundlichen pneumatischen Dienstes im Zentrum der Argumentation stand[383], fehlt jetzt für den "Dienst der Versöhnung" ein entsprechender direkter Kontrast. Der Sache nach ist aber die Antithese der beiden Dienste in 3,6-9 auch für 5,18 relevant[384], zumal die beiden einander entgegengesetzten Weisen des Sichrühmens, von denen V. 12 sprach und die sich ihrerseits auf die beiden in Kap. 3 genannten Dienstformen beziehen, am Ausgangspunkt des Argumentationskomplexes stehen, zu dem auch 5,18 gehört.

Für die Argumentationsführung und die Apostolatstheologie des Paulus entscheidender ist, daß durch den versöhnungstheologischen Kontext eine weitere theologische Dimension zu der bisherigen eschatologischen Qualifizierung des von Gott gegebenen Dienstes hinzukommt. Indem Paulus in 5,18f die Einsetzung, Übertragung und den Verkündigungsauftrag des Dienstes mit dem Versöhnungswerk Gottes in Zusammenhang bringt, legt er den soteriologischen Grundzug seiner Apostolatskonzeption frei.

Die Zusammenschau der Versöhnungstat Gottes durch Christus (V. 18b) mit der Einsetzung und Übertragung des Dienstes der Versöhnung ist in der Apostolatskonzeption des Paulus singulär. Es verwundert deshalb nicht, wenn sie in der Forschung zum pl. Apostolatsverständnis kaum besondere Beachtung findet[385]. Selbst dort, wo die "christologische Begründung" des Apostolats bei Paulus untersucht wird, kann die Argumentation von

---

383 Vgl. oben 2.1.3 (4).

384 H.Windisch, 2 Kor 194, sieht vor allem den Kontrast zum "Dienst der Verurteilung" (3,9) impliziert. Die Bedeutung von 3,1 - 4,6 (insbesondere von 3,7-11) als Hintergrund von 5,18c stellt auch M.Wolter, Rechtfertigung 89f., heraus.

385 So bemerkt E.Dinkler, Verkündigung 176, daß die exegetische Untersuchung und die theologische Würdigung des Zusammenhangs zwischen Versöhnungstat und Einsetzung des Versöhnungsdienstes bislang zu kurz gekommen ist. - Vgl. hier z.B. auch J.Hainz, Ekklesia. In seiner Abhandlung zur pl. Ekklesiologie wird zwar "der Apostolat in der Auseinandersetzung mit der Gemeinde nach dem 2. Brief an die Korinther" eigens untersucht (a.a.O. 127-171), jedoch der gesamte Aussagenkomplex 2,14 - 7,4 nicht angemessen berücksichtigt. Abgetrennt vom entsprechenden Kapitel wird im synthetisierenden und systematisierenden Teil der Arbeit 2 Kor 5,18ff als maßgeblicher Beleg dafür herangezogen, daß der Apostel in der Sicht des Paulus "Repräsentant Gottes und Christi" sei (a.a.O. 272-278).

2 Kor 5,18f unberücksichtigt bleiben[386]. Grund dafür ist, daß das Haupt-
augenmerk auf die Stellen gerichtet ist, in denen Paulus seine Berufung
ausdrücklich auf das Wirken des Erhöhten zurückführt. Das sind vor allem
Gal 1,1.12.16; 1 Kor 9,1; 15,8 und Röm 1,1.4f[387]. Das besondere Gewicht,
das diesen Aussagen für das Verständnis des pl. Apostolatsbegriffs zukommt, kann nicht in Zweifel gezogen werden; doch auf der anderen Seite
besteht die Gefahr, daß die ausschließliche Orientierung an ihnen zur
Überakzentuierung einzelner Momente der pl. Apostolatstheologie (wie z.
B. des Apokalypsis-Motivs) führt und andere Aspekte nicht gebührend gewürdigt werden[388].

6) Fragen wir nun nach der Beziehung zwischen dem Dienst, den Paulus
als Apostel ausübt, und dem Versöhnungswerk Gottes, soweit 2 Kor 5,18
darüber Auskunft gibt! Auszugehen ist von folgender Feststellung: Eine
Beziehung zwischen dem Dienst und dem Versöhnungsgeschehen besteht primär vom gemeinsamen Ursprung her. Gott ist es, von dem die Versöhnung
der Menschen mit ihm ausgegangen ist; er ist zugleich der, der den
Dienst "gegeben hat" (Aorist wie V. 18b)[389].

Aufgrund dieser Ursprungsperspektive, die die Herbeiführung der Versöhnung mit Gott zusammen mit der Einsetzung und Übertragung des Dienstes
im souveränen Handeln Gottes gegründet sieht, erscheint der "Dienst der
Versöhnung" als Teil des Versöhnungsgeschehens. In welchem Sinne der
Dienst seine Funktion in der Konsequenz der von Gott gewirkten Versöhnung ausübt, erschließt sich näher erst in V. 19f und in 6,1f, wobei
jedoch V. 19 zusammen mit V. 18 noch zur Grundlegung für V. 20 (in Verbindung mit V. 21) und 6,1f gehört. In V. 18 liegt der Akzent darauf,
daß der Dienst von Gott empfangen wird und daß er vom Versöhnungshandeln Gottes, das den zum Dienst Berufenen unmittelbar betroffen hat, in

---

386 K.Kertelge, Gemeinde 87-91. Kertelge folgt J.Hainz und begnügt sich
   mit einer Bezugnahme auf 2 Kor 5,20. Auf den Kontext geht er nicht
   ein (vgl. ebd. 82. 90. 160f.).

387 Vgl. neben K.Kertelge (a.a.O.) J.Blank, Paulus 185-248; J.Roloff,
   Apostolat 41-57; J.Hainz, Ekklesia 67f. 104-113.

388 S. dazu die kritischen Ausführungen in G.Bornkamm, Paulus 39-48.
   Auf den Dienstgedanken in 2 Kor 5,18 weist Bornkamm hin (ebd. 166.
   126. 172). - Für die besondere Wertschätzung der genannten Texte
   sind sicher auch die Erzählungen (bzw. Reden) der Apg über die Vision des "Paulus vor Damaskus" verantwortlich (vgl. G.Lohfink, Paulus; J.Blank, Paulus 238-248; J.Roloff, Apostolat 202-207).

389 J.Hainz, Ekklesia 273.

seinem Ursprung und damit in seiner Realisierungsweise bestimmt ist.
Daß bei der konkreten Übertragung des Dienstes das Wirken Christi mit-
bedacht werden muß, folgt nicht nur aus dem Zusammenhang mit V. 18b
(διὰ Χριστοῦ), sondern wird auch in V. 20 impliziert[390]. Das Eigen-
tümliche der Aussage von V. 18 besteht aber darin, daß der Dienst (d.h.
der Apostolat des Paulus) vom Versöhnungshandeln Gottes durch Christus
her verstanden, seinen Ermöglichungsgrund in der Tat Gottes hat, die
dem Menschen Versöhnung gewährt. Auf diese Weise macht Paulus den Ansatz seiner Legitimation geltend, wonach der Dienst nicht vom Menschen
aus, sei es durch Empfehlungsschreiben oder sei es durch das selbstemp-
fehlerische Hervorheben des eigenen Vermögens, als rechtmäßig ausgewiesen werden kann, sondern allein vom Wirken Gottes und - darin eingebunden - vom Wirken Christi, des Gekreuzigten und Auferweckten, her.

Zusammenfassend können wir also sagen: Dadurch, daß Paulus in V. 18f
die Versöhnung mit Gott durch Christus mit der Einsetzung und Übertragung des "Dienstes der Versöhnung" verbindet, legt er die Grundbedin-
gung frei für die Teilhabe an diesem Dienst, der identisch ist mit dem
neubundlichen Dienst des Pneuma und der Dikaiosyne (3,6-9). Diese Grund-
bedingung ist die Verwirklichung der Versöhnung durch Gott und die Teilhabe an der Gemeinschaft mit Gott durch Christus, wodurch die Inanspruchnahme des eigenen Vermögens, die von Gott trennt, ihr Ende findet
und der mit Gott Versöhnte zugleich als der zum "Dienst der Versöhnung"
Berufene seine Befähigung zum Vollzug des Dienstes in der Konsequenz
und im Rahmen des Versöhnungsgeschehens empfängt.

2.2.3.4.3 Die Versöhnung der "Welt" mit Gott und die Beauftragung mit dem Wort der Versöhnung (2 Kor 5,19)

Der Versöhnungs- und Dienstgedanke von V. 18 wird durch V. 19 aufgenommen, jedoch inhaltlich neu bestimmt und mit anderen Akzenten versehen[391].

---

390 Paulus ist Gesandter ὑπερ Χριστοῦ und richtet ὑπὲρ Χριστοῦ
die Versöhnungsbitte an die Gemeinde.

391 D.M.Stanley, Resurrection 142, versteht z.B. das Verhältnis von V.
19 zu V. 18 dahin, daß V. 19 "certain theological precisions" zur
Aussage V. 18 gibt. Doch es handelt sich nur zum Teil um Präzisierungen im strengen Sinne (vgl. bes. V. 19b), eher zeichnet sich V.

Der Einsatz (ὡς ὅτι)[392] mit einer auffälligen umschreibenden und liturgisch stilisierten Ausdrucksform wie auch die modifizierte Aussageperspektive geben V. 19 ein besonderes argumentatives Gewicht: die auf die Person des Paulus zugespitzte Formulierung des Versöhnungsgedankens in V. 18b wird abgelöst durch eine gleichsam verobjektivierende und verallgemeinernde Aussage über die Versöhnungstat Gottes, die "in Christus" die "Welt" in ein neues, positives Verhältnis zu Gott gebracht hat[393]. Die V. 19b unmittelbar anschließende interpretierende Verdeutlichung des universalen Versöhnungsgeschehens sieht als wesentliches Moment der die Versöhnung konstituierenden Tat Gottes die Nichtanrechnung der Verfehlungen (παραπτώματα)[394]. Zugleich legt V. 19b durch

---

19 durch ergänzende inhaltliche Erweiterungen des vorher Gesagten aus, die den in V. 18 mit Blick auf Paulus formulierten Zusammenhang von Versöhnungsgeschehen und Dienst bekräftigen und die Funktion des Dienstes in seiner Legitimität auf breitem heilstheologischem Fundament ausweisen.

392 Wahrscheinlich ist ὡς ὅτι als formelhafte Einleitung für ein nachfolgendes Zitat zu verstehen; so E.Käsemann, Erwägungen 50; zustimmend P.Stuhlmacher, Gerechtigkeit 77 Anm. 2. Zum Problem vgl. Bl.-Debr. § 396; G.Steyer, Satzlehre 120 (47 00,e). G.Steyer übersetzt V. 19a: "So ist es anzusehen: Gott hat in Christus die Welt versöhnt". Mit E.-B.Allo, 2 Cor 169f (mit Diskussion), nimmt J.Hēring, 2 Cor 53 Anm. 5, an, daß ὡς "une raison reconnue par le sujet" anzeigt. "Le ministre a conscience d'être chargé d'annoncer que (ὅτι)". Diese Umschreibung insinuiert die Wiedergabe eines Verkündigungsinhalts in V. 19; damit ist jedoch der argumentative Gang gesprengt.

393 Die Aussage hat - in der Form eines den vorausgegangenen Gedanken verstärkenden Zitats - Fundierungsfunktion für V. 18b, nicht aber Explikationsfunktion bezüglich des Verkündigungsgegenstandes, dem "der Dienst der Versöhnung" (V. 18c) verpflichtet ist. Gegen F.W. Grosheide, 2 Kor 169; R.Bultmann, 2 Kor 162. Erst V. 19c (auf dem Hintergrund von V. 19ab) präzisiert die Funktion des Dienstes in einer allgemeinen Weise. Erst von hier aus läßt sich die Frage nach dem Inhalt des "Wortes der Versöhnung" unter Berücksichtigung und im Rahmen der bisherigen Gedankenfolge stellen (s. oben Anm. 392).

394 Der Plural ist zwar in den - relativ wenigen - außerpl. ntl. Aussagen (Mk, Mt, Kol, Eph) üblich, jedoch für Paulus nicht eigentlich typisch und spricht für Übernahme aus Tradition (vgl. bes. Röm 4,25; die sachlich analogen Aussagen mit ἁμαρτίαι 1 Kor 15,3; Gal 1,4). Zudem hat παράπτωμα (bzw. παραπτώματα) bei Paulus keinen charakteristischen terminologischen Stellenwert (trotz Gal 6,1 und des wiederholten Gebrauchs in Röm 5,15. 16. 17. 18. 20; 11,11. 12). Vgl. W.Michaelis, in: ThWNT VI 172f (zum LXX-Sprachgebrauch: 171).

die Pronomina αὐτοῖς und αὐτῶν die anthropologische Bedeutung von
κόσμον fest[395]. Während V. 19b dem V. 19a der Sache nach subordiniert
ist und einen V. 18 nicht aufgenommenen soteriologischen Gesichtspunkt
explizit reflektiert, ist V. 19c dem V. 19a - in Parallele zu V. 18bc -
koordiniert[396]. Doch ist die Entsprechung zu V. 18 nicht konsequent auf
der Linie der Universalisierung des Versöhnungsgedankens von V. 19a
durchgeführt. V. 19c knüpft nämlich formal und sachlich wieder an V.
18bc an und bildet eine gute Parallele zu V. 18c. Wie V. 18bc ist auch
V. 19c auf den "Sprecher" (also auf Paulus) hin orientiert. V. 19c engt
also das Blickfeld, das sich in V. 19ab auf die Menschheit (Kosmos) hin

---

Nach Michaelis gebraucht Paulus mit παράπτωμα nicht "einen mil-
den, von ἁμαρτία unterschiedenen Ausdruck für Sünde" (173,6f); er
bezeichnet damit vielmehr "die durch die Schuld des Menschen hervor-
gerufene Störung seines Verhältnisses zu Gott" (172,31f). Als ursprüngliche griechische Vorstellung erscheint das Abirren zur Seite
(173 Anm. 13), entsprechend sieht P.Feine, Theologie 190, sprachlich "das Bild des Neben-das-Gesetz-Fallens statt des Übertretens"
wirksam, doch ist in 2 Kor 5,19b wegen des durchgängig fehlenden
Gesetzesbezugs dieser Hintersinn kaum ausgeprägt. - Zur Formulierung von 2 Kor 5,19b vgl. Kol 2,13: Die Lebendigmachung der durch
die Verfehlungen Toten (verstärkt in Eph 2,1) ist schon als Tat
Gottes zusammen mit dem von den Toten auferweckten Christus geschehen, die Lebendigmachung aber setzt voraus, daß den durch ihre Verfehlungen Toten eben diese Verfehlungen, und zwar alle (πάντα τὰ
παραπτώματα), von Gott (aufgrund des Kreuzestodes Christi V. 14)
gnädig erlassen bzw. verziehen worden sind. S. weiterhin den interpretativen Zusammenhang von Erlösung durch das Blut Christi und der
ἄφεσις τῶν παραπτωμάτων mit Hervorhebung der χάρις in Eph
1,7 (vgl. Kol 1,14) und bes. 2,5 als Parallelaussage zu Kol 2,13
mit ausdrücklichem Verweis auf die Heilspartizipation als χάριτι
σεσωσμένοι.

395 Constructio ad sensum, Bl.-Debr. § 282,35, vgl. H.Sasse, in: ThWNT
III 892f. Das anthropologische Verständnis wird von M.Wolter,
Rechtfertigung 79, mit Recht gegen die kosmologische Deutung (z.B.
D.Lührmann, Rechtfertigung 445) betont. Kontextuell wird eine Brük-
ke geschlagen zu den dreifachen πάντες - Aussagen V. 14f (F.W.
Grosheide, 2 Kor 170). - Vgl. Röm 11,15: "Versöhnung des Kosmos"
(vgl. V. 11 und bes. 12).

396 Anders R.Bultmann, 2 Kor 163 (V. 19b dem V. 19a subordiniert; V.
19c mit V. 19b koordiniert; V. 19bc also Explikation von V. 19a);
vgl. auch z.B. A.Plummer, 2 Cor 184; Ph.Bachmann, 2 Kor 266f; F.W.
Grosheide, 2 Kor 170 (Er sieht, daß bei dieser Auflösung von V. 19
die Parallelität zu V. 18 abgeschwächt wird.); F.Neugebauer, In
Christus 86. - Richtig: J.Dalmer, Heilsbedeutung 19f; Büchsel, in:
ThWNT I 257 Anm. 3.

erweitert, wieder auf den Dienstträger (ἐν ἡμῖν) ein[397]. Andererseits
aber bleibt doch V. 19c (und damit auch V. 18bc) von V. 19ab mitbestimmt: die Beauftragung mit dem "Wort der Versöhnung" steht in engem
Zusammenhang mit dem sich auf die gesamte Menschheit erstreckenden,
Vergebung gewährenden Versöhnungshandeln Gottes und ist von daher auf
den durch die Versöhnungstat Gottes aufgezeigten universalen Adressatenkreis bezogen. Dieses Moment ist bereits durch V. 14f und 17 vorbereitet.

1) Stellen wir zunächst die seit E.Käsemann wiederholt diskutierte Frage nach der Tradition in 5,19 (-21) zurück[398] und wenden uns einzelnen
Aspekten und dem pl. Verständnis dieses Verses auf dem Hintergrund von
V. 18 zu. Zuerst ist festzuhalten: Ebenso wie V. 18 tritt auch in V. 19
die theozentrische Struktur sowohl des Versöhnungsgedankens (unter Einschluß des interpretierenden V. 19b) als auch der Aussage über die Beauftragung hervor. Daneben enthält V. 19 aber einige hervorstechende
Besonderheiten, wie teilweise schon deutlich gemacht worden ist.

Das erste für die Auslegung relevante Problem stellt bereits die partizipiale Formulierung, deren syntaktische Aufgliederung - d.h. insbesondere das Verständnis von ἐν Χριστῷ als mögliche Bestimmung des Prädi-
kats in V. 19a - bis in die Gegenwart diskutiert worden ist. Der Grund
dafür ist darin zu sehen, daß nach einigen Vorgängern seit der reformatorischen Exegese von 2 Kor 5,19 in verstärktem Maße "Gott in Christus"
zusammengenommen und im Sinne der inkarnatorischen Immanenz Gottes in
Christus gedeutet wurde[399]. Aus der Sicht pl. Theologie ist jedoch die
fraglos dogmatisch interessante Formel "Gott in Christus" nicht aus V.
19 ableitbar, da Paulus zwar die Hinordnung des Kyrios auf Gott bzw.
die Sendung des Sohnes durch Gott, den Vater, bzw. die Gottesrelation

---

397 Vgl. P.Stuhlmacher, Gerechtigkeit 77f Anm. 2. V. 19c ist nicht auf
die Gemeinde zu beziehen (gegen R.Bultmann, 2 Kor 164), schon gar
nicht auf die Menschheit (Wechsel von "ihnen" zu "uns" in der Konsequenz von V. 18bc).

398 Vgl. E.Käsemann, Erwägungen 49-54; bes. 50-52; D.Lührmann, Rechtfertigung 444f.

399 Zu den wesentlichen Deutungstypen s. A.Plummer, 2 Cor 183; E.-B.
Allo, 2 Cor 170. - Vgl. die Bezugnahme auf Chalzedon durch W.Fürst,
Korinther 229.

des Sohnes kennt, andererseits aber bei aller bis ins Wesen reichenden wechselseitigen Bezogenheit zwischen Gott und Christus eine Differenz zwischen dem Vater und dem Sohn festgehalten ist. Auch ist die angenommene Gott-in-Christus-Wendung an keiner weiteren Stelle der Paulus-Briefe durch eine sachlich korrespondierende In-Christus-Aussage gestützt[400]. Zudem ist nicht zu übersehen, daß V. 19 nicht auf die Frage des In-Christus-Seins Gottes ausgerichtet ist, sondern ein Handeln Gottes in den Mittelpunkt stellt: Betroffener der Handlung Gottes ist der "Kosmos" (d.h. die Menschenwelt). Der Handlungssinn ist die Versöhnung des "Kosmos" mit Gott (ἑαυτῷ); die Versöhnung ereignet sich also nicht innerkosmisch! Als in die Handlung der Versöhnung Einbezogener bzw. als personaler Schnittpunkt des Versöhnungsgeschehens erscheint Christus; über ihn verläuft die zwischen der Welt der Menschen und Gott hergestellte Relation. So gibt ἐν Χριστῷ wie das parallele διὰ Χριστοῦ (V. 18) das unterscheidende Kennzeichen des von Paulus vorgetragenen Versöhnungsgedankens an: Versöhnung der Menschenwelt mit Gott ist untrennbar von dem Ereigniszusammenhang, der von der In-Christus-Wendung in äußerster Komprimierung und mit einem Zug zur Formelhaftigkeit ausgedrückt wird. Nur durch die Einbeziehung in diesen von Gott ins Werk gesetzten und in Christus zentrierten Ereigniszusammenhang partizipiert der "Kosmos" an der Versöhnung, so daß auch nur von dem Handlungsgefüge Gott-Christus-"Kosmos" her die universale Gegebenheit der Versöhnung aussagbar ist. Das Kürzel "in Christus" macht es möglich, in einem die geschichtliche Verankerung des Versöhntseins in einer unwiederholbaren, von Gott selbst realisierten Begebenheit wie die bleibende, unüberholbare Bindung der Versöhnungswirklichkeit an Christus zu erfassen.

Aus der periphrastischen Aussageform und dem Imperfekt zu schließen, Paulus denke bei "in Christus" an das gesamte Leben (einschließlich Kreuz und Auferweckung) des historischen Jesus als Vollzugsform des Versöhnungswerkes Gottes, ist, in sich zwar theologisch bedenkens-

---

400 Vgl. W.Thüsing, Per Christum, bes. 61-114 (Die Theozentrik des In-Christus-Seins). - Zur Bedeutung von ἐν Χριστῷ ist das kontextuell vorgegebene διὰ Χριστοῦ auf jeden Fall zu beachten (vgl. V. 18b). Zum Problem vgl. F.Neugebauer, In Christus 86; s. auch ders., "In Christo".

wert[401], von den christologisch-soteriologischen Akzenten des Kontextes und der Theologie des Paulus her jedoch nicht naheliegend. Sachlich richtiger erscheint die Überlegung, daß die umschreibende Formulierung V. 19a, wenn man nicht nur bei der Feststellung einer semitischen Ausdrucksweise stehen bleiben will, die enge Zusammengehörigkeit von Christus und Versöhnungstat und damit die funktionale heilshafte Bedeutung Christi stärker hervortreten läßt, ohne einseitig die Christusimmanenz Gottes noch die Christusimmanenz des Kosmos zu akzentuieren, obgleich auf der einen Seite ein Wirkzusammenhang zwischen dem versöhnenden Handeln Gottes und dem darin einbezogenen Christus und auf der anderen Seite ein Vermittlungszusammenhang zwischen dem mit Gott versöhnten "Kosmos" und Christus, an den die Versöhnung der Menschenwelt gebunden ist, hergestellt wird. Die heilstheologische Aussagebewegung hebt dabei Gott als das sachliche Subjekt der In-Christus-Versöhnung hervor[402].

---

401 So könnte z.B. nach dem Verhältnis von Basileia-Botschaft und Wirken Jesu einerseits und der nachösterlichen Versöhnungstheologie gefragt werden. Dieser Gesichtspunkt zeichnet sich in den biblisch-theologischen Reflexionen von P.Stuhlmacher, die auf eine biblisch-theologische "Gesamtdarstellung" der ntl. Überlieferung unter dem Leitgedanken der "Versöhnung in Christus" ausgerichtet sind, bislang nur in einigen komprimierten Aussagen ab, während den evangeliaren Passionstraditionen und deren atl.-jüdischer Hintergrund breitere Beachtung geschenkt wird (vgl. Versöhnung in Christus 20-24). Abgesehen von dem Problem der jesuanischen Authentizität des Wortes vom Loskaufgeld Mk 10,45 (ebd. 20f Anm. 20), seines historischen und sachlichen "Sitzes" im Leben Jesu, ist aber gerade die Rückbindung an Jesus als "Eröffner der 'Gottesherrschaft'" (ebd. 20) von erheblicher Relevanz für die Legitimation der ntl. Ansage der allein mit Jesus erschlossenen Versöhnung und damit jeder biblisch-theologischen Zusammenschau des Neuen Testaments, die eine durchgehende versöhnungstheologische Grundlinie in Anspruch nimmt. P.Stuhlmacher bekennt sich zu dieser versöhnungstheologischen Rückfrage nach Jesus, doch bedarf die thesenhafte Durchführung des die kritischen Einschränkungen E.Käsemanns (Erwägungen) überholenden Ansatzes gerade in diesem Punkt weiterer Differenzierung und Verdeutlichung. - Vgl. in diesem Zusammenhang die programmatische Stellungnahme M.Kählers (Versöhnung 70): Es "darf der biblische Unterbau für die Lehre von der Versöhnung sich nicht damit begnügen, Sterben und Auferstehen Jesu Christi im Lichte seiner Verkündigung und seines Lebens zu erörtern. Sein Prophetenleben in der Beleuchtung durch seinen Ausgang in Tod und Auferstehung bildet, wie thatsächlich, so für die Einsicht, den unentbehrlichen Vorhof für jenes Heiligtum christlicher Ueberzeugung". S. dazu ebd. 64f und die Durchführung 75-155.

Näherhin weist der in der im Ereignishorizont der Vergangenheit gesehene Wirkzusammenhang bzw. - von der Menschenwelt aus betrachtet - der heilshafte Vermittlungszusammenhang auf den gekreuzigten Christus[403]. Der kontextuell vorgegebene pl. Aussagehorizont setzt voraus, daß der Gekreuzigte der gekreuzigte Auferweckte ist, von dem her der Tatbestand der Versöhnung mit seiner endheilszeitlichen, die Existenz transformierenden Dynamik als gegenwartsrelevant letztlich zu begreifen ist (vgl. V. 15. 17). Daß V. 19a aber den Schwerpunkt in der Einheit von Versöhnungsgeschehen und Kreuzestod Jesu sieht, bestärkt V. 19b, schließlich auch V. 21a, wonach das Ereigniswerden der Versöhnung der Menschenwelt mit Gott "in Christus" zusammenfällt mit dem Zur-Sünde-werden Christi - analog dem Sterben für alle von V. 14 und 15. Die heilstheologische Finalität, die ebenfalls mit einer In-Christus-Wendung zum Ausdruck gebracht wird (V. 21b), sei bereits an dieser Stelle hervorgehoben.

2) Eine Ergänzung des Versöhnungsgedankens von V. 18b über die Verbindung von Wirken Gottes, Kreuzestod und Versöhnung der Menschenwelt hinaus stellt V. 19b dar. Als wichtig ist diese Hinzufügung aus dem Grunde zu bewerten, weil V. 19b in die parallele Aussagestruktur von V. 18bc und V. 19ac eingesprengt ist; dennoch ist sie nicht das letzte Deutewort im Zusammenhang des pl. Versöhnungsverständnisses (vgl. V. 21). Hier deutet nun das juridische Motiv der Nichtanrechnung der Verfehlungen (bzw. - wenn auch nicht formal-terminologisch - der Sündenvergebung), das bei Paulus im allgemeinen eng mit dem Rechtfertigungsgedanken zu-

---

402 Zumindest für den vorliegenden Textzusammenhang stellt K.Prümm, Diakonia II/1 72, mit Recht heraus: "Es gibt ... sonst wohl kaum irgend eine Stelle im paulinischen Schrifttum, wo Christus mit so auffallender Betonung, wie das in 2 Kor 5,18-21 der Fall ist, als das <u>Werkzeug des Vaters</u> bei einem Heilsplan hingestellt wird, der als <u>der Verfügung des Vaters</u> entstammend beschrieben ist (...)". Zu fragen bleibt, ob nicht überhaupt für ein sachgemäßes Verständnis der pl. Soteriologie viel entschiedener der theo-logische Grundzug im Denken des Paulus exegetisch-theologisch in Rechnung zu stellen ist und nur unter dieser Voraussetzung ein adäquater Zugang auch zu den pl. christologischen Aussagen (und darüberhinaus) gefunden wird.

403 Daß V. 19a an den Kreuzestod denkt, ist exegetisches Allgemeingut. Vgl. z.B. H.Lietzmann, 2 Kor 126; K.H.Schelkle, Passion 188; E.Käsemann, Perspektiven 81; ders., Erwägungen 53f; anders dagegen A. Schettler, Formel 21 (der Erhöhte); Ph.Bachmann, 2 Kor 267 (der historische Christus).

sammengesehen und nur verhältnismäßig selten benutzt wird[404], das Versöhnungsgeschehen. Vom Standpunkt des V. 19b ereignet sich die Versöhnung der Menschenwelt mit Gott (V. 19a) wesentlich in der Weise der Befreiung von Schuld durch deren Tilgung. Auf den Kreuzestod Jesu als
Schlüsselereignis der Versöhnung bezogen, ist dieser gesehen als das
Ereignis der vergebenden Zuwendung Gottes zu der von ihm (aufgrund ihrer Schuld) getrennten Menschenwelt, deren von ihr selbst in den Verfehlungen vollzogene Gemeinschaftsaufkündigung aufgehoben und ins Positive gewendet wird. Darin ist impliziert, daß mit der von Gott im Kreuzestod Jesu ins Werk gesetzten Versöhnung die Menschen von der Sühne
als Weg, die Gottesgemeinschaft wiederherzustellen und Vergebung zu erlangen, durch Gott selbt freigesetzt worden sind und sie schon - vorgängig ihrer Umkehr - in die Wirklichkeit der Versöhnung mit Gott hineingenommen sind. Die Nichtanrechnung der Verfehlungen im Rahmen der
Versöhnungshandlung Gottes eröffnet also der Menschenwelt eine Existenz,
ohne der Sündenmacht ausgeliefert zu sein: in Hinordnung auf Gott[405].
Diese aber bedarf für die "in Christus" an der Versöhnungsaktion Gottes
Teilhabenden keines weiteren und besonderen Mediums, zumal V. 19b deutlich macht, daß der authentische Versöhnungsgedanke weder auf die Vorstellung vom Versöhnung erschließenden Opfer(-tod) noch auf das Motiv
der Feindschaft der Menschen wider Gott noch Gottes den Menschen gegenüber angewiesen ist. Indem die Nichtanrechnung der Verfehlungen als
nähere Bestimmung der Versöhnungshandlung eigens angeführt und so der
Sache nach zu einem integrierten Moment der Versöhnung wird, ist bereits die Richtung der Argumentation von V. 19ab angelegt. V. 21 wird
diese gedankliche Bewegung aufnehmen und mit dem heilstheologischen
Thema der Versöhnung (unter Einschluß der Nichtanrechnung) das Motiv
der intendierten δικαιοσύνη θεοῦ verbinden.

---

404 G.Bornkamm, Paulus 160: "Dieser Sachverhalt wird darin begründet
sein, daß die Rechtfertigung sich nicht nur auf die in der Vergangenheit geschehenen Sünden bezieht, sondern auf die Befreiung von
der Sünde als versklavender Macht". Vgl. z.B. Röm 3,24ff; 4,7f. 23-
25. - Terminologisch weist 2 Kor 5,19b auf LXX-Sprachgebrauch hin,
wo jedoch der Bedeutungsgehalt von Einzelverfehlung vorherrscht
(vgl. W.Michaelis, in: ThWNT VI 171,14-23). Doch der kontextuelle
V. 21a, der für das pl. Verständnis von V. 19b zu berücksichtigen
ist, lenkt V. 19b in eine grundsätzlichere Richtung.

405 Vgl. das zweifache ἑαυτῷ (V. 18b. 19a).

3) Wie in V. 18bc die Aussage über die Einsetzung und Übergabe des Dienstes die Feststellung geschehener Versöhnung ergänzt, so tritt in V. 19c ein neuer Aspekt hinzu: die Beauftragung[406] des Paulus mit dem "Wort der Versöhnung". In dieser Weiterführung des Gedankens ist der mit V. 18c korrespondierende argumentative Zielpunkt von V. 19 zu sehen. Der Dienst, der Paulus von Gott in seiner Botensendung übergeben ist und dessen Charakteristikum die ihn bestimmende Bezogenheit zum Versöhnungshandeln Gottes ist, hat seinen spezifischen Auftrag im "Wort der Versöhnung". Die Verwirklichung dieses Dienstes in der Verkündigung besteht also darin, in dem durch die Versöhnung der Menschenwelt vorgegebenen universalen Adressatenbereich die Versöhnung als geschehene in einer Weise anzusagen, daß die angesprochene Menschheit in der Anrede das Geschehnis der Versöhnung mit Gott und die Nichtanrechnung der Übertretungen an sich erfährt. Durch das Wort, das durch Gott offiziell zur Verlautbarung aufgegeben und durch ihn inhaltlich und in seiner Wirkweise im Zusammenhang mit der Versöhnungstat steht, wirkt sich die schon "in Christus" (V. 19a) geschehene Versöhnung mit Gott als geschehende, die Gegenwart der Menschheit angehende und sie verändernde Wirklichkeit aus[407]. Die Versöhnungstat Gottes hat also in der Gegenwart Wortcharakter. Oder anders formuliert: Das dem Boten Gottes in seinem Dienst zur Verkündigung aufgetragene "Wort der Versöhnung" hat seine Funktion und anredende Kraft nur im Wirkfeld des versöhnenden Handeln Gottes, auf das es inhaltlich verweist, indem das "Wort der Versöhnung"

---

406 Mit θέμενος ἐν ἡμῖν ist eine gleichsam amtliche Überantwortung des Wortes gemeint: Paulus hat die offizielle Sendung als Bote Gottes erhalten, deren spezifischer Auftragsinhalt das "Wort der Versöhnung" ist. Vgl. M.Wolter, Rechtfertigung 82, mit Hinweis auf LXX-Sprachgebrauch. - Es ist falsch, V. 19c im Sinne von "in uns hineinlegen" oder "unter uns aufrichten" (so z.B. wiederum U.Wilkkens, NT, z.St) zu verstehen. S. O.Hofius, "Gott".

407 Das "Wort der Versöhnung" geht nicht auf in einem Bericht über die im Kreuzestod geschehene Versöhnung, sondern es ist nach dem pl. Verständnis der Verkündigung zugleich ein Aufgehen der Wahrheit dieses Wortes im Gewissen der Hörer und ein Wirksamwerden der durch dieses Wort wirkenden Macht des versöhnenden Gottes. Das Wort der Versöhnung ist in diesem Sinne "ein schöpferischer Sprechakt" (G. Sauter, Versöhnung 49), in dem das gesprochen wird, das als Geschehenes zum Geschehnis wird. Vgl. K.H.Schelkle, in: SM III 1087; F.Hahn, "Siehe" 251.

die Versöhnung als endzeitlich heilshaften Tatbestand des neuen Gemein-
schaftsverhältnisses mit Gott kommunikativ manifest werden läßt und so
die angesprochenen Menschen in die Gegenwart der sie in ihrer Gesamtheit betreffenden, von Schuld befreienden Versöhnung einbezieht (vgl.
1 Kor 1,17.18; 2,4f; Röm 1,16), damit aber auch die Legitimation des
Dienstes durch die worthafte Präsenz seiner Letztursache, seines realen
Fundaments erweist.

V. 19 setzt dieses Wort aufgrund seiner Relation zum Versöhnungsereignis in Beziehung zum "Kosmos". Mit V. 20 tritt ein anderer Adressatenkreis in das Blickfeld: die Gemeinde. Auch sie muß sich das authentische Wort, in dem die geschehene und an Christus gebundene Versöhnung
mit Gott Gegenwart wird, zusagen lassen. Aufgrund dieser konkretisierenden, die Gemeinde unmittelbar ansprechenden Weiterführung des Gedankens
und aufgrund der auf den Apostel zu beziehenden Wir-Aussagen in der
vorausgegangenen Argumentationsfolge V. 12-18 verbietet sich eine allgemeine ekklesiologische Deutung von V. 19c[408]. Nicht die Gemeinde ist
Trägerin des Wortes der Versöhnung (erst recht nicht die in ihr wirkenden Gegner), sondern Paulus allein ist durch Gott für das Wort in
Pflicht genommen, das er sowohl der Menschheit in missionarischer Verkündigung als auch der ihm entgegentretenden Konfliktgemeinde in para-
kletischem Zuspruch mitzuteilen hat.

4) Die argumentative Unterstützung der auf Paulus ausgerichteten Aussageeinheit V. 18, die die Wiederaufnahme des Versöhnungsgedankens leistet, besteht in folgenden Momenten: Die persönlich erfahrene Versöhnung durch Christus mit Gott ist Teil eines umfassenden, der ganzen
Menschenwelt geltenden Vorgangs, durch den Gott selbst eben diese Menschenwelt "in Christus" mit sich versöhnte. Innerhalb dieser betonten
theozentrischen Sicht des Versöhnungsgeschehens, nach der Gott Ursprung,
Initiator und Zielpunkt der die Menschheit erfassenden Versöhnung ist
(vgl. ebenso V. 18), sind die innermenschheitlichen Konsequenzen der
Versöhnung mit Gott nicht entfaltet[409]. Paulus legt vielmehr seine Ge-

---

408 Gegen R.Bultmann (s. oben Anm. 397).

409 Vgl. dagegen den Versöhnungsaspekt der Einheit der beiden Menschheitsgruppen in Eph 2,11-22.

dankenführung so an, daß einmal seine Funktion als Diener der Versöhnung in bezug auf die menschliche Versöhnung mit Gott in den Blick kommt
und zum anderen die unmittelbare, in ihrer Vollmacht und Heilsbedeutung
ausgewiesene Verwirklichung seiner Sendung gegenüber der Konfliktgemeinde vorbereitet wird und zugleich in einem über die Gemeinde hinaus-
reichenden Horizont erscheint. Darin ist aber impliziert, daß die Versöhnung der Gemeindeglieder mit Gott auch die Versöhnung der Gemeinde
mit ihrem Apostel bedingt, durch den sie die autorisierte Bitte zur
Versöhnung mit Gott empfängt. Diese implizite ekklesiologische Komponente der innergemeindlichen Versöhnung, die nicht auf der Oberflächen-
ebene der Sachargumentation zu erkennen ist, sondern die Pragmatik der
Kommunikation mit der Gemeinde bestimmt, wird auf einer reflektierten
theologischen Ebene und in einem anders liegenden Problemzusammenhang
in Eph 2 universal-ekklesiologisch thematisiert, wobei jedoch die theozentrische Grundlinie miterhalten bleibt[410].

Die kosmologische Dimension der Versöhnung, die das Stichwort "Kosmos"
V. 19a erwarten läßt, bleibt im Unterschied zum Ansatzpunkt von Kol
1,20 ausgeblendet. Die versöhnungstheologische Fragestellung des Paulus
ist anders orientiert. Sein Schwerpunkt liegt in der Überwindung der
zwischen der Menschen-Welt und Gott bestehenden Trennung, deren Ausdruck und Zementierung die παραπτώματα eben der Glieder der Menschenwelt sind. In dieselbe Richtung führt auch der Autor des Kol seine Auslegung der Versöhnungstradition (vgl. Kol 1,21f). Die Überwindung der
in den Übertretungen der einzelnen gleichsam dokumentarisch werdenden
Aufkündigung der Gemeinschaft der Menschheit mit Gott und die Herstellung neuer Gemeinschaft geschieht dadurch, daß Gott die Verfehlungen
nicht anrechnet (2 Kor 5,19b). Versöhnung des "Kosmos" (V. 19a) und
Nichtanrechnung der Verfehlungen, deren die αυτοι (V. 19b) schuldig
sind, lassen sich nicht in ein Verhältnis von Voraussetzung und Folge
zueinander bringen[411], als ob die Sündenvergebung entweder Vorausset-

---

410 Vgl. Eph 2,16 (18. 19. 22).
411 S. dazu z.B. E.G. van Leeuwen, De καταλλαγή 165f; J.Dalmer,
    Heilsbedeutung 20 (Gleichzeitigkeit von Versöhnung und Sündenver-
    gebung).

zung oder Folge der Versöhnung sei. V. 19ab entfaltet vielmehr den Gedanken, daß die von Gott "in Christus" zur Realisierung gebrachte Versöhnung der Menschheit mit Gott sich in der Nichtanrechnung der Ober-
tretungen konkretisiert, die Gott den - durch "Kosmos" als Kollektiv
(vgl. πάντες V. 14f) gesehenen - Menschen gewährt. Durch die Sündenvergebung wird von Gott selbst das ausgeräumt, was der Gemeinschaft mit
ihm entgegensteht. Da aber die Gemeinschaft mit Gott intendiertes Ziel
des Versöhnungsgeschehens ist, gehören Versöhnung und Nichtanrechnung
der Verfehlungen wesentlich zusammen. Darüber hinaus ist an dieser
Stelle festzuhalten, daß die in V. 19ab aufeinander interpretativ bezogenen Aussagen über das Versöhnungsgeschehen und die Nichtanrechnung
durch den Kosmos-Begriff (V. 19a) so universal angelegt sind, daß sie
nicht nur die auf Israel bezogene Deutung der Versöhnung als Sündenvergebung sprengen, sondern auch die Gläubigen der Gemeinde in der konkreten Teilhabe an der Sündenvergebung als Zeugnis für die geschehene Versöhnung der Menschenwelt erscheinen lassen. Daß der Gedanke in 2 Kor
nicht fernliegt, läßt sich in Verbindung mit 3,2f aufzeigen. Doch wird
diese ekklesiologische Dimension universaler Versöhnung nicht in 5,19
explizit thematisch, da die Gemeinde erst noch den Weg zum adäquaten
Verständnis des Apostolats im Kontext universaler und ihrer eigenen
Versöhnung geführt werden muß.

Aus diesem Grunde setzt Paulus in V. 19c seinen spezifischen, auf den
Apostolat bezogenen Akzent, indem er mit der Begabung durch den "Dienst
der Versöhnung" (V. 18c) die Beauftragung mit dem "Wort der Versöhnung"
verbindet. Die Beauftragung selbst ist durch ein Zweifaches charakterisiert: einmal geschieht sie durch Gott, der vorgängig bereits als der
Versöhnung Stiftende (V. 18b. 19a) und die Sünden Vergebende (V. 19b)
erkannt ist. Zum anderen geschieht sie in dem durch die universale Versöhnung mit Gott vorgegebenen Bezugsfeld: das "Wort der Versöhnung" ist
als auf die Menschheit ausgerichtetes missionarisches Verkündigungswort
dem Apostel, d.h. dem "Dienst der Versöhnung", aufgegeben.

2.2.3.5 Die Einladung zur Versöhnungsgemeinschaft mit Gott durch den Dienst der Versöhnung (2 Kor 5,20)

2 Kor 5,20 zieht die Folgerung (οὖν) aus der "Definition" des Dienstes und des ihm aufgetragenen Wortes hinsichtlich des Ursprungs- und Funktionszusammenhangs mit dem Handeln Gottes, das die Versöhnung mit ihm durch bzw. in Christus bewirkt hat (V. 18f). Gegenstand der Folgerung, in der die Argumentation aufgipfelt, sind der Gesandtenstatus des Dieners (vgl. V. 20aα und V. 18c) und das vollmächtige Gotteswort (vgl. V. 20aβ und V. 19c). Nach der zweisträngigen Reflexion über das Versöhnungsgeschehen und den darin grundgelegten und integrierten Dienst am Wort der Versöhnung wird zunächst in einer summierenden, maßgebliche Akzente setzenden Weise die apostolatstheologische, nur scheinbar konstatierende Konsequenz so formuliert, daß die sich in der Durchführung des Dienstes am aufgetragenen λόγος τῆς καταλλαγῆς realisierende konstitutive Beziehung des Boten und seiner Rede zu Christus und zu Gott nachdrücklich herausgestellt wird und sogleich die argumentative Konstatierung in die Verwirklichung des Gesagten umschlägt. Die Aussage geht in den unmittelbaren appellativen Vollzug der Botenfunktion und des Gotteswortes über, wie die chiastische Parallelität von V. 20aα und bα deutlich macht. Damit konkretisiert sich in der direkten Anrede der Adressaten des Briefes (V. 20b) der durch V. 18f (und 20a) in seiner Legitimität durch die Verschränkung von soteriologischen und apostolatstheologischen Argumentationsgliedern ausgewiesene Dienst, zu dessen Berufung wesentlich die Partizipation am Heilsgeschehen der Versöhnung gehört, d.h. das Gemeinschaftsverhältnis zu dem die Menschheit im Schlüsselereignis des Kreuzestodes Christi unumkehrbar von ihrer Schuld befreienden und mit sich versöhnenden Gott, der im Wort seines Dieners als der Versöhner initiativ bleibend dem Menschen entgegenkommt. V. 20 ist also zum einen noch einmal Umschreibung des in V. 18f angesprochenen Sachverhalts unter dem Blickwinkel der Vollmacht des Dienstes und der Authentizität und Wirkmacht seines Wortes (V. 20a), zum anderen aber Dienst in actu gegenüber der Gemeinde (V. 20b)[412].

---

412 G.Bornkamm, in: ThWNT VI 682 Anm. 11; E.Dinkler versteht dagegen den ganzen Vers als "Verkündigung in actu" (ders., Verkündigung 178).

1) Im Unterschied zu der gleichsam auf "Objektivität" bedachten, refe-
rierenden Form der Argumentation V. 18f, wo Paulus V. 18bc und V. 19c
allein als der B e t r o f f e n e erscheint und sein Verkündigungsdienst mit dem ihn selbst (V. 18b) und die Menschheit überhaupt (V.
19ab) erfassenden Versöhnungsgeschehen in Verbindung gebracht ist, nimmt
er in der Aussage V. 20 zweimal die Subjektrolle ein (vgl. 5,12. 13.
14ab. 16)[413]. V. 20aα spricht er von sich selbst, V. 20b spricht er
(δεόμεθα) als der in V. 20a Authorisierte. Der Wechsel von der Rede
über das Handeln Gottes (V. 18f) zur Rede in der 1. Person bringt die
persönliche Identifikation mit dem in V. 18f Gesagten nachhaltig zum
Ausdruck. Dabei ist zu beachten, daß Paulus in dem V. 20aα begründenden
V. 20aβ wieder an den Argumentationsstil von V. 18f anknüpft. In Fortsetzung von V. 18c (Gabe des Dienstes der Versöhnung) und V. 19c (Beauftragung mit dem Wort der Versöhnung) hat V. 20aβ das Sprechen Gottes
durch Paulus (δι' ἡμῶν), dem mit dem Dienst der Versöhnung Betrauten,
zum Inhalt.

Es verselbständigen sich also keineswegs die Person und das Tun des
Dienstträgers. Vielmehr verweist Paulus mehrfach über sich hinaus: zweimal auf den erhöhten Christus (V. 20aα und bα) und zweimal auf Gott
(V. 20aβ und bβ)[414]. Zunächst stellt er sich dar als Gesandter ὑπὲρ
Χριστοῦ, wobei V. 20aα ὑπὲρ Χριστοῦ betont am Anfang der Aussage
steht. Dem korrespondiert, daß er V. 20b seine Sendung in der Sprechhandlung der Bitte ὑπὲρ Χριστοῦ vollzieht[415]. Zum anderen konsta-

---

413 E.-B.Allo, 2 Cor 172, weitet V. 20 auf die Mitapostel und Mitarbei-
    ter aus.

414 Diese Doppelreferenz erlaubt nicht eine Parallelisierung von Chri-
    stus und Gott in der Weise, daß aus V. 20a die dogmatische Implika-
    tion der Göttlichkeit Christi herausgelesen wird; gegen E.-B.Allo,
    a.a.O., der hier seine Deutung von V. 19a - Gegenwart Gottes in
    Christus auf der Linie der Lehre von der hypostatischen Union als
    Fundament des Erlösungsdogmas - konsequent fortführt.

415 Der Begriff der Sprechhandlung geht auf die sprachtheoretische Kon-
    zeption K.Bühlers zurück. Er wird in der linguistischen Diskussion
    von Kommunikationsmodellen unter pragmatischem Gesichtspunkt und
    insbesondere im Rahmen der Sprechakttheorien wieder aktuell. S. da-
    zu E.Gülich/W.Raible, Textmodelle 22. 30-34. Näherhin läßt sich V.
    20b als "illokutionärer Akt" charakterisieren, der durch das Verb
    "bitten" angezeigt wird (vgl. a.a.O. 32).

tiert er für sein Gesandtsein, daß Gott mahnend[416] durch ihn spricht
(V. 20aβ), während in der unmittelbar folgenden persönlich formulier-
ten und zugleich an Christus zurückgebundenen nachdrücklichen Bitte
Gott in einem der an den Angesprochenen direkt Handelnde und das letzte
Ziel der Handlung ist (V. 20bβ).

2) In singulärer Weise umschreibt Paulus V. 20a seinen Dienst mit ὑπὲρ
Χριστοῦ πρεσβεύομεν[417]. Außerhalb der von Paulus verfaßten Briefe
erscheint πρεσβεύειν - ebenfalls in Verbindung mit der Präposition
ὑπέρ c. gen. - nur noch in Eph 6,20[418]. Auch diese Stelle handelt
vom Apostolat des Paulus, für den der Autor des Eph spricht. Die nähere
Bestimmung des Gesandterseins divergiert jedoch von der in 2 Kor 5,20.
Eph 6,20 bezieht sich ὑπὲρ οὗ πρεσβεύω auf das "Mysterium des Evangeliums". Für dessen Ausbreitung setzt sich Paulus selbst noch als Gefangener ein, indem er es in Parrhesie verkündigt (V. 19f)[419]. 2 Kor
5,20 steht jedoch an der Stelle des "Mysteriums des Evangeliums" Christus selbst. Das Gesandtsein erhält von ihm seine eindeutige Bestimmung.
Der argumentative Akzent von V. 20a liegt darauf, daß Paulus die ihn
in seinem Dienst legitimierende Beauftragung und gleichsam amtliche

---

416 In V. 20a als Vorbereitung von V. 20b umschreibt παρακαλεῖν
nicht die allgemeine missionarische Verkündigungssituation (vgl.
dagegen 1 Thess 2,2f), meint aber auch nicht eine sittlich-paräne-
tische Aufforderung. Vgl. O.Schmitz, in: ThWNT V 792,19-793,11. Zum
pl. Paraklese-Begriff s. H.Schlier, Ermahnung; W.Thüsing, Per Christum 170-174 (z.St. 171); A.Grabner-Haider, Paraklese. - Zu ὡς mit
Partizipialkonstruktion vgl. Bl.-Debr. § 396 (Parallelisierung mit
V. 19a) und § 425,3. Nach E.Dinkler, Verkündigung 179 enthält V.
20aβ eine Gedankensteigerung; er übersetzt deshalb: "indem Gott geradezu durch uns die Aufforderung ergehen läßt".

417 Vgl. die sprachlichen Parallelen bei C.F.G.Heinrici, 2. Sendschreiben 307 Anm. 1; H.Windisch, 2 Kor 195; W.Bauer, Wb 1387.

418 Vgl. J.Gnilka, Eph 318f.

419 G.Bornkamm, in: ThWNT VI 682,35-40; H.Riesenfeld, in: ThWNT VIII
516,31 - 517,4; J.Gnilka, Eph 318 (der Gesandte als Repräsentant
des Anliegens des Evangeliums). - Eph 6,20 mit Phlm 9 in Verbindung
zu bringen, ist problematisch (J.Gnilka, a.a.O. 319 Anm. 1; positiver: E.Lohse, Kol 277f).

Vollmacht von Christus empfangen hat[420].

Daß mit ὑπὲρ Χριστοῦ πρεσβεύομεν der offizielle und öffentliche Charakter der Sendung zum Ausdruck kommt, verdeutlicht der vergleichbare hellenistische Sprachgebrauch[421]. In ihm spiegelt sich die Auffassung wider, daß der Gesandte im Umfang seiner Bevollmächtigung der rechtsgültige Repräsentant der entsendenden staatlichen Institution ist oder - im privatrechtlichen Bereich - die vollmächtige Vertretung eines anderen wahrnimmt. So fraglos es ist, daß V. 20aα rechtliche Terminologie aufnimmt[422], so fragwürdig erscheint es doch, die Aussage ohne weitere Differenzierung mit dem Rechtsgrundsatz der Stellvertretung des Sendenden durch den Gesandten in Einklang zu sehen[423]. Die sprachgeschichtlichen Parallelen aus den politisch- und privat-rechtlichen wie aus den religiösen Bereichen[424] sind zwar Haftpunkte, um wiederkehrende und relativ konstante Bedeutungsmomente festzustellen, bilden aber doch nur den allgemeinen Sprach- und Deutungszusammenhang für die konkrete Aussage ab, die jeweils von ihrem besonderen Kontext her zu betrachten ist.

---

420 "Gesandter im Auftrag Christi" steht gegen die Beauftragung durch einen Menschen oder durch die Gemeinde (vgl. 3,1). - Die Übersetzungen von ὑπὲρ Χριστοῦ reichen vom "für Christus", "für die Sache Christi", "im Interesse Christi", "an Christi Stelle" bis zu "im Namen Christi". Vollinhaltlich gerecht wird nur eine Umschreibung wie "im Auftrag und in der Vollmacht Christi", wobei aus dem engeren Kontext einmal die Zusammengehörigkeit von Dienst und Versöhnung durch Christus (V. 18) und zum anderen des Gedrängtseins von der Liebe Christi zum Leben für ihn (V. 14 bis 15) mitzuhören ist.

421 Vgl. dazu A.Deissmann, Licht 320 (im hellenistischen Osten für die kaiserlichen Legaten des römischen Reichs); G.Bornkamm, in: ThWNT VI 681f; W.Bauer, Wb 1387; J.H.Moulton-G.Milligan, Vocabulary 534; F.Preisigke-E.Kießling, Wörterbuch III 147; s. auch C.F.G.Heinrici, 2. Sendschreiben 145 Anm. 1.

422 G.Bornkamm, in: ThWNT VI 681f.

423 Zu dem Grundsatz des Botenrechts s. hier auch das Schaliach-Institut. K.H.Rengstorf, in: ThWNT I 414-420; Str.-Bill. III 2-4. Vgl. dazu J.Blank, Paulus 166-167 (J.Blank sieht in 2 Kor 5,20a das "Repräsentationsprinzip", das auch im jüdisch-rabbinischen Schaliach-Institut Geltung hatte, ausgesagt).

424 G.Bornkamm, in: ThWNT VI 681, 10-35 (religiöses Verständnis des Gesandten bei Philo, in gnostischen Texten und bei den stoisch-kynischen Wanderlehrern).

Für 2 Kor 5,20a ist deshalb als erstes festzuhalten, daß die rechtlich geprägte Aussage des Gesandterseins in einen religiösen bzw. theologischen Rahmen hineingestellt ist. Zum anderen ist genauerhin der unmittelbare Kontext des Brieffragments bedeutungskonstitutiv. Beides zusammen ist nicht ohne Einfluß auf die Rezeption der rechtlichen Konzeption[425].

Die Auswirkung der Übertragung der Rechtsterminologie in den theologischen Aussagezusammenhang läßt sich gut an der bereits angeführten deuteropl. Stelle Eph 6,20 illustrieren. Bei ihr findet sich zwar auf der einen Seite ein Reflex der Rechtsterminologie, wobei sich die vollmächtige Gesandtenfunktion für die Ausbreitung des Evangeliums mit der - dem öffentlichen Rechtsstatus gemäßen - Parrhesie verbindet. Doch auf der anderen Seite kontrastiert damit in verfremdender Weise die Situation, in der diese Funktion ausgeübt wird: die Gefangenschaft "in Ketten" ($\overset{2}{\epsilon}\nu$ ἀλύσει)[426]. Was sich in Eph 6,19f an Spannung zeigt, trifft noch stärker auf 2 Kor 5,20 zu, wenn der für die apostolatsbezogene Argumentation des Paulus wichtige Zusammenhang mit den Leiden berücksichtigt wird (vgl. 4,7-13. 16f; 6,3-10)[427]. Der die Rechts- und Würdestellung des Gesandten hat, ist der Leidende von der Macht eines anderen Lebende!

---

425 Vgl. hier auch die kritischen Überlegungen zum Verhältnis von Apostolat und Schaliach-Institut mit Hinweis auf Modifikationen und Neuinterpretationen des Schaliach im Apostolat bei J.Blank, Paulus 166f (bes. Anm. 66). S. zu der im Apostolatsverständnis weithin wirksamen Schaliach-Hypothese: J.Roloff, Apostolat 10-16.

426 Vgl. J.Gnilka, Eph 318f (mit Hinweis auf die "Paradoxie").

427 Vgl. auch das verfremdende Moment der B i t t e im Kontext der rechtlichen und theologischen Wertung des Dienstes: Vollmacht ist nicht Macht "der starken Worte", wenngleich Gott durch den Apostel redet und in dieser Gottesrede (des Wortes der Versöhnung) der legitimierende Grund und Aufweis der Christusgesandtschaft gegeben ist. Der offizielle Gesandte erscheint im Dienst der Versöhnung nicht als Herr gegenüber der Gemeinde, sondern ordnet sich dem Mahnen Gottes und dem Bitten Christi unter. Vgl. 4,5; 1,24. - Die Autorität ist nicht Anspruch des Apostels aus sich heraus oder eines Amtes qua Amt, sondern sie hat nur Bestand als sich erweisende Autorisierung und im Gehorsam gegenüber den Autorisierenden. So reflektiert 5,20 auch die kritische Antwort des Paulus auf die Frage nach seiner ἱκανότης.

Relevant für das adäquate Verständnis der Gesandtenfunktion sind weiterhin die Motive und theologischen Gehalte der Danksagung 2,14-16a, wo der Apostel in seinem universal-missionarischen Wirken dem universalen Triumphzug Gottes "in Christus" eingegliedert ist - und zwar nach der ersten Bildaussage als Gefangener "in Christus", d.h. in enger Bindung an den erhöhten Christus, dem er als Gefangener mit seiner ganzen Person übereignet ist[428]. Darüber hinaus geben 2,17 (Reden aus Gott vor Gott in Christus), 3,2 (dienende Beteiligung bei der Konstituierung der Gemeinde als pneumaerfüllter "Brief Christi"), besonders aber die Antithese der beiden Dienste, des typologisch von Moses her gedeuteten Gramma-Dienstes des Todes und der Verurteilung und des von Gott her kommenden und auf den Pneuma-Kyrios (und durch ihn auf Gott) bezogenen neubundlichen Pneuma-Dienstes 3,6. 7-18 Aufschluß über die Implikationen von 5,20a.

Die Antithesenreihe 3,6. 7-18 nimmt die Antithese von Verfälschung des Wortes Gottes und lauterer Rede "aus Gott vor Gott in Christus" (2,17) und die Gegenüberstellung 3,3 auf und verschärft sie von einem eschatologisch unterscheidenden Denkansatz her (vgl. auch 3,3; 2,15-16a). Aus ihrer Argumentation folgt für 5,20, daß die Betonung des Gesandtseins ὑπὲρ Χριστοῦ nicht nur den Gegensatz zu den Gegnern und ihrem möglicherweise legitimierenden Vergleich mit Moses aufreißt, wie auch den Gegensatz zur Forderung legitimierender - von Menschen verfaßter - Empfehlungsbriefe (vgl. 3,1) hervorhebt, sondern daß sachlich allein der ὑπὲρ Χριστοῦ Gesandte - aufgrund seiner Bezogenheit auf den ge-

---

428 Vgl. H.Schürmann, Existenz 231f (jedoch bes. an Kol 2,15; Eph 3,1; 4,1. 8 orientiert). H.Baum, Mut 77-84. - Für Paulus selbst kann Phil 3,12 - das Ergriffensein des Apostels von Christus - herangezogen werden (vgl. J.Gnilka, Phil 198), aber auch die Bedeutungsnuance "gefangenhalten" in συνέχειν 5,14a verdient Beachtung. - Relevant sind hier bes. die auf das Verhältnis des Apostels zu Christus bezogenen Doulos-Selbstbezeichnungen. Vgl. Gal 1,10; Phil 1,1 (zusammen mit Timotheus; vgl. kontextuell den christologischen Doulos-Begriff 2,7); Röm 1.1. Als Gegensatzbegriff ist vor allem δοῦλος ανθρώπων (vgl. 1 Kor 7,22f) anzusehen, aber auch Sklave der Sünde und des Gesetzes. S. auch noch die situationsspezifische Desmios-Prädikation Phlm 1,1 (vgl. Phil 1,7). - Vgl. G.Delling, in: ThWNT III 160,5-10; B.Mayer, Heilsratschluß 131; F.Neugebauer, In Christus 122f; auch T.W.Manson, Suggestions.

kreuzigten Auferweckten und Erhöhten, den Pneuma-Kyrios - für sein Wirken auf die gegenwärtige Kraft des Pneuma verweisen kann.

Daß sich darauf kein selbstempfehlender Vollmachts- und Statusanspruch ergibt, ist durch 4,5 in einer prägnanten Aussage bereits zu erkennen gegeben worden: Der ὑπὲρ Χριστοῦ-Gesandte verkündet nicht sich selbst, sondern Christus Jesus als den Kyrios, sich selbst aber nur als Doulos der Gemeinde, und zwar "um Jesu willen". Den Kyrios aber verkündet er durch das "Evangelium von der Doxa Christi, der ist die Eikon Gottes" (4,4.6; vgl. 3,18).

Das Spezifische der Sendungsaussage 2 Kor 5,20a ist aber vor allem darin zu sehen, daß der in der Vollmacht Christi wirkende Apostel einmal einen Dienst erfüllt, den Gott selbst gegeben hat (V. 18f), zum anderen aber (in der Unterordnung und der Abhängigkeit von Christus) das Verhältnis zwischen Christus und Apostel nach der Aussage des näheren Kontextes bestimmt ist von der Liebe Christi, die den Apostel ergreift und vom Leben des Apostels für Christus (V. 14f)[429].

Gegen eine Deutung von 5,20 in direkter Bezugnahme auf den politisch-rechtlichen Stellvertretungs- und Repräsentationsbegriff spricht vor allem aber auch der unmittelbare soteriologische Kontext. Das ὑπὲρ Χριστοῦ πρεσβεύομεν hat zur Voraussetzung die Versöhnung mit Gott durch Christus[430], und es kann nur adäquat vollzogen werden in der Lebenshinordnung auf Christus (V. 15b), die ihrerseits durch den Tod Christi für alle durch die Einbeziehung in sein Leben und die Zuwendung der Versöhnung mit Gott erst möglich geworden ist (V. 14-15.17a). Der Dienst und seine Verkündigung steht unter dem Signum des Kreuzestodes[431], und nur in der Leidensgemeinschaft mit Jesus offenbart sich schon jetzt

---

429 Vgl. W.Thüsing, Per Christum 106.

430 V. 18b als soteriologisches Fundament von V. 18c; vgl. den Zusammenhang von V. 19ab und c.

431 Eindrucksvoll hat Paulus diesen Grundgedanken bereits im 1 Kor der Gemeinde gegenüber vertreten (1,17f. 21-25; 2,1-5; 4,9-13), jedoch ist der Spannungsbogen zu 15,8-10 mitzusehen. R.Baumann, Mitte 61-66. 80-112. 148. 171; K.Müller, Anstoß 84-103; J.Blank, Paulus 185-197.

in der sterblichen sarkischen Existenz des Apostels die Lebensmacht des
Erhöhten, der identisch ist mit dem Gekreuzigten (4,10f). Vor allem die
enge Verknüpfung der Existenz und des Dienstes des Apostels mit dem
Kreuzestod und dem gegenwärtigen pneumatischen Wirken Christi läßt die
christologisch-soteriologische Einheit von Tod und Auferweckung und
Wirken des Erhöhten auch in der Spannung von Leiden und Leben, von Vergehen und Erneuerung, von gegenwärtiger Doxa (des Leidenden) und zukünftiger Vollendungsdoxa apostolatstheologisch wirksam werden. Das geschieht jedoch immer so, daß die Spannung nicht einseitig auf die Vollgestalt der Doxa und des Lebens hin aufgelöst wird. Selbst dort, wo
Paulus auf die Gegenwart der Doxa im Dienst des wahren Apostels (und in
der Gemeinde, vgl. 3,18) nachdrücklich insistiert, fehlt es nicht an
futurischen Perspektiven (vgl. 3,10f und 18 zusammen mit 4,17 und der
Argumentation 4,18, 5,1-8).

3) Die direkte Deutung von 5,20 nach dem Verstehensmodell der stellvertretenden Repräsentanz des Sendenden im Gesandten steht demgegenüber in
der Gefahr, die christologisch-soteriologische und eschatologische Kriteriologie, die Paulus innerhalb eines theozentrischen Denkansatzes
entwickelt, zugunsten einer zumindest funktionalen Identifikation von
Christus, dem Sendenden, und Paulus, dem Gesandten, zu verwischen. Typische Beispiele dafür sind die Exegesen, die ὑπὲρ Χριστοῦ πρεσβεύομεν mit V. 14 in Verbindung bringen, die soteriologischen υπερ-Wen-
dungen V. 14c. 15ab im Sinne der Stellvertretung verstehen, sodann V.
20a analog zu V. 14f ebenfalls als Aussage über die Stellvertreterfunk-
tion des Gesandten nehmen und schließlich zur Erweiterung bzw. Übertragung des soteriologischen Gehalts auf den Aposteldienst kommen. So wird
aus dem Gesandtsein ὑπὲρ Χριστοῦ - im Zusammenhang mit der vorausgegangenen soteriologischen Thematik und der Versöhnungsbitte - die "Weiterführung der Tätigkeit Christi" durch den Apostel[432], die "Fortsetzung" des Heilswerks Christi[433] oder die "Verlängerung" des Dienstes
Christi "auf die Kirche hin"[434] abgeleitet und die Stellvertretung als

---

432 R.Asting, Verkündigung 164; vgl. 141ff.
433 G.Sass, Apostelamt 81; z.B. auch O.Kuss, 2 Kor 218.
434 J.Roloff, Apostolat 123.

"Gleichstellung der Apostel mit Christus"[435], wenn nicht sogar ausdrücklich als Ersetzung Christi durch den Apostel bzw. der Nachfolger der Apostel im Amt Christi[436] ausgelegt. Angesichts dieser Konsequenzen, die weder durch V. 20 (im Kontext) noch durch die pl. Apostolatstheologie überhaupt gerechtfertigt werden können, versucht die neuere Forschung verstärkt den problematisch gewordenen Stellvertretungsbegriff zu ersetzen.

Im Vordergrund steht der Gedanke der "Repräsentation Christi"[437]. Dieser erscheint teilweise noch in der Verbindung mit "Stellvertretung", teilweise löst er sich gänzlich vom Stellvertretungsmotiv, wird aber unterschiedlich gefüllt. Während auf der einen Seite die Christus-Repräsentation der Verkündigung des Apostels zugesprochen wird[438], wird auf der anderen Seite geltend gemacht, daß die Christus-Repräsentation, die zugleich Repräsentation Gottes ist (vgl. V. 20a α in Einheit mit 20aβ und bes. V. 18f), Dienst und Verkündigung gemeinsam ist und den Gesandten selbst erfaßt[439]. Dabei wird zugleich versucht, den Stellvertretungsgedanken zu erhalten[440], ihn aber vor dem Bedeutungsmoment der Ersetzung zu schützen[441]. Diesem exegetischen Bemühen korrespondiert die Bestimmung des Verhältnisses von Verkündigung und Versöhnungsgeschehen: Verkündigung setzt nicht das Versöhnungsgeschehen fort, in dem

---

435 K.Prümm, Diakonia I 345.

436 J.E.Belser, 2 Kor 190.

437 Vgl. G.Bornkamm, in: ThWNT VI 682, 24-34 (unter Einschluß der Stellvertretung, aber nicht im Sinne der "Stellvertretung für einen Abwesenden"), verstärkt aufgenommen von J.Hainz, Ekklesia 275-280; s. auch K.Kertelge, Gemeinde 90 u.ö., jedoch unter Verweis auf den funktionalen Charakter (ebd. 120-122). Kertelge führt daneben noch den Gedanken der Sachwalterschaft ein (vgl. auch H.Windisch, 2 Kor) und sieht im Apostel den "Mandatar seines Auftraggebers Jesus Christus" (ebd. 86).

438 So bes. G.Bornkamm, a.a.O. (Anm. 419).

439 J.Hainz, Ekklesia, 276f (in Auseinandersetzung mit G.Bornkamm).

440 Ebd. 277: "der Gesandtendienst des Apostels ... an Stelle Christi, durch den Gott die Versöhnung bewirkte".

441 Ebd.: Er (sc. der Apostel) steht ... weder an der Stelle, wo vorher für Gott Christus stand, noch ist er ein 'Stellvertreter Gottes' ...". - Vgl. demgegenüber R.Asting, Verkündigung 164.

Gott durch Christus die Versöhnung mit sich bewirkt hat, sondern expliziert und vergegenwärtigt es[442].

Zur exemplarisch skizzierten Deutungstendenz ist zu sagen: Abgesehen von der terminologischen Variation (Repräsentation statt Stellvertretung bzw. mit Stellvertretung), die an sich noch kein über den ausschließlich gebrauchten Stellvertretungsbegriff wesentlich hinausgehendes Bedeutungsmoment eröffnet, zumal "Stellvertretung" und "Repräsentation" wechselseitig aufeinander bezogen sind und z.T. auch gleichbedeutend verstanden werden, zeigen sich doch stärkere Annäherungen an Paulus. Die Fehlinterpretationen, die den apostolatstheologischen Stellvertretungsbegriff einlinig dem christologisch-soteriologisch qualifizierten Stellvertretungsgedanken anschlossen, sind zu Recht korrigiert worden. Eine bedeutsame Erkenntnis ist darin gegeben, daß der Dienst des Apostels nicht als Weiterführung des Versöhnungsgeschehens, sondern als Teil des Versöhnungshandelns Gottes zu deuten ist. Was die Funktion der Verkündigung im Rahmen des Versöhnungshandelns Gottes betrifft, kann ihre Umschreibung als Explikation und Repräsentation mit Blick auf 2 Kor 5,20 nicht voll genügen, wenn nicht der appellative und ereignishafte Charakter mit berücksichtigt wird. Mit der sachlich geforderten Betonung des Handelns Gottes und Christi durch den Aposteldienst (und insbesondere durch das aktuelle, mit dem Versöhnungsangebot Gottes konfrontierende Wort)[443] ist noch stärker das Betroffensein des Apostels selbst durch das Versöhnungshandeln, die christologische Struktur sowohl der Verkündigung als auch der Verkündigerexistenz (in Leiden und "Leben", Doxa, Dynamis, Pneuma) und der von daher bestimmte Vorbehalt gegen die selbstrühmende Überbetonung der heilspräsentischen Exklusivität des Dienstes bei Paulus herauszuarbeiten. Der Repräsentationsgedan-

---

442 In der Verkündigung als "Vergegenwärtigung des Versöhnungshandelns Gottes in Christus" (...) "ist der Apostel Repräsentant Christi und Gottes zugleich" (J.Hainz, Ekklesia 277).

443 Es ist positiv zu würdigen, daß J.Hainz, Ekklesia 275-280, bei aller Betonung des Repräsentationscharakters von Dienst und Verkündigung auf das Handeln Gottes und Christi durch den Gesandten und seine Verkündigung abhebt und die pl. Korrektive eines überakzentuierten Repräsentationsverständnisses im Ansatz zur Sprache bringt (mit Bezug auf 6,3-10).

ke kann nur so vor Mißverständnis bewahrt werden.

Zudem ist zu fragen, ob der Begriff der Repräsentation nicht ebenso wie der z.T. zurückgestellte Stellvertretungsgedanke durch die Auslegungsgeschichte so fixiert ist, daß mit der Neubesinnung auf seine ntl. Bedeutung die Aufarbeitung der Auslegungsgeschichte unter Berücksichtigung des dogmatischen und praktisch gelebten Kirchen- und Amtsverständnisses zusammengehen muß[444].

Schließlich aber ist als exegetisches Argument zu bedenken, daß im Rahmen der pl. Theologie der Repräsentationsgedanke eigentlich christologisch-soteriologisch zu verstehen ist. Beispiele in 2 Kor 2,14 - 7,4, die dies besonders deutlich werden lassen, bieten 4,4 und 5,14f. An der zuerst genannten Stelle wird der erhöhte Christus in seiner Doxa als Eikon Gottes gesehen. Verbunden mit der Eikon-Aussage 3,18 ergibt sich, daß für alle Glaubenden nur in bezug auf ihn die endzeitliche Umwandlung in die Eikon Christi wirklich wird. Christus ist ursprungshaft Eikon, der Glaubende aufgrund des umgestaltenden pneumatischen Wirkens des Erhöhten. 5,14f hebt demgegenüber einen anderen Zusammenhang hervor, der gleichsam als Fundament für den Gedanken von 3,18 in Verbindung mit 4,4 anzusehen ist: der Tod des Einen, d.h. Christi, für alle schließt in sich als notwendige Konsequenz den Tod aller; die Finalität dieses kollektiven soteriologischen Geschehenszusammenhangs ist das Leben in Hinordnung auf Christus[445].

4. V. 20aβ expliziert V. 20aα: durch den im Auftrag und in der Vollmacht Christi Gesandten mahnt Gott. Die Aussage wechselt also von dem christologischen Legitimationsrekurs, der in V. 20bα noch einmal aufgenommen wird, zum Aufweis der Rede des Gesandten als Rede Gottes durch den Gesandten. Obwohl vorbereitet in V. 18c und 19c, weicht doch die theo-logische Argumentationsform, die das Sprechhandeln Gottes hervortreten läßt und den Gesandten als Sprechmedium Gottes darstellt, von

---

444 Zum Stellvertretungsgedanken vgl.: J.Ratzinger, Stellvertretung; N. Klaes, Stellvertretung; zum theologischen Repräsentationsbegriff Vgl. K.Rahner, Repäsentation.

445 Vgl. auch die Denkweise in Nähe zur Vorstellung der "kollektiven Persönlichkeit": Röm 5,12-21; 1 Kor 15,20f.45-49.

der in V. 20aα beginnenden Gedankenlinie ab. Die konsequente Fortsetzung müßte darauf abheben, daß Christus durch den von ihm Gesandten spricht[446] bzw. ermahnt[447]. Die Verschiebung der Argumentationsperspektive von Paulus (dem Gesandten im Auftrag und in der Vollmacht Christi) zu Gott (dem durch den Gesandten Sprechenden) ist aber von V. 18c und 19c her gesehen folgerichtig und entspricht der Argumentationsstruktur des Brieffragments: Gott ist der Urheber des Dienstes; er beauftragt mit dem Wort der Versöhnung; er ist Urheber des Wortes, das der Apostel mahnend der Gemeinde zuspricht[448]. Um den Zusammenhang von V. 20aα und aβ, die Zusammenschau der Sendung in der Vollmacht Christi und des Wirkens Christi durch den Gesandten einerseits mit dem Wirken Gottes durch den in der Vollmacht Christi Gesandten andererseits deutlich erkennbar zu machen, bietet sich eine Umformulierung von V. 20a an: V. 20a lautet dann: Im Auftrag und in der Vollmacht Christi sind wir Gesandte, da wir ermahnen aus Gott in Christus. Diese Paraphrase ist in ihrem zweiten Teil durch V. 20b gedeckt (vgl. 2,17). Dort wird das Mahnen Gottes artikuliert als Bitte ὑπὲρ Χριστοῦ. Es besteht also ein enges Wechselverhältnis zwischen dem Mahnen Gottes durch den Apostel einerseits und dem Bitten, mit dem sich der von Christus Gesandte in der Vollmacht Christi an die Gemeinde wendet. Die gemeindebezogene Versöhnungsbitte kann legitimerweise nur in dem Bewußtsein ausgesprochen werden, daß der Bittende in der Gesandtschaftsbeziehung zu Christus der Gemeinde gegenübertritt und daß seine Funktion als Bote letztlich in dem durch den Boten sprechenden Gott ihren Ursprung hat.

Die Verbindung von theo-zentrischer und christo-zentrischer Betrachtungsweise des Redens des Apostels hat Parallelen in unserem Brieffragment:
2,14.16a[449] verbindet sich in der Charakterisierung des missionarischen

---

446 Vgl. 2 Kor 13,3; s. dazu Gal 2,20 (nicht als "Ich", sondern Christus lebt in mir); Röm 15,17-19.

447 Vgl. 1 Kor 1,10; 2 Kor 10,1; 1 Thess 4,1. 2; Röm 15,30; s. auch Röm 12,1. 3.

448 Vgl. hier die theo-logische Ursprungswendung "aus Gott" 2,17; 3,5; 5,1. 18a, deren Opposition "aus uns" 3,5; 4,7 (s. auch "von euch" 3,1) ist.

449 Zu den folgenden Ausführungen vgl. bes. W.Thüsing, Per Christum 173.

Wirkens die "absteigende" theozentrische Linie des Handelns Gottes am
bzw. durch den Apostel (V. 14) mit der "aufsteigenden" theozentrischen
Linie des missionarischen Wirkens Christi in Hinordnung auf Gott (V. 15-
16a). Beide Linien schließen aber ein christologisches Moment ein: Nach
V. 14 führt Gott den Apostel im Triumphzug mit - und zwar "in Christus".
Bei diesem jeden Ort erfassenden Triumphzug geschieht es, daß Gott "den
Duft seiner Erkenntnis[450] offenbart durch uns" (den Apostel).

In Aufnahme der Duft-Metapher (ὀσμή, εὐωδία) wird V. 15 der Apostel
als "Wohlgeruch Christi für Gott" bezeichnet, wobei sich mit dem "für
Gott" die Wirkung der missionarischen Verkündigung (also: des durch den
Apostel offenbar gemachten Duftes der Erkenntnis Gottes) verbindet[451].
Für den Zusammenhang von theozentrischer und christozentrischer Betrachtung des Aposteldienstes folgt aus 2,14-16a: der Apostolat steht in einem ursprungshaften Wirkzusammenhang mit dem Handeln Gottes und ist im
Vollzug seiner Funktion, der Verkündigung der Erkenntnis Gottes unter
den Menschen, selbst wieder auf Gott hingeordnet, wobei einmal die Einordnung in das Handeln Gottes und die Funktion als Vermittlungsträger
der Gotteserkenntnis mit der Christusbeziehung verbunden ist und zum
anderen das Sein als "Wohlgeruch für Gott" unter den Menschen in der
Christuszugehörigkeit und im Erfülltsein von Christus seinen Grund hat.
Hinsichtlich der Gleichsetzung von Reden Gottes durch den Apostel und
Reden des Apostels in der Vollmacht Christi (5,20) ergibt sich in 2,14-
16a eine Analogie in der Parallelität der beiden Duftvorstellungen: indem Gott durch den Apostel den "Duft seiner Erkenntnis offenbart", ist
der Apostel "Wohlgeruch Christi für Gott" unter den von der Verkündi-

---

450 T.W.Manson, Suggestions 159, setzt den "Duft seiner Erkenntnis" mit
    Christus gleich. Im Rahmen der Danksagung ist jedoch "Erkenntnis
    Gottes" zu lesen, wenn auch eine Beziehung zu Christus mit dieser
    Erkenntnis gegeben ist (vgl. die kontextuellen Christusaussagen der
    Danksagung, bes. V. 15a, und 4,6). H.Baum, Mut 88, paraphrasiert:
    "die Erkenntnis vom siegreichen und siegbringenden Gott in Chri-
    stus" (vgl. insgesamt 85-91).

451 B.Mayer, Heilsratschluß 133, mißt dem τῷ θεῷ, das er "vor Gott"
    übersetzt, ohne weitere Begründung keine größere Bedeutung bei
    ("ein Bezug auf Gott ... nur am Rande"). Damit bleibt die doppelte
    theozentrische Gedankenführung völlig aus dem Blick. - Vgl. Ph.
    Bachmann, 2 Kor 132 Anm. 1.

gung betroffenen Menschen, die zur endheilszeitlich gültigen Entscheidung gerufen werden und die eben den "Wohlgeruch Christi", durch den der "Duft der Gotteserkenntnis" ihnen zukommt, als Todesgeruch (so die Verlorenen) oder als Lebensduft (so die Geretteten) erfahren[452].

Bekräftigt wird die bildhaft gestaltete Aussage über das von Gott ausgehende Zusammenwirken Gottes und Christi in der Verkündigung des Apostels durch 2,17: das Reden des Apostels bei der Verkündigung des Wortes Gottes ist in einem "Reden aus Gott und vor Gott" und "Reden in Christus". Es ist "Reden aus Gott", weil die Verkündigung in Gott ihren Urheber hat und er der eigentlich Aktive ist. Als Reden "vor Gott" geschieht es in der Verantwortung vor Gott als dem Zeugen für die Wahrheit der Verkündigung und die Wahrhaftigkeit des Verkündigers. Die Theozentrik der unverfälschten Verkündigung des Wortes Gottes, durch die sich die Gotteserkenntnis offenbart (vgl. V. 14), bestimmt die Rede "in Christus", d.h. in Verbindung mit dem erhöhten Christus, dessen 'Wohlgeruch' der Apostel 'für Gott' unter den Menschen ist und der durch die Pneuma-Macht das Wirken des Apostels bestimmt und ihn in seiner Zuversicht auf Gott bestärkt (vgl. 3,3.4)[453].

5) Das Mahnen Gottes durch den Apostel konkretisiert sich V. 20b in der Bitte, die Paulus als bevollmächtigter Gesandter Christi an die Gemeinde richtet. Die Bitte ist die Vollzugsform des "Wortes der Versöhnung", das dem Apostel durch den versöhnend handelnden Gott übertragen worden ist, jedoch nicht - wie V. 19 intendiert - im missionarischen Dienst für die Menschheit, sondern als appellatives und ereignishaftes Wort an die Gemeinde Korinths[454].

Der Inhalt der Bitte fügt sich direkt an die Versöhnungsaussagen 2 Kor 5,18f an. Aus dem Geschehensein der Versöhnung von Seiten Gottes resultiert die bittende Anrede[455]: "Laßt euch versöhnen mit Gott!" Diese

---

452 Vgl. zu 2,15-16a: H.Baum, Mut 91-101.

453 Vgl. J.E.Belser, 2 Kor 97; F.Neugebauer, In Christus 119f. - S. auch H.Baum, Mut 104-109.

454 Angesprochen sind die Gemeindeglieder ohne Differenzierung, so daß auch die Gegner letztlich impliziert sind (E.Dinkler, Verkündigung 178).

455 Die grammatische Form der Versöhnungsbitte legt den Akzent auf das

Bitte charakterisiert zwar die pragmatische Grundintention der Verkündigung des "Wortes der Versöhnung" überhaupt[456], ist hier aber darauf angelegt, der Gemeinde, die sich aufgrund der missionarischen Verkündigung gebildet hat (vgl. 3,2f), nahezubringen, daß sie so lange nicht an der durch Christus erschlossenen Versöhnungsgemeinschaft mit Gott teilhat bzw. von ihr sich entfremdet (vgl. 6,1), so lange sie nicht auf die Bitte des (von ihr angefeindeten !) Apostels eingeht, durch sein Wort Gottes Versöhnungshandeln an sich geschehen läßt und die Versöhnung mit ihm als Gabe annimmt[457].

"Versöhnung" ist nicht Gegenstand erzählender Retrospektive oder zukunftgerichteter Hoffnung, sondern ist gegenwärtig in der Weise, daß Gott durch den Apostel spricht, der im Auftrag und in der Vollmacht Christi die konfliktträchtige Gemeinde darum bittet, die Versöhnung mit Gott an sich geschehen zu lassen. Im Bitt-Wort der Versöhnung tut sich der Gemeinde nicht nur informativ das Geschehensein der Versöhnung auf, sondern es erschließt sich ihr die Nähe des durch Christus mit sich versöhnenden Gottes. Es erfüllt sich aber auch in ihm die Dienst- und Verkündigungsfunktion des Apostels, für die Geretteten Dienst zum Leben (2,15f), Dienst des lebenschaffenden Pneuma und der Gemeinschaft mit sich gewährenden Macht Gottes zu sein (vgl. 3,3.6.8.9). Das Bitt-Wort

---

Handeln Gottes (vgl. V. 18b. 19ab), verbindet damit aber in der Form der Bitte, daß der Mensch auf den Anruf als Empfänger der Versöhnung frei antwortet (K.Kertelge, 'Rechtfertigung' 173) und zu seiner Antwort steht (vgl. 6,1b). "... der Vollzug des δέχεσθαι wird nie zur Vergangenheit, sondern muß als echter Entschluß stets neu vollzogen werden" (R.Bultmann, 2 Kor 165). S. auch F.Neugebauer, In Christus 167, der jedoch gegenüber Bultmanns Entscheidungsbegriff auf das "Erleiden und Geschehen" abhebt.

456 W.Mundle, Glaubensbegriff 43, betrachtet die Versöhnungsbitte als Höhepunkt der pl. Verkündigung überhaupt. Doch ist 2 Kor 5,20b aufgrund des Argumentations- und Situationskontextes nicht als Versöhnungsruf in der missionarischen Verkündigung zu verstehen (gegen H.Windisch, 2 Kor 196).

457 Der Zusammenschluß mit V. 18f und die Bestimmung des Dienstes und seines Wortes V. 20 implizieren, daß die Teilhabe an der Versöhnungsgemeinschaft nur über das authentische und wirkmächtige Wort des von Gott eingesetzten und übertragenen Dienstes erlangt wird. Vgl. die Verbindung von Anrufen des Herrn, Glauben, Hören, Verkündigen, Sendung (Röm 10,14-15) bzw. von "Glaube aus dem Hören" einerseits und "Hören durch das Wort Christi" andererseits (10,17).

ist im letzten die adäquate Sprachgestalt der Agape Christi, die den Apostel in seinem Dienst- und Verkündigungsengagement drängt und beherrscht (5,14), und der Versöhnung mit Gott, die nicht gegen ihr Wesen den Menschen aufgezwungen werden kann, zu der sie nicht auf unlautere Weise überredet werden können, sondern die nur als einladendes, gerade in der schwachen Form der Bitte starkes Angebot Gottes und Christi dem Menschen zur umwandelnden Heilschance wird[458].

2.2.3.6 Der Realgrund der Einladung in der Finalität des Heilshandelns Gottes (2 Kor 5,21)

An die Versöhnungsbitte, als Wort Gottes in der Vollmacht des Gesandten Christi zur Gemeinde gesprochen, schließt sich noch innerhalb der direkten Rede des Apostels eine zweigliedrige soteriologische Aussage an[459], die durch aufeinander bezogene Gegensatzelemente strukturiert ist. Es kontrastieren V. 21aα und aβ in einer chiastischen antithetischen Formulierung mit variierter Bedeutung von ἁμαρτία[460], und V. 21b (γενώμεθα δικαιοσύνη θεοῦ) bildet den Gegenpol zu V. 21aβ (ἁμαρτίαν ἐποίησεν) innerhalb der vom V. 21a zum finalen V. 21b verlaufenden Gedankenbewegung. Dabei impliziert V. 21b, daß ἡμεῖς (vgl. ὑπὲρ ἡμῶν) -im fundamentalen Unterschied zur Aussage V. 21aα - die ἁμαρτία "kennen" (vgl. V. 19b. 15b). Die Formulierung von V. 21 stellt sich also

---

458 E.Jüngel bemerkt gut, daß die Redeform der Bitte von der Eigenart der Versöhnung selbst geprägt ist. Er gelangt schließlich zur Feststellung, die Bitte sei "die Autoritätsform des E v a n g e l i - u m s" (ders., Autorität 187). Vgl. auch ders., Thesen 294f (Thesen mit Bezug auf 2 Kor 5,11-21 unter dem Leitgedanken: "Die Herrschaft des Gekreuzigten vollzieht sich in der Autorität der Bitte an eine gottlose Welt".).

459 D.Lührmann, Rechtfertigung 445, erkennt in 2 Kor 5,21 "die Struktur kerygmatischer Sätze in ihrem typischen Aufbau mit zwei parallelen Gliedern". Vgl. Röm 4,25, ebenfalls mit dem ἱνα-Satz im zweiten Satzglied, in dem die soteriologische Finalität des Todes ausgedrückt wird.

460 Zum Gebrauch von ἁμαρτία in V. 21a vgl. K.Kertelge, "Rechtfertigung" 101-103. Ihm folgt H.Kessler, Bedeutung 314. Gegen die Deutung von ἁμαρτία als Macht in diesem Zusammenhang wendet sich H.Thyen, Studien 188, in seiner Kritik an P.Stuhlmacher, Gerechtigkeit 75.

wie folgt dar:

τὸν μὴ γνόντα ἁμαρτίαν
ὑπὲρ ἡμῶν ἁμαρτίαν ἐποίησεν   ἵνα

ἡμεῖς γενώμεθα δικαιοσύνη θεοῦ ἐν αὐτῷ

Nicht nur unter dem Gesichtspunkt der formalen Grundstruktur, sondern insbesondere aus sachlichen Gründen ist die Parallelität von V. 21 zum kontextuellen V. 15 bemerkenswert:

V. 21aβ	V. 15a
(ὑπὲρ ἡμῶν ἁμαρτίαν ἐποίησεν)	(ὑπὲρ πάντων ἀπέθανεν)
ἵνα	ἵνα
(V. 21b)	(V. 15b)

Die Kohärenz zwischen V. 20 einerseits und V. 21 andererseits scheint gestört, da nicht durch einen eindeutigen Rückbezug von V. 21 auf V. 20 grammatikalisch gesichert[461]. Doch es weist das Prädikatssubjekt (V. 21aβ) unmittelbar auf τῷ θεῷ zurück, zudem ist der Sache nach vorausgesetzt, daß die gedankliche Verknüpfung mit den Christus-Wendungen V. 20aα. bα (vgl. V. 18b. 19a) und mit der vorausgegangenen versöhnungstheologischen Entfaltung des Heilshandelns Gottes erkannt wird. Die sprachliche wie theologische Sonderstellung im Zusammenhang der Versöhnungsthematik von V. 18-20 wirft trotzdem Fragen hinsichtlich der Funktion von V. 21 im gegenwärtigen Kontext wie der traditionsgeschichtlichen Basis der Verbindung mit den Versöhnungsaussagen auf. So scheint V. 21 abweichend von der eindeutig als Bitte ausgewiesenen Redeform V. 20b nach Art einer Feststellung formuliert zu sein, die auf einen fundamentalen soteriologischen Sachverhalt abzielt[462], in den der Redende (Paulus als Apostel) und die Angeredeten (die Gemeinde Korinths)

---

461 K.Kertelge, "Rechtfertigung" 101 ("etwas unmotiviert an den vorhergehenden Zusammenhang angeschlossen").

462 K.Kertelge (a.a.O.) sieht in V. 21 "einen axiomatisch gehaltenen theologischen Grundsatz".

gemeinsam einbezogen sind. Bezüglich den von der Bitte V. 20b Betroffenen hebt V. 21 das parakletische Moment von V. 20 nicht auf. Vielmehr wirkt der paränetische Aspekt von V. 20b in der sachlich-argumentativ gewendeten Ausdrucksweise von V. 21 nach. Er gibt dem V. 21 gerade einen besonderen Nachdruck, indem er entsprechend dem Ansatz der Versöhnungsbitte die finale Implikation von V. 20b hervortreten läßt und darauf abhebt, die erbetene Annahme der von Gott ins Werk gesetzten und zugeeigneten Versöhnung mit Blick auf die eröffnete Teilhabe an der Heilsrealität der δικαιοσύνη θεοῦ zu vollziehen.

Im Vergleich zur Formulierung des Versöhnungsgedankens (V. 18b und 19ab) und seiner konkretisierenden Anwendung auf die Gemeinde (V. 20b) führt V. 21 eine neue Terminologie ein: an die Stelle des Wortfeldes "Versöhnung" tritt nun der Begriff der Dikaiosyne. Die soteriologische Deutungsperspektive gewinnt bislang nicht zur Sprache gebrachte Momente hinzu, wenn auch der Primat Gottes festgehalten ist. Der christologische Aspekt der Versöhnungsaussagen V. 18b. 19a (vgl. V. 14f) wird V.21 differenzierter behandelt und erlangt größere Bedeutung. Diesem Sachverhalt wird man aber nur gerecht, wenn der christologische Aussageinhalt (bes. von V. 21a) nicht vom soteriologisch-theozentrischen Gesamtgedanken isoliert, sondern seine Funktionalität berücksichtigt wird. In betonter Weise wird die Finalität des Heilsgeschehens angesprochen (V. 21b; vgl. V. 15b), wobei nach den Kennzeichnungen der Heilssituation als Leben (für Christus) V. 15b; Neuschöpfung (in Christus) V. 17a; Versöhnung mit Gott ("durch" bzw. "in" Christus) V. 18b. 19a und Freisein von Sündenschuld V. 19b eine weitere, für die pl. Theologie zentral gewordene Bestimmung eingebracht wird: das Dikaiosyne-Gottes-Werden in Christus.

Vermittelt V. 21 zunächst, was den soteriologischen Gedanken betrifft, den Eindruck der thematischen Verdopplung, die zudem nach den Versöhnungsaussagen und deren appellative Zuspitzung V. 20b keineswegs zwingend erscheint[463] und die direkte Anrede mit einer unerwarteten theologischen Grundsatzerklärung überfrachtet, so weist der sachliche Zusam-

---

463 Vgl. K.Kertelge (a.a.O.), jedoch von ihm zu Recht abgelehnt.

menhang zwischen der expliziten Bitte V. 20b und V. 21, der darüber
hinaus V. 14f. 17 und 18f einschließt, auf eine wesentliche argumenta-
tiv-theologische Funktion von V. 21 hin: V. 21 expliziert den Realgrund
der Einladung zum Empfang der Versöhnungsgemeinschaft mit Gott, wobei
das diesem Realgrund korrespondierende eschatologische Realziel der
Heilsinitiative Gottes markant hervortritt. Damit erschließt sich zugleich die wesentliche Gemeinsamkeit zwischen der Gemeinde und dem Apostel; beide, Gemeinde und Apostel, sind betroffen von dem einen an
Christus gebundenen Heilshandeln Gottes, dessen Ziel das Dikaiosyne-
Gottes-Sein in Christus ist. Das aber bedeutet wiederum für den Aposteldienst, daß sein Wirken (also auch die Bitte selbst) in der Konsequenz
und im Rahmen des Versöhnungshandelns Gottes auf eben dieses Dikaiosyne-
Gottes-Sein in Christus ausgerichtet ist, die Finalität des Dienstes
also von der Finalität des Heilshandelns Gottes her bestimmt ist: der
Gemeinschaft mit Gott in der Gemeinschaft mit dem erhöhten Christus,
aufgrund der Gemeinschaft des Gekreuzigten mit der Sünderexistenz.

1) Der Realgrund der Bitte, die Versöhnung mit Gott geschehen zu lassen,
ist eine Tat, die Gott selbst vollzogen hat, da er Christus, "der die
Sünde nicht kannte, für uns zur Hamartia gemacht hat" (V. 21a).

Eine erste Strukturierung des Gedankens läßt folgende Einzelmomente erkennen: das Handlungssubjekt ist Gott (vgl. V. 18b; 19ab; 20aβ. bβ),
der an Christus handelt: Gott macht ihn zur Hamartia. - Demgegenüber
tritt in den soteriologischen Sterbensaussagen V. 14f das aktive Moment
auf der Seite Christi hervor. - Das Bedeutsame dieses Geschehens umfaßt
zwei Aspekte: Christus ist in Antithese zur Hamartia als der gesehen,
der "die Sünde nicht kannte". Der Vorgang selbst ist soteriologisch
qualifiziert (ὑπὲρ ἡμῶν). Die soteriologische Dimension entfaltet
dann V. 21b unter dem Gesichtspunkt der Finalität (ἵνα) des Handelns
Gottes.

Die V. 21a beschriebene Handlung Gottes (ἁμαρτίαν ἐποίησεν) ist im
Kontext der Versöhnungsaussagen und insbesondere im Zusammenhang mit
V. 14c-15 nicht auf die Inkarnation zu beziehen, sondern auf den Kreuzestod[464]. Die ungewöhnliche Umschreibung des Todes Jesu in V. 21a[465],
zu der sich eine sachliche Parallele einmal in Gal 3,13 (zum Fluch wer-

den) und zum anderen in der aus vorpl. Tradition übernommenen Aussage
"Ihn (Jesus Christus) hat Gott als Sühne in seinem Blut dargestellt"
Röm 3,25 findet[466], meint nach pl. Verständnis: Christus ist von Gott
der Sündenmacht ("Sünde" im Singular) ausgeliefert worden, so daß er in
seiner Solidarität mit den Menschen des alten Äons (vgl. V. 14; 17b)
als "Repräsentant" der Menschheit unter der Sünde mit ihr identisch und
- entsprechend dem Sünde-Tod-Zusammenhang - selbst der todbringenden
Zwangsherrschaft der Sünde preisgegeben war[467].

---

464 So auch z.B. W.Bousset, 2 Kor 190; J.Hēring, 2 Cor 54; W.Thüsing,
Per Christum 84; J.Becker, Heil 270; anders: E.Käsemann, Perspektiven 79 ("Schmach der Inkarnation"). - Im Hintergrund der Deutung
auf die Inkarnation scheint manchmal Joh 1,29 zu stehen (vgl. H.Win-
disch, 2 Kor 198). - Zu älteren, bis in die Gegenwart nachwirkenden
Verständnisweisen von ἁμαρτίαν ἐποίησεν vgl. E.-B.Allo, 2 Cor
171f; zu Augustinus s. J.E.Belser, 2 Kor 191f Anm. 2.

465 H.Windisch, 2 Kor 197, zählt die Wendung ἁμαρτίαν ἐποίησεν "zu
dem Schauerlichsten und Mißverständlichstem, was P. über den irdischen Jesus zu sagen gewagt hat". H.Kessler, Bedeutung 314, spricht
von einer "schroffen und geradezu aufreizenden Formulierung", wobei
bes. V.21a in der Konfliktsituation darauf hinziele, "die Unhalt-
barkeit aller Glorifizierung des Irdischen schonungslos" aufzudek-
ken.

466 Auf Gal 3,13 und Röm 3,25 nimmt auch P.Stuhlmacher Bezug (ders.,
Gerechtigkeit 74f). K.Kertelge, "Rechtfertigung" 103, wertet als
Parallele nur Gal 3,13, ausdrücklich nicht aber Röm 8,3; ebenso
W.Thüsing, Per Christum 84f (jedoch auch Bezugnahme auf die soteriologische Bedeutung von Röm 6,10a). J.Becker, Heil 270, berücksichtigt neben Gal 3,13 auch Röm 8,3, um von hier aus die Deutung,
Christus stelle in Person die Sündenmacht dar, zurückzuweisen. S.
auch G.Delling, Kreuzestod 20f (Gal 3,13; 4,4 mit Röm 8,3). H.Kess-
ler, Bedeutung 314, zieht Röm 8,3b als "Kommentar zu 2 Kor 5,21a"
hinzu. M.Wolter, Rechtfertigung 20f beachtet nur Röm 3,25 und deutet "zur Sünde machen" als Gleichsetzung mit dem Asasel-Bock (vgl.
ebenso H.Thyen, Studien 188f. - Auslegungsgeschichtliches zur Verbindung von Gal 3,13 und 2 Kor 5,21 bei L.Sabourin, Christ, bes.
222f. 226f. 236f. 240. 250f. Treffend bemerkt Sabourin: "The Pauline verses 2 Cor 5:21 and Gal 3: 13 have been key-texts in early
Reformer's attempt to formulate a new soteriology" (ebd. 243).
Vgl. in diesem Zusammenhang auch den Versuch K.Prümms, aus 2 Kor
5,21 als Schlüsselaussage die gesamte pl. Soteriologie zu entwik-
keln (ders., Diakonia II/1, 477-480.

467 Zu dieser Deutung vgl. W.Thüsing, Per Christum 84f; s. auch K.Ker-
telge, "Rechtfertigung" 102f. 104. Ähnlich auch P.Stuhlmacher,
Gerechtigkeit 75. Er paraphrasiert aber "zur Hamartia machen" in
Anlehnung an Röm 3,25f durch "zum Erweis der Sünde schlechthin(ma-

Die Heilsbedeutung dieser auf Gott selbst als Handelnden zurückgeführte Solidarität Christi spricht sich in der Wendung ὑπὲρ ἡμῶν aus, die Paulus als soteriologisch qualifizierte aus der Tradition aufnimmt[468]. Mit ἡμεῖς sind in V. 21a (aufgrund des Zusammenhangs mit V. 20 und der Gesprächssituation) primär die zur Versöhnung mit Gott eingeladenen Glieder der korinthischen Gemeinde in Einheit mit dem Apostel gemeint, der Sache nach aber hat ὑπὲρ ἡμῶν tendenziell universale Bedeutung, wie die Entsprechung zu ὑπὲρ πάντων (V. 14c. 15a) zeigt und auch die Vorstellung von der Hingabe unter die (universal herrschende) Hamartia impliziert.

Die Radikalität des Handelns Gottes "für uns", das Christus ganz in die Unheilssituation der Menschen eingehen läßt, findet ihren Ausdruck in der Antithese von Sündlosigkeit einerseits (V. 21aα) und "zur Hamartia machen" andererseits (V. 21aβ). Die Sündlosigkeit, die so zu verstehen ist, daß Christus nicht durch eigenes Tun[469] in den Unheilsbereich der Sünde eingetreten, sondern, ganz auf Gott hingeordnet[470] und so der Doxa Gottes teilhaftig (vgl. Röm 3,23), frei ist von der zum Tode führenden Knechtsherrschaft der Sünde, ist innerhalb der antithetischen

---

chen)". H.Kessler, Bedeutung 315, umschreibt den Sachverhalt von V. 21aβ dahingehend, daß Gott Jesus "zum Konzentrationspunkt der universalen, kosmischen Sünde und damit zu dem Punkt gemacht hat, an dem er diese aus den Angeln hebt".

468 Vgl. H.Riesenfeld, in: ThWNT VIII 511-515. W.Kramer, Christos 22f; E.Lohse, Märtyrer 131-135; s. auch J.Jeremias, in: ThWNT V 707 (Stellenübersicht ebd. Anm. 707). Eine kritische Auseinandersetzung sowohl mit dem Gedanken der Stellvertretung als auch mit dem der Sühne bzw. der Rechtfertigung bietet K.Kertelge, Rechtfertigung 104f, mit Blick auf V. 21aβ. Im Anschluß daran: H.Kessler, Bedeutung 315f.

469 "Kennen" im Sinne von ירע . Vgl. R.Bultmann, ThWNT I 696f; 703,8-10; ders., 2 Kor 166. K.Kertelge, "Rechtfertigung" 102, betont unter Verweis auf Hebr 4,15; 1 Joh 3,5; 1 Petr 2,22 "die faktische Sündlosigkeit Jesu" als Aussagebezug von V. 21aα. S. ebd. Anm. 197 die berechtigte Kritik an H.Windisch, 2 Kor 197. Vgl. z.St. Röm 7,7; 3,20.

470 Das Nicht-Kennen der Sünde impliziert ein enges Gottesverhältnis. Vgl. Str.-Bill, III 520.

Relation zur Auslieferung unter die Sündenmacht sachlich notwendige Voraussetzung dafür, daß Christus von Gott zur Sünde gemacht wird. Vor allem ist die Sündlosigkeit Voraussetzung für die Heilswirksamkeit der Solidarisierung Christi mit der Situation der Menschheit unter der Hamartia. Denn das V. 21aα betont vorangestellte "Nicht-Kennen der Sünde" schließt aus, daß der Tod Jesu, der V. 21aβ deutend umschrieben wird, als Sühnetod Jesu für eigene Sünden oder als Folge der durch selbstverschuldete Sünde wirksam werdenden Macht der Hamartia oder als Strafurteil Gottes über Jesus als Sünder verstanden werden kann. Der sachlogische Bezug von V. 21aα auf V. 21aβ läßt es nicht zwingend erscheinen, das Motiv der Sündlosigkeit mit der Präexistenzvorstellung zu verbinden[471].

2) Als Sachparallele zu 2 Kor 5,21a ist Gal 3,13 an dieser Stelle zu berücksichtigen. Die Aussage, die den Tod Jesu in Verbindung mit Dtn 21,23 deutet, bildet (zusammen mit V. 14) den soteriologischen Höhepunkt einer "schrifttheologischen" Argumentationskette, die den Gegensatz von Gesetz und Fluch einerseits und Glaube und "Rechtfertigung" andererseits herausstellt (vgl. V. 10ff)[472]. Ihrerseits ist sie verschränkt mit der ebenfalls "schrifttheologisch" geprägten Gedankenreihe V. 6-9. Beide Argumentationsblöcke stehen unter der Leitfrage: Kommt das Pneuma aus den Werken des Gesetzes oder aus der Glaubensverkündigung, d.h. aus der Verkündigung Jesu Christi, des Gekreuzigten (V. 1f. 5). Diese Frage wirft Paulus auf im Blick auf die Entwicklung in den galatischen Gemeinden, die Paulus nur als Rückkehr zum Nomos deuten kann. Die positive Schlußfolgerung aus dem Gedankengang, die V. 13 vor-

---

471 So auch z.B. H.Thyen, Studien 188, bes. Anm. 5. Anders z.B. A.Menzies, 2 Cor 44; P.Stuhlmacher, Gerechtigkeit 74.

472 Midrasch über Dtn 27,26; Hab 2,4 (vgl. auch Röm 1,17); Lev 18,5; Dtn 21,22. 23. Vgl. die Strukturierung der Beweisführung von Gal 3,5-14 von D.Lührmann, Gal 53, die jedoch der Zusammengehörigkeit von V. 13 und 14, auf die der betonte Einsatz mit "Christos" (V. 13a) und die logische und sachliche Fortführung von V. 13a in den beiden Finalsätzen V. 14 hinweisen, nicht gerecht wird. Es wird aber richtig gesehen, daß V. 14a zugleich für den Gedankenduktus von V. 6 bzw. 7 ab eine Klammerfunktion hat und V. 14b die Antwort auf die Frage nach dem Pneuma (V. 5, in Aufnahme von V. 2) gibt.

bereitet, zieht V. 14. Dabei wird die Thematik von V. 6-9[473] in ihren zentralen Stichworten noch einmal aufgenommen. Die positive Antwort auf die Leitfrage lautet: das Pneuma kommt aus dem Glauben, also aus der Verkündigung des Gekreuzigten. Im Zusammenhang mit V. 13 expliziert V. 14 in seiner Antwort zugleich die universal-heilshaften Implikationen des V. 13 angesprochenen Geschehens[474]. Der Akzent liegt auf V. 14b (Empfang des verheißenen Pneuma durch den Glauben) als interpretativ weiterführende Parallele zu V. 14a (Abrahamssegen für die Heiden in Christus). Sachlich enthält V. 14 also die positive Fortführung von V. 13a (Freikauf von dem Fluch des Gesetzes).

Innerhalb der thematischen Einheit V. 10-13 bildet V. 13 mit V. 10 eine Klammer. Beide Aussagen sprechen - in Verbindung mit Zitaten aus dem Dtn (27,26 und 21,23) - vom "Fluch des Gesetzes". Gal 3,13 bezieht jedoch im Unterschied zu V. 10 den Fluch nicht auf das Nichterfüllen des Gesetzes, sondern auf die Hinrichtungsart der Kreuzigung (vgl. Dtn 21, 23) und greift damit auf V. 1 zurück, wo Paulus sein Evangelium inhaltlich bestimmt als Evangelium von "Jesus Christus als Gekreuzigtem".

Gal 3,13a deutet in der soteriologischen Basisaussage den Tod Christi als Befreiung vom "Fluch des Gesetzes" durch Freikauf[475]. Das soteriologische Motiv des Freikaufs nimmt Gal 4,5 auf, um die Heilsbedeutung der Sendung des Sohnes durch Gott und seiner Unterstellung unter den Nomos anzuzeigen. Die positive Seite des Freikaufs beschreibt V. 6 als Empfang der "Sohnschaft" (bzw. des "Pneuma des Sohnes"[476]). 3,13 geht demgegenüber zunächst (vgl. V. 14) auf das Geschehen des Freikaufs ein. Der Freikauf vollzieht sich dadurch, daß Christus "für uns Fluch gewor-

---

473 Segen des aus Glauben gerechtfertigten Abraham für die aus dem Glauben. - Gal 3,6-9 ist ein Abraham-Midrasch über Gen 15,6; 12,3 mit 18,18 und enthält die erste Beantwortung der Frage V. 2,6.

474 F.Mußner, Gal 234f; s. auch K.Kertelge, "Rechtfertigung" 209-212.

475 D.Lührmann, Gal 56. - Vgl. zu den philologischen und kulturgeschichtlichen Aspekten des Begriffs E.Pax, Loskauf (zu Paulus bes. 273-276); s. auch W.Elert, Redemptio (gegen die Rückführung des soteriologischen Motivs auf den sakralen Loskauf der Sklaven bei A.Deißmann, Licht 271-280). Mit A.Deißmann jedoch G.Wiencke, Paulus 46 (insgesamt 42-47).

476 Vgl. J.Blank, Paulus 260-278; W.Thüsing, Per Christum 117f.

den ist". Der Akt des Geschehens, in dem Christus mit dem Fluch aus den Gesetzeswerken (d.h. mit dem Unheilszusammenhang von - unerfülltem - Gesetz, Sünde und Tod) so solidarisch wurde, daß er mit dem Fluch identifiziert wurde und als sein Repräsentant erschien, ist (gemäß Dtn 21, 23) der Tod Christi in der Öffentlichkeit des "Holzes", des Kreuzestodes[477].

Die sachliche Parallele zu 2 Kor 5,21a besteht also darin, daß Christus in heilswirksamer Solidarität mit uns den Fluch des Gesetzes, dem alle ("aus den Werken des Gesetzes" V. 10) unterstellt sind, trug. In Entsprechung zu 2 Kor 5,21 (Sündlosigkeit) impliziert auch Gal 3,13, daß Christus nicht durch sein Tun den Fluch des Gesetzes auf sich zog. Auch aus dem Gedanken der Unterstellung unter das Gesetz (4,4) kann nichts Entgegengesetztes gefolgert werden[478].

3) 2 Kor 5,21b, das zweite Glied der Aussage, expliziert das heilsbedeutsame ὑπὲρ ἡμῶν (V. 21aβ). Der ἵνα-Satz, der die soteriologische Dimension von V. 21aβ näher bestimmt, ist in antithetischer Korrespondenz zu V. 21a formuliert[479]. Dem ἁμαρτίαν ἐποίησεν steht γενώμεθα δικαιοσύνη θεοῦ gegenüber. Aus dem Handeln Gottes an Christus υπερ ημων folgt nun das Handeln Gottes an uns: wir werden in heilshafter Folge des Todes "für uns" δικαιοσύνη θεοῦ ἐν αὐτῷ (in Christus).

Wurde Christus nach V. 21a von Gott zu dem gemacht, was die Menschen unter der Herrschaft der ἁμαρτία in ihrer Todesgefangenschaft und Gottentfremdung sind, so werden (γενώμεθα) die Glaubenden "in Christus" zu dem, was Christus ist und in Verbindung mit ihm als endheils-

---

477 Aus LXX wird nicht ὑπὸ θεοῦ mitzitiert. Zum jüdischen (rabbinischen und qumranischen) Verständnis von Dtn 21,23 s. F.Mußner, Gal 233f Anm. 112. Daß das durch ὑπὲρ ἡμῶν soteriologisch gedeutete Fluch-Motiv bei Paulus nicht von der Sühnopfervorstellung her zu deuten ist, betont K.Kertelge, "Rechtfertigung", gegen A.Oepke, Gal 75.

478 Vgl. H.Schlier, Gal 196 ("Gleichheit des Geschicks des Gesandten mit denen, denen zugute die Sendung geschehen war"). - Zur Frage nach vorpl. "Formelgut" in 4,4f s. J.Blank, Paulus 261f; F.Mußner, Gal 271ff.

479 Vgl. K.Kertelge, "Rechtfertigung" 103.

zeitliche Gabe von den durch die Tat Gottes mit Gott Versöhnten δικαιοσύνη θεοῦ[480]. Sachlich deutet sich somit in V. 21b derselbe Grundgedanke an, den Paulus 1 Kor 1,30 in Anknüpfung an ihm vorgegebene hellenistisch-christliche Tradition[481] ausspricht: "Aus ihm (d.h. aus Gott V. 29) seid ihr in Christus Jesus, der von Gott her Weisheit geworden ist, δικαιοσύνη ..." Diese Aussage, die - wie 2 Kor 5,21 - im Kontext der Kauchesis-Kritik steht (vgl. bes. V. 29. 31), macht geltend, daß die Glaubenden nur in der pneumatischen Gemeinschaft mit Christus ἐκ θεοῦ das sind, was Christus in personaler und ursprünglicher Weise durch seine Sendung[482] "von Gott her" (ἀπὸ θεοῦ) ist. Christus ist "von Gott her" der Realgrund für das endzeitliche heilshafte Dikaiosyne-Sein der mit ihm verbundenen Menschen; "in ihm" haben sie die rechte Gemeinschaft mit Gott.

Durch den Kontext von 2 Kor 5,21b wird dieser Gedanke mit weiteren Bedeutungsmomenten verbunden. V. 15b gibt dem In-Christus-Sein von V. 21b den besonderen Aspekt der Lebensausrichtung auf Christus, die aus der Befreiung vom Selbstleben durch das Mitgestorbensein im Tode Christi für alle resultiert und auf das bleibende Fürsein Christi antwortet, indem die Agape Christi, die in ihrer Radikalität den Tod für alle einschließt, in der Antwort zur Wirkung kommt[483].

---

480 Vgl. V. 21aα: τὸν μὴ γνόντα ἁμαρτίαν . - H.Windisch, 2 Kor 199, sieht in diesem Gedanken die "grundlegende Idee von einem Austausch der Qualitäten" wirksam. K.Kertelge, Rechtfertigung 104 Anm. 215 spricht unter Beachtung von 1 Kor 1,30 "die soteriologische Abzweckung der Identifikationsformeln in 2 Kor 5,21" an, wobei V. 21a die Identifikation Christi mit der die ganze Menschheit erfassenden Sünde herausstellt, V. 21b antithetisch die Identifikation Christi mit der Dikaiosyne Gottes, die auf die Menschen übergeht, aussagt.

481 Vgl. E.Käsemann, Verständnis 96; P.Stuhlmacher, Gerechtigkeit 185f; W.Thüsing, Rechtfertigung 304f (Betonung des pl.Verständnisses vorpl. Theologumena). Nach G.Delling, Kreuzestod 126 Anm. 29, ist 1 Kor 1,30 "durch Paulus geprägt" zur Interpretation von σοφια und zur Kennzeichnung des Heils "nach verschiedenen Aspekten" (ebd. 132 Anm. 108).

482 W.Thüsing, Rechtfertigung 306, hebt die Verbindung von Sendungs- und Schöpfungstheologie in 1 Kor 1,30 hervor. - N.Gäumann, Taufe 139 Anm. 22, erkennt hier nur "personifizierende Redeweise".

483 S. oben 2.2.3.1 (2).

Von besonderem Gewicht ist der V. 17a[484]. Im Folgerungszusammenhang mit V. 14f qualifiziert er insbesondere das christozentrische Leben als gegenwärtig-endheilszeitliches Sein in Christus, zum anderen zeigt er in Parallele zu V. 21a die eschatologisch bestimmte "schöpfungstheologische" Dimension des Dikaiosyne-Werdens in Christus ein: das Dikaiosyne-Werden in Christus geht in eins mit der Neuschöpfung in Christus, die nicht in Kontinuität mit dem Alten des auf das eigene Selbst konzentrierten Lebens steht. Während V. 17a darauf abhebt, daß das Dikaiosyne Gottes-Sein in der Verbundenheit mit Christus in der schöpferischen (und in der Versöhnung handelnden) Macht Gottes gründet, weist V. 21b auf die Finalität der Neuschöpfung hin, die im Heilshandeln Gottes intendiert ist und die in der Gemeinschaft mit dem gekreuzigten und auferweckten Christus als Sein in Hinordnung auf Gott zur Verwirklichung kommt.

Schließlich ist der Zusammenhang von V. 21b mit den Versöhnungsaussagen V. 18f zu beachten. V. 21b gibt die Explikation dessen, was Gott durch die Versöhnung der Menschheit bzw. konkret der Glaubenden mit sich gewährt und was die Nichtanrechnung der Übertretungen (V. 19b) als positives Ziel impliziert: das Dikaiosyne-Sein in der Verbundenheit mit Christus.

4) In Verbindung mit der im Brieffragment vorausgegangenen Entfaltung des pl. Apostolatsverständnisses und mit dem unmittelbaren Vollzug des Dienstes gegenüber der Gemeinde als eines Dienstes, der zum Geschehenlassen der Versöhnung mit Gott einlädt, stellt sich die Bedeutung von V. 21 für die apostolatstheologische Argumentation wie folgt dar:

2 Kor 5,21 bietet die soteriologische Vertiefung für die Kennzeichnung des Dienstes in 3,9 (vgl. 11,15): die Diakonia-Theologie wird in der Dikaiosyne-Theologie verankert. Die besondere Relevanz dieser Verbindung ist darin gegeben, daß die Frage nach der Befähigung zum Dienst (2,16b) verwoben wird mit der Frage nach der Dikaiosyne Gottes und der Teilhabe des Menschen an ihr. Andeutungen in diese Richtung enthält bereits die Explikation der theozentrischen Begründung des Dienstes

---

484 S. oben 2.2.3.2.

(3,5f), in der der neubundliche Dienst in zweifacher Weise charakterisiert wird: als Dienst des Pneuma und als Dienst der Dikaiosyne (V. 8f).
Beide Bestimmungen des eschatologischen, vom Moses-Dienst streng unterschiedenen neubundlichen Dienstes sind auch in 5,21b enthalten, jedoch
sind sie nicht mehr in ausschließlicher Weise auf den Dienst bezogen,
sondern meinen die Gemeinde als Ganzheit (unter Einschluß des Apostels).

Die Gemeinde wird gesehen als eine eschatologische Wirklichkeit, in der
die "Gottesgerechtigkeit" aufgrund der im Kreuzestod geschehenen Befreiung von der Sündenmacht durch das Wirken des Pneuma-Christus Gestalt gewinnt. Auf das Wirklichwerden der Dikaiosyne Gottes in der Gemeinde ist das Handeln des Apostels ausgerichtet, indem im Aposteldienst selbst - durch die Verkündigung und durch den Zuspruch der Versöhnungsbitte - Christus wirkt und in dem Wirken Christi durch den Apostel letztlich Gott selbst auf die Gemeinde zukommt, um sie als endheilszeitliche Wirklichkeit der rechten Gottesgemeinschaft zu schaffen.
Die Finalität des Dienstes und die Wirkrichtung des Wortes sind also
identisch mit der Finalität des Heilshandelns Gottes und des Wirkens
Christi.

Von V. 18f her ist der Realgrund der Versöhnungsbitte V. 20b im Versöhnungshandeln Gottes durch Christus gegeben, dem der "Dienst der Versöhnung" eingegliedert ist. Nach V. 21 gründet die Bitte, die Versöhnung
mit Gott geschehen zu lassen, in dem Heilshandeln Gottes, daß durch den
Kreuzestod Jesu die universale Unheilsmacht der Sünde überwindet, um
das Dikaiosyne Gottes-Sein in Christus herbeizuführen. Durch die Bitte
zielt nun der Dienst darauf ab, daß die Gemeinde mit dem Empfang der
Versöhnungsgemeinschaft mit Gott an der heilshaften Folge des Kreuzestodes teilhat und sich durch das gegenwärtige Wirken Christi als pneumatische Gemeinde konstituiert, deren Wesen es ist, Dikaiosyne Gottes
zu sein. Die Identifikation der Gemeinde als endzeitliche Realität der
Dikaiosyne Gottes[485] impliziert auch, daß sie in Hinordnung auf den

---

485 Vgl. hier die ekklesiologische Deutung der In-Christus-Wendungen in
    2 Kor 5,17 und 21 durch F.Neugebauer, In Christus 100. 111f; diese
    erfaßt aber nur ein Bedeutungsmerkmal im Kontext der Kommunikation
    mit der Gemeinde, wird aber nicht dem soteriologischen Argumenta-
    tionskontext voll gerecht.

Pneuma-Christus der Doxa teilhaft wird (vgl. 3,3. 17f).

Im Zusammenhang mit der über 2 Kor 5,12 - 6,2 stehenden Frage nach der rechten Weise des Sich-Rühmens (5,12) destruiert V. 21 das καυχᾶσθαι ἐν προσώπῳ als ein Sich-Rühmen, das zum Bereich der Hamartia gehört und die durch den Kreuzestod Christi überwundene Unheilsmacht der Sünde wiederherstellt. Da das falsche Sich-Rühmen sich auf das eigene Selbst bezieht, verschließt es sich der Dikaiosyne Gottes. Es steht deshalb unter der Kritik des Kreuzesgeschehens. Die rechte Weise des Sich-Rühmens, das sich vom Andrängen der Agape des Gekreuzigten und Auferweckten bestimmen läßt, genügt dem kreuzestheologischen Kriterium, da es den Empfang der Versöhnung mit Gott und das Dikaiosyne-Gottes-Werden zum Inhalt hat (vgl. 1 Kor 1,30f; Röm 5,11). Für das Rühmen des Apostels durch die Gemeinde folgt aus V. 21 (im Zusammenhang mit V. 20), daß es sich nicht auf äußere Demonstration des Pneuma und der Doxa bezieht, sondern gegenüber den Gegnern des Paulus auf das Zuteilwerden der Versöhnung im bittenden Wort des Apostels abhebt und das Realwerden der Dikaiosyne Gottes in der Gemeinde als Ziel des authentischen Dienstes zur Geltung bringt.

2.2.3.7 Die eschatologische Aktualität des gemeindebezogenen Dienstes

Zwischen 2 Kor 5,21 und 6,1 besteht keine Zäsur, sondern der Aussagezusammenhang V. 1f ist eng mit den beiden vorausgehenden Versen verbunden[486]. So nimmt V. 1, wie schon das Stichwort παρακαλοῦμεν anzeigt, 5,20a in betonter Weise auf. Das besonders akzentuierte συνεργοῦντες erinnert an die Kennzeichnung des Dienstes in seiner Gesandtenfunktion (ὑπὲρ Χριστοῦ), bezieht sich aber aufgrund des Konnexes mit παρακαλοῦμεν vor allem auf den mit der Botenrolle zusammenhängenden Gedanken der durch den Diener zu Wort kommenden parakletischen Gottesrede[487] und unterstreicht erneut die sich in der Aposteltätigkeit bewahrheitende Legitimation vor der Gemeinde.

---

486 So auch z.B. E.Dinkler, Verkündigung 181; R.Bultmann, 2 Kor 168.
487 Vgl. 5,20a: ὡς τοῦ θεοῦ παρακαλοῦντος δι' ἡμῶν.

Die Wendung συνεργοῦντες παρακαλοῦμεν faßt also sachlich die apostolatstheologischen Argumentationselemente von V. 18-20 zusammen, wie andererseits χάρις τοῦ θεοῦ das Geschehnis der Versöhnung (unter Einschluß des Wort-Dienstes), der Nichtanrechnung der παραπτώματα und das Dikaiosyne-werden impliziert (vgl. 5,18f.21). Es ist jedoch zu beachten, daß 6,1 noch zu der an die Gemeinde gerichtete Rede gehört, die mit 5,20b ansetzt, und somit das συνεργοῦντες παρακαλοῦμεν an der Stelle von δεόμεθα ὑπὲρ Χριστοῦ steht. Analog der Ausdrucksweise von 5,20b zielt 6,1a direkt auf V. 1b, der mit der Versöhnungsbitte korrespondiert und deren Adressatenbezug durch das hervorgehobene ὑμᾶς unterstreicht. V. 1b enthält aber einen anderen Akzent, durch den die Brisanz der Versöhnungsbitte der Gemeinde vor Augen geführt wird: Nach der positiv gefüllten Bitte 5,20b als einer aktualisierten Heilszusage enthält 6,1 die situationsverschärfende, negativ formulierte Mahnung, die χάρις τοῦ θεοῦ nicht ins Leere hinein, vergeblich[488] zu empfangen[489]. Die Bedeutung dieser Mahnung (und rückbezüglich auch die der Versöhnungsbitte) wird durch V. 2 herausgestellt: in rabbinischer Weise formelhaft eröffnet (vgl. Gal 3;16; Röm 15,10), zitiert V. 2 zunächst aus Jes 49,8 in wörtlicher Anlehnung an LXX und lenkt im weiteren Verlauf durch die kommentierende Aufnahme zweier Schlüsselbegriffe die Aufmerksamkeit auf den gegenwärtigen endzeitlich-heilsrelevanten Aussagegehalt des Zitats, damit auf die eschatologische Qualität des παρακαλεῖν und der Versöhnungsbitte, auf die sich V. 1b als positive Vorgabe stützt.

Hinsichtlich des Kommunikationszusammenhangs, in dem die Versöhnungsbitte die pragmatische, die Adressatensituation betreffende Dimension

---

488 Vgl. 1 Kor 15,10.48.58; Gal 2,2; Phil 2,7 (vorpl.); zum Stichwort: A.Oepke, in: ThWNT III 659-662.

489 Der Inf. Aorist δέξασθαι in Verbindung mit παρακαλεῖν ist nicht einem temporalen Sinne auf die Vergangenheit (z.B. Erstverkündigung der Versöhnung und die daraus resultierende Bekehrung) zu beziehen, so daß εἰς κενόν auf die Folgelosigkeit der einstmaligen Annahme der Verkündigung im Bereich des sittlichen Lebenswandels abziele (gegen A.Klöpper, 2 Kor 315, u.a.). Es geht in 6,1 allein um den aktuellen Empfang der gegenwärtigen Heilszuwendung, die im Wort des Apostels erfolgt (vgl. H.Baum, Mut 149).

des argumentativen Legitimationsrekurses auf das Eingebundensein des authentischen Aposteldienstes in das Versöhnungsgeschehen aufdeckt, konfrontiert 6,1f die angesprochene Gemeinde mit der auf ihrer Seite gegebene Möglichkeit, die im Wort des Apostels als Gotteswort in Vollmacht zugesagte Versöhnung zu verfehlen, d.h. dem gegenwärtigen Ereignis des endzeitlich-heilshaften Kairos (V. 2) der Begegnung mit dem Versöhnung gewährenden Gott nicht teilhaft zu werden. Da die mahnend aufgezeigte Möglichkeit, die χάρις τοῦ θεοῦ nicht in ihrer die Sünderexistenz von Grund auf verändernden Heilsmächtigkeit zur Wirkung kommen zu lassen, in die kontextuell dominierende Heilssicht eingebunden ist, bildet sie die für die eschatologisch verstandene Kommunikationssituation von Apostel und Gemeinde charakteristische Negativseite für die von Paulus intendierte Erkenntnis und Realisierung des eschatologischen Heilskairos durch die Gemeinde aufgrund der ihre positive Antwort provozierenden Anrede durch den mit dem Dienst der Versöhnung bestallten Gesandten.

1) Wie schon in 1 Kor 3,9, wo die συνεργοὶ θεοῦ in Beziehung zur Auferbauung der Gemeinde gebracht sind[490], so begreift sich Paulus auch in 2 Kor als Mitarbeitender[491]. Aus dem vorausgegangenen Gedankenzusammenhang, in dem die Authentizität des pl. Apostolats aus der konstitutiven Ursprungsrelation zum Versöhnungshandeln Gottes verdeutlicht wurde, ist zu schließen, daß die Mitarbeiterschaft in 6,1 nicht ein Verhalten im Gemeindezusammenhang meint[492]. Vielmehr liegt das entschei-

---

490 1 Kor 3,9 beschränkt sich die Mitarbeiterschaft nicht allein auf Paulus. Vgl. dazu J.Hainz, Ekklesia, bes. 256-259. 267-269. 296-299. - S. zum Gedanken auch 1 Thess 3,2; 2 Kor 1,24.

491 J.Hainz, Ekklesia, räumt dem Gedanken der Mitarbeiterschaft nicht nur mit Bezug auf Paulus, sondern insbesondere auch auf die bei Paulus genannten Mitarbeiter große Bedeutung ein. Jedoch entfaltet er sein Verständnis der Mitarbeiter des Paulus unglücklich unter dem Titel "Die 'Nachfolger' der Apostel" (ebd. 295-310). Im Gegenzug zu einer weitverbreiteten Zurückhaltung in der evangelischen Exegese konstatiert J.Hainz bei Paulus "tatsächlich einen gewissen Synergismus" (ebd. 297; s. auch 298). 6,1a wird nicht nur auf Paulus bezogen, sondern in einem prinzipiellen Sinn auf alle Verkündiger und Mitarbeiter übertragen (ebd. 299).

492 Zu den verschiedenen Deutungstypen vgl. A.Plummer, 2 Cor 189f; E.-B.Allo, 2 Cor 173.

dende Gewicht darauf, daß das Handeln des Apostels dem Handlungsprimat Gottes in der Verwirklichung der Versöhnung zugeordnet ist[493]. Es geht also nicht um ein Werk der Gemeinde, an dem der Apostel mitwirkt, sondern um das Werk Gottes (durch Christus), das in der versöhnten Gemeinde Gestalt gewinnt, an dem der Apostel kraft des ihm aufgetragenen Dienstes als Mahner Gottes in der Gesandtenvollmacht Christi mit-arbeitet. Mitarbeiterschaft bedeutet, daß Gott selbst als der durch den Apostel Sprechende der Handlungsbestimmende ist. Dies ergibt sich zwingend aus der Koordinierung von Dienst und Versöhnungshandlung in 5,18-19 und aus dem die besondere Qualität der apostolischen Rede bezeichnenden Verweis auf die Paraklese Gottes in V. 20. Daß das "Mit" allein von Gott her dem Apostel möglich ist, ist durch den zu Beginn des Briefes thematisierten Befähigungsnachweis wie auch durch die Aussageketten 4,7-12 und 6,3-10 unterstrichen. Das "Mit" setzt der Exponierung der Aposteltätigkeit klare Grenzen, doch macht es den Gesandten auch nicht zu einem passiven Werkzeug. Mitarbeiterschaft ist die Weise des tätigen Dienstes im Rahmen des endzeitlichen Offenbarungshandeln Gottes (vgl. 2,14-17). Für ein adäquates Verständnis kann ein Rückgriff auf 3,3 hilfreich sein, wo Christus nach der bildhaften Sprache der eigentliche "Autor" des Briefes ist, den die Gemeinde darstellt, der Apostel aber bei der Konstituierung der Gemeinde als "Brief Christi" Hilfsdienste leistet.

Das Ergon, an dem Paulus mitarbeitet, ist - nach dem Kontext zu schließen - das Werk der Versöhnung mit Gott, das ausgerichtet ist auf die Verwirklichung der Dikaiosyne Gottes in der Gemeinde. In dieser Ausrichtung ist er als Mitarbeiter Gottes Sklave der Gemeinde (vgl. 4,5). Die Mitarbeit konkretisiert sich hier darin, daß der Apostel die Gemeinde mahnend (vgl. V. 20aβ) darauf hinweist, die "Gnade Gottes", d.h. das Angebot der Versöhnung mit Gott - und damit verbunden der Nichtanrechnung der Übertretungen und die Teilhabe an der Dikaiosyne Gottes -

---

493 Die Vorrangigkeit Gottes bei der Mitarbeit stellt auch H.Baum, Mut 148, heraus. Beachtet man diesen Grundzug, dann relativiert sich das besonders in der evangelischen Exegese behandelte Problem des Synergismus. Ein Gegensatz zwischen 5,18-20 und 6,1 läßt sich bei Berücksichtigung des sachlichen Zusammenhangs nicht konstruieren.

nicht vergeblich zu empfangen, der Zueignung des Heils zuzustimmen und
so das Wort der Versöhnung fruchtbar werden zu lassen. V. 1b gibt somit
zu bedenken, daß die Versöhnungsbitte in der Gemeinde (ὑμᾶς) nicht die
intendierte Wirkung herbeiführen und die Gemeinde sich der Chance der
Versöhnung mit Gott verschließen kann. Indirekt bekräftigt V. 1b die
Bitte als Angebot der Gnade Gottes und unterstreicht mit dem Blick auf
die Vergeblichkeit des Gnadenempfangs den letztgültigen Charakter der
Einladung zur Versöhnung; diese Einladung aber wird verspielt, wenn die
Gemeinde sich an die mit Paulus konkurrierenden Diener hält und die
eschatologische Funktion des legitimen Apostolats des Paulus im Rahmen
des Heilshandeln Gottes verkennt.

2) Die eschatologische Aktualität der Mahnung vor der Vergeblichkeit
der Gnade der Versöhnung erschließt das Schriftzitat V. 2. Es wird von
Paulus - aus seinem ursprünglichen Aussagekontext gelöst - nicht auf
die missionarische Situation bezogen[494], sondern auf den konkreten Moment der gegenwärtigen Anrede der Gemeinde durch den Apostel. Die eschatologische Qualität des "Jetzt" der Rede steht dabei im Zentrum, wie
die Kommentierung des Jesaja-Wortes durch das zweimalige ἰδοὺ νῦν
ausweist. Der vom Schriftwort erwartete Tag des Heils ist mit dem Versöhnungsgeschehen gegenwärtig geworden; mit ihm sehen sich die Gläubigen konfrontiert, wenn der Apostel in der Aktualisierung des "Wortes
der Versöhnung" bittet und mahnt. V. 2 intendiert also nicht allgemein,
daß der Tag des Heils der "jeweilige Tag"[495] des Betroffenseins durch
das Wort der Versöhnung ist; es ist das unmittelbare Jetzt des Angere-
detseins als der aktuell-endzeitlichen Situation, da es sich für die
Gemeinde entscheidet, ob sie mit dem Empfang der Versöhnung an dem
eschatologischen Heilsziel der "Dikaiosyne Gottes in Christus" partizipiert.

In der interpretierenden Vergegenwärtigung des Jesaja-Wortes vom eschatologischen Kairos und vom Tag der Rettung knüpft Paulus sachlich an
die erste Charakterisierung des Verkündigungsdienstes 2,15f an und

---

494 Gegen H.Windisch, 2 Kor 201.
495 Gegen E.Dinkler, Verkündigung 182.

stellt zum letzten Mal in diesem Brieffragment die eschatologische Funktion des Dienstes heraus, die ihm im Zusammenhang mit der endzeitlichen Heilstat Gottes durch Christus zukommt. Das Wort, das der Apostel der Gemeinde zuspricht, ist letztgültiges Wort; im Verhalten ihm gegenüber entscheidet sich für die Gemeinde die Partizipation am Heil oder die Vergeblichkeit der empfangenen Gnade, aufgrund der Versöhnungstat durch Christus mit Gott in Gemeinschaft zu stehen und so an der Zeit der Neuschöpfung (vgl. 5,17) teilzuhaben.

2.3 Zusammenfassung: Theologische Strukturlinien in 2 Kor 5,14 - 6,2

Zum Abschluß der exegetisch-theologischen Untersuchung der Einzelverse von 2 Kor 5,14 - 6,2, dem engeren Kontext der Schlüsselaussage vom "Dienst der Versöhnung" (2 Kor 5,18c), sind die konstitutiven Strukturmomente der theologischen Aussage zusammenfassend darzustellen. Die systematisierende Zusammenschau läßt am besten deutlich werden, welche theologischen Grundlinien den pl. Versöhnungsgedanken im Rahmen des 2 Kor prägen; vor allem aber wird erkennbar, daß innerhalb der versöhnungstheologischen Koordinaten der Apostolat als "Dienst der Versöhnung" mit seinem "Wort der Versöhnung" ein integriertes Moment im pl. Verständnis des Versöhnungshandelns Gottes durch Christus ist.

2.3.1 Das Prae der Versöhnungsinitiative Gottes

Die Verwobenheit von theo-logischer und christo-logischer Grundlinie ist für die pl. Versöhnungsaussage bestimmend[496]. Beide sind aufeinander bezogen und miteinander verbunden, wenn auch die Theozentrik der Versöhnungsvorstellung einen besonderen Akzent trägt. In der pl. Versöhnungstheologie vor 2 Kor 5 umfaßt die Theozentrik zwei Aspekte: einmal versteht Paulus die Versöhnung als ein Handeln G o t t e s , das auf die Menschheit, den einzelnen Menschen und auf die Gemeinde gerichtet ist. Zum anderen schließt die Versöhnung ein, daß durch das Handeln Gottes eine neue (weil vorher grundlegend gestörte) Gemeinschaftsbeziehung zwischen der Menschheit (5,19a), dem einzelnen Menschen

---

496 Vgl. auch oben 2.1.4 zur theologischen Struktur des weiteren Textes.

(5,18b), aber auch noch der Gemeinde (V. 20) und G o t t hergestellt wird[497].

Als Ausgang der Versöhnung steht nicht die Initiative des Menschen in der Weise des Gebetes, der Sühne, der Umkehr, sondern die Initiative Gottes. Kein Gedanke bezieht sich in irgend einer Form auf die religionsgeschichtlich bekannten Bemühungen des Menschen, besonders über kultische Praxis eine Versöhnung mit Gott (bzw. einer Gottheit) oder zwischen den kosmischen Mächten und Räumen zu erwirken. Selbst die jüdische Sühnungspraxis wird nicht bemüht. Sie ist vielmehr dadurch aufgehoben, daß Gott durch bzw. in Christus die Versöhnung mit sich herbeigeführt h a t . Und zwar denkt Paulus nicht nur an eine Versöhnung, die Gott Israel gewährt; die von Gott erschlossene Gemeinschaft der Versöhnten ist universal: es ist der Kosmos, also die Menschheit und insbesondere die Heidenwelt (vgl. Röm 11,15), der die Versöhnung mit Gott unter Einschluß der Sündenvergebung (5,19b) zu teil wird.

Das Ziel der Versöhnungstat, also der Wiederherstellung von Gemeinschaft zwischen der Menschheit und Gott, ist im Rahmen der Versöhnungsaussage im 2 Kor auf mehrfache Weise umschrieben. Einmal gründet in dem von Gott initiierten Versöhnungsgeschehen die bereits in der Gegenwart sich realisierende Neuschöpfung des Menschen[498], durch die der alte Äon seine endgültige Aufhebung findet (V. 17). Der Bezug auf die Neuschöpfung als eschatologische Gegenwartsbestimmtheit impliziert für die Versöhnungstat, daß sie irreversibel und als Gründungstat des neuen, endzeitlichen Äon nicht wiederholbar ist. Zum anderen ist dieses neugeschöpfliche Sein als Folge der Versöhnung mit Gott näher bestimmt als Dikaiosyne-Gottes-Sein. Es ist Sein aus dem schöpferischen Ursprung Gottes und in Relation auf Gott hin. Diese Relation ist als von Gott konstituierte getragen von dem Heil und Sein schaffenden Ja Gottes zu der mit ihm versöhnten Menschheit, deren Konkretion "in Christus" die Gemeinde ist; sie ist rechts, weil von Gott geschaffene und gegebene, Relation

---

497 Bei Paulus liegt hierauf ohne Zweifel der Schwerpunkt des versöhnungstheologischen Gedankens, den er aber nicht entfalten kann, ohne das Versöhnungsgeschehen am Kreuzestod und am gegenwärtigen Wirken Christi zu explizieren.

498 Vgl. den Begründungszusammenhang von V. 17 und V. 18f.

in Richtung auf Gott[499], die befreit ist von den "Übertretungen" der Menschenwelt und von dem Unheilszusammenhang der Hamartia-Macht.

Der Handlungsprimat Gottes reicht aber über die Grundlegung der Versöhnungsgemeinschaft im Kreuzestod und in der Auferweckung Christi hinaus. Auch der Apostolat als "Dienst der Versöhnung" hat seinen Ursprung in der Initiative Gottes und ist von seinem Versöhnung bewirkenden Handeln bestimmt[500]. Der "Dienst der Versöhnung" ist Gabe Gottes an den, der durch die Versöhnung mit Gott die Befähigung von Gott erhalten hat (V. 18), um den "Dienst der Versöhnung" gemäß der Versöhnungsintention Gottes im Rahmen des universalen Versöhnungsgeschehens (V. 19a) und insbesondere auf die Gemeinde hin (V. 20b) zu realisieren, die in der Gefahr steht, die Gnadengabe der Versöhnung ins Leere gehen zu lassen (6,1f).

Das "Wort der Versöhnung"[501] mit dem der "Dienst der Versöhnung" beauftragt ist (V. 19c), ist das Medium, durch das Gott selbst handelt, indem er die Bereitschaft zum Empfang der Gemeinschaft gleichsam anmahnt (V. 20a). Sowohl in der offiziellen Übergabe des Wortes an den Dienst als auch in der Ausübung des Wort-Dienstes liegt der Handlungsprimat bei Gott.

2.3.2 Der Tod Christi für alle als Versöhnungsakt Gottes

Die Versöhnung mit Gott durch die Tat Gottes selbst ist in 2 Kor 5,14 - 6,2 wesentlich an den Kreuzestod Christi gebunden. Versöhnung ist nicht

---

499 In diesem Sinne versteht auch Röm 5,10f die Versöhnung. In der Schlußperspektive spricht sich auch im Eph dieser Grundgedanke aus, wenn auch dafür eine andere Terminologie benutzt wird und der Autor einen neuen Gesichtspunkt einbringt. Vgl. auch die Weiterführung von Kol 1,20 in der Deutung 1,22.

500 Vgl. V. 20aβ und bβ in Verbindung mit V. 18f.

501 Dieses Wort ist zugleich Verkündigung der geschehenen Versöhnung und Anrede, durch die die Hörer in das Geschehen der Versöhnung mit Gott hineingezogen werden, durch die sie vom Geschehen selbst betroffen werden. Diesen Aspekt meint vor allem E.Dinkler, Verkündigung (bes. 182-189), wenn er die Verkündigung des Wortes der Versöhnung in ungewohnter Weise als "sakramental-eschatologisches Geschehen" deutet.

zeitlos, übergeschichtlich und überpersonal, sondern ist Ereignis, das in die Geschichte als Unheilsgeschichte - d.h. als Geschichte unter dem Zwang der Hamartia-Macht (5,21a) und folglich des Sich-selbst-Lebens (V. 15b) - in personaler Gestalt eintrat und Geschichte und Sein der Menschheit von Grund auf veränderte.

Die soteriologische Relevanz und die eschatologischen Konsequenzen des Todes werden in 2 Kor 5,14 - 6,2 in verschiedener Weise ausgedrückt[502]. Es zeigt sich auch hier, daß Paulus nicht auf eine bestimmte Sprache oder auf ein einziges Deutungsmodell beschränkt ist.

Konstitutiv ist aber die Vorstellung, daß der Tod ein Geschehen ist, in dem Jesus mit dem Todesgeschick (V. 14) bzw. mit der Unheilsituation der Menschheit unter der Harmatia-Macht (V. 21) solidarisch wird und als der in radikaler Pro-Existenz "für alle" Sterbenden bzw. als der "für uns" zur Sünde gemachte Sündlose die heilshafte Wende bringt. Während beim ersten Gedanken (dem solidarischen, uns einschließenden Sterben "für alle") das Engagement der Agape Christi dominiert und das Handeln Gottes erst mit dem Auferweckungsgedanken (V. 15b) explizit thematisiert wird, sich aber so mit der Proexistenz des Auferweckten verbindet, steht die zweite soteriologische Aussage, soweit es das Heilsgeschehen selbst anspricht, unter einem stärkeren theologischen Vorzeichen[503]: Gott macht den Sündlosen zur Sünde und schafft die so von der Sündenmacht Befreiten zur "Dikaiosyne Gottes in Christus". Hier ist der Tod Jesu als ein Handeln Gottes gedeutet, das über das "Zur-Sünde-Machen" auf das "Zur-Dikaiosyne-Gottes-Werden" hinzielt[504].

2.3.3 Die endzeitliche Versöhnungsgemeinschaft mit Gott in der Christusgemeinschaft

Wurde in 2.3.2 auf die kreuzestheologische Dimension des pl. Versöhnungsgedankens abgehoben, d.h. auf den Kreuzestod als Grundereignis für die Herstellung der Versöhnungsgemeinschaft mit Gott, so darf sie nicht

---

502 Vgl. V. 14c-15. 17. 18a. 19ab. 21; 6,1b (χάρις).
503 V. 21a; vgl. 18ab. 19ab.
504 Vgl. oben 2.2.3.6.

isoliert werden von der christologisch-soteriologischen des Wirkens des Erhöhten[505]. Nicht nur der unmittelbare und weitere Kontext der expliziten Versöhnungsaussagen ist erhöhungstheologisch geprägt und auf die gegenwärtige Wirkmächtigkeit und das Für-sein des bei Gott lebenden Christus ausgerichtet. Auch das "durch Christus" von V. 18b impliziert[506], daß die Teilhabe an der von Gott mit dem Kreuzestod (und der Auferweckung V. 15b) initiierten Versöhnungsgemeinschaft mit ihm durch den Erhöhten vermittelt wird, indem er den von Gott her Versöhnten in seine Lebensgemeinschaft und d.h. in das Leben der Pro-Existenz hineinzieht.

Die erhöhungstheologische Komponente, nach der sich die endzeitliche Versöhnungsgemeinschaft mit Gott in der Lebensgemeinschaft mit dem Erhöhten realisiert, ist im engeren Kontext durch V. 15b (von der Agape Christi bestimmtes Leben für den gestorbenen und auferweckten Christus)[507], durch V. 17a (Neues-Geschöpf-Sein in Christus)[508] und durch V. 21b (Dikaiosyne-Gottes-Werden in Christus)[509] ausgedrückt. Diese Stellen sind zu verbinden mit den Pneuma-, Doxa- und Eikon-Aussagen der Kap. 3 - 4[510]. Dann wird deutlich, daß die Versöhnung mit Gott als Grundlage des neugeschöpflichen Seins in der Verbundenheit mit Christus und darin in Hinordnung auf Gott eschatologisch bestimmt ist: der durch Christus mit Gott Versöhnte hat schon in der Gegenwart seinen Lebensbereich in dem neuen, auf Vollendung ausgerichteten Äon, in der er von Gott durch das Wirken des Erhöhten das pneumatische Sein empfängt, der Doxa teilhaftig wird und durch das Wirken des Pneuma-Christus in die Eikon des Erhöhten, der selbst die Eikon Gottes ist, umgestaltet wird (3,18; 4,4).

Die Christusgemeinschaft als Weise realisierter Versöhnungsgemeinschaft

---

505 Dies ist besonders gegen die ausschließlich kreuzestheologische Auslegung der pl. Versöhnungsaussage festzuhalten.
506 Vgl. oben 2.2.3.4.2.
507 Vgl. oben 2.2.3.1.
508 Vgl. oben 2.2.3.3.
509 Vgl. oben 2.2.3.6.
510 Vgl. oben 2.1.3.

mit Gott impliziert auch, daß Versöhnung mit Gott nicht Sache des einzelnen Glaubenden ist, so sehr ihn auch das Versöhnungsgeschehen unmittelbar betrifft (vgl. V. 18b, von Paulus) und er sogar das Versöhnungsangebot für sich nicht wirksam werden lassen kann. Denn das Zur-Wirkung-
Kommen der Versöhnung mit Gott beim einzelnen geschieht bereits im Horizont der vorgegebenen Versöhnung der Menschheit mit Gott (V. 19ab)
und hat - als Versöhnung durch die Christusgemeinschaft - die personale
Bindung an Christus und durch sie die Verbundenheit mit der gemeindlich
sich konkretisierenden Christusgemeinschaft zur Voraussetzung.

2.3.4 Die Begründung des Apostolats als Dienst der Versöhnung im Versöhnungsgeschehen

Paulus nimmt den Versöhnungsgedanken in seine Argumentation gegenüber
der korinthischen Gemeinde auf, um den engen Zusammenhang zwischen Versöhnungstat Gottes im Kreuzestod (und in der Auferweckung) Christi, dem
gegenwärtigen Wirken Christi für die Versöhnung mit Gott einerseits und
dem Aposteldienst und der Teilhabe der Gemeinde an der Versöhnung andererseits zu explizieren.

Im Hintergrund steht die Frage der wahren Kauchesis, die für den Zusammenhang 5,12 - 6,2 ausdrücklich in der Entgegensetzung zweier Weisen
des Sich-Rühmens 5,12c aufgeworfen wird. Es ist nicht zu übersehen, daß
seit Kap. 3, ja schon mit der Frage nach der Befähigung und den Empfehlungsbriefen, die Problematik des selbstrühmenden Selbstausweises und
der Bezogenheit auf das eigene Selbst virulent war und das ungerecht-
fertigte Sich-Rühmen als (möglicher oder faktischer) Einwand gegen Paulus untergründig die Argumentation bestimmte[511].

Indem Paulus den Apostolat im Versöhnungsgeschehen verankert, macht er
im Zusammenhang mit der Kauchesis-Problematik kritisch geltend, daß die
Befähigung zum "Dienst der Versöhnung" letztlich aus dem Heilshandeln
Gottes durch Christus resultiert und von da aus auch die Sendung dieses

---

511 Damit ist nicht gesagt, daß der Vorwurf falscher Kauchesis von den
Gegnern in der von Paulus benutzten Terminologie erhoben wurde. Paulus jedoch bezog ihn auf sein Kauchesis-Verständnis und richtete
ihn darüber hinaus gegen das Verhalten der Gegner und der Gemeinde.

Dienstes bestimmt ist. Jede Hervorkehrung der Selbstmächtigkeit hat im Lichte des Versöhnungsgeschehens und damit des Gabecharakters des Dienstes seine Berechtigung verloren[512].

Der sachliche Zusammenhang zwischen der geschehenen und geschehenden Versöhnung besteht darin, daß Gott als mit sich durch bzw. in Christus Versöhnender den Dienst stiftet und durch dessen Wort nicht nur das Geschehensein der Versöhnung der Welt (als der bereits von Gott her versöhnten) angesagt wird, sondern durch dessen Wort, das in offizieller Gesandtenfunktion - d.h. in Vollmacht, Auftrag und Kraft Christi - gesprochen wird, Gott selbst als der Anredende und zur Versöhnung auffordernde spricht und mit diesem seinem Wort bereits wirkmächtig als mit sich Versöhnender den Angeredeten begegnet.

Indem die Legitimationsfrage zurückgeführt wird auf die Frage der Versöhnung der Menschheit bzw. der Gemeinde (V. 20) mit Gott und der Dienst dem Versöhnungsgeschehen sowohl seinem Ursprung als auch seiner Funktion nach eingeordnet wird, ist die Frage nach der ausweisenden Befähigung (2,16) selbst zu einer soteriologischen geworden: die Befähigung zum Dienst nicht aus eigenem Vermögen, sondern durch Gott (3,5f) gründet in der Heilstat Gottes (der Versöhnung mit ihm durch Christus).

Der Vollzug des Dienstes ist transparent auf den durch ihn Wirkenden und Sprechenden; er verweist über sich hinaus, da er in seiner missionarischen Verwirklichung "Wohlgeruch Christi für Gott" ist (2,15); das ihn kennzeichnende Leiden besteht er durch die Dynamis Gottes, und es wird zum Ort des offenbar werdenden Lebens Christi (4,7-12); die Gemeinde, die durch die Verkündigung als "Brief Christi" konstituiert wird, ist Wirklichkeit in dem sie erfüllenden Pneuma und gibt so Zeugnis für die Gegenwart des Pneuma im Dienst. Das Wort, das der Dienst verkündet, ist Wort Gottes, der durch den Apostel spricht (5,20); so verweist das Wort des Dienstes, der Gesandtschaft im Auftrag und in der

---

512 Vgl. V. 14f. 18f; s. auch das Bild 2,14; weiterhin 3,4-6; 4,1. 6 und besonders die Leidensaussagen 4,7-12 und 6,3-10 wie auch die weitere eschatologische Deutung der Dienstexistenz im Zukunftshorizont der Vollendung 4,16 - 5,11.

Kraft Christi, hin auf den Urheber des Wortes und des Dienstes, der in dem Wort selbst wirkend gegenwärtig ist und mittels des Wortes Versöhnung gewährt.

Die leidende Zeugnisgabe für die Gegenwart der Macht Gottes und der durch das Pneuma wirkenden Lebenskraft des Erhöhten in Einheit mit dem Wort Gottes, das als "Wort der Versöhnung" die Versöhnung mit Gott offenbar macht und erfahren läßt, das aber auch als "Evangelium der Doxa Christi" die Doxa Gottes auf dem Antlitz Christi als der Eikon-Gottes sehen läßt, ist entgegen der Erwartung eines durch die Gemeinde bestätigten strahlenden Pneumatikers ohne Schwäche die einzige authentische Gestalt des wahren, von Gott befähigten und in der Kraft des Erhöhten wirkenden Apostels.

Die Begründung des Apostolats als eines Dienstes der Versöhnung im Versöhnungsgeschehen definiert von der Universalität der Versöhnung her die missionarische Funktion: Die Ansage der geschehenen Versöhnung der Menschheit mit Gott hat die - von Gott her gesehen - versöhnte Menschheit zum Adressaten. Sie intendiert mit dem Empfang der Versöhnung den antwortenden Vollzug in der Teilhabe an der Christusgemeinschaft, deren konkrete endzeitliche Gestalt die Gemeinde ist.

Die Realisierung der Teilhabe an der Versöhnung mit Gott von seiten der Menschheit ist jedoch nicht automatische Folge der Verkündigung des "Wortes der Versöhnung". Sowohl in 2,15f als auch 4,2-4 zeigt sich, daß die missionarische Verkündigung eine eschatologische Scheidungsfunktion hat. In der Antwort auf sie entscheidet sich endzeitliche Rettung und endzeitliches Verderben. Aber auch die Versöhnungsbitte 5,20b und die Mahnung 6,1b unterstreichen, daß die Annahme der Versöhnungsgnade ausbleiben kann. Die Versöhnungsbitte 5,20b hat also auch, wie die Parallelaussage 6,1b, die Funktion kritischer Erinnerung an das von der Gemeinde nicht adäquat beantwortete Versöhnungsangebot Gottes.

Neben dem Folgezusammenhang von Versöhnungstat Gottes durch bzw. in Christus, Gabe des Dienstes und Beauftragung mit dem Wort, Anrede der Gemeinde durch den Apostel in Wahrnehmung seines Auftrags, der die spezifische Funktion des Apostels innerhalb der von Gott ausgehenden und auf die Menschheit bzw. die Gemeinde ausgerichteten Versöhnungsgeschehens besonders klar herausstellt, betont Paulus aber auch die Gemeinsamkeit zwischen dem Apostel und den Glaubenden von Korinth. Alle gemeinsam haben teil an der Schau des Pneuma-Christus und erfahren durch sie die endzeitliche Umwandlung in die Doxa-Gestalt bzw. in das Doxa-Wesen (3,18). Alle werden beim Endgericht der Parusie-Christus (5,10) "offenbar" werden und das gerechte Gericht über ihre Taten erfahren, wenn auch für den Apostel schon jetzt gilt, daß er - wie in der Gerichtssituation - bei der Realisierung seines Dienstes vor Gott offenbar ist (5,11; vgl. 2,17; 4,2). Das hat seinen Grund nicht nur in dem besonderen Verantwortungsbewußtsein des Apostels. Das Offenbarsein vor Gott ist vielmehr schon mit der von Gott ausgehenden Sendung gegeben. Als Dienst, durch den Gott seine Erkenntnis offenbart (2,14), den Gott befähigt (3,5f), "die Erkenntnis der Doxa Gottes auf dem Angesicht Christi" (4,6.4) gibt und mit seiner Initiative zur Versöhnung verbindet, steht der Aposteldienst von seinem Ursprung her und aufgrund des Wirkens Gottes bzw. des Erhöhten durch ihn in einer engen Beziehung zu Gott.

Gemeinsam ist Apostel und Gemeinde aber auch, daß beide der Versöhnung mit Gott teilhaft werden müssen, wobei jedoch dem Apostel die besondere Aufgabe des "Dienstes der Versöhnung" für die mit Gott versöhnte Welt und damit letztlich für die Gemeinde der mit Gott Versöhnten übergeben wird. Aber auch die Gemeinde hat als Wirklichkeit empfangener Versöhnung in der Kraft des sie erfüllenden Pneuma eine missionarische und kommunikative Funktion: sie gibt Zeugnis von ihrer pneumatischen Konstitution und von ihrem Apostel, der an der Auferbauung der Gemeinde dienend mitgewirkt hat (3,3) und sie zur Danksagung für die empfangene Gnade bereitet (4,15; vgl. 6,1b).

2.3.5 Die eschatologische Präsenz der geschehenen Versöhnung im im Bitt-Wort der Versöhnung

Die Versöhnung kann unter zwei Zeitaspekten gesehen werden: sie ist von Gott initiierte und "durch Christus" realisierte Versöhnung; zum anderen ist sie als real gewordene Versöhnung die Möglichkeitsbedingung aktuell geschehender Versöhnung mit Gott, in der sich die Menschen die Gemeinschaft mit Gott gewähren lassen, die von Gott her im Kreuzestod für alle unter der Sündenmacht und im Für-sein des Auferweckten für die nun (für ihn und damit auf Gott hin) Lebenden konstituiert worden ist[513].

Die Form der Präsenz geschehener Versöhnung ist das Wort des Apostels, das mit Bezug auf die von Gott her bereits "in Christus" versöhnte Menschenwelt als missionarisches Wort (V. 19) die geschehene Versöhnung ansagt, so daß sie wirksam wird. Mit dem missionarischen Wort der Versöhnung zusammen geht bei Paulus das sich an die bereits konstituierte Gemeinde wendende Wort. In der Form des aktuellen Bitt-Wortes wird die Gemeinde von der ihr im voraus gewährten, von ihr aber nicht voll und mit aller Konsequenz akzeptierten und beantworteten Versöhnung mit Gott unmittelbar in persönlicher und zugleich wirkmächtiger Anrede betroffen.

Von der "Versöhnung durch Christus mit Gott" wird also nicht ausschließlich wie von einer vergangenen Tat berichtet, sondern sie wird in der Situation des Angesprochenen in ihrer Vorgegebenheit und eschatologischen Wirklichkeit bezeugt und als konkretes Angebot zugesprochen. Die appellative Sprachgestalt, die das "Wort der Versöhnung" in 5,20 - 6,2 annimmt, ist die Bitte. Als Bitte macht das Wort die Menschen frei von dem Anspruch der Eigen- und Vorleistung. Sie konfrontiert die Betroffenen (d.h. hier besonders: die Gemeinde) mit der Chance der Versöhnung mit Gott, erzwingt aber nicht die Versöhnungsgemeinschaft. Das Bitt-Wort ist gleichsam die Niedrigkeitsgestalt der Verkündigung in Entsprechung zur befreienden Niedrigkeitsgestalt Christi unter der Knechtherrschaft der Sünde. Es ist das Macht-Wort in der Form der Schwäche.

Als Bitte, durch die sich G o t t im Wort des Apostels der Gemeinde zuwendet, löst sie die Bitte, durch die der Mensch bei Gott Versöhnung erwirken möchte, ab und eröffnet in der Antwort auf diese Bitte die sich vervielfachende Danksagung der mit Gott Versöhnten zur Ehre Gottes (4,15).

Das "Wort der Versöhnung" ist nicht Träger einer "objektiven" Wahrheit,

---

513 E.Güttgemanns überakzentuiert im Zuge seiner Deutung von 2 Kor 5,11 - 6,10 "die Präsenz der Zeit des Gekreuzigten in der apostolischen Existenz" (ders., Apostel, bes. 317-322).

die aus der Distanz wahrnehmbar und akzeptierbar ist, sondern es ist
Wahrheit, die sich von Gott her als Ereignis der Gnade vollzieht. In
diesem Wort ist in einem der Horizont der ursprunghaften Herkunft der
Versöhnung und der Horizont der Zielbestimmtheit der Versöhnung mit
Gott gegenwärtig. Die erinnernde Vergegenwärtigung des Geschehenseins
der Versöhnung mit Gott durch Christus schlägt um in das anredende Gegenwärtigwerden des in seinem Geschehensein Erinnerten!

Der Ausgangspunkt des Wortes ist die universal versöhnende Bewegung des
Handelns Gottes im Kreuzestod und im gegenwärtigen Wirken des Erhöhten,
der Zielpunkt des Wortes ist die eschatologische Wirklichkeit der Dikaiosyne Gottes in der Gemeinschaft Christi als Vollgestalt der Versöhnung mit Gott.

2.4   Rezeptionskritische Aspekte

2.4.1 Vorbemerkung

Die exegetisch-theologische Untersuchung des Textabschnitts 2 Kor 5,14-
6,2 und die systematisierende Zusammenfassung haben gezeigt, daß Paulus
seinen Dienst in den Wirkzusammenhang des Versöhnungsgeschehens hineinstellt. Die Entwicklung des Gedankens vollzieht sich nicht in einer si-
tuationsabstrakten Weise, sondern in einer auf den aktuellen Gesprächspartner eingehenden, die direkte Kommunikation mit der Gemeinde suchenden theologischen Aussage, die die Relevanz des "Wortes der Versöhnung"
als der besonderen, der endzeitlichen Existenzsituation des Apostels
selbst wie der gemeindlichen Adressaten gemäßen Präsenzform der geschehenen und geschehenden Versöhnung mit Gott in der Mitte der Gemeinde
bewußt zu machen und durchzusetzen bemüht ist. Es besteht so ein enger
Zusammenhang zwischen der sachbezogenen darstellenden und der adressatenbezogenen persuasiv-werbenden Komponente in der brieflich vorgetragenen Rechtfertigung des eigenen Apostolatsverständnisses. Die Verschränkung beider Komponenten wird unmittelbar deutlich in der gedrängten Entwicklung des versöhnungstheologischen Themas, das nicht nur auf
das Grundereignis der Versöhnung und die Einbindung des Versöhnungsdienstes behauptend abhebt, sondern den theologischen Anspruch, daß im
"Dienst der Versöhnung" und dem ihm aufgetragenen "Wort der Versöhnung"

das Versöhnungsgeschehen seine kommunikative, auf die Gegenwart bezogene Seite hat, unmittelbar in die Form der Bitte und Mahnung umsetzt.
Dieses Umschalten von Argumentation in direkte Realisierung des argumentativen Gehalts durch Anrede erfolgt innerhalb eines Briefes, der
nicht nur eine apostolatstheologische Fragestellung Ausrichtung auf die
Adressaten als Problemauslöser reflektiert und für die Akzeptierung der
Sachargumente wirbt, sondern auch einen Spannungszustand durch Gespräch
aufheben, also konfliktlösend Einstellungen und Verhaltensweisen der
intendierten Partner in die von Paulus vorgegebene Richtung modifizieren soll.

Unter dem Gesichtspunkt der Rezeptionsorientierung der brieflichen Kommunikation religiösen Inhalts wäre das Brieffragment in all seinen einzelnen kommunikativen Akten zu analysieren, wobei erkennbar würde, daß
verschiedene Klassen von Sprechakten mit ihren jeweiligen pragmatischen
Intentionen verwirklicht werden. Eine derartige Analyse würde also die
Sinnrichtung der einzelnen Äußerungen näher bestimmen können, die nicht
nur die Funktion der Vermittlung kognitiver Gehalte, sondern eben auch
und in besonderer Weise die der Selbstdarstellung des Paulus im Rahmen
eines die Richtschnur für den wahren Aposteldienst angebenden Konzepts
haben.

Da einige rezeptionsrelevante Momente bereits in der Hinführung zur
Exegese von 2 Kor 5,14 - 6,2 mit Blick auf die historischen, sprachlichen und theologischen Faktoren des Kommunikationsverhältnisses zwischen
Paulus und der korinthischen Gemeinde entwickelt worden sind[514], können
die folgenden Überlegungen darauf aufbauen und sich auf ergänzende Ausführungen beschränken. Dabei sind die vorausgegangenen Erhebungen zum
theologischen, insbesondere zum apostolatstheologischen Inhalt des in
den Mittelpunkt gestellten 2 Kor-Textes miteinzubeziehen. Zu berücksichtigen ist an dieser Stelle auch, daß die pl. Versöhnungsaussagen
als Moment des kommunikativen Prozesses selbst mit Tradition verfloch-
ten sind und diese rezipieren. Im Rahmen der Frage nach der historischen Rezeption ergibt sich ein zweifacher Aspekt für die Verwendung
versöhnungstheologischer Traditionselemente: einmal ist zu bedenken, in
welcher Weise Paulus dem Versöhnungsgedanken im Zuge seiner Verwendung
für seine apostolatsbezogene Argumentation seinen Stempel aufgeprägt
hat und so über die rezipierende Weiterführung des versöhnungstheologi-

---

514 Vgl. oben 2.1.1 - 2.1.2.

schen Gedankens sich seiner Legitimationsbasis als Apostel im kommunikativen Gegenüber zu seiner Gemeinde bewußt wird; zum anderen ist zu
erwägen, in welcher Weise der durch Paulus erweiterte Traditionsgedanke
als Verstehens- und Wirkfaktor in dem Kommunikationsvorgang der Gemeinde eine Vertiefung ihres Apostolatsverständnisses und - im Zusammenhang
damit - ihres eigenen theologischen Ortes eröffnet.

Die historische Rezeptionsfrage wird abschließend dahin erweitert, daß
über die Vergangenheitsdimension hinausgehend die Problematik des Ge-
genwartspotentials der pl. Versöhnungsaussagen in einer veränderten,
die theologischen Inhalte selbst betreffenden Kommunikationssituation
angesprochen wird. Das Gegenwartspotential zu erweisen, bedeutet: das
pl. "Wort der Versöhnung" in den praktisch erfahrenen und nicht nur
theologisch theoretisierten vielschichtigen Problemhorizont neuzeitlicher Entfremdung hineinzustellen. In diesem Problemfeld entscheidet
sich, ob überhaupt bzw. mit welchen Akzentsetzungen das historisch einmal in einer konkreten Situation formulierte "Wort der Versöhnung", der
von Paulus artikulierte Versöhnungsgedanke, der Sache nach noch heute
in der kirchlichen Gemeinschaft der Gläubigen und in ihrem Zeugnis des
Lebens, der Verkündigung und der Theologie zur Sprache und Wirkung kommen kann[515]. Diese Wirkung ist zu unterscheiden von der, die Paulus unter den Bedingungen des Konflikts mit der Gemeinde intendierte.

2.4.2 Das Kommunikationsverhältnis Paulus - Text - korinthische Gemeinde

Ohne auf die kommunikationstheoretischen Modelle[516] einzugehen, können
folgende notwendigen Elemente einer jeden Kommunikation, sei sie sprach-
licher oder nichtsprachlicher Art, auf den kommunikativen Vorgang zwischen Paulus und der korinthischen Gemeinde bezogen werden: die "Sen-

---

515 Eine Möglichkeit, dem pl. Text heute mit den Mitteln einer persua-
siv-werbende Sprache Wirkung zu erschließen, bietet die Predigt.
Sie bringt als kommunikative Tätigkeit mit ihrem Bezug auf die Gemeinde als Hörerkreis den überkommenen Text in die neue Situation
der Gemeinde ein, indem sie ihn neu "vertextet". Vgl. dazu den weiterführenden Ansatz von O.Fuchs, Sprechen (hier bes. 125-127).

516 Die kommunikationstheoretische Diskussion ist lange und in einem
sehr starken Maße vom kybernetischen Modellbegriff geprägt gewesen.
Durch die Einbeziehung der Kommunikationstheorie in die Textanalyse

der"/"Sprecher"-Funktion nimmt Paulus als Verfasser ein, der mit Hilfe des sprachlich fixierten Brief-Textes als "Kanal" der Kommunikation eine "Nachricht" (Information) an die korinthische Gemeinde als "Empfänger" sendet und sich dabei eines "Kodes" (eines sprachlichen, textlich fixierten Zeichenrepertoires) bedient. Diesen "Kode" benutzt er unter der Voraussetzung, daß er mit dem der Empfänger (wenigstens teilweise) gemeinsam ist und diese folgerichtig in der Lage sind, die kodierte Nachricht zu "dekodieren" und so zum Verstehen der Nachricht zu gelangen, also den Ausdruck, in dem die Nachricht ankommt, in den Inhalt zurückzuübersetzen und in Verbindung mit der semantischen auch zur pragmatischen Kommunikationsintention vorstoßen. Dieser skizzierter Vorgang geschieht in einer die Kommunikationspartner umschließenden Situation, wobei ebenso wie beim "Kode" soziale und individuelle Komponenten zum Tragen kommen.

1) Die Versöhnungsaussage des 2 Kor, auf die das Frageinteresse in diesem Teil der Untersuchung gerichtet ist, ist Teilinhalt eines Brief-Textes, den Paulus als Autor an die korinthische Gemeinde als Empfänger und Kommunikationspartner übermitteln läßt. Dient bereits die Gattung Brief[517] dazu, über raumzeitliche Distanz zu kommunizieren, so kommt diesem Brief im Zuge einer schon länger geführten brieflichen Kommunikation[518] mit der Gemeinde von Korinth eine besondere Funktion zu: als Medium sprachlich-kommunikativen Handelns ist er von der Intention bestimmt, nicht nur die raumzeitliche Distanz der Gesprächspartner zu überbrücken, sondern die sich negativ verändernde Einstellung der Gemeinde, die aufgebrochene persönliche und sachlich-theologische Distanz und Kontroverse auf Kooperation und Identifikation hin zu überwinden.

---

ist das Verständnis der kommunikativen Tätigkeit differenzierter geworden, wozu auch die linguistische Pragmatik beigetragen hat. Teilweise tritt eine Veränderung in der Kommunikationstheorie dadurch ein, daß der Zusammenhang zwischen der zwischenmenschlichen Kommunikation und der Gesellschaft (der sozialen Situation) kritisch aufgearbeitet wird. Als Hinführungen zum Problemkomplex der Kommunikation und zu dessen theoretischer Aufarbeitung können hilfreich sein: H.-D.Bastian, Kommunikation; E.Gülich/W.Raible, Textmodelle 14-59; U.Steinmüller, Kommunikationstheorie; G.Waldmann, Kommunikationsästhetik; vgl. auch: J.Aufermann u.a., Gesellschaftlich Kommunikation I-II; W.Kallmeyer u.a., Lektürekolleg (bes. I 26-60); K.Baumgärtner, Funk-Kolleg Sprache I 27-102.

517 Vgl. z.B. O.Roller, Formular; M.Dibelius, Geschichte 92-100; F.Mußner, Jak 23-26; s. auch H.Conzelmann/A.Lindemann, Arbeitsbuch 32-35.

518 S. oben 2.1.1; vgl. die einschlägigen Kapitel zu 1 und 2 Kor in den Einleitungswerken (z.B. von W.G.Kümmel, A.Wikenhauser/J.Schmid).

Gerade dieser Intention, die wegen ihrer theologischen Bestimmtheit nicht allein kommunikationsimmanent orientiert bleibt, aber doch auch einen mit dem theologischen Inhalt eng verbundenen kommunikativen, gemeindlich-pragmatischen Effekt anzielt, ist es gemäß, wenn in Ausrichtung auf den bestehenden Konflikt über den die Gemeinde bindenden und sie in ihrer endzeitlichen Existenz fördernden Apostolatsanspruch des Paulus und die dadurch gestörte Verständigung zwischen den Dialogpartnern (Paulus als Apostel einerseits und korinthische Gemeindeglieder andererseits) der theologisch gewichtige, auf das Apostolatsverständnis hin entfaltete Versöhnungsgedanke eingeführt und zur zentralen Aussage und gleichzeitig aktuellen gemeindlichen Anrede erhoben wird.

2) Die Aufnahme der Versöhnungsterminologie weist aufgrund des mit ihr verbundenen, vor allem sozial bestimmten Vorverständnisses in indirekter Weise auf den Lösungsweg für die Situation hin: die Versöhnung der Gemeinde mit ihrem Gründungsapostel. Daß dieser Hinweis nur indirekt geschieht, liegt an dem betont theologischen Bedeutungsmoment der Versöhnung. Jedoch ist der Gemeinde im Verlauf der vorausgegangenen brieflichen Kommunikation auch schon unter einem gemeindlichen und sozialen Gesichtspunkt das Versöhnungsanliegen nahegebracht worden: mit Bezug auf die Trennung von Ehepartnern fordert Paulus in adäquater rechtlicher Terminologie die Frau zur Versöhnung mit ihrem Mann auf (1 Kor 7, 11)[519].

Durch den Hinweis auf eine Verstehenskomponente des Gesprächs über die Versöhnung ist ein wichtiger Aspekt des Verhältnisses Paulus - Text als Medium der sprachlich-kommunikativen Handlung - Gemeinde als intendierter historischer Rezeptor des pl. Briefes in den Blick gekommen: in dem kommunikativen Verhältnis zwischen Apostel und Gemeinde kommt es entscheidend darauf an, daß Paulus dem Verstehen der Gemeinde entgegenkommt und eine Sprache und Argumentationsform wählt, die im Sinne des Paulus verstanden werden kann und zugleich die vorgegebene Disposition des Empfängerkreises modifiziert.

---

519 Vgl. F.Büchsel, in: ThWNT I 255,3-10; H.Conzelmann, 1 Kor z.St. - S. hier auch Mt 5,24 (διαλλάγηϑι); mit der Variante καταλλάγηϑι in D).

Als Weg, der sich für eine Verständigungsannäherung anbietet, wählt Paulus Traditions- und Sprachelemente, die sich auf einen wahrscheinlichen Konsens stützen und eine positive Reaktion erwarten lassen. Das eigene Anliegen bedarf dann weiterer Mittel, um in der Kommunikation zur Wirkung zu kommen. Gerade der Kontext der (theologischen) Versöhnungsaussage und auch die Versöhnungsaussage selbst ist durch mehrere Anklänge an vorgegebene Vorstellungen und traditionelle Aussagestrukturen mitbestimmt. Beschränken wir uns auf die Versöhnungsaussage selbst, so kann vor allem auf die Bedeutung des hellenistischen Judentums[520] hingewiesen werden, wenn auch die Textbelege nicht zahlreich sind. Doch muß sogleich ergänzend hinzugefügt werden, daß sich der dortige theologische Gebrauch des Versöhnungsgedankens von dem des Paulus erheblich unterscheidet. Zwar sprechen auch die hellenistisch jüdischen Texte von der Versöhnung im streng-theologischen Sinn, jedoch liegt der Akzent auf der Versöhnung Gottes mit den Menschen, und es verbindet sich mit der Versöhnung die Bedeutung der Abkehr Gottes von seinem Zorn und der erneuten Zuwendung. Abgesehen davon, daß das hellenistische Judentum Gebet, Bekenntnis, Umkehr und auch Opfer als Wege zur Versöhnung Gottes kennen, ist die Kontrastparallele Jos. Ant. 6,143 zu 2 Kor 5,20 bemerkenswert, da im Gegensatz zu 2 Kor G o t t zur Versöhnungsbereitschaft (und zur Zornaufgabe) gemahnt wird, nicht aber die Menschen zum Empfang der Versöhnung von Gott her und mit Gott ermahnt werden.

3) Versteht sich der sprachgeschichtliche und religionsgeschichtliche Vergleich im Rahmen der Versöhnungsaussage vor allem als Beitrag zu sprachlichen Analogien, so ist die Aufnahme des versöhnungsterminologischen "Kodes"[521] in die Argumentation des Paulus doch mit wichtigen Bedeutungskorrekturen verbunden. Das gilt selbst dann noch, wenn 2 Kor 5,19ab und V. 21 mehr oder weniger stark vorformulierte Traditionsele-

---

520 Vgl. J.Dupont, Réconciliation 11-19; M.Wolter , Rechtfertigung 39-45; s. auch F.Büchsel, a.a.O. 254.

521 Unter "Kode" versteht die Linguistik ein Inventar von Zeichen und ein System von Regeln zu deren Verknüpfung als Grundlage der Kommunikation, wobei beim semantischen Kode ein Entsprechungsverhältnis zwischen dem Zeicheninventar und den Vorstellungen bzw. den Nachrichten des Sprechers besteht.

mente verwenden.

Seit E.Käsemann[522] die Hypothese aufstellte, Paulus verarbeite in 2 Kor 5,19-21 eine hymnische Tradition, deren ursprüngliche theologische Aussage von der Konzeption kosmologischer Versöhnung geprägt sei, wird die Frage, ob 2 Kor 5,18-21 gemeindliche Tradition enthalte, kontrovers diskutiert[523]. Als Ergebnis kann gelten:

V. 18 ist eng mit dem vorausgegangenen Gedankengang verbunden (V. 18a) und weist in der Formulierung keine signifikanten Merkmale auf, die auf fest geformtes Traditionsmaterial schließen lassen. Demgegenüber bietet die Einführung (ὡς ὅτι) der zweiten Versöhnungsaussage (V. 19a) einen ersten Anhaltspunkt für Traditionsgut. Weitere Kennzeichen sind der Partizipialstil, dem V. 18 angepaßt ist, und der Gedanke der Versöhnung des "Kosmos". Eine Parallele dazu findet sich Röm 11,15 in der Gegenüberstellung von "Verwerfung Israels" und "Versöhnung des Kosmos"[524]. Das "in Christus" ist eine häufig von Paulus verwendete Wendung von zentraler theologischer Bedeutung. Jedoch spricht dies nicht zwingend dafür, daß "in Christus" pl. Ursprungs ist, zumal es in 2 Kor 5,19 nicht die pneumatische Christusgemeinschaft meinen kann[525]. In welchem Sinn es außerhalb des gegenwärtigen Kontextes verstanden worden ist, ist nur schwer zu entscheiden. In Analogie zur hymnischen Tradition Kol 1,20 ist die Vorstellung einer Wechselbeziehung zwischen Christus und "Kosmos" in der Weise denkbar, daß die Versöhnung des Kosmos durch die Integration in den kosmisch gedachten Christus geschah. Jedoch geht dieses Verständnis nicht glatt auf, da V. 19b das traditionelle Motiv der Nichtanrechnung der Übertretungen einführt, was sich einer kosmologischen Interpretation sperrt[526]. Die Konzeption einer kosmischen Versöhnung ist also von V. 19a zu V. 19b aufgegeben. V. 19c ist in deutlicher Parallele zu V. 18c formuliert. In dem Rahmen einer hymnischen Traditionsform ist V. 20 nicht denkbar, da V. 20b in eindeutiger direkter Rede an die Gemeinde gerichtet ist, im gesamten Vers keine hymnische Stilisierung gegeben ist und zudem die Verbindung mit V. 18 und 19c augenscheinlich ist.

Besondere Probleme wirft V. 21 auf[527]. Im jetzigen pl. Kontext erscheinen zwar die Schlüsselbegriffe wie Hamartia als Sündenmacht und "Dikaiosyne Gottes in Christus" als typisch pl. Andererseits trägt der Ge-

---

522 Erwägungen 50.

523 D.Lührmann, 444 ("traditionelle Motive"); ablehnend z.B. L.Goppelt, Versöhnung 150; H.Kasting, Anfänge 141.

524 Vgl. dazu unten 3.2.5.

525 Vgl. W.Thüsing, Per Christum 198 (Bezug auf die an die Person Christi gebundene "vergangene Heilstat"). O.Merk, Handeln 16 Anm. 55, schreibt "auch θεὸς ἦν ἐν Χριστῷ oder zumindest ἐν Χρ." Paulus zu.

526 M.Wolter , Rechtfertigung 80. - Daß V. 19a durch 19b anthropologisiert ist, wird in der Forschung im allgemeinen anerkannt (z.B. E. Dinkler, Verkündigung 180).

527 Vgl. K.Kertelge, "Rechtfertigung", bes. 99-107; P.Stuhlmacher, Ge-

danke der Sündenlosigkeit Jesu ungewöhnliche Züge. Auch die Vorstellung, daß Gott Christus zur Sünde macht, läßt an die Sühne denken[528]. Als Parallelgedanke legt sich die traditionsgeprägte Aussage Röm 3,25 nahe[529]. Doch demgegenüber kann geltend gemacht werden, daß die Strukturierung einer Aussage für sich genommen noch keinen schlüssigen Beweis für Traditionsgut liefern kann. Es kann lediglich festgestellt werden, daß V. 21 in Anlehnung an judenchristlichen Denk- und Aussagestil formuliert worden ist. Die Zweigliedrigkeit mit dem soteriologisch bestimmten Finalsatz weist auf kerygmatische Aussageformen zurück, wird aber von Paulus nicht nur in der Wiedergabe von Tradition gebraucht, sondern auch selbständig weiterentwickelt.

Auf festgeformte Tradition weist also lediglich 2 Kor 5,19a und b hin, wobei aber V. 19b modifizierend zu V. 19a hinzugewachsen ist. Für eindeutig pl. sind zu halten V. 18. 19c. 20; wahrscheinlich pl. mitgestaltet ist V. 21.

Die theologisch reflektierte Verwendung des versöhnungsterminologischen Kodes bringt vor allem die exklusive Theozentrik der soteriologisch verstandenen Versöhnung, die Bedeutung des Kreuzestodes als Primärgesche-

---

rechtigkeit 74-77; H.Thyen, Studien 188-190. Thyens Deutung von 2 Kor 5,21a entsprechend der atl. mit dem Asasel-Bock und dem Sündopfertier verbundenen Sühnevorstellung (Lev 16,21; Josua VI, 4a) findet sich beispielsweise schon im Ansatz bei J.Calvin, 2 Kor 536. Vgl. ebenso M.Hengel, Kreuzestod 81 (wenn auch nur als typologisches Vorbild verstanden); M.Wolters, Rechtfertigung 21; s. auch L.Sabourin, Rédemption 15-255, der die Väterexegese darstellt und auch die Gottesknechtsanschauung hinzuzieht (vgl. ergänzend ders., Christ); ebenso K.Romaniuk, L'Amour 232-234. - H.Kessler, Bedeutung 314, sieht dagegen einen sachlichen Zusammenhang zwischen 2 Kor 5,21a und Röm 8,3b (Gestalt des Sündenfleisches). E.Dinkler, Verkündigung 180, betont dagegen die Verbindung mit Gal 3,13 und versteht infolgedessen 2 Kor 5,21a als Bezug auf Dtn 21,23. - Ohne auf diese Fragestellung einzugehen, erkennt D.Lührmann, Rechtfertigung 445, in 2 Kor 5,21 "die Struktur kerygmatischer Sätze in ihrem typischen Aufbau mit zwei parallelen Gliedern", hält aber den Vers für eine rechtfertigungstheologisch verdeutlichende Interpetation der kosmologischen Versöhnungstradition von V. 19a. - G.Fitzer, Ort 176f, hält andererseits V. 21a als christologisch-soteriologische Anwendung des Gedankens von Röm 6,23 (Tod als der Sünde Sold) auf den Kreuzestod Jesu und verbindet ihn mit Röm 8,3b. Unter Berufung auf Röm 8,3 und Gal 3,13 hält auch O.Merk, Handeln 16 Anm. 55, 2 Kor 5,21 insgesamt für eine pl. Aussage. - Die Verbindung mit der atl.-jüdischen Sündopfervorstellung hat im übrigen auch A.Ritschl, Rechtfertigung II 175, abgelehnt.

528 So z.B. H.Thyen, Studien 188.

529 Diese Verbindung stellt z.B. M.Wolter , Rechtfertigung 20, her.

hen der Versöhnung mit Gott, die Universalität der Versöhnung, die Hinführung zur Versöhnungsgemeinschaft durch den Erhöhten und im Kontext der apostolatstheologischen Argumentation vor allem die Sendung des Dienstes in der von Gott initiierten Wirkgeschichte der Versöhnung zum Ausdruck. Das Zorn-Motiv tritt in 2 Kor völlig zurück; an seine Stelle tritt das übergeordnete soteriologische Motiv der Agape Christi (2 Kor 5,14).

Diese theologische Akzente, die Paulus als Beitrag zur Kommunikation mit der Gemeinde einbringt, lassen die Gemeinde nicht nur eine christologisch vermittelte Versöhnungs-theo-logie erkennen, sondern sie erfahren - durch die im Brief-Text zu ihnen kommende Versöhnungsbitte herausgefordert - von einem Versöhnungsverständnis, in dem der Apostel selbst, also der Konfliktgegenstand der Auseinandersetzung, seinen für die Wirkgeschichte der geschehenen Versöhnung relevanten Ort hat und seine Funktion des "Dienstes der Versöhnung" als seinen unmittelbaren Beitrag zur Lösung des Konflikts einbringt.

4) In dem Verhältnis Paulus - Text - Gemeinde wird also der Versöhnungsgedanke mit Blick auf eine Problemsituation in einer produkativen theologischen Weise rezipiert und zugleich mit dem Ziel einer Neubestimmung des Verhältnisses von Apostel und Gemeinde appellativ angewendet. Das theologisch aus 5,18f abgeleitete Bitt-Wort zum Empfang der Versöhnung impliziert, daß die Annahme der Bitte für die sich mit dem Wort ereignende Versöhnung mit Gott entscheidend ist. Das situationsbezogene und zugleich theologisch relevante Anliegen zeichnet sich so deutlich ab: Versöhnung mit Gott impliziert für die Gemeinde die Annahme des "Wortes der Versöhnung", das aber Gott Paulus aufgegeben hat und durch ihn der Gemeinde zuspricht. Die Teilhabe an der effektiven Wirkgeschichte der Versöhnungstat Gottes und der Versöhnung mit Gott durch Christus schließt also die Versöhnung mit dem Apostel als Boten der Versöhnung Gottes ein. Sie kann ihn nicht ausschließen, weil er wie die Menschenwelt und die in der Kraft des Pneuma errichtete Gemeinde teilhat an der geschehenen Versöhnung mit Gott, zum anderen aber im Blick auf die "Welt" und die Gemeinde Zeugnis gibt von der Versöhnung und durch sein Wort der versöhnende Gott auf den Angesprochenen zukommt.

Der Text des Briefes an die Korinther ist als Wort des Paulus nicht nur Träger des Wortes der Versöhnung, sondern er ist bereits in seiner Mitte dieses Wort als direkte Anrede.

5) Über die Rezeption des Textes und somit auch über die Rezeption der Versöhnungsbitte kann von seiten der Gemeinde nichts als eigenständiger Gesprächsbeitrag untersucht werden. Aus der weiteren Entwicklung der Auseinandersetzung kann jedoch geschlossen werden, daß der Brief nicht die intendierte Wirkung gezeigt hat. Das impliziert, daß auch die Versöhnungsbitte wie auch die Mahnung, die Gnade der Versöhnung nicht vergebens zu empfangen, nicht die positive Antwort fand.

Die Kommunikation zwischen Apostel und Gemeinde, zu der Paulus mit seinem Brief einen förderlichen Beitrag leisten wollte, ist somit fragmentarisch. Die Überwindung der Entfremdung zwischen Apostel und Gemeinde, auf die implizit auch die Versöhnungsaussage durch ihre apostolatstheologischen Implikationen und durch ihre Konkretion in der Bitte 5,20 und den mahnenden Fingerzeig 6,1 hinweist, konnte nicht erreicht werden.

Die Einbeziehung des diesen Brief übergreifenden Kommunikationsverlaufs erweist die Diskrepanz zwischen der Zielsetzung in der Intention des Paulus und dem faktisch erzielten Effekt auf der Seite der Briefempfänger. Das Rezeptionsverhalten scheint überwiegend negativ gewesen zu sein. Das Plädoyer, das Paulus für seinen Standpunkt der Gemeinde vorlegt, schlägt nicht durch. Der Brieftext findet nicht die Multiplikatoren, die auf der Grundlage des unterbreiteten Apostolatsverständnisses die Verhältnisse der Gemeinde in kritisch-engagierter Auseinandersetzung mit der Einfluß gewinnenden Sicht der Diakonie neu zu ordnen vermögen. Die Paulus selbst und seine Beziehung zur Gemeinde Korinths belastende abweisende Einstellung mit den sie stützenden (apostolats-) theologischen Auffassungen wurden nicht abgebaut, positive Einstellungen nicht in einem für die unmittelbar folgende Entwicklung bedeutsamen Umfang aufgebaut.

Zwar bleibt das Bemühen auf der Seite des Paulus erhalten, die Situation zu verändern und die Nachgeschichte der verweigerten Rezeption aufzuarbeiten. Jedoch zeigt sich die Reaktion des Paulus in 2 Kor 10-13 nicht wenig von der aufrecht erhaltenen Distanz der Gemeinde und der noch nicht unterbrochenen Wirksamkeit einer gegen Paulus gerichteten Kriteriologie für den wahren, d.h. demonstrativ pneumatischen Apostolat betroffen.

6) Fragt man nach Gründen für die gescheiterte Rezeption, so wird neben der Kommunikationssituation vor allem auch die Argumentation des Paulus in Betracht gezogen werden müssen. Die Kommunikationssituation schätzt Paulus zwar noch als relativ günstig ein, obgleich er um die Problematisierung seiner Führungsfunktion und um die Kritik seines Selbstverständnisses weiß. Faktisch scheint aber die Situation für die Darstellung des pl. Apostolatsverständnisses und die Rückgewinnung der Gemeinde zur Anerkennung des pl. Apostolats nicht mehr den Erwartungen des Paulus entsprochen zu haben.

Was die Argumentation des Paulus betrifft, paßt sie sich offensichtlich nicht den Vorstellungen an, die zur Distanzierung der Gemeinde von seinem Apostolat führten. Die Ausführungen des Paulus sind noch geprägt von dem Versuch, wesentliche Gemeinsamkeiten zwischen dem Apostel und den Gemeindemitgliedern Korinths festzuhalten; dennoch ist die Tendenz unverkennbar, die Differenz zwischen dem Paulus-Apostolat und den anderen als Konkurrenten auftretenden Dienern, aber auch zwischen dem Apostolat und der Gemeinde herauszustellen. Indem auf der einen Seite die Verbundenheit mit der Gemeinde in wesentlichen Merkmalen der Glaubensexistenz dargestellt wird und so die Beziehungen zur Gemeinde gefestigt werden, drängt auf der anderen Seite die Argumentation für die Befähigung und Legitimität des Aposteldienstes dazu, Paulus in Differenz zur Gemeinde zu sehen. Paulus wirkt zwar gemeindebezogen und partizipiert an demselben endzeitlichen Sein wie die Gemeinde, doch nur sein Apostolat ist der authentische Apostolat für die Gemeinde, und nur durch sein Wort hat sie Anteil am Evangelium und an der Versöhnung mit Gott. Seine Funktion kann weder durch die Konkurrenz-Diakonoi noch durch die Gemeinde selbst übernommen werden. Das aber bedeutet für die Kommunikation, daß Paulus als autorisierter Apostel die dominierende Rolle einnimmt, was aber weder von den Gegnern, noch von der Gemeinde zur Zeit des Briefes akzeptiert wird.

2.4.3 Die Versöhnungsaussagen des 2. Korintherbriefs im gegenwärtigen Problemhorizont der Entfremdung

Mit Blick auf die Schlußbetrachtung, die die Frage der Gegenwartsrelevanz der ntl. Versöhnungsaussagen zusammenfassend behandelt, verstehen sich die Ausführungen an dieser Stelle als rezeptionskritische Anmerkungen, die die sachliche Bedeutung der pl. Versöhnungsaussagen nicht unter vergangenheitsgeschichtlicher Rücksicht ansprechen, sondern aus der Grunderfahrung der Gegenwart heraus den Rezeptionsbezug zum Versöhnungsgedanken des 2 Kor herstellen. Es handelt sich somit um den Versuch, vom Standpunkt der gegenwärtigen Situation des "Wiederlesens" heraus auf die Inhaltsdimension des Rezeptionsgutes einzugehen, da zur Gegenwart auch die pl. Versöhnungsaussagen aufgrund ihrer über die korinthische Gemeinde hinausgreifenden Wirkungs- und Rezeptionsgeschichte gehören und in Verbindung z.B. mit den bußsakramentalen Vollzügen oder mit der Verkündigung der Kirche aktualisiert werden. Bleibt die Rezeptionsfrage nicht bei der faktischen Versprachlichung bzw. Vertextung der pl. Versöhnungsaussagen im kirchlichen Lebensgeschehen stehen, sondern greift weiter aus, dann läßt die Konfrontation mit der heutigen Erfahrung und mit deren reflektiert deutenden Versprachlichung erkennen, daß die pl. Versöhnungsbotschaft, so wie sie im Kontext des 2 Kor anklingt, Anstöße für eine weiterzutreibende theologische Reflexion und für eine kirchliche Praxis geben kann, die sich den heute bedrängenden individuell-personalen, den sozialen und nicht zuletzt auch den innerkirchlichen Entfremdungsproblemen als signifikanten Symptomen unserer Zeit zuwenden.

Fraglos ist der Problemhorizont neuzeitlicher Entfremdung zu komplex, um ihm im Rahmen von einigen Anmerkungen auch nur annähernd gerecht zu werden. Zum anderen lassen sich die pl. Aussagen, die keine Versöhnungs- und auch keine Entfremdungstheorie entwickeln, nicht ohne weiteres theologische Vertiefung und Entfaltung auf diesen Problemhorizont beziehen. Dennoch enthalten sie in ihrer gedrängten Form und in den sie bestimmenden theologischen Strukturen zentrale Momente für eine theologische Besinnung über den Zusammenhang von Entfremdung und Versöhnung.

Von den pl. Versöhnungsaussagen ausgehend, konzentriert sich die Ent-

fremdungsproblematik[530] wesentlich auf das Verhältnis des Menschen zu
Gott. Von diesem theo-logischen Ansatz aus, der die christologisch-soteriologische Bestimmung des Versöhnungsverhältnisses einschließt, werden die anthropologische Dimension wie auch die ekklesiologische Dimension der Entfremdung bzw.der Versöhnung erkennbar und relevant. Fragen
wie die der "Entfremdung des Menschen durch die mechanisierte und homo-
genisierte Gesellschaft"[531] können natürlich in dieser typisch neuzeitlichen Weise nicht gestellt werden, sind aber im Kontext der pl. Theologie z.B. in die Frage nach der entfremdenden Macht der Hamartia über-
setzbar und so dann auch kritisch reflektierbar. Dasselbe trifft zu für
den Zusammenhang von Entfremdung und Freiheit. Im Blick hierauf erscheint bei Paulus im Rahmen des behandelten Textes 2 Kor 2,14 - 7,4
eine aufschlußreiche Verbindung zwischen der "Versöhnung durch Christus
mit Gott" und der "Freiheit", die der erhöhte, durch das Pneuma wirkende Christus ist (3,17) und durch das Pneuma denen schenkt, die sich ihm
zuwenden und in Hinordnung auf ihn leben. Damit verbunden ist der Aspekt
der Versöhnung als Befreiung vom egozentrischen Leben (5,15b).

Ein kritisches theologisches Korrektiv für die Diskussion über die Aufhebung der Entfremdung des Menschen durch den Menschen selbst bietet
sich bei Paulus in der versöhnungstheologischen Grundaussage, daß der
Mensch aus eigenem Vermögen nicht zur Versöhnung gelangt, sondern ihm
die Versöhnung (als Versöhnung mit Gott in 2 Kor thematisiert) nur geschenkt werden kann und die Versöhnung ihm von Gott her durch Christus
vor-gegeben ist. Diesen pl. Grundgedanken mit seiner betonten Theozentrik unter neuzeitlichen Denkbedingungen im Blick auf das Selbstverständnis des Menschen zu erschließen und zur Geltung zu bringen ist
fraglos schwierig, zumal er selbst dem Vorbehalt der (religiösen) Entfremdung ausgesetzt ist[532]. Als Möglichkeit, ihn (auch gegenüber dem

---

530 Die neuzeitliche Entfremdungsproblematik läßt sich differenziert
    betrachten unter den Aspekten der ontologischen, ökonomischen, po-
    litisch-gesellschaftlichen, psychischen und der religiösen Entfrem-
    dung. - In der neueren entfremdungstheoretischen Diskussion herrscht
    die soziologische bzw. sozialpsychologische Beurteilung der Ent-
    fremdung vor. Vgl. J.Israel, Entfremdung; J.Möller, "Befreiung".

531 J.Moltmann, Umkehr 58 (vgl. insgesamt 58-64).

532 Der Begriff der religiösen Entfremdung bezieht sich auf die Reli-

Mythologieverdacht) zu verdeutlichen, bietet sich an, die pro-existen-
tielle Struktur der Christologie und der Anthropologie im Zusammenhang
der pl. Versöhnungstheologie stärker als bisher in der theologischen
Rezeption des ntl. (und vor allem pl.) Versöhnungsgedankens herauszuarbeiten.

Schließlich noch ein Wort zur Bedeutung des ekklesiologischen Aspekts
des pl. Versöhnungsgedankens: für den 2 Kor ist es kennzeichnend, daß
Paulus in ihm angesichts eines Konflikts mit der Gemeinde auf die Versöhnung mit Gott eingeht und sie zugleich als aktuelles Angebot durch
sein Wort zuspricht. Besondere Beachtung verdient dabei vor allem, daß
einmal die Problematik des Konflikts, die selbst Anzeichen einer Entfremdung der Gemeinde von ihrem Apostel trägt, auf dem Wege der theologischen Aussage geklärt und die Lösung des Konflikts durch Kommunikation gesucht wird. Zum anderen aber zeigt die Verwirklichung des "Dienstes der Versöhnung" durch Paulus gegenüber der Gemeinde, daß die adäquate Sprachform dieses Dienstes die vergegenwärtigende Erinnerung an
die geschehene Versöhnung und die Anrede durch die einladende Bitte ist.
Gerade in diesen beiden Teilaspekten ist ein Ansatz für die ekklesiale
Verwirklichung des (von Paulus nur auf seinen Apostolat bezogenen) Dienstes gegeben. Als Grenze der pl. Versöhnungsaussagen des 2 Kor kann im
heutigen Problem- und Fragehorizont vor allem die nicht entfaltete allgemeine gesellschaftliche Relevanz der Versöhnungsbotschaft erscheinen.
Abgesehen davon, daß sich diese Frage Paulus im Zusammenhang des 2 Kor
(aber auch bei den Versöhnungsaussagen des Röm) nicht stellte, ist der
gesellschaftliche Aspekt doch in eine weiterentfaltete Versöhnungstheo-
rie, die sich an Paulus orientiert und den Grundgedanken universaler
Versöhnungswirklichkeit differenziert aufnimmt, integrierbar. Jedoch
wird dabei der kritische Vorbehalt eines theozentrischen Versöhnungsbegriffs, wie ihn Paulus kennt, seinerseits eine deutliche Grenze markieren. Die Entfaltung des Versöhnungsgedankens mit Blick auf soziale oder

---

gion, die den Menschen von sich selbst, der Gesellschaft, der Geschichte und der Welt entfremdet. Die Religion erscheint als Grund-
typ der Entfremdung. Vgl. J.Israel, Entfremdung 46-48 (zur Reli-
gionskritik bei K.Marx). S. auch J.Möller, "Befreiung" 107-114.

politisch-ökonomische Tatbestände der Entfremdung läßt sich im Sinne einer Fortschreibung der pl. Perspektive nur von der radikal von Gott her und auf Gott hin gedeuteten und im Kreuzestod Jesu radikalisierten Erfahrung von Sünde und Versöhnung in Angriff nehmen. Die Identitätsnot des Menschen, und zwar gerade des auf sein Selbst Lebenszentrierten, läßt sich aus pl. Sicht nicht über soziale oder politisch-ökonomische Veränderungen aufheben, wenn diese den identitätsstiftenden, die Wirklichkeit des Menschen und seiner Geschichte auf das Neusein als endzeitliche Vorgabe in Christus hin umstürzenden Gott ausschließen und das Wagnis der Versöhnung nicht von der befreienden Versöhnungstat Gottes als Geschichte gestaltendem Impuls gelebt wird.

3. DIE EMPFANGENE VERSÖHNUNG ALS GRUND DES SICH-RÜHMENS (RÖMERBRIEF)

Nach 2 Kor 5,18f.20b nimmt Paulus noch einmal im Röm das Versöhnungsthema auf. Einmal zielt er in Röm 5,1-11 auf die Doppelaussage hin, daß in dem Geschehensein der Versöhnung durch den Kreuzestod des Sohnes Gottes die Hoffnung auf das endzeitlich-endgültige Heil in der Zukunft ihren sicheren Grund hat (V. 10); zum anderen hebt V. 11 in betonter Weise auf den Empfang der Versöhnung durch den erhöhten Christus ab und verbindet mit dem Versöhntsein das Rühmen Gottes durch Christus.

Die zweite Stelle, an der Paulus das Versöhnungsmotiv verwendet, ist Röm 11,15, also innerhalb der ausführlichen und zentralen Erörterung der Frage der Teilhabe Israels am universalen Heil (Kap. 9-11). Röm 11,15 konstrastiert die "Versöhnung des Kosmos" mit der "Verwerfung Israels", bleibt aber nicht dabei stehen, sondern überführt den Gedanken in die eschatologische Perspektive der "Aufnahme Israels" und der damit verbundenen Heilsvollendung.

Das Hauptgewicht in der folgenden Exegese liegt auf den Versöhnungsaussagen von Röm 5,10 und 11; Röm 11,15 wird berücksichtigt.

Für die Fragestellung der Untersuchung liegt die Bedeutung der Aussagen des Röm darin, daß sie einmal die Gemeinde als Teilhaberin der Versöhnung mit Gott zeigt, doch diese Teilhaberin in einen futurisch-eschatologischen Horizont hineinstellt. Dieser ist einmal definiert durch die zukünftige Rettung, zum anderen - entsprechend der ausdrücklichen Universalisierung des Versöhnungsgedankens - durch den Zusammenhang der Annahme des verworfenen Israel mit der Vollendung der Versöhnung im künftigen "Leben aus Toten".

3.1 Der Gedankenaufbau von Röm 5,1-11 und der kontextuelle Zusammenhang

1) Die Versöhnungsaussagen Röm 5,10 und 11 stehen in der Einheit 5,1-11, die von ihrem engeren Kontext eindeutig abgrenzbar ist. Sie ist V. 1 als argumentative Folgerung eingeleitet und schließt mit dem Gedanken der "Rechtfertigung aus Glauben" (V. 1a) unmittelbar an das Rechtfertigungsmotiv von 4,25b an. 5,12a ist durch διὰ τοῦτο als Textgliede-

rungssignal von V. 11 bzw. V. 1-11 abgehoben. Den nächsten gedanklichen Einschnitt markiert die Doppelfrage mit dem entschiedenen μὴ γένοιτο in 6,1.2a[1].

Die Einheit von 5,1-11 wird dadurch unterstrichen, daß V. 11 mit V. 1f sprachlich und sachlich korrespondiert, wobei V. 11a auch eine formale Analogie zu V. 3a zeigt. Hat V. 2b die Hoffnung auf die Doxa Gottes als Inhalt des Sich-Rühmens bestimmt, so hat nach V. 11a das Sich-Rühmen Gott selbst zum Bezugspunkt. Die Formulierung von V. 11a lehnt sich ihrer Struktur nach stark an V. 3a an (vgl. auch 4,23.24a), ersetzt jedoch "die Leiden" durch "Gott" und ergänzt in betonter Weise, daß das Rühmen "durch unseren Herrn Jesus Christus" vollzogen wird. Dieser Zusatz bildet jedoch eine Klammer mit V. 1b. Der Relativsatz V. 11b unterstreicht die Klammerfunktion von V. 11, da er eine Parallele in V. 2a hat. Die Verbindung von V. 11 mit V. 1f zeigt sich vor allem aber in der Sachaussage. Indem V. 11b auf das Jetzt des Versöhnungsempfangs durch den Erhöhten abhebt, wird der Gedanke von V. 1b und 2a bekräftigt, daß die aus Glauben Gerechtfertigten schon in der Gegenwart durch den Erhöhten in der Friedensrelation zu Gott stehen.

2) Die Gedankenführung in Röm 5,1-11 ist zwar "nicht einlinig"[2], aber auch nicht inkonsequent. Als unmittelbar vorgegebene Grundlage von 5,1-11 ist 4,23-25 vorausgesetzt, wo die Explikation der pl. Grundthese des Gerechtfertigtseins aus Glauben am Typos Abrahm (V. 1-22; vgl. bes. V. 3 in Aufnahme von Gen 15,6) an ihr Ziel gelangt, auf die Glaubenden der Gemeinde appliziert und soteriologisch mit Bezug auf das Handeln Gottes im Tod und in der Auferweckung Christi verankert wird (4,25; vgl. 3,21-26).

Auf dieser Basis wird 5,1f das Leitthema für die folgende Argumentation formuliert: Die Teilhabe an dem von Gott gewährten "Gerechtfertigtsein aus Glauben" (V. 1a) erschließt den Glaubenden durch den Erhöhten die

---

1 Vgl. die Anwendung derselben rhetorischen Frage-Antwort-Figur in 3,1-4a. 5-6a. 9a (οὐ πάντως). 31 (im Zusammenhang von V. 27-31); 4,1 (nur τί οὖν ἐροῦμεν ohne μὴ γένοιτο); 6,15; 7,7. 13; 9,14; 11,1. 11.

2 U.Wilckens, Röm I 287.

eschatologische Heilsrealität der Friedensgemeinschaft mit Gott (V. 1b) und eröffnet ihnen so das begründete "Rühmen der Hoffnung auf die Doxa Gottes" (V. 2b). Der eingeschobene Relativsatz V. 2a deutet den ersten Teil des Leitgedankens aus: durch den Erhöhten Frieden mit Gott haben bedeutet, durch ihn den "Zugang zur Gnade (des Friedens)" und den "Stand" in der Gnade haben[3]. Die Leitaussage V. 1f ist also mit Blick auf die Heilsgegenwart formuliert, impliziert aber auch das für diese Gegenwart konstitutive Geschehen (vgl. 4,25; 5,1a. 2a) und eröffnet mit dem Aspekt der Hoffnung auf die Gottesherrlichkeit den futurisch-eschatologischen Bezugshorizont der präsentischen Heilsituation des Glaubenden.

Die Gedankenbewegung in V. 1f, die zum Motiv des Rühmens (V. 2b) hinführt, wird in V. 3 durch die Verbindung von "Drangsalen" und "Rühmen" aufgenommen. Diese Verbindung deutet jedoch wie auch das elliptische οὐ μόνον δέ, ἀλλὰ καί an, daß V. 2b nicht direkt weiterentfaltet, sondern auf eine spezifisch endzeitliche Situation des Glaubenden hin verdeutlicht wird. Die eschatologische Existenzform des aus Glauben Gerechtfertigten, der die zukünftige Vollendung in der Doxa Gottes erwartet, ist das Leiden. Warum es Inhalt des endzeitlichen Rühmens ist, das wesentlich durch die Hoffnung bestimmt ist, weist der Kettenschluß V. 3-4 aus. Dieser zielt darauf hin, daß die Leiden den Glaubenden nicht in seiner Hoffnung irritieren, sondern durch seine Bewährung in Geduld die Hoffnung noch bestärken. Dieses Grundmotiv bekräftigt V. 5a, wobei zugleich ein neuer Ansatz für eine weitere Begründung gegeben ist

---

3 Zum interpretierenden Verhältnis von V. 2a zum V. 1 vgl. auch M.Wolter, Rechtfertigung 105. 221; E.Käsemann, Röm 124. O.Michel, Röm 176, nimmt V. 1-2 "als eine in sich geschlossene Einheit", während U. Wilckens, Röm I 288, in V. 1-2a die These und in V. 2b eine "weitere These" sieht. Nach E.Fuchs, Freiheit 11, dient V. 2 zur Sicherung des Sinns von V. 1; R.Bultmann, Adam 246, hält V. 2a für eine sachliche Wiederholung von V. 1a (δικαιωθέντες). -
Zur Bedeutung von προσαγωγή s. die Untersuchung des sprachlichen und traditionsgeschichtlichen Hintergrunds bei M.Wolter , Rechtfertigung 105-120 (bzw. 126). Daß in V. 2a ein ekklesiologischer Gedanke mitausgedrückt ist, hebt M.Wolter mit einer gewissen Berechtigung hervor, doch liegt in der pl.Aussage nicht darauf der Akzent, sondern auf dem Handeln Christi (vgl. W.Thüsing, Per Christum 187-189). -
Zum Motiv der προσαγωγή vgl. Eph 2,18; 3,12; s. auch Hebr 4,16; 6,20; 7,19.25; 9,8.11f; 10,1. 19ff; 12,18. 22; 1 Petr 2,4.

(V. 5b). In der Begründung wird geltend gemacht, daß die Hoffnung, deren sich der Glaubende im geduldigen Ertragen der Leiden rühmt, ihren tragenden Grund in der Liebe Gottes hat, die der Hoffnung durch das Pneuma empfangen hat. Auf diesen zentralen Gedanken führt die Argumentation von V. 3-5a hin, und er wird zum Ausgangspunkt einer sich unmittelbar anschließenden Aussagereihe, die das Agape-Motiv in seiner Bedeutung für V. 1f durchsichtig macht[4].

In der soteriologischen Entfaltung der Agape Gottes erscheint der Tod Christi "für uns", d.h. für die "Schwachen", "Gottlosen" (V. 6), für die "Sünder" (V. 8), ja für die "Feinde" (V. 10), als Erweis der Agape Gottes. Den Höhepunkt findet die an V. 5b anknüpfende Gedankenreihe V. 6-9 (vgl. bes. V. 8a) in der Schlußfolgerung des V. 9, daß aufgrund der Rechtfertigung durch den Kreuzestod die Gewißheit gegeben ist, aus dem Zorngericht Gottes gerettet zu werden[5].

V. 10 begründet V. 9 in einem parallel formulierten Schluß, wobei zum einen die soteriologische Bedeutung des Kreuzestodes mit Hilfe der Versöhnungsterminologie neu umschrieben wird und die negative Charakterisierung der zukünftigen Rettung (als Rettung aus dem Zorngericht V. 9b) eine positive Ergänzung erhält: aus dem Zorngericht Gottes gerettet zu werden heißt, im Leben Christi gerettet zu werden. Daß V. 10 mehr besagen soll als nur eine Bekräftigung der Aussageparallele V. 9, zeigt sich in der besonderen Hervorhebung des Gedankens, die Versöhnung mit Gott sei den "Feinden" zuteil geworden und gerade sie als Versöhnte hätten die Rettung im Leben des Erhöhten zu erwarten.

Die gegenwärtige Teilhabe der Versöhnung ist der Zielpunkt der abrundenden Aussage V. 11, die den Höhepunkt der Gedankenfolge V. 1-11 bildet, indem sie in sachlicher Rückbindung an V. 1f mit dem Rühmen der Hoffnung auf die Doxa Gottes (V. 2b), dessen adäquate eschatologische Ausdrucksform das Rühmen der Leiden ist (V. 3a), und in der Konsequenz von

---

4 Die Schlüsselrolle von V. 5b betont auch M.Wolter, Rechtfertigung 218, 219. - Daß "Agape Gottes" nicht im Sinne der Liebe zu Gott (gen. obj.) zu verstehen ist (so oft seit Augustinus), sondern als die den Menschen ergreifende Liebe Gottes, wird durch V. 8 gesichert. Vgl. O. Kuss, Röm 205-207; E.Käsemann, Röm 127; H.Schlier, Röm 150.

5 U.Wilckens, Röm I 288. - Zu Röm 5,6f vgl. L.E.Keck, Interpretation.

V. 10 das Rühmen Gottes durch die mit ihm Versöhnten verbindet[6]. Mit Blick auf die Leitthematik von V. 1f ergibt sich darüber hinaus eine Zusammenschau des "Friedens mit Gott durch unseren Herrn Jesus Christus" (V. 1b) mit der "Versöhnung mit Gott", die die Glaubenden "jetzt" empfangen haben, und zwar - in Analogie zu V. 1b - "durch unseren Herrn Jesus Christus". Die Versicherung, daß die Versöhnung mit Gott durch den Erhöhten schon "jetzt" volle Wirklichkeit ist, schließt zudem einen gedanklichen Ring um V. 9-11 und verstärkt das "Jetzt" des Gerechtfertigtseins von V. 9a[7].

Die erste Übersicht über die Gedankenführung in Röm 5,1-11 ermöglicht folgende Gliederung der einzelnen Argumentationsschritte:

- V. 1 und 2b enthalten das Leitthema mit dem Grundmotiv des Rühmens (vgl. 3a und 11a). V. 2a ist V. 1b untergeordnet und bietet eine ergänzende Interpretation für den gegenwärtigen heilshaften Frieden mit Gott durch den Erhöhten.

- V. 3a formuliert ein Teilthema als Ergänzung zu V. 2b. Seine begründende Entfaltung in der Form eines Kettenschlusses (V. 3b-4) zielt auf die "Hoffnung", die in den Leiden Bestand hat und sogar verstärkt wird (V. 4b; vgl. V. 2b).

- V. 5a gibt den hinter der Verbindung von V. 2b und V. 3a und hinter dem Kettenschluß V. 3b-4 stehenden Leitgedanken in Aufnahme atl. Tradition (21,6; 24,20; 118,116; Jes 28,16) wieder. Die pl. Tiefenschau der Aussage V. 5a entwickelt die Begründung V. 5b, indem der Bestand der Hoffnung zurückgeführt wird auf die in der endzeitlichen Pneumagabe dem leidenden Gerechtfertigten zugewandte Agape Gottes.

- V. 6 setzt neu ein. Das Thema ist nun der Tod Christi (vgl. 4,25a). Seine soteriologische Deutung als Tod für die "Schwachen" bzw. "Gottlosen" impliziert schon das Wirksamwerden der Agape Gottes (V. 5b) in ihm, jedoch wird dieser Aspekt erst V. 8 ausdrücklich entfaltet. V.

---

6 Vgl. K.Berger, Exegese 23 ("Röm 5,11 als die entscheidende Kehre innerhalb der Argumentation von Röm 5,11"); E.Käsemann, Röm 131 ("nochmalige Steigerung").

7 M.Wolter, Rechtfertigung 198.

7 ist mit V. 6 durch die Opposition von "Gerechter" und "Gottlose" und durch die zweifache Wiederholung des "Sterbens für" (V. 7a und b jeweils in Schlußposition wie V. 6) verklammert. Das Argumentationsglied V. 7b fällt aus dem soteriologischen Ansatz von V. 6 heraus, da hier die Vorstellung des heroischen Todes aufgenommen ist und das Ideal des Sterbens für den Freund aus der hellenistischen Freundschaftsethik durchscheint[8]. V. 7 hat also im Rahmen der soteriologischen Deutung vor allem kontrastierende Hinweisfunktion auf das letztlich Singuläre des Todes Christi für die "Schwachen", "Gottlosen", die "Sünder" (V. 8) und "Feinde" (V. 10) als Tat der unvergleichbaren Liebe Gottes.

- V. 8 nimmt nun das in V. 5b mit der Pneumagabe verbundene und auf die Unerschütterlichkeit der Hoffnung bezogene Motiv der Agape Gottes auf und verknüpft es mit der soteriologischen Deutung des Todes Christi "für uns Sünder".

- V. 9 folgert aus V. 8 - als theo-logisch vertiefender Interpretation von V. 6 (und 7) - in der Form des Qal-Vachomer-Schlusses, daß sich aus der geschehenen Rechtfertigung der Sünder die zukünftige Rettung der Gerechtfertigten aus dem Zorngericht Gottes ergibt. Im Hintergrund dieses Schlusses steht die Bleibendheit der Agape Gottes, die sich bereits gegenüber den Sündern erwiesen hat und in der Zukunft in der Situation des Gerichts erweisen wird.

- V. 10 gibt eine vertiefende Begründung (γάρ), deren formale Struktur an V. 9 angelehnt ist. Jedoch tritt an die Stelle der Aussage, daß das Gerechtfertigtsein schon in der Gegenwart durch den Kreuzestod Wirklichkeit geworden ist, die Steigerung, daß durch den Tod des Sohnes die Versöhnung als futurisch-eschatologische Konsequenz die Rettung im Leben des Erhöhten einschließt.

---

8 Vgl. O.Michel, Röm   181 Anm. 20. - E.Fuchs, Freiheit 16, scheidet V. 7 als Glosse zu V. 8 aus: "V. 7 betont die 'Leistung' Jesu unter einem unpassenden profanen Gesichtswinkel; Jesus starb ja nicht den Tod des Leonidas" (ebd. Anm. 1). G.Bornkamm, Anakoluthe 80, spricht die von Paulus offensichtlich auch erkannte Problematik der Argumentation von V. 7 an: "Was dem heroischen Sterben seinen Sinn gibt, der Einsatz für das Gute, hat in Jesu Sterben keine Entsprechung". - Zu V. 7a vgl. auch 1 Petr 3,18.- Vgl. L.E.Keck, Interpretation (zu V. 6f).

- V. 11 enthält als Abschluß der Argumentationskette eine nochmalige,
deutlich abgehobene Steigerung, wobei formal V. 11a parallel zu V. 3a
steht, die Aussage selbst aber auf V. 8-10 aufbaut und thematisch vor
allem durch V. 10 bestimmt ist. Die Betonung der Gegenwart der Versöhnung mit Gott durch den Erhöhten bildet eine sachliche Klammer mit
V. 1f, impliziert aber auch den Gedanken der sich in der Pneuma-Gabe
vergegenwärtigenden Liebe Gottes (V. 5b) und verstärkt das "Jetzt"
des Gerechtfertigtseins von V. 9a.

Kompositorisch sind die einzelnen Aussageglieder in folgende argumentativen Teilkomplexe integriert: V. 1-2: der gegenwärtige Friede der Gerechtfertigten mit Gott durch Christus und ihr Rühmen der Hoffnung auf
die Doxa Gottes (d.h. auf die zukünftige Vollendung); V. 3-4: Rühmen
der die gegenwärtige Glaubensexistenz kennzeichnenden endzeitlichen
Leiden als Stärkung der Hoffnung; V. 5: Unerschütterlichkeit der Hoffnung (V. 5a) aufgrund der in der Pneuma-Gabe wirksamen Agape Gottes:
V. 6-7: Die Singularität des Todes Christi für uns; V. 8: Der Tod Christi für uns als Erweis der Agape Gottes zu uns; V. 9-10: Inhaltliche
Bestimmung der Hoffnung in der Konsequenz des soteriologischen Argumen-
tationszuges durch den Schluß vom Gerechtfertigtsein bzw. Versöhntsein
mit Gott auf die zukünftige Rettung aus dem Zorngericht Gottes bzw. im
Leben des Erhöhten; V. 11: Rühmen Gottes durch den Erhöhten als Antwort
auf die in der Gegenwart durch den Erhöhten zugewendeten Versöhnung mit
Gott[9].

---

9 Eine andere thematische Zusammenfassung der Aussageeinheiten bietet
z.B. E.Käsemann, Röm 124: V. 1-5 "Stand im Gottesfrieden"; Begründung
("mit chiastischer Reihenfolge 5ab entfaltend") durch V. 6-8 "Stand
in Gottes Liebe" und V. 9-10 Stand in der "Hoffnung"; V. 11 Schluß in
chiastischer Rückkehr zu V. 1-2. - U.Wilckens, Röm I 287f faßt V. 1-5
thematisch zusammen (V. 1-2a "These", V. 2b "weitere These"; V. 3f
Entfaltung vor V. 2b; V. 5 Begründung von V. 2b). In V. 1-5 geht die
Argumentation von der Gegenwart zur Zukunft. V. 6-11 greift "die zentrale christologische Grundaussage 3,21ff" auf, wobei V. 6-8 die Agape Gottes (V. 5) auslegt, V. 9 daraus den Schluß auf die eschatologische Rettung zieht; V. 10 "wiederholt" diesen Schluß. V. 11 schließt
den Gedankengang ab, indem das καυχᾶσθαι "in der geschenkten Versöhnung begründet wird" (ebd. 287). - K.Kertelge, Röm 98-108, überschreibt 5,1-11: "Friede und Hoffnung als Gaben der Liebe Gottes".
Seine Hauptgliederung differenziert zwischen V. 1-5 ("Die Gaben") und
V. 6-11 ("Die Liebe Gottes als unser Lebensgrund"). Weiterhin sieht

3) Nachdem der Gedankengang des aus dem unmittelbaren Kontext ausge-
grenzten Aussagezusammenhangs 5,1-11 untersucht worden ist, stellt sich
sowohl aufgrund der in V. 1a signalisierten Kohärenz mit dem vorausliegenden Kontext als auch insbesondere aufgrund der Thematik von V. 1-11
und schließlich vom folgenden Kontext her die Frage nach dem Ort dieses
Teiltextes im Aufbau des Röm. Vor allem aber ist die Frage nach der argumentativen Funktion von 5,1-11 für den weiteren Aussagekontext zu
stellen, zumal sich in unserem Gedankenkomplex Stichworte und Sachaus-
sagen aufweisen lassen, die sowohl auf den vorausgegangenen als auch
auf den nachfolgenden Argumentationsgang bezogen sind.

Gerade die angesprochene Verflochtenheit mit dem Kontext macht die
Schwierigkeit einer eindeutigen Zuweisung von 5,1-11 zu einer bestimmten Argumentationseinheit aus. Die Lösung dieses Problems hat bis in
die neuesten Untersuchungen zur Komposition des Röm[10] und bis in die
jüngsten Kommentare[11] hinein zu keinem Konsens geführt.

Im wesentlichen stehen sich folgende Positionen gegenüber:
- Röm 5,1-11 gehört der Sachaussage nach zur vorausgegangenen Entfaltung des Themas 1,16f und ist näherhin eine Folgerung aus dem Argumentationsgang 3,21 bis 4,25. Der wesentliche gedankliche Einschnitt

---

er in V. 1f "die G e g e n w a r t a l s Z e i t d e s G l a u -
b e n s " und in V. 3f "als die Z e i t d e r B e w ä h r u n g "
thematisiert; er unterscheidet dann aber näherhin V. 3b-5a als theologischen Kettenschluß und V. 5b als Begründung der christlichen
Hoffnung in der Liebe Gottes als Ausdruck für das "neue Verhältnis
des Menschen zu Gott, das durch die einmalige Tat Jesu Christi ge-
stiftet ist" (ebd. 120). V. 6 verbindet die Liebe Gottes mit dem
Sterben Jesu für uns (vgl. V. 8); V. 7 hebt auf "das Ungewöhnliche"
dieses Sterbens ab. V. 9 nimmt den Gedanken von V. 5a wieder auf und
verankert die Erfüllung der zukünftigen Errettung in der Gegenwart
des Gerechtfertigtseins. V. 10 wiederholt den Gedanken unter der besonderen Rücksicht der Versöhnung. V. 11 steht im gedanklichen Zusammenhang mit V. 2 und 3 und schließt den Gedankengang mit dem rühmenden Lobpreis Gottes wegen des erlangten Friedens und der im Tode Jesu
begründeten Hoffnung.
10 Vgl. u.a. K.Prümm, Struktur; S.Lyonnet, Note; J.Dupont, Problème;
   A.Descamps, Structure; U.Luz, Aufbau; s. bes. R.C.M.Ruijs, Struktuur
   (vor allem 2-41; einschlägige Literatur XX-XXI); M.Wolter , Rechtfertigung 201-216.
11 O.Kuss, Röm 198-200; E.Käsemann, Röm 124; H.Schlier, Röm 12-16 (bes.
   17f). 286f; O.Michel, Röm   43-47 (bes. 43.46). 176.

liegt zwischen 5,11 und 12[12].

- Röm 5,1-11 ist zusammen mit V. 12-21 dem ersten Hauptteil 1,18 - 5,21 zuzuweisen[13].

- Röm 5,1-11 ist aufgrund des Einschnitts zwischen 4,25 und 5,1 dem folgenden Hauptteil (bis 8,39) zuzurechnen. Die Sachaussage und einzelne Stichworte unterstützen den Zusammenhang mit der folgenden Argumentation. Vor allem zu Kap. 8 besteht eine enge sachliche Beziehung[14].

- Schließlich kann Röm 5 als eigenständige Aussageeinheit innerhalb der Argumentation betrachtet werden[15].

- Daneben wird für Röm 5 ein extremer literarkritischer Lösungsweg vorgeschlagen, der 5,1-11 und 12-21 auseinanderreißt und verschiedenen Paulusbriefen zuordnet[16]. Einmal wird 5,1 als nachträgliche redaktionelle Glosse betrachtet und V. 2-11 einem postulierten Brief des Paulus an Thessalonich zugewiesen, der auch 13,11-14 beinhaltet haben soll[17]. Bei weiterer literarkritischer Sezierung werden schließlich auch 5,6-7a als "Randbemerkungen eines Lesers" ausgeschieden[18]. V.12-21 wird demgegenüber als Bestandteil eines postulierten Röm A angesehen, der aus dem jetzigen Röm folgende Texteinheiten umfaßt haben soll: 1,1-4,25; 5,12-21 und 15,8-13[19]. Diese literarkritische Beurteilung des Problems von Röm 5 ist nicht akzeptabel, da sie einmal von einer einseitigen Themabestimmung des Röm ("die Einheit von Juden und Heiden angesichts des Glaubens")[20] ausgeht und von daher 5,1-11

---

12 So z.B. F.-J.Leenhardt, Röm 15.

13 So z.B. O.Kuss, Röm 1999; U.Wilckens, Röm 117f. 286f.

14 So z.B. R.Bultmann, Römer 204; A.Nygren, Röm 30. 140f; H.W.Schmidt, Röm 89; E.Käsemann, Röm 124; H.Schlier, Röm 13. 137f; O.Michel, Röm 177; E.Brandenburger, Adam 255-264; N.Gäumann, Taufe 26; P.v.d. Osten-Sacken, Römer 57. 59f.

15 So z.B. J.Dupont, Problème, bes. 376. 383.

16 W.Schmithals, Römerbrief, bes. 16f. 197-202. 210f.

17 A.a.O. 198 Anm. 34; 201. 211. Erwogen wird auch ein Einschub zwischen 2 Kor 5,21 und 6,1 (ebd. 200f).

18 A.a.O. 199 Anm. 35. Im übrigen wird auch V. 7b als "Randglosse zu V. 8" einer sekundären Redaktion zugesprochen (ebd.).

19 A.a.O. 201f. 210.- Zum Problem vgl. auch J.Kinoshita, Romans.
20 A.a.O. 197.

für sachlich unpassend erachtet, zum anderen glaubt, dem späteren Redaktor mehr literarische Fähigkeiten zusprechen zu müssen als Paulus
selbst[21].

Bevor eine Einordnung von Röm 5,1-11 in den Argumentationsgang des Röm
vorgenommen und die argumentative Funktion bestimmt werden kann, sind
die sachlichen Zusammenhänge mit dem Kontext zu erfassen. Im Rahmen der
Exegese von 5,1-11 mit Schwerpunkt auf den Versöhnungsaussagen V. 10
und 11, deren Verbundenheit mit V. 6-8 und V. 9 einerseits und V. 1-2
andererseits bereits aufgezeigt wurde[22], ist vor allem auf die Aussagen
geachtet, die für das Verständnis von V. 6-11 (bes. V. 10f) und für die
Beurteilung der argumentativen Rolle relevant sind.

Zunächst sind die kontextuellen Bezüge von V. 1-5 zu skizzieren. - V.
1a (Gerechtfertigt aus Glauben) resümiert nicht nur den Schlußgedanken
des Schriftbeweises für die theologische Grundthese der "Dikaiosyne
Gottes aus Glauben" (V. 17) in 4,1-25 (bes. 23-25)[23] und bezieht sich
nicht nur anaphorisch auf 4,25b[24], sondern faßt die positive Entfaltung
des Leitthemas im vorausgehenden Kontext (3,21 - 4,25) insgesamt zusammen[25]. Innerhalb der Aussagefolge 5,1-11 bereitet V. 1a den V. 9a vor,
der Akzent liegt jedoch in V. 1a nicht auf dem Jetzt des Gerechtfertigtseins durch den Kreuzestod[26], sondern auf dem Zusammenhang zwischen der
Wirklichkeit des Gerechtfertigtseins einerseits und dem Glauben andererseits. Dieser die theologische Position des Paulus kennzeichnende Zusammenhang ist seit 1,17 (in Verbindung mit Hab 2,4)[27] vorgegeben und

---

21 U.Wilckens, Röm I 287 Anm. 943.

22 S. 3.1 (2).

23 Der Schlüsselsatz der von der rabbinischen Hermeneutik geprägten
   Schriftargumentation ist Gen 15,6 (vgl. 4,3.22). - Vgl. Gal 3 (bes.
   6-9. 14. 16-18. 29). Zur pl. Argumentation in Röm 4 vgl. K.Kertelge,
   "Rechtfertigung" 185-195; G.Bornkamm, Paulus 151-155; K.Berger,
   Abraham; E.Käsemann, Perspektiven 140-177; ders., Röm 100-122.

24 Vgl. δικαιωθέντες, δικαίωσιν.

25 Vgl. neben Kap. 4 bes. 3,21-26 und 28-30.

26 V. 9a: ἐν τῷ αἵματι αὐτοῦ.

27 Vgl. die Auslegung in Gal 3,10-13.

und in seiner Bedeutung für alle Glaubenden (3,22), also für die Juden und dann insbesondere für die Heiden (3,28-30; 4,1-25; vgl. 1,16), auf dem Kontrasthintergrund von 1,18 - 3,20 dargestellt und begründet worden. Eine besondere Stellung nimmt dabei die Verankerung des Rechtfertigungsgedankens in der soteriologisch verstandenen Christologie von 3,21-26 ein (vgl. 5,9a).

Der Gedanke des "Gerechtfertigtseins aus Glauben" bleibt auch für den folgenden Kontext konstitutiv. So wird er im Rahmen der breit ausgelegten Reflexion über das Heil Israels (Kap. 9-11) in Gegenüberstellung zur "Dikaiosyne aus dem Gesetz" mehrfach erneuert (9,30-32; 10,4. 5-6. 10).

Das in 5,1b herausgestellte gegenwärtige[28] Friedensverhältnis[29] der Gerechtfertigten zu Gott steht in sachlicher Beziehung zu Röm 8,6 und 14,17, abgesehen von der theo-logischen Qualifizierung des Friedens in 1,7 (εἰρήνη ἀπὸ θεοῦ πατρὸς ἡμῶν) und 15,33 (ὁ θεὸς τῆς εἰρήνης). 8,6 verbindet in der Antithese von "Fleisch" und "Geist", mit dem Pneuma den Frieden (in enger Verbindung mit dem "Leben"); 14,17 ist der Friede in Einheit mit der Dikaiosyne und der Freude ebenfalls im Pneuma verankert und so Merkmal der sich bereits vergegenwärtigenden Basileia Gottes[30]. Schließlich wird im Gebetswunsch 15,13 der Friede zusammen mit der Freude und mit der vom Pneuma gestärkten Hoffnung als Heilsgabe Gottes angesprochen.

Das Stichwort χάρις verbindet V. 2a mit dem typischen Eingangssegen 1,7 (χάρις zusammen mit εἰρήνη), besonders aber mit 3,24 (als Bestimmung des Gerechtfertigtseins) und mit 4,4. 16 (neben ἐκ πίστεως).

---

28 Zur textkritischen und exegetischen Problematik der LA ἔχωμεν bzw. ἔχομεν s. jetzt M.Wolter , Rechtfertigung 89-95 (für das indikativische Verständnis); schwankend O.Kuss, Röm 201f; O.Michel, Röm 177: "Tatsächlich gibt ἔχομεν allein den paulinischen Sinn wieder". Ebenso u.a. E.Käsemann, Röm 124; U.Wilckens, RömI288f. Anders z.B. Th.Zahn, Röm 241; H.Schlier, Röm 140; F.Neugebauer, In Christus 61.

29 εἰρήνη ist hier als Relationsbegriff zu nehmen. M.Wolter , Rechtfertigung 103-105 (s. auch 95-102 mit reichem jüdischen Vergleichsmaterial). Seine Kritik an E.Brandenburgers Rückführung der pl. Aussage auf die Vorstellung der kosmischen Friedensstiftung ist begründet. Vgl. E.Brandenburger, Frieden, bes. 51-58.

30 Vgl. E.Käsemann, Röm 364f.

Es wird wieder aufgenommen durch 5,15. 17. 20, wobei der Zusammenhang
mit dem Rechtfertigungsgedanken gewahrt wird. In Kap. 6 steht χάρις
in Opposition zur "Sünde" und zum "Gesetz" (V. 1. 14. 15), während
11,5f die Antithese zum "Gesetz" herausgestellt ist.

Das Motiv des Rühmens (V. 2b vgl. V. 3. 11) steht in Antithese zu 2,17.
23 und 3,27, aber auch zu 4,2. Ein positiver Reflex findet sich noch in
15,17 mit Bezug auf das missionarische Wirken des Paulus.

Röm 5,2b nimmt einen bislang im Argumentationsgang des Röm nicht angesprochenen Gedanken auf: die Hoffnung auf die Doxa, die Gott dem Gerechtfertigten zur Vollendung in der Zukunft geben wird. Lediglich 4,18
hatte von Abraham gesagt, er habe "gegen Hoffnung auf Hoffnung hin" der
ihm von Gott zuteil gewordenen Verheißung vertraut und sich gegen die
Begrenzung der Hoffnung durch die faktische Wirklichkeit ganz der
schöpferischen, die Toten auferweckenden Macht Gottes (V. 17. 21) überlassen[31]. 8,20 weitet die futurisch-eschatologische Perspektive von
5,2b aus: die der Nichtigkeit und Vergänglichkeit ausgelieferte Schöpfung hofft auf die "Freiheit der Doxa der Kinder Gottes". In 8,24f verbindet sich das Stichwort "Hoffnung" mit zwei Themen, die auch in Röm 5
gegenwärtig sind. Die Erwartung der "Erlösung unseres Leibes ", von der
auch noch die erfüllt sind, die bereits das Pneuma der Sohnschaft empfangen haben (8,14-16. 23. 26), ist verknüpft mit der Hoffnung auf die
noch nicht sichtbare Heilsvollendung (vgl. 5,9b. 10b). Die Hoffnung
selbst aber ist charakterisiert als Erwartung δι' ὑπομονῆς (8,25;
vgl. 5,3f). Mit 5,3f vergleichbar ist auch Röm 12,12 (Freude in Hoffnung, geduldiges Ausharren im Leid). Schließlich stehen "Geduld" und
"Hoffnung" noch 15,4f in einem engen Aussageverhältnis. Besondere Beachtung verdient auch hier noch einmal der Segenswunsch 15,13, wo das
Erfülltwerden durch den "Frieden im Glauben" das Reichwerden in der
Hoffnung und zwar "in der Kraft des heiligen Geistes" zur Folge hat.
Der Zusammenhang von Frieden, Hoffnung und Geist entspricht dem von
5,1f und 5.

---

31 Vgl. E.Käsemann, a.a.O. 118; U.Wilckens, Röm I 275.

Die im Gerechtfertigtsein und in der Friedensbeziehung zu Gott hin begründete Hoffnung auf die Doxa Gottes in der unmittelbaren Gottesgemeinschaft[32] steht in Antithese zur Aussage 1,23 (vgl. ψ 105,20; Jer
2,11), daß die Menschen die Doxa des unvergänglichen Gottes mit dem Abbild des Vergänglichen vertauscht haben (ἤλλαζεν)[33]. Andererseits ist
5,26 vorbereitet in 2,7, wo die Doxa als eschatologisches Ziel (neben
τιμή und ἀφθαρσία)[34] erscheint, auf das der Gerechte in seinen guten Taten ausgerichtet ist. Sie empfängt er als Heilsgabe Gottes zusammen mit dem ewigen Leben beim Endgericht (vgl. auch V. 10[35]). In Opposition wiederum zu 5,2b bringt 3,23 zum Ausdruck, daß alle Menschen
aufgrund ihres Sündigens die Doxa Gottes verloren haben (vgl. 2,7;
5,12-21). Im nachfolgenden Kontext von 5,1-11 wird die Doxa wiederholt
Gegenstand der Aussage. Besonders hingewiesen sei hier einmal auf 6,4.
Dort ist die "Doxa des Vaters" die Macht Gottes, die Christus auferweckt und in die Doxa Gottes hineingenommen hat. Damit verbindet sich
für den Glaubenden, der mit der Todesgestalt Christi vereinigt ist
(6,5a) und mit ihm leidet (8,17), die Teilhabe an der Doxa des Auferweckten in der Vereinigung mit der Auferstehungsgestalt Christi (6,5b)
und im Mitverherrlichtwerden (8,17). Das Mitverherrlichtwerden aber
vollzieht sich dadurch, daß Gott die von ihm Berufenen und durch ihn
Gerechtfertigten "mit der Eikon seines Sohnes mitgestaltet" und so Anteil an der Doxa gibt (8,29 in Verbindung mit V. 28 und 30)[36].
9,4 nennt Paulus neben der υἱοθεσία und anderen Heilsauszeichnungen

---

32 Zur Doxa als zentralem Begriff für die vollendete endzeitliche Heilswirklichkeit s. u.a. syrBar 51,12; aethHen 51,4f; 62,16; 58,2-6;
10,4; 2; 4 Esr 7,95; vgl. H.Kittel, in: ThWNT II 235-256.

33 Vgl. die Vorstellung der Apokalyptik, der Sündenfall habe die Entfremdung von der Doxa Gottes zur Folge (Apk Mos 20f). S. H.Kittel,
in: ThWNT II 250,16-18. Von der kosmischen Bedeutung dieses Vertau-
schens spricht Test Naph 3,2ff.

34 Vgl. 1 Petr 1,7; Offb 4,9.

35 Hier wird jedoch ἀφθαρσία durch εἰρήνη ersetzt und der Gedanke
ausdrücklich auf den Juden und den Hellenen bezogen.

36 Vgl. dazu W.Thüsing, Per Christum 134-144; U.Luz, Geschichtsverständnis 250-255; H.Paulsen, Überlieferung 135f. 156-161 (Rekonstruktion von vorpl. Tradition in 8,28-30); P.v.d.Osten-Sacken, Römer
277-287; B.Mayer, Heilsratschluß 136-166.

Israels auch die Doxa; er zeigt aber dann in V. 23 auf, daß der "Reichtum der Doxa" im Gegensatz zu den "Gefäßen des Zorns" nun zu den "Gefäßen des Erbarmens" (aus Juden und Heiden) gelangt ist[37].

Der Zusammenhang von Doxa und Leiden, der in der Verbindung der beiden Aussagen über das Rühmen (V. 2b. 3a) angezeigt ist, wird einmal in 8,17 auf die Gemeinschaft mit Christus bezogen, zum anderen sowohl auf das Offenbarwerden der künftigen Doxa hin ausgelegt als auch mit Blick auf das Wirken des Pneuma in der endzeitlichen Existenz der Erlösungserwartung und der Schwachheit in 8,18-27 weiterentfaltet. Die sachliche Nähe der in diesem Aussageabschnitt entfalteten Gedanken zu 5,2b. 3a-5 ist unübersehbar. Im Unterschied jedoch zu Kap. 8 wendet sich 5,6-10 sogleich stärker dem christologisch-soteriologischen Aspekt der Agape Gottes zu; es bleibt aber zu beachten, daß auch dazu eindeutig Sachparallelen in Kap. 8 aufweisbar sind[38]. Wichtig erscheint vor allem folgendes in Kap. 8: neben den christologisch-soteriologischen Aussagen kommt der Auslegung des endzeitlichen Wirkens des Pneuma, der Agape Gottes und der bleibenden Verbundenheit mit der Agape Christi selbst unter den endzeitlichen Leidensbedingungen die Bedeutung enger sachlicher Beziehung zu Röm 5,1-11 zu. Zusammen mit dem Hoffnungsthema und dem Motivzusammenhang von geschehener Verherrlichung der Gerechtfertigten und der künftigen Verherrlichung (mit Christus) unterstreicht die Aussageeinheit von Kap. 8 die besondere Relevanz für das Verständnis von 5,1-11. Sie wird nicht dadurch geschmälert, daß in Kap. 5 als argumentativer Folgerung thematische Verbindungslinien mit dem vorausgehenden Kontext bestehen. Auf die wesentlichen Sachbezüge wurde hingewiesen; für 5,6-11 sei ausdrücklich 3,21-30 hervorgehoben[39]. Die sich an 5,1-11 anschließende Argumentation gibt unserer Texteinheit aber auch die Funktion einer argumentativen Zwischenbasis.

---

37 O.Michel, Röm   294-296. 313-316. Vgl. D.Zeller, Juden 203-208.

38 Vgl. 8,1-11. 23f. 32-34.

39 U.Wilckens, Röm I 17, macht einseitig die "Umbiegung des Skopus zur Rückkehr zu 3,24-26 in 5,6-11" geltend. Eine gewisse Berechtigung dieser Sicht besteht jedoch darin, daß 5,1-11 und bes. V. 6-11 auf die vorausliegende Thematik summierend und interpretierend zurückgreift.

Für die Einordnung von 5,1-11 in den Gedankengang sind die skizzierten kontextuellen Wechselbezüge zu beachten. Es erscheint berechtigt, die durch οὖν angezeigte argumentative Rolle von 5,1-11 dahin zu verstehen, daß mit dieser Texteinheit (zusammen mit V. 12-21) die erste Entfaltung des Themas 1,17f zusammengefaßt ist, um die Basis für den weiteren Gedankengang zu sichern, deren nächster, sachlich eng mit Kap. 5 verbundener Höhepunkt das Kap. 8 ist[40].

Die Beziehung zwischen 5,1-11 und 12-21 ist von V. 6-11 aus so zu sehen, daß in V. 12-21 die Heilswirkung (das Gerechtfertigtsein und das Versöhntsein) universalisiert wird, indem Christus selbst - in antithetischer Parallele zu Adam - als der neue Adam zum einen die Aufhebung der universalen Macht der Sünde und des Todes ist und zum anderen die Gnadenherrschaft repräsentiert, die durch ihn auf das "ewige Leben" ausgerichtet ist (vgl. V. 9b. 10b und V. 21).

3.2 Die Versöhnungsaussage

Die Exegese der Versöhnungsaussage im Röm verbindet 5,10 und 11 mit der christologisch-soteriologischen Aussage des engeren Kontextes (V. 6-9). Der Zusammenhang mit dem ersten Argumentationsteil (V. 1-5; bes. V. 1f und 5) wird jedoch mitzuberücksichtigen sein. Auch auf die relevanten Sachparallelen im Röm ist Bezug genommen. Die Zusammenfassung der Exegese fragt abschließend vergleichend nach dem sachlichen Verhältnis der Versöhnungsaussagen des Röm und des 2. Kor.

3.2.1 Die begründete Hoffnung der Versöhnten

1) Der zusammenhängende christologisch-soteriologische Argumentationsgang Röm 5,6-10 setzt sich folgende Ziele: auf dem Hintergrund von V. 5 weist V. 6-8 den unvergleichlichen Tod Jesu als Erweis der Agape Gottes zu uns aus (V. 8a; vgl. V. 5b). Von dieser argumentativen Basis aus konstatiert V. 9a das "Jetzt" des Gerechtfertigtseins (vgl. V. 1a) durch eben den in V. 6-8 soteriologisch gedeuteten Tod Jesu als Tod "für uns". Gemäß der Hoffnungsperspektive von V. 2b zusammen mit V. 5a (vgl. V.

---

40 Kap. 5 bildet also einen "gewichtigen Knotenpunkt der Gedankenführung" (E.Brandenburger, Frieden 51), indem sich die bisherige Entfaltung des Themas 1,16f und die weitere Darstellung treffen.

4b) überschreitet die zunächst vor allem auf den Kreuzestod konzentrierte Argumentation auch den betonten Gegenwartshorizont von V. 9a und erschließt in deutlicher Steigerung den futurisch-eschatologischen Bezugshorizont der Gegenwartswirklichkeit des Gerechtfertigtseins. Damit erreicht der Gedankengang das Ziel, das durch die leitthematische Verbindung von V. 1a (b) und 2a und durch die Beziehung der Leiden auf die Hoffnung (V. 3-4. 5a) vorangezeigt war: die Hoffnung auf die Doxa Gottes ist inhaltlich verknüpft mit der Gewißheit der zukünftigen Rettung durch den Erhöhten, der mit dem für uns gestorbenen Christus identisch ist. In der weiteren Steigerung wird das Gerechtfertigtsein (der Sünder V. 8b) gedeutet als Versöhnung der "Feinde" mit Gott. Aber auch das Versöhntsein ist ausgerichtet auf die zukünftige Rettung, deren Gewißheit mit der Versöhnung selbst gegeben ist.

So steht die Versöhnungsaussage (V. 10) ebenfalls im futurisch-eschatologischen Bezugsrahmen der Hoffnung. Sie bekräftigt den Zusammenhang zwischen der gegenwärtigen Friedensrelation (der ehemaligen Feinde V. 10a) zu Gott und der sich rühmend aussprechenden Hoffnungsgewißheit auf die Vollendung in der von Gott geschenkten Doxa. Diese Doxa wird dem Versöhnten durch die zukünftige Rettung "im Leben Christi" zuteil, d.h. indem er von dem Leben Christi durchdrungen wird.

Wenden wir uns zunächst V. 6-7 als erster Aussageeinheit zu, die einen ersten Versuch darstellt, die Liebe Gottes in der Pneuma-Gabe als sicheres Fundament für die untrügliche Hoffnung auf Vollendung zu erschließen.

In der Weise eines Qal-Vachomer-Schlusses[41] eröffnet V. 6 den christologisch-soteriologischen Gedankengang, jedoch wird das Schlußverfahren nicht konsequent zuende geführt. Mit V. 7 schieben sich zwei Überlegungen ein, die einen möglichen relativierenden Einwand rhetorisch geschickt zugunsten der Unvergleichbarkeit des Todes Christi auffangen und somit dem soteriologischen Deutungsansatz des singulären Todes für die "Schwachen" und "Gottlosen" dienstbar gemacht werden[42]. Das bestim-

---

41 Vgl. O.Kuss, Röm 207.

42 U.Wilckens, RömI294, sieht bereits in V. 6 einen "ersten Widerspruch" zu V. 5 formuliert. Doch der argumentative Ansatz von V. 6 dient bereits dem Aufweis der Agape Gottes.

mende und durch die Satzstellung hervorgehobene Subjekt der Aussage V.
6 ist Christus[43]. Im Mittelpunkt steht sein "Sterben für". Die Besonderheit des Todes Christi wird in einer etwas unebenen und unklaren Formulierung[44] dadurch gekennzeichnet, daß er in Beziehung gesetzt wird zu
"uns", d.h. in weiterer Charakterisierung zu denen, die beim Tode Christi[45] ἀσθενεῖς und sogar ἀσεβεῖς waren. Das Paradoxe und Unerwart-
bare einer solchen Lebenshingabe wird im folgenden kontrastierenden V.
7 noch einmal angesprochen. Der Vorstellungshintergrund von V. 7b ist
jedoch im V. 6 noch nicht gegenwärtig. Hier zeichnet sich vielmehr in
einer verschärfenden Umschreibung der bekenntnismäßigen soteriologischen
Deutung der Ansatz eines Gedankens ab, der in weiterer Steigerung über
V. 8 zu V. 10a führt: an der heilshaften Bedeutung des Todes partizipieren die als "Schwache" (d.h. nicht als gegenwärtig Leidende, sondern als Sünder)[46] und als "Gottlose" (vgl. 1,18; 4,5) in Distanz zur
Lebens- und Heilsmacht Gottes standen. Als "Schwache" fehlte es ihnen
an πίστις (vgl. 4,19; s. auch 14,1), und sie waren der sarkischen
Existenz unter dem heilsunfähigen, weil nicht vonder Sünde und vom Tod
befreienden Gesetz unterworfen (vgl. 8,3). Als Gottlose waren sie dem
Zorn Gottes unterworfen (1,18)[47] und konnten nicht erwarten, daß Gott
sie gerecht macht (4,5).

In zwei parallel formulierten Sätzen wird die spezifische Differenz des

---

43 Zur textkritischen Problematik von V. 6 (εἴ γε, ἔτιγάρ und andere
Lesarten) s. M.Wolter , Rechtfertigung 168f; in übersichtlicher Form
auch H.Schlier, Röm 151; U.Wilckens, RömI294. - Textkritisch ist gegen die Textgestalt des "Nestle" zu entscheiden.

44 U.Wilckens, RömI295: "ein Satzungetüm von schockierender Spannung".

45 κατὰ καιρόν meint die Zeit der Schwachheit als die Zeit des Todes
für uns (so auch U.Wilckens, a.a.O.); vgl. ebenfalls H.Schlier, Röm
152, der die möglichen Zuordnungen von κατὰ καιρόν kritisch ab-
wägt. - Von Gal 4,4 her deutet O.Michel, Röm   181, auf die "rechte
Zeit".

46 Vgl. V. 8b. - G.Stählin, in: ThWNT I 491,3-5. W.Bauer, Wb 229f;
O.Michel, Röm   181. - Anders M.Wolter , Rechtfertigung 170: "die
anthropologische Grundbefindlichkeit, die das Menschsein des Menschen schlechthin ausmacht" (unter Berufung auf außerchristliche
Texte).

47 In 1,18 steht ἀσέβεια neben ἀδικία. Vgl. die Opposition von
ὑπὲρ ἀσεβῶν und ὑπὲρ δικαίου (5,6f); s. auch 4,5; 11,26.

Todes Jesu zu Idealvorstellungen vom Sterben für andere verdeutlicht
(V. 7ab). Paulus setzt hierbei verschiedene Anschauungen aus dem jüdischen und hellenistischen Raum voraus[48] und hebt auf das Widersprüchli-
che gegenüber dem Vorbild zumutbaren und damit auf die Unvergleichbarkeit des Todes Jesu ab. Vor allem der Gegensatz, der im Tod für Gottlose liegt, ist in V. 7a angesprochen, der sich eher auf jüdische Verstehensvoraussetzungen bezieht. V. 7b dagegen weist auf einen hellenistischen Kontrasthintergrund[49].

So ist es für die jüdische Beurteilung des Todes Jesu sicher ein Negativum, wenn er nicht als Tod eines Gerechten für die Sünden des Volkes
(4 Esr 12,40-45) und nicht als sühnender Märtyrertod für die eigenen
Sünden verstanden werden kann. Den jüdisch-theologischen Deutungsmodel-
len widerspricht es völlig, den Tod Jesu, in der allgemeinen Weise wie
Paulus es tut, auf die Gottlosen zu beziehen und ihnen zugute kommen zu
lassen. - Für V. 7b kann auf Vorstellungsgut aus der hellenistischen
Freundschaftsethik verwiesen werden, die den Tod z.B. für den Freund
und die nahen Verwandten positiv würdigt und als außergewöhnliches Zeichen von Mut und Zuneigung herausstellt.

Während V. 7a das Sterben Christi für "Gottlose" auf dem Hintergrund
der gleichsam regelhaften Aussage, daß "kaum" einer für den "Gerechten"
stirbt, in seiner Tiefendimension im Ansatz noch erschließt, hat V. 7b
eher den Charakter einer Konzession. V. 7b scheint durch die bedachte
Möglichkeit, daß einer für den Guten[50] eher zur Hingabe des Lebens bereit ist, dem Besonderen des Todes Jesu entgegenzustehen und ihn auf
eine Ebene zu bringen, die den Tod Jesu mit dem Ideal der heroischen
Lebenshingabe parallelisiert. Doch auch hier noch ist der Kontrast zu
V. 5 stärker. Wenn schon der Tod für den Gerechten oder für den "wert-
vollen Menschen"[51] bzw. Freund und nahen Verwandten[52] ein menschliches

---

48 Vgl. M.Wolter , Rechtfertigung 171-175.

49 Zum folgenden vgl. M.Wolter , a.a.O.; O.Michel, Röm   181 (bes. Anm.
   20).- H.Sahlin, Textemendationen, scheidet V. 7 aus.

50 Aufgrund der Parallele zu ὑπὲρ δικαίου ist ὑπὲρ τοῦ ἀγαθοῦ
   maskulinisch und nicht neutrisch zu verstehen. E.Käsemann, Röm 129.

51 Vgl. E.Käsemann, Röm a.a.O.; U.Wilckens, RömI296.

Ideal ist und damit zugleich die Grenze der Pflicht und des Menschen-
möglichen markiert, so sprengt der Tod Jesu als Tod nicht für den
δίκαιος und nicht für den ἀγαθός, sondern für die Schwachen und
Gottlosen jedes Maß menschlicher Vorbildlichkeit, jede menschliche
Pflicht und alles Heroische. Die Analogien, die aufgeboten werden können, reichen nicht an das vom Tode Jesu Auszusagende heran. Sie sind
vielmehr gegenläufige Hinweise, deren Spannung zur radikalen Andersartigkeit des Todes Jesu aber gerade das Unvergleichliche, nicht nach
menschlichen Idealen Meßbare eben dieses Todes erschließen können.

2) Gerade die Zwischeneinwände, die ja in der Doppelaussage V. 7a und b
begründend auf V. 6 bezogen sind, lassen im Zuge des Gedankengangs nach
dem Eigentlichen, nach der Tiefendimension fragen. Diese Tiefendimension ist mit Blick auf die Untrüglichkeit der Hoffnung bereits aufgezeigt worden: es ist die Agape Gottes, die alles das, was vom Menschen
her möglich ist und was als idealer Grenzwert des Engagements für den
anderen ethisch konzipiert ist, sprengt. Denn im Tode Jesu geht es
nicht mehr um den "Gerechten" und den "Guten", sondern um den Menschen,
der in der negativen Entfaltung von 1,16f (vgl. 1,18-3,20) als der Gottlose und als der Ungerechte vor Gott dasteht.

Die einzige theologische Erklärung für den radikal anders gerichteten
Tod gibt daher auch V. 6 auf der Linie von V. 5b: der Tod Christi "für
uns" ist Erweisungstat der Liebe Gottes "zu uns" (vgl. 3,25f)[53]. In
Parallele zu V. 6 formuliert, bezieht V. 8b den Tod Jesu auf uns als
Sünder, die nichts vorweisen konnten als ihr Sündersein[54].

3) V. 9 zieht die Folgerung aus dem christologisch-soteriologischen Argumentationsstrang, der einen Zusammenhang zwischen dem Sterben Christi
und dem Sein der Gläubigen in ihrer (vorchristlichen) Vergangenheit
kontrastierend herausgearbeitet hat und vor allem den unvergleichbaren
Tod Jesu als Erweis der Agape Gottes erkennen ließ. Die Agape Gottes,
die sich im Tode Jesu "für uns" machtvoll für die Sünder engagierte,
ist dieselbe Agape, deren die Gerechtfertigten durch die Pneuma-Gabe

---

52 O.Michel, Röm   182 ("Wohltäter"); M.Wolter , Rechtfertigung 171f.
   174f; M.Wolter deutet τοῦ ἀγαθοῦ allerdings als Neutrum.
53 E.Käsemann, Röm 129, sieht in V. 8 liturgische Tradition.

teilhaft werden (vgl. V. 5b).

Dieser Gedanke ist der Ausgangspunkt für V. 9, der den Ansatz zum Qal-Vachomer-Schluß (V. 6) nun in ausgeformter Weise vollendet. Die Argumentationsrichtung ist durch πολλῷ μᾶλλον bereits vorprogrammiert. Jedoch hebt V. 9a in Aufnahme des Motivs vom "Gerechtfertigtsein" (vgl. V. 1a; 4,25) noch einmal auf die Gegenwart (νῦν) des Gerechtfertigtseins[55] ab und verankert dieses neue Sein (in der Relation zu Gott), in dem das Schwachsein, das Gottlossein und das Sündersein (vgl. V. 6 und 8) aufgehoben ist, im Kreuzestod, dem Zentralgedanken von V. 6-8.

Paulus bedient sich dabei der Wendung ἐν τῷ αἵματι αὐτοῦ als traditioneller Formel für das heilshafte Sterben Jesu am Kreuz (vgl. Röm 3,25 und 1 Kor 11,22. 27). Jedoch betont er die Gegenwartsrelevanz des Todes Christi für uns Sünder "in seinem Blute", schaut also nicht mehr so ausschließlich auf das Geschehen in der Vergangenheit zurück.

Im Sinne des rabbinischen Schlußverfahrens, theologisch aber auf der Linie von V. 2b und in der Konsequenz des mit V. 5 gegebenen argumentativen Ansatzes, wird V. 9a zur "Prämisse" für die futurisch-eschatologisch bestimmte Zielaussage. Um sie mit sachlicher Berechtigung und argumentativer Notwendigkeit formulieren zu können, mußte der verschlungene Weg von V. 6-8 und 9a gegangen werden. Die Grundlage ist gewonnen, um die Hoffnung auf die Doxa Gottes (V. 2b; vgl. V. 4b. 5) durch die Evidenz zukünftiger Rettung in ihrem sachlichen Recht und in ihrer untrüglichen Gewißheit auszuweisen.

Die Rettung als zukünftiges endgültiges Heilsgeschehen ist streng eschatologisch verstanden. Sie ist endheilszeitliche Rettung aus dem Zorngericht Gottes[56], in ihr erfüllt sich die rettende Macht des Evangeliums (1,16) und kommt das gegenwärtige, aufgrund des Kreuzestodes (und aus der Auferweckung 4,25b) zuteil gewordene Gerechtfertigtsein zu seiner

---

54 Vgl. die Wiederholung des ἔτι von V. 6.

55 Vgl. auch das Präsens συνίστησιν V. 8a (vgl. V. 5b). - Diese Gegenwart kontrastiert mit der Vergangenheit des Sünderseins (V. 8b) und geht zusammen mit dem Versöhnungsempfang. Vgl. P.Tachau, "Einst" 82, sieht 8b-11 vor dem "Einst"-"Jetzt"-Schema bestimmt, jedoch tritt hier als Ausnahme die Zukunft hinzu (ebd. 108-110).

56 Vgl. L.Mattern, Verständnis 59-61.

Vollendung. Die gedankliche und die sachliche Voraussetzung dafür ist das gegenwärtige Gerechtfertigtsein (V. 9a, vgl. V. 1a), denn ohne sie steht der Mensch in seiner "Gottlosigkeit" und in seiner "Ungerechtigkeit" unter dem Zorn Gottes und erwartet das unentrinnbar auf ihn zukommende Gericht, bei dem er den Zorn Gottes gegen sich erfahren wird und seine Werke gerecht vergolten werden (1,18 - 2,10).

Die Rettung selbst aber ist an den gebunden, der durch seinen Tod das Gerechtfertigtsein eröffnet hat. Es ist der Erhöhte[57], durch den schon in der Gegenwart der Friede zu Gott hin geschenkt und die zukünftige Rettung den Gerechtfertigten zuteil wird (vgl. 1 Thess 1,10; 5. 9). In welchem positiven Sinn das Wirken des Erhöhten zu verstehen ist, macht V. 10b deutlich. V. 9b akzentuiert zum ersten Mal in der Argumentation von V. 1 an den Zusammenhang zwischen Gerechtfertigtsein und Doxa Gottes, jedoch vom Standpunkt der negativen Voraussetzung aus. Die Zukunft des gerechtfertigten Glaubenden in der Doxa Gottes erweist sich darin als positiver Hoffnungsinhalt, indem sich die Hoffnung angesichts des mit dem Ausblick auf die Zukunft bewußtwerdenden Gerichts Gottes bewährt. Schon in 2,7 war ja die Doxa als positive Folge des Gerichts thematisiert worden.

Jetzt wird sie als Vollendungsdoxa gesichert aufgrund der theologischen Voraussetzung, daß Gottes Zorngericht nicht die Gerechten, d.h. die jetzt schon Gerechtfertigten, trifft. Wesentliche Gewißheit aber resultiert daraus, daß das Gerechtfertigtsein und die zukünftige Rettung an Christus gebunden und beides Folge der im Tode Jesu wie auch in der Gabe des Geistes auf den Menschen zukommenden Liebe Gottes ist. Dennoch aber ist die Rettung nicht selbstverständliche Konsequenz des heilsbedeutsamen Todes und Heilsgegenwart, sondern sie bleibt rettende Tat Gottes, der "durch Christus" die schon Gerechtfertigten retten wird[58].

4) Mit V. 10 erreicht die Argumentation, die seit V. 5 um die Begründung von V. 5a bemüht ist, ihren Höhepunkt. V. 11 bringt dann noch eine sachlich mit V. 10 verbundene, aber sprachlich abgesetzte Steigerung

---

57 Anders M.Wolter, Rechtfertigung 189f; U.Wilckens, RömI297 ("durch die Heilswirkung des Kreuzestodes").

58 Futur Passiv.

mit Blick auf die Gegenwart.

Während V. 9 auf die Gegenwart ausgerichtet ist und von der Gegenwart
aus die futurisch-eschatologische Folge für das Gerechtfertigtsein aufzeigt, lenkt V. 10a zunächst wieder auf die Argumentationslinie von V.
6 und 8 zurück[59] und deutet den Tod Christi, der jetzt ausdrücklich
"Sohn Gottes" genannt ist, als ein Geschehen der Versöhnung mit Gott.
In steigernder Parallelität zu V. 9a (dem Gerechtfertigtsein - der Sünder V. 8b - durch das Blut Christi) steht V. 10a die geschehene Versöh-
nung der Feinde mit Gott ($\tau\tilde{\omega}$ $\vartheta\epsilon\tilde{\omega}$) durch den Sohn gegenüber. Wie das
Gerechtfertigtsein nicht in der Hand des Menschen ist, ist ihm auch die
Versöhnung mit Gott entzogen. Es ist Gottes Tat der Liebe (vgl. V. 8a)[60],
die "durch den Tod seines Sohnes" die Versöhnung der Feinde mit ihm bewirkt. Der Kreuzestod ist also nicht nur zugunsten der Schwachen, Gottlosen und Sünder geschehen, sondern er ist sogar der Tod für die Gott
entgegenstehenden Feinde gewesen. In der Spannung der Aussage, daß den
Feinden die Versöhnung mit Gott zuteil geworden ist, ist die Radikalität der Agape Gottes eingefangen und der Widerspruch zwischen V. 6 und
V. 8 noch einmal implizit thematisch geworden.

V. 10b geht (wie V. 9b) auf die Zukunftsdimension der Versöhnung mit
Gott ein. Die bereits erfolgte Beseitigung des grundlegend gestörten
Verhältnisses zwischen den Menschen (als Feinden) und Gott (dem in Liebe dem Menschen zugewandten) wird zunächst noch einmal ausdrücklich
herausgestellt. V. 10b steht so in unmittelbarer Parallele zu V. 9a.
Die jetzt Gerechtfertigten sind nun als die mit Gott Versöhnten ausge-
wiesen. Der in Verbindung mit der Versöhnungaussage eingeführte Feind-
begriff bringt die geschehene Versöhnung in die Nähe des "Friedens mit
Gott" (V. 1). Analog der Hoffnungsperspektive, in der die Friedensrela-
tion zu Gott gelebt wird, mündet die Versöhnung ein in die Rettung "im
Leben des Sohnes". Das bedeutet: in Entsprechung zum parallelen $\delta\iota'$
$\alpha\dot{\upsilon}\tau o\tilde{\upsilon}$ (V. 9b) schwingt auch in dem $\dot{\epsilon}\nu$ $\tau\tilde{\eta}$ $\zeta\omega\tilde{\eta}$ $\alpha\dot{\upsilon}\tau o\tilde{\upsilon}$, das zudem in
Antithese zu $\delta\iota\dot{\alpha}$ $\tau o\tilde{\upsilon}$ $\vartheta\alpha\nu\dot{\alpha}\tau o\upsilon$ $\tau o\tilde{\upsilon}$ $\upsilon\iota o\tilde{\upsilon}$ steht, ein kausales Bedeu-

---

59 W.Thüsing, Per Christum 195.
60 Passivum divinum: $\varkappa\alpha\tau\eta\lambda\lambda\dot{\alpha}\gamma\eta\mu\epsilon\nu$.

tungsmoment mit[61]. Doch auf der anderen Seite ist doch noch stärker der Gedanke enthalten, daß die zukünftige Teilhabe am Leben des Auferweckten in der engen Verbundenheit mit ihm die Weise ist, in der die Gerechtfertigten und Versöhnten zukünftige Rettung als Rettung im Auferweckungsleben und damit in der Doxa Gottes erfahren. Die Zukunft des Versöhnten ist nicht das Gericht, sondern das eschatologisch-endgültige Heil "im Leben Christi"[62].

Mit dieser Steigerung schließt die Argumentationskette von V. 6-10, die dem Ausweis der Agape Gottes im Sterben Christi für uns diente und die Gewißheit der Hoffnung auf die Doxa Gottes inhaltlich begründet. Von V. 10 her verbindet sich mit dieser Hoffnung die Erwartung des Auferweckungslebens Christi, von V. 9 her die Rettung aus dem Endgericht durch den Erhöhten. Die Grundlage der Hoffnung ist einmal das gegenwärtige Gerechtfertigtsein der Sünder (V. 9a), zum anderen das Versöhntsein der Feinde mit Gott (V. 10). Dieses Versöhntsein mit Gott durch den Tod Christi schließt von V. 1 her die Friedensrelation zu Gott ein, die der erhöhte Christus vermittelt. Es sind nicht nur Sünder gerechtfertigt und (noch mehr) Feinde mit Gott versöhnt, sondern als Gerechtfertigte und Versöhnte haben sie durch Christus ein Friedensverhältnis mit Gott, das sich in der zukünftigen Rettung durch Christus in der Teilhabe an seinem Leben erfüllt. Das Gegenwärtigwerden des Erhofften erfährt der Glaubende durch das Pneuma, das der Gerechtfertigte und Versöhnte als Wirkmacht der Liebe Gottes empfängt, die ihn durch den Tod des Sohnes und durch das Wirken des Erhöhten in die Gemeinschaft mit Gott geholt hat. Weil durch die Liebe Gottes der Bruch zwischen den Menschen und Gott, der durch die Feindschaft des Menschen entstanden war, aufgehoben ist und der Friede der Versöhnung mit Gott besteht, ist die Hoffnung auf Vollendung und Rettung begründet und in der Pneuma-Gabe Gewißheit.

---

61 Vgl. U.Wilckens, Röm I 299.
62 M.Wolter, Rechtfertigung 194f.

3.2.2 Das Sich-Rühmen der Gemeinde aufgrund der durch Christus empfangenen Versöhnung (Röm 5,11)

Die Argumentationseinheit Röm 5,1-11 schließt V. 11 mit einer weiteren, in ihrer Schlußstellung betonten Rühmensaussage ab. Dabei wird die eschatologische Zukunftsperspektive von V. 9b und 10b nicht preisgegeben, aber es erhält doch die eschatologisch verstandene Gegenwart den besonderen Akzent (vgl. V. 9a)[63].

Durch das Motiv des "Sich-Rühmens" schlägt V. 11a eine Brücke zu V. 2b und 3a, so daß aufgrund dieses Zusammenhangs auch das $\varkappa\alpha\upsilon\chi\acute{\omega}\mu\epsilon\nu o\iota$ von V. 11a indikativisch gemeint ist[64]. V. 1-2 ging es darum, daß die Teilhabe der Gerechtfertigten an der durch den erhöhten Christus vermittelten Friedensbeziehung zu Gott die Grundlage für das Sich-Rühmen der Hoffnung auf die noch ausstehende, zukünftige Doxa Gottes ist. Das Sich-Rühmen ist also auf Zukunft gerichtet; die Zukunft scheint aber bereits in die Gegenwart, nämlich in der Friedensrelation zu Gott, vor. V. 3 machte - zusammen mit V. 4 und 5 - deutlich, daß das Sich-Rühmen, in dem sich die Hoffnung der Gerechtfertigten auf Vollendung artikuliert, selbst in einer spezifischen Weise eschatologisch geprägt ist. Denn es schließt nicht nur die Leiden als Merkmal endzeitlicher Glaubensexistenz ein, sondern es gibt sich im Rühmen der (mit der zukünftigen Vollendung in der Doxa Gottes kontrastierenden) Leiden eine die Hoffnungsstruktur des Gerechtfertigtseins bestärkende Ausdrucksweise.

---

63 K.Berger, Exegese 23, sieht hierin "die entscheidende Kehre innerhalb der Argumentation von Röm 5,1-11". Er unterschätzt dabei aber V. 9b und V. 10b als "Illustration" des in V. 11 formulierten "Anspruchs" auf die geschehene Versöhnung (vgl. schon V. 10) und läßt den sachlichen Zusammenhang von V. 1-2a, 5b und 9a ($\nu\tilde{\upsilon}\nu$) mit V. 11 außer acht. Vgl. auch die Kritik von M.Wolter, Rechtfertigung 200, der sich gegen eine Gleichstellung des dreimaligen $\varkappa\alpha\upsilon\chi\tilde{\alpha}\sigma\vartheta\alpha\iota$ (V. 2b. 3a. 11a) wendet und die syntaktische Abhängigkeit des Part.Präs. $\varkappa\alpha\upsilon\chi\acute{\omega}\mu\epsilon\nu o\iota$ von $\sigma\omega\vartheta\eta\sigma\acute{o}\mu\epsilon\vartheta\alpha$ ins Feld führt, um V. 11 als integrierten Teil "der futurischen Argumentationsrichtung vor Röm 5,1-11" zu erweisen. Andererseits spricht er aber auch von "der betonten Hervorhebung der Gegenwart" der Versöhnung in V. 11b (in Parallele zu V. 9a) und erkennt eine "Art Ringkomposition" vor V. 9 und 11 (ebd. 198).

64 Vgl. E.Käsemann, Röm 131; anders O.Kuss, Röm 213.

V. 11 bringt demgegenüber auf dem Hintergrund der (futurischen) Rettungsaussagen V. 9b. 10b und des V. 10 eingeführten, V. 11b noch einmal aufgenommenen Versöhnungsmotivs einen neuen Gesichtspunkt ein: Die theozentrische Struktur des Rühmens der Hoffnung bzw. der auf Hoffnung hin erduldeten Leiden und - darin sachlich eingeschlossen - des Rühmens der Rettung wird explizit ausgewiesen. Die Theozentrik des Rühmens von V. 11a ist aber wesentlich grundgelegt im Wirken des Erhöhten, der das Rühmen Gottes durch die Gemeinde der Versöhnten als eigentlicher Urheber eröffnet, in die eigene Theozentrik integriert und auf Gott hin vermittelt[65].

Gerade dieses christologische Moment des theozentrischen Sich-Rühmens der Gemeinde setzt zusammen mit dem gegenwärtigen Erlangthaben der Versöhnung durch Christus (V. 11b) den entschiedenen Gegenakzent zum Rühmen Gottes durch die Juden. Denn das Rühmen Gottes durch die Juden stützt sich auf das Heilsprivileg des Gesetzes (2,17.23) und macht das Gesetz selbst zum Gegenstand des Rühmens, obgleich es in eklatanter Weise übertreten wird (V. 23) und das Verhalten im Widerspruch zum Gesetz (also zur Heilsauszeichnung Israels durch Gott) die Lästerung Gottes durch die Heiden veranlaßt (V. 24 in Aufnahme von Jes 52,5 LXX; vgl. Ez 36,20-23)[66]. Auf diese Weise verkehrt sich das Rühmen Gottes durch die Juden sowohl bei ihnen selbst als auch bei den Heiden, denen die Ehrung Gottes in der Treue zum Gesetz eigentlich zum Anlaß des Gottlobens werden sollte, ins Gegenteil. Das Selbstbewußtsein der Gesetzesgerechtigkeit und des Erwähltseins zur exklusiven Gottesbeziehung wie auch das missionarische Selbstverständnis des hellenistischen Diasporajudentums weisen sich gerade im Rühmen Gottes als von Gott trennende Selbstgerechtigkeit und als Entehrung Gottes aus, was zur Folge hat, daß die heilshafte Anerkennung Gottes (und die Annahme des vom hellenistischen Missionsjudentums propagierten Gesetzes[67]) verhindert wird.

---

65 Vgl. W.Thüsing, Per Christum 177. 196f.

66 Möglicherweise lehnt sich Paulus in 2,24 (Jes 52,5 LXX) an die Argumentationsstrategie der urchristlichen Missionspolemik an (E.Käsemann, Röm 67). - Vgl. Str.-Bill. I 413-416; III 96-118; TestNaph 8,4.6; TestLev 14,3f. - Zu Röm 2,17-24 als "Destruktion der jüdischen Vermittlerrolle" s. D.Zeller, Juden 155-157; vgl. z.St. auch G.Bornkamm, Anakoluthe 76-78.

Das Schmähen des Namens Gottes ist Mahnzeichen und Beweis dafür, daß die Juden der Sendung Israels nicht gerecht werden. Während also das Sich-Rühmen der Juden grundlos ist, da sie sich selbst und darüber hinaus auch die Heiden im heillosen Zustand der "Schwachen", "Gottlosen", "Sünder" und "Feinde" (vgl. 5,6. 8. 9) verhärten und sie sich mit dem Rühmen Gottes nach dem Zeugnis ihres Handelns nicht identifizieren, spricht sich im Rühmen der Gemeinde das Bewußtsein erfahrener Versöhnung mit Gott und realer Gottesgemeinschaft aus. Die Gemeinde nimmt somit nicht nur das sich in seiner Unwahrheit entlarvende Rühmen Gottes durch die Juden in positiver Weise auf, sondern steigert es vielmehr, weil in ihrem Gotteslob bereits die aufgrund ihres Glaubens gerechtfertigten und mit Gott versöhnten Heiden beteiligt sind. Was die Juden in der Einheit von Rühmen Gottes und Rühmen des von Gott gegebenen und in Treue befolgten Gesetzes auszeichnen sollte, aber faktisch nach dem kritischen Urteil des Paulus verkehrt wurde, ist nun aufgrund der geschehenen Versöhnung Auszeichnung der Gemeinde geworden[68]. Sie ist als Gemeinde der durch Christus mit Gott Versöhnten die endzeitliche Gemeinde des Gotteslobes.

Nach V. 11 aktualisiert sich die Wirklichkeit des Versöhntseins mit Gott in der Weise, daß die Gemeinde durch den Erhöhten den rühmt, mit dem sie in der Gegenwart bereits die Gemeinschaft von Versöhnten hat und in dem ihre Hoffnung auf endgültige Vollendung aufgrund der Verbundenheit mit Christus fest gegründet ist. Das Rühmen, das Gott selbst zum Inhalt hat und auf Gott ausgerichtet ist, ist somit die adäquate Antwort auf die Versöhnung mit Gott. Diese Antwort kann jedoch die Gemeinde nur durch den geben, durch den sie zum Frieden auf Gott hin gelangt ist (V. 1-2a) und durch den sie "jetzt" die Versöhnung mit Gott empfangen hat (V. 11b)[69].

---

67 Vgl. die Belege aus dem hellenistischen Judentum in D.Zeller, Juden 156.

68 Vgl. M.Wolter, Rechtfertigung 199.

69 W.Thüsing, Per Christum 196; E.Käsemann, Röm 131 (der erhöhte Christus als "Urheber und Mittler der inspirierten Doxologie"). Dagegen M.Wolters 197 (unter Berufung auf die syntaktische Abhängigkeit des V. 11a von σωθησόμεθα V. 10b).

Die Gemeinde kann sich also nicht nur der Hoffnung auf die künftige
Rettung (V. 9b. 10b) und auf die Vollendung der Gerechtfertigten und
Versöhnten in der Doxa Gottes (bzw. im Leben des auferweckten Christus)
rühmen, sondern sie rühmt sich Gottes, von dem sie die Rettung "durch
Christus" erhofft, in der gegenwärtigen Teilhabe an der die vollendete
Gemeinschaft mit Gott "im Leben Christi" gewiß machenden Versöhnung.
Deshalb hat das Sich-Rühmen nicht allein das Geschehensein der Versöhnung der "Feinde" mit Gott als solches zum Gegenstand, sondern es ist
der unmittelbare, die Existenz des Versöhnten und der Gemeinde der Versöhnten als ganzer prägende doxologische Ausdruck der in der Gegenwart
erlangten, im Tode des Sohnes grundgelegten und die Zukunft der Rettung
eröffnenden Versöhnung[70]. Die Wirklichkeit der durch Christus zuteil
gewordenen Versöhnung aber ist identisch mit dem Empfang des Pneuma als
Gabe der Liebe Gottes, die im heilshaften Tod Christi für uns und somit
im Versöhnungsgeschehen selbst wirksam war und ist und als durch das
Pneuma wirkende Liebe den Versöhnten an das erhoffte Vollendungsziel
gelangen läßt.

Als vom Pneuma erfüllte Gemeinde ist sie der endzeitliche Ort, wo sich
die geschehene Versöhnung der Feinde (unter Einschluß der Heiden) konkretisiert. Als die konkrete Wirklichkeit der Gemeinschaft der mit Gott
Versöhnten gründet sie in dem Versöhnungsgeschehen des Kreuzestodes und
lebt von dem Empfang der Versöhnung durch das Wirken des Erhöhten aus
der Kraft des Pneuma. In der aktuellen Teilhabe an der Versöhnung vollzieht sich die Gemeinde als die rühmend-antwortende, auf Gott durch
Christus ausgerichtete Gemeinde der endzeitlich-gegenwärtigen (und damit die zukünftige Rettung vor dem Zorngericht Gottes im Leben des auferweckten Christus erschließenden) Versöhnung.

---

70 Das Rühmen vollzieht sich nicht nur "im christlichen Gottesdienst"
   (E.Käsemann, Röm 131, mit Verweis auf "die liturgische Stilisierung
   von 11a"), sondern schließt "das gegenwärtige Christenleben" in seiner Hinordnung durch Christus auf Gott ein (W.Thüsing, Per Christum
   196). - Das Rühmen Gottes durch Christus ist so die Realisierung der
   durch Christus mit dem Empfang der Versöhnung erschlossenen προσαγωγή (vgl. δι᾽ οὗ V. 2a. 11b). E.Fuchs, Freiheit 17.

3.2.3 Röm 5,9-11 als Interpretation und Erweiterung von 3,21-26

Auf den sachlichen Zusammenhang zwischen 5,9a und 3,21-26, der im engeren Kontext durch 5,1a vermittelt ist, weisen das hervorgehobene νῦν (vgl. 3,21a; V. 26) und die traditionell soteriologische Wendung ἐν τῷ αἵματι αὐτοῦ hin, die 3,25 aufnimmt und sonst nur noch im Zusammenhang mit der Abendmahlsparadosis (1 Kor 11,25; vgl. 10,16) von Paulus gebraucht wird. Während aber Paulus in der kommentierenden Verarbeitung von Tradition[71] in 3,24-26 die eschatologische Wende zum "Offenbarwerden der Dikaiosyne Gottes unabhängig vom Gesetz" vom Kreuzestod (V. 24f) her deutet und mit V. 26 das präsentisch-eschatologische Verständnis des Gerechtwerdens mit dem Glauben an Jesus verbindet[72], liegt in 5,9 der Akzent auf der futurisch-eschatologischen Dimension des Gerechtfertigtseins. Aber auch die zukünftige Rettung durch den erhöhten Christus ist in 5,9 (und V. 6. 7) im Tode grundgelegt, d.h. durch die Verbindung des Glaubenden mit dem Tode Christi. Die futurisch-eschatologische Spannung, die 5,9f stärker prägt als 3,21-26, wo die eschatologische Differenz der Gegenwart zur Vergangenheit bzw. zur Zeit des Zornes hervortritt[73], ist keine Spannung, die sich aus der Verbindung von "Rechtfertigung" und Gericht ergibt, sondern eine der positiven Gewißheit, wie V. 10b deutlich macht.

Der Spannungsbogen zwischen der gegenwärtigen Wirklichkeit des Gerecht-

---

71 Der Umfang der Tradition (vor allem die Zugehörigkeit von V. 24 und 26) wie auch die pl. Redaktionsarbeit ist in der Forschung seit R. Bultmann, Theologie 49 und E.Käsemann, Verständnis, umstritten. Vgl. z.B. G.Fitzer, Ort 161-166; K.Kertelge, "Rechtfertigung" 48-62. 80-84. 302; D.Zeller, Sühne; W.Schrage, Römer; K.Wengst, Formeln 87-91; D.Lührmann, Rechtfertigung 437-439; P.Stuhlmacher, Zur neueren Exegese; F.Hahn, Taufe 112-115; G.Strecker, Befreiung 501f; s. auch H.Thyen, Studien 163-172; G.Eichholz, Paulus 190-197; bes. M.Wolters, Rechtfertigung 11-34. S. jetzt auch U.Wilckens, Röm I 183f (V. 25-26a Tradition); insgesamt z.St. ebd. 184-202.

72 Zur anderen Möglichkeit, διὰ πίστεως Ἰησοῦ Χριστοῦ (Röm 3,22) und ἐκ πίστεως Ἰησοῦ (V. 26; vgl. 4,16 von Abraham) im Sinne von "Jesu Christi selbst" zu verstehen, s. W.Thüsing, Zugangswege 218-221. Dagegen hält E.Käsemann, Röm 88, die Annahme eines gen. subj. für eine "Fehldeutung"; vgl. auch H.Schlier, Röm 105. 115; O.Michel, Röm 148 Anm. 8.

73 3,21-26 bedenkt die Zuwendung der "Gerechtigkeit" von der geschehenen Sühne her. Vgl. G.Friedrich, Verkündigung 57-67, hier bes. 66f.

fertigtseins und der futurisch-eschatologisch geprägten Hoffnung auf die Rettung wird durch die christologische Vermittlung von "Rechtfertigung" und "Rettung" bzw. von "Versöhnung" und "Rettung im Leben Christi" zusammengehalten. V. 9f zielt also im Unterschied zu 3,21-26 über das betonte Jetzt des "Gerechtfertigtseins" hinaus und nähert sich in der Aussagestruktur 5,17. 18 und 21 an (vgl. 6,22f). Dabei kommt in V. 19 noch ein Aspekt hinzu. Das Jetzt des Gerechtfertigtseins verbindet sich hier mit dem universalisierenden Gedanken, daß die Vielen zu Gerechten gemacht werden (vgl. V. 15. 18).

Dieses universale Verständnis des an Christus als den endzeitlichen Adam gebundenen "Rechtfertigungsgeschehens", in dem Gott sowohl den Juden als auch den Heiden ἐκ bzw. διὰ πίστεως gerecht macht, ist aber auch schon in 3,28-30 ausdrücklich zur Sprache gebracht. Mit Bezug auf das theo-logische Fundament (der eine Gott für Juden und Heiden) wird dort die inklusive Bedeutung von πάντες in V. 23 in einem positiven rechtfertigungstheologischen Sinn vertreten[74] (vgl. V. 22). Über die thetische Feststellung des gegenwärtigen Offenbarwerdens der Dikaiosyne Gottes und der gnadenhaften "Rechtfertigung" aus Glauben aufgrund der sühnenden Tat Gottes im Kreuzestod Christi (3,21-26) weist V. 28-30 zurück auf die leitthematische Bestimmung der universalen Heilsmacht des Evangeliums und seiner endzeitlichen Funktion als wirksames Medium der sich offenbarenden Dikaiosyne Gottes (1,16f).

Neben der in 5,9f entwickelten Zusammenschau von Heilsgegenwart und Heilszukunft, die den Aufriß des Dikaiosyne-Themas von 3,21-26 interpretativ auf die futurisch-eschatologische Dimension hin erweitert, ist als weiteres Moment einer sachlichen Ergänzung die Interpretation des Sühnegedankens (3,25) durch die Versöhnungsaussage zu nennen, die mit dem Hinweis auf das überwundene Feindschaftsverhältnis den Zusammenhang von Sühnehandlung Gottes im Kreuzestod Christi, Sündenvergebung und "Rechtfertigung" aufgrund des Glaubens noch radikalisiert. Jedoch ist darüber hinaus noch zu beachten, daß durch den kontextuellen Bezug das

---

74 Die negative Aussage über die πάντες in V. 23 resümiert 1,18-3,20 (vgl. 3,9 mit dem anschließenden Schriftargument), sie impliziert aber andererseits den Schluß auf die Verbindung von Dikaiosyne und Doxa (K.Kertelge, "Rechtfertigung" 79).

Versöhnungsgeschehen nicht nur an den - von der Sühnevorstellung her deutbaren - Kreuzestod zurückgebunden ist, sondern daß vielmehr in maßgeblicher Weise der Blick über das Grundereignis des Kreuzestodes auf die Gegenwart der Versöhnung gerichtet ist, also auf den jetzigen Empfang der Versöhnung durch den erhöhten Christus[75]. Im Rahmen der Versöhnungsaussage von 5,10f hat das Sühnemotiv von 3,25, das in den ὑπερ-Wendungen von 5,6 und 8 und in der soteriologisch qualifizierten αἱμα-Formel von V. 9a noch durchscheint, nicht die bedeutungsbestimmende Kraft, sondern wirkt nur als traditionell vorgegebenes Deutungsmodell in einer "dienenden Funktion"[76] nach.

Die soteriologische Antithese von Feindschaft und Versöhnung (5,10a) wie die von Sündersein und Gerechtfertigtsein (V. 8b. 9a) bildet der Sache nach das Gegenstück zu der durch νυνὶ δέ in 3,21 hervorgehobenen Antithese. In 3,21 handelt es sich darum, daß die heilshafte endzeitliche Wende zur Offenbarung der Dikaiosyne Gottes eingetreten ist, die einerseits sich mit dem Tod Jesu ereignet hat und andererseits in der Verkündigung des heilsmächtigen Evangeliums den Menschen unmittelbar-gegenwärtig trifft. Das Offenbarwerden der Dikaiosyne Gottes für alle Glaubenden charakterisiert die eschatologische Heilsdifferenz zur Enthüllung des - ebenfalls eschatologisch qualifizierten - Zornes Gottes "über jede Gottlosigkeit und Ungerechtigkeit der Menschen" (1,18). Denn die Dikaiosyne Gottes liefert nicht den schuldigen "Kosmos" und den unter der Gesetzes- und Sündenmacht stehenden Menschen (3,19f) dem Unheil aus, sondern nimmt den Glaubenden (den Juden ebenso wie den Heiden) aufgrund des von der Sünde und der Gesetzesherrschaft befreienden Todes Jesu in die endzeitliche Heilsrelation des Gerechten zu Gott hinein (3,24-26)[77].

---

75 W.Thüsing, Per Christum 193f, gibt zu bedenken, ob neben dem stärkeren Bezug auf den Kreuzestod in 3,25 von V. 24 her (in Verbindung mit 1 Kor 1,30) nicht doch auch die Funktion des Erhöhten angesprochen ist, die darin besteht, "als die personale ἀπολύτρωσις die Erwählten zu rechtfertigen".

76 E.Käsemann, Erwägungen 53.

77 E.Käsemann, Verständnis 98; verweist bezüglich der Verbindung von Gerechtigkeit, Vergebung und Geduld auf 4 Esr 8,36, wo Gerechtigkeit und Güte Gottes im Erbarmen offenbar werden. Dabei wird deut-

Das Verständnis der sich offenbarenden Dikaiosyne Gottes als Manifestation der Sündenvergebung läßt sich zur Deutung der Versöhnung der Feinde mit Gott als Radikalisierung der sich dem Sünder zuwendenden Liebe
Gottes (5,8. 10) in Beziehung setzen. Es konvergiert auch der Sache
nach mit der Rückführung der "Versöhnung des Kosmos" (11,15) auf die
sich gegenüber den Heiden erweisenden Güte und auf das Erbarmen Gottes
gegenüber allen Ungehorsamen (V. 22. 30-32). Es ist aber auch zu verbinden mit der zukünftigen Rettung Israels durch die Wegnahme der Gottlosigkeit und die Sündenvergebung (V. 26f). Allen diesen Textzusammen-
hängen ist der theo-logische Grundgedanke gemeinsam, daß Gott das allein
heilshaft handelnde Subjekt ist - und zwar auch im sühnenden Tod Jesu,
der die Bundesgemeinschaft[78] des gerecht gemachten Sünders mit Gott
durch Christus als die personale Dikaiosyne Gottes eröffnet.

Damit verbindet sich - wie bereits angedeutet - als Implikation von V.
23, daß mit der heilshaft dem Sünder zugewandten Dikaiosyne Gottes auch
der Verlust der Doxa Gottes aufgehoben ist und ihm als Glaubenden zusammen mit der Gabe der Dikaiosyne die endzeitliche Teilhabe an der Doxa eröffnet wird (vgl. 8,18). Die Gegenwartsform dieser Teilhabe ist
aber bereits im Gerechtfertigtsein der Berufenen aufgrund der Verbundenheit mit Christus wirksam (vgl. V. 29f)[79]. Im Rahmen der Versöhnungsaussage (5,10f) erscheint dieser Gedanke unter dem Gesichtspunkt
der auf die endzeitlich-endgültige Vollendung ausgerichteten Hoffnung
(V. 2)[80]. Insbesondere aber ist er mitenthalten in der näheren Bestimmung des Hoffnungsgutes durch die Überbietung der gegenwärtig aufgrund

---

lich, daß in der Röm-Stelle nicht mehr die jüdische Hoffnung, sondern die Wirklichkeit einer bereits eschatologisch verstandenen
einmaligen Tat Gottes zum Ausdruck kommt.

78 Zum bundestheologischen Zusammenhang der urchristlichen Deutung des
Todes Jesu als Sühne s. P.Stuhlmacher, Gerechtigkeit 86-91 (bes.
89f). Stuhlmacher verknüpft jedoch mit der Bundestreue den für seine Deutung der Dikaiosyne Gottes wichtigen Aspekt der "Treue des
Schöpfers zu seiner Schöpfung" (ebd. 90). - Vgl. hier auch K.Ker-
telge, "Rechtfertigung" 59-67. 82-84 (ohne die Zuspitzung der
Stuhlmacherschen Exegese).

79 K.Kertelge, "Rechtfertigung" 79. - Zum Zusammenhang von Dikaiosyne
und Doxa vgl. J.Jervell, Imago 180-183; W.Thüsing, Per Christum
125-134.

80 Vgl. Gal 5,5, wo in sachlicher Parallele zu Röm 5,2 die Hoffnung
auf die Dikaiosyne ausgerichtet ist, die die Vollendung der von der
Gesetzesgerechtigkeit durch Christus Befreiten in der Doxa einschließt, wenn auch im Gal dieser Gedanke nicht ausdrücklich entwickelt wird.

des Wirkens des Erhöhten empfangenen und im Kreuzestod Jesu grundgelegten Versöhnung. Die Rettung "im Leben Christi" als Vollendungsziel der
Versöhnung der Feinde mit Gott ist aber nicht zu trennen vom Mitverherrlichtwerden mit Christus (8,17), das sich im Mitleben mit Christen
vollzieht (6,8)[81].

Abschließend stellt sich also das Verhältnis der Versöhnungsaussagen
von Röm 5,10f (im Rahmen der Einheit V. 1-11 und in der Verbindung mit
V. 6-9) zu 3,21-26 wie folgt dar:

Die gedankliche Erweiterung von 3,21-26 durch 5,10f besteht einmal in
der Hinzufügung der futurisch-eschatologischen Perspektive (Rettung im
Leben des erhöhten Christus). Zum anderen kommt in den Versöhnungsaussagen stärker das Wirken des Erhöhten beim Empfang der Versöhnung heraus (5,11). Der eschatologische Kontrast von ὀργή und δικαιοσύνη,
der 3,21-26 durch den Bezug auf 1,18 - 3,20 mitprägt, ist im Kontext
von 5,10f zwar auch gegenwärtig, jedoch in V. 9 allein futurisch-eschatologisch gedeutet und durch den Zusammenhang von gegenwärtiger Versöhnung und zukünftiger Rettung im Leben in positiver Weise aufgehoben.
Die Antithese von ἐξ ἔργων νόμου und χωρὶς νόμου, die von 3,21a
her auch für die Aussageeinheit V. 21-26 relevant ist und in V. 27-31
ausdrücklich bedacht wird, wird zwar in 5,10f nicht terminologisch in
derselben Weise wiederholt, ist aber in der rechtfertigungstheologischen
Parallelaussage V. 9a (in Verbindung mit V. 6. 8 und V. 1a) aufgrund
der vorausgegangenen Argumentation (gerade auch des Kap. 4) mitenthalten. Die unmittelbar anschließende Gedankeneinheit 5,12-21 thematisiert ebenfalls den Zusammenhang von Gesetz und Sünde (unter Einbeziehung des Todes) einerseits und Dikaiosyne (unter Einschluß der Zoe) und
Charis andererseits. Auch die für 3,21-26 (bzw. -31) und dann auch für
Kap. 4 bedeutsame, weil den pl. Ansatz besonders kennzeichnende Verbindung von Dikaiosyne und Pistis wirkt über die rechtfertigungstheologische Aussage 5,1a (in Parallele zu V. 9a) in den Versöhnungsgedanken
hinein.

Nicht zu übersehen ist, daß das Sühnemotiv 3,25 im soteriologisch aus-

---

81 Vgl. W.Thüsing, Per Christum 123. 140.

gerichteten Kontext von 5,10f reflektiert wird (bes. V. 9a)[82]. Dennoch fällt aber die direkte sühnetheologische Deutung des Versöhnungsgeschehens aus. Wenn auch die Versöhnung kreuzestheologisch verankert ist und in besonderer Weise an den Tod des Sohnes als Liebestat Gottes gebunden ist, liegt der Akzent von V. 11 her auf der eschatologischen Qualität der in der Gegenwart zuteil gewordenen Versöhnung, die durch das heilshafte, die Gottesgemeinschaft erschließende Wirken des Erhöhten empfangen wird. Die Gegenwart der Versöhnung ist zum anderen aber für den futurisch-eschatologisch definierten Horizont offen, der ebenso wie die Gegenwart durch die enge Verbindung mit dem Erhöhten gekennzeichnet ist.

Schließlich ist noch anzumerken, daß der bundestheologische Aspekt in 3,21-26, der bereits durch die vorpl. Tradition vorgegeben ist, auch für die Versöhnungsaussage aufgrund des kontextuellen Zusammenhangs mit dem eschatologischen Friedensmotiv von 5,1b relevant bleibt[83]. Durch die sachliche Verbindung von V. 1b (und V. 2a) mit V. 10f wird nachdrücklich hervorgehoben, daß der durch Christus erschlossene Gnadenerweis der Friedensbeziehung der gerechtfertigten Sünder bzw. der versöhnten Feinde zu Gott den Zorn Gottes über den gottlosen und ungerechten Menschen abgelöst hat. Dabei macht die Versöhnungsaussage (in Verbindung mit dem Rechtfertigungsgedanken V. 9) zusätzlich geltend, daß diese Ablösung des Zorneswaltens Gottes auch für das endzeitliche Rettungsgeschehen in Kraft bleibt und die Verheißung des Lebens für den Gerechten (Hab 2,4; Röm 1,17) in der Lebensgemeinschaft mit dem erhöhten Christus die unüberbietbare und endgültige Erfüllung findet. Die zukünf-

---

82 M.Wolter betont zu Recht, daß das Versöhnungsmotiv "nicht so einfach und selbstverständlich mit dem der durch die Sühne erwirkten Vergebung identifiziert werden" darf (ders., Rechtfertigung 36). Doch verweist er andererseits auf den "im traditionsgeschichtlichen Umkreis des hellenistischen Judentums" für Paulus vorgegebenen Zusammenhang von καταλλαγή und (atl.-jüdischen) Sühnevorstellungen (ebd. 45; vgl. insgesamt 36-45). So interpretiert er Röm 5,10f in Verbindung mit 3,25 (ebd. 85). - Zum atl.-jüdischen Traditionshintergrund des Sühnegedankens im Rahmen der ntl. Deutung des Todes Jesu vgl. U.Wilckens, Röm I 233-243 (mit abschließenden Überlegungen zum Problem heutiger theologischer Rezeption).

83 Vgl. E.Brandenburger, Frieden 54-56.

tige Rettung "im Leben" (5,10b) ist die Vollendung der im sühnenden Tod Jesu erwiesenen heilshaften Dikaiosyne Gottes bzw. der im Tode des Sohnes für die Versöhnung der Feinde eingesetzten und in der Pneuma-Gabe zugewandten Liebe Gottes.

Ein letzter Gesichtspunkt ergibt sich noch aus dem Vergleich von 3,27 mit 5,11. Während nämlich 3,27 das Rühmen als Ausdruck falschen Selbstvertrauens[84] für den gnadenhaft Gerechtfertigten unter Berufung auf das "Gesetz des Glaubens" ablehnt, nimmt 5,11 das Rühmen in positiver Weise auf (vgl. V. 2f): Nach 5,11 rühmt der Versöhnte im Bewußtsein, die Versöhnung empfangen und nicht bewirkt zu haben, Gott durch Christus.

3.2.4 Ergänzende theologische Aspekte in Röm 8

Auf die Verbindungslinien zwischen Röm 5,1-11 und dem Kap. 8 wurde schon oben in 3.1 hingewiesen. Der Zusammenhang in der theologischen Argumentation beschränkt sich dabei nicht nur auf die Aussagen von 5,5-10 und 8,31-39[85] oder von 5,1-5 (bzw. 11) und 8,18-27[86]. Im folgenden Abschnitt geht es jedoch nicht darum, im einzelexegetischen Durchgang durch Kap. 8 alle argumentativen Sachverhalte aufzuarbeiten. Die Ausführungen beschränken sich vielmehr auf einzelne theologische Aspekte, die für ein erweitertes Verständnis des Versöhnungsgedankens relevant sind.

Zuerst ist auf das pneumatheologische Argument in Röm 8 einzugehen[87], da es auch im Kontext der Versöhnungsaussage zur Sprache kommt (vgl. 5,5). Die Folgerung, die 8,1 aus den vorausgegangenen Überlegungen zieht

---

84 Vgl. den Kontrasthintergrund 2,17.

85 Darauf geht M.Wolter, Rechtfertigung 181-192, ein.

86 P.v.d.Osten-Sacken, Römer 124-128.

87 Die traditions- bzw. überlieferungsgeschichtliche Fragestellung wird hier zurückgestellt, da hier das Augenmerk allein auf die theologische Aussage des Paulus in Kap. 8 und ihre Relation zum Versöhnungsgedanken gerichtet ist. Es handelt sich also im folgenden allein um eine synchrone Betrachtung des weiteren Kontextes. Form-, traditions- und redaktionsgeschichtliche Untersuchungen zu Röm 8 haben vorgelegt: H.Paulsen, Überlieferung, und P.v.d.Osten-Sacken, Römer.

(vgl. bes. 7,5f), formuliert die These, daß die In-Christus-Seienden schon "jetzt" nicht mehr der Verurteilung ausgesetzt sind. Während die Verurteilung die trifft, die dem "Gesetz der Sünde" unterworfen sind (7,25b) und im Unheilszusammenhang mit dem ersten Adam als "im Fleische Lebende" dem Tode Frucht bringen (7,5; vgl. 6,21), sind die in der Gemeinschaft mit Christus Lebenden aus der zur Verurteilung und zum Tode führenden Knechtschaft der Sünde befreit. Dieser Gedanke wird bereits in der ersten Begründung 8,2 ausgesprochen, und läßt sich als sachliche Parallele zu 5,9 verstehen. Die weitere Argumentation, in deren Mittelpunkt die Antithese von Pneuma und Sarx steht[88], stellt die neue pneumatische Existenz der mit Christus Verbundenen heraus. Sie ist einmal begründet in der Sendung des Sohnes (8,3; vgl. 5,10a), die auf die Verurteilung (κατέκρινεν) der Sünde und die Erfüllung der Gesetzesforderung abzielte. Auf der anderen Seite ist sie zurückgeführt auf das Wirken des Pneuma, das als lebensbestimmende und lebendig machende Kraft die In-Christus-Seienden erfüllt. Diese Überlegungen verstärken den Zusammenhang von Pneuma-Gabe und Gerechtfertigtsein bzw. Versöhntsein mit Gott (5,5. 9f) und erschließen über die Gegenwart des Pneuma in den zu Christus Gehörenden hinaus auch die mit 5,10b vergleichbare Zukunftsdimension des Auferweckungslebens, das das Pneuma Gottes wirkt (8,11.13)[89]. Die Gerechtfertigten und Versöhnten sind also frei von der knechtenden Macht "des Gesetzes der Sünde und des Todes" (8,1), weil sie, dem endzeitlichen "Gesetz des Geistes des Lebens in Christus Jesus" unterstellt, frei sind (V. 2). Die Freiheit aus der Macht des Pneuma eröff-

---

88 Der Akzent liegt auf der "in Christus" gründenden Existenz κατὰ πνεῦμα, wobei neben sachlichen Verbindungslinien zu Kap. 5 auch Bezüge zu Kap. 6 und Kap. 7 bestehen. In Kap. 8 verbindet sich jedoch das Pneuma-Thema mit der Reflexion über die durch den "Sohn" zuteilgewordene "Sohnschaft" unter den Gesichtspunkten ihrer gegenwärtigen Realisierung und ihrer zukünftigen Vollendung. Vgl. die Analyse von Röm 8 unter dem Leitgedanken "Der Sohn und die Söhne" durch P.v.d.Osten-Sacken, Römer 226-319. Der Bedeutung von Kap. 8 innerhalb der Argumentation des Röm wird G.Eichholz, Theologie, bei weitem nicht gerecht. Religionsgeschichtliches Vergleichsmaterial zum pl. Sprachgebrauch von "Fleisch und Geist" findet sich in E. Brandenburger, Fleisch; zu Qumran vgl. H.Braun, Qumran I 179.

89 Vgl. 6,8-11. 20-23; Gal 6,8.

net ein Leben, das nicht mehr wie das sarkische Leben unter dem Gesetz von der ἔχθρα εἰς θεόν (V. 7a) in seinem Sinnen bestimmt ist, sondern ausgerichtet ist auf den "Frieden" (V. 6b). Dieser Friede aber ist der "Friede auf Gott hin", wie die Antithese von V. 6b und 7a und die Aussage 5,1b zeigen[90]. Er wird geschenkt durch das Pneuma Christi, das das Pneuma Gottes ist (V. 9f) und das mit dem auferweckten, durch das Pneuma wirkenden und in die Sohnschaftsrelation zu Gott hineinnehmenden Christus verbindet (V. 11. 14f). Im Sinne des "Friedens auf Gott hin" leben bedeutet, Gott zu Gefallen (vgl. V. 8) διὰ δικαιοσύνην leben (V. 10c). Als bedeutsamen Gesichtspunkt, der das Verständnis des Gerechtfertigt- und Versöhntseins wesentlich vertieft, ist im Rahmen von Kap. 8 besonders das Sohnschaftsmotiv von V. 15f herauszustellen. Die Sohnschaftsbeziehung der mit Gott versöhnten Feinde vermittelt die Sendung des Sohnes in dem ὁμοίωμα der Sarxexistenz unter der Sündenmacht (V. 3; Gal 4,4)[91], die auf die Befreiung der dem Gesetz Unterworfenen (Gal 4,5a) und so gegen Gott feindlich Gesinnten abzielt, um die Freigewordenen in seine Sohnesrelation zum Vater einzubeziehen. Die Partizipation an der Sohnschaft realisiert sich durch das In-Christus-Sein (vgl. Gal 3,26). Einbezogen in die Lebensgemeinschaft mit Christus erfahren die Glaubenden mit dem Empfang der "Einsetzung zu Söhnen" zugleich den Empfang des zum Leben für Gott freimachenden Pneuma (Röm 8, 15f; Gal 4,5). Aus diesen pl. Gedanken, die den christologischen Sohnesbegriff mit dem anthropologischen Folgemoment der pneumatischen Sohnschaft verbinden, folgt für den die gegenwärtige Gottesrelation

---

90 W.Thüsing, Per Christum 157. Vgl. ebenda O.Bardenhewer, Röm 117; H.W.Schmidt, Röm 138: Friede bedeutet Vereintsein mit Gott durch den Geist. Nach O.Michel, Röm 252, ist der eschatologisch verstandene Friede "Ergebnis des Trachtens des Geistes". P.v.d.Osten-Sacken, Römer 236, gibt keine nähere Erläuterung. A.Jülicher, Röm 275, läßt den Friedensgedanken unberücksichtigt. Auch E.Käsemann, geht in seinem Röm-Kommentar nicht darauf ein.

91 Vgl. Phil 2,7. - O.Kuss, Röm 491, unterstreicht die "Beziehung der 'Erscheinungsform' des Sohnes zu dem Ziel seines Gesandtwerdens" (vgl. insgesamt 491 bis 496; mit zahlreichen Hinweisen auf die Deutungsgeschichte). E.Käsemann, Röm 209, sieht Paulus in Röm 8,3 die traditionelle Sendungsformel, in deren Aussagezentrum die Inkarnation des Präexistenten steht, soteriologisch auf den Kreuzestod ausrichten.

kennzeichnenden Versöhnungsbegriff: mit Gott aufgrund des Todes des Sohnes und durch das Wirken des Erhöhten versöhnt sein bedeutet, daß aus Feinden Söhne geworden sind, die gemäß dem "Pneuma des Lebens in Christus" durch den im Pneuma wirkenden Christus auf Gott hin leben.

Äußert sich in 5,11 dieses Leben in der Friedensbeziehung zu Gott auf die Weise des Gotteslobes, so verbindet sich von 8,15 (und Gal 4,6) her damit das durch das Pneuma gewirkte Gebet, in dem sich das "Pneuma der Sohnschaft" durch den Abba-Ruf ausspricht. Der Lebensvollzug der mit Gott Versöhnten findet in diesem Pneuma-Ruf den Ausdruck der personalen Hinordnung der Söhne auf den Vater des "Sohnes", der durch die Einbeziehung in die pneumatische Lebensgemeinschaft mit dem Sohn schon jetzt die Gemeinschaft der Sohnschaft schenkt[92]. Die Linie, die vom gegenwärtigen Pneuma-Leben zum zukünftigen Auferweckungsleben führt, berührt auch das Verständnis der Sohnschaft. Die Zukunftsdimension der präsentischen υἱοθεσία ist einmal mit dem Motiv der "Erben" bezeichnet, das ebenfalls wie der Sohnschaftsgedanke christologisch verankert ist: die "Kinder Gottes" sind "Erben Gottes", jedoch nur als "Miterben Christi" (Röm 8,17ab; vgl. Gal 3,29; 4,7), da Christus das Erbe der Verheißung angetreten hat (Gal 3,16; vgl. V. 18) und in der Zugehörigkeit zu ihm alle Kinder Gottes als Nachkommen Abrahams zu Erben κατ᾽ἐπαγγελίαν werden (V. 29)[93].

Mit der Erbschaft verknüpft Paulus in Röm 8,17 die weitere Zukunftsbestimmung der Mitverherrlichung mit Christus, die die futurisch-eschatologische Finalität der die gegenwärtige Sohnschaft prägenden Leidensgemeinschaft mit Christus auszeichnet[94]. Das Offenbarwerden der "Söhne Gottes" steht im Unterschied zur Herrlichkeitsexistenz des gekreuzigten und durch das Pneuma (V. 11) bzw. durch "die Doxa des Vaters" (6,4)

---

92 Im Abba-Ruf des Geistes vollzieht sich die durch Christus erschlossene προσαγωγή von 5,2. Vgl. A.Schlatter, Gerechtigkeit 265.

93 Vgl. Gal 4,28. - Das Mündigwerden zum Antritt der Erbschaft ist gebunden an die Sendung des Sohnes zum Loskauf (ἐξαγοράσῃ) der dem Gesetz Unterworfenen, wodurch der Empfang der Sohnschaft erschlossen ist, und an die Sendung des Pneuma des Sohnes, durch das die zur Sohnschaft Befreiten an der Relation des Sohnes (Christus) zum Vater teilhaben (Gal 4,4.6). Urheber des Wechsels von Sklavesein zum Sohnsein und des Eintritts in das Erbe ist Gott (4,7).

auferweckten Christus noch aus. Die Erwartung der mit den gegenwärtigen
Leiden nicht zu vergleichenden Doxa (8,18) gewinnt in V. 23 die Form
der "Erwartung der Erlösung des Leibes". Diese Konkretion findet die
Zukunftshoffnung in 5,2-5 und der Rettungsgedanke in V. 9f nicht[95],
obgleich auch dort die endzeitliche Kontrastwirklichkeit der Leiden als
Existenzweise sich bewährender Hoffnung bedacht ist. In Kap. 8 wird
demgegenüber neben der mit 5,4a gemeinsamen Hervorhebung der ὑπομονή
expliziter als in Kap. 5 deutlich, daß die σωτηρία bereits in der Gegenwart zum Zuge gekommen ist, jedoch die Rettung "im Horizont der
Hoffnung"[96] geschieht. Diese Hoffnung wird eingelöst, wenn sich die
"Freiheit der Herrlichkeit der Kinder Gottes" in der "Erlösung des Leibes" erfüllt (8,21. 23). In der Gegenwart aber ist diese Hoffnung noch
nicht sichtbar realisiert (V. 24f; vgl. 2 Kor 4,18; 5,7), dennoch aber
ist die Gegenwart der Rettung "im Horizont der Hoffnung" als Gegenwart
bereits geschenkter Sohnschaft auf die vollkommene Realisierung der
Doxa der Kinder.Gottes und damit auf die Vollendung der Gottesbeziehung
ausgerichtet. Das Pneuma als ἀπαρχή (V. 23a)[97] der sich mit der "Erlösung unseres Leibes" erfüllenden Sohnschaft und des (damit verbundenen) "Offenbarwerdens der Söhne Gottes" ist die Anfangsgabe des noch
ausstehenden Hoffnungsgutes. Es ist so zugleich der Träger der Hoffnung[98], der dem Hoffen Ausdruck verleiht (V. 23. 26-27) und die sich
im Gebet artikulierende Sehnsucht auf die Herrlichkeitsvollendung als

---

94 P.v.d.Osten-Sacken, Römer 262. - Der Zusammenhang von Mitleiden und
   Mitverherrlichtwerden hat leitthematische Bedeutung für den folgenden Gedankenkreis V. 18-30 (O.Kuss, Röm 619f; W.Thüsing, Per Christum 119). - E.Käsemann, Röm 221, betont hier vor allem, daß einmal
   in den Leiden die zukünftige Herrlichkeit "doch schon antizipiert"
   ist und zum anderen die Teilhabe an der Doxa das Kreuz, d.h. "die
   Nachfolge des Gekreuzigten" einschließt. Vgl. auch die Parallelisierung von "Kreuzesnachfolge" (Mk 8,34) und Mit-Leiden (Röm 8,17)
   durch W.Thüsing, Zugangswege 215; s. auch ebd. 232.
95 Sie ist aber im "Leben" (V. 10b) impliziert.
96 E.Käsemann, Röm 221; vgl. 230.
97 Vgl. V. 14-16; Gal 4,6; 2 Kor 1,22; 5,5.
98 Die Ausrichtung der endzeitlichen Existenz auf die Vollendung wirkt
   das Pneuma, das die künftige Doxa schon in der Gegenwart, in der es
   als ἀπαρχή zuteil wird, verbürgt. Vgl. O.Michel, Röm 270.

Gebet des Pneuma selbst vor Gott bringt[99]. Die Gewißheit der Hoffnung auf die letztgültige Vollendung der Sohnschaft und die im Gebet sich artikulierende Erwartung der endheilszeitlichen Erlösung des Leibes und des Auferweckungslebens in Herrlichkeit verankerten die V. 18-27 im Wirken des Pneuma, das die "Kinder Gottes" in ihrer Sohnschaftsbeziehung zu Gott als ἀπαρχή empfangen haben. In sachlicher Parallele dazu führt auch 5,5 den Bestand der Hoffnung auf die zukünftige Doxa Gottes (V. 2b) zurück auf die durch das Pneuma empfangene Liebe Gottes. Mit Blick auf den futurisch-eschatologischen Aspekt der Versöhnungsaussage von 5,10b (vgl. 11,15b) läßt sich somit sagen, daß auch die Folgerung aus der gegenwärtigen Versöhnung auf die zukünftige Rettung ihr Fundament hat in der Gabe des Pneuma an die durch Christus mit Gott Versöhnten. Das Zukunftsziel, das 5,10b als Rettung im Leben Christi umschreibt und das von 8,17 her in Verbindung mit V. 18f. 21. 23 inhaltlich bestimmt werden kann als Offenbarwerden der Kinder Gottes in ihrer die Erlösung des Leibes umfassenden Mitverherrlichung mit dem auferweckten und in der Doxa Gottes lebenden Christus, ist in V. 29 noch einmal hinsichtlich der die gegenwärtige υἱοθεσία vollendenden endheilszeitlichen Christusbeziehung der jetzt in pneumatischer Gemeinschaft mit dem erhöhten Christus Lebenden verdeutlicht. Im Begründungszusammenhang mit V. 28 präzisiert V. 29 das eschatologische Wissen um das Wirken Gottes zum Guten für die von ihm Berufenen[100].

---

99 Vgl. W.Thüsing, Zugangswege 155.

100 Die unmittelbare Aussageverknüpfung besteht in der Weiterführung des Gedankens der Berufung κατὰ πρόθεσιν durch die beiden Aspekte des Vorhererkennens und der Vorherbestimmung, woran V. 30 durch Wiederaufnahme von προώρισεν und in Umkehrung der Aussageglieder von V. 28b und V. 29a anschließt, um den mit V. 29 begonnenen und zunächst durch die eschatologische Zielbestimmung erweiterten Kettenschluß seinem argumentativen Schwerpunkt in V. 30c (der gewissen Heilsvollendung in Doxa) zuzuführen. - J.Sickenberger, Röm 216, liest aus V. 29f "die Entwicklungslinie, auf der der Heilsweg logisch verläuft", was jedoch der Argumentationsrichtung widerspricht. Paulus geht es nicht um Entwicklung zur Vollendung, sondern um die Gewißheit der Vollendung, die allein in Gott gründet. Den betont theo-logischen Ansatz unterstreicht aber auch Sickenberger, wenn er in Gott "das Alpha und Omega des ganzen Heilsprozesses" sieht. Vgl. O.Michel, Röm 276 ("die Zielstrebigkeit des göttlichen Handelns").

Für V. 28 ist im Vergleich mit 5,5b zudem noch von besonderem Interesse, daß hier die Gegenbewegung zu der mit dem Pneuma erfahrenen Liebe angesprochen ist: die im Geistempfang von Gott empfangene Liebe führt zu der vom Pneuma bewegten Liebe zu Gott, die im Abba-Ruf aus dem Pneuma der Sohnschaft ihren Gebetsausdruck sucht. Da die Liebe Gottes sich nach 5,8 im Kreuzestod Jesu für die Sünder engagierte, kann auch der antwortenden Liebe der so Gerechtgemachten und Versöhnten ihre radikale Gottbezogenheit nur aus dem bleibenden Bestimmtsein durch die im Kreuzestod manifestierte und durch das Pneuma wirkende Liebe Gottes und Christi (8,32. 35. 39) erwachsen[101]. V. 29 hat nun die Partizipation der von Gott Berufenen und Vorhererkannten an der Sohnschaft Christi als Erfüllung der Hoffnung thematisiert. Das Besondere dieses Gedankens liegt darin, daß einmal das Mitverherrlichtwerden mit Christus (V. 17) als "Mitgestaltetwerden mit der Eikon des Sohnes Gottes" gedeutet wird[102] und zum anderen die Mitgestaltung noch auf das πρωτότοκος-Sein Christi bezogen wird. Während V. 29 auf die vollendete υἱοθεσία reflektiert, wendet sich dann V. 30 wieder der Gegenwartswirklichkeit zu, ohne jedoch V. 29 zu korrigieren. Vielmehr verbindet sich mit dem abschließenden Verherrlichungsmotiv die Auffassung, daß im Empfang der Dikaiosyne schon die Vor-gabe der vollendeten Doxa in Partizipation am Doxa-Wesen des Sohnes und mit ihr die Gewißheit auf die zukünftige Verherrlichung im Mitgestaltetwerden zuteil geworden ist[103].

Im Blick auf V. 31-39, wo Paulus nicht nur die Argumentation von Kap. 8

---

101 P.v.d.Osten-Sacken, Römer 278f.

102 Zum Verständnis von σύμμορφος im Sinne von "mitgestaltet sein" s. J.Kürzinger, Σύμμορφος (in Weiterführung von R.Schnackenburg, Heilsgeschichte 149-175). Vgl. dagegen E.Käsemann, Röm 236 (u.a. Kritik an der ausschließlichen Beziehung von V. 29 auf den erhöhten Christus).

103 Vgl. zur aoristischen Ausdrucksweise B.Mayer, Heilsratschluß 163-166. Nach Mayer wird für Paulus vom Standpunkt der Vorherbestimmung aus "die Zeitspanne der Erwartung und des Seufzens" bedeutungslos, denn die Gewißheit kommender Verherrlichung lasse sie bereits als erfolgt erscheinen. P.v.d.Osten-Sacken, Römer 280, setzt demgegenüber bei der Berufung als Geschehen der Rechtfertigung und Verherrlichung an. H.Schlier, Röm 273, versucht die Problematik des Aorists durch die Rückführung auf das Zuvorsein der Doxa als "unsere göttliche Bestimmung" zu lösen.

zum Abschluß bringt, sondern die Ausführungen der Kap. 6-8 abrundet, fällt die Parallelität der Gedanken zu 5,9f auf[104]. Jedoch ist der Abschnitt 8,31-39 rhetorisch anders angelegt als 5,9f im Rahmen von V. 1-11. Er trägt deutliche Züge einer "diatribischen Argumentation"[105].

Sehen wir von den exegetischen Problemen in der Beurteilung der Fragen- und Antworten-Kette und in der Sondierung vorpl. Tradition ab[106], da sie nicht direkt zur Erhellung des theologischen Beitrags von Kap. 8 zum Verständnis des Versöhnungsgedankens führen, so stellt sich der Sachzusammenhang mit den Ausführungen von 5,1-11 wie folgt dar: im Zentrum von 8,31-39 steht das "Für uns" der "Liebe Gottes in Christus"[107]. Dabei verbindet sich mit der ausgeprägten theozentrischen Ausrichtung des Agapegedankens eine nicht weniger deutliche christozentrische Linie, die zum einen das Für-uns-Sein Gottes in seiner Radikalität konkretisiert (V. 32; vgl. V. 37) und zum anderen in ihrer inneren Theozentrik das "Für uns" des gestorbenen und auferweckten Christus auslegt. Sowohl die soteriologische, mit dem Tod Jesu verbundene Auslegung der Agape Gottes (V. 32. V. 34b. 37) als auch die Aussage über das Eintreten des Erhöhten "für uns" (d.h. für die im Pneuma der Sohnschaft Lebenden) weisen auf den Versöhnungsgedanken zurück. Auch die Versöhnung der Feinde mit Gott ist ja durch die Liebestat Gottes im Tode des Sohnes gewirkt (5,8. 10a). Es besteht aber auch ein Zusammenhang zwischen dem Gotteslob der Versöhnten durch Christus (5,11a) und dem Eintreten Christi bei Gott (8,34d). Das Motiv des Eintretens, das wiederum auf das Gebetswirken des Pneuma verweist, unterstreicht, daß das Sich-Rühmen der Versöhn-

---

104 M.Wolter, Rechtfertigung 181. - H.Paulsen, Überlieferung 177, unterscheidet in 8,31-39 a) "einen Hymnus vorpaulinischer Gemeinden" V. 31-34 und b) dessen Auslegung durch Paulus V. 35f und 37f. Dagegen strukturiert O.Michel, Röm 279, den Abschnitt als vierstrophigen Hymnus (V. 31b-32. 33-34. 35-37. 38-39). E.Käsemann, Röm 318, faßt V. 31-39 als einen dreistufigen Gesprächsgang (V. 31a als Einleitungsfrage; V. 31f. 33f. 35-39) auf. Vorbehalte gegen eine schematische Strukturierung meldet H.R.Balz in seiner Untersuchung zu Röm 8,18-39 an (ders., Heilsvertrauen 118; insgesamt 116ff).

105 E.Käsemann, Röm 238.

106 Vgl. dazu H.Paulsen, Überlieferung 182f ("festgefügte Überlieferung" im Hymnus V. 31-34 und traditionelle Motive in dem Katalog V. 35).

107 K.Kertelge, Röm 155.

ten durch Christus selbst durch das Pneuma gewirkt ist, durch das Pneuma der Erhöhte selbst handelt und das Gotteslob der durch Christus mit Gott Versöhnten hineingenommen ist in die Gebetsrelation des Erhöhten zu Gott[108].

Die in 8,31-39 durchgeführte Grundlegung der Gewißheit des Heils in der Unüberwindbarkeit und beständigen Nähe der Agape zeigt eine mit V. 9f (im Kontext) verwandte Argumentationsstrategie. Die eschatologische Dimension der erfahrenen "Rechtfertigung" ist zurückgeführt auf das heilshafte Wirken der Agape Gottes, das die Auserwählten in der Dahingabe des Sohnes, in der gegenwärtigen endzeitlichen Gefährdung und in der Zukunft betrifft. Die mit der Versöhnung geschenkte Verbundenheit mit Gott, die durch den erhöhten Christus (d.h. durch sein Pneuma) in der Gegenwart vermittelt wird, reicht in die leidvolle Gegenwart hinein und schließt die Zukunft der endgültigen Verherrlichung ein. Die im Kreuzestod des Sohnes erwiesene Liebe Gottes zu den Sündern und Feinden hat Bestand bis in die noch ausstehende, aber im Pneuma als ἀπαρχή schon als Verheißung empfangene Zukunft hinein. Sie ist Garant für die Rettung aus dem Gericht in das Auferweckungsleben Christi, für das Mitverherrlicht- und Mitgestaltetwerden mit ihm.

---

108 Vgl. W.Thüsing, Per Christum 174-183.

3.2.5 "Die Versöhnung des Kosmos" (Röm 11,15)

3.2.5.1 Kontext und Gedankenfolge (Röm 11,11-24)

Den Rahmen zur zweiten Stelle innerhalb des Röm, an der Paulus von "Versöhnung" spricht, bildet die thematisch eng zusammengehörende Kapitelfolge 9-11[109]. Der engere Aussagezusammenhang, der 11,11-24 umfaßt,

---

109 Über die sachliche Geschlossenheit und literarische Einheit von Röm
9-11 besteht in der exegetischen Forschung weitgehend ein Konsens.
Abweichend scheidet jedoch z.B. Ch.Plag (Israel 41-47.60f.67f) 11,
25-27 als redaktionellen, einem anderen Paulus-Brief entnommenen
Einschub aus. W.Schmithals hält demgegenüber an der literarischen
Integrität der Kap. 9-11 fest und rechnet sie dem hypothetischen
Brief Röm A (wenn auch als exkursartigen "Nachtrag") zu; ders.,
Römerbrief, bes. 20-22.160f.210. Andererseits hat R.Bultmann, Glossen 280, neben 2,17; 6,17; 7,25b auch 10,17 als Interpolation ausgeschieden.
In der Beurteilung des sachlichen Zusammenhangs der Kap. 9-11 mit
den vorausgehenden Ausführungen kommt Ch.H.Dodd, Rom 148-150, zu
der Sonderauffassung, die Kap. 9-11 seien ein exkursartiger Einschub einer pl. Predigt, der für das Verständnis des Röm nicht notwendig sei und überdies die gedankliche Verbindung von 8,31-39 mit
dem Kap. 12 störe. (O.Kuss, Röm 665, hält diesen Standpunkt für
"verständlich"; vgl. dagegen E.Käsemann, Röm 247f.) Dodd's Auffassung hat Vorläufer in der Literarkritik des 19. Jh. (vgl. W.Schmit-
hals, a.a.O. 22f Anm. 34). - Eine völlig gegenteilige Meinung
brachte schon F.Ch.Baur in die Röm-Forschung ein, indem er die Kap.
9-11 in das Zentrum des (gegen das Judenchristentum gerichteten)
Röm rückte und die Argumentation nicht nur der Kap. 1-8, sondern
insbesondere auch der Kap. 9-11 als wesentlich von der "Idee der
δικαιοσύνη θεοῦ" geprägt erkannte (s. die Skizzen der Baurschen
Position in Ch.Müller, Gerechtigkeit 5-7, und Ch.Plag, Israel 72-
74). Dieser Sicht nähert sich die neuere Forschung zu Röm 9-11 wieder an, indem sie den rechtfertigungstheologischen Grundzug der Argumentation herausstellt (vgl. z.B. Ch.Müller, Gerechtigkeit;
G.Eichholz, Theologie 284-289; P.Stuhlmacher Gerechtigkeit 91; kritisch jedoch D.Zeller, Juden 112, auch U.Wilckens, Röm II 181. Kein
Konsens zeigt sich in der Bestimmung des Leitthemas von Kap. 9-11
(s. dazu u.a. U.Luz, Geschichtsverständnis 22-25; D.Zeller, a.a.O.
109-113; U.Wilckens, a.a.O. 181-183). - Zu erwähnen ist noch, daß
die Bedeutung von Röm 9-11 im Rahmen des Röm un der pl. Theologie
von R.Bultmann völlig verkannt ist (vgl. dazu Ch.Müller, a.a.O. 25-
27. 104-106; U.Luz, a.a.O. 17f. 268f; D.Zeller, a.a.O. 21-23). Auch
in H.Schliers Alterswerk über die "Grundzüge" der pl.Theologie
kommt das Israel-Thema des Röm zu kurz. H.Conzelmann, Grundriß 273-
279, stellt es unter dem Leitthema "Das Wort als Ärgernis" dar.
J.Munck, Christus 19-24, fordert, die pl. Erörterung von Röm 9-11
im Zusammenhang mit dem urchristlichen Israel-Problem zu sehen. Daß
Israel aber nicht nur für das Urchristentum zu einer Herausforderung

wird V. 11a durch die verstärkende Wiederholung von λέγω οὖν (vgl. V.
1a) als argumentative Folgerung angekündigt, wobei die eröffnende Fragestellung präzisierend V. 1a aufnimmt. V. 25 leitet als begründende
Weiterführung (οὐ γὰρ θέλω) mit einer ausdrücklichen Adressatenanre-
de (ἀδελφοί)[110] durch Paulus zu einer vertiefenden Reflexion über
das Mysterium der Rettung Ganz-Israels über (V. 25-32), die in V. 30-32
mit der Feststellung des allen geltenden Erbarmens Gottes ausklingt[111].
Den Schlußpunkt der Erörterung von Kap. 9-11 setzt der hymnisch durch-

---

geworden ist, sondern bis in die Gegenwart zu einer christlichen
Antwort provoziert, zeigt die in der evangelischen Theologie aufgebrochene Auseinandersetzung über das Verhältnis der Kirche und
ihres Heilsverständnisses zu Israel und dem Judentum, für die gerade der pl. Standpunkt neue Relevanz gewinnt. Vgl. früher u.a. schon
E.Käsemann, Paulus und Israel; L.Goppelt, Israel und die Kirche.
W.G.Kümmel, Probleme 260, fordert die Konfrontation der geschichtlichen Textaussage mit den heutigen Fragen und deren Transposition
"in unsere Sprache oder auch in Beziehung zu unsern anders gearteten Fragen". Doch gerade in der hiermit angesprochenen hermeneutischen Problematik liegt m.E. vielleicht sogar der Kern der gegenwärtigen Auseinandersetzungen. Das zeigt sich auch in dem von Kümmel aufgestellten Postulat: "Wir dürfen den Paulus nicht sagen lassen, was wir hören möchten oder wie wir es hören möchten, wir dürfen eine Antwort auf unsere Fragen nicht erzwingen; und: Die Antwort, die wir geben, darf in der Sache dem von Paulus Gesagten
nicht widersprechen, wenn es eine Antwort des Paulus bleiben soll".
Aber an dieser Stelle ergibt sich die Frage, ob es überhaupt noch
um die Antwort des Paulus allein heute gehen kann oder doch gehen
muß, wenn die angesprochene Konfrontation und Transposition im heutigen Fragehorizont verantwortlich vollzogen werden! - Wichtig erscheint mir die herausfordernde Überlegung H.Schliers (Mysterium
Israels 233): "Der Jude läßt sich prinzipiell nicht historisch,
psychologisch, biologisch, soziologisch oder sonst irgendwie wirklich begreifen. In alldem würde man ihn nur in einer Dimension zu
erfassen versuchen, in der er wesentlich gerade nicht existiert.
Der Jude läßt sich nur theologisch verstehen, weil er - der einzige
Fall in der Menschheit - theologisch existiert". Dem kann m.E. nur
stattgegeben werden, wenn in das theologische Verstehen der theologischen Existenz Israels die genannten Dimensionen prinzipiell eingeschlossen sind! Bezüglich der innerevangelischen Debatte sei an
dieser Stelle auf die offenkundig folgenreiche "Israellehre Karl
Barths" verwiesen (s. B.Klappert, Israel).

110 Vgl. Röm 1,13; 1 Kor 10,1; 2 Kor 1,8; 1 Thess 4,13. - Mit der Anrede verbindet sich eine paränetische Intention, die der ἵνα-Satz
zum Ausdruck bringt.

gestaltete und rhetorisch geformte Lobpreis Gottes 11,33-36, in dem atl.-jüdische, nicht zuletzt hellen.-jüdische Traditionselemente aufgenommen sind und der sich durch seine konsequente Theozentrik auszeichnet[112].

Der Abschnitt 11,11-24, der in V. 22-24 mit Blick auf die angesprochenen Heidenchristen die Antwort auf die Fragestellung V. 1 resümiert, kreist um das Problem des Verhältnisses zwischen dem Fall Israels und dem Heil der Heiden einerseits und dem Heil der Heiden und der dafür konstitutiven Heilsstellung Israels andererseits. Die Auseinandersetzung mit diesem Problemkomplex ist geprägt von einer eschatologischen Perspektive, die von der Hoffnung auf die allein von Gott erwartbare, weil allein von ihm zu realisierende endgültige Teilhabe des ganzen Israel am Heil[113] erfüllt ist und zugleich kritische paränetische Akzente

---

111 Vgl. P.Richardson, Israel 127-130 (127: 11,28-32 als "an important guide to the basic intention of Paul"). - D.Zeller, Juden 215, umschreibt den Sachverhalt, daß Gott in seinem Erbarmen den Ungehorsam sowohl auf der Seite der Heiden-Christen als auch - perspektivisch - auf der Seite der Juden zu überwinden vermag: "So lernen sich auch die Heidenchristen als Figuren in einem Spiel begreifen, bei dem es keine Verlierer und Gewinner geben darf, eben weil Gott das Spiel macht und sich sein Erbarmen auf allen Seiten durchsetzt" Z.St. vgl. ebd. 213-215. 245-267. - S. im Zusammenhang mit Röm 11, 30-32 auch 9,15f.18 (die Freiheit Gottes in der Zuwendung seines Erbarmens). 23 ("Gefäße des Erbarmens"), auch 15,9 (Verherrlichung Gottes durch die Heidenvölker ὑπὲρ ἐλέους). - Auch in der Qumrangemeinde ist die Teilhabe an der Heilsgemeinde - auf das Erbarmen Gottes zurückgeführt worden (Belege bei U.Wilckens, Röm II 200 Anm. 880).

112 Vgl. dazu E.Norden, Agnostos Theos 240-250; G.Bornkamm, Lobpreis; R.Deichgräber, Gotteshymnus 61-64 ("Paulus erweist sich hier als ein typischer Vertreter des Diasporajudentums", ebd. 63); D.Zeller, Juden 267-269; B.Mayer, Heilsratschluß 309-312; U.Wilckens, Röm II 268-274, unterstreicht mit Recht aufgrund des kontextuellen Zusammenhangs, daß die angesprochene Tiefe des Geheimnisses Gottes in seinem "geschichtlichen Handeln" an Juden und Heiden gesehen wird (ebd. 270 mit Bezug auf V. 33).

113 Vgl. bes. V. 12.15.16.18.23-24; anschließend vor allem V. 25-27.29. 31. - Vgl. U.Luz, Geschichtsverständnis 34: Die mit V. 11 neu einsetzende Argumentation zielt auf das zentrale "eschatologische Mysterium", das in V. 25-27 als wesentliche theologische Aussage mitgeteilt und in V. 28-32 expliziert wird (s. auch ebd. 286-300). Dieses "eschatologische Mysterium" deutet sich aber bereits in der Steigerung der Versöhnungsaussage V. 15 an.

enthält, indem einem möglicherweise aufkeimenden Sich-Rühmen der Heidenchristen über das im Gegensatz zu ihnen noch nicht in umfassender Weise an der Soteria partizipierende Israel Schranken gesetzt werden (V. 17-22).

Die Argumentation entwickelt sich ausgehend von der - sogleich wie in V. 1 verneinten - Frage (V. 11a)[114], die die vorangehende Erörterung aufnehmend weiterführen soll, in diatribischer Gesprächsform, die die Entfaltung der Gedanken in diesem Brief überhaupt weitgehend auszeichnet. Die erste positive Antwort bringt in der Doppelaussage V. 11b-12 nicht wie in V. 1b (vgl. 9,1-3; auch 10,1f) eine persönliche, auf Paulus selbst Bezug nehmende Begründung, sondern eine sachliche These vor, die die mit V. 1 einsetzende Argumentation gegen (ἀλλά) die in Frageform gekleidete Auffassung, das verstockte Israel (11,7-10) sei nach dem Willen Gottes in einem endgültigen Sinn zu Fall gekommen und ins Unheil verstoßen, fortführt[115]. In der von Paulus formulierten Gesprächsthese wird nicht nur eine Verbindung zwischem dem Fall und dem Versagen[116] des verstockten Israel einerseits und dem Heil der Völker andererseits hergestellt, sondern es ist vielmehr dieser Heilzuwendung zugleich eine eschatologisch-teleologische Funktion für Israel zuge-

114 J.Munck, Paulus 36, meint: "Die von Paulus hier gestellte Frage ist kaum seine eigene, sondern eher ein brennendes Problem jener Zeit". V. 13f macht im Gegenteil deutlich, wie zentral die von seiten der Mehrheit Israels unterlassene Annahme des Evangeliums (vgl. 10,14-21) und das Ausbleiben des glaubenden Bekenntnisses zu Jesus als dem von Gott Auferweckten und Kyrios (V. 8-13) zum Problem für das Selbstverständnis des Paulus als des berufenen und ausgesonderten Apostels für das Evangelium Gottes geworden sind (vgl. die Prävalenz der Juden in 1,16, die sich in Röm wiederholt!) Die Brisanz der Erörterung liegt gerade darin, daß die Heilsteilhabe des ganzen Israel den Heidenapostel wegen seiner nicht aufgekündigten Solidarität mit seinem Herkunftsvolk, dem von Gott erwählten und ausgezeichneten Israel, unmittelbar berührt (vgl. 9,1-5; 10,1). - Zur Diskussion über den gemeindlichen Hintergrund der Ausführungen von Kap. 9-11: W.G.Kümmel, Probleme 252-255 (vgl. insgesamt den instruktiven Oberblick über die exegetische Forschung zu Röm 9-11, ebd. 245-260).

115 Vgl. B.Mayer, Heilsratschluß 261-263. - Zu πταίειν und πίπτειν: K.L.Schmidt, in: ThWNT VI 883-885. Schon W.M.L. de Wette, Röm 155, vermutet, daß die bildliche Ausdrucksweise durch 9,33 und 11,9 angeregt ist.

116 B.Mayer, a.a.O. 264 und 265f, sieht in παράπτωμα die beiden Mo-

sprochen. In V. 11b wird sie mit dem (in V. 14 wieder aufgenommenen)
Verb παραζηλοῦν ausgedrückt, das im Unterschied zu 10,19 (Dtn 32,
21) jetzt eine deutlich positive Bedeutung erhält[117]. Parallel hebt das
Schlußverfahren in V. 12, der V. 11b expliziert, auf das πλήρωμα der
Israeliten als Zukunftsperspektive (anders V. 25) ab, wobei ein Zusammenhang zwischen der Reizung zur Eifersucht (V. 11b) und dem Pleroma
der Israeliten impliziert ist, Der Ausblick auf die Zukunft enthält
über V. 11b hinausgehend den positiven Aspekt nicht nur im Sinne einer
Bestätigung, sondern einer Überbietung des jetzigen πλοῦτος der Heidenvölker[118]. Welcher Art dieses Mehr sein wird, bleibt zunächst dunkel.
Eine Präzisierung erfolgt V. 15 in einer neuen Aussage über das Verhältnis zwischen dem jetzt in den λοιποί (V. 7) verstockten Israel und den
zum Glauben und Heil gekommenen Heiden, dann aber auch mit Blick auf
Israel in V. 23f, indem V. 24 die Argumentationsfigur von V. 12 (und V.
15) wiederholt.

Die der Tendenz der Frage V. 11a entgegenlaufende Erklärung des Grundes
für das entschiedene μὴ γένοιτο[119] ist also ausgerichtet auf den eschatologisch geprägten Ausblick auf Israel als den die λοιποί einschließenden, zum Ganzen aufgefüllten Rest[120] und auf die mit diesem

mente des von Gott in der Verhärtung (V. 7) als Konsequenz Gewoll-
ten und des schuldhaften Fehltritts verbunden und deutet ἥττημα
unter Berücksichtigung von 1 Kor 6,7 als moralisches Versagen. Anders U.Wilckens, Röm II 243.

117 D.Zeller, Juden 213: Gott "lockt durch diesen überraschenden Ruf an
das Nicht-Volk auch die zuerst Berufenen".

118 In 2,4 wird πλοῦτος mit Bezug auf Gott näher bestimmt durch "Güte, Geduld und Langmut", in 9,23 durch die Doxa Gottes (vgl. Phil
4,19). 11,33 steht neben πλοῦτος (ohne eigene Präzisierung) noch
σοφία und γνῶσις. G.Bornkamm, Lobpreis 72, bestimmt πλοῦτος in
11,33 auf dem Hintergrund von Kap. 9-11 als "Reichtum Gottes an
Mitteln und Wegen, sein Heilsziel zu erreichen". - S. auch 10,12:
der ein und derselbe Herr aller (Juden und Heiden) ist "reich für
alle, die ihn anrufen", d.h. (mit U.Wilckens, Röm II 228): er teilt
"den Reichtum der endzeitlichen Heilsgüter" mit (V. 13). Vgl. dazu
die Umschreibung des Heilsgeschehens in 2 Kor 8,9 (daneben sachlich
Phil 2,6f) und mit Blick auf den Heilsstand der Christen 1 Kor 1,5.
(7); 2 Kor 8,7. - Zum pl. Gebrauch von πλοῦτος: F.Hauck/W.Kasch,
in: ThWNT VI 326-328.

119 Die Verneinung durch μὴ γένοιτο als Reaktion auf eine aufgeworf-
fene Frage findet sich in den pl. Briefen vor allem im Brief an die

Tatbestand verbundenen Konsequenzen für die Heilsteilhabe sowohl der Israeliten als auch der Heidenvölker, die als Glaubende jetzt schon die Soteria empfangen haben (V. 11b), deren Glaubensstand aber, wie V. 18-22 zeigen wird, doch noch bedroht ist.

Auf die erste thesenhafte Vertiefung der negativen Reaktion auf die Fragestellung folgt in V. 13-15 eine weitere Überlegung, für die jedoch eine andere Form gewählt ist. In V. 13 wechselt die sachorientierte Aussage zu einer deutlich hervorgehobenen, unmittelbaren Anrede (ὑμῖν δέ), die sich an die den ἔθνη (vgl. V. 11b) angehörenden Gläubigen wendet. Sachlich setzt sie V. 11b-12 voraus und zielt auch abschließend (V. 15) auf einen mit V. 12 vergleichbaren, jedoch als rhetorische Frage artikulierten Gedanken hin. V. 13b-14 enthält zunächst eine betont auf die Person des Paulus bezogenen Sicht[121] seines Dienstes als ἐθνῶν ἀπόστολος[122]. Aus V. 11 werden in V. 14 das Stichwort παραζηλοῦν und das Motiv der Rettung (σώσω)[123] aufgenommen, jedoch anders als in dem grundsätzlich formulierten Sachverhalt von V. 11b zur Charakteri-

---

römische Gemeinde (3,4.6.31; 6,2.15; 7,7.13; 9,14; 11,1.11), daneben noch in Gal 2,17; 3,21 und 1 Kor 6,15. Die positive Antwort wird wie in Röm 11,11 auch in 3,31 und 7,7.13 durch ἀλλά eröffnet.

120 Anders deutet B.Mayer, Heilsratschluß 266, πλήρωμα: Es ist nicht in einem quantitativem Sinne die Vollzahl gemeint, sondern das erfüllende Handeln, das dem παράπτωμα und ἥττημα entgegengesetzt ist (im Anschluß an P.Althaus und Ch.Plag; s. auch H.Lietzmann und F.-J.Leenhardt z.St.). Vgl. aber u.a. E.Käsemann, Röm 295 (mit Verweis auf πρόσλημψις V.15 und πλήρωμα τῶν ἐθνῶν V.25); H. Schlier, Röm 330; D.Zeller, Juden 239 (bes. Anm. 2); U.Wilckens, Röm 243. Zu älteren Auffassungen vgl. W.M.L. de Wette, Röm 155f; Th.Zahn, Röm 505f (bes. Anm. 31).

121 Vgl. neben εἰμι ἐγώ auch μου τὴν σάρκα (vgl. 9,3; 11,1; dazu 2 Kor 11,22; Gal 1,13f; Phil 3,4f).

122 Daneben bezeichnet sich Paulus in diesem Brief nur noch 1,1 als Apostel, wenn er auch von seiner Sendung zu den Heiden in 1,5.13f und 15,15-19 spricht.

123 Vgl. zu diesem missionssprachlichen Terminus bei Paulus bes. 1 Kor 9,22 (ἵνα πάντως τινὰς σώσω) und 1,18.21; 15,1f; s. auch 1 Thess 2,16. Im Argumentationszusammenhang von Röm 9-11 findet sich σώζω noch in 9,27; 10,9.13 und 11,26 (jeweils fut. pass.).

sierung des missionarischen Einsatzes des Paulus, der über sein ehrenhaftes Wirken als Apostel unter den Heidenvölkern die verstockten Israeliten zu erreichen und ihnen die Teilhabe an der endzeitlichen Soteria zu eröffnen sucht. V. 15 bietet die Begründung (γάρ) für die aus V. 11b-12 gezogene Konsequenz hinsichtlich der die Aposteltätigkeit leitenden und legitimierenden Motive, wobei der Sache nach die Argumentationsrichtung von V. 11b-12 sowohl hinsichtlich der σωτηρία wie des πλοῦτος als auch der Zukunftserwartung für die Israeliten und die Heidenchristen verdeutlicht und vertieft wird[124].

Die Zuordnung von V. 16, wo unter Aufnahme atl. Traditionsguts (vgl. V. 16a; Num 15,17-21) und jüdischer Vorstellungen (V. 16b)[125], ist unklar. Hinsichtlich der folgenden Aussagen scheint dieser Vers eine überleitende Funktion zu haben. So bietet V. 16b den sachlichen und sprachlichen Anknüpfungspunkt für den weiteren Gedanken und dessen bildliche Ausdrucksform. Auf der anderen Seite läßt sich der in Bildworten eingeführte, Israel in seiner Gesamtheit und in seinen einzelnen Gliedern geltende Erwählungs- und Heiligkeitsgedanke auch als Absicherung der angedeuteten Ausrichtung auf die ausstehende, erwartete und im apostolischen Wirken intendierte Heilsteilhabe des ganzen Israel bzw. dessen schließlichen πρόσλημψις verstehen[126]. Die Variation der Bilder in

---

124 Mit πλοῦτος korrespondiert in V. 15 sachlich καταλλαγὴ κόσμου; das eschatologische Mehr ist mit "Leben aus den Toten" genannt.

125 Zu den traditionellen Vorstellungselementen vgl. J.Behm, in: ThWNT I 345f; Ch.Maurer, in: ThWNT VI 985-990 (bes. 987); Str.-Bill. I 720f; II 563f; III 290ff; IV 665-668; J.Maier, Texte II 89-91; U. Luz, Geschichtsverständnis 274-277; U.Wilckens, Röm II 246 bes. Anm. 1100f. S. auch O.Michel, Röm 347f (mit Verweisen auf die christologische Auslegung durch die Kirchenväter und das gnostische Verständnis).

126 B.Mayer, Heilsratschluß 272: "Die Tatsache der Heiligkeit und Erwählung des ganzen Volkes ist der Garant dafür, daß Gott tatsächlich die πρόσλημψις am augenblicklich verstoßenen Teil Israels verwirklichen wird". - J.Sickenberger, Röm 236, verbindet V. 16 mit V. 11-15 unter der Überschrift "Wechselwirkung zwischen der Bekehrung der Juden und der Heiden". Die Erinnerung an die Gerechtigkeit der Patriarchen untermauere die Hoffnung auf "eine künftige Bekehrung des Judentums". Ähnlich schon W.M.L. de Wette, Röm 157 ("eine wie Vs. 12. mit δέ angefügte Bestätigung" des Hoffnungsgedankens von V. 15). Auch z.B. K.Kertelge, Röm 192f, zieht V. 16 zu V. 11-15,

den beiden parallelen Versteilen mit der inhaltlichen Akzentverschiebung in V. 16b (Wurzel - Zweige) legt es aber nahe, die eigenartige
Zwischenstellung des Verses als Übergang und thematische Vorbereitung
der Bildrede von V. 17-24 aufzufassen[127], in der die metaphorische Ausdrucksweise aufgenommen und V. 16b variierend weitergeführt wird[128].

V. 17-24 entfaltet in expliziter Adressatenorientierung mit paräneti-
schem Appellcharakter[129] die Konsequenzen, die der fiktive Gesprächspartner als Vertreter der angesprochenen Heidenchristen aus V. 11b-12.
15 und aus V. 16, aber auch indirekt aus der pl. Erklärung seines hei-
denapostolischen Wirkens in intentionaler Offenheit für die Israeliten
zu ziehen hat. Die Aussagereihe ist in folgende Schritte zu gliedern:
V. 17f. 19-20a. 20b-21. 22-24 (22-23a. 23b-24). V. 17f zielt auf die
Zurückweisung eines falschen Selbstruhms[130] der Heidenchristen, wobei

---

räumt aber ein, daß das "Gleichniswort" V. 16b zur Auswertung in
V. 17-24 überleitet. R.F.Doulière, Justice 172, trennt V. 16a und
16b und faßt V. 16b-24 als Einheit auf.

127 Nach U.Wilckens, Röm II 241, bietet V. 16 "inhaltlich eine neue
These". Vgl. auch E.Käsemann, Röm 298. O.Michel, Röm 344, erkennt
der Aussage "ein eigenes Gewicht" zu. Vgl. noch D.Zeller, Juden
216: "Der Vers ist zwar seiner logischen Struktur nach ein Echo von
V. 15, leitet aber über (δε !) zum Gleichnis vom Ölbaum V. 17ff,
das Pl durch die Tradition nahegelegt ist". S. auch U.Luz, Geschichtsverständnis 276 ("die inhaltliche Zäsur nach V. 15"); vgl.
ebd. 34f. A.Viard, Rom 241-245, faßt V. 16-22 und V. 23-32 zusammen.

128 Mit Recht empfindet U.Luz, a.a.O. 277, "die Härte" der kontrastierenden Aussagen, die einmal die Heiligkeit der Zweige von der Wurzel her mit Blick auf Israel herausstellt (V. 16) und zum anderen
unmittelbar darauf das Abgeschnittensein einiger dieser Zweige einführt.

129 Vgl. die "Du"-Anredeform und die Imperative. In der Tendenz richtig
bemerkt U.Luz: "Der paradoxe Abschnitt will also nicht einen Sachverhalt darlegen, sondern in ein bestimmtes Verhalten führen. Dem
entspricht formal das Dominieren der zweiten Person Singular ...
Dieses Verhalten umschreibt er mit Grundbegriffen seiner Theologie"
(a.a.O. 278).

130 Das Verb κατακαυχᾶσθαι wird außer Röm 11,18 (zweimal) nur noch
in Jak 2,13 und 3,14 gebraucht. Im Brief an die Römer spricht Paulus 2,17.23 vom Sich-Rühmen der Juden und kennzeichnet damit deren
ausgeprägtes Selbstbewußtsein, in einem besonderen Verhältnis zu
Gott zu stehen und im Besitz des Gesetzes zu sein. Demgegenüber
hebt 3,27 hervor, daß das Rühmen (καύχησις) durch das "Gesetz des
Glaubens" ausgeschlossen ist. 4,2 macht geltend, daß bei einer

der mahnende Hinweis am Ende von V. 18 den V. 16b auf den Heilsstand
der Heidenchristen hin auslegt und personal zugespitzt vergegenwärtigt.
Damit ist die allgemeine These von V. 11b-12 und die rhetorische Frage
V. 15 entsprechend V. 16 dahin gewendet, daß die Heidenchristen in ihrer Heilsteilhabe eben doch letztlich auf dem Israel gründen, dem die
besondere Auszeichnung (vgl. 9,4f; 3,2) von Gott gegeben wurde und dessen Verstockungssituation Paulus vorhergehend in immer neuen Anläufen
entschieden herausgearbeitet hat. Die Rückbezüglichkeit des Heils der
Heiden auf Israel ist vom Negativen ins Positive gewendet (tragende
Wurzel), jedoch nicht in der Weise eines Ausblicks wie vor allem in V.
15b, sondern in der Kennzeichnung eines die Gegenwart der heidenchristlichen Heilssituation bestimmenden Sachverhalts.

V. 19 führt einen Einwand des fiktiven Gesprächspartners in die Argumentation des Paulus ein, der noch einmal den Gedanken von V. 17 geltend macht, nicht aber eine logische Folgerung aus V. 19 zieht. Diesem
wird in V. 20a stattgegeben (καλῶς)[131]. Sogleich wird aber als neuer
thematischer Bezugspunkt der "Unglaube" auf der Seite einiger Israeliten und der Glaube auf der Seite des Heidenchristen zur Absicherung und
inhaltlichen Klärung der Zustimmung genannt. Damit erhält das für Röm
insgesamt bedeutsame Glaubensthema auch hier eine wichtige Stellung für
die Bestimmung der Unheils- bzw. Heilssituation (vgl. 9,30-10,17).

Mit V. 20b schlägt das Eingehen auf den Einwurf, der im Sinne des fiktiven Teilnehmers an der Erörterung formuliert wurde, um in einen Appell

---

Rechtfertigung aufgrund von Werken kein Anlaß zum Selbstruhm (καύχημα) vor Gott besteht. Positiv wird καυχᾶσθαι in 5,2.3 und 11
auf die Gläubigen bezogen (s. oben z.St.). Vgl. auch 15,17 zur καύχησις des Apostels. - Zu 11,18 s. V. 20 und 25. - Ob hinter dem
hier angesprochenen Selbstruhm ein ausgeprägtes Selbstbewußtsein
der Heiden- gegenüber den Judenchristen der römischen Gemeinde oder
gegenüber den Juden generell steht und sich darin sogar eine anti-
semitische Einstellung äußert, läßt sich m.E. vom vorgegebenen Text
her keineswegs als historischer Sachverhalt erheben. Vgl. dagegen
z.B. O.Michel, Röm 350, bes. Anm. 23 und 24.

131 O.Kuss, Röm 804: "Zunächst einmal wird konzediert, was konzediert
werden muß"; ähnlich H.Schlier, Röm 334; U.Wilckens, Röm II 247; s.
auch E.Käsemann, Röm 300. - Als "ironische" Bemerkung wird καλῶς
dagegen u.a. von H.W.Schmidt, Röm 196, und O.Michel, Röm 351, aufge-
gefaßt. Vgl. auch B.Mayer, Heilsratschluß 273, bes. Anm. 83.

an den heidenchristlichen Dialogpartner, in dem der Überheblichkeit als
negativer Einstellung gegenüber einem Israel, das nur an den ausgebrochenen Zweigen der Verstockten gemessen wird, die (Gottes-) Furcht entgegengesetzt wird (vgl. V 18)[132]. V. 21 verstärkt den doppelgliedrigen
Imperativ durch eine Begründung. Die Aussage ist geprägt durch das
Stichwort "schonen". Mit dem paränetischen Schluß von der den ungläubigen Israeliten nicht gewährten Schonung auf die Möglichkeit, daß Gott
auch den sich selbst rühmenden und nicht gottesfürchtigen Heidenchristen nicht schonen wird, gibt dieser Vers der Mahnung von V. 20b einen
besonderen Nachdruck[133]. V. 22 lenkt noch einmal deutlich (ἴδε οὖν)
die Aufmerksamkeit des Adressaten auf das paränetisch-theologische Anliegen und konzentriert die Folgerung auf die beiden Momente des Handelns Gottes: auf die Güte, die die Teilhabe an der Soteria gewährt;
auf die (Gerichts-) Strenge, die die Gefallenen aus Israel in ihrer Abtrennung von der fettspendenden Wurzel des Ölbaums Israel erfahren haben. Parallel zur paränetischen Zuspitzung in V. 21 schließt auch V. 22
die Möglichkeit des Heilsverlustes, wie es den Israeliten widerfahren
ist, auf heidenchristlicher Seite ein. Nur dem bei der Güte Gottes Verharrenden, der seine Heilsteilhabe nicht im Selbstruhm verkehrt und damit das Gericht der Strenge Gottes wider sich selbst herausfordert, wird
das Bleiben am Ölbaum zugesprochen.

Mit V. 23a kommt ein neuer Sachverhalt in den Blick. Es geht jetzt
nicht mehr um den in das Gespräch einbezogenen Heidenchristen, dem die
Berechtigung zum selbstsicheren, seine Heilssituation verkennenden
Selbstruhm entzogen wird, sondern um die in ihrem Unglauben vom edlen
Ölbaum getrennten Israeliten (κἀκεῖνοι δέ) und deren Heilschance.
Damit tritt das eigentliche Leitthema seit V. 11 wieder in den Mittel-

---

132 Nur wenn die (Gottes-) Furcht in Anerkennung des V. 20a.21-24 (und
    V. 25-32) Ausgeführten den Heidenchristen leitet, unterliegt die
    Auffassung von V. 19 nicht der Kritik des Selbstruhms. Ein Zusam-
    menhang mit einem Mißverständnis des Glaubens als Leistung ist m.E.
    an dieser Stelle nicht angesprochen (gegen B.Mayer, a.a.O. 274).

133 Über V. 20 weist V. 21 mit seiner Spitze gegen die falsche Heils-
    sicherheit zurück auf V. 18b (vgl. V. 17), wo die Heidenchristen
    mahnend erinnert werden, daß sie nicht selbst Wurzel sind, sondern
    von der Wurzel leben (s. auch V. 22).

punkt. In einer grundsätzlich und "betont feierlich"[134] formulierten
Wendung erschließt sich gegenläufig zum paränetischen Ausklang von V.22
die allein in Gott gründende Möglichkeit einer positiven, heilshaften
Zukunft für die gegenwärtig nicht an der heiligen und fettspendenden
Wurzel partizipierenden Israeliten (V. 23b): Gott hat die Macht, durch
seine Gnade die Unheilssituation des Unglaubens aufzuheben und dem
nicht im Unglauben verharrende Israel durch Wiederaufpfropfung Heil zu
gewähren. Aus der Berufung auf Gott spricht schon die Zuversicht, daß
er diese Macht ein- und durchsetzen wird. Denn Paulus hat schon geltend
gemacht, daß die Treue Gottes trotz der Untreue in Kraft bleibt (3,3)
und sein Wort der Erwählung Israels nicht hinfällig geworden ist (9,6),
wenn dies es auch in der aktuellen Situation am Volk Israel in seiner
Gesamtheit nicht unmittelbar erkennbar wird. V. 24 begründet (γαρ) den
Gedanken von V. 23[135], indem von der eigenen Erfahrung des Heidenchristen aus die Gewißheit des künftigen Heilswirkens zugunsten der jetzt
ungläubigen Israeliten in einer abschließenden Perspektivenerweiterung
dem Gesprächspartner als theologischer Standpunkt des Paulus nahegebracht wird: Von Gott aus gesehen, der den gläubigen Heidenchristen seine Güte, den ungläubigen Israeliten aber seine Strenge widerfahren ließ,
ist mit der gegenwärtigen negativen Entscheidung eines Teils von Israel
noch nicht das Heilshandeln Gottes selbst endgültig entschieden!

3.2.5.2 "Versöhnung des Kosmos" in der eschatologischen Perspektive des "Lebens aus den Toten"

Nachdem Paulus in 11,13f den Heidenchristen seinen Apostolatsauftrag
auf dem Hintergrund der V. 11f gedeuteten Beziehung zwischen der Heils-
Situation der Heiden und der gegenwärtigen, aber nicht bleibenden Un-

---

134 H.Schlier, Röm 336.

135 Bemerkenswert ist der dreifache Gebrauch einer Präposition + φύσις
(κατὰ φύσιν zweimal, παρὰ φύσιν): auf der Seite der Heidenchristen wird eine Verbindung hergestellt zwischen der Zugehörigkeit
κατὰ φύσιν zum wilden Ölbaum und dem Aufgepfropftsein παρὰ
φύσιν; damit kontrastiert die den Aussageakzent tragende Sicht
der israelitischen Zukunft: den Israeliten wird durch Gott die Auf-
pfropfung auf den eigenen Ölbaum, zu dem sie κατὰ φύσιν gehören,
widerfahren. Vgl. auch die Variation "wilder Ölbaum" - "edler Ölbaum" - "eigener Ölbaum".

heils-Situation der Juden dahin geklärt hat, daß er mit seinem Aposteldienst über die Missionierung der Heiden auf die Rettung wenigstens
"einiger" Israeliten zielt[136], also aus dem Fall Israels und seiner Verstockung keinesfalls für seine Berufung zum Völkerapostel abzuleiten
bereit ist, Israel als Mit-Adressaten der Evangeliumsverkündigung fallen zu lassen[137], formuliert er in V. 15 eine im Sinne der Bejahung gemeinte rhetorische Frage, die sachlich als Begründung und Bekräftigung
des angesprochenen Wirkungszusammenhangs zwischen dem auf die Heiden
gerichteten Apostolat und der Rettung der Juden gemeint ist, die jetzt
an dem den Heidenvölkern gewährten endzeitlichen Heil nicht teilhaben
und doch von der Vollendung dieses Heils nicht ausgeschlossen sind[138].
Die Begründung geht aber in ihrem theologischen Gehalt über die vom
Kontext der Israelfrage geprägten Bestimmung des apostolischen Wirkhori-
zonts hinaus, denn sie vertieft und präzisiert inhaltlich die eschatologische Perspektive des Gedankens von V. 11f (bes. V. 12). Mit V. 15
ist auch nicht mehr die Provokation der in ihrem Eifer fehlgehenden und
gegenüber dem Heilsangebot des Evangeliums verhärteten Juden zu einer
auf das Heil der Heidenvölker und auf die heidenmissionarischen Verkündigung eifersüchtig Heilssuche (vgl. V. 11.14) im Blick, sondern jetzt
thematisiert Paulus die bereits in V. 11f berührte eschatologische Fina-

---

136 J.Munck, Paulus 35: "... seine Arbeit innerhalb der Heidenmission
ist gleichzeitig indirekt eine missionierende Arbeit an Israel";
ähnlich E.Käsemann, Röm 297. - M.E. bietet sich in Röm 11,13f (unter Berücksichtigung des Kontextes) ein Ansatz für die rechte Beurteilung der neu diskutierten "Judenmission" und d.h. vor allem der
heidenmissionarischen Verkündigung des heilsmächtigen Evangeliums
Gottes als eines einladenden Zeugnisses der Heilshoffnung für das
nach Gott eifernde und um Gerechtigkeit vor ihm bemühte Israel, dem
Gott seine Treue hält und mit dem Eintreten der "Vollzahl der Heidenvölker" sein Heil gewähren wird (vgl. 25). Vgl. zum angesprochenen Problem die von H.-W.Gensichen, Glaube 233, aufgeworfene und
für die gegenwärtige Erörterung repräsentative Frage: "Kann es nach
Auschwitz, nach der Gründung des Staates Israel, die wenigstens zei-
chenhaft der Zerstreuung des jüdischen Volkes ein Ende gesetzt hat,
noch so etwas wie christliche Judenmission geben?" Vgl. ebd. 233-
235 (mit Bezugnahme auf Röm 9-11). S. auch G.Rosenkranz, Mission
473-499 (bes. 495-499 unter Berücksichtigung neuerer Stellungnahmen).

137 E.Gaugler, Röm I 184f.

138 Darin liegt die Spitze der pl. Erörterung der Frage nach dem Heil
Israels in 11,11-32.

lität des Handelns Gottes an den Heidenvölkern und an Israel[139]. Diese Finalität, die die Gegenwart umgreift und sie auf eine größere Zukunft hin öffnet, betrifft wiederum sowohl die Heidenvölker als auch Israel in seiner Gesamtheit und deutet ihre gegenseitige Bezogenheit auf die in Gott gründende Zukunft aus.

Die Frage enthält zwei Aussageglieder, die der Sache nach in der Weise zueinander in Beziehung stehen, daß V. 15a die Situation der Gegenwart und V. 15b in gesteigerter Weiterführung von V. 15a die eschatologisch verstandene Zukunft im Blick hat. Dabei ergibt sich einmal eine Antithese zwischen V. 15aα und aβ und zum anderen zwischen V. 15aα und bα, während V. 15bβ das noch ausstehende Vollendungsziel von V. 15aβ zur Sprache bringt, ohne jedoch eine gradlinige Kontinuität zwischen V. 15aβ und bβ zu implizieren. Vielmehr enthält V. 15bβ im Bezug auf V. 15aβ ein deutliches positives Steigerungsmoment, wovon auch V. 15bα betroffen ist.

11,15a also stellt die Opposition von "Verwerfung" der Juden einerseits und "Versöhnung des Kosmos" andererseits auf (vgl. V. 11b-12), wobei jedoch zugleich eine Korrespondenz zwischen der "Verwerfung" und der "Versöhnung" impliziert ist. V. 15b dagegen korreliert in der Weise einer steigernden Argumentation die "Aufnahme" der Juden (als Aufhebung der "Verwerfung") und das "Leben aus den Toten" (als Überhöhung und Vollendung der "Versöhnung des Kosmos"). Die doppelte Wechselbeziehung, auf deren einen Seite die Gegenwart ("Verwerfung") und die Zukunft ("An-

---

139 Treffend bemerkt E.Gaugler, Röm I 182, zu V. 11b (εἰς τὸ παραζηλῶσαι αὐτούς): "Es ist eine eschatologische Aussage, nicht eine psychologische oder gar 'technische', die etwas über die Methode der 'Ausbreitung des Christentums' verriete". Auch E.Käsemann, Röm 294, spricht vom "apokalyptischen Sinn": "Es meldet sich jetzt und im folgenden Abschnitt der Prophet, der die Probleme der eschatologischen Gegenwart zu erhellen vermag" (ebd.). Vgl. auch die Feststellung zur pl. Hoffnung auf die Bekehrung Israels: "Theologie und Praxis des Apostels können nicht adäquat erfaßt werden, solange man von dieser Überzeugung keine Notiz nimmt. Daß sie uns aberwitzig dünkt, sollte ihr Gewicht für Pls und seine Interpretation unterstreichen, statt es zu schmälern" (ebd. 295). Jedoch formuliert E.Käsemann überspitzt, wenn er in V. 14 den "apokalyptische(n) Traum eines Mannes" ausgedrückt findet, "der in einem Jahrzehnt zu bewirken suchte, was seit Jahrtausenden nicht gelang" (ebd. 297). Ähnlich auch O.Kuss, Röm 794f.

nahme") Israels und auf deren anderen Seite die Gegenwart ("Versöhnung") und die Zukunft ("Leben aus den Toten") der Heiden-Christen stehen, findet sich auch im engeren Kontext von V. 15[140]. Doch ist für V. 15b zunächst einmal festzuhalten, daß offensichtlich die "Annahme" nicht als Eintritt in die "Versöhnung des Kosmos" (d.h. der auf das Evangelium hörenden heidnischen Menschheit unter Einschluß des "Restes" V. 5) zu deuten ist, sondern aufgrund der Verbindung mit dem "Leben aus den Toten" die Partizipation an diesem (eschatologisch qualifizierten) Leben[141] einschließt[142].

---

140 In V. 12 zielt die Aussage auf die Überbietung des gegenwärtigen "Reichtums", den die Heidenchristen in ihrer Soteria besitzen, in der Zukunft (vgl. dazu mit Blick auf Israel V. 23f). V. 25ff wird für die Zukunft erwartet, daß das πλήρωμα τῶν ἐθνῶν zum Glauben und damit auch Israel zum Heil gelangt (vgl. auch V. 30-32).

141 In der für Paulus ungewöhnlichen und durch die bisherigen Aussagen nicht vorbereiteten Wendung "Leben aus den Toten" sieht E.Käsemann, Röm 297 (mit Verweis auf J.Munck, Christus 95), eine Nähe zur "Tradition von Joh 5,24". S. in diesem Zusammenhang auch Käsemanns Rückführung der Versöhnungsaussage von Röm 11,15a auf die Tradition der hellenistischen Gemeinde (Erwägungen 49). - Vgl. U.Luz, Geschichtsverständnis 393f, der zwar erkennt, daß ζωὴ ἐκ νεκρῶν "nicht primär" zeitlich, sondern qualitativ gemeint ist, aber m.E. unbegründet "das Leben aus den Toten" vom Ereignis der künftigen Totenauferweckung überscharf abgrenzt, weil er dieses Ereignis mit dem Begriff der "Zeitlinie" verbindet, obgleich er andererseits festhält, daß das Leben aus den Toten "natürlich erst im Eschaton, bei der Auferstehung der Toten, manifest" wird (393). - Zu den in der neueren Forschung vorgetragenen Deutungsvarianten: B.Mayer, Heilsratschluß 267. S. noch D.Zeller, Juden 241-244; U.Wilckens, Röm II 245. Zur älteren Forschung vgl. W.M.L. de Wette, Röm 157; A.Schäfer, Röm 342 (bes. Anm. 1); Th.Zahn, Röm 512.

142 Von Gott angenommen wird das ganze Israel nicht nur zum Zeichen dafür, daß die Vollendung des endzeitlichen Heils, an dem die Heiden aufgrund der Verkündigung des Evangeliums und ihres Glaubens schon jetzt teilhaben, eingeleitet wird. Vielmehr wird Israel mit der Annahme durch Gott ebenso wie die bereits aufgrund ihres Glaubens versöhnten Heiden zum "Leben aus den Toten" neugeschaffen. V. 15bβ ist also nicht nur auf die Heiden zu beziehen (gegen U.Wilckens, Röm II 245), läßt aber auch nicht nur an das bekehrte Ganz-Israel denken. Eschatologisches Vor-Zeichen des Erbarmens bzw. des Gnadenhandelns, das ganz Israel die endgültige Soteria erschließt, ist schon der "Rest" (V. 5), wenn auch vom Rest zur Ganzheit "keine gradlinige Entwicklung" führt (E.Käsemann, Röm 290). Auch die Reaktion der Juden auf die Heidenmission des Paulus läßt nur die Rettung "einiger", nicht aber Israels in seiner Gesamtheit erwarten (V. 14b).

Als Hintergrund der begründenden Frage V. 15 ist vom engeren vorausgehenden Kontext des Kap. 11 aus die Erörterung des Problemzusammenhangs
von Verstoßung (V. 1f), Verstockung (V. 7-10) und "Fall" (V. 11f) Israels zu berücksichtigen. Sie hat bereits deutlich werden lassen, daß von
einer Verstoßung des erwählten Volkes keine Rede sein kann (V. 1f).
Zeugnis dafür gibt der gnadenhaft erwählte "Rest" (V. 5f. 7c)[143]. Jedoch hat die "übrigen" Juden (d.h. den überwiegenden Teil Israels) die
Verstockung getroffen (V. 7-10)[144]. Während die stark schriftbezogene
Argumentation bis hier nur auf Israel bezogen ist, wendet sich die Antwort auf die Frage nach dem "Fall" Israels der Heilsbedeutung dieses

---

143 Vgl. 9,27f (Jes 10,22f in Verbindung mit Hos 2,1) und V. 29 (mit
Jes 1,9). Zu Jes 10,22 s. die Deutung Dan 9,26f. - Obgleich der
9,27-29 aufgenommene atl.-prophetische Restgedanke als möglicher
Ansatz für eine positive Zukunftsperspektive auf dem Hintergrund
der von Paulus V. 25f auf die Heiden (-christen) ausgelegten Hosea-
aussage in der gegenwärtigen Situation Israels nicht mehr durchzu-
schlagen vermag (vgl. 9,6-24), so wandelt sich 11,1-6 wenigstens
in dem Punkt das Verständnis zugunsten Israels, als die Existenz
eines λεῖμμα κατ' ἐκλογὴν χάριτος (V. 5) mit Blick auf die zur
Gemeinde gehörenden Juden die Gewißheit gibt, daß Gott sein erwähltes Volk weder in seiner Gesamtheit noch endgültig verstoßen (V. 2-
4), sondern ihm die Gnade für die Zukunft offen gehalten hat. "Hätte Gott Israel als Ganzes verstossen, so wäre ihm auch nicht an
einem solchen 'Rest' gelegen" (E.Gaugler, Röm II 164). D.Zeller,
Juden 128 (bes. Anm. 193 und 194) verweist in diesem Zusammenhang
auf die im nachexilischen und frühjüdischen Verständnis des "Restes" bereits sich abzeichnende Implikation der Heilszukunft für
Gesamtisrael, die in der pl. Argumentation zur Wirkung kommt. Der
"Rest" ist also in unserem Zusammenhang zugleich der eschatologisch
gedeutete Kontrast zum gegenwärtig verstockten Volk Israel und die
endzeitliche Antizipation von Gesamtisrael. - Zu den Zitaten in
Röm 9,27-29 und dem pl. Verständnis s. B.Mayer, Heilsratschluß 217-
229.
Vgl. zur atl. und jüdischen wie auch pl. Vorstellung des "Restes"
auch V.Herntrich/G.Schrenk, in: ThWNT IV 198-221; zum prophetischen
Überlieferungshintergrund: G.v.Rad, Theologie II 30f.34.141f.171f.
174.194.

144 Die Verstockung ist Gericht Gottes (vgl. 9,22) über den Teil Israels, der Anstoß nahm an der Dikaiosyne aufgrund des Glaubens (9,30-
33) und im Bemühen um die Gesetzesgerechtigkeit aufgrund von Werken
(9,31f), d.h. im Streben nach Eigengerechtigkeit, sich der Dikaiosyne Gottes (und d.h. Christus als τέλος νόμου) nicht unterwarf
(10,3f). Diese Verstockung ist bis zur "Vollzahl der Heidenvölker"
in Kraft (11,25). Die Aufhebung in "Annahme" und "Rettung ganz Israels" ist auf der anderen Seite ganz Tat des sich erbarmenden Gottes (V. 15b.23.26.31f). - Vgl. B.Mayer, Heilsratschluß 290. 300.
316f.

"Falls" für die Heiden zu (V. 11). Dabei ergibt sich eine mit V. 15a vergleichbare Beziehung zweier antithetischer Aussageglieder: einmal der Fall Israels, zum anderen die Soteria, die den Heidenvölkern - durch das heilsmächtige Evangelium (1,16) - zuteil wird. Doch ist das Heil der Heiden hier in einer gleichsam rückbezüglichen Funktion gesehen. Es hat nämlich den Zweck, die nicht zum erwählten Rest gehörenden "übrigen" Juden (V. 7) auf das den Heiden widerfahrene Heil "eifersüchtig zu machen". Diesen Gedanken der Eifersucht nimmt V. 14 wieder auf, um die auf die Juden ausgerichtete Intention der Heidenmission des Paulus zu umschreiben. Jedoch bestimmt V. 14b in Korrespondenz zur Soteria-Aussage von V. 11 die Absicht des Heidenapostels näher: Paulus wirkt durch die ehrenvolle Durchführung seines heidenmissionarischen Apostolats indirekt auf die "Rettung einiger von ihnen" (d.h. der Juden) hin. - Noch näher steht aber die Aussage von V. 12 dem V. 15[145], zumal dort ausdrücklich das auch in V. 15 durchgeführte Schlußverfahren signalisiert wird, das zu einem analogen Ergebnis gelangt.

V. 12 kontrastiert wiederum wie V. 11 Juden und Heiden. Als negatives Merkmal der Situation der Juden dient im V. 12a noch einmal das παράπτωμα; an die Stelle der Soteria der Heiden tritt jetzt aber das Bildwort vom "Reichtum des Kosmos" bzw. der "Heiden". Aufgrund der Parallelität von V. 12aα und aβ ist "Kosmos" im Sinne der heidnischen Menschheit zu verstehen. Dasselbe gilt auch für V. 15a ("Versöhnung des Kosmos"). Entsprechend der steigernden eschatologischen Aussageperspektive, die sich auf das Qal-Vachomer-Schlußverfahren stützt, bildet V. 12b den Zielpunkt, wobei das "Pleroma" der Juden[146] in Opposition zum "Fall"

---

145 Darauf verweisen u.a. auch E.Käsemann, Röm 297; H.Schlier, Röm 331; O.Kuss, Röm 800; U.Luz, Geschichtsverständnis 393; D.Zeller, Juden 240 (Wechsel zu einer über V. 14 hinausgehenden umfassenden Sicht); U.Wilckens, Röm II 244f.

146 "Pleroma" antizipiert V. 15b (πρόσλημψις) und V. 26 (πᾶς Ἰσραήλ) und meint die "Fülle" (im Sinne der "Vollzahl") infolge der "Auffüllung" von Rest-Israel durch die "übrigen" zu einem Ganzen (E.Käsemann, Röm 295), ohne daß jedoch "auf das Wie dieser Fülle" reflektiert wird (U.Luz, Geschichtsverständnis 291). Lediglich der Gedanke, daß das Pleroma in der Gnade Gottes gründet, ist vorausgesetzt (vgl. V. 5f). - Vgl. auch V. 25d: "das Pleroma der Heiden" in der Bedeutung von "Gesamtheit" bzw. "Vollzahl" der Heiden

und zum "Versagen"[147] Israels (V. 12a) steht.

V. 12 expliziert also die Zurückweisung der Frage nach dem "Fall" (V. 11) zunächst in Fortsetzung der Linie von V. 11a. Dabei wird die Gegensatzbeziehung von (schuldhaftem[148]) παράπτωμα und (von Gott gewährter) σωτηρία sowohl auf der Seite des "Vergehens" als auch auf der Seite der "Rettung" bekräftigt. Vor allem erscheint die bereits in der Gegenwart wirksame Rettung, die den Heiden zuteil wird, als eschatologische Segensfülle"[149]. Mit diesem Gedanken formt Paulus eine jüdische Vorstellung entscheidend um: Nicht die Heidenvölker bringen bei ihrer endheilzeitlichen Jerusalemwallfahrt ihren Reichtum nach Israel (vgl. Jes 60,5 LXX), sondern im Gegenteil wird Israel - und zwar gerade nicht aufgrund der rechten Verwirklichung seiner Heilsauszeichnungen - im eschatologischen Sinn zum "Reichtum" der Rettung für die Heiden (vgl. V. 11). Dieser Reichtum fällt den Heiden in der Gegenwart zu, weil Israel (in den λοιποί) wegen des fehlgeleiteten Eifers der Verstockung preisgegeben worden ist (vgl. V. 7) und sein Verstocktsein in seinem παράπτωμα - d.h. in seinem schuldhaften Verfehlen gegenüber dem als Garant der Dikaiosyne aufrechterhaltenen Gesetz wie auch insbesondere gegenüber der gnadenhaft in Christus aufgrund des Glaubens gewährten und im Evangelium angebotenen Dikaiosyne Gottes - offenkundig macht und bestätigt. Israel (soweit es nicht zum Rest durch die Gnade Gottes erwählt ist) steht also noch in der Unheilsfolge der Obertretung Adams (vgl. 5,12-21) unter dem Zorn Gottes (9,22); vgl. 1,18 - 3,20; 4,15), während die Heiden gerade deshalb als "Gefäße des Erbarmens" (9,23f) in die Heilswirkung des einen endzeitlichen Adam (Christus) integriert sind. Sie haben schon an der überfließenden Gnade für die Vielen und deren Ausrichtung durch Christus auf das "ewige Leben" (vgl. 5,15-21)

(vgl. 1,5). Dazu G.Delling, in: ThWNT VI 300, 41-43; J.Ernst, Pleroma 70; F.W.Maier, Israel 141f (einschränkend: "Begriff der Gesamtheit der wirksam Berufenen"; ebd. 142).

147 Zu ἥττημα s. die Deutungsvarianten bei O.Kuss, Röm 795f.

148 Mit B.Mayer, Heilsratschluß 264, gegen H.W.Schmidt, Röm 189f.

149 E.Käsemann, Röm 295. Jedoch ist mit Blick auf die Perspektive von V. 12 und V. 15 diese Segensfülle als Prolepse zu verstehen, die über sich hinaus auf eine vollendende Zukunft verweist.

teil und erfahren bereits als zur Doxa Vorausbereitete mit dem Empfang der Soteria als endzeitlichen "Reichtum" das Offenbarwerden des "Reichtums der Doxa Gottes" (9,23).

Paulus bleibt jedoch nicht bei diesem Urteil stehen, sondern erweitert den Gedanken in einer V. 15 analog durchgeführten Weise, indem er die positive Aussagetendenz vom παράπτωμα bzw. ἥττημα zum πλοῦτος in die futurisch-eschatologische Konsequenz hinein weiterführt. Dabei ist in V. 12b nicht mehr ein Negativum sondern vielmehr ein Positivum auf der Seite Israels Basis für den der Sache nach nur angedeuteten Schluß auf die Heiden: die "Vollständigkeit"[150] Israels (nicht in der Befolgung des Gesetzes sondern in der Hereinnahme in die dem Rest schon gewährte Gnadenerwählung[151]) bringt den Heiden das Vollmaß des gegenwärtigen Reichtums bzw. der Rettung (V. 11). Die Zukunft des Pleroma Israels, die in der Treue Gottes zu Israel begründet ist und vom Erbarmen Gottes erwartet wird, bringt also noch eine Überbietung des bereits in der Gegenwart von den Heiden empfangenen Reichtums mit sich[152].

Kehren wir nun zu der bereits angesprochenen Wechselbeziehung zwischen Israel und den Heiden und ihrer futurisch-eschatologischen Dimension zurück, die V. 15 unter Einschluß des Versöhnungsgedankens entwickelt. Die Bedeutung von V. 12 zeigt sich dabei sowohl in der Aussagestruktur von V. 15 als auch in dem eschatologisch geprägten Steigerungsverhältnis von V. 15b zu V. 15a. Jedoch geht V. 15b darin über V. 12b hinaus, daß das überbietende futurisch-eschatologische Merkmal des Verhältnisses zwischen Israel und den Heiden explizit thematisiert wird.

Die negative Charakterisierung der Situation Israels in V. 15a bezieht sich nicht wie in V. 12a (und in V. 11) auf ein Fehlhandeln Israels, sondern stellt von Anfang an das Handeln Gottes heraus[153]. Die "Verwerfung" impliziert zwar, daß Israel die Gottesbeziehung nicht in der rechten Weise lebt und näherhin sich - fixiert auf die Eigengerechtig-

---

150 D.Zeller, Juden 239.

151 Anders B.Mayer, Heilsratschluß 266 (vgl. 265f), unter Hinweis auf P.Althaus, Röm 113, und Ch.Plag, Wege 43 (vgl. auch 33f: Pleroma in der sachlichen Bedeutung von Pistis).

152 D.Zeller, Juden 239; U.Wilckens, Röm II 244.

153 B.Mayer, Heilsratschluß 268; O.Kuss, Röm 796.

keit - nicht der Dikaiosyne Gottes unterworfen hat (10,4), umschreibt aber in V. 15a insbesondere den Gedanken der Verstockung (vgl. 9,32f; 11,7-10). Es meint also der Sache nach nicht die Verstoßung des erwählten Volkes (vgl. 11,1f) und ist deshalb schon für die Weiterführung in V. 15b offen.

Die ἀποβολή kennzeichnet somit noch nicht die endgültige Gerichtsentscheidung Gottes über das nicht zum Rest gehörige Israel, sondern ein Stadium in der Geschichte des Bundes Gottes mit Israel (vgl. V.27), das funktional dem Heil der Heiden zugeordnet ist[154]. Sie ist so lange in Kraft, wie Israel an der Eigengerechtigkeit festhält und nicht akzeptiert, daß die Dikaiosyne Gottes unabhängig vom Gesetz offenbar geworden ist und allen Glaubenden durch die πίστις Ἰησοῦ Χριστοῦ von Gott her geschenkt wird[155]. Diese Wende setzt aber voraus, daß Israel sich dem Evangelium gehorsam öffnet, das ihm verkündet wird und in dem sich Gott ihm zuwendet (10,14-21). Paulus jedoch muß konstatieren, daß sich die Juden in ihrem Verhältnis zum Evangelium als "Feinde" erweisen (11,28; vgl. 5,10a). Selbst wenn also Paulus durch die ehrenvolle und

---

154 Der extreme Gegensatz von "Verwerfung" und "Versöhnung" ist sowohl von V. 11f her als auch gemäß der folgenden Bildaussage, daß das Abschneiden der Zweige vom edlen Ölbaum gleichsam Platz schafft für das Einpfropfen der Zweige vom wilden Ölbaum, im Sinne einer "heilsgeschichtlichen Funktion" der Verwerfung für die Versöhnung im beides umgreifenden Gerichts- und Heilshandeln Gottes zu verstehen, das auf die "Annahme" und auf die endzeitlich-schöpferische Durchsetzung des Lebens zielt. So erkennt B.Mayer, Heilsratschluß 268, richtig, daß nicht nur die Verwerfung und die Annahme aufeinander bezogen sind, sondern auch jeweils ein Wirkungszusammenhang zwischen Verwerfung und Versöhnung einerseits und Annahme und Leben andererseits besteht, wobei dieser Wirkungszusammenhang von Wirken Gottes her konstituiert ist. Es ist jedoch zu ergänzen, daß sich in der eschatologischen Schlußfolgerung von V. 15b die Auswirkung der Annahme im Leben nicht nur auf den Kosmos erstreckt, sondern auf das angenommene (d.h. gerettete) Israel selbst.

155 9,30-32; 10,4.5-12. 17; 11,20. 23; vgl. dazu auch bes. 3,22. 26; Gal 2,16. 20; 3,22 (26); Phil 3,9. Zu der für Paulus kennzeichnenden Verbindung von Dikaiosyne und Pistis s. K.Kertelge, "Rechtfertigung" 161-227; zur Deutung der Wendung πίστις Ἰησοῦ Χριστοῦ bes. 162-166. 175-177 (im Sinne eines gen.obj.; - so auch z.B. E. Käsemann, Röm 87); vgl. dagegen W.Thüsing, Zugangswege 218-221 (für das Verständnis als gen.subj.); ebenso z.B. H.W.Schmidt, Röm 66 (zu 3,22). Nach U.Wilckens, Christologie 74, meint die Wendung "das

wirksame Durchführung seines Heidenapostolats um die Rettung Israels durch das Evangelium (als Macht Gottes zur Soteria eines jeden Glaubenden 1,16) in einer indirekten Weise bemüht ist (11,13f), kann er weder mit der von ihm intendierten Antwort Israels rechnen, noch kann Israel aus eigenem Vermögen die Wende herbeiführen. Es bleibt in seiner Eigengerechtigkeit und in der Verstockung gefangen und kann allein durch die Tat des zu seiner Berufung stehenden Gottes aufgrund von Erbarmen (11, 28-32) dem Endheil teilhaft werden.

Bevor der Reflex dieser Gedankenlinie in V. 15b entfaltet werden kann, ist zunächst noch auf die besondere eschatologische Relevanz der "Verwerfung" des "übrigen" Israel einzugehen. Diese besteht gemäß der antithetischen Aussage V. 15a in dem Handeln Gottes, das die "Versöhnung" der heidnischen Menschheit schenkt.

Die Versöhnungsaussage, die sicher im Zuge der Argumentation von Kap. 11 ein Überraschungsmoment enthält[156] und gerade deshalb den Kommunikationspartner auf ihre besondere Relevanz hinweist, ist innerhalb des stark rechtfertigungstheologisch durchformten Kontextes und auf dem Hintergrund von 5,9f doch sachlich gerechtfertigt und dementsprechend in Analogie zu den anderen, das Kap. 11 besonders prägenden antithetischen Formulierungen der Sachparallelen zu verstehen. Da es in unserem Zusammenhang an keiner Stelle um die Herbeiführung eines Zustandes innerhalb der heidnischen Menschheit oder der Menschheit unter Einschluß von Israel geht, kann es sich bei der "Versöhnung des Kosmos" auch nicht um eine innerkosmische Versöhnung handeln[157]. Daß ebenfalls eine "Versöhnung des Kosmos" in dem Sinne ausgeschlossen ist, daß die Versöhnung

Heilsvertrauen, das die Glaubenden dem gekreuzigten Christus als von Gott gesetzter Sühne entgegenbringen"; vgl. ders., Röm 188: "der Heilsglaube an Gott, der sich jetzt nicht auf seine Gerechtigkeit im Gesetz, sondern im Tode Jesu Christi richtet". S. noch W. Schenk, Gerechtigkeit Gottes, bes. 168-172.

156 N.Kehl, Christushymnus 132; E.Brandenburger, Frieden 52 ("so unvorbereitet wie formelhaft"). Den Charakter formelhaft geprägter Tradition betont auch E.Käsemann, Erwägungen 49 ("aus der Doxologie der hellenistischen Gemeinde"). Als Argument dafür wird auch 2 Kor 5,19 herangezogen (vgl. auch ders., Röm 297). Gegen eine Inanspruchnahme von fester Tradition für Röm 11,15 stellt sich M.Wolter , Rechtfertigung 85, mit Recht.

157 Ebenso E.Käsemann, Röm 297. E.Brandenburger, Frieden 52, erkennt

über die Menschheit hinausgreift, wurde bereits in Verbindung mit V. 12
(Parallelität von "Kosmos" und "Heidenvölker") angemerkt[158]. Des weiteren sind auch zwei Interpretationen nicht haltbar, die einmal die Versöhnung als endzeitlichen Prozeß verstehen, was dem Zustand der "Verwerfung" widerstreitet[159], und zum anderen die "Versöhnung" als Vollendung der endzeitlichen Heilswirklichkeit begreift. Diese Deutung wird
der Fortführung des Gedankens in V. 15b, der ohne Zweifel futurisch-eschatologisch bestimmt ist, nicht gerecht[160].

"Versöhnung des Kosmos" meint vielmehr die Gegenwartsform der Partizipation der Heiden an der Soteria aufgrund der ihnen geschenkten Charis
und des ihnen widerfahrenden Erbarmens, also nicht aufgrund der Geset-
zeswerke, sondern als Berufene in gehorsamer Unterordnung unter die offenbar gewordene Dikaiosyne Gottes und zwar im vertrauenden Glauben
aufgrund der Verkündigung des Evangeliums als der heilwirkenden Macht
Gottes zur Soteria[161]. Alles Gewicht liegt darauf, daß die Versöhnung
der heidnischen Menschheit allein von Gott her kommt und durch sein Erbarmen (9,22-24; 11,30-32) und seine Güte (11,22) als Charis gewährt
wird. Die nachweisbare jüdische Vorstellung, daß die Tora-Söhne die
Versöhnung für die Welt sind[162], findet bei Paulus keine Unterstützung.

---

jedoch als Traditionshintergrund "die Konzeption der kosmischen
Friedensstiftung".

158 Auch E.Brandenburger, a.a.O., konstatiert bei Paulus die anthropologische Bedeutung von "Kosmos" in V. 15 und sieht darin "bereits
die Richtung angegeben", in der er jene urchristliche Traditions-
schicht in diesem Punkte interpretiert.

159 Gegen O.Michel, Röm 345f.

160 Gegen Käsemann, Erwägungen 49.

161 Vgl. den Zusammenhang von V. 15a mit V. 11f und über V. 13 mit 1,
16f; 3,21-30; 4,13-17. 23-25 u.a.

162 E.Käsemann, Röm 297. - Vgl. zum Folgenden auch die Bemerkung E.Kä-
semanns, Perspektiven 134: "Auch Israel unterliegt der Rechtfertigung der Gottlosen, nicht, wie das Judentum mit Einschluß von Qumran annimmt, der Rechtfertigung der Frommen". Jedoch ist hinzuzu-
fügen, daß die Theologie Qumrans sachlich nicht weniger als Paulus
die Unheilssituation unter der Sünde kennt und mit der "Gerechtigkeit Gottes" die gnädige Zuwendung des Heils durch Gott verbindet,
jedoch darin (im Unterschied zu Paulus) die Befähigung zur konsequenten Gesetzestreue sieht, woraus dann das Leben folgt (J.Becker,
Heil, bes. 276-279).

Denn gerade die eifernde Tora-Treue des "übrigen" Israel führt ja weder
Israel zur rechten Gemeinschaft mit Gott, noch erschließt sie den Heiden die Gottesbeziehung. Vielmehr ist schon vorher unterstrichen worden,
daß gerade der Anspruch auf das Gesetz die Heiden in ihrer Gottlosigkeit festhält und sie zur Schmähung Gottes veranlaßt (2,32f).

Jedoch als (mit Gott) Versöhnte wird den Heiden-Christen Israel nicht
mehr Anlaß zur Gotteslästerung, sondern das in der Versöhnung bzw. in
der schon gegenwärtig wirksamen Soteria empfangene Erbarmen Gottes
(11,30), das ihnen durch Christus, den διάκονος περιτομῆς (15,8),
zuteil geworden ist, bewegt sie zur Verherrlichung Gottes (V. 9-12) und
läßt sie (zusammen mit den Judenchristen als "Rest") im "Pneuma der
Sohnschaft" Gott als Vater anrufen (8,14-16). Es besteht aber die Gefahr, daß die Gnadenauszeichnung die Heiden-Christen dazu verleitet,
sich im Vergleich mit dem verstockten, ungläubigen und ungehorsamen Israel des erlangten Heils in unangemessener Weise zu rühmen und dabei zu
vergessen, daß auch sie nur durch Christus Aufgenommene sind (vgl. 15,
7), nur im Glauben Stand haben (11,20) und in der Überhebung über Israel, der Wurzel ihrer Heiligkeit (V. 16), die an Israel zur Wirkung
gekommene schonungslose Strenge Gottes erfahren werden (vgl. V. 21f;
2,5; 9,22). Diese mögliche Tendenz zum falschen Sich-Rühmen gegenüber
Israel kritisch zu korrigieren, ist in besonderer Weise auch die Funktion der Bildworte vom "heiligen Erstlingsbrot" und von der "heiligen
Wurzel" (V. 16) und der Bildrede vom Ölbaum und den aufgepfropften wilden Ölbaumzweigen (V. 17-24)[163].

Der spezifisch paulinische Akzent in 11,15 ist also, daß nicht die Ge-
setzes-Treue sondern der Ungehorsam Israels gegenüber der von Gott unabhängig vom Gesetz zugerechneten Dikaiosyne und seine "Verwerfung" auf
der Seite der Heiden das Widerfahrnis der Versöhnung mit Gott eröffnen.
Der "Reichtum", der den Heidenvölkern also in Antithese zum "Vergehen"
Israels schon in der Gegenwart zukommt (vgl. V. 12), ist somit nach V.
15a die "Versöhnung". Parallel zum πολλῷ μᾶλλον-Schluß von V. 12b
wendet sich V. 15b dem Zukunftshorizont des Zusammenhangs von "Verwerfung" und "Versöhnung" zu und stellt die Zukunft als Überbietung der
Gegenwart sowohl der Juden als auch der Heiden dar. Antithetisch zur
Verwerfung umschreibt πρόσλημψις das endzeitlich endgültige Heilshandeln Gottes an Israel. "Annahme" besagt also nicht die Bekehrung Is-

---

163 S. dazu F.W.Maier, Israel 130-138; U.Luz, Geschichtsverständnis
    274-279 (mit zahlreichen Hinweisen auf vergleichbare, auf Israel
    bezogene Bildaussagen im Judentum); D.Zeller, Juden 215-218. 244f;
    B.Mayer, Heilsratschluß 270-280; weiterhin E.Käsemann, Röm 298-301;
    H.Schlier, Röm 332-337.

raels aufgrund der Verkündigung des Evangeliums[164], obgleich die Gewinnung einzelner aus Israel infolge der Heidenmission bereits als Vorzeichen der noch ausstehenden "Annahme" Gesamtisraels gelten kann; πρόσλημψις meint vielmehr hier in der engen Beziehung zum "Leben aus den Toten" ein endheilszeitliches Geschehen, in dem Gott die Verwerfung aufhebt, die den größeren Teil Israels getroffen und von der gnadenhaften Erwählung des "Restes" und der "Versöhnung des Kosmos" getrennt hat. Gott wendet sich also den Ungehorsamen zu (V. 30) und läßt sie sein Erbarmen erfahren, das er allen, die er in Ungehorsam (ἀπείθεια) eingeschlossen hat, zuteil werden läßt (V. 32) und das die Heiden-Christen in der "Versöhnung des Kosmos" zusammen mit den zum Rest erwählten Juden schon empfangen haben (vgl. 9,15-18. 23f).

Doch auch den Heiden widerfährt noch etwas Größeres in Verbindung mit der "Annahme" Israels durch Gott. Die "Versöhnung des Kosmos" wird in der endgültigen, von Gott gewirkten Zukunft überboten durch das, was Paulus im Sinne der Vollendung der Soteria als "Leben aus den Toten" umschreibt. Indem das qualitativ Neue im Vergleich zur "Versöhnung des Kosmos", dessen Neuheit und Andersartigkeit auch durch die Aufhebung der Verwerfung in der Annahme Ganz-Israels unterstrichen ist, mit diesem futurisch-eschatologischen Motiv gekennzeichnet wird, ist zugleich das Unüberbietbare dieses Geschehens geltend gemacht.

Die antithetische Zuordnung von "Verwerfung" des nicht in den Rest eingegliederten Israel und "Versöhnung" der heidnischen Menschenwelt, mit der sich in der Gemeinde der "Rest" Israels verbindet, wird also in der von Gott gewirkten Zukunft abgelöst durch die positive Wechselbeziehung von "Annahme" des gesamten Israel und dem endheilszeitlich-endgültigen Ereignis der Lebensgewährung durch den, der die Toten lebendig macht und das Nichtseiende in seiner Schöpfermacht ins Sein ruft (4,17). 11, 15b denkt also nicht an das schon jetzt wirksame Erstandensein vom Tode zum Leben (6,13), das aus der Todes- und Lebensgemeinschaft mit Chri-

---

164 So z.B.: R.Cornely, Rom 595; J.Sickenberger, Röm 236. - K.Kertelge, Röm 192, stellt einen Zusammenhang her zwischen der Abwendung Israels vom "veralteten Werkprinzip" und seiner Erweckung zum Leben, doch V. 15b übersteigt noch in seiner konsequenten eschatologischen Ausrichtung diese Deutungsmöglichkeit.

stus in der Taufe resultiert (vgl. 6,3-11), sondern bezeichnet in einer semitisierenden Ausdrucksweise[165] die definitive neugeschöpfliche Teilhabe am "ewigen Leben" in Christus. Für das angenommene Israel realisiert sich die Neuschöpfung[166] zum "Leben aus den Toten" in der zukünftigen Rettung durch die Wegnahme der ἀσέβεια und in der Sündenvergebung (11,26f mit Jes 59,20; 27,9), wodurch Israel an sich die Durchsetzung des Bundes (V. 27a) nicht mehr in der Weise des Gerichts sondern in der Weise der endgültiges Heil schenkenden Gnade erfährt.

Wie die Bildrede 11,17-24 noch einmal im Blick auf die seit V. 13 ausdrücklich angesprochenen Heiden-Christen deutlich macht, kann der Gedanke von V. 15 in seiner inneren Ausrichtung auf das endgültige Heil sowohl für Ganz-Israel als auch für die Heiden verkannt werden. Es ist vom Standpunkt der Heiden-Christen aus die Möglichkeit gegeben, nur die Linie von der Versöhnung zum Leben aus den Toten zu sehen und aus der komplexen eschatologischen Aussage über die heilsrelevante Wechselbeziehung zwischen den Juden und den Heiden innerhalb des beide umfassenden Heilswirkens Gottes nur eine Teil-Dimension, eben die die Heiden betreffende, verkürzend herauszustellen. Vor allem die trotz der Effektivität der Heidenmission bleibende Verstockung des übrigen Israel legt die Oberbetonung der Soteria für die Heiden nahe. V. 16 und dann V. 17 bis 24 zeigen jedoch auf, daß die "Versöhnung des Kosmos" und die Zukunft des "Lebens aus den Toten" nicht denkbar ist ohne die für die Heiden konstitutive Heilsrolle Israels. So wird in V. 16[167] die Heiligkeit der versöhnten Heidenwelt (gleichsam im Gegenzug zur vorausgegangenen Thematik von Verstockung, Fall, Vergehen, Versagen und Verwerfung Israels) in der Heiligkeit des von Gott erwählten Israel verankert, wenn auch der Hauptgedanke der ist, daß das Gottgeweihtsein und die Gottzu-

---

165 Durch ζωή wird das sonst bei Paulus in Verbindung mit νεκρῶν bzw. ἐκ νεκρῶν wiederkehrende ἀνάστασις bzw. ἐξανάστασις ersetzt (vgl. 1 Kor 15,12. 13. 21. 42; Röm 1,4; Phil 3,11). S. aber Röm 14,9. S. hier auch die Deutung der Auferweckung der Toten durch den Vater als Lebendigmacher in Joh 5,24 (dazu R.Schnackenburg, Joh II 136-140).

166 Ch.Müller, Gerechtigkeit 44.

167 Vgl. z.St. F.W.Maier, Israel 128-130; J.Munck, Christus 95; B.Mayer, Heilsratschluß 270-272.

gehörigkeit Israels in seinen Vätern (der "Teighebe" bzw. den "Wurzeln")
von Gott grundgelegt und von daher in Kraft ist[168]. Denn die Heiligkeit
des erwählten Israel von seinem Fundament her gibt Paulus die Zuversicht, daß Gott das verworfene Israel annehmen wird und mit der "Annahme" als eschatologische Konsequenz das Offenbarwerden des Lebens aus
den Toten verbunden ist. Was also die eschatologische Folgerichtigkeit
der Fortführung des Gedankens von V. 15a zu 15b betrifft, so ist sie
letztlich bereits angelegt in der Beständigkeit der Treue Gottes zu der
Israel in seinen Vätern für Ganz-Israel geschenkten und von den Vätern
her auch für das jetzt verstockte Israel noch geltenden Heiligkeit.
Auch in der paränetisch[169] an die Heiden-Christen adressierten Bildrede
V. 17-24 wird das Verhältnis der Heiden-Christen zu Israel vom Handeln
Gottes her beleuchtet, wobei die Entfaltung des Gedankens auf das eschatologische Motiv ausgerichtet ist, daß die jetzt ausgebrochenen Zweige
des edlen Ölbaums (d.h. das verstockte Israel) schließlich den ihnen
κατὰ φύσιν gebührenden ursprünglichen Ort infolge des Aufpfropfens
wieder einnehmen werden (V. 24). Was also in V. 15b als "Aufnahme" charakterisiert ist, ist innerhalb der metaphorischen Rede das Wiederauf-
gepfropftwerden durch die Macht Gottes (V. 23). Die "Verwerfung" Israels ist dementsprechend in das Bild gefaßt, daß "einige Zweige"[170] des
edlen Ölbaums ausgebrochen wurden (V. 21a). Der Gedanke der "Versöhnung

---

168 Vgl. 11,28b; s. die Einführung der "Väter" als Auszeichnung Israels
in 9,5, aber auch die Ausweitung der typologischen Sicht der Glau-
bensgerechtigkeit Abrahams in Kap. 4, die die Heidenvölker als Glaubende miteinschließt, und die Reflexion auf das wahre Israel (V. 6b.
7-13) in den "Kindern der Verheißung" als den "Kindern Gottes", die
die Nachkommen Abrahams und Isaaks nach dem (allein entscheidenden)
erwählenden Heilsratschluß des berufenden Gottes (V. 11) sind.

   - Auf die Väter beziehen V. 16 z.B. auch U.Luz, Geschichtsverständnis 275f; E.Käsemann, Röm 271; D.Zeller, Juden 215f; B.Mayer, Heilsratschluß 271; O.Michel, Röm 348. - Zur Vorstellung von Israel als
   einer aus Abraham bzw. aus Isaak hervorgehenden Pflanze vgl. Jub
   16,26; 21,24; s. auch z.B. aethHen 93,2. 5. 8 (Geschlecht der auserwählten Wurzel). 10.

169 B.Mayer, Heilsratschluß 272 ("Warnung vor heidnischer Überheblichkeit"); D.Zeller, Juden 217: "Die paränetische Spitze" ist gegen
das κατακαυχᾶσθαι der Heidenchristen gerichtet.

170 Vgl. das missionarische Anliegen des Paulus, "einige von ihnen" zu
retten (11,14).

der Heidenwelt" (V. 15a) ist identisch mit dem Motiv, daß die Zweige
vom wilden Ölbaum unter die Zweige des edlen Ölbaums (d.h. des "Restes")
anstelle der ausgebrochenen Zweige aufgepfropft werden[171] und damit an
der Fettigkeit der Wurzel des Edelbaums (V. 17. 19a) teilhaben. Die
weitere Steigerung von V. 15b ("Leben aus den Toten") wird in diesem
Zusammenhang nicht mehr als ein eigenes futurisch-eschatologisches Aussagemoment aufgenommen und in ein besonderes Bild gefaßt[172]. Sie wird
ersetzt durch die Hinweise auf die Bedeutung des Glaubens und des Be-
harrens bei der Güte Gottes (V. 19. 22) und auf die gegenteilige Möglichkeit, ebenso wie die im Unglauben verharrenden, ausgebrochenen
Zweige (V. 20a. 23a) von der "Strenge Gottes" getroffen zu werden und
der Heilsgemeinschaft des edlen Ölbaums verlustig zu gehen (V. 22).

Während also die Bildrede V. 17-24 die positive futurisch-eschatologische Folgerung von V. 15b auf der Seite der Heiden nicht weiter aus-
zieht, sondern in paränetischer Absicht kritisch an die negative Zukunft erneuter Abtrennung vom edlen Ölbaum erinnert, wird der Schritt
von der "Verwerfung" zur "Annahme" nachvollzogen. Das gilt auch für die
anschließende Reflexion auf das Geheimnis der noch ausstehenden, aber
gewissen Rettung des ganzen Israel (V. 25-32[173]). Jedoch bleibt noch
eins im Rahmen von V. 16-24 beachtenswert: Paulus führt die Trennung
des "übrigen" Israel von der Heilsgemeinschaft des edlen Ölbaums auf
den Unglauben zurück, während das Aufpfropfen als bildliche Umschreibung der Versöhnung der Heidenwelt ebenso wie das schließliche Wieder-
aufgepfropftwerden des jetzt verstockten Israel eng mit dem Glauben
(bzw. dem Bleiben in der Güte Gottes V. 22) verbunden ist (V. 19. 23).
So ist für die Heilszukunft Israels die Preisgabe des Unglaubens und
die Hinwendung zum Glauben ausdrücklich eingeschlossen[174].

---

171 Dieses Geschehen wird als παρὰ φύσιν V. 24 besonders gekennzeichnet und weist auf einen Gnadenakt Gottes hin.

172 Vgl. aber V. 25.

173 Vgl. U.Luz, Geschichtsverständnis 286-300; P.Stuhlmacher, Interpretation; D.Zeller, Juden 245-267.

174 Die Hinwendung zum Glauben bedeutet für Israel die Hinwendung zu
   Christus als Telos des Gesetzes zur Gerechtigkeit für jeden Glau-
   benden (vgl. hier auch 2 Kor 3,14-17) und das Bekennen Jesu als
   Herrn. Das impliziert den Verzicht auf das Bemühen um Eigengerech-

3.3 Zusammenfassung

Die Versöhnungsaussage Röm 5,10f und ihre Wiederaufnahme im Zusammenhang der Reflexion über das Heilsmysterium Israels und die universale
Durchsetzung der Dikaiosyne Gottes (11,15) lassen folgende Aspekte erkennen:

1) "Versöhnung" bezeichnet die gegenwärtige Situation des Heils, deren
Fundament der Kreuzestod des "Sohnes Gottes" ist[175]. In ihm manifestiert
sich das Dasein Gottes für die "Feinde", die die Gemeinschaft mit ihm
aufgekündigt haben, indem sie, prahlerisch ihre Weisheit beteuernd, in
ihrer Perversion die Doxa Gottes preisgaben (1,22f) bzw. sich Gottes
und seines Gesetzes rühmten, aber Gott durch das Übertreten des Gesetzes entehrten (2,23). "Versöhnung" als Aufhebung der Feindschaft der
Menschen gegen Gott ist von Gott selbst gewirkt und wird in der Gegenwart durch die Vermittlung des Erhöhten empfangen (5,11).

2) Die "Versöhnung mit Gott" hat ihren endzeitlichen Realisierungsort
in der mit Christus verbundenen Gemeinde. Als Gemeinde aus Juden (d.h.
aus dem erwählten "Rest" Israels) und aus Heiden gibt sie Zeugnis von
der "Versöhnung der Heidenwelt" (11,15) mit Gott und von der ihr entgegengesetzten und sie zugleich als Folge ermöglichenden "Verwerfung"
des nach Eigengerechtigkeit strebenden Israel durch Gott. Die an der
Versöhnung der Feinde bzw. der Heidenwelt durch Christus und infolge
der Verkündigung des heilsmächtigen Evangeliums teilhaben, bezeugen
aber in der Hoffnung auf endgültige Rettung auch, daß sie von Gott die
Annahme ganz Israels und die Partizipation am künftigen "Leben aus den
Toten" erwarten. Die Versöhnung wird also im Röm nicht nur als Herstellung der individuellen heilshaften Gottesbeziehung gedeutet, sondern
als Wirklichkeit der personalen, durch Christus vermittelten Relation
des Friedens auf Gott hin (5,1) hat sie zugleich einen ekklesialen und

---

tigkeit und die Annahme der Dikaiosyne Gottes unabhängig vom Gesetz
(vgl. 3,21-31; 9,30-33; 10,3f. 9-13).

175 Vgl. 5,10a im Zuge der Argumentationsreihe V. 6-9a, jedoch darf die
christologische Komponente von V. 11 (durch den erhöhten Christus)
nicht übersehen werden.

universalen Aspekt[176]. Dessen innere Problematik besteht darin, daß das
von Gott erwählte und vielfach ausgezeichnete Israel in seiner Mehrheit
nicht an der mit dem Kreuzestod Jesu von Gott selbst herbeigeführten
Versöhnung teilhat, weil es sich der im Kreuzestod und im Evangelium
für alle offenbar gewordenen Dikaiosyne aus Glauben verschließt bzw.
nur in "einigen" zum Glauben gefundenen Juden öffnet. Die lösende Perspektive ergibt sich Paulus in der eschatologischen Betrachtung der gegenwärtigen Versöhnung, die die gewährte Versöhnung (der Heidenwelt) in
Beziehung setzt zu ihrer über die Heiden hinaus auch ganz Israel ergrei-
fenden Vollendung (11,15b).

3) Der futurisch-eschatologische Horizont des Versöhnungsgedankens ist
sowohl in 5,10 als auch in 11,15 durch den Begriff "Leben" definiert.
Während 5,10b von der "Rettung im Leben Christi" spricht (vgl. V. 9b
"Rettung aus dem Zorngericht durch Christus"), gebraucht Paulus in
11,15b die Wendung "Leben aus den Toten". Sachlich gemeinsam ist beiden
Stellen die Verbindung des zukünftigen Lebens mit der Auferweckung, je-
doch wird in 5,10b deutlicher, daß das Auferweckungsleben aufgrund der
Hineinnahme in das Leben des Erhöhten empfangen wird.

4) Gemäß dem Zukunftsaspekt der Versöhnung, der von Röm 8 aus auch mit
den Stichworten der Mitverherrlichung (V. 17) bzw. der Mitgestaltung
mit der Eikon des Sohnes (V. 29) oder des Offenbarwerdens der Söhne
Gottes in ihrer Doxa (V. 18f) bzw. der Erlösung des Leibes (V. 23) umschrieben werden kann, verbindet sich mit dem Versöhnungsgedanken im
Röm das Thema der Hoffnung auf die Vollendung in der Doxa Gottes (5,2b-
5; vgl. 8,24f). Im engeren Kontext der Versöhnungsaussage wird das
Hoffnungsgut, nämlich die Rettung im Leben Christi, als Überbietung der
gegenwärtigen Heilsexistenz ausgewiesen. Die endzeitliche Lebensform
der Hoffnung, deren sich die Gerechtfertigten und Versöhnten bzw. die
in Friedensrelation zu Gott Lebenden rühmen können (5,2b), ist die der

---

176 Das universale Verständnis der Versöhnung kommt vor allem in 11,15
zum Ausdruck, wo aber der ekklesiale Bezug durch die Charakterisierung des missionarischen Apostolats. V. 13f mitenthalten ist. Auf
der anderen Seite greift das Feindschaftsmotiv und die vorausgegangene soteriologische Reflexion der Sache nach über den aktuellen
Rahmen der Gemeinde hinaus.

Leiden. Sie bekunden in ihrem eschatologischen Charakter zwar, daß die Versöhnung mit Gott noch nicht die vollendete Heilswirklichkeit ist, stehen aber nicht im Widerspruch zur Hoffnung und gefährden nicht ihren Bestand (vgl. V. 3-5; 8,18. 24f). Der Grund dafür ist das Pneuma als Gabe der Liebe Gottes (5,5b; vgl. 8,23), die sich als alles schenkende Macht in der Dahingabe des Sohnes bezeugt hat (8,32) und alles der Verbundenheit mit der "Liebe Gottes in Christus" Entgegenstehende überwindet (V. 35-39). Die bis zur Dahingabe des Sohnes gehende Agape Gottes, die die Feinde in die Versöhnungsgemeinschaft bzw. in die Friedensbeziehung hineingeholt hat, ist der Garant dafür, daß die Hoffnung auf die Rettung aus dem Zorngericht und auf die Partizipation am Leben des Erhöhten, durch den jetzt die Versöhnung empfangen wird, ihre Erfüllung findet.

5) Schließlich ist noch auf die Weise des existentiellen Vollzuges der Versöhnung mit Gott einzugehen. Das Stichwort dafür bietet 5,11: die durch Christus an der Versöhnungsgemeinschaft mit Gott Teilhabenden rühmen sich Gottes als des Versöhners. Dieses Rühmen, das nicht auf die eigene Existenz schaut, sondern die schon gegenwärtige Integration in die Heilsbeziehung zu Gott zum Anlaß nimmt, Gott für die gewährte Versöhnung zu preisen, ist getragen durch das Pneumawirken des Erhöhten, der den Versöhnten Anteil gibt an der pneumatischen Sohnesbeziehung zu Gott. Entsprechend der Verbindung von 5,11 mit den Gebetsaussagen von Kap. 8 läßt sich sagen, daß der Empfang der Versöhnung durch Christus, der identisch ist mit dem Empfang des Pneuma der Sohnschaft (5,11b; 8,15), seine adäquate Antwort im Rühmen Gottes als Vater findet. Als Antwort des im Versöhnten wirkenden Geistes ist sie hineingenommen in das Eintreten des Erhöhten für uns vor Gott (8,34).

3.4 Rezeptionskritische Aspekte

Die Untersuchung der Versöhnungsaussagen im Kontext des Brieffragments 2 Kor 2,14 - 6,13 und 7,2-4 hat deren besondere Aktualität auf dem Hintergrund der Krise in den Beziehungen zwischen der korinthischen Gemeinde und Paulus als Apostel erkennen lassen. Es stellt sich deshalb nach der Darstellung des Versöhnungsgedankens im Röm die Frage ein, welche Bedeutung dem Versöhnungsthema in dem Gespräch beizumessen ist, das Paulus durch den Röm mit einer ihm persönlich ungekannten Gemeinde eröffnete. Da Paulus sowohl in dem Schreiben an die Korinther als auch in dem späteren Brief an die Römer von Versöhnung spricht, läßt sich das Verhältnis beider Aussagen unter dem Gesichtspunkt der Eigenrezeption betrachten. Die Zusammenschau der versöhnungstheologischen Aspekte von 2 Kor und Röm sind jedoch der abschließenden Zusammenfassung des Paulus-Teils vorbehalten. Als weiterführende Überlegungen sind mit Blick auf das Potential der Versöhnungsaussagen im Kontext heutiger Theologie die Ausführungen zur Frage nach der Gegenwarts- und Zukunftsdimension der Versöhnung verstanden. Diese Frage ist nicht nur aus dem gegenwärtigen theologischen Versöhnungsverständnis heraus gestellt, in dem die Zukunftsdimension an Bedeutung gewonnen hat, sondern sie legt die futurisch-eschatologische Perspektive von Röm 5,10 und 11,15 ebenso nahe wie das eschatologische Denken des Paulus überhaupt.

3.4.1 Das Verhältnis Paulus - Römerbrief - Gemeinde Roms

Das Verhältnis des Paulus zur Adressatengemeinde in Rom, das durch Röm vermittelt ist, ist nicht wie beim 2 Kor durch die Konfliktsituation mit der angesprochenen Gemeinde mitgeprägt.

Die Niederschrift des Briefes hat nicht die Funktion, eine aktuell bestehende Problemlage zu verändern. Paulus zielt vielmehr durch den Röm darauf ab, sich der ihm unbekannten und nicht durch seine Verkündigung gegründeten Gemeinde mit sich selbst, mit seinem Evangelium und mit seinem weiteren über Rom hinausgreifenden Missionsplan bekannt zu machen[177]. Als aktueller Gesprächsfaktor spielt aber die bevorstehende Kollektenreise nach Jerusalem in den durch den Röm eröffneten Dialog mit der Gemeinde hinein. Als Anknüpfungspunkt dient jedoch die lang gehegte Absicht, nach Rom zu reisen und in der römischen Gemeinde eine Ausgangsbasis für die projektierte West-Mission zu bilden[178].

---

177 Vgl. die Rahmenaussagen 1,1-17 (bes. 8-17) und 15,14-33. Dazu D. Zeller, Juden 37-77.

178 Vgl. 15,14-33. Der erste Schritt zur Realisierung dieser Absicht wird mit dem Röm getan, durch den Paulus die römische Gemeinde zur Unterstützung seines Vorhabens bewegen möchte. Vgl. D.Zeller, a.a.O. 71f.

Die Auffassung, die darüber hinausgehend im Röm die Absicht des Paulus ausgedrückt sieht, der nichtapostolischen Gemeindegründung in Rom nachträglich die notwendige apostolische Fundierung zu geben, indem ihr das für sie konstitutive apostolische Evangelium verkündigt wird[179], steht im Widerspruch zu der von Paulus selbst im Röm ausgesprochenen Aufgabenbestimmung seines Aposteldienstes. Paulus "beschränkt" die Verkündigung des ihm übertragenen Evangeliums auf die Gebiete, wo eben das Evangelium noch nicht verkündet ist, er verrichtet seinen Dienst der Auferbauung nicht "auf fremdem Fundament" (15,20). Diese seine eigene Sicht der für ihn spezifischen Verkündigungsaufgabe und -verwirklichung ist auch in 1 Kor 3,5-11 und in 2 Kor 10,14-16 ausgesprochen. Im Zusammenhang mit den Aussagen von 1 und 2 Kor erscheint es aber eher so, daß Röm 15,20 die Erfahrung des Paulus mit einem konkurrierenden, auf bestehende Gemeinden bezogene Apostolat reflektiert[180], nicht aber für Rom eine vorausgegangene Tätigkeit von nebenpl. Aposteln voraussetzt. Um den kommunikativen Charakter des Röm recht einzuschätzen, ist also die Funktion des Röm, ein positives Verhältnis zwischen den bislang persönlich unbekannten Gesprächspartnern zu innovieren, zu beachten. Paulus übt nicht aus einem in der Gemeinde selbst liegenden Anlaß seine Leitungs- und Führungsaufgabe aus und hat auch nicht konkrete Probleme in der angesprochenen Gemeinde vor Augen, selbst wenn ein indirekter Kontakt über römische Gemeindemitglieder bestanden hat[181]. Selbst 14,1 bis 15,13 kann nicht für die Vermutung herangezogen werden, der Brief sei in eine innergemeindliche Konfliktsituation hineingeschrieben, die

---

179 Gegen diese These von G.Klein, Abfassungszweck (bes. 140-144) äußerten sich u.a. G.Bornkamm, Römerbrief 128f; D.Zeller, Juden 44. 51; U.Wilckens, Abfassungszweck, bes. 114-118. - Kleins Auffassung modifizierend, sieht W.Schmithals, Römerbrief 173f, hinter Röm die Absicht der Paulinisierung der römischen Gemeinde. K.Wengst, Apostel 158, hält Kleins Auffassung für diskutabel, schließt sich ihr aber nicht ausdrücklich an (vgl. ebd. 159).

180 Vgl. H.Lietzmann, Röm 121; so auch D.Zeller, Juden 67-69 (mit Verweis auf 2 Kor).

181 Vgl. z.B. U.Wilckens, Röm I 33 (mit Hinweis auf Apg 18,1ff. 18f. 26; 1 Kor 16,19). Als Kontaktpersonen werden Priska und Aquila ins Spiel gebracht. Jedoch wird man in der Annahme von Bekanntschaften mit Gliedern der römischen Gemeinde eher zurückhaltend sein müssen.

durch Spannungen zwischen Juden- und Heidenchristen, zwischen den Schwachen und den Starken, ausgelöst worden sei[182]. Mit Recht ist darauf hingewiesen worden, daß nicht mit Blick auf 14,1 bis 15,3 der Röm zu einem Kampfbrief oder zu einer parteiergreifenden oder streitschlichtenden Intervention des Paulus umstilisiert werden kann, und daß nicht bei diesen scheinbar situationsbezogenen Aussagen der Einstieg zur Röm-Exegese zu suchen ist[183].

Lassen sich aus dem Röm kaum Schlüsse auf die faktische Situation ziehen[184] und scheinen die Anmerkungen zu gemeindlichen Problemen eher aus der Erfahrung des Apostels mit seinen Gemeinden zu resultieren und ein Anschauungsbeispiel für den von Paulus üblicherweise gegangenen Weg zur praxisnahen, für das Leben der Gemeinde relevanten Konkretisierung einer Theologie zu geben[185], so bietet sich einmal von der Situation des Paulus her[186] und dann vor allem aus dem Briefrahmen[187] die Möglichkeit zu einer näheren Bestimmung der Funktion des Briefes.

---

182 Anders U.Wilckens, Röm I 33-35. 39-41. Die Annahme eines realen Vorgangs in Rom (so z.B. auch A.Nygren, Röm 313f; H.W.Schmidt, Röm 226) verbindet sich bei Wilckens (a.a.O. 41) mit Verweisen auf die korinthische Situation (1 Kor 8,1-13; 10,23 - 11,1). Daraus wird "das Bild eines Grundsatzstreits innerhalb der urchristlichen Missionsgemeinden" konstruiert. Eher spiegelt sich jedoch in den Aussagen des Röm die Erfahrung des Paulus mit den korinthischen und galatischen Gemeinden wider.

183 D.Zeller, Juden 40f.

184 Alle Rekonstruktionen bleiben hypothetisch. Das gilt vor allem für die postulierten Frontstellungen in der römischen Gemeinde und die Größe der juden- und heidenchristlichen Gruppen. Vgl. zur Gemeindesituation die Übersicht in A.Suhl, Paulus 269-282. Vgl. auch ders., Anlaß.

185 Dabei kommt es mehr auf die leitenden theologischen Kriterien für analoge Vorgänge an als auf die Entscheidung eines faktischen Einzelfalls.

186 S. hier die im Ansatz richtige Unterscheidung der "Situation der römischen Christen" und der "Situation des Paulus bei der Abfassung des Römerbriefs" in U.Wilckens, Röm I 33-46.

187 Die Bedeutung des Briefrahmens für das Verständnis des Röm hat D. Zeller herausgearbeitet (ders., Juden 45-77). Er kommt zu dem seine weitere Untersuchung bestimmenden Ergebnis: "Theorie und Praxis der Mission spielen für den Röm eine entscheidende Rolle".

Da die im Brief sich andeutende Situation des Paulus bereits angesprochen wurde, können wir mit Blick auf den Briefrahmen und das darin aus-
gedrückte Hauptanliegen die Rolle des Röm in folgenden Momenten sehen[188]:
angesichts der für die unmittelbare Zukunft in Aussicht genommenen Reise und des dort erwarteten Konflikts öffnet Paulus vor dem Forum der
römischen Gemeinde den ihn in seinem Wirken bestimmenden missionarischen Horizont des für alle, Juden und Heiden, heilsmächtigen Evangeliums[189]. Hat der Röm auf dem Hintergrund der persönlichen Situation des
Paulus und in der Art der entwickelten (missions-) theologischen Konzeption den Charakter eines Testaments[190], so hat er doch auch, und
zwar gerade als summative Entfaltung des von Paulus verkündeten Evangeliums in besonderer Weise, Züge einer werbenden Rechenschaftsablage für
die heidenmissionarische und damit auch für das Heil Israels relevante
missionarische Aufgabe des Apostels im Dienste der Dynamis des Evangeliums[191].

Diese Dynamis des Evangeliums zur Rettung für alle Menschen (1,16), an
der die Gemeinde in Rom bereits Anteil erhalten hat und an der sie,
durch den Röm gefördert, in vertiefter Weise Anteil nehmen soll, findet
auch in den Versöhnungsaussagen Röm 5,10f und 11,15 ihren Ausdruck. Sie
erschließen der Gemeinde mit der "theologischen Tiefendimension"[192] des
pl. Evangeliums die Wirklichkeit, aus der sie lebt und von der aus sie
sich als Gemeinde der durch Christus Versöhnten im universalen, die
Heidenwelt und im "Rest" auch Israel erfassenden Horizont der gegenwärtigen Versöhnung und der sie vollendenden Zukunft verstehen soll. Die
Versöhnungsaussagen bestimmen gerade in der doppelten Formulierung sowohl die Realität gegenwärtigen Heils in der Gemeinde als auch deren

---

188 Vgl. 1,9-15. 16f; 15,14-32.

189 D.Zeller, Juden 74f. Vgl. P.Stuhlmacher, Interpretation 555: Der
   Röm ist "historisch ... ein in die Zukunft weisendes Dokument". Er
   folgt darin der z.B. auch von G.Schrenk, Studien 81-106, vertretenen Sicht.

190 So G.Bornkamm, Römerbrief, bes. 130-135; ihm folgt U.Wilckens,
   Röm I 47f. Dagegen A.Suhl, Paulus 276 Anm. 62.

191 Vgl. 1,16f; 11,13f.

192 D.Zeller, Juden 75.

Zukunftsdimension, sie begründen zum anderen aber auch das missionarische Wirken des Paulus in seiner zweifachen (direkten und indirekten)
Ausrichtung und geben der Gemeinde selbst einen missionarischen Auftrag
im Rahmen der "Versöhnung" der Heidenwelt[193].

3.4.2 Die Versöhnungsaussagen des Römerbriefs unter dem Gesichtspunkt der Eigenrezeption

Die Versöhnungsaussagen Röm 5,10f und 11,15 stehen in der Nachgeschichte des in 2 Kor 5,18ff formulierten Versöhnungsgedankens. Nachgeschichte meint hier nicht die Geschichte der Wirkung oder des Einflusses, die
bei den historischen Empfängern des 2 Kor-Briefes (bzw. des jetzigen
Brieffragments) nur zu vermuten, aber nicht mehr in textlicher Form
festzustellen ist. Vielmehr ist der Begriff autorbezogen[194] verstanden
und bezeichnet die zeitliche Nachordnung des Röm hinter 2 Kor 2,14 -
6,13 und 7,2-4, jedoch ist damit zugleich der Aspekt des sachlichen
Verhältnisses von Röm 5,10f und 11,15 zu 2 Kor 5,18ff verbunden.

Da beide Briefe und die in ihnen enthaltenen Versöhnungsaussagen von
ein und demselben Autor stammen, läßt sich fragen, in welcher Weise, d.
h. vor allem mit welchen Akzentuierungen das in 2 Kor von Paulus ausformulierte und einem situationsrelevanten Argumentationsanliegen zuge-
ordnete Versöhnungsmotiv im Rahmen des Röm aufgenommen und ausgelegt
wird. Dieser Vorgang läßt sich als "Eigenrezeption", d.h. als Rezeption
einer Autor-Aussage durch den Autor selbst, kennzeichnen. Damit ist für
den Fall des Röm nicht die Vorstellung zu verbinden, als ob Paulus unmittelbar auf die schriftliche Vorlage des Briefes an die Korinther zu-

---

193 Vgl. 1,8. Hier ist als erster Inhalt des Dankes genannt, daß der
Glaube der römischen Christen in der ganzen Welt bekannt ist. Wenn
damit auch nicht ein wörtlich zu nehmendes Faktum gemeint ist, sondern eine plerophorische Aussage im Zuge der für den weiteren Ge-
sprächsverlauf wichtigen Eröffnung gemacht wird, so ist doch im Rahmen der Danksagung (vgl. 1 Thess 1,8; Kol 1,4-6; Eph 1,15; 2 Thess
1,3) impliziert, daß es nach dem Verständnis des Paulus selbstverständlich ist, den Glauben nicht nur im Binnenraum der Gemeinde,
sondern vor der Öffentlichkeit zu bezeugen. Auch D.Zeller räumt mit
Blick auf "das in V. 8b enthaltene Kompliment" ein, "daß Rom in den
Augen des Pl eine gewisse Schlüsselstellung für die Ausbreitung des
Ev besaß" (ders., a.a.O. 51; s. auch 277f).

194 U.Wilckens, Röm I 46.

rückgegriffen habe. Es genügt, daß der erhaltene Textbestand einen Anhalt dafür bietet, daß der Versöhnungsgedanke Paulus vertraut war und
bereits vor dem Röm einen eigenen literarischen Ausdruck gefunden hatte,
durch den seine Wiederverwendung inhaltlich vorgeprägt war.

Ohne der abschließenden Zusammenfassung zur Untersuchung der pl. Versöhnungsaussagen vorgreifen[195] zu wollen, kann doch schon an dieser
Stelle zur Eigenrezeption so viel gesagt werden: die Wiederholung des
Versöhnungsthemas an bedeutenden Stellen des Röm läßt erkennen, daß
Paulus diesem Thema mehr theologisches Gewicht beigemessen hat als die
zahlenmäßig nur geringe Verwendung zunächst erwarten ließ[196]. Doch zum
anderen sind die Versöhnungsaussagen sowohl in 2 Kor als auch im Röm
äußerst kurz formuliert und bedürfen zu einem volleren theologischen
Verständnis des engeren und des weiteren Kontextes, in dem sie jeweils
stehen.

Im Vergleich mit 2 Kor ist für die Wiederaufnahme des Versöhnungsgedankens im Röm charakteristisch, daß sowohl in Röm 5,10 als auch in 11,15
die Kategorie "Versöhnung" zur Bestimmung des in der Gegenwart schon
wirksamen Heils dient und beide Male in eine Beziehung zur noch ausstehenden, die Gegenwart noch übersteigende Zukunft gesetzt wird. Diese
futurisch-eschatologische Tendenz von 5,10a zu V. 10b und 11,15a zu V.
15b hat in 2 Kor 5,18-20, den Versen mit expliziter Versöhnungsterminologie, keine Parallelen. Jedoch arbeitet in 2 Kor der weitere Kontext
auch die futurisch-eschatologische Dimension der gegenwärtigen Existenz
in der Versöhnung mit Gott heraus, wobei jedoch die Argumentation insbesondere auf die endzeitliche Dienstexistenz des Apostels ausgerichtet
ist.

Obgleich der Grundgedanke der geschehenen Versöhnung der Menschenwelt
bzw. der heidnischen Menschheit sowohl in 2 Kor 5,19a als auch in Röm

---

195 Ebd. 47f; vgl. U.Borse, Einordnung 73ff; s. unten 3.4.

196 Vgl. 9,1ff; 10,1; 11,1. - E.Käsemann bestreitet zwar die zentrale
Bedeutung des Versöhnungsgedankens für die pl. Theologie, hebt aber
die Relevanz für die Rechtfertigungstheologie hervor, da die Versöhnungsaussage die iustificatio inimicorum zur Sprache bringt und
so die Rechtfertigungslehre zuspitzt. So verschärft Röm 5,10 die
Aussage V. 8b-9 (ders., Erwägungen 49).

11,15a ausgesprochen, und er jedes Mal in einen argumentativen Zusammenhang mit dem Apostolat des Paulus gebracht ist[197], ist die Kontrastierung von Verwerfung Israels einerseits und Versöhnung der Menschheit andererseits im 2 Kor nicht unmittelbar an die Versöhnungsaussage gebunden. Jedoch findet sich ein Reflex davon in 2 Kor 3,14-18; 4,3-4, wobei ebenfalls wie im Zusammenhang des Israel-Themas in Röm 9-11 das Motiv der Verstockung wirksam ist.

Die Möglichkeit, daß die Gnade der Versöhnung nicht zur vollen Entfaltung kommt, spricht Paulus in 2 Kor 6,1 an. Ähnlich weist er auch im Röm die Heidenchristen paränetisch darauf hin, keiner falschen, überheblichen Selbstsicherheit zu verfallen, da sie selbst wieder der Strenge Gottes ausgeliefert werden können. Die erfahrene Versöhnung darf nicht zur Überhebung über Israel führen, weil sowohl in der Verwerfung als auch in der Versöhnung Gott handelt, und er die Versöhnten ebenso wie die Verworfenen in seinem Erbarmen an das Ziel endgültiger und bleibender Rettung führt.

Die Ausrichtung auf Apostolat und Gemeinde, die die Versöhnungsaussagen im 2 Kor kennzeichnet, ist im Röm nicht in derselben Form aufgenommen worden. Jedoch ist der ganze, die evangeliare, universal-missionarische Intention des Paulus verdeutlichende Aussagezusammenhang von den Rahmenstücken her zu beachten. Vor allem in 11,13f bezieht sich Paulus im unmittelbaren Kontext zur Versöhnungsaussage (V. 15) auf seinen Aposteldienst und bringt ihn so in Verbindung mit der "Versöhnung der Heidenwelt", aber auch mit der endgültigen Rettung Israels in der Annahme durch Gott. Ohne Zweifel ist 5,10f auf die real existierende Gemeinde bezogen und auch 11,15 ist impliziert, daß die Versöhnung ihren Vollzugsort in der Gemeinde hat, die sich aufgrund des Evangeliums bildet.

Mit Blick auf das Verständnis des Apostolats als des "Dienstes der Versöhnung" (2 Kor 5,18) sei hier abschließend auf die Bildaussage 15,16 verwiesen, die von kultischer Terminologie geprägt ist. Paulus stellt

---

197 Mit 2 Kor 5,19a verbindet sich die Beauftragung des "Dienstes der Versöhnung" (V. 18c) mit dem "Wort der Versöhnung" (V. 19c). Zu Röm 11,15a vgl. V. 13f.

sich in seinem Dienst für das Evangelium als "Liturge Christi Jesu für die Heidenvölker" dar, der in seinem Dienst die Heidenwelt, die das Evangelium angenommen hat, Gott als wohlgefälliges, im Pneuma geheiligtes Opfer darbringt. Diese singuläre Funktion des Paulus-Apostolats für die Heidenwelt ist im 2 Kor nicht ebenso bildmächtig angesprochen. Doch deutet sich in 2 Kor 4,15 die Funktion der Hinordnung auf Gott an (vgl. Röm 5,11) und auch in 2,15 umschreibt Paulus seinen eschatologischen Dienst mit kultischem Bildmaterial, wobei jedoch an dieser Stelle das Element der Scheidung hinzukommt.

Wenn die Versöhnungsaussagen des Röm mit denen des 2 Kor unter dem Gesichtspunkt der Eigenrezeption verglichen werden, so erscheinen folgende Akzentuierungen besonders beachtenswert: Über die herausgestellte Zukunftsperspektive der Versöhnung hinaus betont Paulus im Röm, daß die Versöhnung den Feinden zuteil wird. Die Versöhnung wird durch den Tod Christi gewährt, in dem sich Gott in seiner Liebe dem Menschen zuwendet. Die gegenwärtige Wirklichkeit der Versöhnung in der Gemeinde durch das Wirken des Erhöhten aber ist der Ausweis der "Versöhnung der Heidenwelt".

3.4.3 Das appellative Moment der Versöhnungsaussagen Röm 5,10f und 11,15

Bezüglich des Verständnisses von καυχώμενοι in Röm 5,11 wurde in der Exegese dieses Verses[198] die Entscheidung für den Indikativ gegen den Kohortativ getroffen[199]. Dennoch ist auch aufgrund des doxologischen Charakters der Aussage selbst beim indikativischem καυχώμενοι ein appellatives Moment impliziert, da sich - nach dem Zusammenhang von V. 10 und V. 11 - die zuteil gewordene und auf endgültige Rettung ausgerichtete Versöhnung gerade in dem durch Christus Gott zugewandten Rühmen den der geschenkten Gottesrelation adäquaten Gebetsausdruck verleiht (vgl. 2,17). Eine Bezugnahme auf den gottesdienstlichen Ort dieses Rühmens ist dabei möglich[200].

---

198 S. oben 3.2.2.

199 Anders O.Kuss, Röm 213.

200 Vgl. so z.B. E.Käsemann, Röm 131; O.Michel, Röm 184.

Der Unterschied zum Appell von 2 Kor 5,20b ist im Vergleich mit Röm
5,11 nicht zu verkennen. Dieser besteht darin, daß Paulus im 2 Kor das
"Wort der Versöhnung" als Bitte des erhöhten Christus an die Gemeinde
richtet und sie zur Akzeptierung des Versöhnungshandelns Gottes an ihr
einlädt. Im Röm ist dagegen der gegenwärtige Empfang der Versöhnung
durch den erhöhten Christus bereits Wirklichkeit. Sie ist der Anstoß,
Gott durch eben den Erhöhten zu preisen. Der Appell richtet sich also
nicht mehr auf den Empfang, sondern auf die preisende Antwort der Versöhnten.

In Röm 11,15 tendiert die Frage (im begründenden Zusammenhang mit V.
13f) zur implizierten Antwort, daß die Heidenvölker schon jetzt Anteil
an der Versöhnung haben und diese sich mit der Annahme Israels durch
Gott im "Leben aus den Toten" vollenden wird. Das appellative Moment
entfaltet dann in paränetischer Weise die Bildrede vom Ölbaum (V. 17-
24), in der die Heidenchristen auf die Gnadenhaftigkeit der Versöhnung
verwiesen und vor Oberheblichkeit gegenüber dem noch verstockten Israel
gewarnt werden. Als Bestandteil des Verständnisses, das Paulus mit seiner heidenmissionarischen Sicht verbindet, enthält 11,15 aber auch den
auf Israel bezogenen appellativen Aspekt, daß sich die Juden angesichts
der geschehenen Versöhnung der Heidenvölker dem Evangelium zuwenden,
das vom Geschehensein der Versöhnung der Feinde mit Gott kündet, und so
zunächst wenigstens einige der Rettung teilhaft werden, bis Gott ganz
Israel annimmt.

3.4.4 Die Versöhnungsaussagen des Römerbriefs im Horizont der Frage
nach Gegenwart und Zukunft der Versöhnung

Wie in der Einleitung deutlich wurde, wendet sich die gegenwärtige
Theologie, soweit sie den ntl. und dogmatischen Versöhnungsgedanken reflektiert, in zunehmender Weise dem Zukunftsaspekt der Versöhnung zu[201].

---

201 S. oben 1.2.2.2.   - So spricht z.B. J.Moltmann, Kirche 238,
   den offensichtlich an Röm 8,19-23 orientierten Gedanken aus, daß im
   Versöhnungsgeschehen die Hoffnung auf die Erlösung der unerlösten,
   von ihrem "wahren Wesen" entfremdeten Welt gründet, mit der sich
   der Glaubende in seiner Hoffnung auf die Erlösung seines Leibes
   (vgl. Röm 8,23) solidarisiert. Die Konfrontation mit der "Leidens-

Daß auch Paulus die auf Zukunft gerichtete Hoffnungsstruktur der Versöhnung kennt, zeigt sich gerade im Röm.

Die Zukunft der Versöhnung läßt sich nach Röm 5,10 und 11,15 unter zwei, sachlich miteinander verbundenen Gesichtspunkten betrachten. Einmal eröffnet die empfangene Versöhnung die Hoffnung auf die in der Zukunft gewährte Vollendung durch die Rettung "im Leben Christi". Diesen Aspekt trägt 5,10 zur Frage bei. Mit 11,15 gewinnt zum anderen die Zukunft der Versöhnung, die ebenfalls mit dem eschatologischen Lebensbegriff verbunden ist, eine universale Dimension: die "Versöhnung der Heidenvölker" findet ihre zukünftige Erfüllung im "Leben aus den Toten", an dem das jetzt noch verworfene Israel aufgrund seiner Annahme durch Gott partizipieren wird[202].

Bereits bei Paulus steht also der Versöhnungsgedanke sowohl in seiner Auslegung auf die Gemeinde als auch im Kontext der Reflexion über das Heilsgeheimnis Israels in einem futurisch-eschatologischen Bezugsfeld. Jedoch sind dabei zwei Momente nicht aufgegeben: das Geschehensein der Versöhnung durch den Tod des Sohnes und das Gegenwärtigwerden der Versöhnung mit Gott durch das Wirken des Erhöhten. Beides zusammen vermittelt der Hoffnungsperspektive der Versöhnung den Grad unerschütterlicher Gewißheit, der in 5,10 und in 11,15 zum Ausdruck kommt. Von einer staurologischen Reduktion des Versöhnungsgedankens durch Paulus kann

---

geschichte der Welt" wird in diesem Zusammenhang von J.Moltmann ausdrücklich als Korrektur der seiner Meinung nach präsentisch-enthusiastischen Eschatologie der dialektischen Theologie verstanden (ebd. 238f). Vgl. die Feststellung P.Cornehls, Zukunft 352, "daß in der Geschichte der Theologie der Neuzeit das eschatologische Problem immer deutlicher als das Problem der V e r s ö h n u n g begriffen wurde".

202 Vgl. dazu auch die in Röm 8,19-22 angesprochene Sehnsucht der Ktisis auf das Offenbarwerden der Kinder Gottes (V. 19) bzw. auf die Befreiung von der Knechtschaft der Vergänglichkeit. Dabei entspricht den doppelten, aufeinander bezogenen Aspekten der Sehnsucht die Verknüpfung der eschatologischen Freiheit der Ktisis mit der der Freiheit der Doxa der Kinder Gottes, die als das für die Ktisis erwartete Hoffnungsgut erscheint. - Zur Auslegungs- und Deutungsgeschichte dieser Verse s. O.Kuss, Röm 622-636, bes. den Exkurs 630-635 (mit Verweisen auf jüdische Vorstellungen von der kosmischen Unheilsfolge der Sünde und von der Verklärung bzw. Neuschöpfung der Welt).

deshalb keine Rede sein[203].

3.5 Hauptlinien der "Versöhnungstheologie" im 2. Korinther- und im Römerbrief

Zum Abschluß der ersten exegetischen Teile dieser Untersuchung können die wichtigsten theologischen Aspekte der pl. Versöhnungsaussagen zusammenfassend dargestellt werden. Der Ertrag der bisherigen Ausführungen zum Thema "Versöhnung - Apostolat - Kirche", in deren Mittelpunkt die Katallage-Stellen 2 Kor 5,18-21 und Röm 5,10f (wie auch 11,15) in Verbindung mit ihrem jeweiligen engeren und weiteren Kontext standen, weist wichtige Strukturmomente einer Versöhnungstheologie auf, obgleich die Grundlage für eine weiterführende Entfaltung des von Paulus thematisierten Versöhnungsgedankens auf den ersten Blick sehr schmal erscheint. Die theologische Komprimierung des Gedankens und sein kontextuelle Ergänzung in 2 Kor und Röm bieten aber einen ausreichenden, wohl bislang kaum ausgeschöpften Ersatz für die quantitativ im Rahmen seiner brieflichen Kommunikation kaum bemerkenswerten Ausführungen des Paulus. Wenn auch nicht von einer entwickelten, auf den Versöhnungsbegriff im engen Sinne konzentrierten theologischen Konzeption des Paulus gesprochen werden kann, so wird man doch zugestehen müssen, daß Paulus das theologische Versöhnungsthema keineswegs in beliebiger Weise anschneidet. Sowohl im Brieffragment 2 Kor 2,14 - 6,13 und 7,2-4 als auch im Röm kommt ihm ein beachtlicher argumentativer Rang zu. Die Akzente, die im 2 Kor und im Röm gesetzt werden, ergänzen sich sachlich, so daß sich die wesentlichen Momente der Versöhnungsaussage des 2 Kor durch den Röm bestätigt sehen. Doch tritt im 2 Kor die apostolatstheologische Darlegung mehr in den Vordergrund als im Röm. Der apostolatstheologische Gesichtspunkt fehlt aber auch im Röm nicht, vielmehr ist er von den Rah-

---

203 Diese Kritik wird in neueren soteriologischen Entwürfen laut, sie läuft jedoch bei Paulus insoweit ins Leere, als bei ihm der Gekreuzigte mit dem Auferstandenen identisch ist und die Heilsfolge des Kreuzestodes als eines Geschehens, in dem Gott in seiner Liebe zur Versöhnung der Feinde handelt, zusammengesehen wird mit dem gegenwärtigen Wirken des bei Gott lebenden Christus, mit dem Empfang des Pneuma und der Zukunft der Rettung im Leben des Christus als Vollendung und Überhöhung der in der Gegenwart empfangenen Versöhnung.

menaussagen des Briefes vorgegeben und schließlich auch in Verbindung mit dem Hinweis auf die bereits für die Gegenwart wirksame "Versöhnung der (heidnischen) Menschenwelt" ausdrücklich einbezogen (11,15 mit V. 13f).

3.5.1 Die soteriologisch-universalistische Dimension

Sowohl im 2 Kor als auch im Röm ist das Versöhnungsgeschehen soteriologisch-universalistisch gedeutet. 2 Kor 5,19a wird die Teilhabe des einzelnen bzw. der Gemeinde an der von Gott durch Christus vollzogenen Versöhnung eingeordnet in die universale, die Menschheit umfassende Versöhnung mit Gott. Ebenso spricht auch Röm 11,15a dem "Kosmos" (d.h. der heidnischen Menschheit) die Wirklichkeit der Versöhnung zu. Als besonderes Moment tritt hier jedoch - über 2 Kor 5,19a hinausgehend - im Zusammenhang der Reflexion über das Heilsgeheimnis Israels und über die Beziehung zwischen dem Handeln Gottes an Israel und dem an den Heiden die Zuordnung von "Verwerfung" Israels und "Versöhnung" der Menschenwelt hinzu[204]. Mit der soteriologisch-universalistischen Dimension des pl. Versöhnungsgedankens ist zugleich das universalistische Bezugsfeld des pl. Apostolatsverständnisses vorgegeben, das sich im Begriff des "Dienstes der Versöhnung" (2 Kor 5,18c) niederschlägt und im Rahmen des Röm auch im Kontext der Aussage über die "Versöhnung des Kosmos" widerspiegelt.

Das besondere Merkmal der Versöhnungsaussage im 2 Kor ist nun, daß im Horizont des universalistischen Versöhnungsbegriffs die bereits bestehende Gemeinde mit dem Versöhnungshandeln Gottes konfrontiert wird (5,20), weil sie in der aktuellen Konfliktsituation in Gefahr ist, die bereits empfangene Charis der Versöhnung mit Gott und - damit eng verknüpft - der Dikaiosyne Gottes in der Gemeinschaft mit Christus nicht zur vollen Wirkung kommen zu lassen.

3.5.2 Der eschatologische Horizont

In der Konsequenz der soteriologisch-universalistischen Versöhnungskon-

---

204 Vgl. die Kontrastmotive in 2 Kor 2,15f; 3,3. 6-11. 14f; 4,3f.

zeption wird die gegenwärtige Teilhabe an der Versöhnung mit Gott futurisch-eschatologisch ausgezogen. Dadurch wird sowohl im Blick auf die gegenwärtig versöhnten Gläubigen als auch auf die der heidnischen Menschheit gewährte Versöhnung die Heilsgegenwart ausgerichtet auf die zukünftige Vollendung. Diese Vollendung beschreibt Paulus in Röm 5,10b und 11,15b mit dem Begriff des Lebens. Auf sie müssen die Versöhnten auch jetzt noch hoffen, wenn auch die Hoffnung nicht vage und von Ungewißheit gezeichnet ist, da mit der Versöhnung durch den Pneuma-Empfang bzw. das Wirken des Erhöhten durch das Pneuma die Erwartung der die Gegenwart erfüllenden und übersteigenden Zukunft ein festes Fundament hat. Die Pneuma-Gabe Gottes an die durch den Tod und das pneumatische Wirken Christi Versöhnten ist zum einen bereits Einbruch der vollendenden Zukunft in die (durch Leiden gezeichnete) endzeitliche Gegenwart und zum anderen Verheißung der noch ausstehenden Rettung und der vollen Teilhabe am Leben und an der Doxa Gottes[205].

Der futurisch-eschatologische Horizont, der aus der Versöhnungstheologie nicht ausgeklammert werden darf, prägt wesentlich die Konzeption des Versöhnungsgeschehens. Er hebt nicht die betonte Gegenwart der Versöhnung auf, sondern unterstreicht vielmehr die Wirklichkeit der Versöhnung mit Gott, die ihren Grund hat im Kreuzestod und an der die Gläubigen durch die Zuwendung der Versöhnung durch Christus partizipieren.

Daß der Vollzug und die Gewährung der Versöhnung mit Gott bereits in der Gegenwart die eschatologische Wende markieren, betont Paulus in 2 Kor 5,17, indem er den jetzt mit Christus Verbundenen als καινη κτισις qualifiziert und die neugeschöpfliche Existenz gemäß dem sich ausschließenden eschatologischen Gegensatz von Altem und Neuem als eschatologische im strengen Sinne verstehen lehrt.

3.5.3 Die kreuzestheologische Komponente

Daß die Versöhnung der Menschen - und zwar der "Feinde" - mit Gott für Paulus untrennbar mit dem Kreuzestod verbunden ist, wird sowohl im

---

205 Vgl. Röm 5,5; 2 Kor 3,3. 17; 5,5.

2 Kor als auch im Röm deutlich[206]. Es ist nach Röm 5,10a der Tod, den der Sohn Gottes für die Feinde erduldet, wodurch die Trennung des Menschen von Gott beseitigt und Gemeinschaft mit Gott konstituiert wird. Im Zusammenhang der Versöhnungsaussage von 2 Kor wird dieser Tod in zwei soteriologischen Modellen expliziert. Einmal ist er unter dem Gesichtspunkt des alle in sich einschließenden solidarischen Todes betrachtet[207], der die Wende zum neuen, nicht mehr auf das eigene Selbst, sondern auf Christus zentrierten (proexistentiellen) Leben bewirkt (5,14f). Zum anderen ist der Tod ausdrücklich auf das Handeln Gottes zurückgeführt und zur Unheilssituation der Menschen unter der Sündenmacht in Beziehung gesetzt: der Tod, den Jesus erlitten hat, erscheint als radikaler Eintritt des Sündlosen in den Unheilszusammenhang der Sünde und zwar in Unterordnung unter den auf das Heil ausgerichteten Willen Gottes (V. 21).

Aus dem engeren Kontext von 2 Kor 5,18f und Röm 5,10a ist noch ein weiteres Moment für die Deutung der kreuzestheologischen Komponente zu gewinnen: von Röm 5,8 aus wirkt der Gedanke in die Versöhnungsaussage hinein, daß im Tode des Sohnes Gott selbst seine Liebe den Sündern und Feinden zuwendet.

Damit verbindet sich von 2 Kor 5,14 aus die Deutung des Kreuzestodes als Einsatz der Liebe Christi, die auf die Versöhnung der Menschheit mit Gott ausgerichtet ist.

3.5.4 Die christologisch-pneumatologische Komponente

Bei Paulus geht es nicht allein um die Beziehung des Kreuzestodes Jesu zur Gemeinschaft des sündigen und jetzt versöhnten Menschen mit Gott und nicht allein um den Ausweis der besonderen Heilsrelevanz dieses Todes, sondern auch und nicht zuletzt um die gegenwärtige Zuwendung der

---

206 Das kreuzestheologische Moment ist in der exegetischen und dogmatischen Auslegung des Versöhnungsgedankens dominierend.

207 Hier kommt die Vorstellung der "korporativen Persönlichkeit" zum Tragen.

Versöhnung und Teilhabe an ihr[208]. Das aber bedeutet im Rahmen des versöhnungstheologischen Gedankens: die Partizipation an der im Tode Jesu grundgelegten und eröffneten Versöhnung mit Gott, die Gott selbst initiiert hat, wirkt der erhöhte Christus (Röm 5,11), der in seiner Proexistenz schon jetzt den Versöhnten in sein Leben hineinnimmt, so daß er aufgrund der Christusgemeinschaft bereits in der Gegenwart das neugeschöpfliche Sein empfängt (2 Kor 5,17) und die Umgestaltung in die Eikon des erhöhten Christus durch seine Pneuma-Macht erfährt (3,17).

Die andere Seite des Wirkens des Erhöhten ist die durch ihn vermittelte Antwort der Versöhnten im Lobe Gottes (Röm 5,11), der die Versöhnung der Feinde durch den Tod des Sohnes herbeigeführt hat und in dessen Heilsgemeinschaft die Versöhnten und mit dem Pneuma Begabten durch Christus leben. Die Hinordnung auf Gott "in Christus" wird im Kontext von 2 Kor 5,18ff gerade auch in der Dikaiosyne-Aussage V. 21 unterstrichen, während sie im Zusammenhang der Versöhnungsaussage von Röm 5,10f durch die Kennzeichnung der gegenwärtigen Heilswirklichkeit als einer Friedensrelation πρὸς τὸν θεόν durch den Erhöhten (V. 1f) herausgestellt ist. Schließlich verbindet sich mit der christologisch-pneumatologischen Komponente der pl. Versöhnungsaussagen auch deren futurisch-eschatologische Perspektive, da die Hoffnung auf die Vollendungsdoxa in eins geht mit der in der Versöhnungswirklichkeit grundgelegten Gewißheit der endgültigen Rettung im Leben des auferweckten Christus. Der apostolatstheologische Aspekt, der hier ebenfalls zu bedenken ist, wird unten eigens zusammenfassend skizziert[209].

3.5.5 Die Versöhnungstheologie als Kritik und Ermöglichung der Kauchesis

Die Versöhnungsthematik des 2 Kor bezieht sich auch kritisch auf das Kauchesis-Verhalten der Gegner des Paulus-Apostolats, trifft aber grundsätzlich den Menschen, der auf sich selbst zentriert lebt und sein

---

208 Diese Gesichtspunkte werden z.B. in der Dogmatik K.Barths unter den Leitgedanken der objektiven Wirklichkeit und der subjektiven Realisierung der Versöhnung entwickelt.

209 Vgl. unten 3.4.6.

Selbstbewußtsein in der Weise des καυχᾶσθαι ἐν προσώπῳ zum Ausdruck bringt[210]. Demgegenüber lenkt die Versöhnungsaussage den Blick
auf die für das Heil des Menschen konstitutive Bindung an Gott, die
Christus erschließt, und verankert die Gabe und Funktion des Dienstes
im Versöhnungsgeschehen. Dadurch daß der Tod Jesu ebenso wie das gegenwärtige Wirken des von Gott Auferweckten und insbesondere auch der Aposteldienst unter das Leitmotiv der Agape gestellt sind (5,14), zeigt
Paulus im 2 Kor durch die christologisch-soteriologische wie auch durch
die apostolatstheologische Konkretion der Agape-Theologie den kritischen Maßstab der Kauchesis auf.

Die rechte Weise der Kauchesis, die 2 Kor 5,12 als καυχᾶσθαι ἐν
καρδίᾳ bezeichnet wird und in der sich die πεποίθησις διὰ τοῦ
Χριστοῦ πρὸς τὸν θεόν artikuliert (3,4), tritt besonders in Röm
5,11 hervor: die Kauchesis des Versöhnten hat nicht das eigene Vermögen,
den Selbstand des Rühmenden zum Inhalt, sondern sie ist Gotteslob, das
durch den Tod und durch das gegenwärtige, die Versöhnung zuwendende
Wirken Christi ermöglicht wird. Die wahre Kauchesis ist Antwort in der
Kraft des Pneuma, durch das die aus Glauben Gerechtfertigten, durch
Christus in Friedensrelation zu Gott Stehenden und mit Gott Versöhnten
die Agape Gottes empfangen haben (5,5), die durch den Tod des Sohnes
den Sündern und Feinden die Heilsgemeinschaft zuteil werden ließ (V. 8).
Die durch Christus auf Gott ausgerichtete rechte Kauchesis umschließt
auch das Rühmen der Hoffnung auf die Vollendungsdoxa, das sich einerseits wiederum im Rühmen der kontrastierenden Leiden ausspricht (V. 2f).

Einen weiteren Aspekt falscher Kauchesis spricht Paulus im Kontext der
Versöhnungsaussage Röm 11,15 an. Es ist die Kauchesis der Heidenchristen, die an der "Versöhnung der Menschheit" partizipieren und sich gerade deshalb über das verworfene Israel erheben (V. 18. 20).

---

210 Vor allem im Brieffragment 2 Kor 2,14 - 6,13 und 7,2-4 nimmt die
Kauchesis-Thematik einen besonderen Stellenwert in der Auseinandersetzung um die Legitimierung des Apostels ein.

3.5.6 Die apostolatstheologischen und ekklesiologischen Aspekte der paulinischen Versöhnungstheologie

Die Problemsituation, in der Paulus an die korinthische Gemeinde schreibt, ist ein Anhaltspunkt dafür, daß die apostolats- und gemeinde-bezogenen Implikationen der Versöhnungsaussage im 2 Kor bedeutende Aspekte der theologischen Argumentation des Paulus eröffnen. Wenn auch die Situation, in der der Röm geschrieben ist, wesentlich andere Züge trägt, ist es nicht weniger bemerkenswert, daß Paulus auch in diesem Brief versöhnungstheologische Aussagen macht, die nicht nur die gegen-wärtige eschatologische Heilsexistenz der Gemeindeglieder charakteri-sieren, sondern im Blick auf die Gemeinde zugleich einen universalen Horizont der Versöhnung zeichnet und sein eigenes missionarisches Wir-ken nicht nur auf diesen Horizont beziehen, sondern es durch Gottes gnädige Gewährung des endgültigen Heils in die Annahme des noch ver-stockten Israels sogar überboten sein lassen[211].

1) Die Versöhnungsaussage des 2 Kor ist als Aufweis dafür zu verstehen, daß die Qualifikation zum Apostolat (2,16b; 3,5f), "die Gnade des Apo-steldienstes" (Röm 1,5), wie die Einsetzung des Apostolats selbst und sein spezifischer Auftrag im Versöhnungsgeschehen grundgelegt und die Verkündigung auf die Teilhabe der Gemeinde an der Versöhnung ausgerich-tet ist. Doch reicht die Verkündigungsfunktion des Apostolats als Dienst der Versöhnung über die Grenzen der Gemeinde hinaus. Die Bestimmung des Apostolats als Dienst der Versöhnung schließt aufgrund der Universali-tät der Versöhnung und der Ursprungsbeziehung des Dienstes zur Versöh-nungstat Gottes wie auch aufgrund der Funktion der Verkündigung den universalen Wirkkreis mit ein. Es ist ein Dienst, der auf die Menschen-welt als Adressaten der Versöhnungszusage (vgl. 2 Kor 5,19) und auf die Gemeinde als Folge der Verkündigung ausgerichtet ist.

2) Im 2 Kor ist vor allem auf die Beziehung des Versöhnungsdienstes zur bestehenden Gemeinde abgehoben. Die Herausstellung dieses Gesichtspunk-tes ist zwar von der Konfliktsituation mitveranlaßt, sie hat aber auch sachliche Gründe, denn das Wechselverhältnis zwischen Apostel und Ge-

---

211 Vgl. Röm 11,13-15 und 25-27.

meinde bleibt für beide Seiten über die Gründungsphase hinaus konstitutiv. In diesem Wechselverhältnis fällt jedoch dem Aposteldienst die Funktion zu, die Gemeinde gerade in Situationen innerer Gefährdung einladend auf das Versöhnungshandeln Gottes hinzuweisen und sie so neu für die "Gnade", die in ihr zur Wirkung kommen will, bereit zu machen (vgl. 2 Kor 5,20; 6,1).

3) Die Form, in der der Dienst realisiert wird, ist die Verkündigung "des Wortes der Versöhnung" (2 Kor 5,19) als wirkmächtiges Wort Gottes und nicht als Wort des Apostels aus eigenem Vermögen (3,5). Die Betonung der Lauterkeit dieses Wortdienstes ist in der Situation der 2 Kor-Aussagen auch kritisch gegen die in Korinth gerichtet, die eine besondere Pneumamächtigkeit und Demonstration der Doxa erwarten und das eigene Vermögen bzw.die Anerkennung ihrer besonderen Fähigkeiten und ihrer Position in der Gemeinde herausstreichen. Doch das Thema "Lauterkeit" hat auch einen sachlichen Hintergrund, von dem aus die Polemik und die Abgrenzung des Paulus ihre Berechtigung erhalten.

Die Lauterkeit des wahren Apostel besteht in nichts anderem als in seiner Verkündigung ἐκ θεοῦ κατέναντι θεοῦ ἐν Χριστῷ (2,17). In Verbindung mit dem Vollzug des Dienstes der Versöhnung bedeutet das: Es ist eigentlich Gott, der durch den vollmächtigen Gesandten des erhöhten Christus spricht, und dieses Sprechen Gottes geschieht in der Weise, daß der Apostel in der Vollmacht des Erhöhten, der durch ihn als seinen Diener wirkt (vgl. 3,3), die Gemeindeglieder bittet, das Versöhnungshandeln Gottes an sich geschehen zu lassen und so der durch Christus Wirklichkeit gewordenen und wirksamen Versöhnung mit Gott teilhaft zu werden (5,20). Die Legitimität und Authentizität der Verkündigung des Wortes Gottes werden in der Verkündigung und in der dadurch erschlossenen Versöhnung mit Gott erfahren und erwiesen. Zum eschatologischen Charakter der lauteren Verkündigung aber gehört auch, daß sie die Hörer scheidet (vgl. 2 Kor 2,15f; 4,1-4). Das als Bitte den Adressaten zugesprochene "Wort der Versöhnung" wirkt als eschatologisches Wort nicht über die persönliche Entscheidung und Antwort des Adressaten hinweg, sondern führt den Menschen zur Entscheidung und deckt so auf, auf welcher Seite der Mensch steht.

4) Der bevollmächtigte Gesandte im Dienst der Versöhnung verrichtet seinen Verkündigungsauftrag in der Kraft des Pneuma; und darin besteht seine Doxa (2 Kor 3). Die eschatologische Existenzform aber ist gekennzeichnet durch die Spannung zwischen der Schwachheit und der Auslieferung in den Tod einerseits und der eben darin zur Wirkung kommenden Dynamis Gottes bzw. dem sich darin offenbarenden Leben des Erhöhten. Wie das Wort, das der Dienst der Versöhnung verkündet, im letzten Wort Gottes ist, das der Apostel nur sprechen kann, weil die Vollmacht und Kraft des Erhöhten ihn dazu befähigt, so ist auch sein Leben in den Leiden getragen von der Lebensmacht des Pneuma und dadurch ausgerichtet auf die zukünftige Vollendung. Nur in der eschatologischen Spannung von eigener Schwachheit und geschenkter Kraft ist der Dienst der Versöhnung als endzeitlicher Dienst des Pneuma[212] authentisch gelebt und nur so erscheint die den Dienst auszeichnende Doxa als Gabe, die Bestand hat und vollendet wird. Auszeichnung aber besagt nicht Abgrenzung. Vielmehr steht die Doxa des Apostolats in Beziehung zur Gemeinde, weil sie in der sowohl für den Apostolat als auch für die Existenz jedes Glaubenden konstitutiven Hinordnung auf den Pneuma-Christus, der Eikon Gottes in Doxa, empfangen wird. Dieser Gemeinsamkeit von Apostel und Gemeinde in der Teilhabe an der gegenwärtigen Doxa und in der Hoffnung auf die künftige Vollendungsdoxa im Leben mit dem Erhöhten bei Gott entspricht auf der anderen Seite die Gemeinsamkeit des Leidens. Während in den auf den Apostolat des Paulus bezogenen Reflexionen des 2 Kor auch im Sinne einer Korrektur falschen Selbstbewußtseins und irregeleiteter Erwartungen die Leiden des Apostels im Blickpunkt stehen, zeigt der Kontext der Versöhnungsaussage im Röm, daß die Leiden zur eschatologischen Erfahrung der durch Christus mit Gott versöhnten und in Frieden auf Gott hin ausgerichteten Gläubigen wesentlich dazugehört (vgl. 5,1-5).

Die Gemeinsamkeit zwischen dem Apostel und den Gläubigen insgesamt gilt insbesondere aber hinsichtlich der Versöhnung. Nur aufgrund der empfangenen Versöhnung kann der Apostel seinen mit der Versöhnung übertragenen Dienst für die Menschenwelt und für die Gemeinde vollziehen. Auch der Apostel bedarf wie jeder Glaubende in der Gemeinde des Geschenks

---

212 Vgl. 2 Kor 3,8; 4,7-11. 16-18; 5,4f; 6,4-10.

Der Versöhnung. Während aber für den Apostel mit der Versöhnung unmittelbar die besondere Funktion gegeben ist, die geschehene und geschehende Versöhnung mit Gott öffentlich zu bezeugen, steht es der Gemeinde zu, an sich durch das Wort des Apostels die Versöhnung zur Wirkung kommen zu lassen. Als Gemeinde durch das Wort der Versöhnung und unter dem Wort zeugt sie von der Versöhnung für die Welt, damit auch für den Apostel als Diener der der Versöhnung und für sein Wort. Die Wirklichkeit der Versöhnung durch Christus mit Gott ist Ursprung und Mitte des Apostolats wie der Gemeinde und Grundlage ihrer Einheit; sie ist Inhalt der Sendung des Apostels wie der zeugnisgebenden Existenz der Gemeinde für die in Christus schon versöhnte Menschenwelt.

4. DIE VERSÖHNUNG DES KOSMOS UND DIE VERSÖHNUNG DURCH DEN KREUZESTOD (KOLOSSERBRIEF)

Nach der Analyse der paulinischen Versöhnungsaussage in einem apostolatstheologischen Kontext (2 Kor)[1] und in einem gedrängten soteriologischen Aussagezusammenhang mit eschatologischer Perspektive (Röm)[2] wenden wir uns der Artikulation des Versöhnungsgedankens in den Deuteropaulinen Kol und Eph zu.

Die versöhnungstheologischen Texte in Kol 1 und Eph 2 sind von besonderem Interesse, weil sie einmal belegen, daß der in den authentischen Paulinen nur vereinzelt und gedanklich komprimiert benutzte Versöhnungsbegriff sowohl in der der pl. Verkündigung verpflichteten "Schul"-Bewegung als auch in der gemeindlichen Theologie vor allem liturgischen Charakters lebendig ist und von den Autoren des Kol und Eph an zentraler Stelle eingeführt wird. Zum anderen wurden gerade diese Texte in der exegetischen Forschung herangezogen, um von ihnen aus geltend zu machen, daß Paulus seine Versöhnungsaussagen aus hymnischer Tradition entliehen habe und der hymnisch-stilisierte Kontext in Kol und Eph selbst auf eine Traditionsgeschichte zurückverweise.

Die Traditionsproblematik der pl. und deuteropl. Versöhnungsaussagen steht jedoch nicht im Mittelpunkt der folgenden Textuntersuchungen. Auf sie wird nur insoweit eingegangen, als nach der direkten Rezeptionsvorlage der Deuteropaulinen und dem Einwirken der pl. Aussagen bzw. der pl. Verkündigungsperspektive auf ihre Verarbeitung gefragt wird. Der leitende Gesichtspunkt der Exegese ist der Zusammenhang der apostolatstheologischen oder allgemeiner der ekklesiologischen Inhalte mit der Versöhnungsaussage zunächst im Kol und dann im Eph[3].

---

1 S. oben Kap. 2 (bes. 2.2.3).
2 S. oben Kap. 3 (bes. 3.2).
3 S. unten Kap. 5 (bes. 5.2).

4.1 Die situationsrelevante Rezeption von Gemeinde- und paulinischer Schultradition

1) Als pseudepigraphisches Schreiben aus nachpl. Zeit[4] bringt der Kol unter dem Vorzeichen der Lehrautorität des Apostels Paulus eine theologische Konzeption zur Sprache, die nach dem Selbstverständnis des Kol-Verfassers das Erbe paulinischer Theologie in Geltung halten soll. Die Nennung des "Paulus" in der Absenderangabe (1,1) markiert von Anfang an den Willen zur Kontinuität innerhalb der pl. Verkündigungstradition. Die Explikation des pl. Apostolatsverständnisses (vgl. 1,24 - 2,5) macht darüber hinaus deutlich, daß der Rekurs auf Paulus nicht nur einen Hinweis gibt auf die theologische Herkunft und Grundeinstellung des Briefschreibers, sondern daß in seiner Sicht der Apostolat des Paulus eine spezifische Bedeutung für das Verständnis von Gemeinde in ihrer Herkunftsgeschichte und in ihrer aktuellen Gegenwart erhalten hat[5].

2) Die bewußte Einbindung in die Wirkungsgeschichte der pl. Verkündi-

---

4 Zu den Fragen der Verfasserschaft, der Abfassungszeit, des Verhältnisses von Kol und Eph, des "pl." Charakters der theologischen Argumentationsinhalte, der sprachlichen und sachlichen Differenzen zu den pl. Briefen vgl. die Einleitungswerke zum NT (z.B. W.G.Kümmel, Einleitung 297-306. 310-323; J.Schmid, Einleitung 468-475. 491-495; H.M.Schenke/K.M.Fischer, Einleitung I 165-168. 185f). Zum Stil des Kol vgl. W.Bujard, Untersuchungen; H.Ludwig, Verfasser 8-51; zur Verfasserfrage ebd. 193-229. Die seit 1838 (E.Th.Mayerhoff) geführte Diskussion über die (pl.)Echtheit des Kol skizziert J.Lähnemann, Kolosserbrief 12-23.

5 Dem Autor liegt offensichtlich viel daran, seinen Brief (d.h. die Theologie, die Argumentationsweise, die Weisungen für das Leben in der Gemeinde) mit der im Adressatenbereich noch respektierten Autorität des Paulus zu versehen und damit die Wirksamkeit seiner Aussagen bei den Empfängern zu erhöhen bzw. ihr Weiterwirken zu fördern. Im übrigen kennzeichnet der Kol (wie auch der Eph) nur im Briefeingang Paulus als Apostel. Dabei wird die bei Paulus belegte Selbstbezeichnung ἀπόστολος Χριστοῦ Ἰησοῦ διὰ θελήματος θεοῦ (vgl. 1 Kor 1,1; 2 Kor 1,1) aufgenommen (ebenso Eph 1,1); der "Bruder" Timotheus wird wie in 2 Kor 1,1 (vgl. 1 Thess 1,1; Phil 1,1; Phm 1) als Mitabsender aufgeführt. Während der Kol darüber hinaus den Apostelbegriff nicht verwendet, findet er sich im Eph außerhalb von 1,1 charakteristischerweise ausschließlich im Plural (2,20; 3,5; 4,11). Im Kol erscheint der Paulus-Apostolat als Idealtypus. An ihn wird in einem situationskritischen Aussagezusammenhang erinnert, um im Verweis auf die Apostelfunktion des Paulus der Verunsicherung des gemeindlichen Glaubens entgegenzuwirken.

gung und Theologie geschieht offensichtlich aus aktuellem Anlaß[6]. Zahlreiche Anspielungen lassen erkennen, daß der Autor auf Entwicklungen im Adressatenbereich, die von der überkommenen Grundlinie des Glaubens wegführen, reagiert. Es läßt sich zwar aus den vereinzelten Angaben kein abgerundetes Bild gewinnen, schon gar nicht ein System der von Christen assimilierten Irrlehre rekonstruieren, dennoch bieten sie Anhaltspunkte für eine bedeutsame Veränderung der gemeindlichen und theologischen Situation. Die tradierte Freiheitsbotschaft des pl. Evangeliums von Kreuz und Auferweckung Jesu Christi vermittelt nicht mehr die Heilsgewißheit (2,6-8), die den Anfang der Gemeinde kennzeichnete (1,4-7. 23). Die Gläubigen sind nicht mehr sicher, ob sie tatsächlich durch Christus und die Annahme des Evangeliums den Mächten der Welt entkommen sind und in der ausschließlichen Bindung an Christus Anteil am Heil haben bzw. ohne Berücksichtigung der das Geschick des Menschen bestimmenden, von den Mächten kontrollierten Weltordnung überhaupt ins Heil gelangen können.

Aufgrund dieses Zweifels an der tradierten Christologie und Soteriologie suchen sich Gemeindeglieder ihres Heils zu versichern, indem sie komplementär zur Bindung an Christus auf ταπεινοφροσύνη achten (2,18. 23), "Engelverehrung" (V. 18) pflegen und im Sinne der στοιχεῖα τοῦ κόσμου leben (V. 20f. 8), um so nicht mehr dem Unheilsregiment im Kosmos unterworfen zu sein, sondern im Gegenteil das Ganze des Heils zu erlangen[7]. Die Fragen an den eigenen Glauben werden in religiös-"philosophischen" Spekulationen und in kultischen und asketischen Praktiken kompensiert (vgl. 2,16. 20f. 22b-23), die faktisch eine Dämonisierung des Kosmos und Mythologisierung des Glaubens rekonstituieren.

Ob die Verunsicherung der Gläubigen eines in pl. Tradition lebenden Gemeindebereichs durch die aufkommende "Philosophie"[8] erst ausgelöst worden ist oder ob die Einfluß gewinnende Lehre mit ihren Verhaltensrege-

---

6 Eine gegen den Apostolat des Paulus gerichtete Polemik gehört für den Kol jedoch nicht zu den aktuellen Herausforderungen. Der Streit um den Paulus-Apostolat ist aus der Sicht der "Schule" und für den gemeindlichen Adressatenkreis Vergangenheit.

7 Vgl. dagegen die christologisch-anthropologisch konzentrierte und kosmologisch ausgeweitete Argumentation in 2,9-15 als Weiterführung von 1,15-20. 21f. 27.

8 Vgl. 2,8. Die Bezeichnung einer christlichen Bewegung als Philosophie

lungen lediglich als einsichtige, das Evangelium ergänzende oder bereichernde Antwort auf die aufgebrochenen Glaubens- und Existenzfragen angenommen wurde, läßt sich vom Kol aus nicht klären. Religionsgeschichtliche Untersuchungen haben jedoch den synkretistischen Grundzug der vom Verfasser des Kol kritisierten und zurückgewiesenen Lehre belegt[9], wenn auch die zweifelsfreie Bestimmung der Wurzeln der Irrlehre schwierig bleibt.

3) Theologumena und Denkform des Kol verweisen auf ein geistiges Milieu, das wesentlich vom hellenistischen Judentum geprägt ist. Von ihm aus werden vorgnostische Spekulationen[10] auch in den christlichen Raum Kleinasiens vermittelt, wo sich judenchristliche Kreise den vermeintlichen Geheimtraditionen (2,8. 22) zugänglich zeigten und als Multiplikatoren tätig wurden. Der Autor des Kol setzt sich mit diesem Infiltrationsprozeß theologisch-kritisch auseinander, indem er vom pl. Erbgut her Korrekturen anbringen und damit der Assimilation des Evangeliums und vor allem des christologischen und soteriologischen Gehalts des gemeindlichen Bekenntnisses an das synkretistisch-heterodoxe Judentum der hellenistischen Umwelt und einer von ihm beeinflußten Glaubensweise Grenzen setzt. Zugleich zeigt er sich aber bereit, das theologische Erbe des Paulus unter Verwendung neuer Deutungsmodelle und gleichzeitiger Reaktivierung frühgemeindlicher Tradition weiterzuentwickeln. Auf diese Weise kann er sowohl den Konnex mit der gemeindlichen Theologie wahren,

---

ist für die frühchristliche Zeit ungewöhnlich. - S. dazu den kritischen Verweis auf die Verwirrung stiftende πιθανολογία 2,4 (vgl. 1 Kor 2,4a).

9 Vgl. neben den in E.Lohse, Kol 1,86f Anm. 5 genannten Arbeiten und Lohses eigener Darstellung (ebd. 186-191) u.a.: J.Lähnemann, Kolosserbrief 63-107; J.Ernst, Kol 216-220 (mit Übersicht über die Auffassungen von E.Lohmeyer, E.Percy, M.Dibelius und G.Bornkamm); E.Schweizer, Kol 100-104; H.Conzelmann, Kol 193-195. S. auch K.Wengst, Versöhnung 15-17; H.-M.Schenke/K.M.Fischer, Einleitung 158-163.

10 Die Bestimmung der Lehre als Gnosis ist umstritten. Kritisch z.B. ·J.Lähnemann, Kolosserbrief 101 (unter Verweis auf H.Hegermann und H.Jonas), gegenüber G.Bornkamm, Häresie, bes. 146. Einen Zusammenhang mit der vielgestaltigen gnostischen "Geistesbewegung" nimmt z.B. H.Conzelmann, Kol 177. 189f. 193-195, an.

als auch die Neuformulierungen des Bekenntnisses, die die pl. Verkündigungs- und Lehrtradition und den allgemeinchristlichen Glaubenskonsens berühren, modifizieren und präzisieren.

Die Rezeption des Paulus vollzieht der Kol-Autor somit in einem veränderten Denkrahmen und angesichts der Herausforderung einer neuen Situation. Die Versöhnungsaussage des Kol spricht in eine Situation hinein, in der von neuem Existenz- und Heilsängste bei den Gläubigen aufbrechen und das Bedürfnis nach Erkenntnis der weltbestimmenden und existenzbedrohenden Mächte und des Weges zu einem heilvollen Leben in kosmologischen Spekulationen (aufgrund des sich in der "Schau" (2,18) erschließenden kosmischen Mysteriums) und in kultischen wie asketischen Praktiken befriedigt wird.

4.2 Die Erfahrung entfremdeter Welt und Existenz und der Irrweg eines entfremdeten Christseins. Zum Problemkontext der Versöhnungsaussage

Daß die Erfahrung entfremdeter Welt und Existenz von verschiedenen Standpunkten aus interpretiert und beurteilt werden kann, zeigt Kol. Der Kol-Autor selbst wertet die "Entfremdung" als wesentlich der Vergangenheit, nicht nur der Christen, sondern des Kosmos überhaupt zugehörig und daher nicht mehr als Realität der Gegenwart[11]. Daß er damit nicht allein steht und nicht nur eine private Meinung äußert, folgt z. B. aus der Thematik der gemeindlichen Tradition von 1,15-20[12], die sein Urteil grundsätzlich stützt und theologisch legitimiert. Anders dagegen die "Philosophie" und die ihr verbundenen kolossischen Christen! Sie definieren mit ihrer Interpretation und Aufhebung der Entfremdung den Rahmen, in dem der Verfasser des Briefes das Gespräch mit der Gemeinde zu führen hat, den er aber zu verändern beabsichtigt[13].

---

11 Vgl. 1,21f (einst - jetzt).

12 Auch der in 1,15-20 verarbeitete Hymnus ist das Ergebnis eines theologischen Versuchs innerhalb der christlichen Gemeinde, die empfundene Notlage des Menschen in der friedlosen Welt mit einer kosmologischen Christologie und Soteriologie im Rückgriff auf ein vorgegebenes kosmologisches Vorstellungsreservoir zu bewältigen.

13 Vgl. unter dieser Rücksicht 1,9-12. 23. 25-28; 2,1-5. 6f; 3,1f. 9f. 16; 4,5f.

Voraussetzung für das Aufkommen und den Erfolg der "Philosophie" in Kolossä ist das zur damaligen Zeit allgemein im hellenistischen Kultur-
raum verbreitete Existenzgefühl, in einer instabilen Welt zu leben, deren Gesetz der permanente Kampf ist und deren an die Wurzel des Bestan-
des der Welt gehende Bedrohtheit in den Katastrophen der Natur und des
gesellschaftlichen Lebens erfahren wird[14]. Der hellenistische Mensch
findet sich in einem disharmonischen Kosmos vor, der seinem Untergang
zugeht. Er erlebt sich in der Dialektik von Grundkräften, die in Vereinigung und Auseinanderstreben das Weltgeschehen bestimmen und die
Welt in ihrem Werden konstituieren. Auf der Grenze von Vernichtung und
Wiedererstehen der Welt bricht die Frage auf, wie der Mensch sich angesichts der kosmischen Friedlosigkeit und der in der Welt herrschenden
Mächte zu verhalten habe, wo und wie er zum Geheimnis der Welt und seiner selbst vorstoßen könne, um durch die Erkenntnis des Geheimnisses
und das ihr gemäße Leben zum Heil zu gelangen und darin Bestand zu haben. Die Existenzfrage wird zur Frage nach dem rettenden Weg in die
göttliche Harmonie jenseits der permanenten Disharmonie der unmittelbar
erfahrenen Welt, nach dem rettenden Weg in die Identität heilvoller
Ganzheit erfüllten göttlichen Seins jenseits der Nichtidentität in Angst
und Heillosigkeit.

Auf das Grundgefühl der Zeit und die daraus resultierende existentielle
Frage nach dem vom heillosen Zwang des kosmischen Prozesses befreiten
Leben reagiert die Lehre, von deren Irrweg der Kol die Gläubigen abbrin-
gen möchte. Sie bietet sich als erlösende Antwort an, der Kol-Autor jedoch wertet sie als einen Irrweg, der den christlichen Glauben und seine Praxis im christologisch-soteriologischen Kern tangiert und die
Christen erneut der Entfremdung von Gott ausliefert.

So wie sich die "Philosophie" in den auf sie direkt oder indirekt anspielenden Aussagen des Kol reflektiert, berufen sich ihre Vertreter
auf die Paradosis (2,8)[15]. Sie legitimieren die von ihnen vorgetragenen
Theoreme oder Mythologeme und Lebensweisungen also durch die Bezugnahme

14 Zu dieser Skizze s. bes. die Ausführungen (mit zahlreichen Quellen-
   belegen) von E.Schweizer, "Elemente"; ders., Versöhnung; auch ders.,
   Kol 100-104. Vgl. N.Kehl, Christushymnus 129 (Bezugnahme auf Philo).
15 S. dazu den kritischen Zusatz des Kol-Autors: τῶν ἀνθρώπων ; vgl.

auf die bewahrte Kontinuität mit altehrwürdigen Überlieferungen. Welcher Art diese waren, bleibt dunkel. Möglicherweise berief man sich auf Offenbarungsschriften. Es ist aber auch denkbar, daß es sich - wenigstens teilweise - um Schriften philosophischen Charakters gehandelt hat, wobei jedoch im einzelnen der philosophische Gehalt entsprechend dem hellenistischen Sprachgebrauch von "Philosophie" nicht zu eng gefaßt werden darf[16].

Die im Kol auffällig häufig benutzte gnoseologische Terminologie deutet darauf hin, daß sich der Verfasser jedenfalls mit dem Anspruch der Irrlehrer, im Besitz von wesentlicher Erkenntnis über die Grundlagen der Welt und den Modus der Erlösung in der gegebenen Welt zu sein, auseinandersetzen mußte. So ergibt sich die Frage, welche Antwort die aus der Paradosis geschöpfte, eventuell auch mystisch-ekstatische Erlebnisse auswertende[17] "Philosophie" in Beziehung auf den angesprochenen Problemkontext zu geben vermochte und wodurch sie die Veränderung der Entfremdungssituation erzielen wollte.

V. 22f. Zum Ansatz der Kritik vgl. Mk 7,8 (als Umschreibung von Jes 29,13 LXX, zit. in V. 7). Den Gegensatz dazu markiert 2,6f (vgl. 1,5-7. 10b. 23. 25-28; 2,2f). - Die Auseinandersetzung um die rechte, zeitlos geltende Ursprungstradition und ihre Bewahrung durch die kirchlichen, apostolisch legitimierten Funktionsträger kennzeichnet vor allem die Past; doch die Anfänge haben ihren Niederschlag schon in der Legitimation des Apostolats und der Verkündigung durch Paulus selbst gefunden. Als Beispiel des pl. "Traditionsbewußtseins" sei 1 Kor 15,3 genannt.

16 G.Bornkamm, in: ThWNT IV 814-816; E.Lohse, Kol 144; E.Schweizer, Kol 106f (ebd. 104: "Die kolossische 'Philosophie' scheint ... tatsächlich Philosophie gewesen zu sein, vielleicht auch einen mysterienhaften Ritus eingeschlossen zu haben".). - Es ist nicht auszuschliessen, daß die (natur-) philosophische Tradition der Reflexion über Struktur und Prinzipien der Welt nachgewirkt hat, wenn auch die kolossische "Philosophie" popularisierende Züge trägt und die philosophische Spekulation mythologisch rückübersetzt, also die Tradition der klassischen Philosophie stark abwandelt.

17 Der Anspruch der "Philosophie" auf exklusive heilsrelevante Erkenntnis wird durch mystische Erfahrungen untermauert und sollen neue Erfahrungen hinsichtlich des Weltgeheimnisses (d.h. insbesondere der Funktion und der Forderungen der Engelmächte) erschließen. Zu den textkritischen und interpretativen Problemen des Relativsatzes ἃ ἑόρακεν ἐμβατεύων s. T.K.Abbott, Col 268-270; P.Ewald, Kol 398-401; J.Ernst, Kol 210f; E.Schweizer, Kol 123f.

Die praktische Komponente der Antwort ist durch Kol noch am deutlichsten erkennbar. Wie aus der expliziten Polemik des Verfassers ersichtlich, hatten die Anhänger asketische und religiös-kultische Anordnungen
(2,16-23) Folge zu leisten. Ihre strikte Einhaltung sollte den Eintritt
in den heiligen Bezirk (vgl. 2,18) und das Teilhaftwerden des πλήρωμα
τῆς θεότητος (V. 9) ermöglichen und unterstützen[18].

Der Zusammenhang der Vorschriften mit der sie fundierenden und interpretierenden Theorie von der Stellung und Funktion der kosmischen Mächte verweist auf die besondere Rolle der kosmologisch-soteriologischen
Anschauungen in der kolossischen Irrlehre. Ihre Struktur und Inhalte
sind jedoch, trotz religionsgeschichtlich-vergleichender und die ver-
einfachenden wie einseitigen Andeutungen des Kol verknüpfender Annähe-
rungsversuche, nur noch in einer sehr fragmentarischen Weise für einen
nicht an der Situation und an dem Vorstellungszusammenhang Partizipierenden zugänglich[19].

So viel aber wird auf der anderen Seite deutlich: Der Autor des Kol
hält die Rezeption der kosmologisch-soteriologischen Konzeption der
"Philosophie" durch Glieder der Gemeinde von Kolossä (und wohl darüber
hinaus der Gemeinden des Lykostales) mit dem christologisch-soteriologischen Bekenntnis der christlichen Glaubens- und Verkündigungstradition für unvereinbar, weil sie das Bekenntnis nicht vertieft oder ex-

---

18 Zur Erlösungsfunktion von Fasten und kultischen Feiern vgl. das von
E.Schweizer, "Elemente" 157-159 (vgl. 151f), beigebrachte Vergleichsmaterial. Ob die Beschneidung (2,11) als Initiationsritus bzw. als
ritueller Akt der Befreiung von der Fleischlichkeit (H.Conzelmann,
Kol 190) in der Häretikergruppe praktiziert worden ist, kann nicht
hinreichend gesichert werden und bleibt in der Forschung umstritten
(vgl. E.Lohse, Kol 153 A. 2; E.Schweizer, Kol 110f). Möglicherweise
handelt es sich hier lediglich um die gezielte variierende Aufnahme
pl. Sprachguts zur Herausstellung des Gegensatzes ("Beschneidung
Christi"). Vgl. z.B. Gal 5,2f. 6; Röm 2,25. 29f; die Anlehnung an
Kol 2,11 in Eph 2,11.
19 J.Schmid, Einleitung 466 (vgl. insgesamt 466-468), meint, daß wenigstens "in der grundsätzlichen Beurteilung" weitgehend ein Konsens in
der Forschung erreicht ist, doch ist die Diskussion über die religionsgeschichtliche Einordnung und vor allem die Rekonstruktion der
durch Kol zurückgewiesenen und korrigierten Theologie noch keineswegs entschieden, wenn auch überwiegend eine Verbindung mit dem frühen Stadium der gnostischen Bewegung angenommen wird.

pliziert, sondern im Gegenteil entscheidend, nämlich in der christologisch-soteriologischen Mitte, verändert:

Die Gläubigen halten nicht mehr, wie es ihrem Glauben auf der Basis des
Evangeliums (1,4-7) in der Traditionslinie des Paulus (V. 23. 25-28;
1,29 - 2,7) gemäß wäre, daran fest, daß die Menschen durch das sie einschließende Heilsgeschehen von Kreuzestod und Auferweckung Christi aus
der Entfremdung von Gott befreit und in die Heilsrelation zu Gott gelangt sind (V. 9-23), und erkennen nicht die in Christus aufgerichteten
Grenzen der Macht des Kosmos über den Menschen (V. 27; 2,9f. 14f. 17.
19; 3,1-4). Anstatt sich entsprechend der Überwindung der die Heilsvollendung des Menschen verhindernden kosmischen Machtstruktur und der
Schuldsituation des Menschen in Heilszuversicht (1,5. 27; 2,12; 3,1-4)
zu leben und sich missionarisch, - d.h. die "Hoffnung des Evangeliums
... in der ganzen Schöpfung unter dem Himmel" verkündigend (1,23) - zu
engagieren (vgl. 4,5f), passen sie sich in den Bahnen der Häresie an die
Welt an, deren Machtstrukturen in sich so geschlossen, eigendynamisch
und geschichtslos gedacht sind, daß dem geschichtlichen, singulären und
universal wirksamen Heilshandeln Gottes durch Christus, den Gekreuzigten, von Gott Auferweckten und zur Rechten Gottes Lebenden, keine exklusive und bleibend gültige Bedeutung zuerkannt wird. An der Stelle
der Befreiung aus der Entfremdung handeln sich die Gefolgsleute der
Irrlehre erneut die Entfremdung ein, die lediglich eine Ideologie oder
Mythologie der vorgegebenen Welt mit dem falschen Schein sinneröffnen-
der Konstitution und Lenkung durch die Macht der sie bildenden Elemente
verklärt.

Nach der Auffassung des Kol wird in der Gefolgschaft der Philosophie
nicht die ängstlich gesuchte vollkommene Teilhabe am ganzen Pleroma erreicht (vgl. dagegen 2,9f). Die Irrlehre schneidet die Gläubigen vielmehr von der Erfüllung durch das Pleroma ab und führt sie in ein ent-
fremdetes Christsein:

- Sie sind entfremdet von Gott, seinem Pleroma und seiner Leben geben-
  den Energie (2,9. 12b), weil sie sich nicht allein an Christus (dem
  Sohn, der Eikon Gottes: 1,13. 15) binden und in der Gemeinschaft mit
  ihm an der Überwindung der Mächte der Welt partizipieren (1,12-20;
  2,15).

- Sie sind entfremdet von Christus, weil sie seine umfassende, befreiende Herrschaft (als "Haupt") über die Welt mit ihren Konsequenzen für die Beurteilung des Kosmos und den eigenen Lebensweg nicht realisieren und sich den kosmischen Mächten und ihrer Tyrannei der Entmächtigten ausliefern (vgl. 2,20)[20].
- Sie sind entfremdet von der universalen Kirche, dem Leib Christi (1,18. 24; 3,15), weil sie - befangen im Irdischen, ohne Bezug zum universal-dynamischen "Haupt" - in Exklusivität und Privatheit ihr Leben und ihr Heil mit Praktiken des "alten Menschen" (3,9) und ohne missionarische Verantwortung gesichert sehen wollen.
- Sie sind entfremdet von der Wahrheit des Evangeliums, weil sie in trügerischen, Weisheit nur vorgebenden Menschenüberlieferungen, Menschengeboten und -lehren (2,8. 22f) Befriedigung ihres Strebens nach sicherer und ekstatisch erlebbarer Erkenntnis des Weltgeheimnisses suchen.
- Sie sind entfremdet von dem bei Gott verwahrten Hoffnungsgut (1,5a), weil sie sich dem "Schatten des Kommenden" (2,17) zuwenden.
- Sie sind entfremdet von der Zukunft eröffnenden Heilswirklichkeit, in die sie durch die Sündenvergebung im Taufgeschehen integriert worden sind (1,12-14; 2,11-13). Demgegenüber stellen sie sich in den Dienst des Nichtigen, das seine Macht über den Menschen daraus zieht, daß die Getäuschten selbst das seiner Macht bereits Entblößte als Macht anerkennen, indem sie ihr Heil durch asketische und religiös-kultische Praktiken in Unterwerfung unter diese Macht zu gewinnen trachten. Damit ist ihre Existenz nicht im Oben (im Himmel) und in der vom

---

20 Vgl. den engen Zusammenhang zwischen Erkennen und Lebenswandel in Kol, der positiv bereits in dem Hinweis auf die Veranlassung der Danksagung durch die Verbindung von πίστις ἐν Χριστῷ Ἰησοῦ und ἀγάπη εἰς πάντας τοὺς ἁγίους angesprochen ist (1,4), wobei dieser Zusammenschau die spezifische Hoffnungsstruktur der Theologie des Kol-Autors als motivierende, nach "oben" ("Himmel") gerichtete Perspektive hinzugefügt ist (V. 5a). Der angesprochene Zusammenhang prägt die Gedankenentwicklung des Kol, wie sich besonders an der Verschränkung der Paränese mit der theologischen Grundlegung zeigen läßt, er bestimmt aber auch die Auseinandersetzung mit der gegnerischen Position (vgl. z.B. 2,6f mit der Warnung V. 8; 2,9-15 mit der zweiten Warnung V. 16-23; 3,1-4 mit der paränetischen Vertiefung und Konkretisierung V. 5-4,6).

Haupt ausgehenden Dynamik Gottes gegründet, sondern im Unten (im Irdischen) gegründet.

Was der Kol-Autor dem Irrweg des entfremdeten Christseins entgegensetzt
und wie er die Irrlehre überwindet, indem er sie unter Aufnahme und Erweiterung von pl. und gemeindlichem Traditionsgut "christianisiert" bzw.
in eine bestimmte Perspektive hinein "re-paulinisiert", zeigt sich im
Zusammenhang mit der Versöhnungsbotschaft des Kol.

4.3   Kontext und Struktur der Versöhnungsaussage auf der Text-Ebene des Kolosserbriefes

4.3.1 Der Rahmen der Versöhnungsaussage Kol 1,20a

1) Zum ersten Mal spricht Kol von Versöhnung[21] in 1,20a. Die Aussage
steht in einem Zusammenhang, den die kritische Forschung als traditio-
nelles, geprägtes Gut ausgewiesen hat. Die Tradition hat der Autor des
Kol rezipiert und redigiert, um die soteriologische Einsicht der kolos-
sichen Gemeinde zu vertiefen und von einer durch den liturgischen Text-
gebrauch legitimierten Gläubensbasis aus gegen die in Kolossä aufgekom-
mene "Philosophie" argumentieren zu können[22].

Die zweite Versöhnungsaussage, die von V. 20a abhängt und vom Verfasser
selbständig, wenn auch z.T. in Anlehnung an Struktur und Theologumena
von Röm 5,10a, formuliert ist, findet sich in Kol 1,21f, genauer in V.
22.

2) Die folgende exegetische Analyse geht von der Textebene aus, die
durch den pseudonymen Briefschreiber festgelegt wurde und sich im Kol
repräsentiert. Auf dieser Ebene sieht der Autor des Kol V. 12-23 als
einen gedanklichen Komplex, der seinen Ausgang bei V. 9 nimmt. Nach dem
Aussagecharakter und der Anrederichtung können jedoch mehrere Aussage-

---

21 In Kol ist das (lediglich im christlichen Sprachgebrauch nachgewie-
    sene) Bikompositum ἀποκαταλλάσσειν (zweimal) verwendet, und zwar
    immer im Aorist. Vgl. W.Bauer, Wb 183; Büchsel, in: ThWNT I 259.

22 Über die Geschichte der Erforschung von Kol 1,15-20 (insbesondere
    des Traditionsbestandes) informiert H.J.Gabathuler, Jesus Christus.
    Zu den wesentlichen Ergebnissen vgl. auch R.Deichgräber, Gotteshym-
    nus 143-155. - S. unten 4.4.

gruppen unterschieden werden: einmal die Eucharistie V. 12-20 (zusammen-gesetzt aus V. 12-14 und dem redigierten Hymnus V. 15-20)[23], zum anderen die adressatenbezogene Konkretion von V. 20a in V. 21-23, wobei V. 23 eine Wende zur Paränese nimmt und mit der Anspielung auf das universale Evangelisationsgeschehen, das eng mit Paulus als Typos eines evangelisierenden Diakons verbunden wird, zur Erläuterung des apostolischen Dienstes für den ekklesialen Leib Christi (1,24-29; 2,1-5)[24] überleitet. Als direkt Angesprochene nennt der Text: Gott (in der Eucharistie) und die Gläubigen der Adressatengemeinde (Paränese). Im Verlauf der Eucharistie, die von Anfang an die dankenden Gläubigen als Betroffene miteinbezieht (V. 12b: ὑμᾶς ; V. 13a unter Einschluß des dankenden Apostels: ἡμᾶς), treten die Aussagen über Christus so stark hervor, daß er innerhalb der Theozentrik des Dankes als Mitangeredeter in den Blick kommt.

Die Versöhnungsaussage hat innerhalb V. 12 - 23 den Stellenwert einer zentralen thetischen Basisformulierung. In ihr kommt das soteriologische Sachanliegen der Eucharistie und des Briefes situationsrelevant zur Sprache. Das belegt nicht zuletzt die Weiterführung von V. 20a durch V. 21ff, wo aus der allgemeinen universalen Perspektive des V. 20 heraus der Umschlag in die endzeitliche Gegenwart der unmittelbaren Briefempfänger erfolgt und unter der Voraussetzung der vollzogenen Versöhnung die Realität versöhnter Existenz hier und jetzt für die verunsicherten Gläubigen der kolossischen Gemeinde aufgewiesen wird (V. 21f). Zu beachten ist, daß die existentielle, aber ekklesial eingebundene Zuspitzung von V. 20 in V. 21ff vorbereitet wurde durch den ekklesiologischen Akzent von V. 18a, der eigenartigerweise den soteriologischen Ausführungen von V. 18ff vorausliegt und ohne Zweifel vom Verfasser des Kol in die überkommene hymnische Vorlage eingeführt wurde[25].

---

23 Anders F.Mußner, Kol 11,38-47. Er rechnet bereits 1,14 zum "Christus-hymnus".

24 Zu 1,24-28 vgl. V. 5-7.

25 V. 23 wechselt von der Explikation der Versöhnungsaussage in V. 21f zur Konsequenz des Lebens aus der Versöhnung angesichts der Bedrohung durch die Irrlehre. Im weiteren leitet V. 23 (Paulus als Diener des weltweit verkündeten Evangeliums) zum folgenden Gedankengang über.

3) Aus den angedeuteten Zusammenhängen ergeben sich mehrere Fragen, die die Versöhnungsaussage des Kol-Autors erfassen helfen. Einmal ist das interpretative Wechselverhältnis von V. 20 und V. 21ff zu untersuchen. Zum anderen gilt es darauf zu achten, in welcher Weise V. 20 (in der engeren Aussagefolge von V. 15-20) und V. 21ff (als situationsbezogene Konkretisierung von V. 20) die soteriologische Thematik von V. 12-14 explizieren bzw. weiterführen. Insbesondere ist der funktionale Zusammenhang der schöpfungstheologisch spezifizierten Christologie (V. 15ff) mit der Versöhnungsaussage von V. 20 und deren Auslegung in V. 21ff zu erheben. Des weiteren ist die makrokontextuelle Verflochtenheit der im Sinne des Verfassers zusammengehörenden und sich gegenseitig interpretierenden Versöhnungsaussagen V. 20. 21f mitzubeachten.

Die Exegese geht vom Rahmentext V. 12-14 aus, betrachtet dann V. 20 in der Aussageeinheit V. 15-20 und fragt schließlich nach der Präzisierung der Versöhnungsaussage von V. 20 in V. 21ff, wo sich nach der Eröffnung des soteriologischen Themas der Danksagung (V. 12-14) und seiner Durchführung im Horizont einer kosmologischen Christologie (V. 15-20) die Versöhnungsaussage im Blick auf die kolossischen Gemeindeglieder konkretisiert und unter Aufnahme pl. Versöhnungsverständnisses spezifiziert.

4.3.2 Die Aussage des vorausgehenden Kontextes (Kol 1,12-14)

1) Kol 1,12 nimmt in Parallele zu V. 3 das Gebetsmotiv des an den Vater gerichteten Dankes wieder auf. Da εὐχαριστοῦντες in der Folge der Partizipialkonstruktion V. 10-11 steht, handelt es sich im Unterschied zu V. 3 nicht um die (erneute) Danksagung des "Paulus", sondern um die der dazu aufgeforderten Gemeinde[26]. Diese ihre Danksagung steht in der Handlungskonsequenz, die aus der erbetenen Erfüllung mit Erkenntnis (V. 9) resultiert. Eine entsprechende Zuspitzung des Handelns der Gemeinde "in Wort und Tat" findet sich auch in 3,17.

Im unmittelbar vorausliegenden Aussagezusammenhang (V. 9-11) ist bereits V. 9 durch einen Rückgriff auf V. 3 gekennzeichnet, wobei zugleich die gedankliche Verbindung mit V. 4-8 in resümmierender Weise unter

---

26 Das imperativische Verständnis des Partizips vertreten z.B. E.Lohse, Kol 66 (bes. Anm. 1); H.Ludwig, Verfasser 73; E.Schweizer, Kol 45 (bes. Anm. 85 mit Verweis auf Bl.-Debr. 468,2).

Hervorhebung des Begründungsverhältnisses (διὰ τοῦτο καί) signalisiert ist. So spielt ἀφ' ἧς ἡμέρας ἠκούσαμεν - die assoziative Aussagefolge V. 4-8 mit ihrem "konkretisierenden" Hinweis auf die durch
Epaphras gebotene Information über den Glaubensstand der Gemeinde zusammenfassend - auf das begründete ἀκούσαντες von V. 4a an. Der Relativsatz von V. 9 ist der Aussage vom Hören der Gemeinde V. 6 (vgl. V. 5:
προηκούσατε) entsprechend formuliert, wenn auch neben dem Subjekt[27]
der Inhalt des Gehörten[28] und der zeitliche Bezugspunkt[29] differieren.
Die Wiederaufnahme von V. 3 erfolgt in V. 9 durch ἡμεῖς οὐ παυόμεθα
ὑπὲρ ὑμῶν προσευχόμενοι καὶ αἰτούμενοι ; damit ist die partizipiale Wendung πάντοτε περὶ ὑμῶν προσευχόμενοι (V. 3b; vgl. 4,12),
die εὐχαριστοῦμεν (V. 3a) ergänzt, in verstärkter Weise wiederholt;
πάντοτε ist ersetzt durch οὐ παυόμεθα; statt περὶ ὑμῶν findet
sich nun ὑπὲρ ὑμῶν ; vor allem ist προσευχόμενοι durch das synony-
me αἰτούμενοι in seiner Bedeutung akzentuiert. Diese Hinzufügung
kann als Stilmittel gelten, um die nachdrückliche Anteilnahme des Betenden erkennbar zu machen[30].

Über V. 3b hinausgehend, wird die V. 9 eröffnete Fürbitte durch den
ἵνα-Satz inhaltlich näher bestimmt. An den Finalsatz schließt sich lose ein Infinitiv an, dem zwei Partizipialkonstruktionen folgen. Eine
dritte eröffnet dann V. 12. Im Mittelpunkt der Fürbitte steht die Erfüllung[31] der Adressaten mit der "Erkenntnis des Willens (Gottes)", die

---

27 In V. 4 und 9 ist "Paulus" der Hörer, in V. 6 wie in V. 5 dagegen
die Adressatengemeinde.

28 Für die Gemeinde ist es das "Wort der Wahrheit des Evangeliums" (V.
5) bzw. in sachlicher Kongruenz und aufgrund der Zusammengehörigkeit
von Hören und Erkennen "die Gnade Gottes (in Wahrheit)" (V. 6), für
"Paulus" ist es dagegen die Glaubens- und Liebesexistenz der Gemeinde (V. 4-5a. 8). Sowohl für die Gemeinde als auch für "Paulus" ist
Epaphras der Informant: von ihm wurden die Adressaten unterwiesen,
von ihm wurde "Paulus" von der Gemeinde berichtet.

29 Für die Gemeinde ist es der Tag, an dem sie das weltweit verkündete
Evangelium vernahm und zur πίστις ἐν Χριστῷ 'Ιησοῦ fand; für
"Paulus" ist es der Tag, an dem er durch Epaphras über die Gemeinde
unterrichtet wurde.

30 W.Bieder, Kol 34; E.Schweizer, Kol 40.

31 F.Zeilinger, Erstgeborene 37, stellt ἵνα πληρωθῆτε als "Leit-
wort" der Fürbitte heraus. - Vgl. die Wiederaufnahme in 4,12 als Ge-

zu einem "des Herrn würdigen Lebenswandel zu allem Wohlgefallen"[32]
führt. Dieser Zusammenhang von ἐπίγνωσις und περιπατῆσαι ist sachlich bereits in 1,4-8 angedeutet. So verbindet sich in V. 4 die πίστις
ἐν Χριστῷ Ἰησοῦ mit der ἀγάπη gegenüber "allen Heiligen" (vgl.
1,2a), und V. 8 rundet die Gedankenbewegung mit der Bezugnahme auf die
ἀγάπη ἐν πνεύματι[33] ab.

Die Zielrichtung der Fürbitte (Erfüllung mit der Erkenntnis des Gotteswillens) verknüpft V. 9 mit V. 6; V. 10 wiederholt das Motiv der Erkenntnis. In V. 6 handelt es sich um das bereits erfolgte Erkennen der
χάρις τοῦ θεοῦ ἐν ἀληθείᾳ durch die Adressatengemeinde aufgrund
des von ihr gehörten Evangeliums (vgl. V. 5b). V. 10 nimmt das Motiv
der Fruchtbarkeit und des Wachstums aus der Parenthese von V. 6 auf, wo
es in Verbindung mit dem weltweit verkündeten und zur Wirkung kommenden
Evangelium steht, und wendet es auf einen neuen Sachzusammenhang an:
von Fruchtbarkeit spricht der Autor bezüglich der (entgegen der Gedankenbewegung von V. 9f jetzt vorgeordneten) Praxis der Christen ἐν
παντὶ ἔργῳ ἀγαθῷ, von Wachstum mit Blick auf die ἐπίγνωσις τοῦ
θεοῦ[34], wobei ein paränetischer Impuls im Unterschied zu dem primär
indikativisch verstandenen V. 6 stärker hervortritt[35]. Dieser Einheit

---

betsintention des Epaphras: πεπληροφορημένοι ἐν παντὶ θελήματι
τοῦ θεοῦ.

32 Dieses Aussagemoment wird in 3,5 - 4,6 für den zur ἐπίγνωσις κατ'
εἰκόνα τοῦ κτίσαντος αὐτόν erneuerten Menschen (3,10) konkretisiert. - Zum Verständnis von εἰς πᾶσαν ἀρεσκείαν s. E.Lohse,
Kol 60f (Wohlgefallen Gottes an allen Bereichen des menschlichen Lebens); anders W.Bieder, Kol 38 (Wohlgefallen der Menschen).

33 Vgl. V. 9: ἐν πάσῃ σοφίᾳ καὶ συνέσει πνευματικῇ; s. auch den
zusammenfassenden Höhepunkt 3,14 und den auf ἀγάπη, πᾶν πλοῦτος
τῆς πληροφορίας τῆς συνέσεως und ἐπίγνωσις τοῦ μυστηρίου
τοῦ θεοῦ, Χριστοῦ abzielenden Zuspruch des Apostels in 2,2.

34 Nach W.Bieder, Kol 39, legt das Fruchtbringen den Akzent auf das
Ziel, während das Wachsen den "Weg zum Ziel" bezeichnet. - E.Schwei-
zer, Kol 42, hebt die Differenzierung auf, wenn er "beide Näherbe-
stimmungen ... auf den Doppelausdruck 'Fruchtbringen und Wachsen'"
bezieht. - Vgl. das zu ἐν παντὶ ἔργῳ ἀγαθῷ gegensätzliche ἐν
τοῖς ἔργοις τοῖς πονηροῖς (1,21); diese Taten werden 3,5-9 als
"irdische" negativ qualifiziert und im Anschluß an Überlieferung ka-
talogisch aufgezählt.

35 W.Bujard, Untersuchungen 88.

von Fruchtbarkeit in der Tat und Wachstum in der Erkenntnis kommt im Ganzen der Fürbitte eine hervorgehobene Stellung zu[36], da sie auf der Innenseite der Gemeinde der Fruchtbarkeit und dem Wachstum des Evangeliums "in der ganzen Welt" entspricht. Die hörende Gemeinde partizipiert an der missionarischen Bewegung, durch die das Evangelium universal zu Gehör gebracht wird, Frucht bringt und wächst[37], indem sie auf dem Fundament der ihr zuteil gewordenen "Erkenntnis der Gnade Gottes" (V. 6) mit der "Erkenntnis des Willens (Gottes)" (V. 9) erfüllt wird und in Verbindung mit dem Frucht bringenden Handeln gemäß dieser Erkenntnis in der "Erkenntnis Gottes" wächst. In diesem Wachstum der Gemeinde kommt das Fruchtbringen und Wachsen des Evangeliums zum Tragen[38].

Zielt die erbetene Erfüllung mit der Erkenntnis des Willens Gottes auf den rechten Lebenswandel in der Einheit von Fruchtbarkeit der guten Tat und Wachstum der Gotteserkenntnis, so macht V. 11 deutlich, daß die Intention der Fürbitte in der Gemeinde nur aufgrund des Handelns Gottes zur Realisierung gelangt. Stilistisch hervorgehoben durch eine etymologische Figur der Ausdrucksverdopplung (ἐν δυνάμει δυναμούμενοι)[39] und zusätzlich durch den plerophoren Gebrauch von πᾶς[40] ist der Partizipialaussage am Anfang von V. 11 besonderes Gewicht gegeben. Ähnlich akzentuiert ist der Schluß der Fürbitte durch ein Synonymenpaar[41] mit einem nochmaligen plerophoren πᾶς. V. 11 bringt den Gedanken ein, daß

---

36 Nach F.Zeilinger, Erstgeborene 37, ist ἐν παντὶ ἔργῳ ἀγαθῷ καρποφοροῦντες καὶ αὐξανόμενοι "das Zentrum der Epiklese" 1,9-11.

37 Eine Alternative zwischen innerem Wachstum und missionarischer Ausweitung in Verbindung mit V. 10 zu konstruieren, ist müßig, wenn man die Blickrichtung in V. 10 beachtet und den sprachlich angezeigten Hintergrund von V. 4-8 (bes. V. 6) nicht unberücksichtigt läßt (vgl. E.Schweizer, Kol 41). Zudem weist Kol selbst der Gemeinde eine Funktion gegenüber den Außenstehenden zu (4,5f).

38 Vgl. H.Conzelmann, Kol 180: Das Wachsen der Gemeinde bringt die Fruchtbarkeit und das Wachsen des Evangeliums zur Erfahrung.

39 S. Die Formulierung V. 29 mit einer vergleichbaren, wenn auch auf den Apostel bezogenen Thematik.

40 Diese Verwendungsweise von πᾶς ist auffällig häufig (5 mal) in 1,9-11. - Vgl. dazu W.Bujard, Untersuchungen 160.

41 εἰς πᾶσαν ὑπομονὴν καὶ μακροθυμίαν.

der des Herrn würdige Lebenswandel mit seinen konstitutiven Momenten der Tat und der Erkenntnis sein entscheidendes Fundament in der Machtfülle Gottes hat, deren Überlegenheit einmal durch die verstärkte "Kraft"-Aussage und zum anderen durch die Verbindung von "Macht" und "Herrlichkeit"[42] zum Ausdruck gebracht ist. Die umfassende Mächtigkeit Gottes kommt auf der Seite der Adressaten in der von ihnen durchgehaltenen "Geduld und Ausdauer" zur Geltung. Das standhafte Ausharren, dem der Atem trotz der Last der Widrigkeiten nicht ausgeht, erwächst aus der Herrlichkeitskraft Gottes, die der Glaubens- und Liebesexistenz der Gemeinde im Horizont des bereitliegenden Hoffnungsgutes (1,4f.[43] 8; vgl. 1,23.27) unerschütterliche Stärke verleiht. Es bewährt sich vor allem im beharrlichen Gebet, in dem die Gemeinde ἐν εὐχαριστίᾳ wacht (4,2), wie der Verfasser zu Beginn der letzten Mahnungen noch einmal zusammenfassend herausstellt.

Nach der Fürbitte, die den angesprochenen Gläubigen die aus der Kraft Gottes realisierbare Aufgabe aufzeigt, nicht stehen zu bleiben, sondern der vollkommeneren Glaubensexistenz erkenntnismäßig und praktisch in beharrlicher Geduld entgegenzugehen (1,9-11) beginnt also mit der intendierten Danksagung der Gemeinde (V. 12a)[44] ein neuer Abschnitt[45].

---

42 K.-G.Eckart, Beobachtungen 92f, deutet V. 9-12 als ein Traditionsstück liturgischer Paränese und klammert κατὰ τὸ κράτος τῆς δόξης αὐτοῦ als sekundär aus.

43 Vgl. Eph 1,18 (Verbindung von Hoffnung und Erbe, vgl. V. 11); 1 Petr 1,3f (Wiedergeburt zur lebendigen Hoffnung und zum unvergänglichen, im Himmel aufbewahrten Erbe; vgl. 5,3f); d. dazu H.Goldstein, Gemeindeverständnis 164-171. Auf Parallelen zwischen Kol 1,12-14 und Eph 1,3-14, wie auch 1 Petr 1,3-5 weist R.Deichgräber, Gotteshymnus 78-80 (vgl. 76-78) hin.

44 Zur Bedeutung von εὐχαριστεῖν (danken, nicht bekennen) s. R.Deichgräber, Gotteshymnus 145. Die εὐχαριστία erscheint im Kol als Grundzug der in Christus gründenden, glaubensfesten Gemeinde: 2,7; 3,15. 17; 4,2. - J.Lähnemann, Kol 56f Anm. 112, versteht das Danken im Kol als "stete Besinnung darauf, wie der in Christus gesetzte Anfang alle Lebensbereiche einschließt".

45 Die Textgliederung ist in der Forschung keineswegs einheitlich; vgl. z.B. C.F.D.Moule, Col 47. 58 (V. 3-14 mit V. 9-11 als Bitte und V. 12-14 als Danksagung; V. 15-23 "Great Christology"); K.G.Eckart, Beobachtungen 88ff (V. 9-14 mit dem Hymnus verbunden); J.Lähnemann, Kolosserbrief 32. 35. 57 Anm. 112 (V. 3-11 Dank und Fürbitte; V. 12

Kennzeichnend für ihn ist, daß er paränetisch ansetzt, jedoch in seiner Durchführung zu sehr dichten theologischen Aussagen gelangt[46]. Hinsichtlich der benutzten Stilmittel läßt sich V. 12-14 von V. 15-20 deutlich abgrenzen, da Merkmale der sprachlichen Gestaltung durch den Autor gegeben sind und sich auch V. 12-14 in den theologischen Anschauungen mit ihrem eigenen Traditionshintergrund von V. 15-20 unterscheiden[47]. Für den auf V. 20 folgenden Kontext wird ein Einschnitt in Entsprechung zu V. 11.12 (μετὰ χαρᾶς εὐχαριστοῦντες) durch das νῦν χαίρω von V. 24 angezeigt. Jedoch sind die Aussagen, die das Verständnis des Paulus-Apostolats vom Standpunkt des Kol-Autors aus entfalten (1,24 - 2,5), schon durch V. 23 vorbereitet[48]. Zum anderen klingt auch der paränetische Ton der Fürbitte in V. 23 wieder an. Man sieht sich insbesondere an V. 11 erinnert, wobei gleichzeitig die Hauptthematik von V. 4-7 in gedrängter Form und in der Wendung von der Konstatierung zur Appellation den Briefempfängern ins Bewußtsein gehoben ist[49]. Somit bildet V.

Aufruf zum Dank vor Belehrungsabschnitt; V. 13f Introitus); T.K. Abbott, Col 201. 207 (V. 9-12 Gebet; V. 13f "positive instruction"); H.J.Holtzmann, Kritik 17 (V. 9-12. 13-23 mit dem christologischen Teil V. 14-21; vgl. aber die Erörterung der Interpolationsfrage ebd. 148-152); W.Lueken, Kol 333f (V. 12f Teil der Fürbitte; V. 14-20); E.Käsemann, Taufliturgie 37f (V. 12 traditionell; V. 13f zum Hymnus V. 15-20 gehörig); M.Dibelius, Kol 9f (V. 13f Oberleitung zu V. 15-20); E.Lohmeyer, Kol 15. 41 (V. 13-20 Untereinheit von 1,13-29). - Für die Abgrenzung der Einheit V. 12-14 sprechen sich mit unterschiedlichen Kennzeichnungen z.B. aus: R.Deichgräber, Gotteshymnus 78 (Dankgebet), E.Lohse, Kol 67 ("eine Art Introitus"); E.Schweizer, Kol 44f (rahmende "Einführung"); J.Ernst, Kol 163 ("Oberleitung").

46 H.Ludwig, Verfasser 74, spricht deshalb von einer paränetischen Einkleidung, die "einen bruchlosen Übergang vom Briefeingang zum eigentlichen Brief" ermöglicht, während sachlich "der Akzent auf der Lehrhaftigkeit liegt". Dementsprechend sieht sie in 1,12-14 die Eröffnung des lehrhaften Teils des Kol, der bis 2,23 reicht.

47 Zum Stil s. die Analyse von H.Ludwig, a.a.O. 32-40; zum traditionellen Sprach- und Vorstellungsgut s. E.Lohse, Kol 67-77; E.Schweizer, Kol 46-49; R.Deichgräber, Gotteshymnus 79-82.

48 Vgl. auch den am Ende von V. 23 vollzogenen Wechsel zum "ich" des "Paulus".

49 Mit V. 23 tritt das Wirken des Epaphras (1,7f) im Rahmen der weltweiten Evangeliumsverkündigung völlig hinter "Paulus" als διάκονος des "aller Schöpfung unter dem Himmel" verkündeten Evangeliums zurück.

23 die paränetische Spitze der gemeindebezogenen Anwendung des soteriologischen Grundmotivs von V. 15-20 in V. 21f. Stilistisch ist zudem zu
beachten, daß V. 22 ebenso wie in V. 9f der übergeordnete Satz mit einem lose angehängten Infinitiv weitergeführt wird[50], wobei die Thematik
von V. 22b Inhalte von V. 9-11 reflektiert (vgl. auch V. 12b-14)[51].

Die Einheit 1,12-14 ist wie folgt zu gliedern: Auf die partizipial formulierte Aufforderung zur Danksagung (V. 12a) schließen sich V. 12b eine auf τῷ πατρί bezogene Partizipialaussage an (τῷ ἱκανώσαντι
ὑμᾶς[52]) und ein die Begründung fortsetzender Relativsatz in V. 13 (ὃς
ἐρρύσατο) an. Mit V. 13 vollzieht sich der Wechsel von der Anrede
(ὑμᾶς) zum Wir-Stil. V. 13 ist nochmals ein Relativsatz (ἐν ᾧ ἔχομεν) im Bekenntnisstil untergeordnet, der in weiterführender Verdeutlichung auf die in Christus (dem Sohn V. 13b) den Gläubigen zuteil gewordene Erlösung abzielt (V. 14). Damit orientiert sich in V.14 die
Blickrichtung des Textes um: des in V. 12f dominierenden Vaters hebt
nun V. 14 die Heilsbedeutung Christi für die Gegenwart der Gläubigen,
die in den Herrschaftsbereich des Sohnes versetzt sind, hervor.

2) Die Eucharistie, die an den "Vater" (τῷ πατρί) gerichtet ist (V.
12a; vgl. 3a) und zunächst mit Bezug auf die Gemeinde (ὑμᾶς), dann
aber V. 13 unter Einschluß der Gemeinde (ἡμᾶς) formuliert wird, ist
begründet in dem Handeln dessen, den sie anredet (V. 12f), und entnimmt
daraus ihre nähere inhaltliche Bestimmtheit. Der Autor formuliert sie
in V. 12b und 13-14 unter Aufnahme traditionell geprägter Motive, die
atl. und qumranischen Aussagen nahestehen und auf Gemeindetheologie zurückgreifen, und stilisiert die Aussagen in einer Weise, die sich an

---

50 Vgl. W.Bujard, Untersuchungen 57.

51 Auf die Zusammenhänge von V. 22 und V. 9 bzw. V. 21f und V. 13f hat
   schon F.Schleiermacher in seiner Untersuchung (1832) zu Kol 1,15-20
   hingewiesen (s. H.J.Gabathuler, Jesus Christus 14).

52 Diese Textform folgt der schwierigeren Lesart von B, während die
   Variante ἡμᾶς aus der Angleichung an V. 13f resultiert (E.Lohse,
   Kol 70 Anm. 2). Demgegenüber entscheidet sich F.Zeilinger, Der Erstgeborene 39, mit der Begründung für ἡμᾶς (nach ACDG und Koine),
   daß sich die Lesart ὑμᾶς aus "der Zurechnung des Verses zur Fürbitte" ergebe.

liturgische Ausdrucksformen anlehnt[53]. Die Gestaltung der Danksagung läßt bereits erkennen, daß V. 12-14 nicht nur zu einer Oberleitung ansetzt, sondern die Grundlegung seiner theologischen Aussage mit Blick auf die akute Glaubensproblematik der Gemeinde und auf der Basis gemeindlicher Theologumena eröffnet. Die inhaltlichen Momente der Danksagung intendieren nicht nur das Wachstum der Gemeinde in der Erkenntnis Gottes (V. 10), sie setzen es vielmehr schon ins Werk, indem die Eucharistie das, was durch die in der gemeindlichen Bekenntnistradition überkommenen Theologumena an Erkenntnis bereits gegeben ist und den Glaubenden von Kolossä in ihrer aktuellen Krise dringend nottut, in soteriologischen Basissätzen unter ausdrücklicher Einbeziehung der Adressatengemeinde zur Sprache bringt. So geschieht es, daß mittels des Dankens an Gott die Situation zur Tiefendimension der Glaubensexistenz in Beziehung gesetzt wird, die eigentliche Problematik des sich in der Gemeinde anbahnenden Irrweges sich in aller Schärfe auftut und eine fundierte Neuorientierung eingeleitet wird.

3) Daß der Autor des Kol in V. 12-14 einen gedanklichen Bogen spannt, der V. 15-20 mit einschließt, zeigt sich darin, daß die soteriologische Thematik in V. 20 zum Höhepunkt geführt wird, von dem aus sich dann die eigentliche Situation des Glaubenden beschreiben läßt (V. 21f und 23). Was die christologischen Aussagen betrifft, besteht eine religionsgeschichtlich untermauerte sachliche Verbindung zwischen V. 15 und dem Sohnesbegriff in V. 13b, mit dem der Erhöhte bezeichnet ist[54]. Vor allem

---

53 R.Deichgräber 78-82. Deichgräber spricht sich jedoch gegen die Annahme von hymnischem Traditionsgut aus ("ein ad hoc formuliertes Prosagebet", ebd. 82). Vgl. F.Hahn, Hoheitstitel 192 ("eine bewußt altertümliche liturgische Stilisierung" V. 12f). R.Schnackenburg, Aufnahme 42f, vermutet wegen der sprachlichen Besonderheit in Kol 1,12f einen "Tauftext", mit dem auch schon V. 14 verbunden gewesen sein kann, wenn er nicht als redaktioneller Zusatz des Kol-Autors zu gelten hat.

54 Christusprädikationen knüpft V. 15 an die Christusprädikation des "geliebten Sohnes", der zugleich der einzige Sohn ist, an. Nach N.Kehl, Christushymnus 53, ist "die Verwandtschaft der beiden Titel (sc. geliebter Sohn, Erstgeborener) ohnehin Gemeingut des AT", insbesondere aber nehmen beide Christustitel Weisheits- bzw. Logosprädikationen des hellenistischen Judenchristentums auf (R.Deichgräber, Gotteshymnus 152). S. hier auch die Verbindung von εἰκών, υἱός

erhält durch V. 15-20 die endzeitliche Rettungstat Gottes (V. 12f) und die christologisch fundierte Erlösungswirklichkeit (V. 13b. 14) einen kosmischen Horizont, der sich bereits in V. 13a darin andeutet, daß die ἐξουσία τοῦ σκότους (vgl. Apg 26,18) die Verfassung menschlichen Daseins außerhalb der Gottesrelation konditioniert[55]. In V. 18-20 kommt näherhin das Wie und das Woraufhin des Heilsgeschehens zur Sprache, das in V. 13 als Vorgang der Rettung und Versetzung durch Gott charakterisiert worden ist. Unter Verwendung einer anders gearteten, mit anderen Traditionen zusammenhängenden Terminologie und Denkform erschließen sich die inhaltlichen Momente der Konstituierung der Basileia und der Teilhabe an der Erlösung neu.

4) Der sich in endzeitlicher Freude artikulierende Dank hat seinen Grund darin, daß die Adressaten als Glaubende (V. 12b: ὑμᾶς ; vgl. V. 2a. 4) zur gegenwärtigen Teilnahme an dem - von der apk. Tradition für die Gerechten und Auserwählten der Endheilszeit in Aussicht gestellten- κλῆρος [56] τῶν ἁγίων [57] ἐν τῷ φωτί (vgl. 1,5) durch Gott selbst und allein befähigt worden sind. Die Qualifizierung für das (bereits erfahrbare) Endheil, für die himmlische Lichtexistenz geschieht - nach der Auslegung von V. 12 durch V. 13 - durch das heilschaffende Handeln

---

(θεοῦ) und πρωτότοκος in Röm 8,29. - Es wird von E.Lohse, Kol 77 Anm. 2 (in der Nachfolge E.Schweizers, vgl. ebd. 74 Anm. 4), als Möglichkeit hingestellt, daß bereits in der Einleitung zum Hymnus der Sohn Gottes angesprochen wurde.

55 Vgl. die Hinweise auf vergleichbare Anschauungen in Qumran bei E.Lohse, Kol 72f.

56 W.Foerster, in: ThWNT III 757-763 (bes. 761,6-13); E.Lohse, Kol 70f (zahlreiche Belege qumranischer Aussagen). S. auch J.Gnilka,Kol 46f, der auch auf weisheitlichen und apk Sprachgebrauch verweist und den Zusammenhang von Losanteil und Gemeindeintritt in Qumran anspricht.

57 Ob mit den "Heiligen" Engel oder Gemeindeglieder gemeint sind, ist umstritten. Aufgrund religionsgeschichtlicher Belege (bes. Qumran) kann die Vorstellung von der Vereinigung der Gemeindeglieder mit den Engeln für V. 12 in Anspruch genommen werden (so R.Deichgräber, Gotteshymnus 79, bes. Anm. 79; E.Lohse, Kol 71; s. auch H.-W.Kuhn, Enderwartung 66-70). Dagegen z.B. E.Schweizer, Kol 47f, obgleich er der Sache nach zu einem analogen eschatologischen Grundverständnis gelangt ("Raum der Kirche ..., der freilich so etwas wie den Himmel auf Erden darstellt und schon 'im Licht' Gottes eingetaucht ist"). Vgl. J.Ernst, Kol 164.

Gottes an den Menschen; Gott, der Vater (V. 12a; vgl. 2. 3), hat den
Antritt des Erbes dadurch ermöglicht, daß er die Glaubenden (d.h. die
Gemeinde und "Paulus") aus der "Machtsphäre der Finsternis" gerettet
(der negative Aspekt, V. 13a) und sie in die "Basileia des Sohnes seiner Liebe"[58] versetzt hat (der positive Aspekt, V. 13b), wo sie vor der
versklavenden widergöttlichen Finsternismacht geschützt sind und vor
allem mit der Eingliederung in die "Basileia des Sohnes" die Freiheit
der Gottesgemeinschaft der Endheilszeit haben (vgl. 4,11). Die Befähigung erfolgt also dadurch, daß Gott dem Leben der Glaubenden einen neu-
en Ort gegeben hat[59]. Die Glaubenden sind j e t z t der Basileia, in
der der erhöhte Christus als "Sohn der Liebe Gottes" mit einer besonderen, in der engen Relation zum "Vater" gründenden (vgl. V. 3) und so-
teriologisch-funktional definierten (V. 14) Rechts- und Herrschaftsstellung ausgestattet ist, eingegliedert, weil die diesem (präsentisch-
eschatologischen) Zustand vorausgehende und ihn allein initiierende
Rettungstat bereits von Gott vollzogen worden ist[60].

Das positive Aussagemoment, das die in der theologischen Gesprächssituation von Briefverfasser und Gemeinde insbesondere interessierende
Gegenwart in den Blick nimmt und sie als eine durch die Befreiungsak-
tion Gottes in der Vergangenheit eschatologisch qualifizierte ausweist,
unterstreicht - dem Aussageziel von V. 13 und 13b folgend - V. 14. Hier
wird das Heilsgeschehen von Rettung und Versetzung (V. 13a und b) unter
der Rücksicht des durch den erhöhten Christus vermittelten präsentischen Besitzes als ἀπολύτρωσις[61] verstanden. Durch die Apposition

---

58 Auf die christologische Umsetzung der davidischen Tradition verweist
   E.Schweizer, Kol 48f. Die Bezeichnung des Erhöhten als "Sohn" qualifiziert βασιλεία als eine von oben (vom Himmel) bestimmte Herrschaft Jesu bis zur Parusie (Kol 3,1-4). Vgl. F.Hahn, Hoheitstitel
   291. Zum atl.-jüdischen Aussagehintergrund vgl. E.Lohmeyer, Kol 50
   Anm. 2.

59 E.Schweizer, Kol 48, spricht von einer "Umsiedlung aus einem Herr-
   schaftsgebiet in ein anderes" (mit Bezug auf Jos. Ant. 9,235).

60 Vgl. die Aoriste in V. 13; ebenso V. 12b.

61 Vgl. F.Büchsel, in: ThWNT IV 354-359. - Zum Besitz (ἔχομεν) der
   ἀπολύτρωσις in Christus vgl. Eph 1,7 (mit Erweiterung διὰ τοῦ
   αἵματος αὐτοῦ); dazu Röm 3,24 und 1 Kor 1,30.

τὴν ἄφεσιν τῶν ἁμαρτιῶν[62] wird die ἀπολύτρωσις dahin inhaltlich präzisiert, daß sich die Erlösung, die von V. 13 her im Sinne der
Rettung aus der ἐξουσία τοῦ σκότους durch den von Gott selbst an
den Glaubenden vollzogenen Ortswechsel in den Herrschaftsbereich des
"Sohnes seiner Liebe" bestimmt ist, in der Sündenvergebung ereignet.
Durch die Identifikation von "Erlösung" und "Vergebung der Sünden" in
V. 14, die die heilshafte Relation der Glaubenden zum Sohne innerhalb
seiner Basileia auslegt, wird die ἄφεσις τῶν ἁμαρτιῶν zur Gegenwartsform des in V. 13 dargelegten Heilshandelns Gottes in der Vergangenheit. Die vom Sohne an die Glieder seiner Basileia vermittelte Erlösung in der Weise der Sündenvergebung steht in der Konsequenz der Rettungstat Gottes. Die sich mit der Sündenvergebung vollziehende Erlösung
erweist die Wirkmacht des rettenden Gottes auf die Gegenwart hin.

5) Als theologisch bedeutsam ist für die Aussageeinheit V. 12b-14 folgendes herauszustellen:

a) der übergeordnete Handlungsprimat des Vaters,

b) die Transformation der futurisch-eschatologischen Heilsperspektive
in eine den Gegenwartsstatus der Gläubigen qualifizierende Zustandsbe-
stimmung,

c) die Rückführung des Gegenwartszustandes auf einen räumlichen Versetzungsvorgang und

d) die christologisch-soteriologische Wertung des neuen Status an einem
neuen Ort als Heilsbesitz.

Zu a): Der leitende Grundzug der als Danksagung formulierten theologischen Aussage besteht darin, daß der sie prägende Heilsgedanke bei der
Initiative Gottes, des "Vaters", ansetzt und das wesentliche Fundament
für das Heilsverständnis in der Heilsaktion Gottes sieht[63]. Der Vater

---

62 Vgl. die Modifikation und Erweiterung in Eph 1,7: τὴν ἄφεσιν τῶν
παραπτωμάτων, κατὰ τὸ πλοῦτος τῆς χάριτος αὐτοῦ. - Der Gedanke der Sündenvergebung, der bei Paulus selbst kein besonderes Gewicht erhält, entstammt atl.-jüdischer Tradition und hat seine urchristliche Bedeutung vor allem in Verbindung mit der Taufe erhalten
(Apg 2,38; Apk 1,5f; vgl. im Zusammenhang der Johannestaufe Mk 1,4
par). Vgl. bzgl. der Evangelien: H.Leroy, Vergebung.

63 Nach Ch.Burger, Schöpfung 68, wird in der theo-logischen Fundierung
der Heilsaussage und der sich V. 15-20 anschließenden hymnisch formulierten Christologie das "Anliegen der ersten Bearbeitung" greifbar.

ist das dominierende Subjekt des die Gläubigen erfassenden Heilshandelns. Die Heilstat wird in V. 12b-13 in dreifacher Weise beschrieben: als Befähigung (ἱκανώσαντι εἰς), als Errettung (ἐρρύσατο ἐκ) und als Versetzung (μετέστησεν εἰς). Die für das Heilshandeln des Vaters ungewöhnliche Bezeichnung "Befähigung"[64] verbindet sich mit der eschatologischen Motivkombination des "Anteils am Lose der Heiligen im Licht" (V. 12b). In V. 12b geht es somit darum, daß Gott, von dem in absoluter Weise als "Vater" gesprochen wird, durch den Akt der Befähigung die entscheidende Voraussetzung für die Gläubigen (d.h. zunächst für die Briefadressaten V. 12b) zur Teilhabe am heilshaften Lichtbereich herbeigeführt hat. Gott selbst bereitet den Menschen dazu, am Losanteil der Heiligen zu partizipieren. Dieser ist von sich aus nicht würdig, das Heilserbe im jenseitig-positiven Bereich des Lichts anzutreten. Durch die Tat der Befähigung aber ist für den Menschen in der Gemeinde die Verbundenheit mit dem oberen heilshaften Lichtbereich schon jetzt konstitutiv.

V. 13 erläutert den Vorgang der Befähigung zuerst als Errettung[65] aus dem Machtbereich der Finsternis, der dem Lichtbereich entgegengesetzt ist. Die motivisch mit V. 12b verschränkte soteriologisch-dramatische Aussage V. 13a öffnet sich in V. 13b zu einer weiteren positiven Kennzeichnung der Heilstat Gottes an den Gläubigen, die sich einer weiteren räumlichen Vorstellung bedient. Die Befähigung der Gläubigen zur Teilhabe am jenseitigen Erbe des Heils hat seine wesentliche Bedingung darin, daß Gott eine Rettungsaktion in der Weise einer Versetzung vom Unheils- in den Heilsbereich vollzogen hat. Die Gläubigen können sich als

---

64 Eine Aufnahme von pl. Sprachgebrauch (1 Kor 15,9; 2 Kor 2,16; 3,5) erwägt E.Schweizer, Kol 46f. Das Verb ἱκανοῦν verwendet Paulus jedoch in 2 Kor 3,5 im Sinne der Befähigung zum Apostolat (vgl. auch 2,16; 3,5); ebenso steht 1 Kor 15,9 in einem engen Zusammenhang mit der apostolatstheologischen Thematik. Sollte also in Kol 1,12b auf Paulus zurückgegriffen sein, liegt an dieser Stelle eine klare soteriologische Transformation der Bedeutung vor. - S. dazu auch R.Deichgräber, Gotteshymnus 79 (bes. Anm. 3).

65 Vgl. die auf ein einmaliges Geschehen bezogene Ausdrucksweise des Kol einerseits und die für Paulus charakteristische Zukunftsorientierung in 1 Thess 1,10; Röm 7,24 andererseits (s. aber auch 2 Kor 1,10).

solche verstehen, an denen Gott einen Ortswechsel durchgeführt hat: ihr existentieller Ort ist nicht mehr der Machtbereich der Finsternis, sondern die "Basileia des Sohnes" der Liebe Gottes. Aufgrund der sachlichen Korrespondenz zwischen V. 13b und V. 12b ergibt sich somit die Vorstellung, daß mit der von Gott herbeigeführten Versetzung in den Herrschaftsbereich des Sohnes die Anteilhabe am Erbe der Heiligen im Licht Wirklichkeit in einem eschatologischen Sinn geworden ist.

Zu b): Die Weise, das die Heilsexistenz der Gläubigen konstituierende Handeln Gottes zu beschreiben, und die Motive, die die Unheils- bzw. Heilssituation verdeutlichen, lassen das Hervortreten räumlicher Vorstellungen erkennen[66]. Das futurisch-eschatologische Verständnis des Heils wandelt sich in eine Sicht der Existenz des Menschen, deren Standpunkt durch die Entgegensetzung von Finsternisbereich auf der einen Seite und Lichtbereich bzw. Herrschaftsbereich des Sohnes auf der anderen Seite charakteristisch ist. Die zeitliche Komponente deutet sich hier lediglich noch darin an, daß der Gläubige auf den Vorgang der Befähigung für die Wahrnehmung seines Erbteils bzw. auf den Rettungsakt der Versetzung zurückblickt und seinen Status mit Hilfe der auf Zukunft ausgerichteten eschatologischen Kategorie des Erbes deutet. Wesentlich aber ist, daß die Gläubigen sich nicht mehr in der Bewegung des Ortswechsels befinden, sondern bereits in den heilshaften Herrschaftsraum des Sohnes integriert sind und an diesem Existenzort mit dem Lichtbereich in Verbindung stehen. Die Gläubigen erscheinen in V. 12-13 nicht mehr wesentlich als solche, die auf die entscheidende Vollendung des Heils in Zukunft erwartend Ausschau halten[67]. Die Zeitdimension einer (futurisch-) eschatologischen Heilsperspektive ist vielmehr ins Räumliche transformiert, wobei die räumliche Vorstellung vom Heil durch das

---

66 Zur Eschatologie des Kol (und des Eph) s. F.-J.Steinmetz, Heilszuversicht (bes. 51-53 und die Zusammenfassung 66f). Die Bedeutung der räumlichen Vorstellungen in der Eschatologie des Kol hat vor allem G.Bornkamm, Hoffnung, herausgearbeitet, wenn er auch die zeitliche Dimension in überspitzter Weise ausscheidet. Verschärft wurde die Alternative mit Bezug auf Eph durch A.Lindemann, Aufhebung.

67 Zurecht bemerkt J.Ernst, Kol 164: "Die futurisch-eschatologischen Vorstellungen werden nicht verdrängt, aber doch überdeckt durch die Erfahrung der Heilsgegenwart".

Gegensatz-Schema von Licht (= Basileia des Sohnes) und Finsternis differenziert wird. Die Kategorie "Licht" aber impliziert zugleich die Jenseitigkeit bzw. den oberen (himmlischen) Bereich. V. 12-13 legt also den Akzent auf den durch das bereits realisierte Heilshandeln Gottes konstituierten, eschatologisch qualifizierten Gegenwarts-Status der Gläubigen in der christlichen Gemeinde, der durch zwei zusammengehörige Merkmale ausgezeichnet ist: durch die Verbundenheit mit dem Lichtbereich aufgrund der Befähigung zur Teilhabe am (jenseitigen) heilshaften Erbe und durch die Integration in den Herrschaftsbereich des Sohnes als Ort, an dem die Existenz als Erben in Hinordnung auf den Lichtbereich gelebt wird. Mit anderen Worten stellt sich die Lichtsphäre als Herrschaftsbereich eben in dieser "Basileia des Sohnes" dar[68].

Wie sich die auf das Präsens des Heils abzielende Neuakzentuierung des eschatologischen Gedankens in 1,12b auswirkt, kann in einem Punkt noch deutlicher gemacht werden. Es wurde bereits darauf hingewiesen, daß der Autor des Kol unter Aufnahme von atl.-jüdischem Traditionsmaterials das Heilsgeschehen als in der Gegenwart bereits zur Wirkung kommende Realisierung der auf der atl. Überlieferung von Landverheißung und Landnahme aufruhenden und diese eschatologisch transformierenden Hoffnung auf das Erbteil versteht. Damit ist aber im Kol auch die futurisch-eschatologische Dimension des Erwählungsgedankens[69], der mit dem eschatologischen Motiv des Erbes verbunden ist, umorientiert. Für das Selbstverständnis der Gemeinde ist aus der Sicht des Kol nicht mehr die Zukunftsperspektive der Heilserwartung konstitutiv, sondern das Bewußtsein von der bereits gegenwärtigen Zugehörigkeit zur oberen heilshaften Sphäre der "Heiligen im Licht". Das bedeutet: die eschatologische Spannung zwischen der erst in der Zukunft zum Vollzug kommenden Erwählung und Verwerfung ist durch die schon jetzt erschlossene Teilhabe am Erbe der Heiligen

---

68 Vgl. F.-J.Steinmetz, Heils-Zuversicht 45. H.Conzelmann, Kol 181. - Von einer Gleichsetzung der Basileia des Sohnes mit der Kirche als "the earthly phase in the realisation of the Kingdom of God (1 Cor 15,23-28); kann weder mit Blick auf Kol noch auf die herangezogene 1 Kor-Aussage gesprochen werden (gegen D.M.Stanley, Resurrection 204).

69 Vgl. E.Lohse, Kol 71f (zu Qumran); s. die v.1. zu ἱκανώσαντι in DG 33 und B.

aufgehoben. Die Gläubigen leben in der Gewißheit erfahrener Erwählung. Daraus ergibt sich folgerichtig die Verwirklichung der Glaubens- und Liebesexistenz im Horizont des ἐν τοῖς οὐρανοῖς bereitliegenden Hoffnungsgutes (1,4f).

Im Rückblick auf den 1,12-14 vorausliegenden Kontext liegt es nahe, V. 12b und V. 13b mit V. 5a in Beziehung zu bringen. Ist in V. 12b durch ἐν τῷ φωτί der transzendente Lichtbereich Gottes gemeint, so bezeichnet ἐν τοῖς οὐρανοῖς den jenseitigen Ort des Hoffnungsgutes (ἐλπίς). Da in V. 5 keine Angabe über den konkreten Gegenstand der Hoffnung gemacht wird, läßt sich von V. 12 her vermuten, daß er identisch ist mit dem "Erbteil". In der Exegese von V. 12ff hat sich aber ein Zusammenhang zwischen dem endzeitlichen Erbe (vgl. auch 3,24) und der endzeitlichen Basileia des Sohnes ergeben. Bedeutet die Versetzung in die Basileia des Sohnes zugleich das Befähigtwerden, das Erbe anzutreten, das sich bereits in der Basileia konkretisiert, so akzentuiert 1,5 gegenüber dem präsentisch-eschatologischen Grundzug von V. 13b (mit V. 14) stärker die im Motiv des Erbes von V. 12b traditionell mitgegebene futurisch-eschatologische Komponente. Dabei ist zu beachten, daß das in V. 12f vorherrschende räumliche Denken auch V. 5 prägt: das zeitlich-eschatologische Denken ist in eine räumlich-eschatologische Vorstellung transponiert, wodurch das Jetzt-Hier der Hoffenden überlagert ist vom Dort-Oben der Präsenz des Hoffnungsgutes, auf das sich der Hoffende bezieht (vgl. 3,1-4). Während es aber in 1,5 auf die Differenz zwischen dem Jetzt-Hier der Glaubenden und in Liebe Engagierten einerseits und dem Dort-Oben des noch nicht empfangenen, aber schon bereitliegenden Hoffnungsgutes ankommt, verlagert sich in V. 12ff der Schwerpunkt insoweit, als das Dort-Oben aufgrund der geschehenen Rettung durch Gott für die Geretteten schon erfahrbare Gestalt annimmt in der Herrschaft des Erhöhten, die in der Sündenvergebung durch die Taufe zur Wirkung kommt. Wenn die Christen von Kolossä in V. 5 auf das jenseitig im Raume Gottes bereitliegende Hoffnungsgut verwiesen werden, so handelt es sich also nicht um eine Vertröstung aufs Jenseits. Der Verweis ist vielmehr legitimiert durch das Heilshandeln Gottes, in dessen Konsequenz die Gegenwart der Glaubenden steht, die erfahren wird als Gegenwart des die Gottesrelation ermöglichende Herrschaftsraums des Erhöhten, der als in den Glaubenden Seiender die "Hoffnung auf die Herrlichkeit" selbst ist (1,27), weil er als zur Rechten Gottes Sitzender ihr in Gott verborgenes "Leben" selbst ist (3,3f). In dieses Leben aber sind die Glaubenden schon jetzt einbezogen (2,12).

Eines aber ist der Gemeinde vorbehalten[70]: die Erfüllung der eschatologisch verstandenen gegenwärtigen Heilsexistenz, das Offenbarsein in Herrlichkeit. Obgleich die Gläubigen im Taufgeschehen, in dem sie mit Christus mit-begraben und mit-auferweckt wurden, mit Christus bereits mit-lebendig gemacht wurden (2,12f), ist doch noch ihr Leben mit Chri-

---

70 Es handelt sich nicht um den eschatologischen Vorbehalt des "Noch-nicht", wie er sich bei Paulus findet.

stus, dem zur Rechten Gottes Sitzenden, verborgen. Erst mit dem - noch ausstehenden - Erscheinen Christi ("der Hoffnung auf die Herrlichkeit" 1,27), werden auch die Gläubigen "mit ihm in Herrlichkeit (des Lebens Christi) erscheinen" (3,3f)[71]. Daraus wird das eschatologische Grundschema in der Theologie des Kol erkennbar, in dem das "Schon-Jetzt" der Integration in die obere Sphäre des Heils (d.h. des Heilszustandes) noch erst der zukünftigen Erfüllung auf die Weise des Offenbarwerdens des in Christus bei Gott Verborgenen bedarf[72]. In dieser Spannung zwischen der schon jetzt vollzogenen Versetzung in den durch das "Oben" eschatologisch qualifizierten Heilsbereich und dem noch ausstehenden Offenbarwerden des im "Oben" Verborgenen obliegt es der eschatologischen Existenzweise des Gläubigen als eines neuen Menschen (3,9f), sich nach dem "Oben" auszurichten[73], "nicht auf das auf der Erde" (3,1f).

Der Angelpunkt für das Verständnis dieses sich im Kol abzeichnenden eschatologischen Modells aber ist die Christologie. Dafür spricht, daß das "Schon-Jetzt" des Heilsbesitzes im herrschenden Erhöhten (dem Sohn 1,13b-14) gegeben ist. Dieser ist als der zur Rechten Gottes "oben" Sitzende derjenige, mit dem das Leben derer, die mit ihm mit-auferweckt und mit-lebendig gemacht worden sind (2,12; 3,1a), "in Gott verborgen" ist (3,3), aber auch "in Herrlichkeit erscheinen" wird. Deshalb ist er, der in den Glaubenden ist, "die Hoffnung auf die Herrlichkeit" (Gottes 1,11) und das endzeitliche Leben schlechthin (1,27; 3,4). Der Stellung Christi im eschatologischen Heilsverständnis des Kol entspricht deshalb folgerichtig auch, daß die Gläubigen nachdrücklich zu einem nach oben, auf den erhöhten Christus gerichteten Lebensvollzug (3,1f) aufgerufen werden, d.h. zusammenfassend nichts anderes als: "dem Herrn Christus dienen" (3,25a). Auf dieses hier nur angedeutete Netz von eschatologisch relevanten christologischen Aussagen, ist die christologische Thematik des Kol insgesamt beziehbar. Vor allem läßt sich in diesem Zusammenhang erst die Funktion der Versöhnungstheologie sachlich in rechter Weise bestimmen.

71 S. dazu F.-J.Steinmetz, Heils-Zuversicht 43f.

72 E.Lohse, Grundriß 159.

73 Das mit Christus in Gott verborgene "Leben" der Auferweckung wird "als eschatologische Gabe im Glauben empfangen und festgehalten im Aufblick nach droben" (E.Lohse, Kol 195).

Hinsichtlich der Frage nach dem Verhältnis von präsentisch- und futurisch-eschatologischen Aussagen im Kol ist hier noch der Zukunftsaus-
blick 3,24f anzusprechen. In einem paränetischen Kontext (3,18 - 4,1)
modifiziert diese Stelle den Gedanken von 1,12b insoweit, als das Motiv
des Erbes mit dem der Vergeltung für das Handeln der Gläubigen (d.h.
hier der Sklaven) verbunden ist, wobei in 3,25 ausdrücklich der Verweis
auf die Bestrafung des Unrechts "ohne Ansehen der Person" im Endgericht
(vgl. 3,6) folgt. Läßt sich hier auch "eine Andeutung futurischer Eschatologie"[74] finden, so ist doch nicht davon abzusehen, daß traditionelle
(jüdische) Rede in die Aussage des Kol einfließt und paränetisch-funk-
tional zur Intensivierung der Mahnung, sich im Handeln am Dienst gegenüber dem Kyrios zu orientieren, verwendet wird. In den Grenzen einer
zweckgerichteten Paränese bewirkt 3,24f keine Aufhebung oder Korrektur
des präsentisch-eschatologischen Grundtenors in der Theologie des Kol[75].

Neben der in 1,12b-14 (bes. V. 13b und 14) angesprochenen Gegenwartsform des himmlischen Hoffnungsgutes (der vollendeten Gemeinschaft mit
dem transzendenten Gott als dem endheilszeitlichen Erbteil der von Gott
Geretteten, die in der Basileia des Sohnes grundgelegt ist) erscheint
im Kontext noch eine zweite Form der Präsenz des Endheils. Es ist das
Fruchttragen und Wachsen des von der ἐλπίς (als spezifischem Inhalt)
im Vollzug der Mission kündenden λόγος τῆς ἀληθείας τοῦ εὐαγγελίου (V. 5b-7). Die irdische Aktivseite der Ausrichtung auf das transzendente Hoffnungsgut und der Teilhabe an der Vergegenwärtigung der
Transzendenz ist das zur Gemeinde gekommene und gegenwärtig ἐν παντὶ
τῷ κόσμῳ durch die Verkündigung des Apostels wie auch der Mitknechte
und Diener Christi sich präsentierende und effektiv werdende eschatologische Evangelium (1,6; 23; vgl. V. 24-29).

Zu c): Der eschatologische Gegenwartszustand hat seinen Grund in einem
Versetzungsvorgang[76], durch den Gott selbst die Gläubigen von dem einen

---

74 F.-J.Steinmetz, Heilszuversicht 32 (vgl. 31f).

75 Richtig hebt F.-J.Steinmetz (a.a.O. 32) hervor, daß man aufgrund der
in 3,18-4,1 verarbeiteten Tradition "diesem Fragment futurischer Ge-
richtserwartung kein allzu großes Gewicht für das eigentliche Grund-
thema des Briefes beimessen" darf. Schließlich ist zu erwägen, ob
auf dem Hintergrund auch von 3,6f wie der dominierenden präsentisch-
eschatologischen Linie in der Theologie des Kol in 3,24 nicht eher
auf die Gewißheit abgezielt ist, daß sich die Heilswirklichkeit für
den am Oben Orientierten erfüllt (vgl. E.Schweizer, Kol 167f).

76 E.Lohmeyer, Kol 49, spricht ungerechtfertigterweise vom "Wunder der
'Entrückung'" (unter Verweis auf apk. Vorstellungen).

Ort, der als ἐξουσία τοῦ σκότους negativ gekennzeichnet ist, zu einem anderen Ort, dem Herrschaftsbereich des Sohnes, wechseln läßt. "Rettung" - als ein Moment in der Erklärung der Befähigungstat Gottes - bedeutet positiv: die Überführung des Gläubigen in einen anderen Lebensbereich. Hinter der Aussage V. 13 steht die Vorstellung, daß die menschliche Existenz sich immer in der Zugehörigkeit zu Machtsphären vollzieht. Die Alternative, an der sich der Unheils- bzw. Heilsstatus bemessen läßt, ist durch die schematische Aufteilung in Licht- und Finsternisbereich bzw. in den Herrschaftsbereich der Finsternis und den des Sohnes der Liebe des Vaters aufgestellt. Der Mensch kann jedoch nicht aus sich heraus den Herrschaftsbereich wechseln: nur Gott kann diese Gegensatzordnung zugunsten des Heils sprengen, in dem er an den Gläubigen die Tat-Einheit von Rettung und Versetzung vollzieht.

Dieses von Gott ins Werk gesetzte Geschehen von Errettung (aus) und Versetzung (in) schafft erst die Möglichkeitsbedingung für die Entscheidung auf der Seite des Menschen und für die Realisierung einer im bestimmten Sinne eschatologisch ausgerichteten Glaubensexistenz (vgl. 1,3-8; 3,1-4). Das unmittelbare Betroffensein durch das Versetzungsgeschehen aber ereignet sich in der gläubigen Annahme des universal verkündeten Evangeliums (1,5b-7) und im Begraben- und Auferwecktwerden mit Christus in der Taufe (2,12)[77]. Heil, verstanden als Teilhabe am Erbe der Heiligen, wird dem Menschen also nur zuteil aufgrund eines Versetzungsvorgangs, in dem der Gläubige von dem Ort des Unheils zum Ort des Heils überführt und damit von einem Herrschaftsbereich zu einem anderen wechselt, also aus dem Raum der Macht der Finsternis befreit und dem Raum der Herrschaft des Sohnes eingefügt wird. Die Basileia als christologisch-eschatologisch gedeutete und räumlich vorgestellte Gegenwartswirklichkeit ist die dem Finsternisbereich gegenüber stehende Gegenwirklichkeit des Heils, in der die Glaubenden aus der Fremdherrschaft der Finsternis durch den Eingriff Gottes definitiv gerettet sind.

Zu d): Die eschatologische Gegenwartswirklichkeit der Glaubenden ist durch V. 14 (mit Bezug auf V. 13b) christologisch-soteriologisch als

------

77 S. unten zu d.

präsentischer Heilsbesitz in Christus neu umschrieben. Zugleich wird deutlich, daß die Rettungstat Gottes eng mit dem Sohn selbst verbunden ist: die im Sohne den Gläubigen zum Besitz gewordene Befreiung aus Knechtschaft hebt noch einmal das Geschehensein der Errettung aus dem Finsternisbereich hervor. Doch wird auch ein neuer interpretativer Zusammenhang hergestellt: Befreiung aus Knechtschaft besagt "Vergebung der Sünden". Mit diesem Gedanken ist die bildlich-räumliche Denkweise scheinbar verlassen, aber es kann in ἀπολύτρωσις noch die Vorstellung vom Sklavenloskauf mitenthalten sein[78], so daß der Aussageaspekt des Herrschaftswechsels aus V. 13 nachwirkt. Im Unterschied zu V. 13 verbleibt V. 14 jedoch bei der negativen Charakterisierung des Heilsvorgangs. Die Wende zur positiven Bestimmung des neuen Zustandes der Glaubenden wird anders als V. 13b durch V. 14 nicht interpretierend aufgenommen. Bemerkenswert ist inhaltlich vor allem, daß die christologisch-soteriologische Präzisierung der Heilstat Gottes durch den Begriff der ἀπολύτρωσις nicht ausdrücklich mit dem Tod Jesu verbunden wird (vgl. Eph 1,7)[79]. Der Gedanke beschränkt sich auf die Erklärung der Befreiung aus Knechtschaft als "Nachlassung der Sünden". Erst mit V. 20 und 22 wird der Kreuzestod zum soteriologischen Schlüsselmotiv erhoben. V. 14 legt den Akzent im Aussagezusammenhang mit V. 12-13 ausschließlich darauf, daß die aus Gottes Handeln resultierende Wirklichkeit des Heils tatsächlich die gegenwärtige Situation und den Lebensraum der Gläubigen erfüllt und zwar allein durch die Eingliederung in die Basileia des Sohnes. Außerhalb dieses Herrschaftsbereichs, d.h. ohne Anerkennung des herrschenden "Sohnes" gibt es keine Partizipation an der Befreiung aus der Knechtschaft der Finsternismacht in der Vergebung der Sünden.

Da die Bestimmung der ἀπολύτρωσις im Sinne von ἄφεσις τῶν ἁμαρτιῶν auf ein Verständnis im Rahmen von Tauftradition verweist[80], legt sich der Gedanke nahe, daß der Vorgang des Orts- und Herrschaftswech-

---

78 Dagegen E.Lohse, Kol 75 Anm. 7; vgl. aber M.Dibelius - H.Greeven, Kol 9.

79 "Die stellvertretende Todeshingabe Christi" steht in Kol 1,14 keineswegs so klar "im Vordergrund", wie J.Ernst, Kol 164, unter bes. Berufung auf 1 Kor 15,3; Gal 1,4; Röm 4,25 meint.

80 R.Deichgräber, Gotteshymnus 82; s. die Erörterung von Ch.Burger,

sels und die damit erfolgte Integration in die Basileia des Sohnes in
Kol bewußt tauftheologisch mit der Glaubensexistenz der angesprochenen
Gemeindeglieder verkoppelt wird. Die verarbeiteten Motive erinnern an
die Taufhandlung als Erfahrung des Wechsels in einen neuen Status, in
ein fundamental anderes Existenzgefüge. In der Taufe widerfährt den
durch die Verkündigung des Evangeliums Bekehrten aktuell die Befähigung
zum Antritt des Erbes durch die Sündenvergebung; sie erhalten die
Rechtsstellung von Erben. Der Ort, wo die Glaubenden durch die Taufe
ihr Erbe antreten, ist die Basileia des Sohnes, in der der transzendente Lichtbereich Gottes, "wo Christus zur Rechten Gottes sitzt" (3,1),
in den irdischen Existenzraum der Menschen eindringt und ihn durchformt.
Auf dem Hintergrund des Zusammenhangs der soteriologischen Motive von
V. 14 mit gemeinchristlicher Tradition geschieht also die in V. 12 angesprochene Befähigung zur Teilhabe am Erbe der Heiligen im Licht durch
das aktuelle Zur-Wirkung-Kommen der geschehenen Rettung in der von
Knechtschaft befreienden Sündenvergebung der Taufe.

Schöpfung 69-71, der die Apposition V. 14b einem Glossator zuschrei-
ben möchte. R.Schnackenburg, Aufnahme 43, erwägt die ursprüngliche
Zugehörigkeit von V. 14 zu einem vorgegebenen taufliturgischen Text.

4.3.3 Die Versöhnungsaussage im Zusammenhang der Gedankenfolge Kol 1,15 - 20

4.3.3.1 Vorbemerkung

Die Gedankenfolge von V. 15-20 bezieht der Kol-Autor unmittelbar auf die christologische Aussage von V. 13b. In Verbindung mit der dortigen Vor-Information (im Rahmen von V. 12-14) ist nun das Folgende zu verstehen. Die formale und inhaltliche Struktur der in die Danksagung integrierten "Argumentation" ist durch den vorgegebenen hellenistisch-christlichen, weisheitstheologisch beeinflußten Gemeindehymnus festgelegt[81]. Die zweiteilige Hauptgliederung signalisiert die Wiederholung des ὅς ἐστιν und πρωτότοκος (V. 15 und 18) und des ὅτι ἐν αὐτῷ (16 und 19). Jeder der beiden Abschnitte wird mit einer christologischen Hoheitsaussage eröffnet, der eine Begründung folgt. Die ursprüngliche Parallelität in Form und Sache läßt sich noch deutlich erkennen, ist jedoch in Kol nicht mehr stringent durchgehalten. Dieser Umstand bietet den Einstieg zu der Frage nach dem Verständnis und dem Anliegen, das der Kol-Autor mit dem übernommenen Text verband und dem er bei den Adressaten Geltung verschaffen möchte. Insbesondere gilt die Aufmerksamkeit der Ausrichtung der christologischen und soteriologischen Inhalte und der Funktion des kosmologischen Aussagemoments, das in beiden Teilen aufgenommen ist.

---

81 Der hymnische Text muß durch den liturgischen Gebrauch in der Region bekannt gewesen und dem Kol-Autor als gemeindliche Glaubensaussage grundsätzlich legitimiert und von den Adressaten akzeptiert erschienen sein (so auch D.v.Allmen, Réconciliation 43, bes. Anm. 32; E. Lohse, Kol 84 Anm. 6). Ist damit die durch die Tradition mitbestimmte Voraussetzung der Kommunikation richtig erfaßt, stellen sich folgende Fragen an den theologisch-kritischen Umgang des Briefabsenders mit der gemeindlichen Tradition ein: Hat er im Hymnus sich aussprechende Gemeindetheologie von der Grundstruktur des Glaubens her (und näherhin welcher?) nicht nur theologisch-sachkritisch, sondern auch für die Angesprochenen akzeptabel verbessert bzw. gegen Verfälschungen gesichert? Partizipierte er an der dem Hymnus zugrunde liegenden Theologie so weit, daß er sie nicht nur richtig verstand, sondern sogar aus dem consensus fidelium heraus authentisch vertiefen und die Gemeinde ihrerseits die theologische Arbeit des Autors als Bereicherung erkennen und anerkennen konnte? - Zur Wertung des Verhältnisses von Kol und Hymnus:E.Schweizer und R.Schnackenburg differieren in ihrem Urteil über die Frage, ob das Verhältnis des Kol-Verfassers zur hymnischen Tradition durch Diskontinuität oder durch

Auszugehen ist also von dem Konnex mit V. 12-14 (bes. 13f und 15ff). Er charakterisiert zum einen die in V. 15ff entwickelten kosmologisch ge- stimmten christologischen und soteriologischen Aussagen als inhaltliche Präzisierung dessen, was es heißt, Sohn der Liebe Gottes zu sein, was der allgemeine und der besondere Aspekt der Herrschaft dieses Sohnes ist, wie sich die Versetzung in die Basileia des Sohnes zum kosmischen Umfeld als Herrschaftsraum der Finsternis (V. 13a) verhält. Zum anderen ermöglicht der theozentrische Ansatz in V. 12f, daß die Zuordnung Chri- sti zu Gott trotz der christologischen Akzentverlagerung und der durch den Hymnus prädeterminierten Perspektivenverschiebung erhalten bleibt. Darüber hinaus garantiert das einleitend fixierte theo-logische Struk- turmoment, daß das im Hymnus angesprochene Pleroma (V. 18), das auch für die "Philosophie" von grundlegender Bedeutung ist[82], nicht zu einer mißverständlichen kosmologisch-mythischen Chiffre, sondern theo-logisch rückgebunden und qualifiziert wird. Das Schwergewicht der Aussagefolge liegt - in Korrespondenz zu V. 13f - auf dem soteriologischen Abschnitt, wie der Autor auch durch die Explikation im Anschluß an den rezipierten hymnischen Text unterstreicht.

Da die Frontstellung gegen die "Philosophie" erst relativ spät, d.h. nachdem die Basis abgesteckt ist, deutlich herauskommt (vgl. 2,8. 4), zudem die Abweichler nicht direkt angegangen und namhaft gemacht wer- den, sondern innerhalb einer paränetischen Anrede der Gemeinde insge- samt als Gefahr des authentischen Glaubens in das Blickfeld treten, ist es unangemessen, in der kritisch-korrigierenden Rezeption des Hymnus nur eine Auseinandersetzung mit der kosmologisch-soteriologischen Kon-

---

Kontinuität gekennzeichnet ist. Während E.Schweizer die Redaktion des Hymnus vom Standpunkt der Differenz geleitet sieht, hebt R. Schnackenburg die grundsätzliche Zustimmung zur theologischen Aussa- ge der Tradition heraus (vgl. die Beiträge beider Exegeten in: EKK (Vorarbeiten 1). Auch E.Gräßer, Beispiel (bes. 145ff.152f), erkennt in Kol eine "Alternierung" der pl. Theologie. - Zur Tradition selbst s. unten 4.3.3.2 und 4.4.

82 Vgl. 2,9, wo der auf Christus bezogene Pleroma-Begriff aus 1,19 wie- der aufgenommen und in eine Gegenwartsaussage übertragen ist, jedoch jetzt im Rahmen der mit 2,8 ausdrücklich eröffneten Polemik steht. Zu 2,9 vgl. J.Ernst, Pleroma 94-105; s. auch P.Benoit, Leib 274f; J. Lähnemann, Kolosserbrief 115-120.

zeption der Irrlehre sehen zu wollen. Primär ist die Gemeinde, hineingenommen in die Dankbewegung, Dialogpartner hinsichtlich ihres selbst-
formulierten, aber gegenüber Fehlinterpretationen anfälligen Christus-
glaubens[83]. Die angesprochenen "heiligen und gläubigen Brüder in Christus zu Kolossä" (1,2) werden innerhalb der Danksagung zu einer fundamentalen Erkenntnis über sich selbst geführt: sie bilden als ἐκκλησία
den Leib des Hauptes Christus!

Damit ist eine theologische Ortsbestimmung für die Glieder der Gemeinde
gegeben, die, mit den sie ermöglichenden kosmologisch-christologischen
und christologisch-soteriologischen Aussagekoordination zusammen, die
Problemsituation der Gemeinde unmittelbar ins rechte Licht rückt. Wie
die Herausstellung der christologisch-soteriologischen Grundstruktur
durch den engeren Kontext lehrt, ist dem Kol-Autor gerade die Soteriologie, die die Gemeinde in ihrem Hymnus thematisiert, von besonderer
Wichtigkeit.

4.3.3.2 Die Tradition des Gemeindehymnus und die Redaktion

Daß der Verfasser des Kol in 1,15-20 hymnisch geformtes, zumindest in
gehobener Prosa formuliertes Traditionsgut der Gemeinde rezipiert, steht
in der Forschung weithin außer Frage. In der Diskussion bleiben jedoch
die Probleme, die sich mit der Abgrenzung des Umfangs, mit der Bestimmung der literarischen (kolometrischen) Gestalt und mit der Geschichte
der Tradition stellen[84]. Je nach den diesbezüglichen Entscheidungen di-

---

83 Vgl. die (für die Gesprächseröffnung typische) positive Anspielung
   auf die Pistis der kolossischen Christen in 1,4, die - paränetisch
   gewendet - in V. 23 mit der apostolischen Verkündigung als ursprünglicher Grundlage und bleibendem Kriterium verbunden wird (vgl. V.
   25-29; 2,1-4). 2,5 steht wieder in der konstatierenden Linie von 1,4,
   wobei aber an die Stelle des ἀκούειν auf Lehren aus zweiter Hand
   (vgl. V. 7f) das freudige βλέπειν des ἐν πνεύματι am Geschick
   der Gemeinde unmittelbar teilnehmenden "Paulus" tritt.

84 Vgl. E.Norden, Agnostos Theos 250-254; E.Käsemann, Taufliturgie;
   H.J.Gabathuler, Jesus Christus; H.Hegermann, Schöpfungsmittler 88-
   202; N.Kehl, Christushymnus 28-51; R.Deichgräber, Gotteshymnus 143-
   155; K.Wengst, Formeln 170-180; P.Benoit, L'hymne 226-250; Ch.Burger,
   Schöpfung 4-38; E.Schweizer, Kol 44-69; J.Gnilka, Kol 51-59; s. auch
   W.Pöhlmann, All-Prädikationen; J.M.Robinson, Analysis.

vergieren die Auffassungen über die Arbeit des Endredaktors, also des Kol-Autors, wenn nicht - wie es vereinzelt geschieht - sogar noch mit einem späteren Eingriff in die Kol-Redaktion durch einen Glossator gerechnet wird[85].

Im Rahmen dieser Untersuchung, die sich auf die versöhnungstheologische Aussage konzentriert, kann die Forschungsgeschichte, die zahlreiche Rekonstruktionsversuche hervorgebracht hat, nicht im einzelnen kritisch diskutiert werden. Die folgenden Ausführungen beschränken sich darauf, die textliche Grundlage zu skizzieren, die für die Analyse des Versöhnungsverständnisses auf der synchronen Ebene des Kol-Verfassers und auf der Traditionsebene maßgeblich wird. Auf das Traditionsgut in Kol 1,20 ist noch einmal gesondert einzugehen[86].

Wenn sich auch für die Analyse und Deutung von Kol 1,15-20 die Gliederung der thematischen Grundstruktur in zwei Aussageeinheiten als hilfreich erwiesen hat, so ist doch damit noch nichts über die literarisch adäquate Ordnung des Textes gesagt. Inhaltlich läßt sich grob zunächst ein erster Gedankenkomplex abheben, der von Christus als Schöpfungsmittler bzw. von der Allschöpfung handelt, während der zweite die Erlösungsmittlerschaft Christi bzw. die Allversöhnung zum Gegenstand hat[87]. Eine dementsprechende literarkritische Rekonstruktion der traditionellen Grundform mit zwei gleichgestalteten Strophen bleibt jedoch umstritten, zumal eine strenge formale und sachliche Parallelität zwischen den Textgliedern der beiden Teile je nach angesetzten Formkriterien nicht ohne Eingriffe hergestellt werden kann[88]. Ein erster Ansatz bie-

---

85 So z.B. Ch.Burger, Schöpfung 76: Die "paulinischen Korrekturen" sind von der Hand eines späteren Glossators.

.86 S. unten 4.4.

87 F.Zeilinger, Der Erstgeborene 179-205 versteht bereits die erste Strophe von der Thematik der 2. Strophe aus als Neuschöpfung. Vgl. die Kritik von E.Schweizer, Forschung 183f. Der Sache nach ist m.E. für die christliche Aussage V. 15-18a der soteriologische Ansatz entscheidend, also der christologisch-pistologische Gedanke nun im Horizont von V. 18-20, d.h. vom Gekreuzigten und Erhöhten her, legitim formulierbar und wohl auch traditionsgeschichtlich bes. von der hellenistisch-judenchristlichen Gemeinde (beginnend bei den "Hellenisten" in Jerusalem) so entstanden. Vgl. dazu die Überlegungen von R.Schnackenburg, EKK (Vorarbeiten 1).

88 Vgl. zur folgenden Erörterung: J.Gnilka, Kol 51-58 (Darstellung der

tet sich mit der Ausgliederung von V. 17-18a als Zwischenstrophe. Dennoch stört die Aufreihung V. 16c-d das Ebenmaß der ersten Einheit im Verhältnis zu der kürzer formulierten zweiten, da V. 20c in chiastischer Form lediglich V. 16b aufnimmt. Im zweiten Teil fehlt auf der anderen Seite eine mit V. 16e vergleichbare Synthese; daneben findet sich für V. 18c keine korrespondierende Formulierung in V. 15-16 (bzw. -18a). Hinzukommen weitere Beobachtungen: fehlendes Genetivattribut zu ἀρχή (V. 18b; vgl. V. 15a); formal und sachlich überschießendes τῆς ἐκκλησίας (V. 18b);sachliche Verdopplung des Gedankens von V. 15-16 durch V. 17ab (wenn nicht zur Zwischenstrophe gehörig). Schließlich ist eine Abweichung in der stilistischen Gestaltung von V. 18b-20 festzustellen.

Aufgrund dieses Sachverhalts bleibt jede Rekonstruktion des Traditionsgutes hypothetisch bzw. mehr oder minder wahrscheinlich und von formal-stilistischen und sachlichen Vorentscheidungen abhängig. Zumindest für V. 18a (τῆς ἐκκλησίας) und insbesondere für V. 18b-20 ist mit stärkeren redaktionellen Eingriffen zu rechnen.

Die Behandlung von Kol 1,15-20 (V.20 alsSchwerpunkt) geht von folgender Annahme über das traditionelle Gut eines Gemeindehymnus und über die redaktionelle Arbeit des Verfassers aus. Zur Grundform des Hymnus sind zu rechnen: V. 15-16abe; V. 18b. 19. 20ab (εἰρηνποιήσας) und c (wohl mit Ausnahme des δι᾽ αὐτοῦ). Die Formulierung von V. 20 wird jedoch ursprünglich formal V. 16ab und e entsprochen haben. V. 17 und 18a bilden in der Form und der Sache nach eine Zwischenaussage, die wohl für die Grundtradition denkbar ist, aber auch in einer zweiten Stufe eingefügt worden sein kann (mit Ausnahme von τῆς ἐκκλησίας). Auf das Konto einer dem Kol vorausliegenden Zwischenredaktion kann auch V. 18c (ἵνα-Satz) gehen. Von der Hand des Kol-Autors sind V. 16c-d; V.18a (τῆς ἐκκλησίας) und V. 20b (präzisierende Deutung durch den Kreuzestod) und wahrscheinlich das anschließende δι᾽ αὐτοῦ. Die Redaktion setzt auf diese Weise Akzente, die angesichts der Gemeindetradition und der Problematik einer Häresie theologische Implikationen schärfer ausformuliert und zugleich eine entschiedene soteriologische Position in Aufnahme eines traditionellen, auch von Paulus rezipierten soteriologi-

---

Forschungslage); Ch.Burger, Schöpfung 3-38.

schen Motivs bezieht.

4.3.3.3 Theologische Aspekte von Kol 1,15-20

Kol 1,15-20 gliedert sich in zwei gedankliche Hauptschritte: der erste
hat eine christologisch-kosmologische Thematik (V. 15-17), der zweite
eine christologisch-soteriologische (V. 18-20), die sich in V. 21f fort-
setzt. Im Mittelpunkt der Aussage steht Christus, der V. 13b als Sohn
der Liebe Gottes charakterisiert ist. Ihm wird einmal die geschöpfliche
Welt in ihrer Gesamtheit sowohl ihrem Ursprung als auch ihrem Bestand
und Ziel nach zugeordnet, zum anderen die Versöhnung und Friedensstiftung in dieser Welt.

4.3.3.3.1 Die ekklesiologische Korrektur einer kosmologischen Christologie

In zwei parallel laufenden Aussagen (V. 15 und 18bc) wird Christus erstens charakterisiert als Eikon des unsichtbaren Gottes und πρωτότοκος jedes Geschöpfes und zweitens als ἀρχή und als πρωτότοκος aus
den Toten. Dazwischen liegt die auf dem Hintergrund der kosmologisch
ausgerichteten Aussagefolge V. 15ff unerwartete christologische Vorstellung des "Haupt"-seins Christi bezüglich der σῶμα τῆς ἐκκλησίας.
Wie die Formulierung ausweist, zielen die angeführten Benennungen Christi auf Wesensmerkmale seines Sohn- und Herr-Seins ab. Die Sichtweise
ist also hellenistisch-christlich. Daraus folgt, daß dem Zeitmoment in
einigen Prädikationen kaum noch der entscheidende Stellenwert eingeräumt ist, wenn es auch in der die Geschichte einbeziehenden Denkweise
des Briefverfassers nicht völlig ausgeklammert ist. Aus dem Kontext ist
die vorausgegebene Bestimmung mitzuberücksichtigen, daß Christus "Sohn
der Liebe Gottes"[89], Gott also in spezifischer, exklusiver Weise sein
Vater ist (vgl. V. 3). Sie prädeterminiert die folgenden christologischen Aussagen; sie haben den (schon im Hymnus gepriesenen) Erhöhten im
Blick.

---

89 Dieser Christustitel ist eine "hebraisierende Wortverbindung" (E.
Lohse, Kol 74; Bl.-Debr. § 165): er verweist auf einen Zusammenhang mit der Taufe (J.Gnilka, Kol 49). Zur ntl. Sohneschristologie
im religionsgeschichtlichen Kontext: M.Hengel, Sohn Gottes.

1) Im einzelnen wird von dem "Sohn der Liebe Gottes" gesagt:

In Christus (als Eikon) manifestiert sich der - nach hellenistisch-jü-
discher Lehre - welttranszendente Gott seinem Wesen nach in vollmächtiger Gegenwart[90]. Die Eikon-Bedeutung gründet in einer besonders engen
Verbundenheit des Sohnes mit Gott, die in dieser Weise dem Kosmos oder
einem Teil von ihm nicht eignet. Das Christologumenon von V. 15a reflektiert den Versuch der hellenistisch-christlichen Gemeinde, die im
hellenistischen Judentum geläufige Vorstellung von der Weisheit oder
des Logos als Gott offenbarender Eikon auf Christus zu übertragen. Die
christologische Transformation geht nicht in die Richtung, daß Christus
in seiner Präexistenz zum Modellbild oder Spiegelbild der Schöpfung
wird, nach dem Gott die Schöpfung gestaltet. Im Verständnis des Kol-
Autors deutet sich zudem ein besonderes Interesse an einer derartigen
christologisch-sapientialen Spekulation über den Präexistenten nicht

---

90 Die christologische Verwendung des Eikon-Begriffs ist schon in 2 Kor
4,4 begegnet. - J.Ernst, Kol 167, sieht hier "das Wesen des präexistenten Christus meditiert", wobei dieser nicht in der Beziehung des
Geschaffenen zum Schöpfer stehe, sondern der "Seite des Schöpfers"
zugerechnet werde: "der Christus gleicht Gott wie das Abbild dem Urbild". Wenn auch aus der weisheitlich geprägten Tradition des Hymnus
die Präexistenzvorstellung in Verbindung mit dem Gedanken der Schöpfungsmittlerschaft mitschwingt, so ist doch im Denken des Kol-Autors
eine noch stärkere Funktionalisierung dieser Aspekte einmal in bezug
auf das Heilsgeschehen (vgl. V. 13f. 20. 21f) und zum anderen in bezug auf die Herrschaftsstellung des Erhöhten zu beobachten (s. bes.
die variierende Aufnahme von Motiven aus 1,16. 18. 19 in 2,9f, die
vor allem im Zusammenhang zwischen dem Pleroma Christi und dem Erfülltsein der Gläubigen in Christus (V. 9) akzentuiert). - Im übrigen ist die Umschreibung der Eikon-Beziehung als Gleichsein des Ab-
bilds mit dem Urbild, wie sie J.Ernst bietet, problematisch, obgleich
sie durch Weish 7,26 (vgl. Philo, z.B. Leg All I 43) naheliegt (vgl.
H.Hegermann, Vorstellung 96-98). Denn die entscheidende Aussage in
Kol 1,15 ist die, daß Christus (nicht aber die im bzw. über dem Kosmos waltenden Mächte) die volle Offenbarungsgestalt der Wirkmacht
des "unsichtbaren Gottes" ist, weil er als Eikon an der Macht Gottes
in singulärer und repräsentativer Weise teilhat. Vgl. E.Schweizer,
Kol 58. - Auf der christologischen Grundlage wird 3,10 (im paränetischen Kontext) der Eikon-Begriff zur Kennzeichnung des "neuen Menschen" in seinem gegenwärtigen Sein anthropologisch spezifiziert
(vgl. dagegen die futurisch-eschatologische Perspektive von Röm 8,29
und 1 Kor 15,47-49); s. dazu J.Gnilka, 188f. E.Schweizer, Kol 148f
(bes. Anm. 520), versteht demgegenüber "Eikon des Schöpfers" auf der
Linie von 1,15 und 2 Kor 4,4 christologisch.

an[91].

Ein Einfluß der Weisheitstheologie bzw. Spekulation zeichnet sich in
der Bestimmung des Verhältnisses Christi zur Schöpfung ab, die bereits
durch die kosmologischen Implikationen der Eikon-Prädikation der Sophia
bzw. hier Christi vorbereitet ist. V. 15b nennt den Sohn πρωτότοκος
πάσης κτίσεως. πρωτότοκος bringt, wie die Begründung V. 16f nahelegt, weniger die zeitliche Priorität gegenüber den übrigen Schöpfungs-
werken als vielmehr die Superiorität und mitschöpferische Souveränität[92],
die das Werden der Schöpfungswelt in all ihren Teilen und Ordnungen
mittlerhaft bewirkt, ihren Bestand im ursprünglichen Sein der Schöp-
fungseinheit garantiert und ihr das schöpfungsgemäße Ziel gibt, zum
Ausdruck. Als πρωτότοκος ist Christus nicht der Erste in der Reihe
der Geschöpfe (also nicht Teil der geschöpflichen Welt). Wie schon im
Eikon-Begriff die herrschaftliche Vorrangstellung dessen, in dem sich
Gott offenbarend manifestiert, mitenthalten ist, so kennzeichnet auch
der Rechtsstatus des Erstgeborenen die einzigartige Oberordnung Christi
als Herrscher über die Ktisis, d.h. über jedes Geschöpf[93]. Der geliebte

---

91 Gerade für die christologische Sichtweise des Kol-Autors gilt die
   Feststellung N.Kehls: "Die Aussagen der Weisheitsliteratur, die die
   Vorstellungswelt des Hymnus weitgehend bestimmen, sind ... nicht
   einfach mechanisch auf Christus übertragen worden" (ders., Christushymnus 99). Zur Bedeutung der Weisheitsliteratur vgl. a.a.O. 104-108.
   Neben den von Kehl genannten Stellen erhellen den Zusammenhang von
   Präexistenzvorstellung und schöpfungsmittlerischem Wirken auch z.B.
   Philo, Fug 109 (über den Logos); Quaest in Gn 4, 97. Hingewiesen
   werden muß auch auf 1 Kor 8, 6b, wo im Bekenntnisstil zum Ausdruck
   kommt, daß Jesus im Voraus zur Schöpfung präexistierte. Beachtenswert ist jedoch bei dieser Stelle, daß die Aussage in ihrer Zweitei-
   ligkeit den christologischen Gedanken theo-logisch verankert und den
   indirekt angesprochenen soteriologischen Aspekt theo-zentrisch ausrichtet ("auf Gott hin"). Vgl. zu Kol 1,15-20 auch Hebr 1,2-4 und 10
   (mit Ps 102,26-28). - Zur christologischen Interpretation der Präexistenzvorstellung s. E.Schweizer, Jesus Christus 87-92.

92 So auch W.Michaelis, in: ThWNT VI 879-881. Er wendet sich mit Recht
   gegen die Deutung im Sinne zeitlicher Priorität bei M.Dibelius, Kol
   12, so daß Jesus als Präexistenter und Schöpfungsmittler lediglich
   der älteste Sohn Gottes "vor aller Kreatur" gewesen ist.

93 Auch H.Hegermann, Vorstellung 96. 99, legt den Akzent auf die singuläre "Überlegenheit" und die "unüberbietbare Hoheit und Würde"
   (a.a.O. 100), hält aber doch auch an dem zeitlichen Vorrang des präexistenten Christus vor der Schöpfung fest (ebd.). Demgegenüber be-

Sohn, der im Eikon-Verhältnis zu Gott steht, hat von ihm die Verfügungs-
gewalt über die Ktisis empfangen.

Das Christusprädikat ἀρχή (V. 18) verweist ebenfalls auf die hellenistisch-jüdische Weisheits- und Logoslehre[94]. Das Bedeutungsspektrum von
ἀρχή läßt zunächst verschiedene Erklärungen möglich erscheinen. Der
Begriff ist im temporalen Sinn, als Würde- oder Rangbezeichnung oder im
übertragenen Sinn, so daß ἀρχή die Nuance einer prinzipiellen Bedeutung erhält, deutbar. Wie sich schon in V. 18a die Perspektivenverände-
rung ankündigt, so ist auch ἀρχή im Konnex mit der nun explizit werdenden soteriologischen Gedankenbewegung zu sehen. In Korrespondenz zur
voraufgehenden Kennzeichnung des überkosmischen Ranges Christi, der ihn
unzweifelhaft auf die Seite Gottes stellt, und der κεφαλή-Stellung
und Funktion[95] gegenüber dem ekklesialen, mit dem "Haupt" verbundenen
Soma definiert ἀρχή Christus als bleibend wirksamen Anfang und damit
gleichsam als Wesensprinzip der endzeitlichen Neuschöpfung. Als ἀρχή
übt Christus sein (schon im Schöpfungsgeschehen selbst von Gott grund-
gelegtes) Regiment über die Schöpfung aus, das ihr den geordneten Bestand und die Sinnrichtung sichert. Denn die Herrschaft Christi vollzieht sich über den Weg der kosmisch-umfassenden Versöhnung und der
Stiftung des Friedens (V. 20); sie hat ihr dynamisches, in die Schöpfung hineinwachsendes Zentrum in dem mit dem Haupt verbundenen ekklesialen Soma, in dem der von der Schöpfung her vorgegebene Sinn geschöpf-
licher Wirklichkeit real-geschichtlich Gestalt gewinnt.

Daß das Moment der Zeit in ἀρχή nicht völlig ausgeklammert ist, zeigt
sich in der eschatologischen, durch ἐκ τῶν νεκρῶν näher bestimmten
Christusprädikation πρωτότοκος[96], die in Parallele steht zu V. 15b.
Sie markiert die eschatologische Stellung und Funktion Christi als des

---

tont z.B. J.G.Gibbs, Creation 103, die herrschaftliche Stellung
Christi im Verhältnis zur Schöpfung. Vgl. hier auch Hebr 1,6, wo der
Erstgeborene den Engeln übergeordnet wird (in Aufnahme von Ps 97,7).

94 In dieser Tradition ist auch schon die Verbindung von ἀρχή mit
εἰκών und πρωτότοκος vorgegeben.

95 Vgl. H.Hegermann, Vorstellung 101-103.

96 Vgl. E.Lohse, Kol 97.

Erstauferweckten. Als πρωτότοκος ἐκ τῶν νεκρῶν stellt sich in ihm
unwiderruflich die eschatologische Wende vom Tode zum Leben dar: er ist
die kollektive Grundgestalt der Auferweckungsexistenz, an der alle
νεκροί durch ihn Anteil gewinnen. Somit dokumentiert sich darin, daß
Christus als erster aus der Todesverfallenheit herausgenommen wurde,
seine Arche-Bedeutung. Mit ihm beginnt das Geschlecht derer, die aus
der Herrschaft des Todes befreit sind (vgl. V. 13a) und am endzeitlichen Leben partizipieren, weil sie zum Herrschaftsbereich des Sohnes,
der der Erstgeborene aus den Toten ist, gehören (V. 13b). Er ist aber
nicht nur der Erste im zeitlichen Sinn, sondern vielmehr auch der, der
für die "Toten" aktiv ist, indem er das vom Tode befreite Leben eröffnet und der neuen, eschatologischen Existenz zum Ziel wird[97]. Erschlossen ist das Sein des πρωτότοκος ἐκ τῶν νεκρῶν für alle dem Tode
Unterworfenen durch die All-Versöhnung auf ihn hin und durch den Erde
und Himmel betreffenden Friedensschluß[98].

2) In scheinbarer Spannung zum Kontext V. 15-17 steht die Zwischenaussage über das Verhältnis Christi zur Kirche, die inhaltlich über die
kosmologische Thematik hinausgreift und die soteriologischen Ausführungen von V. 18b-20 vorwegnimmt[99]. Daß es sich in V. 18b um ein ekklesiologisch modifiziertes, ursprünglich kosmologisches und im hellenistischen Raum verbreitetes Motiv handelt, zeigt sich, wenn τῆς ἐκκλησίας

---

97 Vgl. 1,27f; 2,9.12f.20; 3,1-3.

98 Deshalb ereignet sich auch mit der All-Versöhnung und mit dem Friedensschluß die eschatologische Neuschöpfung. Diese erfährt der Glaubende und Getaufte, der in Christus bereits auferweckt und lebendig
gemacht ist (2,12f).

99 Die der soteriologischen Thematik vorausgehende Erwähnung der Kirche
und die ekklesiologische Interpretation des von V. 15-17 her kosmologisch zu verstehenden Soma-Begriffs legen einen Eingriff in die
Gedankenfolge nahe, die dem Kol-Autor als Redaktor eines tradierten
Textes zuzuschreiben ist. Diese Auffassung wird in der neueren Exegese seit E.Käsemanns Untersuchung von Kol 1,12-20 nahezu allgemein
vertreten. Eine Ausnahme macht N.Kehl, der die Erwähnung der Kirche
der Tradition zuschreibt (ders., Christushymnus 93. 97). Ihm folgt
J.G.Gibbs, Creation 105. Vor E.Käsemann beurteilte M.A.Wagenführer,
Bedeutung 62f, τῆς ἐκκλησίας als spätere Glosse. - Die Vertreter
der redaktionellen Bearbeitung durch den Kol-Autor sind im wesentlichen bei Ch.Burger, Schöpfung 10f, aufgelistet. S. jetzt auch
J.Gnilka, Kol 53.

ausgeklammert wird[100]. Dann stellt sich der Sachverhalt so dar, daß
Christus als Haupt τὰ πάντα zum Soma hat, das vom übergeordneten
Haupt unterschieden und auf es als ordnendes und belebendes Zentrum bezogen ist. Nach einem spätantiken Welt-Modell könnten "Haupt" und "Leib"
zusammen als eine makrokosmische Einheit verstanden sein, wobei im einzelnen nicht immer die Sonderstellung der κεφαλή betont sein muß[101].
An diesen kosmischen, christologisch auswertbaren und im Hymnus ausge-
werteten Zusammenhängen von "Haupt" und "Leib" ist jedoch dem Autor des
Kol an dieser Stelle nicht gelegen (vgl. auch V. 24), obgleich in den
christologisch-kosmologischen Aussagen von V. 15-17 die kosmische
κεφαλή - Stellung impliziert ist[102].

Für die kontextbezogene Auslegung ist die Parallelität der Eröffnung
von V. 17 und V. 18 wichtig; beide Male steht καὶ αὐτός ἐστιν. V.
17 zieht die Summe aus dem Begründungssatz V. 16 und beleuchtet das
Verhältnis Christi zum Kosmos nach der Seite der herrschaftlichen Über-
ordnung und unter der Rücksicht des Bestand gegebenen Grundes. V. 18a
akzentuiert die bisher kosmologisch explizierte und illustrierte Bedeutung Christi eschatologisch-ekklesiologisch um. Nicht die geschöpfliche
Welt wird vom Autor als Soma begriffen. Diese Qualifikation wird der
Kirche zur Unterscheidung vom Kosmos und somit in Differenz zur weit
verbreiteten Weltsicht vorbehalten[103]. In der Konsequenz der im Kontext
thematisierten kosmischen Dimension kann mit der Aussage V. 18b nur die
universale, auf den Kosmos in ihrer Verkündigung bezogene Kirche als
eschatologische Realform der Basileia des Sohnes (V. 13b) gemeint sein
(vgl. V. 24-29). Die Kirche hat also in singulärer Weise Christus zum

---

100 S. die folgenden Ausführungen und unten 4.5.3 zum universal-ekkle-
siologischen Aspekt in der Theologie des Kol.

101 Über den vielschichtigen Soma-Begriff und insbesondere über seine
kosmologische Bedeutung vgl. E.Schweizer, in: ThWNT VII 1025-1054,
und ergänzend H.Schlier, in: ThWNT III 675-677; zu Kol und Eph
bes. 679-681.

102 Vgl. auch 2,10. 19: Christus ist herrschaftliches Haupt über die
kosmischen Mächte, die er ihrer Macht beraubt hat.

103 Der Kol-Autor reaktualisiert den pl., auf die Kirche bezogenen Soma-
Begriff in Art einer "Neuprägung". Vgl. E.Schweizer, Kol 69f; bes.
70 Anm. 183.

"Haupt", zum eschatologischen Herrschafts- und Lebensprinzip. Von dem einen Haupt, Christus, gewinnt die Kirche als Soma dieses Hauptes Gestalt, wird ihr in dem von Christus her und auf ihn geordneten kosmischen Raum Bestand gewährt; vom "Haupt" aus wächst sie in den Kosmos hinein, und auf Christus als κεφαλή ist sie zielgerichtet. Ohne Christus als das eine, unauswechselbare "Haupt" ist die Kirche nicht das Soma; nur als Teil des Soma hat der Mensch Verbindung mit dem Haupt, das zugleich über die gesamte Schöpfung herrscht; nur im Soma gründet er in Christus und lebt die in die Schöpfung eingestiftete heilshafte Christozentrik (V. 16d. 20a: εἰς αὐτόν)[104]. Die Kirche ist der geschichtlich-reale Erfahrungsraum der All-Herrschaft des Hauptes, weil sich das "Haupt" dieses Soma bildet. Im Soma, d.h. nach der Hervorhebung des Kol-Autors: in der Kirche, tritt die Stellung Christi als πρωτότοκος πάσης κτίσεως und als πρωτότοκος ἐκ τῶν νεκρῶν (in Identität!) in ihrer schöpfungsbezogenen, heilswirkenden endzeitlichen Bedeutung in Erscheinung.

Die auf dem Fundament der κεφαλή-Christologie aufgebaute und mit ihr zusammengedachte σῶμα-Ekklesiologie bleibt im Kol noch sehr rudimentär und chiffrenhaft. Ihre Ausgestaltung wird sie im Eph finden. Dort ist dann auch explizit ausgesprochen, daß die Konstituierung der Kirche als Soma im Versöhnungsgeschehen des Kreuzestodes erfolgt[105]. Diese Erkenntnis deutet sich im Kol durch die kontextuelle Versöhnungsthematik nur an; sie ist aber nicht ausformuliert. Dadurch aber, daß die Kurzaussage V. 18a im Schnittpunkt der christologisch-kosmologischen und der christologisch-soteriologischen Koordinaten des Kontextes steht und das Heilsgeschehen mit Hilfe der auch für Eph bedeutsamen Versöhnungs- und Friedensterminologie erklärt wird, ist die Einbindung der aufeinander bezogenen Haupt-Christologie und Soma-Ekklesiologie in die Versöhnungssoteriologie entscheidend vorbereitet.

---

104 H.Schlier, in: ThWNT III 679, 18f: "Man hat das Haupt nicht ohne und außerhalb des Leibes und man hat den Leib nicht ohne und abseits vom Haupt".

105 Vgl. Eph 2,14-18. - Dazu unten 5.2.3.

4.3.3.3.2 Das kosmologische Strukturmoment

Das kosmologische (bzw. "ktiseologische") Strukturmoment ist schon von
der Tradition her auf das christologische bezogen und diesem untergeordnet. Die funktionale Bedeutung der Vorstellungen über die Schöpfung,
den Bestand und die Ordnung des Kosmos in bezug auf das Verständnis
Christi als des Schöpfungs- und Heilsmittlers wird durch die ekklesiologische Interpretation des kosmologischen Soma-Begriffs, die jedoch in
die vorgegebene Gedankenstruktur nicht ohne einen Rest von Unausgeglichenheit und Spannungen durchgeführt ist, noch vertieft. Dazu trägt
insbesondere die nur angedeutete, aber als wesentlich erachtete Einführung der Beziehung zwischen der Ekklesia als dem Soma mit dem Haupt
Christus und der kosmologisch definierten Ktisis bei.

Im Anschluß an 4.3.3.3.1 und im Vorblick auf den soteriologischen Aspekt
empfiehlt es sich aber, die kosmologische Aussage von 1,15-20 noch einmal gesondert zu bedenken, zumal sie sowohl für die rezipierte Tradition als auch für die Verständigung des Kol-Autors mit seinen Gesprächspartnern von großem theologischen Gewicht ist.

Die in der Form von Begründungen durchgeführte Entfaltung des kosmologischen Aspekts der Christologie (und damit verbunden auch der Ekklesiologie) bieten V. 16f und korrespondierend dazu V. 19f, wobei in V. 19
πᾶν τὸ πλήρωμα nach dem Verständnis des Kol-Autors keine Umschreibung der "Fülle" des Kosmos oder der kosmischen Mächte ist, sondern
Chiffre für die schöpferische und - vor allem mit Bezug auf V. 20 - die
neuschöpferische, d.h. versöhnende und Frieden stiftende Machtfülle
Gottes[106].

---

106 Zum Pleroma-Begriff und zum Problem seines religionsgeschichtlichen
Hintergrundes: P.Benoit, Leib; J.Ernst, Pleroma (zu Kol 1,19 bes.
72-94); G.Delling, in: ThWNT VI 285-304; H.Hegermann, Schöpfungsmittler 105-109; N.Kehl, Christushymnus 110-125. Kehl versteht
Pleroma jedoch zu allgemein als "eine Bezeichnung des im Kosmos
waltenden Geistes Gottes" (ebd. 124). Nach F.J.Steinmetz, Heils-
Zuversicht 74, handelt die Pleroma-Aussage von V. 19 vom "erfüllten
Erlöser", in dem Gott nahegekommen ist, weil in ihm "die ganze
Schekina Gottes ruht" und Gott durch ihn "den Kosmos erfüllt". Vgl.
zur Bezugnahme auf die Schekina ebenso: S.Aalen, Begrepet 61f. -
S. weiterhin: H.Langkammer, Einwohnung; G.Münderlein, Erwählung;
E.Schweizer, Kol 65-67 (zu jüdischen Parallelen des Semitismus bes.

Bedeutsam und für die Sichtweise des Kol (aber auch schon des Hymnus) charakteristisch ist, daß die Schöpfung in all ihren Bereichen und Teilen (V. 16b-d) Christus als Grund, Mittler und Ziel hat[107]. Sie ist keine eigenmächtige emanzipierte Wirklichkeit, die in sich eine stabile Harmonie oder ein Entwicklungs- und Vollendungsziel besitzt. Die Schöpfung ist primär Herrschaftsraum Christi, des Sohnes Gottes. Er nimmt ihr gegenüber die bleibende Vorrangstellung ein. Diese wird protologisch und eschatologisch im Blick auf den Erhöhten ausgelegt. In Christus durch den Schöpfungsakt Gottes unter der Mittlerschaft Christi grundgelegt (V. 16), hat τὰ πάντα nur in ihm das sichere Fundament für den Bestand innerer Ordnung und Einheit (V. 17b; vgl. V. 20).

Die Christozentrik der Welt tritt durch das Versöhnungsgeschehen in das Stadium ihrer vollen Realität: Dem πάντα δι'αὐτοῦ καὶ εἰς αὐτὸν ἔκτισται in V. 16 korrespondiert δι' αὐτοῦ ἀποκαταλλάξαι τὰ πάντα εἰς αὐτόν (in V. 20). Da in V. 15-20 durch kein Wort angedeutet ist, daß die weltimmanente, vom Schöpfungsakt Gottes in und durch Christus her wirksame Finalität des Alls unterbrochen oder gestört gedacht ist, scheint den Aussagen - entsprechend der hymnischen Vorlage - eine optimistische Einheitsschau zugrunde zu liegen. Versöhnung würde demnach - auf das All bezogen - nicht die Überwindung eines Negativums (des gestörten Verhältnisses des Alls zur immanenten Finalität) bedeuten, sondern das Explizitwerden eines implizit schon immer - und zwar vom Schöpfungsursprung her - Gegebenen; das All erhielte lediglich die Vollgestalt ihres Hin-seins auf Christus. Die Versöhnung läge dann in der Konsequenz des mitschöpferischen und welterhaltenden Wirkens Christi und somit der inneren Zielgerichtetheit der Schöpfung[108].

Was die Existenz des Menschen betrifft, enthält jedoch die auf das Positive blickende Weltsicht eine gewisse Trübung, denn die Todesverfal-

---

66); J.Gnilka, Eph 97-99. 105-109; ders., Kol 72-74. - H.J.Holtzmann, Kritik 297-301, erkennt im Pleromaverständnis des Kol und Eph eine "Vorstufe des Gnosticismus".

107 Vgl. V. 16f, bes. die präpositionalen Wendungen.

108 Vgl. die Wiederaufnahme des εἰς αὐτόν von V. 16d in der Versöhnungsaussage V. 20a. - Vgl. G.Schneider, Präexistenzaussagen 28f.

lenheit wird nicht verschwiegen. Doch deutet sich in der Christusprädikation πρωτότοκος ἐκ τῶν νεκρῶν eine eschatologische Wende zugunsten des Menschen an: in Christus als dem πρωτότοκος ist den νεκροί die Zukunft der Auferweckung garantiert und als bereits die Gegenwart bestimmende Wirklichkeit begriffen[109].

Daß der Autor des Kol der Welt zwar die wesentliche Christozentrik nicht abspricht, sie aber nicht so unbeeinträchtigt sieht, wie es zunächst in 1,15ff den Anschein hat, belegt der Kontext. Bereits der Finalsatz in V. 18 spiegelt die Ansicht wieder, daß die Vorherrschaft erst infolge von Auferweckung und Erhöhung zur vollen Realisierung gelangt[110]. Erst recht enthält V. 20b eine bedeutsame Korrektur. Die Versöhnung des Alls durch Christus und auf ihn hin setzt die Friedensstiftung im irdischen und himmlischen Bereich voraus, genauerhin die Friedensstiftung als geschichtlichen Akt διὰ τοῦ αἵματος τοῦ σταυροῦ αὐτοῦ[111]. Versöhnung ist also keine Selbstverständlichkeit der "in Christus", durch ihn und auf ihn hin geschaffenen und in ihm Bestand habenden Welt.

Was die kosmischen Mächte angeht, die durch die "Philosophie" zu einem besonderen theologischen Problemgegenstand geworden sind, findet sich in Kol eine Stelle, die über 1,15-20 entscheidend hinausgeht, indem sie

---

109 In der Sicht des Kol-Autors wird die Auferweckung für den Glaubenden in der Taufe bereits Gegenwart (vgl. 2,12f; 3,1). Damit ist die futurisch-eschatologische Perspektive, wie sie sich bei Paulus findet, durch einen Vertreter der pl. Tradition präsentisch-eschatologisch modifiziert. Zu Recht stellte F.J.Steinmetz, Heils-Zuversicht 29-32, im Kol lediglich "'Spuren' der futurischen Eschatologie" fest.

110 Grundgelegt ist jedoch die eschatologische Vorherrschaft Christi im Kreuzestod (vgl. 2,14f).

111 Der Verfasser folgt hier der pl. Tradition (vor allem in der Form von Röm 5,10a). Der kreuzestheologische Akzent in der Versöhnungstheologie des Kol wird in 1,22 noch einmal bekräftigt. - Auf das Nachwirken von Röm 5,9-11 (zusammen mit V. 1) in Kol 1,20-22 hat H.Ludwig, Verfasser 150-155, nachdrücklich hingewiesen, jedoch geht sie mit ihrer Auffassung zu weit, daß der Röm "ein 'Lehrbuch' des Paulus für seine Schüler" gewesen sei (a.a.O. 224-228). D.Lührmann, Rechtfertigung 441f, beobachtet in Kol 1,20 (Stichwort "Blut") einen Anklang an die Tradition von Röm 3,24-26, wenn auch der bundestheologische Zusammenhang nicht zum Tragen kommt.

die Befriedung und Versöhnung des Alls auf Entmachtung hin auslegt: 2,15. Hier werden die in 1,16 von einer christologisch vermittelten Schöpfungstheologie aus positiv gedeuteten kosmischen Mächte als dem Heil der Menschen und der Christozentrik des Alls widerstehend gekennzeichnet[112].

Die entscheidende Korrektur der im Sinne einer optimistisch-enthusiastischen Weltanschauung deutbaren kosmologischen Inhalte der auf hymnische Tradition basierenden Aussagen setzt jedoch beim Menschen an: Im Blick auf die durch den Brief angesprochenen Gläubigen charakterisiert der Autor die Entfremdungssituation des Menschen (vgl. 1,21; 2,13f; 3,5-9; auch implizit 1,14), der Gesellschaft und der Menschheit (3,11). Der Mensch lebt demnach nicht gleichsam "natürlich" in der ursprünglichen Christozentrik der Schöpfung. Es besteht vielmehr eine eschatologische Differenz zwischen dem "alten" und dem "neuen" Menschen (3,9f). Durch seine Gesinnung, die sich in "bösen Taten" (in "Sünden", "Übertretungen") manifestiert, stellt er sich (als παλαιὸς ἄνθρωπος) gegen sein, mit der Schöpfung gemeinsames, Auf-Christus-hin-Geschaffensein. Er ist Feind Gottes (gen. obj., 1,21). Die entfremdenden Übertretungen versetzen ihn in den Todeszustand und verfestigen die Situation der Entfremdung von dem lebendig machenden Gott (2,13). Die Veränderung der entfremdeten Existenz kann er nicht selbst herbeiführen, auch nicht indem er seine Existenz den kosmischen Mächten ausliefert. Er bedarf der Rettung durch Gott aus dem (kosmischen) Machtbereich der Finsternis (1,13), der Versöhnung durch den Kreuzestod (V. 22), der Vergebung der Sünden (V. 14; 2,14f), der Entmachtung der kosmischen Mächte (2,15).

Zusammenfassend können die inhaltlichen Aspekte des kosmologischen Strukturmoments von 1,15-20 und damit eines Moments der Versöhnungsaussage des Autors wie folgt umschrieben werden:

Die Kosmologie ist nicht mehr das Hauptthema in der Theologie des Kol, wie auch schon in 4.3.3.3.1 deutlich wurde. Sie steht auch nicht im

---

112 Vgl. hier auch die sachliche Verbindung von 1,18a und 19f in 2,9f und die Neuumschreibung von 1,20 und 21f in 2,13-15. Zum Verhältnis von 2,9-15 und 1,15-20 vgl. Ch.Burger, Schöpfung 79-114; zu 2,10. 14f vgl. F.Zeilinger, Der Erstgeborene 171-176.

Zentrum der aus der Tradition integrierten und modifizierten Aussage von 1,15-20. Insbesondere zeigt sich kein Interesse an einzelnen Fragen der Kosmologie oder an einer ausgeweiteten kosmologischen Spekulation; vielmehr ist die Theologie (und Ethik) primär durch den Zusammenhang von Christologie und Anthropologie unter soteriologischen und vor allem (präsentisch-)eschatologischen Vorzeichen geprägt. Dennoch haben die kosmologischen Inhalte eine wichtige Funktion in der theologischen Grundlegung und in der Polemik; sie dienen zur Explikation der uneingeschränkten Vorrangs- und singulären Mittlerstellung Christi: Er gibt dem All seinen Bestand; ihm verdankt es die Erreichung des ursprungsgemäßen Sinnziels. Die Einbeziehung der Kosmologie in die Christologie ermöglicht somit eine deutliche Abgrenzung von der kosmologischen Soteriologie der "Philosophie"!

Da die Gesamtaussage von V. 15-20 sich auf den Erhöhten bezieht und dem Aussagegefälle nach im Versöhnungs- und Befriedungsmotiv ihren Höhepunkt hat, kann auch hinter V. 15-17 kein die Theologie des Kol-Autors in singulärer Weise prägendes Interesse an einer Präexistenzspekulation stehen[113]. Die kosmologischen bzw. "ktiseologischen" Inhalte sind auf die soteriologische Aussage universaler Versöhnung und Befriedung durch Christus ausgerichtet. Sie bekräftigen die durch das Wesen der Schöpfungswirklichkeit angelegte universale Relevanz der All-Versöhnung und die den irdischen und den himmlischen Bereich umfassende Wirkung des Friedensschlusses. Oder unter einem anderen Gesichtspunkt: sie eröffnen den Rahmen für die Formulierung einer universalen Soteriologie, in deren Zusammenhang die durch die "Philosophie" problematisierte Situation der Gläubigen definiert werden kann und die die Ekklesia als auf die kosmische Wirklichkeit bezogenen Heilsbereich bestimmt.

Die Möglichkeit einer optimistisch-enthusiastischen Weltschau, d.h. ei-

---

113 Der Kol-Autor versteht V. 15-17 von V. 12-14 (bes. V. 13f) her und lenkt in seinen Aussagen auf V. 20 und 21-23 hin. Sein theologisches Interesse an der soteriologischen und eschatologischen Qualifikation der Gegenwart der Glaubenden in der Welt unter der Herrschaft Christi bedient sich der christologisch-kosmologischen Aussagen und der in ihnen implizierten Präexistenzvorstellung, um die Geltung des präsentischen Heils in der Gemeinde auch für ihre Beziehung zum Kosmos und den Mächten in ihm zu unterstreichen.

ner verschmelzenden Zusammenschau von Protologie und Eschatologie, von Schöpfung und Vollendung der Schöpfung in konsequent realisierter Christozentrik ist vom Autor des Kol nachdrücklich aufgehoben. Er betont gegenüber den Adressaten die Entfremdung des Menschen in seiner unsittlichen Existenz (1,21; 2,13; 3,5-9) und die Notwendigkeit der Entmächtigung der kosmischen, offensichtlich die Finalität der Schöpfung mißachtenden bzw. usurpierenden Mächte (2,10. 14f). Weder der Mensch noch das All als Existenzort des Menschen und schon gar nicht die Mächte stehen in Harmonie mit dem Ursprung, dem Grund und dem Endzweck ihres geschöpflichen Seins. Damit das All und der Mensch zum Sinnziel der Schöpfung (d.h. Christus) gelangen und die Mächte ihrem Haupte, Christus (2,10b), untergeordnet werden, bedarf es der Neuordnung durch die Versöhnung sowohl des Alls als auch in concreto der entfremdeten, feindlichen Menschen (1,20. 21f). Entsprechend der aktuellen Problemlage in der Gemeinde und der kommunikativen Situation des Briefes akzentuiert der Verfasser deshalb auch besonders die Depotenzierung der kosmischen Mächte (2,15), die in 1,15-20 keineswegs mitausgesagt ist.

4.3.3.3.3 Die Versöhnungsaussage

Die Aussage von der Versöhnung und vom Frieden durch Christus (Kol 1,20) ist der "Zielpunkt"[114] von V. 18ff. Daß das theologische und argumentative Interesse des Autors in besonderer Weise auf den Versöhnungsgedanken ausgerichtet ist, unterstreicht auch die Anwendung V. 21-23. V. 20 steht also im Zentrum der Sachaussage, deren besonderes Gewicht darauf liegt, daß die spätantike Frage nach der Einheit des Kosmos christologisch-soteriologisch angegangen wird, während in V. 15-17 (bzw. 18a) die Problematik des heilen Kosmos und damit auch der heilen Existenz in ihm im Anschluß an hellenistisch-jüdische Schöpfungstheologie einer Lösung zugeführt wird.

1) Die beiden Argumentationsweisen in V. 15-20 sind nicht ohne Wechselbezug nebeneinander gesetzt. Sowohl die christologischen als auch die kosmologischen Aussageglieder von V. 20 weisen zurück auf die christo-

---

114 J.Lähnemann, Kolosserbrief 40. N.Kehl, Christushymnus 125, sieht
    in V. 20 den "Höhepunkt" von Kol 1,15-20.

logische und kosmologische Thematik der Einheit V. 15-18a. Oder anders gesagt: die Universalität des vorausliegenden Gedankens ist auch in V. 20 bestimmend. Das Versöhnungsgeschehen betrifft τὰ πάντα und die Friedensstiftung erfaßt den irdischen und den himmlischen Bereich. Der theologische Akzent liegt aber darauf, daß das universale Heilsgeschehen an Christus gebunden ist[115]. So sind konstitutive christologische Präpositionalwendungen aus V. 15-18a in V. 18b-20 wiederholt. In V. 20 dominiert die διά-Wendung, hinzukommt einmal εἰς αὐτόν. Einen neuen Aspekt bringt die Wendung διὰ τοῦ αἵματος τοῦ σταυροῦ αὐτοῦ in Verbindung mit dem Motiv der Friedensstiftung (V. 20b) ein, während die Versöhnungsaussage V. 20a in deutlicher Parallele zu V. 16d formuliert ist und lediglich die Schöpfungsthematik (ἔκτισται) ersetzt. Auch im Vergleich mit dem δι' αὐτοῦ von V. 20a lenkt die kreuzestheologisch qualifizierte Präpositionalwendung in V. 20b die Argumentation in eine Richtung, die in V. 20a nicht in dieser Eindeutigkeit angesprochen ist; denn δι' αὐτοῦ weist im Gefälle von V. 18f eher auf einen Zusammenhang von Auferweckung (vgl. "Erstgeborener aus den Toten") und Versöhnung des Alls als auf den von Kreuzestod und Versöhnung, der über die Vermittlung von V. 20b anschließend in V. 22a besonders akzentuiert wird und das Versöhnungsverständnis des Briefverfassers reflektiert[116]. Im übrigen wird nachfolgend auch der Kontrast zum Versöhnen und zum Friedenstiften, der weder in V. 15-18a noch in den unmittelbaren Aussagerahmen angedeutet ist, als Entfremdung und Feindsein bestimmt (V. 21). Doch ist zu beachten, daß es dabei nicht mehr generell um eine negative Kennzeichnung des Alls geht, sondern das Blickfeld auf die Menschen, d. h. auf die angesprochenen Gläubigen, eingeengt ist. In V. 20 läßt sich lediglich aus dem Vollzug der Versöhnung und der Friedensstiftung "durch Christus" (bzw. durch sein "Blut des Kreuzes") schließen, daß die in Christus gegründete Ordnung der Ktisis, die in V. 15-18a so nachdrücklich herausgestellt ist, noch nicht in der schöpfungsgemäßen Ausrichtung auf Christus voll verwirklicht war[117].

---

115 F.Mußner, Christus 69.

116 Vgl. E.Schweizer, Kol 75-77.

117 Die fehlenden Anhaltspunkte für die Notwendigkeit von Versöhnung

2) Der Schwerpunkt der Aussage in V. 20, deren soteriologischer Gehalt, also nicht glatt mit dem direkt vorausgehenden Gedanken vermittelt ist, liegt somit nicht bei der Frage, was die Versöhnung des Alls erforderlich gemacht habe, sondern vielmehr bei der Feststellung, daß die Versöhnung bzw. die Friedensstiftung als universales Geschehen durch keinen anderen als durch Christus realisiert ist, also die durch die Schöpfung angelegte Ordnung des Alls in den irdischen und in den himmlischen Bereichen ein für allemal durch Christus wiederhergestellt ist. Die kosmische Dimension von Versöhnung und Frieden durch Christus schließt demnach ein, daß auch die Menschen konkret an der Versöhnung und am Frieden teilhaben, wenn auch V. 20 noch nicht allein an die Versöhnung der Menschen denkt, sondern im Blick auf die kosmische Bereiche des Irdischen und Himmlischen die umfasende Wirklichkeit von Versöhnung und Frieden herausstellt[118].

Wenn also V. 20 betont, daß Versöhnung und Frieden universal durch Christus Wirklichkeit geworden sind, ist noch einmal nach dem Wie des Geschehens, vor allem aber nach dem Woraufhin der Versöhnung zu fragen[119]. Auf die Nuancen zwischen der Versöhnungs- und der Friedensaussage wurde bereits aufmerksam gemacht. Vor allem die Verbindung der

---

und Friedensstiftung in V. 15-18a werfen die Frage auf, ob V. 15-20 in der gegenwärtigen Aussagestruktur schon in der dem Kol-Autor vorliegenden Tradition gegeben war oder ob V. 18b-20 erst durch den Autor bzw. auf einer bestimmten Stufe der Traditionsformung als christliche Weiterführung und Ausdeutung von V. 15-18a gebildet worden ist. Zur Problematik vgl. Ch.Burger, Schöpfung 21-25. Nach F. Zeilinger, Der Erstgeborene 195, setzt "die Aussage von der Allversöhnung durch Christus ... keinen objektiven Bruch zwischen Gott und τὰ πάντα voraus, sondern die notwendig pervertierte Relation des Geschöpflichen und seiner ihm inhärierenden Mächtigkeit zu dem 'diesem Äon' angehörigen Menschen". Doch diese Auffassung wird der späteren negativen Charakterisierung der Mächte bzw. der "Elemente der Welt" durch den Kol-Autor und der Vorstellung der Überwindung der Mächte bzw. der Herrschaft über die Mächte nicht gerecht. Um der anthropologischen Ausrichtung seines Versöhnungsverständnisses willen nimmt er die kosmologische Komponente ernst, ohne jedoch der kosmologischen Versöhnungsspekulation zu erliegen.

118 Gegen J.Ernst, Kol 172.

119 Es handelt sich hier um das schwierige und in der Kommentierung umstrittene εἰς αὐτόν. Vgl. z.B. J.Michl, "Versöhnung" 447.

Friedensstiftung mit dem Kreuzestod (dem "Blut seines Kreuzes") ist als spezifische Akzentuierung durch den Autor anzusprechen. Doch knüpft er durch das Kreuzesmotiv an die in der pl. Soteriologie aufgenommenen Traditionen an und bringt diese als Korrektiv zur Geltung. Vor allem wirkt der kreuzestheologische Aspekt als modifizierende Ergänzung zur Versöhnungsaussage, in der der Bezug der All-Versöhnung zum geschichtlichen Kreuzestod trotz der διά-Wendung nicht zum Tragen kommt. V.20a ist dagegen die Versöhnung des Alls εἰς αὐτόν vermittelt durch den Christus, der als Erstgeborener aus den Toten nach dem Willen Gottes (ἵνα) den Vorrang als erster im All hat und in dem die Wesensfülle Gottes einwohnt. Die Versöhnung des Alls ist also ein aus der eschatologischen Intention Gottes resultierendes Ereignis, das im Zusammenhang steht mit der Erhöhung des Erstgeborenen aus den Toten, in der die ganze Fülle der totenerweckenden, schöpferischen Macht Gottes Christus durchdringt und dieser in einzigartiger Weise zum Pleroma-Träger wird (vgl. 2,8-10)[120]. In ihm als dem Zentrum der Neuschöpfung ist Gottes schöpferische Wesensfülle dem Kosmos nahe, der durch diese Nähe Anteil bekommt an der Neuschöpfung, die durchwaltet ist von dem Pleroma Gottes. Aus der Verbindung von V. 20a mit V. 19 und dem begründenden Rückbezug auf V. 18 erweist sich somit die Versöhnung als Geschehen der Neuschöpfung. Die Voraussetzung der Versöhnung als Neuschöpfung aber ist die Einwohnung des Pleroma im Erhöhten.

Auf Grund dieses Gedankenzusammenhangs und der Parallelität des εἰς αὐτόν von V. 20a mit dem von V. 16d ist die Hinordnung des Alls in der Versöhnung durch Christus ebenfalls auf Christus ausgerichtet[121]. Das All findet also darin seine Einheit, daß es im Sinne der Schöpfungsordnung als Neuschöpfung in Relation zu Christus steht, in der das All im Bereich des Pleroma (Gottes) jetzt ein für allemal als auf Christus hin vollendet und fest geordnet Bestand hat.

Das Versöhnungswerk, von dem Kol 1,20 spricht, ist also nicht mehr so

---

120 Vgl. F.Zeilinger, Der Erstgeborene 191.

121 So z.B. auch E.Lohse, Kol 101. E.Schweizer, Kol 67, versteht die Versöhnung ebenfalls christozentrisch, sieht aber auch ausgesagt, daß sie "ihre letzte Vollendung noch vor sich hat".

ausgeprägt theozentrisch verstanden wie bei Paulus. Zwar geht noch das Geschehen der Versöhnung von Gott aus, auf den das Motiv der Einwohnung der ganzen Fülle in chiffrierter Form verweist, doch der Bezugspunkt des versöhnten Alls ist Christus, der Schöpfungs- und Versöhnungsmittler. Versöhnung bedeutet hier, daß das All durch den Erhöhten als Seinsmittler und Kraftzentrum der Neuschöpfung gemäß dem Willen Gottes seine bleibende bestimmende Ordnung empfängt. Diese Ordnung zeichnet sich dadurch aus, daß Christus selbst als Pleromaträger der dem All übergeordnete Richtpunkt der Neuschöpfung ist. Damit ist der christologisch-kosmologische Standpunkt von V. 15-18a auch soteriologisch (d.h. durch 1,20b kreuzestheologisch) und präsentisch-eschatologisch bekräftigt.

Der Gefahr einer doxologischen oder mythologischen Entgeschichtlichung dieses Versöhnungsverständnisses, das dem Autor wesentlich durch die aufgenommene Tradition vorgegeben ist, wehrt der Friedensgedanke als Interpretament der Versöhnungsaussage dadurch, daß er den Kreuzestod des "Erstgeborenen aus den Toten" als das Ereignis herausstreicht, das dem All in seinen irdischen und himmlischen Bereichen Frieden   stiftet

4.3.4 Die anthropologische Präzisierung der Versöhnungsaussage im nachfolgenden Kontext

Der Autor des Kol verdeutlicht, indem er in 1,21-23 an den Gedanken von V. 20 anknüpft, sein (redaktionelles) Versöhnungsverständnis und rundet es ab. Im Unterschied zu den allgemeinen, der Universalschau des Gemeindehymnus noch stark verpflichteten Ausführung von V. 19f setzt der Autor nun, wie die betonte Anrede der Briefadressaten in V. 21a zeigt, bei den Gläubigen an. Die anvisierten Empfänger des Schreibens werden in der Konsequenz der soteriologischen und präsentisch-eschatologischen Perspektive von V. 18-20 mit ihrer ehemaligen und gegenwärtigen Situation konfrontiert. Es schließt sich so der Bogen mit V. 12-14 (bes. V. 13f), wo in vergleichbarer Weise die einstige Unheilssituation mit der gegenwärtigen Heilssituation kontrastiert, jedoch ist anstelle des Versöhnungsmotivs das Motiv der rettenden Versetzung[122] in das Reich des

---

122 Vgl. F.-J.Steinmetz, Heils-Zuversicht 44-47. - S. oben 4.3.2.

Sohnes zur Kennzeichnung der eingetretenen Veränderung zum Heil gebraucht. Eine Differenz zwischen V. 21f und V. 13f besteht auch darin,
daß in V. 13f räumliche Vorstellungen zugrundegelegt sind, während sich
der Autor in V. 21f zeitlicher Kategorien bedient.

Der Argumentationsaufbau von V. 21f ist durch die summarische Gegenüberstellung zweier Zustände geprägt, die durch das nicht zuletzt auch
bei Paulus belegte "Einst"-"Jetzt"-Schema zeitlich und sachlich voneinander abgegrenzt werden[123]. Das Hauptgewicht liegt auf der zweiten Aussagereihe, also auf dem Jetzt der Versöhnung: V. 21f hebt die präsentische Gültigkeit und Wirksamkeit der All-Versöhnung (V.20) für den Kreis
der Gläubigen hervor. Die Situationsrelevanz der vorhergegangenen Thematik von der kosmischen Versöhnung sieht der Kol-Autor also in ihrer
anthropologischen Implikation.

V. 22a faßt das Versöhnungsmotiv von V. 20a mit der kreuzestheologischen Präzisierung von V. 20b zusammen und unterstreicht so die redaktionelle Absicht, die sich in dem Zusatz διὰ τοῦ αἵματος τοῦ
σταυροῦ αὐτοῦ zum Motiv der Friedensstiftung artikuliert. Die Wiederaufnahme des Versöhnungsgedankens in 1,21f als Re-Interpretation von
V. 20 ist ebenso wie die Modifikation von V. 20b deutlich der pl. Tradition verpflichtet. Auch die ekklesiologische Transformation des Soma-
Begriffs in V. 18 zeigt das Nachwirken einer bei Paulus im Ansatz greifbaren ekklesiologischen Sicht[124], die die Problematik des in V. 18 ur-

---

123 Zum Schema vgl. P.Tachau, "Einst" (zur Stelle bes. 9-11; mit einem
Vergleich von Kol 1,21f und 1 Petr 2,25). Tachau weist darauf hin,
daß die Charakterisierung der Vergangenheit in diesem Schema sehr
häufig mit dem Begriff ἐχθρός verbunden ist. Für das NT können
als Belege neben Kol 1,21 die Aussagen Röm 5,10 und auch 11,28 angeführt werden (vgl. a.a.O. 100f).

124 Paulus konkretisiert den nur gelegentlich benutzten Soma-Begriff im
paränetischen Zusammenhang ekklesiologisch-charismatisch mit Blick
auf die einzelne Gemeinde als Verwirklichung der Ekklesia Gottes
(1 Kor 12; Röm 12), während in Kol 1,18 ein universal-ekklesiologisches Konzept mit kosmologischem Horizont (aufgrund der modifizierenden Rezeption einer kosmologisch-christologischen Sichtweise!)
angedeutet ist (vgl. auch 2,19; 3,15). Eine Vertiefung und Entfaltung bietet die Ekklesiologie des Eph. Gegenüber Paulus bekommt der
Gedanke vom "Leib Christi" erst in den Deuteropaulinen seine reflektierte und zentrale ekklesiologische Bedeutung, indem sich pl. und
nichtpl. Traditionen verbinden. Zur pl. und deuteropl. Ekklesiolo-

sprünglichen kosmologischen Soma-Verständnisses zu erkennen vermag. Wie in V. 18 durch den Zusatz τῆς εκκλησίας die mythologisch-kosmologische Tendenz der Relation von Christus und Soma aufgefangen und trotz der Allgemeinheit der Aussage wenigstens der Ansatz zu einer geschichtlichen Konkretion sowohl der Funktion Christi als "Haupt" als auch des Soma gewonnen wird, so steht hinter V. 20b und dann vor allem hinter V. 21f deutlich ein geschichtliches Bewußtsein vom Heilsgeschehen, das wesentliche Impulse aus der pl. Deutung des Todes Jesu empfängt. Dennoch ist eins nicht zu übersehen: der Rechtfertigungsgedanke, der bei Paulus im engeren Kontext seiner Versöhnungsaussagen anklingt, hat im Zusammenhang der Versöhnungsthematik des Kol keinen Niederschlag gefunden. Hier steht der Versöhnungsbegriff für sich, obgleich der Hinweis auf die Pistis (V. 23) eine assoziative Verbindung mit dem pl. Gedanken der "Rechtfertigung aus Glauben" hätte nahelegen können. Aber es hat sich in der Situation der Gefährdung durch die Irrlehre bereits eine Bedeutungsverschiebung für den Pistis-Begriff ergeben. Pistis ist nicht allein gehorsame Annahme des Kerygmas und des darin angesagten Heilsweges (der Versöhnung durch Christus), ist nicht mehr nur vom Pneuma[125] getriebenes Leben in Christus für Gott, sondern ist in besonderer Weise Bedingung für die Versöhnungsexistenz, die als solche durch beharrliches Festhalten erfüllt werden muß (vgl. auch 2,6f).

Indem der Verfasser des Kol die eschatologische Qualität der gegenwärtigen Teilhabe der kolossischen Gläubigen an der Versöhnung herausstellt, erhellt er zugleich mit Hilfe des "Einst-"Jetzt"-Kontrastsche-

---

gie und bes. Berücksichtigung der Leib-Vorstellung vgl.: P.Benoit, Leib; E.Best, One Body; C.Colpe, Leib-Christi-Vorstellung; J.Gnilka, Kirchenmodell; J.Hainz, Ekklesia; J.L.Houlden, Christ; E.Käsemann, Leib; H.Merklein, Christus; Das Kirchliche Amt; Ekklesia Gottes; J.J.Meuzelaar, Leib; F.Mußner, Christus; E.Percy, Leib Christi; L. Ramaroson, "L'Eglise"; J.Reuss, Kirche; R.Schnackenburg, Gestalt und Wesen; Kirche 146-156; S.Schulz, Charismenlehre; E.Schweizer, Kirche als Leib Christi (Homologumena, Antilegomena); Church, H.-F. Weiß, "Volk Gottes"; A.Wikenhauser, Kirche.

125 Pneuma ist im übrigen "keine tragende Kategorie" in der theologischen Konzeption des Kol (F.J.Steinmetz, Heils-Zuversicht 46).

mas ihre vergangene Situation[126]. Die sachliche Gegenüberstellung eines
Zustandes in der Vergangenheit und einer die Gegenwart bestimmenden einmaligen Tat in der Vergangenheit prägt die Formulierung des Gedankens.
Charakteristisch für die Lage, in der sich die Adressaten vor der Versöhnung befanden (vgl. 3,7), ist das beständige Entfremdetsein[127] in
einem Verhalten der Feindschaft, das von einer entsprechenden geistigen
Grundeinstellung (διάνοια) getragen war und sich im Tun "böser Werke"
äußerte[128]. Welcher Art diese Werke waren, die den "Zorn Gottes" zur
Folge haben, zeigt der Autor später im paränetischen Kontext in einer
katalogischen Skizze am Tun des "alten Menschen" auf (3,5-9). In 2,13
wird die Entfremdung gleichgesetzt mit dem Totsein der Heiden; nach
1,13 ist sie gleichbedeutend mit der Existenz im Herrschaftsbereich der
Finsternis.

In ihrer frühen (heidnischen) Existenz hatten die Angesprochenen also
keine positive Beziehung zu Gott. Das aber hat sich im Kreuzestod, durch
den Christus selbst die Versöhnung, also die Aufhebung des Entfremdet-
seins und der Feindschaft, bewirkt, radikal geändert. Bemerkenswert ist
an dieser Stelle, wie massiv der Autor den physischen Tod des "Fleischesleibes"[129] als Ursprung und Fundament der Versöhnung herausstellt.
Die gegenwärtige Teilhabe der Glaubenden an der Versöhnung ist bleibend
an die ein für allemal in der Vergangenheit geschehene Preisgabe der
mit den Menschen solidarisch gewordenen fleischleiblichen Existenz

---

126 Vgl. den Kontrast von "Finsternis" und "Licht" in V. 12f.

127 Während der Terminus in LXX häufiger nachweisbar ist, findet er sich
im NT bemerkenswerterweise nur noch Eph 2,12 (Entfremdung der Heiden von Israel) und 4,18 (Entfremdung vom Leben Gottes). Vgl. F.
Büchsel, in: ThWNT I 265f.

128 E.Schweizer, Kol 75 ("ein grundsätzlich falsches Ausgerichtetsein
des Gesamtlebens"). Während Paulus διάνοια in seinen Briefen
nicht gebraucht, findet sich das Wort in negativer Bedeutung in Eph
2,3 und 4,18.

129 Durch den Doppelbegriff "Fleischesleib" wird zum einen das Soma
Christi, das dem Kreuzestod ausgeliefert wurde, vom Soma der Ekklesia unterschieden (E.Lohse, Kol 107); zum anderen ist aber in V.
18a die Kirche als Soma des erhöhten Christus bezeichnet. - Vgl.
auch die Aussage vom "somatischen" Einwohnen des Pleroma in Christus, durch den die Gläubigen Anteil am Pleroma erhalten (2,9).

Christi in den Tod gebunden. Dieser Bindung entspricht es, wenn die Glaubenden den Fleischesleib bei der nicht mit Händen vollzogenen Beschneidung, der "Christus-Beschneidung", in der Taufe ablegen (2,11) und den alten Menschen mit seinem ganzen Tun ausziehen (3,9), wodurch sie als in Christus Auferweckte (2,12) und als "neuer Mensch" (3,10) an der im Tode Christi erfolgten Wende von der Entfremdung zur Versöhnung partizipieren.

Die Versöhnungstat, die die entfremdete Existenz des Menschen vergangen macht, hat zum Ziel, daß der Mensch als Versöhnter schon in der Gegenwart ohne Tadel vor Gott steht (V. 22b)[130]. Auch hier ist an einen geschehenen Akt gedacht[131], in dem der Mensch für die Gegenwart schon frei von den "bösen Werken" vor Gottes Angesicht lebt. 1,22 unterstreicht somit in Opposition zu V. 21 und in Konkretion von V. 20, daß das Versöhnungsgeschehen im Kreuzestod nicht nur das All, d.h. die irdischen und himmlischen Bereiche, betrifft, sondern daß insbesondere die Gläubigen geschichtlich-real in ihrer ganzen Existenz an der Neuordnung teilhaben. Es besteht eine Konvergenz zwischen dem neuen Verhältnis des Alls zu Christus und der neuen eschatologischen Existenz vor Gott, die in der Versöhnung durch den Tod des "Fleischesleibes" Christi ein für allemal grundgelegt ist. Der Raum, in dem die Versöhnung des Alls in Hinordnung auf Christus als eigene Versöhnung erfahren wird, ist die Kirche als Soma, dessen Haupt Christus ist (V. 18, oder - nach V. 13 - die Basileia des Sohnes, in dem das Pleroma (Gottes) einwohnt (vgl. V. 19) und der als Pleroma-Träger die Teilhabe am Pleroma den mit ihm verbundenen Glaubenden erschließt und zugleich seine befreiende Herrschaft als Haupt über alle Mächte, die im Unterschied zu

---

130 Die Formulierung ist liturgisch eingefärbt, nimmt aber auch einen rechtlichen Aspekt auf. Vgl. E.Lohse, Kol 107f.

131 Das rechtliche Element meint nicht die künftige Präsentation vor dem Gericht, sondern zielt auf die gegenwärtige christliche Existenz. - J.Ernst, Kol 181, schließt den Zukunftsaspekt ein. Auch F.J.Steinmetz, Heils-Zuversicht 46f, sieht hier Gegenwart und Zukunft angesprochen, hebt aber ausdrücklich hervor, daß im Kol die Verbindung des Versöhnungsgedankens mit dem eschatologischen Futur der Rettung im Unterschied zu Paulus (vgl. Rom 5,10) fehlt.

Christus nicht die ganze Wesensfülle besitzen, ausübt (2,9f).

Ein Aspekt, den der Autor im Zuge seiner Präzisierung und Konkretisierung des Versöhnungsgedankens mitanklingen läßt, ist noch zu beachten: Es ist der Zusammenhang zwischen der personalen Teilhabe an der Versöhnung, die das All erfaßt, und der Verkündigung des Evangeliums in der ganzen Schöpfung (vgl. V. 15. 23), also der weltweiten Mission unter den Heidenvölkern (vgl. auch Kol 1,56. 6)[132]. Das Evangelium, das das Hoffnungsgut im Himmel (V. 23), d.h. Christus als "Hoffnung auf die Doxa" (V. 27), zum Inhalt hat, ist die Grundlage und Bezugspunkt des Glaubens, dessen Festigkeit darüber entscheidet, ob der Mensch als Versöhnter untadelig vor Gott steht. Die geschehene Versöhnung impliziert also den Imperativ, die Glaubensexistenz in Treue zum Evangelium als dem einzigen "Wort der Wahrheit" (V. 5) zu vollziehen. Zum anderen ist die Verkündigung des Evangeliums, die Weise, in der sich die realisierte Versöhnung des Alls durchsetzt. Denn sie bewirkt, daß das verborgene Geheimnis "den Völkern" (V. 27) offenbar wird, sich das Wort Gottes erfüllt und jeder Mensch infolge der Paraklese und Belehrung durch den authentischen und autorisierten Verkündiger zur wahren Vollkommenheit in Christus gelangt (V. 23-28). Indem die Kirche mit der weltweiten Mission in den Raum der "Schöpfung unter dem Himmel" hineinwächst, wird diese Schöpfung in die realisierte Versöhnung hineingeholt. Die Kirche, als Soma mit dem erhöhten Christus als Haupt, ist der Lebensraum der Versöhnten unter der befreienden Herrschaft des Erhöhten. Sie ist der Raum, wo die Endheilszeit schon Gegenwart geworden ist, wo "alles und in allen Christus" ist (3,11)[133]. In ihr ist den Glaubenden schon das verborgene "Geheimnis" offenbar gemacht worden (1,26); dieses Geheimnis betrifft aber alle Völker, denn es hat keinen anderen zum Inhalt als Christus, auf den hin das All versöhnt ist.

---

132 Die missionarische Verkündigung ist im Kol eng mit Paulus als "Diener der Kirche" verbunden. Es spiegelt sich darin auch die treue Pflege der pl. Verkündigungstradition, jedoch findet sich in der Stilisierung des pl. Apostolats zu dem missionarischen Apostolat schlechthin kein Hinweis auf die Konflikte um diesen Apostolat.

133 Vgl. dagegen die futurisch-eschatologische und theozentrische Spitze in 1 Kor 15,28, die Eph 4,6 als theo-logische Aussage durchhält, aber präsentisch formuliert.

Indem also der Autor des Kol sein Verständnis der Versöhnung gegenüber der Gemeinde verdeutlicht, wendet er den kosmischen ausgerichteten Versöhnungsgedanken von 1,20 auf die Gemeindemitglieder an und deutet ihn so anthropologisch und ekklesiologisch um. Die ekklesiologische Tendenz der Interpretation in V. 21-23 ist durch den ekklesiologischen Soma-Begriff vorbereitet. Als neuer Aspekt erschließt sich aber durch V. 23 und durch die Weiterführung des Gedankens in V. 25-28 die missionarische Dimension der Kirche als des innergeschichtlichen, aber eschatologisch qualifizierten Bereichs der versöhnten Menschheit, der nicht als statische Größe von der Schöpfung abgegrenzt ist, sondern der sich dynamisch in der Verkündigung des Christum-Mysteriums auf die Heiden hin öffnet. Die Schöpfung ist der Wirkraum der mit Gott versöhnten Gemeinde, weil sie selbst durch Christus schon versöhnt ist, aber noch der Erkenntnis der realisierten Versöhnung und der Friedensstiftung bedarf. Zu dieser Erkenntnis führt das Evangelium, von dem her die Gemeinde der Versöhnten selbst, der Hoffnung auf die Herrlichkeit durch Christus gewiß, bereits jetzt lebt.

4.3.5 Zusammenfassung

Die Versöhnungsaussagen Kol 1,20 und 22 lassen im Zusammenhang des Kol und im Rahmen des theologischen Denkens seines Autors folgende Aspekte erkennen:

1) Für die Deutung des Heilsgeschehens finden sich im Kol zwei Bezugspunkte: V. 20a geht davon aus, daß die All-Versöhnung durch den Auferweckten und Erhöhten bewirkt ist. Ergänzt wird dieser Ansatz in V. 20b durch eine zweite Linie, die die Versöhnung mit der universalen Friedensstiftung identifiziert und diese im Kreuzestod Christi begründet. Diese zweite Linie wird in der Weiterführung des Gedankens bestimmend. Für den Kol-Autor ist es also wesentlich, daß das Heilsgeschehen der Versöhnung seine Mitte im Kreuz hat, wobei die Leibbezogenheit des Todes kräftig unterstrichen wird (V. 22a)[134].

---

134 Darin geht der Kol über die vergleichbaren Versöhnungsaussagen in 2 Kor und Röm hinaus.

2) Bemerkenswert ist, daß Kol 1,20 und 22 nur in einer indirekten Weise von dem handelnden Subjekt im Versöhnungsgeschehen sprechen. In V. 19f ist die Versöhnung "durch Christus" mit der Einwohnung des Pleroma in ihm als dem Erhöhten und mit der Friedensstiftung durch den Kreuzestod verknüpft, wobei die Einwohnung des Pleroma mit dem Heilsziel der Versöhnung des Alls auf Christus hin in einer verschlüsselten Ausdrucksform auf das Wirken und die Intention Gottes verweist[135]. In V. 22 ist demgegenüber Christus selbst eindeutig das handelnde Subjekt, das an dieser Stelle nicht das All sondern die Gläubigen durch den leiblichen Kreuzestod versöhnt, wobei die Versöhnungstat darauf abzielt, daß die Versöhnten im rechten Verhältnis zu Gott stehen[136]. V. 20 ist jedoch die All-Versöhnung christozentrisch ausgerichtet.

3) Eine wichtige Akzentverschiebung im Versöhnungsgedanken ergibt sich daraus, daß der Autor des Kol nicht bei der All-Versöhnung und der universalen Friedensstiftung beharrt (1,20), sondern in der Weiterführung V. 21f die Versöhnung auf die Menschen, d.h. konkret auf die Gläubigen von Kolossä, bezieht. Der Zurückstellung der kosmologischen Dimension entspricht auf der christologischen Seite, daß die Versöhnung nicht ausschließlich durch den Erhöhten als Schöpfungs- und Heilsmittler herbeigeführt wird. Vielmehr wendet sich der Verfasser des Kol in betonter Weise dem Gekreuzigten zu, der in seiner fleischleiblichen Existenz ganz mit dem Entfremdetsein des alten Menschen im Fleischesleib solidarisch wurde und durch den Tod diesem Entfremdetsein ein Ende setzte. Damit zeichnet Kol das Kreuz nachdrücklich in das Verständnis des Erhöhten ein.

---

135 Der Einwand, seit V. 13 sei Gott nicht mehr als Subjekt genannt, hat für die Textebene des Kol keine Relevanz (gegen Ch.Burger, Schöpfung 19). Doch auch abgesehen davon ist V. 19 voller exegetischer Schwierigkeiten. Vgl. G.Münderlein, Erwählung.

136 E.Lohse, Kol 107, umgeht das Problem von V. 22, indem er einmal sagt, die Versöhnung sei durch Christus "bewirkt", zum anderen aber feststellt Gott habe die Versöhnung "vollzogen". Nach E.Schweizer, Kol 77, ist Christus sowohl Handelnder als Ziel der Versöhnung.

4) Die kosmologische Dimension des Versöhnungs- und Friedensmotivs ist jedoch in der theologischen Konzeption des Kol-Autors nicht völlig aufgegeben. Sie erscheint vielmehr in einem neuen, nämlich ekklesiologischen Zusammenhang wieder und bildet den universalen Hintergrund für die Konkretion der Versöhnungswirklichkeit im Blick auf die Gemeinde. In der Bestimmung der Ekklesia als Soma, die der Autor im Kontext der christologisch-soteriologischen Thematik vornimmt (vgl. 1,18a), ist schon der Gedanke angelegt, daß die konkrete Kirche einmal ihre geschichtliche Gestalt aus der universalen Verkündigung des Evangeliums gewinnt (vgl. V. 5f. 23) und zum anderen im Zuge der Heidenmission "in der ganzen Schöpfung unter dem Himmel" (V. 23) von ihrem Haupt Christus her in die Schöpfung hineinwächst (vgl. 2,19)[137]. Daß diesem Wachstum kein entscheidendes Hindernis entgegensteht, ist dadurch gesichert, daß das Haupt des ekklesialen Soma zugleich "das Haupt jeder Herrschaft und Gewalt" ist (2,10). Denn einmal ist nur in Christus das "ganze Pleroma" anwesend (V. 9); zum anderen sind die kosmischen Mächte ihrer Herrschaftsmittel durch ihn beraubt (V. 15). Darüber hinaus gibt es keine Handhabe mehr gegen die zum Soma gehörigen gläubigen Menschen, da durch den Kreuzestod Christi die Schuldverfallenheit der entfremdeten Menschen beseitigt ist (V. 14). Die universale Versöhnung ist in der Gemeinde unmittelbar erfahrbare Realität; es obliegt aber der Gemeinde, wie an Paulus als Diener der Soma-Kirche (1,23. 24-29) aufgewiesen wird, das ihr offenbar gewordene "Geheimnis" - nämlich Christus in den Gliedern der universalen Soma-Kirche als Inhalt und Ziel der "Hoffnung auf Herrlichkeit" (V. 27) -, unter den Heiden durch das Evangelium zu verkünden. Die Gläubigen, die durch Christus mit Gott versöhnt sind und im ekklesialen Soma von ihrem Haupt (dem zur Versöhnung am Kreuz gestorbenen und zur Rechten Gottes erhöhten Christus) mit dem Pleroma erfüllt werden, haben die Versöhnung nicht nur für sich empfangen. Sie sind vielmehr als wirklich schon Versöhnte in die missionarische Verantwortung für die Heiden gerufen, damit sich das Evangelium fruchtbringend "im ganzen Kosmos" durchsetzt (1,6) und alle im Soma der Kirche an der

---

137 Vgl. M.Meyer, Heil 105-107. S. auch die Untersuchungen von E.Schweizer zum Leib-Begriff (bes. der Deuteropaulinen).

schon vollzogenen Versöhnung des Alls auf Christus hin teilhaben.

4.4 Die versöhnungstheologische Aussage auf der rekonstruierten Textebene der im Kolosserbrief aufgenommenen hymnischen Tradition

Im Verlauf der Analyse, die sich der Versöhnungsaussage auf der Textebene des Kol widmete, wurden Akzentverschiebungen bzw. nicht völlig aufeinander abgestimmte versöhnungstheologische Perspektiven erkennbar, die ihren Grund in der redaktionellen Überarbeitung von Überlieferungsgut haben. Die Hinweise auf traditionelle Züge und redaktionelle Modifikationen in den Aussagen 1,15-20, die sich in 4.3 ergaben, sind nun zusammenzufassen, um auf der Basis der rekonstruierten Tradition den sie charakterisierenden versöhnungstheologischen Ansatz im Unterschied zur Konzeption des Kol-Autors darzustellen[138].

4.4.1 Das Traditionsgut

Die traditionelle Form von V. 20 ist in der neueren Forschung wiederholt verschieden bestimmt worden. Als sekundäre (redaktionelle) Versteile wurden ausgeschieden[139]:

a) διὰ τοῦ αἵματος τοῦ σταυροῦ αὐτοῦ

b) εἰρηνοποιήσας διὰ τοῦ αἵματος τοῦ σταυροῦ αὐτοῦ δι' αὐτοῦ

c) εἴτε τὰ ἐπὶ τῆς γῆς εἴτε τὰ ἐν τοῖς οὐρανοῖς

Daneben wird aber auch die Ansicht vertreten, sowohl V. 20a als auch V. 20b gehöre nicht zum ursprünglichen Bestand des Hymnus. Die Versöh-

---

138 Obgleich die Untersuchung der Versöhnungsaussage im Kontext von Kol 1,15-20 bereits auf die Tradition Bezug genommen hat, wird hier nachträglich die Frage nach der Tradition in der Weise einer Rückfrage gestellt. Der Einstieg bei der Aussage des Kol-Autors hat seinen Grund darin, daß die Primärebene der Aussage, die sich im Kol manifestiert, die Ebene der Kommunikation zwischen dem Autor und der kolossischen Gemeinde und zwischen dem Text und dem heutigen Leser ist. Daß die historische Kommunikation Traditionsgut verwendet, ergibt sich methodisch erst als zweiter Schritt zu einem differenzierten Verständnis.

139 Vgl. die Aufstellungen in: Ch.Burger, Schöpfung 16, J.Gnilka, a.a.O. 53f.

nungsaussage sei vielmehr zusammen mit dem Friedensmotiv später aus einer anderen (liturgischen) Tradition in den Kol eingearbeitet worden.
Repräsentiert sei diese Tradition in Eph 2,14-17[140]. Daraus folgt die
Frage, durch wen und - bei Annahme einer mehrstufigen Traditionsgeschichte - auf welcher Stufe der Versöhnungsgedanke in den Aussagezusammenhang von Kol 1,15-20 und 22 eingefügt worden ist. Von V. 22 aus-
gesehen, ist es naheliegend, die Einbeziehung der Versöhnung auf den
Verfasser des Briefes zurückzuführen. Jedoch ist dann zu erklären, warum V. 18-20 nicht stärker anthropologisch umgeformt worden ist, da doch
ein möglicher Anknüpfungspunkt in der Christusprädikation "Erstgeborener aus den Toten" gegeben war. Zum anderen ist ein nur anthropologi-
sches Verständnis von τὰ πάντα sowohl von V. 15-17 her als auch
durch die Deutung auf die irdischen und himmlischen Bereiche in V. 20c
ausgeschlossen. Daß aber eine Tendenz zur Anthropologisierung der kosmologischen Denkweise in V. 15-20 wirksam wird, signalisiert besonders
die ekklesiologische Bestimmung des Soma-Begriffs in V. 18a. Diese aber
steht in merklicher Spannung zum kosmologischen Ansatz von V. 15-17 und
V. 20. Aus diesem Grunde ist die Deutung des Soma auf die Kirche dem
Autor des Kol zuzuschreiben[141].

Für die Ausklammerung von διὰ τοῦ αἵματος τοῦ σταυροῦ αὐτοῦ
spricht die deutliche Spannung zu der in V. 18f angelegten Ausrichtung
des Geschehens von Versöhnung und Friedensstiftung auf den erhöhten
Christus. Das Motiv der Friedensstiftung scheint einen neuen Aspekt
einzubringen. Einmal ist an einen der kosmischen Versöhnung vorausgehenden Friedensschluß Gottes mit den Menschen zu denken, zum anderen deutet sich in der Verbindung von V. 20b mit V. 20c ein innerkosmisches
Friedensverständnis an, das die Ausrichtung des Alls auf Christus durch
die Versöhnung ergänzt und modifiziert. Daneben aber ist die Friedensstiftung mit der Versöhnung sachlich identisch, wenn die Erwähnung des
Kreuzestodes im Zusammenhang mit dem Friedensschluß als sekundäre In-

---

140 Ch.Burger, a.a.O. 25.

141 So in der Forschung oft seit den Untersuchungen von M.A.Wagenführer
und bes. von E.Käsemann, Taufliturgie 36f. Vgl. die Aufstellungen
in: Ch.Burger, Schöpfung 10,und J.Gnilka, Kol 53.

terpretation des Kol-Autors betrachtet wird.

Schwierig gestaltet sich die Zuordnung von V. 20c zur Tradition oder
zur Redaktion. Aus grammatischen Gründen ist die Verbindung von εἴτε
τὰ ἐπὶ τῆς γῆς εἴτε τὰ ἐν τοῖς οὐρανοῖς mit εἰρηνοποιήσας
nicht ursprünglich. Stilistisch schwerfällig ist die Wiederaufnahme von
δι' αὐτοῦ aus V. 20a in V. 20c. Zum anderen hat V. 20c keine genaue
Parallele in V. 15-18, wenn auch eine sachliche Entsprechung zu V. 16b
besteht und die εἴτε-Konstruktion in V. 16d und e gebraucht ist. Jedoch ergeben sich für die Aufzählung der Mächte in V. 16 neue Fragen zu
Tradition und Redaktion des Hymnus, denen hier nicht nachzugehen ist[142].
Da V. 18-20 nicht in strenger Parallelität zu V. 15-18 gestaltet ist
und die redaktionelle Arbeit im soteriologischen Sinnabschnitt stärker
spürbar ist, wird eine Rekonstruktion des geformten Traditionsbestandes
für den zweiten Gedankenkreis immer mit Bedenken verbunden bleiben, zumal der jetzige Textbestand nicht die Möglichkeit ausschließt, daß der
Autor des Kol als Rezipient der hymnischen Gemeindetradition den Traditionsbestand auf das für ihn Wesentlich komprimiert hat und dafür die
stilistischen, grammatikalischen und sachlichen Spannungen in Kauf genommen hat. Zudem bot sich für ihn anschließend die Möglichkeit, den
Gedanken präziser herauszustellen, der ihn bewog, den Hymnus als theologisches Gut der bekennenden Gemeinde in die theologische Grundlegung
seines Gesprächs mit der Gemeinde aufzunehmen.

Daß der Verfasser des Kol nicht sein Augenmerk auf die formale Einheitlichkeit und sachliche Stringenz seiner Aussage legt, bekundet auch die
von ihm vorgenommene ekklesiologische Interpretation des kosmologischen
Soma-Begriffs in V. 18. Diese wird abrupt in den traditionellen Textbestand eingetragen, ohne die vorausgehende oder doch wenigstens die nachfolgende kosmologische Terminologie ekklesiologisch umzuschreiben. V.20
bleibt noch in den Bahnen des kosmologischen Versöhnungsverständnisses,

---

142 Die Mächte-Reihe wird z.B. von H.Hegermann, Schöpfungsmittler 89-
93, und Ch.Burger, a.a.O. 38, nicht dem ursprünglichen Hymnus zugerechnet. Anders z.B. K.Wengst, Formeln 174; F.Zeilinger, Der Erstgeborene 42. S. die Übersicht in: Ch.Burger, a.a.O. 9f, und J.Gnil-
ka, a.a.O. 53.

erst in V. 21 wird eine Konkretion des Versöhnungsgedankens unternommen, die mit ihrer anthropologischen Ausrichtung in der direkten Ansprache der Gemeindemitglieder ein ekklesiologisches Aussagemoment impliziert. Auch hinsichtlich des christologisch-kosmologischen Gedankenkreises in V. 15-18 und seines Verhältnisses zum christologisch-soteriologischen in V. 18b-20 bleibt die Zuordnung von "Haupt" (=Christus) und "Soma" (=Kirche) in V. 18 noch wirksam. Die schöpfungsmittlerische Stellung und Funktion Christi wird noch für sich entfaltet, ohne daß die theologische Möglichkeit einer Verbindung von Schöpfertätigkeit und Versöhnungshandlung und der Deutung der Schöpfungsfunktion Christi auf die Erschaffung der universalen Kirche im Versöhnungsgeschehen ausgewertet wird[143]. Diese Verfahrensweise mit ihren "logischen" und stilistischen, aber auch sachlichen Mängeln in der Redaktion ist ein Anhaltspunkt dafür, daß der Autor des Kol sich auch in der Wiedergabe der Tradition keineswegs als "Traditionalist" verstand und mit der sprachlichen Gestalt des hellenistischen Gemeindehymnus vor allem in dem jetzigen zweiten Teil frei umging. Die Rekonstruktion des Traditionsgutes kann sich somit nur in den Grenzen der Information bewegen, die der Text des Kol gibt. Diese Grenzen sind gerade für V. 20 kaum auszuräumen.

Unter diesem Vorbehalt stellt sich der Traditionsbestand in Kol 1,20 so dar:

a) καὶ δι' αὐτοῦ ἀποκαταλλάξαι τὰ πάντα εἰς αὐτόν

b) εἰρηνοποιήσας (δι' αὐτοῦ)[144]

c) εἴτε τὰ ἐπὶ τῆς γῆς εἴτε τὰ ἐν οὐρανοῖς

V. 18 (ab ὅς ἐστιν ἀρχή) und V. 19 gehören in ihrer jetzigen Formu-

---

143 Aus diesem Grunde und wegen der religionsgeschichtlichen Verbindung mit Anschauungen und Terminologie des hellenistischen Judentums wird V. 15 bis 18a als in sich stehende Aussage und gelegentlich auch als vorchristlicher Hymnus (mit Ausnahme von τῆς ἐκκλησίας) betrachtet. Vgl. z.B. wieder M.Wolter, Rechtfertigung 49-52. Das Problem der Zusammengehörigkeit von V. 15-18a und V. 18b-20 erörtert H.Hegermann, Schöpfungsmittler 89-93.

144 Mit δι' αὐτοῦ ist zu lesen, wenn die LA nach P 46 A C K ψ 33 ursprünglich ist und nicht spätere Glättung, wie J.Gnilka, Kol 59 Anm. 37, urteilt.

lierung schon zu der dem Autor des Kol vorliegenden Tradition[145].

4.4.2 Die versöhnungstheologische Aussage der Tradition

Die Aussage der hymnischen Tradition hat zwei Merkmale, die auch bei
der Erfassung ihres versöhnungstheologischen Inhalts mitzubeachten sind:
sie spricht in einer verobjektivierenden Weise im Rahmen vorgegebener
kosmologischen Strukturen, die durch das hellenistische Judentum vermittelt sind; und sie hat ihren Vollzugsort im Binnenraum der Gemeinde.
Sie ist eine doxologische Äußerung der Gemeinde, in der sich die Gemeinde im Lobpreis ihres Herrn als eine auf ihren Herrn wesensmäßig
ausgerichtete verwirklicht. Die Tradition dient also ursprünglich nicht
zur argumentativen Kommunikation untereinander oder gegenüber Außenstehenden, sondern der preisenden Anrede des Kyrios.

Die theologische Aussage der Tradition bezieht sich auf einen kosmischen Tatbestand, der vom christologischen Zentrum aus die beiden Pole
der Schöpfung und der Versöhnung umgreift. Die doxologische "Feststellung" beinhaltet eine Wirklichkeit, die primär im Lichte der Relation
des Kyrios zum All und des Alls zum Kyrios betrachtet wird. Die Gemeinde, die sich selbst nicht explizit mitthematisiert, ist in diese doppelte Relation als Preisende integriert. Als Äußerung in der gemeindlichen Gegenwart ist sie bestimmt durch den Rückblick auf zwei Gescheh-
nisse, die für die Wirklichkeit konstitutiv sind, in der die Gemeinde
jetzt lebt und an der sie feiernd teilhat. Es handelt sich also in der
doxologischen Tradition nicht um die theologische Deutung eines Heils-
Prozesses, sondern um eine Art "Zustandsbeschreibung" der christozentrischen kosmischen Wirklichkeit von ihrem konstitutiven Fundament her,
d.h. aus der Perspektive des schöpferischen und versöhnenden bzw. Frie-

---

145 So z.B. auch F.Zeilinger, Der Erstgeborene 41-43; E.Schweizer, Kol
52, 67-69; J.Gnilka, Kol 58f; H.Merklein, Paulinische Theologie 52.
Ch.Burger, Schöpfung 38, scheidet dagegen a) und b) aus. H.Heger-
mann, Schöpfungsmittler 93, rechnet c) nicht der Tradition zu; ebenso M.Wolter, Rechtfertigung 55. E.Brandenburger, Frieden, tendiert
für b) zu sekundärer Kommentierung. Zur Ausklammerung von b) und c)
in der neueren Forschung vgl. die Aufstellung in Ch.Burger, a.a.O.
16, und J.Gnilka, a.a.O. 54.

den stiftenden Wirkens Christi vom Standpunkt der schon in Christus realisierten Auferstehung von den Toten und der auf Christus hin vollzogenen Neu-Schöpfung des durch Christus aufgrund seiner durch die Pleromafülle singulärer Herrschaft geeinten Alls.

Folgende theologischen Aspekte des Hymnus sind in Beziehung auf die Versöhnungsaussage herauszustellen:

1) Strukturbestimmend ist für die Theologie des Hymnus und insbesondere auch für die Versöhnungsvorstellung in V. 20 die Christologie. Diese ist geprägt durch die jüdisch-hellenistische Weisheits- und Logoslehre, wenn auch die versöhnungstheologische Komponente sprachlich und sachlich über deren Vorstellungsrahmen hinausgeht[146]. Die Theo-logie scheint

---

146 E.Lohmeyers (Kol 43-47) religionsgeschichtliche Rückführung der Versöhnungsaussage und des Hymnus insgesamt auf die Feier und das Verständnis des jüdischen Versöhnungstages bringt V. 20 in einen opfertheologischen Zusammenhang, der sowohl dem Hymnus als auch der redaktionellen Verarbeitung durch den Kol-Autor fern liegt (vgl. E. Lohse, Kol 83f). Lohmeyers Ansatz aufnehmend und modifizierend, versuchten S.Lyonnet, L'hymne, und nach ihm E.Schweizer eine Verbindung mit der jüdischen Neujahrsliturgie (bes. mit deren Erklärung durch Philo) herzustellen. Aber auch hier gilt das Gesagte. Selbst in der philonischen Deutung des Festes unter Einbeziehung des Logoswirkens (Spec Leg 188-192) kann lediglich der Friedensgedanke mit dem Aspekt der kultisch sich wiederholenden Stabilisierung des kosmischen Friedens ins Spiel gebracht werden, während es sowohl dem Hymnus als auch dem Kol-Autor um das einmal und endgültige Geschehen der Herbeiführung des Friedens durch Christus geht, wie auch E.Schweizer, Kol 68 (vgl. ders., Versöhnung, mit Kritik an E.Lohmeyer), vermerkt. Doch ist mit J.Gnilka, Kol 75, auch zu beachten, daß das philonische Friedensverständnis sich sowohl auf die Völkerkriege als auch die Kämpfe in der Natur bezieht. Beides erschütterte das hellenistische Existenzgefühl tief. Eine andere sachliche Verknüpfung stellt M.Wolter, Rechtfertigung 57-59, her, indem er z.T. E.Käsemanns Verbindung der kaiserlichen Weltfriedensidee mit dem gnostischen Mythos vom Urmenscherlöser (ders., Taufliturgie 37-43) aufnimmt. Wolter denkt nämlich an die Friedensvorstellung des antiken Herrscherkultes als "konstitutive Tradition" (ebd. 57), die sich auch in Versöhnungsterminologie auszudrücken vermag (gegen L. Goppelt, Versöhnung 151). Doch muß auch er einen spezifischen Unterschied in der Ausweitung einer universal-politischen Vorstellung in eine kosmische feststellen. In Kol 1,20 geht es nicht um die Beseitigung von Kriegen und die Aufrichtung einer beständigen universalpolitischen Friedensordnung, sondern um Versöhnung und Frieden zwischen den konstitutiven Bereichen des Kosmos in Ausrichtung auf den präexistenten und auferweckten (bzw. und gekreuzigten) Christus, der

nur noch verhalten und chiffriert durch. Gott ist der Transzendente, der durch Christus von Anbeginn schöpferisch wirkt (1,15-17) und ihn ausschließlich als Ort der Präsenz seines auf Heil hinwirkenden Pleroma (seiner wohltätigen, dem ganzen Sein Leben und Einheit gewährenden Machtherrlichkeit) erwählt hat (1,19; 2,9)[147].

Die Christologie ist wesentlich hellenistisch, d.h. seinshaft gedacht. Mit zahlreichen Würdetiteln und präpositionalen Wendungen wird die singuläre Vorrangstellung bezeichnet. Als Tataspekte[148] erscheinen in ihr die Schöpfung (1,16d) und die Versöhnung in Einheit mit der Friedensstiftung, wobei jedoch der eigentlich Handelnde der transzendente, im Pleroma wirkende Gott ist. Die Partizipationsweise Christi an diesem Wirken wird durch δι' αὐτοῦ umschrieben. Mit der Mittlerfunktion Christi in Schöpfung, Versöhnung und Friedensstiftung korrespondiert

---

kraft des ihm einwohnenden Pleroma das Himmlische und das Irdische zu versöhnen und zu befrieden vermag. Daß diese Versöhnung und Friedensstiftung dank der sie einschließenden Erneuerung der Menschen auch den sozialen und politischen Bereich erfaßt hat, nimmt der Autor des Kol zumindest für die Gemeinde als Realisierung der Friedensherrschaft Christi in Anspruch (Kol 3,9-11). Wenn auch keine explizite Anknüpfung am antiken Herrscherkult und an der Verherrlichung des universal-politischen Friedens auszumachen ist, so setzt das Versöhnungs- und Friedensverständnis des Kol einen gerade auf dem Hintergrund des Kaiserkultes deutlich erkennbaren christologischen Gegenakzent: nicht ein irdischer, göttlich überhöhter Herrscher ist Stifter und Garant beständiger Versöhnung (vgl. Alexander der Große; M.Wolter, a.a.O. 57f), sondern der von Gott erwählte Christus allein, und zwar sowohl für den Kosmos überhaupt als auch insbesondere für alle Menschen. Da also eine Verbindung der Versöhnungs- und Friedensaussage von Kol 1,20 mit einem bestimmten religionsgeschichtlichen Hintergrund nicht eindeutig belegbar ist (auch die Gnosis kann für den Versöhnungsbegriff nicht herangezogen werden), erscheint die Versöhnungsaussage im Rahmen von Kol 1,15-20 als ein Element in einer Synthese von religionsgeschichtlichen Anspielungen auf den hellenistischen bzw. hellenistisch-jüdischen Bereich, wobei das hellenistische Judentum die Denkweise präformierte. Die Aufnahme eines vorchristlichen Liedgutes ist angesichts des zur Verfügung stehenden religionsgeschichtlichen Materials, der sich in Kol 1,15-20 auf traditioneller und redaktioneller Ebene andeutenden Vorstellungen und wegen der betont christologischen Akzente wenig wahrscheinlich (ebenso Ch.Burger, Schöpfung 41, gegen E.Käsemann). S. jetzt auch G.Friedrich, Verkündigung 106-108.

147 S. Anm. 106.

148 R.Deichgräber, Gotteshymnus 152, spricht von "Tatprädikationen".

die mit der Schöpfung im All hineingelegte und durch die Versöhnung zur vollen Realisierung kommende Christozentrik (εἰς αὐτόν ; V. 16d; V. 20a). Die Beziehung zwischen Christus und dem All ist gekennzeichnet durch das Begriffspaar "Haupt" und "Leib" (V. 18a), das nicht dahin zu verstehen ist, daß Christus der "Riesenleib des Gesamtkosmos"[149] sei. Dagegen spricht das Bemühen, Christus in jeder Beziehung als den Überlegenen gegenüber dem All darzustellen. Christus ist als "Haupt" der vom Ursprung her und in der Vollendung bleibende Herrscher des Alls, von dem das All in seinem Sein bestimmt ist. Er geht nicht im All auf, sondern steht ihm als Ursprungs- und Zielpunkt der kosmischen Wirklichkeit gegenüber.

Die Christologie des Hymnus hebt sich von der des Kol-Autors in markanter Weise vor allem unter versöhnungstheologischer Rücksicht ab: die geschichtliche Dimension des Kreuzestodes in ihrer soteriologischen Deutung tritt hinter dem soteriologischen Verständnis von Auferstehung und Erhöhung zurück. Dieses bildet einen Pol in der Elipse der Gesamtschau, deren zweiter Pol durch die protologischen Aussagen über den Präexistenten definiert ist. Es findet sich im Hymnus kein Ansatz für ein christologisches Gehorsamsmotiv[150].

2) Der Versöhnungsgedanke ordnet sich in die harmonisierende Zusammenschau von Ursprung, Bestand und Vollendung des Alls in Christus ein. Versöhnung und Frieden sind kosmisch interpretiert und auf die Herrschaftsstellung des Erhöhten bezogen. Jedoch ist diese Herrschaft nicht Folge einer "Unterwerfung des Alls"[151], vielmehr kommt die Herrschaft des "Erstgeborenen aus den Toten" als Pleroma-Träger heilshaft in Versöhnung und Friedensschluß zur Wirkung[152].

---

149 E.Brandenburger, Frieden 30.

150 A.a.O. 31.

151 Gegen E.Schweizer, Erniedrigung 102 (offensichtlich von 2,15 aus; vgl. a.a.O. 104 Anm. 417).

152 Durch das Einwohnen des Pleroma, der schöpferischen Lebensmacht (Gottes), wird der Kosmokrator im Ereignis der Erhöhung zum kosmischen Versöhner. Die kosmische Erstreckung der Versöhnung ist bereits durch V. 15-18a vorbereitet. Vgl. E.Schweizer, Kol 65-67; M.Wolter, Rechtfertigung 58f. - H.Hegermann, Schöpfungsmittler 107, erkennt

Frieden und Versöhnung sind als eine Wirklichkeit nicht auf den Menschen bezogen. Sie sind nicht in Analogie zum antiken Herrscherkult universal-politisch gedeutet[153], sondern sie umfassen das All in seiner Gesamtheit, sowohl in seinem irdischen als auch in seinem himmlischen Bereich. Damit ist auch impliziert, daß in den und zwischen diesen Bereichen jede Friedlosigkeit und Unversöhnlichkeit überwunden ist. Die Versöhnung des Alls durch Christus auf ihn hin macht jegliche Unversöhnlichkeit im All unmöglich, da sonst die Versöhnung der Gesamtwelt auf Christus hin noch nicht vollendete Wirklichkeit wäre. Gerade dies aber ist Inhalt der Versöhnungsaussage des Hymnus. Die Schöpfung hat durch Christus in der alle Sphären prägenden Hinordnung auf ihn das Eschaton erreicht; der Friede ist da. Von Christus als dem "Erstgeborenen aus den Toten" und dem Pleroma-Träger her wird das versöhnte und befriedete All zu einem Raum, in dem die Endlichkeit, die Gefährdung des Alls in seinem Bestand ausgeschlossen ist. In der für das All mit der Versöhnung und dem Friedensschluß konstitutiven Christozentrik erfährt das All selbst die Lebens- und Heilsmacht des Pleroma, das in Christus als dem bleibenden Haupt des Soma (V. 18a) einwohnt.

Mit der für den Hymnus charakteristischen Zusammenschau von schöpfungsmittlerischer Präexistenz und versöhnungsmittlerischer Postexistenz Christi, des Auferweckten und Erhöhten, verbindet sich eine präsentisch-eschatologische Deutung der Welt, die zentriert ist auf Christus, der als Pleroma-Träger das All auf sich hin geeint hat und ihm mit der Versöhnung den Frieden als vollkommene Wirklichkeit gegeben hat. Da die Versöhnung auf Christus hin sowohl für den irdischen Bereich als auch für den himmlischen Bereich gilt, erwartet die Gemeinde keinen anderen Frieden als den, der durch Christus für das All in Kraft gesetzt ist[154].

---

in der Einwohnungsvorstellung eine Anspielung an ψ 131,13-14. Zu weiteren vergleichbaren Aussagen s. E.Schweizer, a.a.O.; N.Kehl, Christushymnus 110-125; E.Lohse, Kol 98-100; vgl. auch E.Lohmeyer, Kol 64f; G.Münderlein, Erwählung (zu Problemen der grammatischen Konstruktion und der Deutung von Kol 1,19).

153 Vgl. dazu H.Windisch, Friedensbringer; M.Wolter, Rechtfertigung 57.

154 Der Hymnus enthält insoweit implizit auch einen gegen den antiken Herrscherkult gerichteten "ideologiekritischen" Zug, der durch die kreuzestheologische Interpretation des Kol-Autors noch verstärkt wird!

3) Im Rahmen des Traditionsbestandes von Kol 1,15-20 wird die Gemeinde
selbst nicht zum Gegenstand des Christushymnus. Es dominiert die kosmologische Betrachtungsweise; von ihr wird die Gemeinde als mögliche Konkretion der Versöhnung und des Friedens völlig aufgesogen. Die Glieder
der Gemeinde sind Teil der das Weltganze umfassenden Seins- und Lebensfülle in Christus. Innerhalb dieser Konzentration auf das in und durch
Christus für das All realisierte Eschaton des Friedens und des zuständlichen (ungeschichtlichen), mit Blick auf die Gegenwart Protologie und
Eschatologie verbindenden Denkens erscheint es nicht möglich, für die
Gemeinde die Vorstellung für einen Dienst in der Welt anzunehmen. Denn
die Gemeinde lebt bereits mit dem All in der gegenwärtig-realisierten
Zukunft unter der alles umgreifenden Herrschaft des Erhöhten[155].

4.5 Die kosmologischen und ekklesiologischen Dimensionen der Ver-
söhnungsaussage im Kolosserbrief

Die Untersuchung der Versöhnungsaussage sowohl auf der Textebene des
Kolosserbriefs als auch auf der Ebene der (rekonstruierten) Tradition
führt zu folgendem Spektrum von versöhnungstheologisch relevanten Sach-
aussagen:

4.5.1 Die Zuordnung von Schöpfung und Versöhnung

Vor allem für die Tradition des Christushymnus, aber auch für die erste
Stufe ihrer Rezeption durch den Autor des Kol (Redaktion des Hymnus)
steht die Versöhnungsaussage im Zusammenhang mit einer kosmologischen
Christologie, die die beiden Pole Schöpfung und Versöhnung umgreift und
einander zuordnet. Das Verhältnis beider Momente ist dadurch charakterisiert, daß die protologisch-kosmologischen Aspekte ausgerichtet sind
auf die soteriologischen[156]. Der kosmologischen Denkweise entsprechend

---

155 Der einzige "Dienst", der der Gemeinde verbleibt, besteht darin,
als "Sprecher" des Alls (insbesondere seines irdischen Bereichs)
den Kosmokrator und All-Versöhner zu preisen. Eine weltbezogene
oder sogar weltverändernde Praxis kommt bei dieser "doxologischen"
und präsentisch-eschatologischen Ausrichtung des Glaubens nicht
mehr in den Blick. Auch an eine missionarische Verkündigung ist
kaum noch zu denken.

156 Im Rahmen des Kol wird diese sachliche Orientierung unterstrichen

wird auf der anderen Seite die Versöhnung auf den Kosmos mit seinen beiden Sphären (Erde und Himmel)bezogen (1,20c; vgl. 1,16f). Die Verbindung der Schöpfungs- mit der Versöhnungsthematik unter dem Vorzeichen der dominierenden kosmologischen Christologie ist jedoch im Ansatz dadurch vom Verfasser des Kol verändert, daß er an die Stelle des für die Tradition kennzeichnenden kosmologischen Soma-Begriffs den ekklesiologischen setzt. Damit (und verstärkt noch durch die Hervorhebung des Kreuzestodes) ist der Tendenz nach die ungeschichtliche hellenistische Denkweise des Hymnus aufgebrochen, wenn auch noch die Gefahr besteht, daß das Verständnis der Gemeinde dem seinshaften und zuständlichen Denken eingeordnet wird. Für den kosmologischen Versöhnungsbegriff ergibt sich, daß die Versöhnung des Alls sowohl nach der hymnischen Tradition als auch nach dem Redaktor nicht mehr in Beziehung zu einer noch ausstehenden Zukunft steht, sondern die Versöhnung durch Christus auf ihn hin als realisiertes Eschaton des Alls gedeutet wird. Ausständig ist jedoch noch das Offenbarwerden der Christus-Herrlichkeit, die bereits mit der Versöhnung und deren Zueignung durch die Taufe grundgelegt und

---

durch den tauftheologischen Kontext 1,12ff. Vgl. auch die Hervorhebung der Herrschaft Christi über die Mächte 2,10.15 (mit ihren Konsequenzen für die gesondert von Christus und seinem Soma nach Heil strebenden religiösen Praktiken der Irrlehrer 2,16-23), die ebenfalls mit tauftheologischen Aussagen verbunden ist (V. 11-13): Die Gläubigen, die in der Taufe mit Christus begraben wurden (V. 12), sind "mit Christus den Weltelementen abgestorben" (V. 20). Sie erfahren also im Taufvollzug an sich, was das Heilsgeschehen, das für den Verfasser des Kol zugleich Entmachtung der kosmischen Mächte besagt, für sie bedeutet: Verzeihung der Vergehen (V. 13; vgl. 1,14), d.h. Aufhebung des "Totseins durch Vergehen", und Auferweckung Christus zum neuen Menschsein in der Freiheit von den Mächten. Der Verfasser übersteigert jedoch diese Einsicht in den personalen und kosmischen Zusammenhang des Heils nicht zu einem Enthusiasmus, sondern hält an der Notwendigkeit der Bewährung in praktisch sich vollziehender Relation zum erhöhten Christus im himmlischen Bereich fest. Damit ist zugleich entschieden, daß die Heilsteilhabe für die Glieder des ekklesialen Soma Christi hier auf der Erde noch nicht Vollbesitz der Herrlichkeit bedeutet (3,1-3), sondern daß das In-Sein Christi bzw. das Erfülltsein mit der Fülle Gottes in Christus als mit Christus Auferweckte ausgerichtet bleibt auf das im Himmel bereitliegende Hoffnungsgut ·der Herrlichkeit (vgl. 1,5. 27). Vgl. H.-F.Weiß, Gnostische Motive 315.323f (s. insgesamt die kritische Erörterung des in der Forschung gegen den Autor des Kol erhobenen Gnosisverdachts).

durch das Einwohnen Christi bzw. das Auferwecktsein mit Christus zur gewissen Hoffnung geworden ist.

4.5.2 Die kreuzestheologische Modifikation des Versöhnungsgedankens durch den Autor des Kolosserbriefs

Das Verständnis der Versöhnung durch den Verfasser des Kol hebt sich vor allem dadurch von der Tradition ab, daß es zwar die Beziehung des Versöhnungsgeschehens zum erhöhten Christus nicht aufgibt, jedoch in der Weiterführung seines bereits in der Redaktion des Hymnus angedeuteten Korrektivs den Akzent auf die Versöhnung durch den Kreuzestod legt. Damit ist ein Ansatz gefunden, die Versöhnung in der Geschichte zu verankern. Entsprechend wird das kosmische Versöhnungsgeschehen umgedeutet. Die Versöhnung durch den Kreuzestod betrifft den Menschen und hebt seine Entfremdung und Feindschaft auf. Mit dem Kreuzestod ist die Wende von der heillosen Vergangenheit der Entfremdung im Machtbereich der Finsternis zur heilvollen Gegenwart im Herrschaftsbereich des Sohnes (vgl. 1,13f. 21f) durch Christus vollzogen. Hineingenommen in diese Wende wird der Glaubende durch die Taufe, in der er mit Christus begraben wird, und durch den Glauben an die Macht Gottes, die Christus von den Toten auferweckt und ihn als den "Erstgeborenen aus den Toten" (1,18) mit dem Pleroma erfüllt hat (V. 19; 2,9). Durch ihn empfangen sie selbst aber in der Lebensverbindung mit ihm und in der Lebensausrichtung auf ihn hin (3,1-3) das Pleroma (2,9). Sie sind alle erneuert zum "neuen Menschen" - ohne Unterscheidung nach vorheriger religiöser, gesellschaftlicher, völkischer Zugehörigkeit (3,9-11)[157].

Der Kreuzestod Christi als Tat der Befreiung von Entfremdung, Feindschaft und Schuld (2,14) ist zugleich die Überwindung der kosmischen Mächte. So modifiziert sich im Kol das Verständnis der Versöhnung als Friedensstiftung: die kosmische Versöhnung (in der Friedensstiftung durch den Tod Christi) realisiert sich zusammen mit der Entmachtung der kosmischen Gewalten und mit ihrer Unterstellung unter Christus als das

---

157 Vgl. 1 Kor 12,13 (Juden-Griechen; Sklaven-Freie); Gal 3,27f (Juden-Griechen; Sklaven-Freie; Mann-Frau); Eph 4,22-24; dazu auch 2,15-18. 19.

über sie herrschende Haupt (2,10.15)[158].

4.5.3 Die Kirche als Ort wirklicher Versöhnung

Der Autor des Kol entfaltet keine differenzierte Ekklesiologie. Sie ist nicht das Thema, auf das sich seine Gedanken konzentrieren. Sie ergibt sich vielmehr aus der modifizierenden Rezeption kosmologischer Christologie und deren Konkretion für die christlich-gemeindliche Existenz der Glaubenden. Gerade darin aber zeichnet sich ein wichtiger, noch unausgearbeiteter Ansatz ab[159]. Zur Verdeutlichung der ekklesiologischen Implikation des Versöhnungsgedankens im Kol muß deshalb in diesem Abschnitt der Kontext einbezogen werden.

1) In Auseinandersetzung mit der kosmologischen Christologie der gemeindlichen Tradition (vgl. 1,15-20) und mit Blick auf die "Philosophie", die den Heilsglauben und die Treue zum Evangelium bei den Adressaten gefährdet, verbindet der Verfasser mit der ekklesiologischen Umdeutung des kosmologischen Soma-Begriffs[160] eine Konkretion der Versöhnungsvorstellung, die den Adressaten bewußt macht, daß sie als Getaufte mit der

---

158 Zu 2,9-15 und dem Verhältnis zu 1,15-18 vgl. Ch.Burger, Schöpfung 79-114; auch F.Mußner, Christus 54-48; R.Deichgräber, Gotteshymnus 167-169; zu 2,13-15 vgl. K.Wengst, Formeln 186-194; F.Zeilinger, Der Erstgeborene 167-177.

159 Vgl. E.Percy, Probleme 127f (Beschränkung auf die Leib-Aussagen); H.Ludwig, Verfasser 178-190 (ein zusammenfassender Vergleich der Ekklesiologie des Kol mit der der authentischen Paulusbriefe).

160 Anregungen zum ekklesiologischen Verständnis des Soma-Begriffs vermittelte zweifellos die pl. Tradition, wenn dort vom ekklesialen Soma auch nicht im versöhnungstheologischen Kontext gesprochen wird und die Verbindung von Haupt und Leib nicht wie im Kol von Bedeutung ist. Die Haupt-Leib-Relation ist durch die Tradition von Kol 1,18a präformiert; diese wird jedoch so ekklesiologisch transformiert, daß entsprechend der christologisch-kosmologischen Vorgabe die kosmische Dimension zur Universalisierung der Leib-Kirche führt. Das hat jedoch nicht zur Konsequenz, daß das ekklesiale Soma zu einer mythisch-kosmischen Größe wird. Kol kennt nicht nur die universale Soma-Kirche, sondern spricht auch von der Ekklesia als einer lokalen Gesamtgemeinde und als Hausgemeinde (vgl. 4,15f), zudem stellt er sie als sozialen Raum der Freiheit von den Mächten

418

Eingliederung in die Herrschaftssphäre Christi (vgl. 1,12-14) an der durch Christus realisierten Versöhnung Anteil haben (1,18.22). Das aber besagt, daß für die, die in das ekklesiale Soma integriert und somit der allumfassenden Herrschaft Christi (des Hauptes) unterstellt sind, die kosmische Versöhnung, die der Hymnus preist und zu der sich auch der Redaktor bekennt, eine unmittelbare erfahrene, die personale Existenz und die sozialen wie auch kosmisch-religiösen Beziehungen radikal verändernde Wirklichkeit ist[161]. In der Konzeption des Kol wird

(vgl. 2,15.20) und der Gleichheit der neuen Menschen unter der alle und alles erfassenden Herrschaft Christi dar (vgl. 2,10; 3,11; 1,12-20). Die Gleichheit der neuen Menschen und die Freiheit von den Weltelementen werden vom Autor des Kol nicht im Sinne eines emanzipatorischen Enthusiasmus ausgelegt oder mit einem revolutionären Pathos proklamiert. Zwar wird Herrschaft christologisch-kritisch (vor allem auch mit Blick auf die Mächte) hinterfragt, aber gerade deshalb auch von Christus her als Ordnungsfaktor anerkannt. Die Bezogenheit auf Christus als Kyrios relativiert jede menschliche Autorität, Machtausübung und jeden Gehorsam in den sozial-ethischen Beziehungen von Frau und Mann, Kindern und Eltern, Sklaven und Herrn, sie gibt ihnen damit aber auch eine neue Qualität (vgl. die Haustafeln 3,18-4,1). Der Kyrios als Maßstab und transformierende Kraft ist das Spezifische der christlichen Lebensweise, mag sie auch in ihrer alltäglichen und unspektakulären Form das konventionelle Stände-Ethos der zeitgenössischen Gesellschaft als allgemeine Lebensordnung und als Rahmen ihres Handelns in Ausrichtung "nach oben" übernehmen. - Zur ntl. Haustafeltradition und deren Vergleichsmaterial in der Umwelt vgl. J.Gnilka, Kol 205-216; E.Schweizer, Kol 159-164; E.Lohse, Kol 220-223; J.E.Crouch , Origin; W.Schrage, Ethik; K.Thraede, Hintergrund. - Zum Zusammenhang von Versöhnungsgedanken und Paränese (bes. Haustafel) im Kol vgl. L. Goppelt, Versöhnung 161, und K.Wengst, Versöhnung 23-26. Während Goppelt aus der Botschaft der universalen Versöhnung im Sinne des Kol die paränetische Folgerung zieht, der Glaubende sei "verpflichtet", sich der gegebenen geschichtlichen Ordnung "einzufügen" und sich zu einem neuen Verhalten in ihr motivieren zu lassen, nicht aber die "Struktur des geschichtlichen Lebens aufzulösen" (a.a.O.), bezieht Wengst (a.a.O. 26) eine sachkritische Position gegen eine sich im Kol abzeichnende christologische, von der Herrschaft Christi her begründete "Stabilisierung und christliche Legitimierung bestehender Herrschaftsverhältnisse".'

161 Zur personalen Existenz vgl. Aussagen wie 1,12-14.21f; 2,9.-13; 3,1-3.9f; zur Veränderung der sozialen Beziehungen vgl. die paränetischen Ausführungen 3,5-4,1 als Konkretionen der Ausrichtung "nach oben"; zur Korrektur der kosmisch-religiösen Haltung in Antithese zur Irrlehre und als Folge der kosmischen Herrschaftsstellung Christi bes. 2,8.16-23.

also die präsentische Eschatologie, die in der hymnischen Tradition - protologisch bereits präformiert - auf das All in seiner Gesamtheit Bezug nahm, dahin spezifiziert, daß die universale Kirche als Raum verwirklichter Versöhnung der Bereich ist, in dem der kosmische Friede schon gegenwärtig geworden ist und als Friede Christi das Leben der Gläubigen "in einem Leib" bestimmt (3,15).

Indem sie im Leib der Kirche in Relation zu Christus und zu Gott ihren Existenzort erhalten, erfahren die Gläubigen die mit der Versöhnung und Friedensstiftung geschehene Neuorientierung allen geschöpflichen Seins an sich selbst als Neukonstituierung ihres eigenen Seins. Aufgrund der Taufe wird ihnen die Versöhnung real zugeeignet, indem sie aus dem Tod der Sünderexistenz dank der Beseitigung des Schuldbriefes durch den Kreuzestod (2,14; 1,21f) und aus der Gewalt der Mächte dank der Entmächtigung durch Christus (2,15; vgl. 1,20; 2,10) befreit und durch die Macht Gottes mit dem auferweckten Christus, dem Erstgeborenen von den Toten (1,18; 2,12) lebendig gemacht bzw. auferweckt werden (2,12f; 3,1.3)[162]. Daß aus dieser Überzeugung, schon jetzt mit Christus aufer-

---

162 Die paränetisch gerahmte Aussage Kol 3,3f bringt in die präsentisch-eschatologische Grundströmung eine gewisse Dialektik ein und knüpft noch am deutlichsten an die futurisch-eschatologische Perspektive der pl. Theologie an (Vgl. E.Schweizer, Kolosser 29; R.Schnackenburg, Aufnahme 44; H. Conzelmann, Kol 148f). Doch wird im Kol die Zukunftsgerichtetheit durch ein räumliches Denken in die Gegenüberstellung von "oben" und "unten" (dem irdischen Bereich) transformiert (J.Ernst, Kol 222, betont auch für Kol die Bewahrung des Blicks nach vorn; die Differenz verwischt E.Percy, Probleme 116). Aus dieser "raumzeitlich" gedachten, präsentisch geprägten Eschatologie folgt, daß die künftige Auferweckung, an der Paulus entschieden festgehalten hat, nicht mehr zu einem gewichtigen Thema wird (vgl. die paränetisch gewendete, wahrscheinlich aus der Tradition übernommene Zukunftsperspektive in 3,24f). An die Stelle der eschatologischen Existenz in der Spannung zwischen Gegenwart und Zukunft des Heils (Paulus) tritt die "transzendente Existenz" im Sinne der unio cum Christo in der Spannung zwischen der gegenwärtigen Verborgenheit und dem künftigen Offenbarwerden des Heils (vgl. E.Gräßer, Beispiel 165; zur Unterscheidung s. auch ebd. 154ff.159ff; H.Merklein, Paulinische Theologie 40-45, bes. 44f). H.Merklein, ebd. 45, führt die räumlich orientierte, aber noch mit dem zeitlichen Aspekt verbundene Eschatologie von Kol und Eph darauf zurück, daß die Naherwartungsproblematik

weckt zu sein, im Sinne der Theologie des Kol kein triumphalistisches Hochgefühl erwachsen kann, versucht der Autor dadurch sicherzustellen, daß er das neue Leben der Getauften nicht in eins setzt mit dem Offenbarwerden der Herrlichkeit. Solange sie als mit Christus bereits Auferweckte noch im unteren, irdischen Bereich sind, bleibt für sie die Herrlichkeit im oberen, himmlischen Bereich "mit Christus in Gott verborgen" (3,3). Erst mit der Parusie wird sie mit Christus offenbar (V. 4)

Daß die Gegenwart für die Gläubigen und die Kirche noch nicht die Zeit der offenbaren Herrlichkeit ist, zeigt sich in repräsentativer und exemplarischer Weise an der vom Leiden Christi geprägten Leidensexistenz des Apostels (1,24; 2,1; 4,3f.10)[163]. Wie er sich als Leidender aus der Kraft des erhöhten Christus in seinem Einsatz für die Kirche und die

---

unter den veränderten Bedingungen einer Lösung zugeführt werden sollte. - Zum Motiv der Verborgenheit bei Paulus vgl. D.Lührmann, Offenbarungsverständnis 156-159; zur Differenz zwischen Kol 3,1-4 und Paulus, ebd. 106f; zum Offenbarungsverständnis von Kol und Eph, ebd. 117-122.- Zur Nähe der Vorstellung von Kol 3,3f zur joh Theologie vgl. Joh 5,24f; 11,25f; 1 Joh 3,2.14; s. auch Joh 3,18; 8,51; 10,27. - N.Kehl, Erniedrigung 383-388, deutet die Aussagen des Kol über die Auferweckung der Glaubenden in der Taufe im Sinne "einer schon geschehenen Miterhöhung der Gläubigen mit Christus" (ebd. 383) und vergleicht sie mit dem sich in den Qumranschriften ausdrückenden Erhöhungsbewußtsein. M.E. bleibt aber zumindest für Kol zu fragen, ob nicht noch eine Differenz zwischen der gegenwärtigen Auferweckungsexistenz mit Christus und noch nicht geschehenen Offenbarung der Herrlichkeit mit Christus als der noch ausstehenden Erhöhung im Zusammenhang mit der Parusie besteht. Die himmlische Existenz (vgl. 1,13) ist für den Kol-Autor noch nicht Existenz im Himmel. Eph geht demgegenüber weiter, da er bereits die geschehene Miterhöhung mit Christus kennt (2,6). Zudem muß die metaphorische Redeweise einer antizipierenden präsentischen Eschatologie in ihrem theologischen und situativen Gesamtkontext beachtet werden.

163 Vgl. H.Merklein, Paulinische Theologie 30f (zu Kol 1,24); J.Kremer, Leiden Christi. - Zum Paulusbild im Kol vgl. J.Lähnemann, Kolosserbrief 44-49; G.Schille, Paulus-Bild 53-60; A.Lindemann, Paulus 38-40; H.Merklein, a.a.O. 30-32. Merklein stellt heraus, daß der Paulus-Apostolat für Kol "eine Funktion des Mysteriums" ist. "Die dezidiert christologische Relation des paulinischen Apostolats wird eingebunden in die missiologische bzw. ekklesiologische Reflexion, welche letztere dann der Epheserbrief konsequent zu Ende führt" (ebd. 30).

Völkermission abmüht (1,29)[164], so sollen auch die Gemeindeglieder durch die Kraft Gottes in ihrer Geduld und Langmut gestärkt werden (1, 11). Die konkrete Existenz der Versöhnten und zu neuem Leben Auferweckten bleibt also im irdischen Leben des unteren Bereichs von dem Kreuz des Versöhnungsgeschehens gezeichnet. Die präsentische Eschatologie des Kol wird nicht zur theologia gloriae, sie bleibt von der theologia crucis bestimmt, wenn auch diese nicht so aspektenreich und vielschichtig wie bei Paulus ausformuliert ist.

2) Der kreuzestheologische Gesichtspunkt hat seine besondere Bedeutung für die ekklesiologische Grundaussage im Versöhnungsgedanken des Kol. Durch den sachlichen Zusammenhang von 1,18a mit der soteriologischen Thematik wird deutlich, daß für das Verständnis der Kirche als Leib des Hauptes Christus ein Geschehen konstitutiv ist und bleibt: die Versöhnung des Alls und damit die Versöhnung der Entfremdeten durch den Kreuzestod (1,20.22). Sowohl durch die redaktionelle Interpretation der hymnischen Tradition als auch durch die kommentierende und konkretisierende Applikation auf die Gläubigen unterstreicht der Autor des Kol die kreuzestheologische Grunddimension seines Verständnisses von Kirche[165]

3) Ein anderer Aspekt des ekklesiologischen Ansatzes ist im Kol vor allem apostolatstheologisch expliziert. Er weist darauf hin, daß Kirche als Leib nicht gleichgesetzt wird mit der gewordenen Kirche als einem abgegrenzten statischen Raum. Zwar ist die Kirche als Soma im Konnex mit der Allversöhnung universal definiert, doch ihre Universalität realisiert sich in Raum und Zeit durch die missionarische Verkündigung des Evangeliums "in der ganzen Schöpfung unter dem Himmel" (1, 23). Rückblickend auf Paulus konstatiert Kol den Vollzug dieser Predigt. Die Gemeinde selbst ist ein konkretes Zeugnis von ihrer Wirkung unter den Heiden (1,5-7) - dank dem Einsatz des Epaphras, des Mitknechts des Paulus in der Verkündigung des Evangeliums. Dennoch wird erkennbar,

---

164 G.Schille, Paulus-Bild 55, bezieht die Kraft auf "die Effektivität des Verkündigers".

165 H.Merklein, Christus 84 Anm. 22, hebt vor allem auf die anthropologische Grundrichtung des Versöhnungsverständnisses im Kol ab: "Nicht

daß die Verkündigung noch nicht zum Abschluß gekommen ist. Selbst als Gefangener weiß Paulus um die "Pflicht", das Christusgeheimnis zu predigen (4,3f). In Parallele dazu wird die Gemeinde auf ihre missionarische Situation und Aufgabe hingewiesen (V.5f). Zudem richtet der Apostel die Bitte an sie, sich betend im missionarischen Werk zu engagieren (V.3)[166].

Indem Kol die große missionarische Gestalt des Paulus den Angesprochenen im kleinasiatischen Wirkbereich des pl. Evangeliums mit der Absicht in Erinnerung ruft, die Gläubigen an diese evangeliare Tradition zu binden (2,6) und so davor zu bewahren, ihre Heilshoffnung auf Menschentradition und damit auf die Weltelemente zu setzen (V.8), bleibt zugleich dessen missionarischer Impuls in der Kirche lebendig. Mit Blick auf die existierenden Gemeinden und deren Problemsituation macht Kol im Namen des Paulus geltend, daß einmal nur im Festhalten am Evangelium der Paulus-Tradition die Gewißheit des schon jetzt gegenwärtigen Heils und der darin begründeten Hoffnung auf die Offenbarung der Herrlichkeit bleibend Bestand hat und zum anderen die Kontinuität in der Verkündigung des Christusgeheimnisses unter den Heiden gewahrt bleibt. Damit ist zugleich ausgesagt, daß die Lebendigkeit des Evangeliums in der Gemeinde über ihre Apostolizität und Ökumenizität entscheidet[167].

---

die Gemeinde (im Sinne von Ekklesia) wird versöhnt, sondern dem Unheil verfallene Menschen".

166 Nach H.Merklein, Paulinische Theologie 35, handelt es sich hier um die "pseudepigraphische Version des Bewußtseins des Kolosserbriefes, daß das Mysterium Christi in der Weise des Apostels verkündet werden muß". F.Hahn schätzt offensichtlich den missionarischen Impuls des Apostolats für die Gemeinde im Kol nicht so hoch ein, wenn er 1,28 als Zielaussage des Verfassers in V. 25-28 nur auf die Gemeinde bezogen wissen will: "Offensichtlich wird das Verkündigen unter den Heiden als ein notwendiges, jedoch untergeordnetes Faktum angesehen" (ders., Verständnis 129). An anderer Stelle kommt seine Auffassung noch stärker durch:"Selbstverständlich geht die missionarische Wirksamkeit weiter, aber sie ist nicht das Signum der jetzigen Zeit! Die Gegenwart des Herrn in dieser Welt vollzieht sich in der bestehenden Kirche mitten unter den Heidenvölkern. Die Hauptaufgabe der Kirche liegt in ihrem Kirchesein und ihr Hauptdienst an der Welt in ihrer Existenz und ihrem Wachsen auf das Haupt hin"(130).

167 Vgl. J.Gnilka, Kol 35

Die Situation der Evangelisation der Heidenvölker gehört für den Kol keineswegs der Vergangenheit an; sie ist vielmehr Kennzeichen der nachpl., aber der Paulustradition trotz der zeitlichen Distanz treuen Kirche. Obgleich das ekklesiale Soma im Heilsgeschehen der Allversöhnung durch das Kreuz grundgelegt ist und die mit dem Wirken des Paulus in der vergegenwärtigen Rückschau gleichgesetzte Verkündigung des Evangeliums zur geschichtlichen Realisierung der universalen, heidenchristlichen Kirche geführt hat, ist damit der Vorgang der Evangelisation insgesamt noch nicht zum Abschluß gekommen. Für die Gemeinde heißt das konkret: Im Fruchtbringen und Wachsen des Evangeliums ist die Gemeinde eingebunden in die weltweite Verkündigung; die Verwirklichung des Evangeliums in den guten Werken und die Vertiefung der Erkenntnis Gottes sind die gemeindliche Innenseite der missionarischen Verkündigung des Evangeliums (1,6.10; 2,2f; 3,10.16).

Der angesprochene Aspekt des Wachstums ist in der Theologie des Kol ein Merkmal für die eschatologisch-dynamische Dimension im Verständnis der christlichen Existenz überhaupt und der Kirche als Leib insbesondere; denn im Kol ist die präsentische Heilsteilhabe in der Kirche nicht vom Lebenskontext gelöst und spiritualisiert. Vielmehr bewährt sich das Streben nach dem himmlischen Ort der Herrlichkeit gerade geschichtlich-gemeindlich in den zwischenmenschlichen Beziehungen, aber auch im Gebet und in der zunehmenden Einsicht in das von Gott offenbarte und durch den Apostel verkündigte Christusgeheimnis. Gilt dies anthropologisch für die christliche Existenz der Gläubigen, so entspricht dem ekklesiologisch das Wachstum der Kirche als Herrschaftsbereich Christi durch die Verkündigung des Christusgeheimnisses unter den Heiden. Hierin folgt die nachpl. Kirche in ihrer Treue zu Paulus dem Dienst des Apostels am Leib der Kirche. Aufgrund des engen Zusammenhangs von Christologie und Ekklesiologie bietet sich ein vertieftes Verständnis dieses Geschehens an: es ist Wachstum des Leibes (Kirche) vom Haupt (Christus) her, dem Zentrum der befreienden und ordnenden Herrschaft, die sich durch die Kirche als universale, alle Heidenvölker betreffende und damit über die Mächte triumphierende Macht durchsetzt.

Im Kontext der Versöhnungsbotschaft wird somit durch den apostolats-theologischen Aspekt mit seiner universal-missionarischen und ekklesialen Perspektive deutlich, daß aus der Sicht des Kol die Versöhnung durch den Kreuzestod Christi eine kosmisch-umfassende und vor allem universal-menschheitliche, im Bereich des ekklesialen Soma prinzipiell schon gegenwärtige Wirklichkeit ist. Dieser fundamentalen Realität ist ein apostolisches und ekklesiales Verkündigungsvorgang zugeordnet: die Predigt des Evangeliums, das das Christusmysterium unter Einschluß der Kirche zum Inhalt hat, unter den Heiden.

Was das Christusgeheimnis jedoch für die Juden bzw. Israel bedeutet, wird nicht eigens thematisiert; es kann nur indirekt aus der Kritik an der häretischen Frömmigkeitspraxis gefolgert werden. Der Autor aber bleibt in seinen Ausführungen der Heilsproblematik im hellenistischen Bereich und in den heidenchristlichen Gemeinden zugewandt. Kol 3,11 nimmt zwar noch aus der pl. Tradition den Gedanken auf, daß die in dieser Weltordnung bestimmenden Unterscheidungen und Trennungen in der gemeindlichen, in Christus gründenden Einheit der Getauften aufgehoben sind, die Grenzen also auch zwischen Juden und Hellenen, zwischen Beschneidung und Nichtbeschnittensein beseitigt ist (vgl. 2,11), doch eine tiefere Reflexion bleibt aus. Das, was Paulus angesichts der Unheilssituation bewegt und ihn zu einer dementsprechenden Verdeutlichung des Versöhnungsgedankens führt (Röm 11,15), treibt den Verfasser des Kol nicht mehr um. Erst im Eph kommt die Fragestellung in modifizierter Form wieder auf.

Zusammenfassend ist also zu sagen:
Im Kol ist der Ort realer Versöhnung - und zwar einer Versöhnung, die den ganzen himmlischen und irdischen Kosmos ebenso erfaßt hat wie die Menschheit in ihren rassischen, religiösen und sozialen Unterschieden - allein die Kirche, der universale Leib Christi. Sie ist der Wirkbereich dessen, der als Gekreuzigter und zur Herrlichkeit Gottes Erhöhter der Gemeinde aus ehemaligen Heiden offenbart worden ist und wird als ihr und allen Heidenvölkern zugeeignetes Mysterium (vgl. 1,27). Dieses Mysterium , das Christus als die einzige "Hoffnung auf die Herrlichkeit" (vgl. 3,4; 1,5) identifiziert, durchdringt die Völkerwelt und erfüllt die Kirche. Das Ziel der Verkündigung des Christusgeheimnisses ist, "einen jeden Menschen als vollkommen in Christus darzustellen"

(1,28). Darin korrespondiert die Predigt des Apostels mit der Wirkung
der Versöhnungstat in denen, die am ekklesialen Soma Christi durch
Glaube und Taufe teilhaben (V. 22).

4.6 Rezeptionskritische Aspekte

Nachdem die Versöhnungsaussage des Kol exegetisch-theologisch untersucht worden ist, bleibt die Aufgabe der Rezeptionskritik. Bereits ver-
merkte Beobachtungen können dabei verwertet werden. Wie in den Teilen
2. und 3. zu 2 Kor und Röm gilt es auch hier, den Gesichtspunkt der Rezeption einzubringen, indem das Verhältnis der Versöhnungsaussage des
Kol zu der des Paulus in 2 Kor und Röm sprachlich und sachlich näher
beleuchtet wird. Ein weiteres Moment der Rezeption betrifft nicht die
diachrone Relation, sondern die synchrone kommunikative Beziehung zwischen dem Autor des Kol und dem intendierten Adressatenkreis in einem
bestimmten Kontext. Abschließend weitet sich die rezeptionskritische
Betrachtung, wenn nach der Relevanz des im Kol artikulierten Versöhnungsgedankens für die theologische Rezeption gefragt wird. Im Zentrum
der Überlegungen soll das Kirchenverständnis und die Entfremdungsproblematik stehen.

4.6.1 Das Versöhnungsverständnis des Kolosserbriefs und bei Paulus

Obgleich der situative und theologische Kontext der Versöhnungsaussagen
in 2 Kor, Röm und Kol differieren, lassen sich doch sprachliche und
sachliche Faktoren benennen, aus denen die Affinität des Kol zum pl.
Verständnis der Versöhnung erkennbar wird. Bei der Beurteilung des
Kol darf aber nicht außer acht gelassen werden, daß es in ihm primär
nicht zu einem direkten kommentierenden Rückgriff auf die von Paulus
entwickelte Versöhnungsthematik kommt. Mit anderen Worten: der Verfasser des Kol beabsichtigt nicht eine Exegese von ihm wichtig erschei-
nenden Gedanken aus dem pl. Lehrgut. Vielmehr geht der Anstoß von dem
Hymnus aus, der als Stütze in der argumentativen Auseinandersetzung
mit den Anschauungen und Praktiken der "Philosophie" dienen soll. Die
Aufnahme des Hymnus in das eigene theologische Konzept läßt die pl.

Sichtweise der in der "Schule" gepflegten Tradition wirksam werden, so daß es zu einem Versuch der kritischen Vermittlung kommt. Bei diesem Vorgang der Auseinandersetzung mit einem noch nicht pl. bestimmten Versöhnungsverständnis findet der Verfasser wichtige Anhaltspunkte in der pl. Tradition, die ihm eine Modifikation des im Hymnus vorgegebenen Versöhnungsbegriffs nahelegen. Im übrigen gibt es einen kleinen sprachlichen Hinweis auf die Priorität der hymnischen Versöhnungsaussage: im Anschluß an die Tradition (1,20a) verwendet der Verfasser auch in 1,22a das Verb ἀποκαταλλάσσειν im Unterschied zur pl. Redeweise, die sich ebenfalls einer (aber von Kol 1,20 zu unterscheidenden) Tradition anschließt (vgl. 2 Kor 5,19a). Das Substantiv καταλλαγή (2 Kor 5,18. 19) geht in Kol nicht ein.(vgl. auch Röm 5,11; 11,15).

1) Gehen wir von der offensichtlichsten sprachliche und sachlichen Nähe des Kol zu Paulus aus, so sind auf der einen Seite Kol 1,21-22 und auf der anderen Seite Röm 5,10a (mit V. 9a) zu nennen[168]. In beiden Texten erscheint "Versöhnung" als Beseitigung der Feindschaft, die der Mensch (gegen Gott) hat; aber nur Kol 1,21 (vgl. Eph 2,12; 4,18) umschreibt den der Versöhnung vorausgehenden Zustand der Heillosigkeit terminologisch als Entfremdung, d.h. der Ferne von Gott. Sachlich ist diese Sicht aber auch im Kontext von Röm 5,10a enthalten (vgl. V. 6-8), wenn z.B. vom Tod Christi für "Gottlose" gesprochen wird (V. 6). Paulus und Kol wissen darum, daß diese Ferne über die gesamte menschliche Existenz entscheidet und in den Taten offenkundig wird. In unserem Textzusammenhang spricht Kol diesen Sachverhalt in 1,21 (vgl. kontrastierend V. 22b) an. Im Rahmen von Röm 5,10a sei nur auf 5,12-21 und insbesondere auf die Analyse 1,18 - 3,20 verwiesen. Auch in Verbindung mit der Versöhnungsaussage des 2 Kor wird darauf angespielt (vgl. 5,15.19; auch 4,4).

Ein beachtliches pl. Element des Versöhnungsverständnisses im Kol ist

---

168 Zu den folgenden Ausführungen vgl. H.Ludwig, Verfasser 150-155
(auch 76); H.Merklein, Christus 86-88; ders., Paulinische Theologie 55-58; D.Lührmann, Rechtfertigung; G.Friedrich, Verkündigung 108-110. 112-118; auch E.Käsemann, Erwägungen; E.Schweizer, Kolosser 24-31; R.Schnackenburg, Aufnahme 42-50

die als Korrektiv eingeführte Kreuzestheologie. Sie wird sowohl redaktionell in die hymnische Tradition eingetragen als auch in der anschliessenden interpretierenden Weiterführung noch einmal akzentuiert[169]. Darin ist ohne Frage eine paulinisierende Tendenz zu sehen. Vor allem legt sich ein Vergleich mit Röm 5,9a und 10a nahe:

a) διὰ τοῦ αἵματος τοῦ σταυροῦ αὐτοῦ   b') ἐν τῷ αἵματι αὐτοῦ
   (Kol 1,20a)   (Röm 5,9a)

b) ἐν τῷ σώματι τῆς σαρκὸς αὐτοῦ διὰ   b') διὰ τοῦ θανάτου τοῦ υἱοῦ
   τοῦ θανάτου   αὐτοῦ
   (Kol 1,22a)   (Röm 5,10a)

Diese auffällige Nähe des Kol zu Röm 5,9f wird man jedoch nicht als direkte verbale und gedankliche Anlehnung von Kol 1,20a.22a an Röm 5,9f verstehen können, sondern als Anknüpfung an gemeindliche Traditionssprache, die auch Paulus bekannt war. Das gilt vor allem für das "Blut"-Motiv (vgl. Röm 3,25; 1 Kor 11,25). Das Syntagma "Fleischesleib" (Kol 1,22a) hat zudem keinen Anhalt in den authentischen Paulusbriefen und wird dann in Kol 2,11 (im Taufkontext) aufgenommen (vgl. 3,9). Es ist deshalb zu vermuten, daß der Grund für die beiden kreuzestheologischen Präzisierungen in der theologischen Verbundenheit des Verfassers mit der Paulus-Tradition und deren Verfahrensweise im Umgang mit gemeindlichem Liedgut (vgl. den pl. Zusatz Phil 2,8) liegt und in dem Motiv des "Blutes" darüber hinaus auch von der gemeindlichen Sprachgemeinschaft (vgl. Abendmahlstradition) ein konsensfähiges Aussageelement angeboten wurde, das mit der pl. Tradition im Einklang stand. Die Formulierungen sind jedoch vom Autor selbst, wie vor allem die assoziative Häufung von Begriffen in Kol 1,22a ausweist. Diese dienen dazu, einmal Kol 1,20a soteriologisch

---

169 Vgl. oben 4.3.3.3.3 und 4.3.4.

mit Blick auf den Kreuzestod zu verstärken und damit den erhöhungstheo-
logischen Schwerpunkt der hymnischen Versöhnungsaussage zu ergänzen,
zum anderen einen ekklesiologischen Zusammenhang zwischen dem ekklesialen Soma (1,18) und dem Heilstod am Kreuz ("Fleischesleib") anzuzeigen,
der tauftheologisch fruchtbar gemacht werden konnte (2,11)[170].

Bei nährem Zusehen ergeben sich auch textlich weitere Unterschiede
zwischen Kol und Röm: Während Röm 5,9a ("durch sein Blut") mit dem Motiv der Rechtfertigung verbunden wird und V. 10a ("durch den Tod seines
Sohnes") einen versöhnungstheologischen Zusammenhang (in Parallele zu
V. 9a) hat, ist in Kol 1,20b der Hinweis auf das "Kreuzesblut" der vorgegebenen Friedensaussage korrigierend zugefügt worden. Nur mittelbar
ist dadurch der Versöhnungsgedanke von V. 20a betroffen, so daß die verdeutlichende Variation des Themas in V. 22a (Neuumschreibung der Versöhnung durch den Kreuzestod) eine Festlegung auf ein bestimmtes, von
der pl. Tradition geprägtes Versöhnungsverständnis bewirkt . Doch ist
zu beachten, daß der im Kontext von Röm 5,9f aufscheinende Friedensbegriff (V. 1) im Unterschied zur Redaktion des Hymnus nicht mit dem
Kreuzestod in Verbindung gebracht ist. Röm 5,1 spricht vom gegenwärtigen Wirken des Erhöhten und vom Frieden als Relation zu Gott.

Vergleicht man 2 Kor 5,18ff mit der Versöhnungsaussage des Kol, so
findet sich begrifflich keine direkte Entsprechung zu den kreuzestheologischen Akzenten des Kol. Das Kreuzesmotiv, das terminologisch im 2
Kor nicht benutzt wird (verbal nur 13,4), ist aber der Sache nach in
den präpositionalen Christuswendungen von 5,18f enthalten und insbesondere im Kontext mitausgedrückt (vgl. V. 14f.21; im apostolatstheologischen Kontext 4,10f).

---

170 Gegen H.Ludwig, Verfasser 76.150f. Sie sieht in Röm 5,10 "formale
    Übereinstimmungen" und würdigt diese Stelle als "verbales und ge-
    dankliches Gerüst für die Interpretation der Versöhnung in Kol
    1,21f".- Auch gegen Ch.Burger, Schöpfung 143 (sek. Glossen).

Weiterhin ergibt sich aus der Gegenüberstellung von Kol und Röm 5 (aber
auch 11,15) der Verlust der futurisch-eschatologischen Perspektive. Der
Bezug auf die zukünftige, mit dem Versöhnungsgeschehen bereits grundgelegte Rettung (Röm 5,9b.10b;vgl. 11,15) fällt aus. Für den Autor des
Kol ist das Geschehensein der Versöhnung und die menschliche Partizipation an ihr der Gesichtspunkt, den er mit der Gemeinde festhält bzw.
ihr gegenüber mit neuen Akzenten auslegt. Hierin besteht ein Konsens
mit der Spitze in Röm 5,11 (vgl. V.1). Eine gewisse Nähe zu Paulus deutet sich auch darin an, daß trotz des vorherrschenden Bewußtseins von
der Gegenwart des Heils vom Kol das Offenbarwerden der Herrlichkeit als
noch ausstehend betrachtet wird. Doch kann die Denkweise des Kol die
futurisch-eschatologische Dimension der pl. Theologie unter den Bedingungen eines raum-zeitlichen Weltbildes nicht mehr vollgültig durchhalten. Daß diese Entwicklung auch mit der Neuinterpretation der Naherwartung zusammenhängt, zeigt sich in folgender Erscheinung im Kontext des
Versöhnungsgedankens: Kol verbindet mit der Wirklichkeit der Versöhnung
durch den Kreuzestod einen ethischen Impuls (1,22f), so daß der Eindruck
entsteht, die futurisch-eschatologische Spannung werde in einer antizipierenden, präsentisch-eschatologischen Konzeption ethisch transformiert.
Die Zukunft ist für die, die am Versöhnungsgeschehen infolge der Verkündigung durch ihren Glauben Anteil haben, gegenwärtig in der Weise
der praktischen Hoffnungsexistenz, d.h. im Streben "nach oben" (vgl.
Kol 3,1-4). So tritt auch an die Stelle der umfassenderen und zugleich
situationsrelevanten Versöhnungsbitte von 2 Kor 5,20 die Aufforderung
zur Festigkeit im Glauben und in der Hoffnung.

Ein weiterer Aspekt des Vergleichs mit Paulus betrifft die kosmologische
Dimension des Versöhnungsverständnisses von Kol 1,20 und die Verwendung
des Kosmos-Begriffs in 2 Kor 5,19a und Röm 11,15a. Es besteht kein Zweifel, daß die hymnische Gemeindetradition des Kol die Versöhnung als kosmische Friedenstiftung durch den auferweckten und erhöhten Christus feiert [171]. Diesen vorgegebenen Ansatz räumt der Autor des Kol zwar nicht

---

171 Vgl. dazu u.a.: E.Käsemann, Taufliturgie 39-43; ders., Erwägungen
    51f (zu Röm 11,15; 2 Kor 5,19f; Kol 1,20; Eph 2,16). Käsemanns An-

aus, doch gibt er ihm einen neuen Schwerpunkt, indem er die christologisch-kosmologische Aussage zu einem Bestandteil eines christologisch-
anthropologischen Verständnisses macht, das die Versöhnung der Menschen
(näherhin: der Heidenchristen) reflektiert im Horizont eines sich auf
die himmlischen und irdischen Bereiche des Kosmos erstreckenden Heilsgeschehens in Kreuzestod und Auferweckung Christi, das   im Schöp-
fungsbereich der (heidnischen) Menschenwelt durch die Verkündigung des
Christusgeheimnisses durchgesetzt wird (vgl. 1,23). Konkret erfolgt die
Anthropologisierung der kosmologischen Tradition mit Blick auf die Heidenchristen der universalen Soma-Kirche[172].

Ein Vergleich mit den pl. Aussagen erweist die Interpretation des Kol
als der pl. Tradition verbunden: Sowohl in 2 Kor 5,19 (wie wahrschein-

---

nahme eines vorchristlich-gnostischen Hymnus ist durch die nachfolgende Forschung widerlegt worden. Der Einspruch galt sowohl
der Voraussetzung eines Urmensch-Erlöser-Mythos als auch den einzelnen religionsgeschichtlichen Belegen. Vgl. grundsätzlich C.
Colpe, Schule; H.M.Schenke, Gott "Mensch"; kritische Auseinandersetzung bieten z.B. H.J.Gabathuler, Jesus Christus 54 Anm. 248.
56.136 (bes. 131-140); H.Hegermann, Schöpfungsmittler 90-102. Hegermann hat den hellenistisch-jüdischen Hintergrund der Schöpfungsmittlerschaft unter Bezugnahme auf Philo erhellt. S. jetzt auch
die Zurückweisung durch G.Friedrich, Verkündigung 106-108 (106
Anm. 53 weitere Lit.-Verweise); daneben z.St. die Kommentare von
J.Gnilka, E.Lohse und E.Schweizer.- Nach J.Lähnemann, Kolosser 42,
bezieht der hellenistisch-judenchristliche Hymnus, der wegen des
unbewältigten Problems der Mächte in der kolossischen Gemeinde
nicht aus dieser stammt, "durch die Verbindung von Schöpfung und
Erlösung ... Stellung zu der großen Frage der Spätantike nach der
Einheit der im Kosmos wirksamen Kräfte". E.Schweizer, Kol 68,
stellt als Hintergrund des Hymnus das bei Philo wie auch in stoi-
schen, pythagoreischen und plutarchischen Texten belegbare "Gefühl"
heraus, "in einer brüchigen Welt zu leben, in der der Kampf aller
gegen alle die ganze Natur bestimmt". K.Wengst, Formeln 175-180,
parallelisiert Kol 1,15-20 und Hebr 1,3 und bestimmt beide Texte
als "Schöpfungsmittler-Inthronisations-Lieder" (ebd.177), die aus
dem hellenistischen Judenchristentum stammen. Kol 1,15-20 feiert
die kosmische Versöhnung durch den "eschatologischen Versöhner",
dessen Versöhnungswerk in seiner Schöpfungsmittlerschaft begründet ist (ebd. 179).

172 Vgl. H.Ludwig, Verfasser 152; H.Merklein, Christus 87; ders.,
    Paulinische Theologie 57; E.Schweizer, Kol 70f.

lich schon in der Tradition, vgl. V.19b) als auch in Röm 11,15a ist der Kosmos-Begriff nicht Beleg für eine kosmologische Konzeption der Versöhnung, vielmehr spiegelt sich in ihnen eine 2 Kor 5,19 und Röm 11,15 verbindende, letztlich im hellenistischen Judenchristentum verankerte Sichtweise wider, nach der die Heidenwelt aufgrund der Sündenvergebung (vgl. 2 Kor 5,19a) zur Empfängerin der Versöhnung mit Gott geworden ist. Schon bei Paulus wird eine ekklesiale und universale Konkretisierung der gegenwärtigen Versöhnung erkennbar, wenn er auch nicht den ekklesialen Ort der Versöhnung in der Weise einer universalistischen Soma-Kephale-Ekklesiologie interpretiert, wie sie sich im Kol zu artikulieren beginnt, und die der Heidenwelt zugekommene Versöhnung nicht von der Frage nach der Heilsteilhabe des Bundesvolkes Israel trennen kann (vgl. Röm 11,15 im Kontext). Im Kol zeichnet sich demgegenüber auch im Versöhnungsverständnis eine Entwicklung ab, die den Zusammenhang von kosmischer und menschheitlicher Versöhnung zwar reflektiert, jedoch die auf die Menschheit konkretisierte Versöhnung ohne Verbindung mit der Frage nach dem Heil Israels zum Gegenstand ihrer Verkündigung machen kann. Die Problematik eines christologischen Heilsuniversalismus ohne vollen Einschluß Israels scheint im heidenchristlichen Kontext des Kol an Brisanz verloren zu haben; sie reduziert sich auf die innergemeindliche, durch die Irrlehre verschärfte Frage nach dem gegenwärtigen Heilsbesitz im Wirkbereich kosmischer Mächte, so daß der Autor des Kol sogar an die missionarische Ökumenizität des dynamisch im Inneren und zur Menschheit hin wachsenden Soma Christi, der Kirche, erinnern muß.

Schließlich ist noch die Frage nach der Theo-logie und Christologie der Versöhnungsaussage im Kol und deren Verhältnis zur pl. Versöhnungstheologie zu stellen: Bei Paulus ist Gott der Initiator des Versöhnungsgeschehens und Christus aufgrund seines Kreuzestodes ihr Vermittler. Als Erhöhter eignet er die Versöhnung mit Gott zu, indem er durch den Apostel als Gesandten Gottes zur Annahme der geschehenen Versöhnung einlädt. Auch im Kol ist Gott als Vater derjenige, der die endzeitliche Rettung vollzieht (1,12f) und durch die Einwohnung des Pleroma in Christus die Versöhnung initiiert (V.19f). Doch die Tendenz des Kol geht in Richtung einer ausgeprägteren Christozentrik.

Besonders deutlich wird diese christologische Orientierung in der Versöhnungsaussage 1,22, wo nicht mehr Gott der Handelnde ist sondern Christus, während das Ziel des Versöhnungshandeln, als fehlerloses und untadeliges Stehen "vor ihm", unscharf bleibt. Es kann sowohl an Gott als auch an Christus gedacht sein[173]. Unbeeinträchtigt bleibt jedoch die Feststellung, daß sowohl für den Hymnus als auch für die Redaktion die Versöhnung in 1,20 als Geschehen "durch" Christus und "auf ihn hin" verstanden wird. Diese sich im Zusammenhang mit der Versöhnungsaussage abzeichnende christologische Orientierung korrespondiert mit anderen Aspekten der Theologie des Kol. Zu nennen sind: die unkorrigiert übernommene Vorstellung der Schöpfermittlerfunktion des Präexistenten, die jedoch, über die hymnische Tradition hinausgehend, nicht nur mit der Versöhnungsmittlerschaft des Auferweckten und Erhöhten verbunden wird, sondern durch die eingebrachte Kreuzestheologie einen wichtigen Gegenpol erhält. Ein weiteres Moment ist mit dem Stichwort der Soma-Kephale-Ekklesiologie genannt, die nicht nur den Gedanken der Ekklesia Gottes zurückdrängt und das charismatische Gemeindeverständnis des Paulus unartikuliert läßt, sondern insbesondere die Beziehung zwischen der (universalen) Kirche zu Christus unter das Leitmotiv der Herrschaft Christi stellt, die über die Mächte triumphiert und in ihrem Herrschaftsraum die Freiheit vor den Mächten schenkt, ja durch die Kirche hindurch, d. h. durch die Völkermission als Verkündigung des Christusgeheimnisses, zur universalen Wirkung kommt. Selbst wenn zu berücksichtigen ist, daß diese Akzente einmal mit der Verarbeitung der hymnischen Tradition verstärkt worden sind und zudem als Antwort auf die Problemsituation der Irrlehre erforderlich waren[174], bleibt die Gefahr einer Überakzentuierung, wenn die christologisch zentrierte Konzeption losgelöst vom theologischen und situativen Kontext spekulativ weitergeführt wird. Dieser Gefahr ist der Autor nicht erlegen, weil er in seiner Theologie

---

173 Vgl. E.Lohse, Kol 101 Anm. 5 (1,20 auf Christus hin).104 ("vor dem Angesicht Gottes"); E.Schweizer, Kol 69 (1,20 "mit Christus bzw. Gott").72 (im Hymnus "eine radikale Konzentration auf die Christologie").77 (Christus als "Ziel des Versöhnungshandelns", aber Fehllosigkeit vor Gott); H.Conzelmann, Kol 185 (1,20 auf den vom Pleroma erfüllten Erlöser hin).187 (1,22 "dargestellt vor Gott").
174 E.Schweizer, Jesus Christus 171, bezeichnet die Herrschaftschri-

des Heilsgeschehens kontextuell die Herkunft der Rettung von Gott festhält, aber insgesamt dennoch den Versöhnungsgedanken nicht konsequent
theo-logisch auszuformulieren vermag[175].

2) Was die leitende Frage nach dem Zusammenhang von Versöhnung, Apostolat und Kirche betrifft, so ist bezüglich des Apostolats festzuhalten:
Kol bindet den Apostolat, der nur der des Paulus ist, nicht unmittelbar in das Versöhnungsgeschehen ein (vgl. dagegen 2 Kor 5,18-20), verklammert aber beides kontextuell (vgl. 1,23 - 2,4; 3,2-4) und theologisch, so daß wie bei Paulus auch für Kol die Bedeutung der apostolischen Verkündigung für die Teilhabe an der bereits vollzogenen Versöhnung erkennbar wird. So belebt der Autor des Kol die Erinnerung an
den Apostel im Anschluß an die Versöhnungsaussagen und vor der polemischen Auseinandersetzung mit der Irrlehre (2,6-23). Schon mit dieser
Themenordnung signalisiert der Text die Einschätzung der grundlegenden
Funktion der Verkündigung. Der "Diener des Evangeliums" (1,23) und "der
Kirche"(V, 24) wird - aus der polemischen Auseinandersetzung heraus-
gehalten - zum Gewährsmann für das rechte Heilsbewußtsein und zum Vorbild für die missionarische Bewährung des christlichen Lebens. Besonderes Gewicht erhält die Apostolatsthematik im Kontext der Versöhnung
dadurch, daß Kol - in der pseudepigraphischen Version der Selbstauslegung des Apostels - bemüht ist, die Verkündigung des Christusgeheimnisses (vgl. 1,26f; 2,2; 4,3) in der Gestalt des pl. Evangeliums als die
bindende Tradition für Glauben und Leben der Kirche zu vermitteln. Nach
Auffassung des Kol sind in nachpl. Zeit die wieder problematisierte Heilsfrage und das Selbstverständnis der Gläubigen und der Kirche nur im Verstehenshorizont der Paulus-Tradition, d.h. des von Paulus unter den Heiden in der ganzen Welt verkündeten Christusmysteriums, sachlich richtig
zu reflektieren. Denn mit diesem Geheimnis, das als das weltweit verkün-

---

stologie als "aktuelle Kampfthese".

175 Es zeigt sich somit auch hier die fehlende letzte Konsequenz in der
Durchgestaltung der theologischen Konzeption, wie H.Merklein, Christus 88, es bereits hinsichtlich der ekklesiologischen Interpretation der kosmischen Vorstellungen festgestellt hat.

dete und in der Gemeinde immer tiefer erkannte Geheimnis Gottes vom
Autor des Kol dargestellt ist (vgl. 1,27; 2,2), ist die exklusive universale Heilsbedeutung Christi und damit die Universalität des Heils
in der die Heidenwelt durch die missionarische Evangelisation erfassenden universalen Kirche erschlossen.

Der Bindung an die Paulus-Tradition und dadurch an das allen Heiligen
kundgetane Geheimnis Gottes (1,26) dient im Kol die Nennung von Mitarbeitern und Inhabern gemeindlicher Funktionen. Ihnen fällt die Aufgabe zu, die Tradition weiterzutragen[176]. Eine besondere Stellung unter
ihnen nimmt Epaphras ein, der in offenkundiger Parallelität zu Paulus
dargestellt wird[177]. Er bildet die Brücke zu Paulus und bürgt der angesprochenen Gemeinde für die Paulinizität (d.h.: Authentizität) des von
den Kolossern angenommenen Evangeliums. Dieses nimmt den Charakter von
Lehrgut an, das sich von der Menschenüberlieferung der Irrlehre durch
die bewahrte Christus-Norm unterscheidet und dessen Annahme mit der
Annahme Christi als Kyrios zusammengeht (2,6f). Auch hierin spiegelt
sich die Grundauffassung des Kol wider, daß nur der im Heilsbereich
lebt, der dank der Verkündigung zu Christus in der universalen Kirche
gehört[178] und damit als Glied am Leibe Christi von Christus(dem Pleroma-
erfüllten) her des Pleroma Gottes teilhaftig geworden ist (1,19a; 2,9.
19)[179].

Während in 2Kor 5,18-20 der Apostolat des Paulus als "Dienst der Versöhnung" im Versöhnungsereignis selbst begründet ist und das "Wort der
Versöhnung" in der Form der Versöhnungsbitte direkt an die Gemeinde wendet, erscheint der Paulus-Apostolat im Kol in der Gestaltungsform eines
Paulusbildes. An die Stelle des direkten Zuspruchs des Evangeliums tritt
das Evangelium als Lehrgut, in das der Völkerapostel selbst als legitimierende und normierende Autorität eingeht, wenn auch in der pseudepi-

---

176 Vgl. F.Zeilinger, Träger; E.Lohse, Mitarbeiter; W.-H.Ollrog, Paulus.

177 Vgl. J.Gnilka, Paulusbild 181-183

178 Vgl. a.a.O. 185.

179 H.Löwe, Bekenntnis 311, folgert daraus: "Die himmlischen Mächte haben gewissermaßen ihre Plätze an die Getauften abgetreten".

graphischen Darstellungsform der "verkündigte Paulus"[180] in der Gestalt des "verkündigenden Paulus" das Wort zum wegweisenden Vermächtnis für die Gemeinde ergreift. Bewahrt bleibt auf diese Weise das Bild des Apostels der Völkermission, das trotz seiner stilisierten Züge eines kirchlichen Paulus-Bildes und trotz seiner Indienstnahme für ein sich entwickelndes Traditionsverständnis das Weiterwirken einer modifizierten und konzeptionell bereits andere Wege einschlagenden pl. Theologie unter veränderten kirchlichen und theologischen Rahmenbedingungen ermöglicht und einen missionarischen Impuls in die Kirche zu geben vermag[181].

3) Ein eigenes exegetisches Problem wirft die Aussage Kol 1,24 auf, die für die Frage nach dem Verhältnis von Versöhnung und Apostolat von besonderem Gewicht ist: V. 24 (wie schon V. 23) spricht "Paulus" in der ersten Person Singular (vgl. auch V. 25.29). Die Formulierung enthält zwei parallel angelegte Teile, die jeweils auf eine ὑπέρ-Wendung zielen. Die zweite Zeile ist erweitert durch einen angehängten Relativsatz, durch den das ekklesiologische Verständnis des Soma-Begriffs sichergestellt wird. Zugleich wird damit der ekklesiologische Ansatz aus der Redaktion des Hymnus (1,18a) wiederaufgenommen.

Die Schwierigkeiten der Auslegung[182] betreffen nicht die paradoxale

---

180 Im Kol ist die Darstellung des pl. gemeinten Evangeliums (im Sinne des Christusmysteriums) nicht zu trennen von der Rede über Paulus, der als Völkerapostel ("Diener des Evangeliums" - "Diener der Kirche") selbst in das Christusgeheimnis, das das Heilsereignis (d.h. Christus selbst), die Soma-Kirche und weltweite, heidenmissionarische Verkündigung umfaßt, integriert ist. Vgl. H.Merklein, Paulinische Theologie 28f.

181 Insoweit bietet Kol einen aktualisierenden Reflex des pl. Zusammenhangs von Apostolat und Evangelium im Vollzug der missionarischen Verkündigung, wie er sich z.B im Kontext von Röm 11,15 und in der adressatenorientierten Intention des Röm überhaupt ausdrückt, wenn auch jetzt die über den Paulus-Dienst vermittelte Verbundenheit von Christusgeheimnis und Kirche die Argumentationsrichtung bestimmt.

182 Vgl. J.Ernst, J.Gnilka, E.Schweizer und H.Conzelmann in ihren Kommentaren (z.St.); J.Kremer, Leiden Christi; F.Zeilinger, Der Erstgeborene 82-94; J.Gnilka, Paulusbild 190-192; H.Löwe, Bekenntnis 313; H.Merklein, Paulinische Theologie 30f

Formulierung von V. 24a, die in Verbindung mit dem Verkündigungsmotiv von V. 23 die gegenwärtige (νῦν) Freude des Apostels über die Leiden "für" die angesprochenen Gemeindeglieder zum Inhalt hat. Das Problem wirft V. 24b auf: "und ich erfülle in meinem Fleisch das Fehlende der Drangsale Christi für seinen Leib (der die Kirche ist)". Im Unterschied zu Paulus spricht Kol an dieser Stelle von den "Drangsalen Christi" (θλίψεις) und von den 'Leiden" des Apostels (παθήματα)[183]. Beide Begriffe sind zudem nur hier im Kol gebraucht. Aus dem weiteren Kontext folgt, daß die Leiden, über die sich der Apostel in der Gegenwart freut (V.24a), die Situation der Gefangenschaft meinen (vgl. 2,1; 4,3.10). Das heißt: es ist die Gefangenschaft, die "Paulus" wegen des von ihm verkündeten Christusgeheimnisses zu erdulden hat (4,3).

Von hier aus ergibt sich ein Ansatz zum Verständnis von V.24: Die Drangsale Christi, die mit den Leiden des Apostels identifiziert werden, hängen eng mit der Evangeliumsverkündigung und dem Inhalt des Christusgeheimnisses zusammen. Von der Versöhnungsaussage her ist zudem entschieden, daß das an den Drangsalen Christi Fehlende nicht mit den Leiden Christi in der Passion zu verbinden ist. Denn Kol weiß wie Paulus um das Geschehensein der Versöhnung im Kreuzestod Christi. Die Vollendung der Versöhnungstat läßt also nichts Ausstehendes an den Drangsalen im Sinne eines Mangels zu, der durch das Leiden des Apostels zu ergänzen wäre. Das Ausstehende kann deshalb nur in Beziehung zum missionarischen Wirken stehen, von dem der engere Kontext von V. 24 handelt. Demnach sind die Drangsale Christi diejenigen Leiden, die sich bei der Durchsetzung der kosmischen und universal-menschheitlichen Herrschaft Christi im Zuge der Verkündigung des Christusmysteriums unter den Heiden und des daraus resultierenden Wachstums des ekklesialen Leibes Christi auf die gesamte irdische Existenz des Apostels legen. Das heißt: der Apostel ist in seinem Leiden für den ekklesialen Leib Christi nicht der Fortsetzer des Versöhnungsgeschehens[184], da er dieses nicht durch sein Leiden zur Vollendung bringen kann, sondern er erfüllt das Ausständige

---

183 Vgl. J.Gnilka, Paulusbild 190f.- S. das Stichwort der apostolischen Drangsale z.B. in 2 Kor 4,17;6,4;7,4; bes. aber 2 Kor 1,4.4.
184 Mißverständlich ist z.B. H.Löwe, Bekenntnis 313.

an den Drangsalen insoweit, als diese sich in der Gegenwart im Vollzug
seines "Dienstes der Kirche" aus der missionarischen Partizipation an
der Aufrichtung der universalen Soma-Kirche Christi durch die Erfüllung
des Christusmysteriums unter den Heiden ergeben. Deshalb werden die Leiden vom Apostel auch nicht stellvertretend für die Gemeinde sondern zugunsten der Kirche (nämlich ihres Wachstums von Christus her in die
Welt) ertragen. Das Fehlende an den Dransalen Christi (und damit das
Leiden des Apostels selbst) erfüllt sich dadurch, daß das Christusgeheimnis bei den Heiden durch ihre Zugehörigkeit zu Christus im Soma der
Kirche zur Verwirklichung gelangt und sich somit die Herrschaft Christi
in der Menschheit vollendet. Daß es dem Apostel möglich ist, in seinem
Verkündigungsdienst, durch den er "das Wort Gottes erfüllt" (vgl. V.25),
das Ausständige der Christusdrangsale in seinem Leiden zu erfüllen, ist
begründet in der in ihm wirkenden Christus-Dynamis (V.29). Bei dieser
Deutung von Kol 1,24 erübrigt sich die Hinzuziehung der eschatologisch-
apokalyptischen Vorstellung vom endzeitlichen Leidensmaß, die nicht ohne Spannung in das vorherrschend präsentisch-eschatologische Konzept
des Kol eingebracht werden kann[185].

Vergleicht man das Verständnis der apostolischen Leiden von Kol 1,24
mit dem des Paulus, so sind Unterschiede aufgrund der abweichenden theologischen Grundkonzeption auf der Seite des Kol nicht zu übersehen[186].
Vor allem der Gesichtspunkt des Ausständigen und des Leidens für die
Kirche findet sich bei Paulus nicht in dieser Weise. Besonders die kreuzestheologische Würdigung schlägt bei Paulus stärker durch, wenn auch

---

185 Vgl. E.Lohse, Kol 114-116. Lohse kommt trotz der Einsicht, daß im
Kol "die Trübsale Christi nicht mehr im Sinne gespannter Naherwartung verstanden" sind, zu einem den Sachverhalt von Kol 1,24 wohl
kaum treffenden Urteil: "Durch sein Leiden, das er (sc. der Apostel) an seinem Fleisch schmerzhaft erfährt, trägt der Apostel zur
Verkürzung der endzeitlichen Trübsale bei, so daß die zukünftige
Herrlichkeit um so eher anheben kann" (ebd. 116). Auch das Stell-
vertretungsmodell (vgl. J.Kremer, Leiden Christi 189-195) erweist
die vorgeschlagene Interpretation als nicht zwingend. Die Gleichsetzung der "Drangsale Christi" mit denen, "die der irdische Jesus
erduldete", wie sie J.Gnilka (Paulusbild 192) vornimmt, geht m.E.
an der Sache vorbei.

186 Vgl. E.Schweizer, Kol 82f.85.

diese im Kol nicht verlorengeht, wie sprachliche Zusammenhänge zwischen 1,22 und 24 zeigen (vgl. V.22: ἐν τῷ σώματι τῆς σαρκὸς αὐτοῦ - V.24 ἐν τῇ σαρκί μου ὑπὲρ τοῦ σώματος αὐτοῦ). Einen deutlichen Unterschied läßt ein Vergleich mit 2 Kor 4,10-12 erkennen, obgleich auch dieser Text eine gemeindebezogene Spitze hat (V.12). Während Paulus nämlich an dieser Stelle nicht nur eine Verbindung zwischen seinen leiblichen Leiden und der νέκρωσις τοῦ Ἰησοῦ sondern auch zwischen der Leidensexistenz und der ζωὴ τοῦ Ἰησοῦ herstellt, fällt der letzte Aspekt im Kol aus. Gemeinsam ist Paulus und Kol das Wissen um die im Apostel wirkende δύναμις (vgl. Kol 1,29; 2 Kor 4,7).

4) Zusammenfassend ergibt sich für das Versöhnungsverständnis in 2 Kor, Röm und Kol:

a) Gemeinsamkeiten

- Subjekt der Versöhnungstat ist Gott, im Kol auch Christus (1,22); dementsprechend ist der Zielpunkt der Versöhnung Gott, im Kol gemäß der aufgenommenen hymnischen Tradition auch Christus (1,20).
- Das Grundereignis der Versöhnung ist der Kreuzestod.
- Die Versöhnungsteilhabe ist gegenwärtige Wirklichkeit (vgl. 2 Kor 6,2; Röm 5,11; Röm 11,15; Kol 1,20.22). Zu ihr führt die Verkündigung des "Wortes der Versöhnung" (2 Kor 5, 19f) bzw. des Christusgeheimnisses (Kol) hin.Versöhnung wird vom Menschen empfangen, nicht gewirkt.
- Objekt der Versöhnung ist die Menschheit (Paulus und die Theologie des Kol mit Bezug auf die Heidenwelt) bzw. das All (Kol 1,20 in Aufnahme hymnischer Tradition). Nach Röm 11,15 (im Kontext) ist Israel aber noch noch nicht in seiner Gesamtheit zur Heilswirklichkeit der Versöhnung gelangt.
- Die Versöhnung hebt die Entfremdung (Gottferne) und die Feindschaft des Menschen auf (Röm 5,1I; Kol 1,21)

b) Differenzen

- Die futurisch-eschatologische Ausrichtung der Versöhnung bei Paulus (Röm 5,10b in Parallele zu V. 9b) tritt in der vorherrschenden präsentisch-eschatologischen Denkweise des Kol zurück.

- Paulus verbindet das Versöhnungsmotiv mit der Rechtfertigungs-
vorstellung (2 Kor 5,21; Röm 5,9). Diese fällt im Kol völlig
aus.
- Auf dem Hintergrund eines universalen Versöhnungsbegriffs
(2 Kor 5,19a; Röm 11,15) konkretisiert Paulus sein Verständnis
mit Blick auf die Gemeinde als Gemeinschaft der mit Gott Versöhnten. Demgegenüber verbindet Kol ein vorgegebenes kosmisches
Versöhnungsmodell mit dem Ansatz einer universalen Soma-Kephale-Ekklesiologie.
- Die Frage nach dem Heil Israels als Kontext und eschatologische
Perspektive (Röm 11,15) bleibt im Kol aufgrund seiner Ausrichtung auf die heidnische Menschheit und den heidenchristlichen
Adressatenkreis unberücksichtigt.
- In Verbindung mit der kosmischen Sicht des Hymnus versteht Kol
die mit der Versöhnung geschehene Hinordnung des Alls auf Christus als Unterwerfung der Mächte (2,15; vgl. V.10).

4.6.2   Das Verhältnis Kolosserbrief-Autor - Text - Gemeinde

Die historischen Beziehungen zwischen dem Autor des Kol und der angesprochenen Gemeinde (bzw. des erweiterten Gemeindekreises 4,16) lassen
sich aus dem pseudepigraphischen Brief nicht mehr exakt bestimmen.
Manifest ist dagegen die Zugehörigkeit des Verfassers zur pl. Traditions gemeinschaft. Theologisch besteht eine Beziehung zur kleinasiatischen Gemeinde über die rezipierte Tradition des Hymnus, die auf einen
hellenistisch-judenchristlichen Herkunftsbereich verweist. Der Verfasser des Kol akzeptiert jedoch diese Tradition nicht ohne Einschränkung,
sondern unterwirft sie einer von der Wirkungsgeschichte pl. Verkündigung geleiteten Korrektur. Diese läßt den kosmologisch-christologischen
Ansatz unberührt, verankert jedoch die soteriologische Aussage in der
geschichtlichen Wirklichkeit des Kreuzestodes und transformiert die
ursprünglich kosmologische Sicht in eine ekklesiologische um.

Die wesentliche Implikation eines jeden Kommunikationsvorgangs, vom intendierten Partner verstanden zu werden, erlaubt die Annahme, daß vom

Autor eine grundsätzliche Übereinstimmung mit der Denkform der erwarteten Leser vorausgesetzt wird. Anhaltspunkte ergaben sich für ihn aus der Irrlehre, die eine Antwort auf die kosmologische Heilsfrage anzubieten versuchte, möglicherweise auch aus dem Gemeindehymnus. Auszugehen ist auch davon, daß die Adressaten mit der argumentativen Verwertung von hymnischen Gemeindegut vertraut waren und die Akzente, die der Kol-Autor korrigierend in der Tradition von 1,15-20 setzte, erkannt wurden. Ob aber die Adressatengemeinde noch von der pl. Tradition geprägt war, läßt sich aus Kol nicht mehr erheben.

Der letzte Gesichtspunkt ist von besonderer Bedeutung für die Verständigung zwischen dem Verfasser des Kol und den faktischen Lesern der angesprochenen Gemeinde, d.h. für die Rezeption des Kol durch seine zeitgenössischen Leser. Denn die Eigenart der theologischen Antwort auf die in der Gemeinde neu gestellte Glaubensfrage und wiedererwachte Hoffnungsproblematik besteht gerade darin, daß im Kol gemeindliche Tradition, die ihrer kosmologischen Christologie nach hellenistisch-jüdisch beeinflußt ist und zugleich für ihre Soteriologie Motive antiken Herrscherkults und antiker Friedensvorstellungen unter Einschluß von kosmologischen Elementen verwendet, durch den Rückgriff auf ein Charakteristikum der pl. Soteriologie (Kreuzestod) entmythisiert und vergeschichtlicht wird und dadurch der Vergewisserung des gegenwärtigen und zukünftigen Heils dienstbar gemacht wird.

Indem also der Autor des Kol mit Hilfe gemeindlicher Tradition mit den Adressaten über einen theologischen Sachverhalt ins Gespräch zu kommen sich bemüht, verändert er zugleich diese Tradition dadurch, daß er auf eine für seinen eigenen Glauben und für seine theologische Aussage wichtige Tradition (nämlich des Paulus und seiner "Schule") Bezug nimmt und sie schwerpunktartig für die Situation der Gemeinde mit ihrer christologischen und soteriologischen Problematik aktualisiert. Diese adressatenorientierte Aktualisierung bringt es aber auf der anderen Seite mit sich, daß die Aussagen nur zum Teil der spekulativen Sichtweise des Christushymnus verhaftet bleiben, sondern auf Konkretion drängen, die unter Einschluß der soteriologischen Entmächtigung der kosmischen Mächte beim Menschen ansetzen. Dieses zeigt sich deutlich bei den Versöhnungsaussa-

gen, die von einem kosmologischen zu einem anthropologisch-ekklesiologischen Verständnis der Versöhnung übergehen und damit einen ethischen
Impuls verknüpfen, wodurch ein Signal gegen die kosmologische Heils-
spekulation und die damit zusammenhängende religiöse Praxis der "Philosophie" gesetzt wird.

Ob das pseudepigraphische Schreiben bei den intendierten Lesern und Gemeinden "ankam", wie und was aus Kol bei den faktischen Lesern seiner
Zeit Aufnahme fand, ob seine Antwort auf die Irrlehre als positiver Anstoß gewürdigt wurde, ob er eine Reaktion auf der Seite der "Philosophie" auslöste - all dies bleibt der historischen Einsicht entzogen.
Es fehlen die direkten gemeindlichen Quellen der Zeit. Daß aber Kol
und insbesondere auch seine Versöhnungstheologie, d.h. seine ekklesio-
logisch-soteriologische Transformation einer kosmologischen Christologie, einen theologisch kompetenten Rezipienten gefunden haben, wird im
ntl. Schrifttum selbst durch ein literarisches Zeugnis greifbar: durch
die ebenfalls von einem pseudonymen Autor verfertigt Schrift des Eph.
Hierin spricht sich ein nicht vom Kol intendierter, sekundärer Rezipient aus, der ebenso wie der Verfasser des Kol die engere Wirkungsgeschichte des Paulus repräsentiert.

Dem historisch Fragen sind also Grenzen gesetzt, wenn es das Verhältnis Autor - Text - Gemeinde von der Seite der Gemeinde aufrollen will.
Die Lebendigkeit der theologischen Ansätze, die ihren Ausdruck im Kol
gefunden haben, bezeugt jedoch die weitere Wirkungsgeschichte bis hin
zu den kosmologisch-christologischen Spekulationen unserer Zeit[187].

---

187 Zur Wirkungsgeschichte der christologischen und soteriologischen
Aussagen des Kol (vor allem 1,15-20) vgl. E.Schweizer, Kol 184-205
(zur Allversöhnung: 193-202; zur kosmischen Christologie in der
neueren Theologie: 202-205). Zu dem Problemkreis Christologie und
evolutives Weltbild vgl. K.Rahner, Christologie (Schriften 5); P.
Schoonenberg, Bund 187-192. Sein kritischer Einwand gegen P.Teil-
hard de Chardin, er bedenke in seinem Verständnis von hominisier-
ter Evolution nicht die Freiheitsgeschichte des Menschen, ist m.E.
berechtigt (ebd. 191f).

4.6.3 Die Versöhnungsaussage des Kolosserbriefs im Problemhorizont gegenwärtiger Entfremdungserfahrung

Die Versöhnungsaussage des Kol ist in ihren kosmologischen und anthropologisch-ekklesiologischen Bestandteilen eine situationsrelevante Antwort auf die Heils-Philosophie im Gemeindebereich seines kleinasiatischen Blickfeldes. Als solche kontextbezogene soteriologische Formulierung enthält sie das wesentliche Element einer "angewandten Christologie"[188], die eine gemeindlich vorgegebene, hymnisch-stilisierte kosmologische Christologie in der Weise einer interpretatio secundum homines recipientes[189] mit Bezug auf eine kosmologisch-anthropologische Heilsfrage in kritischer Verarbeitung konkretisiert. Im Anschluß an das tradierte Einst-Jetzt-Schema spricht Kol 1,21 von der für die Gläubigen vergangenen Grundsituation der Entfremdung des Menschen und von seiner Feindschaft gegen Gott als einer Negativ-Relation, die aus seinem Entfertsein von Gott[190] resultiert. Kol versteht die Entfremdung als umfassende Bestimmtheit des menschlichen Seins bis in die praktischen Vollzüge hinein. Diese wird aufgehoben durch den Versöhnung stiftenden Kreuzestod. Die daraus resultierende neue Bestimmtheit umschreibt Kol als Darstellung in Heiligkeit, Fehl- und Makellosigkeit vor Gott (1,22). Der Mensch erhält also aus der Sicht des Kol seine heilvolle Identität nur durch die im Kreuzestod grundgelegte Relation zu Gott.

Dieses Denken ist dem modernen Verständnis von "Entfremdung" kaum zugänglich. In ihm herrschen andere Fragestellungen und Lösungswege vor, wie bereits die stichwortartige Benennung der verschiedenen Begriffsbestimmungen und Erklärungsmodelle zeigen kann. Man spricht von ökonomischen, anthropologischen, sozialen, psychologischen, existenzial-ontologischen und religiösen Formen des Entfremdungsbegriffs[191], so daß zu-

---

188 So E.Schillebeeckx, Christus 184, bezüglich der "ekklesiologischen Soteriologie" des Kol.

189 Vgl. die Untersuchung von E.Gräßer zu Kol 3,1-4.

190 E.Lohse, Kol 105.

191 G. Rombold, Identität 335-337; G.Bitter, Erlösung 27-36.

letzt auch die im Kol entwickelte Sicht der Entfremdung und deren Aufhebung unter das Urteil der Entfremdung des Menschen fällt und als Dokument eines nichtemanzipierten Denkens abgetan wird[192].

Wenn auch das Verständnis von Entfremdung und Versöhnung nicht unvermittelt in den Verstehenshorizont der Neuzeit übertragen werden kann, so bietet Kol doch einen Anstoß zu einer umfassenden Reflexion und einer damit korrespondierenden Praxis, die den Totalitätsanspruch neuzeitlicher Entfremdungs-, Emanzipations- und Identitätstheoreme kritisch-hinterfragend aufnehmen. Im Sinne des Kol können diese nämlich durchaus als "heilsphilosophische" Konzeptionen in Beziehung zu der Grundentfremdung des Menschen und des Kosmos gesetzt werden, auf die die Versöhnungsaussagen des Kol in 1,20 und 21f eingehen. Eine Weiterführung der Konzeption des Kol wird sich jedoch nicht an den geschichtslosen Weg der kosmologisch-spekulativen Versöhnungsinterpretation in der Hymnus-Tradition halten, sondern die anthropologische und sozial-ekkesiale Konkretion mit ihren praktischen Komponenten (vgl. die Paränese des Kol) aufnehmen. Doch stellt sich gerade aus dem noch nicht ausgeglichen reflektierten Zusammenhang von kosmologischem und anthropologisch-ekklesiologischem Aspekt der Versöhnung im Kol die Aufgabe einer Vermittlung beider Dimensionen. Die bisher vorgetragenen kosmologischen Christologien der Neuzeit haben diese Vermittlung zu einseitig im Anschluß an die hymnischen Tradition versucht. Eine nur gesellschaftlich-kritische Thematisierung des Verhältnisses Versöhnung - Mensch - Kosmos, in der der Kosmos zur geschichtlich-gesellschaftlichen Wirklichkeit wird, liegt zwar dem neuzeitlich-gesellschaftskritischen Denken nahe, holt aber die Konzeption im Kol nicht vollständig ein. Richtig gesehen wird aber, daß Versöhnung als Versöhnung mit Gott bzw. als Versöhnung des irdischen und des himmlischen Bereichs auf Christus hin soziale bzw. sozial-ethische Ansätze enthält, die im Kol nur auf die Gemeinde bezogen werden, die aber einen grundsätzlich sozialen Impuls enthalten. Dadurch daß Christen in die politische Verantwortung genommen sind, gibt es veränderte Rahmenbedingungen, auf die hin das Praxismoment im Kontext der Versöhnungsaussa-

---

192 Vgl. hierzu die philosophische Reflexion von B.Welte, Glaube an Gott. S.auch A.Müller, "Befreiung"; J.B.Metz, Erlösung.

ge des Kol zu konkretisieren ist, wobei sich gerade in diesem Vorgang
die Finalität der Versöhnung (die Darstellung vor Gott durch die Versöhnungstat Christi) als Korrektiv einer auf den Menschen setzenden,
geschichtlich-gesellschaftlichen Versöhnungs-Verheißung und emanzipatorischen Versöhnungspraxis wirksam erweisen wird[193].

Für den ekklesiologischen Reflexionszusammenhang und für die ekklesiale
Praxis bietet das Wachstumsmotiv einer versöhnungstheologisch verankerten Soma-Kephale-Ekklesiologie einen Anstoß, als hier die Erneuerung
der Getauften und das innere Wachstum mit der dynamischen Durchsetzung
der Herrschaft Christi durch die Verkündigung des Christusmysteriums
und der dadurch eröffneten Zugehörigkeit zu Christus im Raum der Kirche
verbunden werden. Für Kol besteht die Apostolizität der Kirche in der
missionarischen Ökumenizität. Die amtstheologische Frage der Apostolizität fällt zwar nicht aus (vgl. Mitarbeiter), tritt aber hinter der
gesamtkirchlichen Sicht der Treue zum Christusgeheimnis in der Treue
zum pl. Evangelium zurück. Diese Einheit von Apostolizität und Ökumenizität wäre in einer missionstheologischen Ekklesiologie weiter zu entfalten.

---

193 Daß einer sozial-ethischen und politisch-gesellschaftlichen "Hori-
zontalisierung" des ntl. Versöhnungsverständnisses nicht das Wort
geredet wird, sollte damit deutlich sein. Aber es ist auch nicht
möglich, in Konzentration auf den theologischen Inhalt der ntl. Versöhnungsaussagen die kontextuellen praktischen Perspektiven auszu-
blenden. Für Kol gibt es Versöhnung mit Gott nur unter Einschluß
der Versöhnung der irdischen und himmlischen Bereiche auf Christus
hin, d.h. konkret: der Entmächtigung der kosmischen (und der damit
zusammenzusehenden politischen und gesellschaftlichen) Machtfakto-
ren und der durch Christus gestifteten neuen Brüderlichkeit der
Menschen (3,11.15), die sich in der Gemeinde präsentisch-eschatologisch und als Antizipation einer menschheitlichen Realisierung
in die Tat umsetzt. Der Grund dafür ist: "alles und in allen Christus" (3,11; vgl. die theozentrische Spitze 1 Kor 15,28). Auch die
missionarische Vergegenwärtigung des Christusgeheimnisses und die
Wachstumsvorstellung im Zusammenhang der Soma-Kephale-Ekklesiologie unterstreichen den Totalitatsanspruch der Versöhnungstheologie
des Kol: es gibt nur eine universale Versöhnung, die den ganzen
himmlischen und irdischen Bereich erfaßt (also auch die zwischenmenschlichen und gesellschaftlichen Handlungsformen), und somit
keine versöhnungstheologische Zwei-Reiche-Lehre.- Vgl. demgegenüber die in ihrer Kritik berechtigten, letztlich aber vereinsei-
tigten Ausführungen von G.Friedrich, Verkündigung 114f.

5. DIE VERSÖHNUNG DER MENSCHHEITSGRUPPEN JUDEN UND HEIDEN IN DER KIRCHE MIT GOTT (EPHESERBRIEF)

5.1 Vorbemerkung

1) Die Untersuchung des Versöhnungsgedankens im literarischen und theologischen Kontext des Eph geht von der Beurteilung der Einleitungsfragen aus, die sich weithin in der exegetischen Forschung durchgesetzt hat[1] und sich auch für das Verständnis von Eph 2,16 und dessen Zuordnung zu 2 Kor 5,18ff und Röm 5,10f bzw. 11,15 sowie zu Kol 1,20.22 als begründet erweist[2].

Der Verfasser ist nicht Paulus, vielmehr gehört er - wie auch der Autor des Kol - dem Kreis an, der das Erbe der pl. Verkündigung und Theologie im kleinasiatischen Gemeindebereich pflegt und aktualisiert[3]. Die pl.

---

1 Vgl. die Darstellung der Forschungsgeschichte und -ergebnisse in den Einleitungswerken: W.G.Kümmel, Einleitung 308-323; J.Schmid, Einleitung 499-496; H.M.Schenke/K.M.Fischer, Einleitung I 174-190, und H. Köster, Einführung 705-709. Informationen bieten auch die einführenden Kapitel der Kommentare wie z.B. von J.Ernst (258-263) und J.Gnilka (13-21). S. dazu u.a. auch: B. Rigaux, Paulus 145-150; G. Dautzenberg, Theologie 112-119; P.Pokorný, Epheserbrief 11-23. - Zur Entwicklung in der katholischen Exegese vgl. die Erörterung der Einleitungsprobleme von G. Dautzenberg, J.Schmid, J.Ernst und J.Gnilka (jeweils a.a.O.) mit den älteren ntl. Einleitungswerken von J.Belser (533-546), J.Sickenberger (122-114), H.J.Vogels (175-179) und A.Wikenhauser (301-307). Diese bemühten sich um den Nachweis einer kontinuierlichen Entwicklung im pl. Denken und verteidigten die Autorschaft des Paulus, wenn auch mit der Möglichkeit gerechnet wurde, "daß der Apostel einen seiner Schüler mit der Ausarbeitung des Eph unter seiner Direktive und Aufsicht betraut hat" (so A.Wikenhauser, a.a.O. 307). Diese Sicht der mit dem Eph aufgeworfenen Probleme ist in der neueren katholischen Exegese (zumindest der deutschsprachigen) weithin aufgegeben (vgl. J.Blank, Paulus 20-22; F.Mußner, Pole 91.94; R. Schnackenburg, Aufnahme 41), wie auch die Kommentare von J.Ernst und J.Gnilka belegen (vgl. demgegenüber M.Meinertz, Eph 50-61; K.Staab, Eph 117f; ders., Eph (Echt) 7). Die Position von E.Dassmann, Stachel 53, repräsentiert nicht mehr die katholische Auffassung, sondern erneuert - unter Berufung auf H.Schlier und A. van Roon - den älteren harmonisierenden Standpunkt.

2 S. unten den rezeptionsgeschichtlichen Vergleich und Kap. 6.

3 Vgl. H.Conzelmann, Paulus; H.-M.Schenke, Weiterwirken; E.Lohse, Kol

Tradition der Schule nimmt er in selbständiger Weise auf, indem er sich des Kol als einer literarischen und theologischen Zwischenstufe für die Ausformulierung seines Denkens bedient, den sich dort andeutenden Ansatz aneignet und zu einer einheitlichen Konzeption mit eigenständigem Profil weiterentwickelt[4]. Es handelt sich also beim Eph nicht um "Selbstinterpretation" des Paulus, der seine Theologie in einer "neuen Spra-

---

254ff. Lohses These, daß in dieser Schule die Paulusbriefe benutzt worden seien, mißachtet die später anzusetzende Sammlung der authentischen pl. Briefe (auch gegen H.Ludwig, Verfasser). Kritische Position bezieht W.H.Ollrog, Paulus 227f.230f, mit Verweis auf den fluktuierenden Mitarbeiterstab des Paulus. Seiner Ansicht nach sind die deuteropl Briefe Produkt der "sich weiter als paulinisch verstehenden Gemeinde". Damit überträgt er die alte formgeschichtliche Auffassung von der anonymen Kreativität der Gemeinde auf die nachapostolische Situation. Zu dem damit berührten Fragenkomplex der Traditionsvermittlung im Bereich des ntl. Christentums vgl. K.Berger, Exegese 166-169, bes. 220-234.- Ähnlich wie W.H.Ollrog beurteilt A.Lindemann, Paulus 36-38, die Existenz einer Paulus-Schule eher zurückhaltend.Mit Bezug auf den genannten Aufsatz von H.-M.Schenke führt G.Schille, Paulus-Bild 88 Anm. 149, eine bedenkenswerte Unterscheidung zwischen den noch vor der Sammlung der Paulusbriefe entstandenen Deuteropaulinen und "den am Schluß des Sammlungsprozesses stehenden Pastoralbriefen, die sich als 'letztes Wort' des Paulus geben" ein, woraus auch eine differenziertere Betrachtung der "Schule" und des nachpl. Verständnisses der pl. Tradition im Zusammenhang der urchristlichen Entwicklung zu folgern ist. Mit Recht stellt sich A.Lindemann, a.a.O. 37f, gegen die Annahme, es sei schon zu Lebzeiten des Paulus zu einer institutionellen Verfestigung des Schüler- und Mitarbeiterkreises des Paulus gekommen. Nach dessen Tod ist jedoch m. E. mit einer schulmäßigen Stabilisierung der in der pl. Verkündigung und der missionarischen wie auch gemeindebezogenen Tätigkeit verankerten Verbundenheit der Mitarbeiter und Schüler zu rechnen. Jedenfalls legen die Deuteropaulinen von der Lebendigkeit der pl. Tradition und deren modifizierenden Aktualisierung in der nachpl. Gemeindesituation ein deutliches, wenn auch nicht uniformes Zeugnis ab.

4 Einen wichtigen Beitrag für die Erklärung des Verhältnisses zwischen Kol und Eph hat W. Ochel, Annahme, in die Forschung eingebracht. Seitdem setzt sich die Meinung der Priorität des Kol und der literarische Abhängigkeit des Eph vom Kol durch. Eine Übersicht über die vorgetragenen Hypothesen bietet J.B.Polhill, Relationship. - Die Abhängigkeit des Kol vom Eph wurde in neuerer Zeit wieder von J.Coutts, Relationship, vertreten (vgl. auch F.C.Synge, Eph 70-75; Ch. Masson, Col). Diese Auffassung hat Vorläufer in E.T.Mayerhoff, Brief, und H.J.Holtzmann, Kritik. Eine pl. und eine nachpl. Schicht im Eph unterscheidet M.Goguel, Esquisse. In seinem Schichtenmodell wird die Versöhnungsaussage im Zusammenhang von Eph 2,14-18 der nachpl. Verarbeitung zugesprochen. - Für die Annahme der deuteropl Verfasserschaft und des pseudepigraphischen Charakters von Eph sprechen neben dem wortstatistischen

che" aufgrund einer vertieften Einsicht in die Offenbarung theologisch entfaltet[5]. Den zeitlichen und theologischen Standort kennzeichnet der Autor ad Ephesios selbst als nachpl., ja nachapostolisch. Er schaut auf die Zeit der "heiligen Apostel" (3,5; vgl. 4,11) und die missionarische Verkündigung des Paulus (3,1-13 zurück, zum anderen hält er aber in der nachapostolischen Situation am apostolischen Lehrfundament als Fundament der Kirche (2,20) fest und sieht sich als Träger der mit Paulus eng verbundenen apostolischen Tradition in die Verantwortung genommen[6]. In der Nachgeschichte des Kol stehend, ist die pseudepigraphische Schrift in

---

und stilistischen Befund, der für sich genommen jedoch nicht zur Entscheidung ausreicht, vor allem die sich von Paulus abhebende theologische Konzeption (bes. hinsichtlich der Christologie, Ekklesiologie und Eschatologie) und die auffälligen literarischen Beziehungen zwischen dem (deuteropl.) Kol und Eph, die auch in thematischer und struktureller Hinsicht im Eph greifbar sind (vgl. J.Ernst, Eph 254 - 257; J. Gnilka, Eph 7-13; E. Percy, Probleme 362-372).

5 Gegen H.Schlier, Eph 20.

6 Zum Paulusbild und Apostolatsverständnis des Eph vgl. H.Merklein, Amt; ders., Paulinische Theologie 27-37 (bes. 32-35). - G.Schille, Paulus-Bild 60-66, sieht Paulus als "Kirchenlehrer" dargestellt (ebd. 63-65). K.M.Fischer, Tendenz 95-108 führt die Bekehrung des Paulus zur Differenzierung der Paulusdeutung im Eph ein. Dieses ist jedoch von einzelnen Stellen der authentischen Briefe (vgl. auch Apg) abgeleitet und m.E. für den Eph inadäquat. A.Lindemann, Paulus 40-42, sieht richtig, daß es im Eph keine Apostolatsproblematik gibt und der pl. Apostolat in ein ebenso umfassendes wie fundamental-kirchliches Apostolatsverständnis (s. aber auch den Einschluß der Propheten!) eingebunden ist. In seiner Kritik an H.Merkleins These (ders., Amt 337.343), nach der der Eph Paulus als "Ausgangspunkt und Norm der Tradition" begreift, stellt Lindemann nicht genügend in Rechnung, daß der Apostolat allein durch eine typisierende Darstellung des Paulus-Apostolats konkretisiert, dieser in betonter Weise in die Oikonomia Gottes eingeordnet und das pl. Evangelium mit dem Mysterium identifiziert wird (3,3f.8f; 6,19f). Vor allem aus diesem letzten Gesichtspunkt resultiert für Eph die Bedeutung des pl. Evangeliums als der normativen Tradition für die Kirche, nämlich der Tradierung des Mysteriums. Dieser Tatbestand kann durch den Verweis auf die Rezeption eines "inzwischen wohl schon traditionellen Topos des Paulusbildes" (in 3,8) und auf die Anknüpfung an "ein positives Paulusbild in der Kirche" nicht abgeschwächt werden (vgl. a.a.O. 41f).

der kirchlichen Situation der neunziger Jahre verfaßt worden[7]. Ihr literarischer Charakter und die ursprünglich allgemeine Adressierung geben einen Hinweis, daß der "Brief" nicht eine einzelne Gemeinde zum Empfänger gehabt hat, sondern einen breiteren Leserkreis und Wirkbereich in den kleinasiatischen Gemeinden erreichen sollte[8].

2) Während die Versöhnungsaussagen des Kol eng mit der Heilsfrage der Adressaten verbunden ist und für die Antwort auf die Irrlehre relevant wird, ist der Situationsbezug im Eph nicht so unmittelbar greifbar[9].

---

7 Hierzu tendieren u.a.: W.G.Kümmel, Einleitung 322f; E.Pokorný, Epheserbrief 15; J. Gnilka, Eph 20.

8 Zur Adresse vgl. W.G.Kümmel, a.a.O. 310-313: Der Eph ist als pseudepigraphische Schrift ohne Ephesus-Adresse (so die ältesten und besten Handschriften) denkbar. H.-M.Schenke/K.M.Fischer, Einleitung I 181f, nehmen den Verlust der ursprünglich konkreten Ortsangabe an; demgegenüber wird von H.Conzelmann/A.Lindemann, Arbeitsbuch 231f, die ursprüngliche fiktive Adressierung an die Epheser vertreten. Zum Problem und den vorgeschlagenen Lösungen s. auch die Erörterungen von W.Schenk, Entstehung; A. Lindemann, Bemerkungen, und J.Gnilka, Eph 1-17. Gnilka hält die Ephesusadresse für möglich. Gegen eine konkrete Gemeindeangabe sprechen sich u.a. aus: M.Dibelius/H.Greeven, Eph 56ff; H.Köster, Einführung 706; P. Pokorný, Epheserbrief 16f.
Bei der Formbestimmung ist zu beachten, daß das Werk zwar einen brieflichen Rahmen hat und einer Grundordnung folgt, wie sie durch Kol und die Homologumena vorgegeben war, doch in der Gestaltung insgesamt die briefliche Form äußerlich bleibt und den fiktiven Charakter nicht verdecken kann. Die persönlichen Notizen sind Reminiszenzen in Anlehnung an die Paulus-Tradition und Kol. Die theologisch-meditativen Züge und die liturgischen Anklänge, die jedoch nicht in ein Schema gepreßt werden können, weisen in die Richtung einer "Homilie in Briefform". Vgl. P.Pokorný, Epheserbrief 17; J.Gnilka, Eph 32f. G.Dautzenberg, Theologie 122, ordnet das Werk den "Episteln" zu. H.Schlier, Eph 16-22, kennzeichnet Eph in Anlehnung an die Bedeutung des Mysterion-Begriffs für die Theologie dieses Schreibens als "Mysterienrede" (ebd. 21) bzw. als "Meditation der Weisheit des Mysteriums Christi" (ebd. 22). An anderer Stelle (28) spricht er auch von "Weisheitsrede".

9 Die fehlenden eindeutigen Hinweise auf Anlaß und Zweck des Schreibens wie auch die erbauliche Formulierung der Gedanken erwecken den Eindruck der Situationslosigkeit. Doch weist gerade die ausgesprochen ekklesiologisch ausgerichtete theologische Konzeption des Eph auf eine (zumindest vom Autor so empfundene) aktuelle Fragestellung in den hellenistischen Gemeinden des ursprünglich pl Missionsbereichs. Diese betrifft das Verhältnis von Juden- und Heidenchristen in der einen Kirche, das durch die geschichtliche Entwicklung der hellenistischen Gemeinden immer stärker durch die Dominanz des heidenchristlichen Ele-

449

Polemische Auseinandersetzungen treten im Unterschied zum Kol zurück.
Der Sprachstil und die Ausrichtung der theologischen Gedankenführung
auf das Grundsätzliche lassen erkennen, daß der Autor des Eph an Ba-
sisaussagen des Glaubens interessiert ist. Die wesentlichen Strukturen
des Christlichen werden reflektiert, wobei der Eph in seiner theologischen Konzeption von dem spezifischen Anliegen geleitet ist, den Konnex
zwischen christologisch-soteriologischer und ekklesiologischer Thematik
in Fortführung von konzeptionell nicht konsequent durchgestalteten Ansätzen des Kol zu verdeutlichen[10]. Gerade diese sachliche Intention
läßt den Zusammenhang mit einer theologisch relevanten Problemlage
vermuten, die das innerschulische Gespräch zwischen Eph und Kol übersteigt. Die spekulative Tiefe der Gedanken zeugt ebenso von der theologischen Kompetenz des Briefverfassers wie das Geschick, verschiedene
Traditionen und geistige Strömungen in einer Grundhaltung theologischen
Denkens zu vereinigen, seine Gesprächsbereitschaft und Integrations-
fähigkeit belegt. Diese Eigenschaft und die kirchliche Orientierung ver-
leiten jedoch nach Meinung mancher Exegeten, die sich insbesondere an
Paulus halten, den Autor ad Ephesios zu vereinseitigenden Akzentuierungen und zu einer theologischen Synthese, die einer sachkritischen Kor-

---

ments und das Zurücktreten der Erinnerung an die ursprünglich konstitutive Bedeutung der Judenchristen als Repräsentanten der heilsgeschichtlichen Rolle und der Partizipation Israels am eschatologischen
Heil (vgl. Paulus in Röm 9-11) zuungunsten der Judenchristen verändert
wird. Der Autor des Eph konstatiert die Gefahr, daß die Universalität
des Heils und der Kirche nur noch in Reduktion auf die hellenistische
Gemeinde der Heidenchristen bewußt bleibt und sich diese ihrer (heils-)
geschichtlichen Wurzeln beraubt. Damit verbunden sieht er die Tendenz,
daß die missionarische Verantwortung für die Welt und die gemeinsame
Aufgabe der Gemeindeauferbauung verkümmern. Zur Frage des Situations-
zusammenhangs vgl.: J.Gnilka, Eph 45-49; H.-M.Schenke/K.M.Fischer,
Einleitung I 174-181; K.M.Fischer, Tendenz 14-20.40-48.79-94; ihm folgt
G.Schille, Paulus-Bild 63f.67, mit der Annahme einer Gefahr der "Kir-
chenspaltung durch Preisgabe des Judenchristentums" (67).

10 Ein gutes Beispiel bietet dafür die präziser formulierte Versöhnungsaussage Eph 2,16, deren ekklesiologischer Aspekt deutlicher als im
Kol hervorgehoben ist. S. dazu unten die exegetischen Ausführungen.

rektur zu unterziehen seien[11]. Entgegen diesen Vorhaltungen dokumentiert die Versöhnungsaussage in ihrem Kontext eine deutliche Paulinizität.

3) Die Versöhnungsthematik entfaltet der Verfasser des Eph in einer zweifachen Weise: vom unmittelbaren Kontext her ist die Versöhnungsaussage Teil der kritischen Erinnerung an den heilsgeschichtlichen Zusammenhang der heidenchristlich geprägten nachapostolischen Kirche mit Israel, wobei zugleich das "Einst" und das "Jetzt" der Heidenchristen in seinen wesentlichen Merkmalen charakterisiert werden. Zum anderen legt er die Versöhnung als Tat Christi auf die universale Kirche hin aus: in der Einheit des ekklesial realisierten und repräsentierten Soma Christi ist die Entfremdung der verfeindeten Menschheitsgruppen Juden und Heiden aufgehoben. Die Verbindung zwischen ihnen gründet in Christus als dem "Frieden" schlechthin (2,14a.15b.17). Umschlossen ist diese ekklesiologisch ausgelegte Versöhnungstheologie von dem Gedanken der Hinordnung der in sich versöhnten Menschheit auf Gott als dem Einheits- und Zielpunkt der Menschheit (V.16.18). Das Frieden stiftende und Versöhnung herbeiführende Wirken Christi wird somit über die soteriologischen und ekklesiologischen Aspekte hinaus in seiner theologischen Grundbestimmung verdeutlicht. Nur von der theozentrischen Finalität aus ist der ekklesiologisch zugespitzte und universal-menschheitlich geprägte Gedanke des durch Christus erschlossenen Friedens und der Versöhnung adäquat im Sinne des Eph zu verstehen.

---

11 Vgl. z.B. die kritische Position E.Käsemanns (Erwägungen 58f). Ph.Vielhauer, der Eph unter religionsgeschichtlicher Rücksicht als "synkretistisches Dokument" charakterisiert, beurteilt die theologiegeschichtliche Stellung richtig: "Theologiegeschichtlich gehört der Eph trotz aller Unterschiede in die paulinische Tradition" (ders., Einleitung 214).

5.2 Kontext und Inhalt der Versöhnungsaussage

5.2.1 Kontextanalyse

1) Nimmt man die übliche Grobgliederung des Eph in einen kerygmatischen und einen paränetischen bzw. parakletischen Hauptteil (1,3-3,21; 4,1-6,20)[12] vor, so findet sich die Versöhnungsaussage im zentralen soteriologischen Abschnitt 2,1-22. Ähnlich wie Kol 1,15-20 im engeren Kontext hat auch Eph 2,1-22 (näherhin V.11-22) eine besondere Bedeutung für den Gesamtbrief, da in ihm das theologische Denken des Autors mit seiner charakteristischen Verschränkung von Christologie und Ekklesiologie in konzentrierter Weise zur Geltung kommt[13].

In Fortführung der Aussagen über die Berufung der Gläubigen durch Gott (1,18f) und über das machtvolle Handeln Gottes an Christus in Auferweckung und Erhöhung mit Ausblick auf dessen Herrscherstellung über die Mächte und über die Kirche (V.20-23) unterrichtet 2,1-22 die Leser in direkter Anrede über das sie selbst betreffende, aber alle Menschen (Juden und Heiden) einschließende Heilshandeln Gottes, das die beiden getrennten Menschheitsgruppen der Juden und Heiden durch Christus in der einen Kirche aus Juden- und Heidenchristen (vgl. auch 3,6) geeint und ihnen den "Zugang zum Vater" (2,18) geschenkt hat[14].

---

12 Vgl. die Gliederungen in den Kommentaren und Einleitungswerken. - H.Rendtorff, Eph 57.71, überschreibt die beiden Hauptteile "Das geschaute Geheimnis" und "Das gelebte Geheimnis (Angewandte Schau)", wodurch er den spezifischen theologischen Charakter des im Eph dokumentierenden Denkens recht gut trifft, aber den Leserbezug nicht mit zum Ausdruck bringt, obgleich er einleitend vom "Willen zur Seelsorge, zur Führung, zum Dienst" spricht (ebd. 56).

13 Nach E.Percy, Zu den Problemen 187, bildet Eph 2,11-22 "den Kern des lehrhaften Teiles". H.Merklein, Christus, arbeitet die "Grundstruktur" der theologischen Konzeption des Eph heraus. Als "Höhepunkt der gedanklichen Entwicklung" beurteilt J.Gnilka, Christus 191, Eph 2, 14-17. H.Conzelmann, Eph 98, spricht vom "theologischen Zentrum".

14 Die friedvolle Einheit der Menschheitsgruppen wird nicht generell als Sinn des Heilsgeschehens ausgesagt, sondern sie ist in der christologisch-ekklesiologischen Blickrichtung auf die erfolgte Vereinigung der Heiden- mit den Judenchristen (also der ehemaligen Heiden mit den ehemaligen Juden) im ekklesialen Soma Christi als umfassen-

2) Obschon Eph 2,1-22 einen "gedanklichen Text"[15] darstellt, in dem der Autor einen theologischen Zusammenhang im Kontext seiner kirchlichen Situation entwickelt, ist er trotz seiner gedanklichen Dichte auf Kommunikation angelegt, d.h. leserorientiert formuliert. Es wird nicht monologisch ein Sachverhalt reflektiert, sondern der Text eröffnet eine Argumentationshandlung, die auf Konsensbildung abzielt. Den ersten Schritt geht der Verfasser des Eph selbst, indem er seine theologische Analyse der kirchlich gebundenen Heilsteilhabe in der Autorität des Paulus vorträgt und damit der sachlichen Verständigung einen Rahmen vorgibt.

Die kommunikative Dimension von Eph 2,1-22 läßt sich an dem Wechsel von "Wir" und "Ihr" und in den damit gekoppelten leserorientierten Signalen aufzeigen:

Wie bereits in der Eulogie 1,3-14 (hier: V. 13) und in der folgenden Einheit von Danksagung und Fürbitte V. 15-23 (hier: V. 15-18) wendet sich 2,1 in betonter Weise direkt an die intendierten Leser. Der Text wechselt aber ab V. 3 zum "Wir" (mit Ausnahme einer kurzen Parenthese in V. 5), nimmt dann in V. 8 das "Ihr" wieder auf, um in einem zweiten Begründungssatz V. 10 den Gedankengang abzuschließen.

Die mit 2,11 beginnende Aussageeinheit, die aus den Überlegungen über die Errettung aus dem Tod der Sünder zum Leben im himmlischen Bereich (V. 1-10) Folgerungen ziehen soll, setzt mit der Anrede der Adressaten

---

der Horizont und als Perspektive kirchlicher Realität impliziert. Der Verfasser ist sich der Differenz seiner theologischen Sicht zur außerkirchlichen Wirklichkeit durchaus bewußt, wie die Bemerkung (2,2), daß der Aion dieser Welt "jetzt" noch Macht über die Söhne des Ungehorsams" (=Heiden) hat, beweist. Vgl. dazu die paränetische Aufnahme der Bezeichnung "Söhne des Ungehorsams" für die Lasterhaften in der Kirche 5,6. - Der Standort, von dem aus die christologisch-ekklesiologische Argumentation erfolgt, ist der eines Judenchristen. Die theologische Reflexion stellt sich aber nicht als Beitrag zum Selbstverständnis der Judenchristen dar. Im Gegenteil bekundet sich in den Aussagen eine judenchristliche Auffassung in der Wirkungsgeschichte der pl. Tradition im nachapostolischen heidenchristlichen Gemeindekontext, die zum Ziel hat, "das grundsätzliche, theologische Sich-Verstehen der ehemaligen Heiden" zu fördern und in eine bestimmte Richtung zu lenken (vgl. H.Conzelmann, Eph 99).

15 Zum Begriff vgl. B.Asmuth/L.Berg-Ehlers, Stilistik 91-95.

ein, die erstmalig als einstige "Heiden im Fleische" bzw. als "Unbeschnittenheit" in Opposition zur "Beschnittenheit", d.h. also als jetzige Heidenchristen, gekennzeichnet werden. Im weiteren Verlauf ist ein
mehrmaliger Wechsel zu beobachten: die "Ihr"-Rede umfaßt zunächst V. 11
bis 13; V. 14a (unser Friede) markiert als Begründungssatz mit Betonung
Christi einen ersten Einschnitt. Es folgt dann in V. 14-16 eine genera-
lisierte, feststellende Umschreibung des Heilsgeschehens, während V. 17
(mit Motivaufnahme aus V. 13 - fern/nah - und V. 14.15 - Friede -) Bezug nimmt auf die angeredeten Heidenchristen, um schließlich in V. 18
zu dem jetzt alle Gläubigen (Heiden- und Judenchristen) einschließenden
"Wir" überzugehen.

Mit V. 19 (vgl. V. 12f) wird aus dem Gesagten die Konsequenz gezogen,
indem der Blick auf die ehemaligen Heiden gerichtet ist (ebenso V. 20).
Der Relativsatz V. 21 enthält eine Sachaussage. Der folgende relati-
visch angeschlossene Satz V. 22 bekräftigt dann, motivisch durch die
ekklesiologischen Bildaussagen mit V. 21 verbunden, die heidenchristliche, adressatenorientierte Argumentationsperspektive mit dem typischen
"auch euch". Der Schluß entspricht darin dem Anfang der Argumentation
(2,1) und unterstreicht deren Ausrichtung auf die Dialog-Partner.

Die Hervorhebung des (pseudepigraphisch fiktiven) Sprechers ("ich, Paulus") signalisiert in 3,1 den Neubeginn einer Aussagesequenz. Die Thematik verlagert ihren Schwerpunkt auf den Apostel und seine Verkündigung
des Christusmysteriums (3,1-13). Aber auch hier gilt, daß der Apostolats-
gedanke sowohl der Sache nach als auch in der Ausformulierung den Heidenchristen zugeordnet wird (vgl. 3,1f.6-8.13). Neben neuen Inhalten ist
ein wiederholter Rückbezug auf Erwähntes festzustellen (vgl. z.B. 3,6
mit 2,19; 3,8 mit 2,7; 3,12 mit 2,18). In 3,3f zeigt der Autor - in seiner mit Paulus identifizierten Sprecherrolle - selbst an, daß es ihm um
eine kommentierende Vertiefung seiner Gedanken, die sich auf die Bedeutung des Apostels für die Kundgabe des Christusgeheimnisses an die Heiden konzentrieren, geht. Diesen Vorgang kann man vergleichen mit der Aufnahme des Apostolatsthemas nach der interpretativen Konkretisierung des
Versöhnungsverständnisses in Kol 1,23.24-29; 2,1-5.

Bilden Eulogie, Danksagung und Fürbitte gleichsam den Vorspann zum
theologischen Hauptstück 2,1-22 mit dem inhaltsschweren Mittelteil

V. 14-18, so sind Fürbitte für die Heidenchristen und Doxologie (3,14-
19.20f) der Nachspann, der den lehrhaften Teil abschließend rahmt.
Somit ist die theologische Aussage in einen Gebetskontext eingebunden,
der selbst als theologisches Gebet wegen seiner inhaltlichen Dichte
zu bezeichnen ist und der Argumentation das Merkmal einer betenden
Theologie vermittelt[16].

Zusammenfassend läßt sich also zur kommunikativ-pragmatischen Dimension
des Kontextes sagen:
Der argumentative Rahmen der Versöhnungsaussage Eph 2,16 ist in weiten
Teilen leserorientiert gestaltet. Die Versöhnungsaussage selbst ist dagegen sachlich ohne besondere Hervorhebung des Bezugs zum Adressaten
formuliert, wenn auch von der programmatischen Friedensaussage V. 14
her eine christologisch verankerte und die Heidenchristen erfassende
ekklesiale Gemeinschaftsperspektive vorgegeben ist, die im unmittelbaren Kontext der Versöhnungsaussage und für sie selbst bestimmend wird,
wobei V. 17 insbesondere die Heidenchristen als Empfänger der Friedens-
botschaft Christi erscheinen läßt.

Entsprechend der gewonnenen Übersicht darf festgestellt werden, daß der
Charakter der Meditation oder des Traktats für den kerygmatischen Teil
des Eph keineswegs in dem Maße bestätigt wird, wie in der exegetischen
Forschung weithin angenommen wird. Es zeigt sich nämlich, daß die Entwicklung der Thematik nicht losgelöst von den Lesern erfolgt und sich
nicht auf eine vom kommunikativen Kontext unabhängige Sacherörterung
zurückzieht. Es handelt sich in Eph 2,1-22 vielmehr um die theologisch-
reflektierte Aufhellung der allein vom Standpunkt des Heils aus verstandenen Situation der Gläubigen und deren Vergangenheit. Nach Auffassung des Eph zeichnet sich die Situation dadurch aus, daß die Leser als
Heiden-Christen aus ihrer ehemaligen Situation der Ferne von Israel und

---

16 R.Schnackenburg, Eulogie 84f, weist zu Recht auf die Korrespondenz
   zwischen der Eulogie 1,3-14 und 3,14-21 auch unter pragmatischem
   Gesichtspunkt hin (zur Leserorientierung der Eulogie, ebd. 83-87).
   Zur Beurteilung der Rahmung mit Bezug auf die Theologie des Briefes
   vgl. J.Cambier, Bénédiction 58 (1,3-14 als "le résumé doctrinal des
   six chapitres de la lettre"); anders H.Rendtorff, Eph 69, der in
   3,14-19 "nach Form und Inhalt den Höhepunkt des ganzen Briefes" ausmacht.

Gott in die neue Situation des Heils in der kirchlichen Gemeinschaft
mit den Judenchristen übergegangen sind. Die Durchleuchtung dieser Situation erfordert um der theologischen Konzeption des Autors willen,
für die die Relation bzw. Communio zwischen Heiden- und Judenchristen
ein konstitutiver Bestandteil seines Verständnisses von Kirche als universaler Heilsgemeinschaft Christi ist, und wegen der gewählten Text-
sorte als Medium seiner Gedankenvermittlung den Anredecharakter, durch
den die Aussage, als Erinnerung der Kommunikationspartner vorgestellt,
bei den Adressaten "ankommen" kann, d.h. zur Bewußtwerdung ihrer christlichen Identität und damit zu einem traditionsbewußten ekklesialen Verhalten gegenüber ihren judenchristlichen Mitchristen anzuleiten vermag.

Zudem erreicht der Text durch die Zuwendung zu den intendierten heidenchristlichen Lesern und deren Einbeziehung in den sie unmittelbar an-
gehenden Sachverhalt, daß die kommunikativ hinderliche Raum-Zeit-Distanz
zwischen dem Autor in der nachpl Epoche und den Empfängern seines pseudepigraphischen Schreibens, das aufgrund der fiktiven Autorschaft des
bereits verstorbenen Paulus sogar die Distanz noch verstärkt, überbrückt
wird. Der Verfasser des Eph stellt sich in die Situation der vorherrschend von Heidenchristen gebildeten Gemeinden Kleinasiens hinein, indem
er - mit einem entsprechenden, der Fiktion entgegenkommenden Vorverständnis auf der Seite der Kommunikationspartner rechnend - zugleich als "Paulus" und rückblickend von der grundlegenden und für die Gegenwart bleibend relevanten Funktion dieses Apostels (integriert in das Fundament
der Apostel und Propheten) spricht. Das Problem einer effektiven Kommunikation mittels eines pseudepigraphischen Textes geht also der Verfasser sowohl von der Rezipientenseite als auch hinsichtlich der Autorschaft an. Es gelingt ihm in Anlehnung an die Paulustradition und an
Motive des Paulusbildes sogar, die faktische raum-zeitliche Distanz zum
historischen Paulus ins Positive zu wenden, indem er Paulus in die Ferne
seiner Gefangenschaft rückt (3,1; 4,1; 6,20)[17] und aus dieser Lage heraus

---

17 Vgl. Kol 4,3.18; dazu: Phil 1,7.13.14.17; Phm 1.9.10.13.

sein Vermächtnis an die Heidenchristen der nachpl. und nachapostolischen
Kirche formulieren läßt, schließlich selbst noch eine mündliche Information der Gemeinde durch Tychikus zusagen läßt (6,21f; vgl. Kol 4,7f).
All diese Faktoren dienen der Herstellung einer Kommunikationsbasis für
die aktualisierende Zuwendung zu den Lesern und als Unterstützung für
den Rezeptionsvorgang, wie auch die Leserorientierung in 2,1-22 die Annäherung an das vorgetragene Heilsverständnis ermöglichen soll[18].

3) Argumentativ gliedert sich Eph 2,1-22 in folgende Aussageeinheiten:
a) 2,1-10[19] kontrastiert zwei Grundsituationen: Rückblickend behan-
deln V. 1-3 (vgl. V. 5a) den einstigen Zustand des Todes und des Lebens
in Sünde (V. 1-2a). Diese Unheilsbefindlichkeit gilt im Unterschied zu
den Heidenchristen "jetzt" noch immer für die "Söhne des Ungehorsams"[20].
V. 3 verallgemeinert die ehemalige Negativsituation für die Gemeindeglieder unter Einschluß der Judenchristen ("wir alle"), indem die nähere Bestimmung des Lebenswandels von V. 1 ("Übertretungen und Sünden")
ersetzt wird durch die Wendung "Begierden unseres Fleisches, vollführend
das Verlangen des Fleisches und der Sinne" (vgl. Gal 5,16.24; Röm 13,
14), während an die Stelle von "Söhnen des Ungehorsams" (V. 2b) die Bezeichnung "Kinder des Zornes"[21] mit dem generalisierenden Verweis
"wie auch die übrigen" tritt.(vgl. 5,6).
V.4 beginnt die Beschreibung des entgegengesetzten Heilszustandes (V. 4
bis 10), der in betonter Weise auf die Tat Gottes zurückgeführt und
in seiner Liebe begründet wird. Die an Christus gebundene Wende ist Inhalt von V. 5-6, indem 1,20 auf die Gemeindeglieder appliziert wird:
sie sind Teilhaber des Endheils dank ihrer Christusgemeinschaft geworden. Vierfach ist das Heilsgeschehen mit innerer Steigerung benannt:

---

18 Auch hier bestätigt sich die Feststellung von N.Brox, Verfasserangaben, zu den Pseudepigraphen, "daß die Verfasserfiktion eine bestimmte Form der Aktualisierung und der Auslegung der Norm (die historisch früh datiert gedacht wird) darstellt"(ebd. 119).

19 Nimmt man 2,11-22 als theologisches Kernstück des Briefcorpus und
beachtet den thematischen Zusammenhang mit dem vorausgehenden Kontext, könnte es naheliegen, 2,1-10 enger damit zu verbinden. So erhielte Eph einen ausladenden, durch Gebetstexte geprägten und theologisch sehr dichten Einleitungsteil (vgl. L.Ramaroson, L'Eglise).

20 Vgl. z.B. 1 QS 3,20f; 1 QH 5,8   21 Vgl. ApkMos 3

"lebendig gemacht", "gerettet", "mitauferweckt" und "im Himmel miteingesetzt". Damit gibt der Verfasser den präsentisch-eschatologischen Grundzug seiner theologischen Konzeption und insbesondere sein Verständnis von transzendenter Christenexistenz und Kirche zu erkennen. Der Finalsatz V. 7 löst die soteriologische Gedankenkette ab, indem in Opposition zum Leben gemäß dem "Aion dieser Welt" und zum "Zorn" (V. 2 und 3) und zugleich in Weiterführung der theologischen Aussage V. 4a ("reich an Erbarmen") von der Zielrichtung des Heilswirkens Gottes gesprochen wird, das sich zwar im Jetztzustand des Heils endgültig anzeigt, aber sich erst in den "herankommenden Aionen" durch den Offenbarungsakt der Gnade an den Gläubigen erfüllt. Es deutet sich hier an, daß die Theologie des Eph um eine qualitative Differenz zwischen dem Einst und dem Jetzt und um eine zwischen dem Jetzt und dem Kommenden weiß. Während aber die erste Differenz als eine des absoluten Gegensatzes von Unheil und endzeitlich-gegenwärtigem Heil zu bestimmen ist, wird die zweite im Sinne einer Steigerung, eines Mehr im Verhältnis zu dem schon wesentlich Gegebenen verstanden[22]. Das Jetzt hat seine Finalität in einem das gegenwärtige Heil erfüllenden Offenbarungsgeschehen an denen, die bereits mit Christus auferweckt und mit ihm im Himmel eingesetzt sind.

V.8-9 verdeutlichen in einer doppelten Begründung die Gnadenhaftigkeit des Heils. Die Tendenz, die in V. 5 durch die Opposition "Totsein durch Übertretungen" versus "Lebendig-gemacht-Sein mit Christus" angelegt war (vgl. V. 1) und explizit in der Zwischenbemerkung über die geschehene Rettung aus Gnade zum Ausdruck kam, wird in V. 8-9a mehrfach unterstrichen. Den positiven Kennzeichnungen ("durch die Gnade", "durch Glaube", "Gottes Gabe") stehen negative gegenüber ("nicht von euch" und "nicht aus Werken"). Darin ist eine Aufnahme pl. Terminologie und kontrastierender Denkweise zu sehen, wenn auch die soteriologischen Aussagen über Paulus hinaus präsentisch-eschatologisch akzentuiert sind: Die Rettung bezeichnet nicht mehr die Zukunft; sie ist bereits Wirklichkeit[23].

---

22 Zur Eschatologie des Eph vgl. J.Gnilka, Eph 122-128; H.Merklein, Paulinische Theologie 40-51; F.-J.Steinmetz, Heils-Zuversicht; ders., Parusie-Erwartung; A.Lindemann, Aufhebung (jedoch einseitig).
23 J.Gnilka, a.a.O. 129.

V. 10a interpretiert die durch die Rettung erschlossene Existenz mit
Hilfe der soteriologisch gewendeten Schöpfungsterminologie: das mit der
Auferweckung zum Vollzug kommende Sein der Gläubigen ist gleichgesetzt
mit der endheilszeitlichen Neuschöpfung (vgl. Kol 3,10; 2 Kor 5,17; Gal
6,15). In kontrastierender Aufnahme von V. 9a gibt V. 10b der schöpferischen Rettung in ein neues Sein eine Handlungsperspektive: während
der einstige Zustand im Machtfeld des Aions dieser Welt sich in negativen, von Gott trennenden Werken auswirkte und sich dadurch im Unheil
einschloß, folgt aus dem erfahrenen Heil ein neues Handeln. Dieses führt
das Heil nicht herbei, sondern wird von ihm angestoßen und zum Vollzug
gebracht. Die positive Aufnahme des Begriffs der Werke steht also nicht
in Spannung zur vorausgehenden soteriologischen Thematik, sie liegt auf
deren Linie: Die neuen, "guten Werke" sind nämlich nicht eigene Werke.
Sie sind Realisierung der Aktivität Gottes im Einklang mit dem, was
Gott "vorausbereitet hat". Gott schafft in einem die Heilsgrundlage und
die Voraussetzung für den der endheilszeitlichen Existenz folgenden Lebenswandel. Die Vorgabe des handelnden Gottes, die der Grund dafür ist,
daß die menschlichen Werke nicht aus eigenem Vermögen vollbracht werden, sondern vom Heil erfüllte Werke Gottes sind, intendiert die handelnde Partizipation am Heilsgeschehen Gottes in der Weise des Nach-
Vollzugs. Nur wo Gottes Heil den Primat hat, wird es nach dem Eph dem
Menschen möglich, die Werke im Einklang und im Sinne mit dem aus Gnade
zugeteilten Heil und nicht solche der Verfallenheit an die Herrschafts-
macht dieses Weltaions zu verwirklichen[24].

b) In 2,11-22 lassen sich drei Aussageeinheiten unterscheiden, in
denen die strukturbestimmende Gegenüberstellung von Einst und Jetzt aus
2,1-10 weiterwirkt. Das umfangmäßige und inhaltliche Übergewicht liegt
bei der Entfaltung des Heilsgeschehens und des gegenwärtigen ekklesialen
Heilsstatus.

---

24 K.Staab, Eph (RNT) 134, führt in seiner Kommentierung eine Denkform
    in den Eph ein, die an unserer Stelle keinen Anhalt hat, wenn er die
    der Neuschöpfung zu verdankenden guten Werke als "vor Gott verdienst-
    lich" einstuft (mit Verweis auf Tridentinum, Sess. 6, Can. 32).

Parallel zu 2,1f beschreiben V. 11-12 die einstige Unheilssituation
der Heidenchristen aus judenchristlicher Sicht in einer grundsätzlichen Weise. Bemerkenswert ist, daß der Standort der Judenchristen
entsprechend der Gegenüberstellung der beiden Menschheitsgruppen Heiden
und Juden (trotz einer gewissen Relativierung der Beschneidung) in Kontinuität zu Israel gesehen wird. Ihre Vergangenheit ist hier nicht, wie
in 2,3-4 impliziert, in Analogie zu den Heidenchristen gewertet. Lediglich mit Blick auf diese wird die einstige Trennung von Christus, das
Fremdsein von der Heilsgemeinschaft Israels, die Hoffnungslosigkeit und
Gottlosigkeit konstatiert (V. 12)[25]. Die Spitze des Gedankens, der nach
dem Einst-Jetzt-Schema strukturiert ist, zielt auf die erfolgte Wende
vom Fernsein zum Nahesein (vgl. Jes 57,19) "durch das Blut Christi"(V.13;
vgl. 1,7). An die Stelle der Wendung "getrennt von Christus" (V. 12a)
ist jetzt "in Christus Jesus" (V. 13a) getreten[26]. Damit klingt die Thematik an, die in der anschließenden Aussagekette christologisch und
ekklesiologisch unter dem Leitmotiv des Friedens (V. 14-18) und der
ekklesialen Einheit (bes. V. 15f.19-22) entfaltet und vertieft wird,
indem die beiden Abschnitte V. 14-18 und V. 19-22 jeweils mit einem
theo-logischen Akzent zum Abschluß kommen (V. 18.22).

2,14-18, also der unmittelbare Kontext der Versöhnungsaussage des Eph,
knüpft betont mit der Themazeile V. 14a an den Schluß von V. 13 an und
reflektiert in einem komplexen Satzgefüge die friedenstiftende Tat Christi. Sie erschafft die getrennten Menschheitsgruppen zu einem neuen Menschen und eint sie; die Feindschaft wird endgültig vernichtet. Beiden
zusammen wird in ihrer neuen, unlösbaren Einheit in der Kirche der "Zugang zum Vater" erschlossen. Für die Fernen (d.h. die Heiden) bedeutet
dieses Heilsereignis: Sie sind nicht dadurch zu Nahen geworden (vgl. V.
13), daß sie sich dem "Gesetz der in Satzungen bestehenden Gebote" unter-
warfen (vgl. V. 14f) und somit in ein neues Verhältnis zur Bundesgemeinde Israel eintraten (vgl. V. 12), sondern sie verdanken ihren neuen

---

25 Vgl. H.Merklein, Christus 17-23; J.Gnilka, Eph 134-137; M.Rese,
    Vorzüge; F.Mußner, Traktat 45-48.

26 Während H.Schlier, Eph 122, die Wendung "in Christus Jesus" in Oppo-
    sition zu "getrennt von Christus" setzt und dementsprechend das "In-
    Sein in Christus" in dem Sinne betont, daß Christus "selbst der

Status allein der Heilstat Christi, die als Werk der Friedenstiftung und Versöhnung das trennende Gesetz beseitigt hat.

Die ekklesiologische Auslegung der Christologie wird zum Abschluß in 2,19-22 durch die ekklesiologisch akzentuierte Applikation von 2,14-18 auf die Heidenchristen noch verstärkt. Ihre Teilhabe an der neuen Gottesgemeinschaft in der ekklesialen Einheit mit den Judenchristen wird mit traditionellen Motiven anschaulich beschrieben. Dabei wird deutlich, daß für die Heidenchristen der Wechsel vom Fernsein zum Nahesein und die Partizipation an dem einen ekklesialen Leib Christi durch die Integration in eine vorgegebene Wirklichkeit geschehen[27], zugleich aber diese Wirklichkeit, die Kirche als Heilsgemeinde Gottes, noch nicht ihre volle Dimension erreicht hat: die Kirche ist und wird zugleich[28].

'Raum' der Nähe Gottes" ist, deutet J.Gnilka, Eph 137, die Formel in Parallele zu "durch das Blut Christi" als Aussage der Heilsmittlerschaft. Zum Verständnis der In-Christus-Wendung im Eph vgl. ebd. 66-69.- A.Lindemann, Aufhebung 154, weist darauf hin, daß zu getrennt von Christus" als "positiver Gegenbegriff" eigentlich "mit Jesus Christus" zu erwarten gewesen sei, aber die in Röm 6, 8-11 durchgehaltene Differenzierung im Eph nicht mehr so konsequent beachtet werde. Seiner Meinung nach ist in Eph 2,13 die räumliche Vorstellung vorherrschend. "Sachlich vorausgesetzt, wenn auch nicht ausdrücklich betont, ist die ekklesiologische Vorstellung, daß die Kirche das σῶμα Χριστοῦ ist: Wer im Leib Christi ist, der ist Gott nahe, außerhalb des Christusleibes ist man Gott fern" (ebd. 156).

27 Vgl. J.Gnilka, Eph 152.

28 Vgl. R.P.Meyer, Universales Heil 119. Sie sieht in der Wachstumsvorstellung "einen missionarisch-expansiven Vorgang" impliziert.

5.2.2 Durch den Kreuzestod Christi aus der einstigen Ferne zur jetzigen Nähe (Eph 2,11-13)

1) In einem neuen Anlauf entfaltet Eph 2,11-13 das Thema der Rettung der "Söhne des Ungehorsams", das in 2,1-2.5.8 in heidenchristlicher Blickrichtung angesprochen war[29]. Der Bezug auf die Heidenchristen wird nun bestimmend.

Der Vergleich mit 2,1-10 zeigt die gemeinsame argumentative Grundstruktur des Einst-Jetzt-Schemas: einstiges Unheil - jetziges Heil[30]. Während sich aber nach V. 1-10 sowohl die einstigen Heiden als auch die einstigen Juden hinsichtlich ihrer Vergangenheit in einem beide betreffenden, im einzelnen aber verschieden umschriebenen Unheilszustand befanden, konzentriert sich die Aussage in V. 11-13 auf die einstigen ἔθνη ἐν σαρκί (V. 11). Das negative Vorher der Judenchristen bleibt unerwähnt. An dessen Stelle tritt die Bundesgemeinde Israel (vgl. Röm 9,4) als Kontrast zu den Heiden.

Weitere Unterschiede sind zu beachten: 2,4-9 entfaltet das allen geltende Heilshandeln , das nur, soweit es die Heiden anbelangt, als Rettung aus Gnade bezeichnet wird, betont unter dem Leitgedanken des Erbarmens und der Liebe Gottes (V.5)[31]. Demgegenüber bleibt Gott als Heilswirkender in V. 11-13 unerwähnt. Während das Heilsgeschehen in V. 5f ausschließlich mit Christi Auferweckung und Erhöhung verbunden wird, verankert V. 13 die Wende zum Heil im Kreuzestod. Auf diesen christologisch-soteriologischen Gedanken zielt die Aussageeinheit V. 11-13 hin. Die Motive des "kommenden Aion" (V. 7), der Neuschaffung und der neuen Lebenspraxis werden durch V. 11-13 nicht aufgenommen.

---

29 Dem Argumentationsziel nach (vgl. V.13) geht es nicht um "das frühere traurige Los der Heidenchristen" (so K.Staab, Eph (Echter) 12, sondern um die Aufhebung der Ferne der Heiden durch Christus.

30 Zur Bedeutung dieses Gegensatzschemas in Eph 2 vgl.P.Tachau, "Einst" 134-143.- Mit Eph 2,11-13 ist Kol 1,21f zu vergleichen.

31 Vgl. "Erbarmen" in V. 4.7; "Gnade" in V. 5.7.8; "nicht aus Werken" in V. 9. kontrastierend die positive Wendung "durch Glauben" in V. 8. Hierin wie auch im Begriff des Sich-Rühmens wirkt die Sprache der pl. Rechtfertigungstheologie nach.

2) Entsprechend dem der Argumentationsführung zugrunde liegenden Einst-
Jetzt-Schema gliedert sich Eph 2,11-13 in zwei ungleich proportionierte
Einheiten: V. 11-12 (einst) und V. 13 (jetzt aber). V. 11-12 ist zudem
untergliedert durch das mit "einst" korrespondierende "in jener Zeit"
(V. 12). Auf die durch διό von 2,1-10 überleitende und die weitere Darlegung eröffnende Aufforderung μνημονεύετε folgen unter dem Vorzeichen
des "Einst" zwei ὅτι-Sätze (V. 11.12), wobei sich der inhaltliche Schwerpunkt auf den zweiten verlagert. V. 13 (als Hauptsatz formuliert) geht
in betonter Entgegensetzung zu V. 11-12 zum "Jetzt" über. Im Unterschied
zu der bislang beherrschenden Opposition von Heiden und Juden bzw. Israel treten neue Kontraste in den Vordergrund: in Antithese zu "getrennt
von Christus" (V. 12a) steht "'in' Christus Jesus" mit der Verdeutlichung
"durch das Blut Christi". Beides ist betont am Anfang und Ende der Aussage plaziert. Die andere Gegenüberstellung greift V. 11-12 auf und bezeichnet den "einstigen" Zustand als Fernsein, um dann positiv die Wenden ("zu Nahen geworden") herauszustellen.

Während in V.11-12 die negativen Aussagenelemente ausschließlich auf die
einstigen Heiden und die positiven auf Israel (V. 12), wobei lediglich
die "Beschnittenheit" in V. 11 in ihrer Bedeutung eingeschränkt ist, bezogen sind, betrifft V. 13 allein die ehemaligen Heiden; eine nähere
Kennzeichnung Israels (bzw. der Beschnittenheit) unter dem Vorzeichen
der geschehenen Wende fällt aus.

V. 13 wechselt also auf eine neue argumentative Ebene, in der die Unter-
scheidungskriterien, die die Gegenüberstellung von "Unbeschnittenheit"
und "Beschnittenheit" in V. 11-12 bestimmen, nicht mehr zum Tragen kommen. Sowohl das Fernsein als auch das Nahesein ist durch einen neuen
Bezugspunkt definiert; dieser bleibt expressis verbis ungenannt. V.13
hebt nur die Vermittlung der neuen Qualität von Beziehung (Nähe) durch
den Kreuzestod Christi hervor. Von diesem Blickpunkt aus war bereits die
Relativierung des Gegensatzes in V. 11 geleitet. Auch die Wendung "getrennt von Christus" (V. 12) erscheint von V. 13 her als antizipierte
Antithese zum christologisch-soteriologischen Akzent von V. 13[32].

---

32 Auf dem Hintergrund dieser Beobachtungen ist m.E. E.Haupt, Eph 78,
   beizupflichten, daß in Eph 2,13 das Objekt der Nähe nicht das "Judentum" ist. Vgl. M.Meinertz, Eph 76 (Nähe zu den "Gnadenveranstal-

Die Elemente der Argumentation in 2,11-13 lassen sich folgendermaßen tabellarisch darstellen:

Darum erinnert euch (Heidenchristen):

Christus	Heiden	Kontrast	Juden/Israel
	(V.11)	EINST	
	Heiden im Fleische		
	Unbeschnittenheit		sog. Beschnittenheit
	genannt		am Fleische mit
			Händen gemacht
	(V.12)	IN JENER ZEIT	
	getrennt von		
.....	Christus		
	ausgeschlossen von		der Bürgerschaft
			Israels
	Fremde in bezug auf		die Bundesschließungen
			der Verheißung
	keine Hoffnung habend		
	gottlos in der Welt		
	(V.13)	JETZT ABER	
.....	"in" Christus Jesus		
	(die einst Fernen)		
	zu Nahen geworden		
.....	durch das Blut Christi		

---

tungen Gottes"). Nach J.E.Belser, Eph 65f, meint das Nahewerden "ein Hinzubringen zu der Teilnahme an der Theokratie", während die Juden "sozusagen die geborenen Glieder der Kirche" waren (unter Verweis auf Röm 11). H.Schlier, Eph 122, vertritt die Auffassung, die Nähe sei bezogen auf "Christus selbst als den neuen Raum seiner Friedensordnung", die Gott in der Taufe eröffnet habe.

3) Auf dem Hintergrund der analysierten Argumentationsstruktur sind folgende inhaltliche Beobachtungen in Hinsicht auf die Versöhnungsaussage 2,16 festzuhalten:

Die Basis der kontrastierenden Argumentation bildet die Frage nach der Teilhabe der Heiden am Heil. Daß diese vom christlichen Standpunkt aus gestellt wird, ist in negativer Weise V. 12a und positiv V. 13 ausgedrückt. Die hinzugezogenen Motive lassen einen judenchristlichen Hintergrund erkennen. Das bedeutet aber nicht, daß die Heilskriterien des Judentums noch relevant bleiben, wenn auch die Bezeichnung der beiden Menschheitsgruppen in V. 11 an jüdischer Sprachregelung orientiert ist, die in der Paulus-Tradition fortlebt[33]. Es ist aber nicht zu übersehen, daß sich in V. 11 eine kritische Distanz anzeigt[34] Demnach hat die Bezeichnung der Gruppen als "Unbeschnittenheit" und "Beschnittenheit" lediglich die Funktion, eine deutliche Opposition zu markieren. Dennoch folgt die Aufreihung der Unheilsmerkmale der heidnischen Situation der jüdischen bzw. traditionell judenchristlichen Beurteilung. Die positive Merkmalreihe zeichnet Israel (auch unter dem Vorzeichen des "Einst") als ein von den Heiden abgegrenztes Gemeinwesen (πολιτεία), also in Aufnahme hellenistischer politischer Terminologie[35]. Als besonderes Kennzeichen Israels sind die "Bundesschließungen der Verheissung" erwähnt, nicht aber das Gesetz (vgl. V. 15). Es überschneidet sich damit die politische Begrifflichkeit mit dem theologischen Verständnis des Fundaments, von dem her Israel seine Existenz als erwähltes Volk Gottes und seine Sonderstellung unter den Völkern begreift. Es ist aber auffällig, daß die Bindung Israels an Gott etwa im Sinne einer Umschreibung als "Gemeinde Gottes" nicht explizit zur Sprache

---

33 Vgl. Gal 2,7; 5,6; 6,15; 1 Kor 7,18f; Röm 2,25-29; 3,1; 4,10-12; Phil 3,3-5; Kol 3,11. Zum Judentum vgl. Str.-Bill. II 705

34 J.A.Robinson, Eph 56, z.B. erkennt keine "depreciation of circumcision".

35 Vgl. H.Strathmann, in:ThWNT VI, 534f.- Eine Gleichsetzung mit der Kirche liegt nicht auf der mit V. 11 vorgegebenen Argumentationslinie (vgl. M.Dibelius, Eph 68, gegen St.Hanson, Unity 142). Daß Israel nicht als historisches Staatswesen gemeint ist, ergibt sich aus der Lage des Judentums zur Zeit des Eph.

kommt. Dieses läßt sich jedoch aus dem Verständnis der christlichen Gemeinde als der endzeitlichen Gemeinde Gottes erklären.

Die Herkunftsbestimmung der angesprochenen Heidenchristen ("Heiden im Fleische") ist nicht gleichzusetzen mit Sünderexistenz, sondern dient der Vorbereitung der argumentativen Gegensatzstruktur. Es ist vom Autor ebenso relativ genommen wie die "sogenannte Beschnittenheit, mit Händen am Fleische gemacht". Aus der Sicht des Eph kommt der Beschnittenheit und der Unbeschnittenheit keine Relevanz für die Partizipation am Heil zu, wie im weiteren Zusammenhang der christologisch-soteriologischen Darlegung in den Aussagen über die Beseitigung des Gesetzes (V. 14f) betont wird.

Wie Kol 1,21 spricht Eph 2,12 von der Entfremdung; jedoch geschieht es nicht in derselben ausdrücklichen Weise zur Kennzeichnung der abgebrochenen bzw. in Feindschaft umgeschlagenen Gottesbeziehung des heidnischen Menschen (vgl. 4,18). Hier ist in Fortsetzung des Gedankens an den Ausschluß der Heiden aus dem Israel als Gemeinwesen eigenen Bundesverheißungen gedacht. Die Heidenchristen hatten also in ihrer einstigen Entfremdung keinen Anteil an der privilegierten Stellung Israels (vgl. dagegen V.19-22). Da für die Heiden die Bundesverheißungen nicht gelten, ergibt sich für sie nur eine Existenz in Hoffnungslosigkeit und - in letzter Konsequenz - in Gottlosigkeit. Dieser Höhepunkt der Negativmerkmale wird noch durch den Zusatz "in der Welt" unterstrichen, der die Abgesondertheit des heidnischen Lebensbereichs in seiner Heillosigkeit mit dem Gemeinwesen Israels als einem nicht-weltlichen Bereich kontrastiert. Die Aussagenfolge zielt damit letztlich darauf hin, daß die Fremdheit der Heiden im Verhältnis zu Israel mit der Ferne von Gott und seinem Heil zusammengeht (vgl. dagegen die Heilsgegenwart V. 4-9. 16-22)[35].

---

35 J.Gnilka, Eph 136, deutet die Fremdheit gegenüber Israel im Sinne der Außenseiterrolle der Heiden in Beziehung auf das Gemeinwesen. Die ausschließliche Festlegung auf diese Deutung hält J.Ernst, Eph 313, mit Recht für "kaum begründet".

Eph 2,13 kehrt die Blickrichtung um: das entscheidende Kriterium der
Heilsteilhabe ist nicht von Israel her zu gewinnen. Heil ist für die
Heiden vielmehr christologisch-soteriologisch begründet. Dieser Ansatz war bereits in V. 12a angedeutet, jedoch konnte die Wendung "getrennt von Christus" auch mit der jüdischen Messiaserwartung verknüpft
werden [37]. Mit der Wende zum Jetzt wird die Aussage festgelegt: Fernsein bestimmt sich nicht mehr von Israel her, sondern allein von Christus her. Nicht die Zugehörigkeit zu Israel entscheidet über das Heil
der Heiden, sondern das Nahewerden der Fernen geschieht durch den Kreuzestod. Dadurch wird die Argumentationskette, die sich bislang von der
Opposition von Heiden und Israel leiten ließ, aufgebrochen. Fremdsein
und Ausgeschlossensein sind nicht entschieden durch die Vorgabe zweier
Menschheitsgruppen. Was es damit auf sich hat bzw. nicht mehr auf sich
hat, läßt sich nur auf einer anderen Ebene begreifen, die die vorausgehende Struktur übersteigt und ablöst. Denn nach Eph 2,12 ist durch
den Kreuzestod, der das Nahewerden der Heiden bewirkt, eine neue Heilsrealität geschaffen, die die negativen Unterscheidungsmerkmale der Heiden gegenüber Israel zunichte macht. Ferne und Nähe definiert sich nicht
von Israel her sondern vom Kreuzestod.

4) Die christologisch-soteriologische Deutung des Heilsgeschehens als
Nahewerden der Fernen durch das Blut Christi ist noch gesondert zu be-
trachten, weil sie der Struktur nach LXX Jes 57,19 paraphrasierend auf-
nimmt. Welches Gewicht der Verfasser dieser Stelle und dem Gedanken von
V. 13 beimißt, bekundet die inhaltliche Neuumschreibung in V. 17, wo
Jes 57,19 mit 52,7 kombiniert wird. Eph 2,13 spricht von den Heiden im
Fleische (V.11) als den Fernen, die zu Nahen geworden sind. In V. 17
hat sich der Sachverhalt aufgrund der kontextuellen Thematik, die Hei-
den und Judenchristen gemeinsam betrifft, dahin gewandelt, daß die
Fernen (also die Heiden) und die Nahen (also die Juden) in gleicher
Weise als Adressaten in Gestalt der Heiden- und Judenchristen für die
Friedensverkündigung erscheinen. Demgegenüber werden in V. 11-13 die
Juden (bzw. Israel) nicht ausdrücklich als Nahe bezeichnet.

---

37 Nach J.Gnilka, Eph 135, ist in 2,12 "die Messiaserwartung als erstes
   Kennzeichen jüdischer Religion" angeführt. Vgl. auch J.E.Belser,

Im Hintergrund von Eph 2,13 (und V. 17) steht eine vielfältige Verwendung der Motivverbindung "fern - nah". Als Ferne werden entfernt wohnende Völker bezeichnet; man kann aus der Ferne heimkehrende Israeliten meinen. Die Jerusalemer Israeliten werden den in der Diaspora Lebenden gegenübergestellt. Insbesondere verbindet das rabbinische Judentum die Kategorie des Nahebringens mit dem Übertritt von Heiden in die Religionsgemeinschaft Israels; ähnlich beziehen die Qumranschriften die Vorstellung auf den Eintritt in die Gemeinde. Jes 57,19 selbst zielt mit der Friedensverheißung auf die fernen Exulanten und auf die in der Heimat nahe beim Tempel Lebenden[38].

In Eph 2,13 ist die Vorstellung der räumlichen Distanz und deren Beendigung im Nahewerden durch die Verbindung mit dem traditionellen christlichen "Blut"-Motiv soteriologisch transformiert (vgl. Röm 3,25; 5,9; Kol 1,20; Eph 1,7): Die Ferne von Christus und von dem mit "Israel" bezeichneten Heilsbereich ist "jetzt" durch den Tod Christi zur Nähe gewendet. Das impliziert in Entsprechung zu den Negativmerkmalen (V. 12), daß die einst Fernen (die Heidenchristen) ohne Vollzug der mit Händen gemachten Beschneidung (also ohne Proselyten zu werden) durch Christus selbst aus der Situation der Entfremdung, der Hoffnungslosigkeit und der fehlenden Gottesgemeinschaft befreit worden sind[39].

5) Mit Bezug auf die Einheit 2,14-18 und insbesondere auf die Versöhnungsaussage V. 16 ergeben sich aus V. 11-13 folgende Sachverhalte:

- Der Verfasser unterscheidet entsprechend der jüdischen Einteilung zwei Menschheitsgruppen: auf der einen Seite stehen die, die zur Unbeschnittenheit gerechnet werden, auf der anderen Seite die, die zur Beschnittenheit gehören.
- Diese Gegenüberstellung gilt jedoch nur für die "einstige" Situation, wie sich in V. 13 andeutet.
- Der frühere Zustand mit seiner Trennung von Heiden und Israel bedeutet für die Heiden Heillosigkeit. Ihre Fremdheit gegenüber

---

Eph 63; M.Meinertz, Eph 75.- H.Schlier, Eph 120, denkt an den "unter Israel in der Verheißung lebenden Christus".
38 Vgl. die Belege in: D.C.Smith, Traditions 8-31; Str.-Bill. III 585ff.
39 Cl. Bussmann, Themen 134, vermutet hinter Eph 2,13 die Vorstellung

dem Gemeinwesen Israel und seinen Bundesverheißungen ist gleichgesetzt mit dem Fernsein von Gott und dem Getrenntsein von Christus.
- Von den Heiden ist diese Situation nicht veränderbar. Die Möglichkeit des Proselytismus ist durch die statische Gegenüberstellung von
Heiden und Israel, vor allem aber von dem judenchristlichen Standpunkt aus ausgeschlossen. Die Wende für die Heiden ist mit dem Kreuzestod Christi gegeben, durch den die Trennung von Christus und die
Unmöglichkeit der Teilhabe am Heil beseitigt sind.
- Daß dieser Vorgang auch für das Verhältnis zwischen Heiden und Israel bzw. Heiden- und Judenchristen bedeutsam ist, wird noch nicht
ausformuliert.
- Ebenso bleibt die inhaltliche Auffüllung des Naheseins für die Heidenchristen der weiteren Gedankenentwicklung überlassen.

5.2.3 Die Versöhnung der Menschheitsgruppen in einem Leib durch das Kreuz (Eph 2,14-18)

5.2.3.1 Die Argumentationsstruktur

1) Unterschied Eph 2,11-13 den einstigen (vorchristlichen) und den gegenwärtigen (christlichen) Zustand der angesprochenen Heidenchristen
und endete mit der Konstatierung der Wende, die für sie durch den Kreuzestod Christi (V. 13) eingetreten ist, so weitet sich das Heilsthema
in 2,14-18 auf die beiden in V. 11 und 12 angesprochenen Menschheitsgruppen aus.

Die komplexe Satzreihe wird als Begründung eingeführt. Das bestimmende
Subjekt ist Christus. Die Thematik wird durch den Hauptsatz V. 14a festgelegt. An ihn sind drei partizipiale Aussagen angeschlossen. Auf diese folgt ein Finalsatz mit zwei Schwerpunktaussagen (unter Einschluß
von zwei Partizipien). V. 17 beginnt mit einem vorangestellten Parti-
zipium ein neuer Hauptsatz. Mit einem Begründungssatz schließt die Argumentationseinheit ab. In der syntaktischen Struktur regiert das Subjekt von V. 14a das Satzgefüge V. 14-16 und den Hauptsatz V,17. Auffällig ist der gehäufte partizipiale Stil. Mit V. 18 tritt ein Subjekt-

---

der Völkerwallfahrt Jes 2,2-4.

wechsel ein ("wir").

2) Die Argumentationsreihe Eph 2,14-18, die sich stilistisch durch die Vielzahl der Partizipialkonstruktionen, Genetivhäufung und die Parallelisierung der Aussageelemente abhebt, entfaltet den Leitgedanken, daß Christus "unser Friede ist"[40] und dieser Friede in der Person Christi die Heiden- und Judenchristen zusammen umfaßt. Die Darlegung dieses Grundmotivs ist gekennzeichnet durch die Verbindung von Negativ- und Positivaussagen.

Die Aufrichtung des Friedenszustandes erfordert die Vernichtung des Gesetzes als Ursache der Feindschaft zwischen den beiden Menschheitsgruppen (V. 14b-15a). Positiv hat die Friedenshandlung die Schaffung "eines einzigen neuen Menschen" zum Ziel (V. 15b). Aus den vorausgegangenen Ausführungen mit der Kontrastierung von ehemaligen Heiden und Israel ergibt sich, daß dieser eine neue Mensch aus den beiden Menschheitsgruppen hervorgeht und diese vereinigt. Die Vorstellung des Geschehens der Neuschöpfung wird verbunden mit der Versöhnung der beiden in "einem einzigen Leib" als Einheit neu konstituierten Menschheitsteile mit Gott (V. 16a). Die Versöhnung wird vollzogen durch das Kreuz, durch das die Feindschaft vernichtet wird (V. 16b; vgl. V. 14). V. 17 wendet sich unter Aufnahme von Jes 57,19 (vgl. Eph 2,13) der Proklamation des Friedens durch den Friedensstifter selbst zu. Der Zielpunkt der Aussagenreihe ist theozentrisch formuliert: der durch die Versöhnungstat aufgerichtete Friede schließt die beiden Menschheitsteile nicht nur zu einem einzigen neuen Menschen und einem einzigen Leib zusammen, sondern eröffnet ihnen als mit Gott Versöhnten "in einem Geist den Zugang zum Vater", der der Vater der einen durch Christus geschaffenen Menschheit ist.

---

40 In der folgenden Untersuchung ist die Textebene des Eph Gegenstand der Exegese. Die Frage nach der Tradition, die in der Forschung unterschiedlich beantwortet wird, bleibt zurückgestellt. Sie wird im Zusammenhang der Rezeptionskritik aufgenommen.- Von den neueren Arbeiten, die sich mit Eph 2,14-18 befassen, sind zu nennen: R.Deichgräber, Gotteshymnus 165-167; J.Gnilka, Christus; H.Merklein, Christus; ders., Tradition; ders., Paulinische Theologie; P.Stuhlmacher, "Unser Friede"; F.Mußner, Modell; Ch.Burger, Schöpfung 117-157; A. Lindemann, Aufhebung 156-181; W.Rader, Church; M.Wolter, Rechtfer-

3) Überblickt man die Argumantationsstruktur, so besteht das Formprin-
zip im wesentlichen aus zwei Oppositionsreihen und einer Handlungsreihe.
Der Träger der Handlung ist bis V. 17 Christus; die Handlungsstrategie
ist durch den Themasatz V. 14 definiert ("unser Friede"). In Opposition
stehen auf der einen Seite Merkmale der Trennung, auf der anderen Seite
Merkmale der Einheit.

Zu den Merkmalen der Trennung sind zu rechnen:
V. 14: beides (die beiden Bereiche), die Scheidewand des Zaunes,
       die Feindschaft;
V. 15: das Gesetz der Gebote in Satzungen, die zwei;
V. 16: die beiden, die Feindschaft;
V. 17: die Fernen, die Nahen;
V. 18: die beiden.

Zu den Merkmalen der Einheit gehören:
V. 14: eins;
V. 15: ein einziger neuer Mensch;
V. 16: ein einziger Leib;
V. 17: (die Fernen) und (die Nahen);
V. 18: wir haben, ein einziger Geist

Die Handlung Christi umfaßt folgende Elemente:
V. 14: (zu einem) machen, niederreißen, (in seinem Fleisch)
V. 15: vernichten, (in sich) erschaffen, Frieden machen;
V. 16: (durch das Kreuz mit Gott) versöhnen, (in seiner Person/durch
       das Kreuz) töten;
V. 17: kommen, Frieden verkündigen.

V. 18 konstatiert den Zustand des "Habens durch Christus".

Das negative Handlungsmoment ist also durch die Stichworte des Nieder-
reißens, Vernichtens und Tötens gekennzeichnet; demgegenüber sind zur
Umschreibung des positiven Handlungsmoments Verbalaussagen wie "zu einem machen", "erschaffen", "Frieden machen", "versöhnen", "kommen und
Frieden verkündigen" gewählt.

---

tigung 62-73.

V. 17 fällt durch zwei Aspekte auf: schon in V. 15 und 16 wurde die neutrische Bestimmung der "beiden (Bereiche)" personalisiert, jedoch V. 17 konkretisiert sie, indem zwischen Fernen und Nahen unterschieden wird. Zudem wird die unpersönliche, sachliche Redeform durch die Anrede der Fernen abgewandelt. Darüber hinaus verändert sich der Charakter der Handlung; sie wird jetzt ein Kommunikationsakt der Friedensproklamation.

In V. 18 verliert der Begriff der "beiden" Menschheitsgruppen seine ausschließlich negative Wertung. Entsprechend der positiven Handlungslinie, die über das Einsmachen, die Schaffung des einen neuen Menschen, die Friedensstiftung, der Versöhnung in einem Leib mit Gott zur Verkündigung des Friedens für die Fernen und Nahen läuft, und durch den inhaltlichen Zusammenhang von V. 18 ist die Aufgliederung der Menschheitsgruppen nur noch ein Bestandteil der Einheit und kein Trennungsfaktor mehr ("wir beide haben").

Der Einheitsgedanke der Argumentation, durch den das Friedensverständnis expliziert wird, ist in V. 14b zunächst noch allgemein formuliert, wird aber ab V. 15 dreifach konkretisiert: "in einem einzigen neuen Menschen", "in einem einzigen Leib" und "in einem einzigen Geist". Aufgrund des inhaltlichen Zusammenhangs mit der Thematik von 2,1-10 und besonders V. 11-13 ist für 2,14-18 (näherhin V. 15-18) sichergestellt, daß es sich bei der Friedensstiftung, der Versöhnung und dem damit verbundenen Einigungswerk nicht um ein kosmisches Geschehen handelt. Die Einigung hat die beiden Menschheitsgruppen der Fernen und Nahen zum Objekt. In ihrer Einheit kommt das Frieden schaffende Wirken Christi zu einem ersten Ziel, das die Grundvoraussetzung dafür ist, daß sie beide in derselben Weise als pneumatische Einheit des Friedens die Beziehung zu Gott durch Christus realisieren.

472

5.2.3.2 Der durch Christus begründete Zugang zu Gott in der ekklesialen Einheit von Heiden- und Judenchristen

Eph 2,14-18 erscheint von V. 13 und 17 her als freie christologisch-ekklesiologische Interpretation von LXX Jes 57,19[41]. Den Motivansatz bietet V. 13 (aus Fernen werden durch das Blut Christi Nahe) auf dem Hintergrund der einstigen Unheilssituation der Heidenchristen im Gegenüber zu Israel bzw. zu den Beschnittenen. Das ehemalige negative Verhältnis zwischen Heiden und Juden (vgl. V. 11-12) wird durch die Einführung des Begriffs der Feindschaft noch schärfer als im vorausgehenden Aussagezusammenhang gekennzeichnet. Der Argumentation geht es aber vor allem darum, das im Nahewerden der Heiden durch den Kreuzestod an Heilswirklichkeit Implizierte auszuformulieren. Es wird nicht nur nach den Konsequenzen für die einst "fernen" Heiden gefragt, sondern es kommt auch die Bedeutung, die das Nahekommen der Unbeschnittenen für die Beschnittenen hat, zur Sprache. Diese Gesamtperspektive führt über V. 11-13 deutlich hinaus; sie war bereits in V. 1-10 angedeutet, aber nicht so entschlossen in wenigen Aussagen durchreflektiert. Doch in 2,14-18 wird nicht nur die ekklesiale Nähe der ehemaligen Heiden und Juden zueinander christologisch fundiert, sondern die Bestimmung des Wie und Wo des Naheseins wird vom Argumentationsziel umgriffen durch die von Christus für die in der ekklesialen Einheit zusammengeschlossenen Heiden- und Judenchristen eröffnete Gottesbeziehung[42].

1) Der V. 14-18 übergeordnete Begründungssatz konzentriert den Gedanken auf Christus[43]. Christus war schon in V. 12-13 das entscheidende Krite-

---

41 H.Conzelmann, Eph 99, versteht Eph 2,14-18 als "einen größeren christologischen Einschub in Form einer Exegese von Jes 57,19". Es ist aber auch damit zu rechnen, daß Jes 9,5f und 52,7 hereinspielt. Vgl. P.Stuhlmacher, "Unser Friede", bes. 367f. S. auch M.Dibelius, Eph 69: Der "Exkurs" Eph 2,14-18 soll als "Bibelerklärung" das christologische Verständnis von Jes 57,18f absichern.- Zur Art der Jes-Interpretation durch Eph vgl. D.C.Smith, Tradition 190-194 (Vergleich mit Qumran). Zum Zusammenhang mit Jes: M.Wolter,Rechtfertigung 70ff.

42 Vgl. V. 16 und 18 (auch V. 19.22).- H.Merklein, Christus 28, weist mit Recht darauf hin, daß es in V. 14-18 nicht nur um die Versöhnung der Menschheit mit Gott geht, sondern daß der spezifische Akzent

rium, an dem sich das Fern- und Nahesein der Heidenchristen bemaß (vgl. V. 12.13). Jetzt wird schon im Ansatz von V. 14a die Gegenüberstellung von Heiden und Beschnittenen (bzw. Israel) für überwunden erklärt: es besteht Frieden für Heiden- und Judenchristen, und dieser Friede ist Christus selbst, weil er der Urheber und bleibende Grund dieses Friedens ist[44], wie anschließend deutlich werden wird. Die eschatologische Heilserwartung des Friedens hat also bereits ihre Manifestation gefunden [45].

Von Christus aus wird also in den folgenden Sätzen der Inhalt des Zielsatzes von V. 11-13 in einer die Heiden- und Judenchristen umfassenden Sicht entfaltet. Der V. 14a thematisch gewordene Friedensgedanke wird noch zweimal ausdrücklich aufgenommen: V. 15 und 17. Während V. 15 an die schöpferische Neuordnung des Verhältnisses zwischen den Heiden und Juden denkt, handelt V. 17 von der Proklamation des Friedens für beide Gruppen. Es ist der Friedenszustand, der beiden zusammen die mit der Versöhnung herbeigeführte Beziehung zum Vater-Gott eröffnet[46]. Jedoch ist V. 14a nicht von V. 18 aus zu deuten. Der Gedanke geht vielmehr

---

die Versöhnung von Juden und Heiden mit Gott ist.

43 H.Schlier, Eph 122, spricht vom "Generalthema", und G.Schille, Hymnen 165, in seiner Rekonstruktion eines hellenistisch-christlichen Christusliedes von der "Themazeile". F.Mußner, Christus 79f, nimmt 2,13-17 als Einheit und sieht folglich in V. 13 den "programmatischen Satz".

44 Vgl. W.M.L. de Wette, Eph 119; E.Brandenburger, Friede 66.- Nach J.Ernst, Eph 314, erscheint Christus aufgrund der Identität des Friedens mit ihm als "das personale Heilsgut". Vgl. ähnlich E. Haupt, Eph 79 ("die Verkörperung des Friedens").- Zur Aussage von 2,14a vgl. LXX Mich 5,4; Jes 9,6; zur Verbindung von Messias und Frieden in der rabbinischen Tradition s. Str.-Bill. III 587.

45 Vgl. zum altorientalischen, atl.-jüdischen, hellenistischen und frühchristlichen Kontext des Friedensgedankens: H.Groß, Idee; H.P. Schmidt, Frieden; H.H.Schmid, šalôm "Frieden"; C.Westermann, Der Frieden (shalom); H.Windisch,Friedensbringer; E.Brandenburger, Frieden; P.Stuhlmacher, Begriff des Friedens; G.Delling, "Gott des Friedens"; E. Dinkler, in: RAC VIII 434-505; ders., Eirene; G.v. Rad/W.Foerster, in: ThWNT II 398-416; vgl. auch H.Fuchs, Augustin.

46 Vgl. H.Merklein, Christus 59; auch F.Mußner, Christus 100-102.

von dem christologisch-soteriologisch begründeten und ekklesial realisierten Frieden zwischen den - die Menschheitsgruppen repräsentieren-
den - Heiden- und Judenchristen aus und findet seinen Zielpunkt in der
christologisch-pneumatologischen Theozentrik [47].

2) V. 14bc und 15a umschreiben die Identifikation Christi mit dem Frieden unter der Rücksicht seines Handelns im Sinne der Aufhebung einer
fundamentalen negativen Situation, wobei das Stichwort "Feindschaft"
die aggressive Dimension des Gegensatzes zwischen den Unbeschnittenen
und den Israel-Angehörigen (vgl. V. 11f) zum Ausdruck bringt (vgl. V.
16). Der mit V. 14b thematisierte Gedanke der Einheit aus der Zweiheit
wird in den folgenden Aussagen variiert[48]. V. 14b legt den Akzent darauf,
daß die beiden gegenseitig abgegrenzten Bereiche der Gemeinschaft Israels und der gottlosen, im Kosmos lebenden Heiden bzw. der Beschneidung
und des Unbeschnittenseins nicht mehr bestehen, da sie zu "einem" zusammengefaßt worden sind.

Weder der vorausgehende noch der nachfolgende Kontext lassen es zwingend erscheinen, hier in einem allgemeinen Sinn an kosmische (himmlische und irdische) Bereiche und deren Pazifizierung zu denken. Wenn
auch V. 2 die kosmische Macht des Luftbereichs und den in den "Söhnen
des Ungehorsams" wirkenden Geist erwähnt und zum anderen V. 6 vom Mit-
versetztsein in die Himmel spricht, so deutet sich doch kein Zusammenhang an, der eine kosmische Deutung der neutrischen Formulierung der
"beiden (Bereiche)" und der Einheit in V. 14b nahelegt. Eph ist hier
nicht an der kosmischen Verwirklichung des Friedens interessiert (vgl.
dagegen Kol 1,20), sondern an dem universal-menschheitlichen, ehemalige Heiden und Juden einenden Frieden, den Christus herbeiführt.
Auch die Personalisierung in V. 15.15.18 weist darauf hin, daß die
Aussage des Eph nicht kosmologisch-christologisch gemeint ist, sondern
anthropologisch-universal bzw. christologisch-ekklesiologisch[49].

---

47 Vgl. E.Haupt, Eph 79 (gegen Wohlenberg mit Verweis auf V. 14b).

48 Nach Ch.Masson, Eph 164, bringt das Neutrum ("beides") die Duali-
   tät zum Ausdruck (mit Bezugnahme auf Bl.-Debr. § 138,1).

49 Zum kosmologischen Verständnis vgl. H.Schlier, Eph 124; J.Gnilka,
   Eph 139 (differenziert); H.Merklein, Christus 30f, hält den kosmo-

V. 14c erklärt den Weg, der zu gehen war, um die Einheit zu konstituieren. Der Gedanke von V. 14b wird hinsichtlich der "beiden Bereiche" von
der Negativseite aus beleuchtet. In bildlicher Weise ist die Voraussetzung für die Einigung angesprochen: die zwischen beiden Menschheitsgruppen bestehende "Scheidewand des Zaunes" mußte als wesentlicher Trennungsfaktor zerstört werden. Woran bei dem Trennenden über V. 11f hinaus
gedacht ist, läßt V. 15a erkennen [50]. V. 14c jedoch macht deutlich, daß
die "Scheidewand", die der Zaun bildete[51], nicht jeden Bereich in sich
abschloß, sondern zwischen den beiden Gruppen wie eine Frontlinie hin-
durchging[52]. Somit war die Scheidewand auch die Grenze, an der sich die
Feindschaft zwischen den Unbeschnittenen und Beschnittenen bildete und
aufeinandertraf. Die endgültige Beseitigung des Trennenden und damit
des feindlichen Verhältnisses geschah im "Fleische" Christi, d.h. im
Kreuzestod[53] (vgl. V. 13.16). Dadurch ist der "am Fleisch" offenbar werdende Gegensatz zwischen den Menschheitsgruppen ausgeräumt und die
Grundlage einer neuartigen Einheit geschaffen.

---

logischen Standpunkt für das möglicherweise vorauszusetzende
hymnische Fragment in Eph 2,14b für durchaus denkbar. Nach J.
Ernst, Eph 314f, ist die "sächliche Ausdrucksweise" in V. 14b
eine "zufällige grammatikalische Angleichung" an das Bildmotiv
der Scheidewand. A.Lindemann. Aufhebung 160-166, weist die ursprüngliche Vorstellung der Gnosis zu und sieht diese nicht durch
den Eph korrigiert.

50 An die mythische (gnostische) Vorstellung einer kosmischen Mauer,
die Himmel und Erde trennt, und ihre Durchbrechung durch den ab-
steigenden Erlöser denkt H.Schlier (Eph 129f). Vgl. auch M.Dibe-
lius, Eph 69; K.M.Fischer, Tendenz 133; A.Lindemann, Aufhebung
161-166. Zur Stütze dieser Auffassung bedient man sich späteren
religionsgeschichtlichen Vergleichsmaterials. Auch J.Gnilka,
Eph 147-152, hält an einem kosmologisch-christologischen Ansatz
als dem ursprünglichen Aussagehintergrund fest.

51 Vgl. J.E.Belser, Eph 66 (gen. appositionis).

52 Nach P.Ewald, Eph 136, "handelt es sich offenbar um die mit der Ein-
hegung eines Teils gegebene Zwischenwand zwischen diesem und dem
anderen Teil".

53 "In seinem Fleisch" (vgl. Kol 1,22) steht parallel zu "im Blute
Christi" (Eph 2,13) und "durch das Kreuz" (V. 16), meint also den
Kreuzestod. Vgl. E.Haupt, Eph 82f; F.Mußner, Christus 93. J.Ernst,
Eph 317, verbindet "Menschwerdung" und "leiblichen Tod". Eine gno-
stische Deutung trägt E.Käsemann, Leib 140f, vor.

V. 15a legt das Verständnis der "Scheidewand des Zaunes" fest: es ist das in viele Einzelgebote und Satzungen aufgegliederte Gesetz (Nomos) der Juden[54]. Die Ursache der Feindschaft bezeichnet also genau das, was die Juden von den Heiden unterscheidet und von ihnen als besonderes Merkmal positiv herausgestellt wird[55]. Die für das jüdische Verständnis fundamentale Bedeutung des Gesetzes bzw. des Gesetzesgehorsams für die rechte Gottesgemeinschaft Israels (Gerechtigkeit) bleibt außerhalb der vom christlichen Standpunkt geprägten Überlegung. Eph nimmt also die Debatte um die Heilsrelevanz des Gesetzes (vgl. Paulus) nicht wieder auf, trotz der relativ positiven Zeichnung Israels in V. 12. Eine nuancierte Argumentation tritt hinter dem leitenden Anliegen, den in

---

54 Es handelt sich nicht um die Aufhebung des "Gesetzes der Gebote" durch die Gebote Christi(so richtig z.B.: J.E.Belser, Eph 67; E. Haupt, Eph 83; P.Ewald 138f; u.a. gegen die Auslegung von Chrysostomus, Theodoret, Bengel). Eph geht es um eine grundsätzliche soteriologische Entscheidung, deren Verstehenshorizont pl. geprägt ist.

55 Die gesteigerte negative Charakterisierung des Gesetzes mit seinen Einzelgeboten belegt, daß die pl. Gesetzeskritik in der "Schule" weiterwirkt und für das Verhältnis zwischen Heiden- und Judenchristen zum Glaubenskonsens gehört. Sie verkehrt aber das positive Verständnis des Gesetzes als "Zaun" (vgl. Arist 139.142) in ihr Gegenteil.- Nach A.Lindemann, Aufhebung 171f, vereinfacht der Autor des Eph das "dialektische Gesetzesverständnis" des Paulus. E.Percy, Probleme 287, betont die Kontinuität zu Paulus. Zum Problem vgl. H.Merklein, Christus 34-36.- Zum jüdischen Hintergrund vgl. F.Mußner, Christus 82ff; P.Stuhlmacher, "Unser Friede" 344f. Zur Kombination der Vorstellungen vom Gesetzeszaun und von der kosmischen Mauer vgl. Cl. Bussmann, Themen 134 (mit Bezug auf LevR 26,2). Zur antijüdischen Kritik an der Absonderung des Judentums unter Berufung auf das Gesetz vgl. die Belege in J.Ernst, Eph 316. Ein Zusammenhang des Motivs von der Scheidewand mit der Jerusalemer Tempelschranke (so z.B. F.Mußner, Christus 84; K.Staab, Eph - Echter - 13) ist m.E. weder für das Argumentationsanliegen gegenüber heidenchristlichen Adressaten relevant noch historisch wahrscheinlich (so auch E.Haupt, Eph 80; M.Dibelius, Eph 69; H. Merklein, Christus 40 Anm. 53). Vgl. auch Merkleins (ebd. 38-40) Auseinandersetzung mit der religionsgeschichtlichen Hypothese von H.Schlier.- Eine ausführliche Darlegung der in der Forschung vertretenen Deutungen und des religionsgeschichtlichen Hintergrunds findet sich in D.C.Smith, Traditions 80-119. Zum rabbinischen Schrifttum vgl. Str.-Bill. I 693f; III 587 (ebd. 588-591 zur Feindschaft zwischen Juden und Nichtjuden). Zum Anspruch der·Juden s. auch Röm 2,17-29.

der Heilstat Christi vollzogenen Wechsel in der Beziehung zwischen Heiden und Juden hervorzuheben, zurück. Für Eph ist deshalb die entscheidende Aussage, daß die Scheidewand der Gesetzesordnung zwischen ihnen "vernichtet" ist[56].

3) V. 15b gehört sachlich eng mit V. 16 zusammen. Beide Male geht es um die Finalität des Handelns Christi. Es wird V. 15b das Friedensmotiv erneuert. V. 16 führt den Versöhnungsgedanken ein. Zunächst wird die Friedesstiftung als ein schöpferisches endheilszeitliches Geschehen dargestellt: Christus schafft aus den beiden Menschheitsgruppen "einen einzigen neuen Menschen" (vgl. V.10). Der Friedenszustand, den Christus bewirkt und der er selbst ist (V. 14a), besteht also in einer endzeitlich qualifizierten Wirklichkeit, in der die "zwei" sich nach Beschneidung und Unbeschnittenheit unterscheidenden Menschheitsgruppen zu einem neuen Menschsein umgewandelt werden[57]. Es gibt jetzt keine zwei durch die Scheidewand des Gesetzes (vgl. V. 14c-15a) voneinander getrennten und feindlich gegeneinander gerichteten Bereiche, sondern mit dem Friedensakt haben sich die beiden Menschheitsgruppen zu einem Menschen vereinigt[58]. Die Schaffung des einen neuen Menschen im eschatologischen Sinne geschieht somit nicht durch die Menschheitsgruppen selbst und nicht durch die Absorption einer Gruppe durch die andere (etwa über das Proselytentum). Vielmehr ist die eschatologische Qualität der neuen

---

56 "Die Feindschaft" ist Apposition zu "Scheidewand" und deshalb nicht zu "vernichtend" zu ziehen. Anders z.B. P.Ewald, Eph 137.

57 Es handelt sich hier nicht um eine kosmische Vorstellung in Aufnahme des Urmensch-Erlöser-Mythos, sondern um das aus dem Judentum überkommene und auch von Paulus verwandte Motiv der Neuschöpfung (s. oben zu 2 Kor 5,17; vgl. auch Kol 3,10), das hier jedoch universal-ekklesiologisch abgewandelt wird, wobei der hellenistisch-jüdische Gedanke des kosmischen Anthropos Pate gestanden sein kann. Dies legt auch der Soma-Begriff in V. 16 nahe. Vgl. H.Merklein, Christus 90-97.- Ch.Masson, Eph 166 Anm. 5, deutet den neuen Menschen auf den getauften Christen in der Kirche, jedoch ist m.E. an unserer Stelle das kollektive Verständnis bestimmend.

58 E.Haupt, Eph 84, unterscheidet zwei Aspekte in dem Ausdruck "ein neuer Mensch": einmal die "einheitliche Art" der Gesamtheit der Menschheit, zum anderen die "Andersartigkeit" der Menschheit im Vergleich zur heidnischen und jüdischen.

menschheitlichen Realität christologisch-soteriologisch begründet: die
Menschheit als "der eine neue Mensch" hat ihren bleibenden Grund "in
Christus", durch den sie ihr neugeschöpfliches Sein als universale endzeitliche Heilsexistenz empfangen hat[59]. Deshalb unterscheidet sie sich
wesentlich von dem vorausgegangenen Zustand der Aufteilung in eine Zweiheit von Menschheitsgruppen; in ihr sind diese in der Gestalt der neugeschaffenen Einheit aufgehoben.

4) V. 16 führt den Gedanken weiter, indem er nicht mehr nur auf das
neue, befriedete Verhältnis zwischen den Heiden und Juden schaut, sondern die in Frieden geeinte, neugeschöpfliche Menschheit in eine neue
Gottesrelation als Zielpunkt der Einheit hineinstellt. Das Handeln
Christi ist nicht allein auf die Schaffung des einen Menschen bedacht,
sondern geht über die Lösung der innermenschheitlichen Problematik
wesentlich hinaus. In Aufnahme des kreuzestheologischen Aspekts von
V. 13 (vgl. V. 14c-15), jedoch unter Nennung des "Kreuzes", verlagert
V. 16 das Wirken Christi soteriologisch ausdrücklich in den Kreuzestod[60]. Bemerkenswert ist, daß Christus hier als der versöhnend Handelnde erscheint[61]. Die Versöhnung[62] betrifft in Parallele zur endzeitlichen

59 J.E.Belser, Eph 69, interpretiert "in Christus" ("in sich" bzw.
"in ihm") im Sinne von "in Christi Person"; ebenso E.Haupt, Eph
84f: Christus ist in seiner Person Schöpfung und Anfang einer
neuen Menschheit. F.Mußner, Christus 85, legt die Wendung dahin aus,
daß "der 'eine neue Mensch' ... durch den pneumatisch-sakramenta-
len 'Eintritt in die Christusgemeinschaft' erschaffen" wird, Das
konkrete Ereignis sei die Taufe (ebd. 86). J.Gnilka, Eph 142,legt
den Akzent darauf, daß "Christus in sich selbst" (gemäß der sekundären, aber sachlich treffenden LA von KDG Marcion) als "der universale Anthropos" die Menschheit aus Heiden und Juden "in sich
aufnimmt".

60 Während in V. 14f der kreuzestheologische Bestandteil zu einer
negativen Aussage gehört (Vernichtung des Gesetzes), ist der
Inhalt von V. 16a positiv (Versöhnung mit Gott).

61 F.Mußner, Christus 98, sieht in V. 16 Christus lediglich als
grammatisches Subjekt und räumt ihm nur die Mittlerfunktion ein.
Ausgangspunkt für dieses Verständnis ist die Versöhnungstheologie
des Paulus, die Gott als das handelnde Subjekt des Versöhnungsaktes betont (vgl. oben zu 2 Kor 5,18-20; Röm 5,10). Demgegenüber beobachtet J.Ernst, Eph 318, zu Recht die christologische Akzentverlagerung, die Kol 1,22 vergleichbar ist (s. oben z.St.).

62 Nach E.Haupt, Eph 89, ist der Versöhnungsgedanke "nur eine Hilfs-

Neuschöpfung im Vollzug der Friedensstiftung sowohl Juden als auch Heiden. Das bedeutet, daß die (einstigen) Juden ohne die Gemeinschaft mit den (einstigen) Heiden und ohne die Versöhnungstat Christi auch noch nicht in der vollgültigen Relation zu Gott standen[63]. Beide Gruppen sind als verfeindete nicht in der Lage, sich selbst miteinander und mit Gott zu versöhnen. Die Versöhnung bedarf eines anderen. Zielt die Friedensstiftung primär auf die innermenschheitliche Einheit ab, so zielt die Versöhnung nach V. 16 nicht auf die Versöhnung zwischen den Menschheitsteilen; diese wird in der Neuschöpfung und in der Einigung in einem einzigen Leib vorausgesetzt. Die Versöhnungstat zielt darüber hinaus. V. 16 legt den Ton darauf, daß die Einigung der Heiden und Juden als Heilsgeschehen ihren Sinn in der Neubegründung des rechten Gottesverhältnisses hat: die zu einem Leib verbundenen Hälften der jetzt einen, neuen Menschheit sind mit Gott versöhnt[64]. Der eine Leib (vgl. 4,4) aber ist die universale Kirche[65], die im Kreuzestod gegründet, die beiden Menschheitsgruppen Juden und Heiden als Juden- und Heidenchristen vereinigt und als eben diese Einheit der Bereich ist, in dem die Versöhnung durch Christus mit Gott wirksam wird[66].

---

linie", während "die Gleichberechtigung der Heidenchristen mit den Judenchristen der den ganzen Abschnitt beherrschende Gesichtspunkt ist". Damit aber wird die theo-logische Akzentsetzung in der Entwicklung des Einheitsgedankens verkannt.

63 Das wird von E.Haupt (Eph 85) zu Recht herausgestellt. Vgl. ebd. 87: Die Versöhnung mit Gott hat die Beseitigung des Gesetzes zur Voraussetzung.

64 Versöhnung schließt zwar ein entsprechendes innermenschheitliches Verhältnis ein, ist jedoch im Eph grundsätzlich als ein neues Verhältnis der in der Kirche geeinten Menschheit zu Gott verstanden. Vgl. H.Merklein, Christus 44f. - J. Ernst, Eph 318, erkennt jedoch eine gegenüber der Vertikalen stärker hervortretende Horizontale.

65 Anders K.Staab, Eph (Echter) 13. Er setzt den einen Leib gleich mit dem "erhöhten, verklärten Leibe Christi". Demgegenüber versteht er dieselbe Stelle im RNT-Kommentar ekklesiologisch.

66 Zur ekklesiologischen Auslegung des Soma-Begriffs vgl. J.E.Belser, Eph 69f; J.Gnilka, Eph 143f; H.Merklein, Christus 45-53 (mit einer Übersicht über die verschiedenen exegetischen Standpunkte). Nach H. Schlier, Eph 135, ist der "eine Leib" dagegen "ohne Zweifel der Leib

V. 16b umschreibt noch einmal - in Parallele zum Motiv der Friedensstiftung in V. 15b - in negativer Weise den in der Versöhnungstat implizierten Akt der Befriedung. Die "Tötung" erfolgt in der Person Christi am Kreuz, indem er die Feindschaft auf sich nimmt und damit die
Menschheit davon befreit. Auf dem Hintergrund von V. 14 ist wohl wieder
die innermenschheitliche Verfeindung gemeint und nicht die Feindschaft
der Menschheitsgruppen gegenüber Gott. Es handelt sich somit nicht um
eine inhaltliche Steigerung des Feindschaftsmotivs. Erst mit V. 18 wird
der theo- logische Ansatz der Versöhnungsaussage positiv weitergeführt,
während sich V. 17 noch einmal an die Menschheitsgruppen wendet[67].

5) Eph 2,17 führt das Friedensmotiv erneut ein (vgl. bes. LXX Jes 57,
19). Nachdem vorausgehend die Tat des Kreuzestodes bedacht worden ist
und V. 16 die Überwindung der Feindschaft der Gruppen untereinander
durch das Kreuz unterstrichen hat[68], erscheint jetzt der Friedensstifter in der Funktion des endzeitlichen Friedensboten. Der Gekreuzigte
ist zugleich der, der den Frieden proklamiert und damit die endheilszeitliche Wirklichkeit des Friedens für die Fernen und Nahen in Kraft
setzt. Als Adressaten der Friedensverkündigung sind wiederum beide
Gruppen angesprochen: sowohl die Heiden, die direkt angeredet werden,
als auch die Angehörigen Israels sind Empfänger der Botschaft vom Frieden, nicht nur die Fernen und Nahen des Volkes Israel (vgl. auch Dan
9,7). Die Wiederholung des Wortes "Frieden" vor den "Nahen", die die
Jes-Formulierung verändert, unterstreicht die endheilszeitliche Wirklichkeit des Friedens für beide Teile der als "neuer Mensch" "in einem
einzigen Leib" mit Gott versöhnten Menschheit. Während in V. 14f an
Christi am Kreuz", in dem "virtuell und potentiell die Kirche da
ist". Vgl. jedoch die parallelen ekklesiologischen Motive "ein
neuer Mensch" (V. 15b) und "ein Geist" (V. 18)!-M.Meinertz, Eph
76, spricht vom "mystischen Leib", wie auch die Einigung in der
Menschheit "in der mystischen Verbindung" mit Christus zur Wirklichkeit geworden sei. P.Ewald, Eph 141, verwirft die Gleichsetzung des "einen Leibes" mit dem gekreuzigten Leib Christi als eine "schwer erträgliche Auslegung". E.Haupt, Eph 85f, versucht, das
christologische und menschheitliche (nicht ekklesiologische) Verständnis zu kombinieren.

67 Vgl. z.B. W.M.L. de Wette, Eph 120.

68 J.Gnilka, Eph 145 (das Kreuz als "Quellpunkt der Versöhnung und
des Friedens").

den Frieden zwischen den Heiden und Juden gedacht war, schwingt in der
Friedensaussage von V. 17 die theozentrische Linie von V. 16 im Ansatz
mit. Der in Christus grundgelegte Friede untereinander ist nicht denkbar ohne Einschluß einer die Einheit in Frieden erfüllenden endheilszeitlichen Gottesrelation[69]. Der Friede Christi ist in einem der Friede
der geeinten und neugeschaffenen Menschheit und der Friede dieser
Menschheit in der Gemeinschaft mit Gott, worauf V. 18 explizit abhebt.
Als besonderes Problem hat sich in der Auslegungsgeschichte von V. 17
die partizipiale Aussage über das Kommen Christi erwiesen. Eine Tendenz geht dahin, daß das Kommen mit der Inkarnation verbunden wird.
Die andere bezieht es auf den Erhöhten. Für das erste Verständnis besagt das: Die Ankunft Christi ist dessen leibliche Ankunft auf der Erde; folglich geschieht die Proklamation des Friedens mit seiner irdischen Erscheinung, in seiner Predigt bzw. in seinem ganzen Lebenswerk[70].
Demgegenüber setzen die anderen Exegeten die Friedensverkündigung nach
der Auferweckung Christi an. Sie sehen in dem Kommen Christi eine Kurzaussage über die Geistsendung und beziehen die Friedensansage auf die
Verkündigung der Apostel und der Kirche[71]. Ein weiterer Ansatz bietet
sich mit der Einbindung von V. 17 in den Kontext von V. 14-16, so daß
das einmalige Geschehen mit dem Kreuzestod gleichgesetzt wird[72]! M.E.
ist die mit V. 17 gegebene Schwierigkeit nicht allein vom vorausgehenden Kontext her zu lösen, da V. 17 hinsichtlich der Handlungsweise
Christi einen deutlich von V. 14-16 zu unterscheidenden Gesichtspunkt
einbringt. Als solche steht die Aussage zwischen V. 14-16 und V. 18,
so daß sich in V. 17 der Heilsakt des Gekreuzigten und das Heilswirken
des Erhöhten überschneiden: der Gekommene ist unser Friede und zugleich

---

69 Vgl. F.Mußner, Christus 100-102; E.Percy, Probleme 272.

70 Diese Deutung steht in der Wirkungsgeschichte des Chrysostomus.
   Vgl. neben den von H.Schlier, Eph 137, genannten Exegeten auch J.E.
   Belser, Eph 71f (u.a. unter Berufung auf Joh 1,9.11); J.Meinertz,
   Eph 76; K.M.Fischer, Tendenz 132.

71 Vgl. die Autoren in H.Schlier, Eph 137. H.Schlier, Eph 139, verbindet V. 17 mit der Himmelfahrt. Vgl. dazu kritisch H.Merklein, Christus 58.- K.Staab, Eph (Echter) 13, verbindet Inkarnation, "Erlö-
   sungsopfer" und apostolische Verkündigung.
72 H.Merklein, Christus 59.

der, der durch seine Friedensproklamation Heiden und Juden in den Frieden ruft und ihnen Anteil am Frieden durch die Konstituierung einer neuen menschheitlichen Existenzweise (Kirche) gibt.

6) V. 18 formuliert die theo-logische Spitze der Aussageeinheit Eph 2, 14-18. Näherhin erscheint der Vers als Begründung der Friedensproklamation V. 17; er nennt also nicht deren Inhalt[73]. Der Schwerpunkt liegt darauf, daß die mit Gott Versöhnten (V. 16), deren Feindschaft durch die friedensstiftende Heilstat Christi von ihren Wurzeln her ausgeräumt ist und die als Neugeschaffene in der Einheit des Leibes (der Kirche) leben, durch Christus "Zugang zum Vater" (vgl. 3,12) haben[74]. Dieser Gedanke ist in Verbindung mit dem Friedensmotiv von Röm 5,1f her bekannt[75]. In Parallele zu den bisherigen Einheitsmotiven (V. 15b.16a) kennzeichnet V. 18 die Verbundenheit der Menschheitsgruppen als eine vom Geist erfüllte. Während die Existenz gemäß dem Unterscheidungskriterium des Fleisches (Beschnittenheit - Unbeschnittenheit) keine heilshafte Gottesbeziehung ermöglichte (vgl. 2,3.11), hat die neue, befriedete und versöhnte Menschheit "in einem Geist" auch ein neues Gottesverhältnis durch die Vermittlung Christi[76]. Die Menschheitsgemeinschaft aus Heiden- und Judenchristen gehört nicht mehr wie einst dem Kosmos oder dem Gemeinwesen Israel an (vgl. V. 12), sondern sie ist als die zum neuen Menschen geschaffene, in einem Leib (der Kirche) zusammengeführte Menschheit in den Wirkbereich des Geistes integriert, der als Einheitskraft die Gemeinde zusammenhält (vgl. 4,3), das Chri-

---

73 P.Ewald, Eph 143, betont zu Recht, daß V. 18 vom "Realgrund" des verkündeten Friedens handelt und zugleich "Rekapitulation des von dem Tun Christi Gesagten" ist. Anders E.Haupt, Eph 91 (Inhalt des Evangeliums Jesu).

74 Von Gott als Vater spricht Eph auch 1,2f.17; 3,14; 4,6; 6,23.- Zum Motivhintergrund vgl. J.Gnilka, Eph 146.

75 S. oben S. 263. - Vgl. auch Hebr 7,25; 1 Petr 3,18.

76 Ein trinitätstheologischer Gedanke liegt hier noch nicht vor. Man kann lediglich von einer triadischen Formulierung sprechen, zumal der Akzent auf der Gottesrelation der geeinten Menschheitsgruppen liegt. Gegen K.Staab, Eph (Echter) 13: "Der trinitarische Gedanke bestimmt offenkundig die ganze Darlegung". Ders., Eph (RNT) 138, versteht den Geist als "Seele der Kirche".

stusgeheimnis der Heilsteilhabe den Heiden enthüllt (3,5f) und die Gemeinde erfüllt, so daß sie den Kyrios preist und Gott, dem Vater, dankt
(5,18-20).

Mit V. 18 wird die Tiefendimension der Aussage "Christus ist unser Frie-
de" offengelegt: Nach der Entfaltung des Inhalts des Friedens als einer
Heilswirklichkeit, die das Verhältnis zwischen Heiden und Juden in der
Einheit von Heiden- und Judenchristen in der Kirche auf eine neue Grund-
lage stellt, zeigt sich jetzt die Grundausrichtung der ekklesialen Ge-
meinschaft; sie ist christologisch-pneumatologisch gedeutete Theozentrik.
In der Zugehörigkeit zu dem durch Christi Heilstat als endzeitlich-neue
Wirklichkeit konstituierten Soma der Kirche ist der Unheilszustand aufgehoben, sind die Fernen (die ehemaligen Heiden) den Nahen und Gott, dem
Vater, durch Christus nahegekommen; ebenso erfüllt sich in ihrer eigenen
Zugehörigkeit zu dem einen Leib für die Nahen (die ehemaligen Juden) ihre Nähe als Gemeinschaft mit den einst Fernen und mit Gott. Die Zugehörigkeit zu Israel (im Unterschied zu den Fernen) garantiert nicht das
Heil im Sinne des Zugangs zum Vater. Erst in der Überbietung dessen,
was das Gemeinwesen Israel auszeichnet (V. 12) und in der Zerstörung
der mit dem Gesetz aufgerichteten Scheidewand entscheidet sich für die
Judenchristen ihr eigener Heilsstatus in Verbundenheit mit denen, die
durch den Kreuzestod Christi aus Fernen zu Nahen geworden sind (V. 13),
die ebenso wie die Nahen die Friedensproklamation empfangen haben,
die mit dem anderen Teil der Menschheit zusammen zu einem einzigen neuen
Menschen geschaffen, in einem einzigen Leib durch Christus mit Gott versöhnt und durch Christus in einem einzigen Geist den Zugang zum gemeinsamen Vater haben.

5.2.3.3 Die Heidenchristen als Mitbürger und Hausgenossen Gottes

Die an Eph 2,14-18 anschließende Gedankeneinheit V. 19-22 entfaltet
die ekklesiologische Dimension der Heilsteilhabe mit Blick auf die Heidenchristen weiter. Bezogen auf die gegenwärtige Situation, in der
sich die ehemaligen Heiden als mit Gott Versöhnte befinden, reflektiert
V. 19 zuerst noch einmal die frühere Existenz in der Ferne. In Entsprechung zur Charakterisierung des Einst in V. 12 werden die Heidenchristen als ehemalige "Fremde und Beisassen" dargestellt, die nicht

484

in das Gemeinwesen Israels voll integriert waren[77]. Da nun aber durch Christus der endzeitliche Friede auch als eine sozial-religiöse Realität herbeigeführt worden ist (vgl. V. 14-17), stehen sie nicht mehr am Rande und außerhalb der Heilsgemeinschaft, sondern sie sind vollwertig in sie aufgenommen. Sie sind ein konstitutiver Teil der endzeitlichen Gottesgemeinde[78]. V. 20 führt verdeutlichend weiter: die zu Nahen gewordenen ehemaligen Heiden sind jetzt Mit-Bürger und Hausgenossen Gottes wie die ehemaligen Juden, weil sie miteingebaut sind in das Haus, das die Apostel und die (ntl.) Propheten zum Fundament hat. Diese bilden die "Grundmauer", während Christus der "Eckstein" ist[79].

In den beiden folgenden Versen wird das ekklesiologische Bild vom Bau festgehalten, jedoch dominiert nicht mehr die Statik der wesentlichen Strukturen. Es verbindet sich vielmehr mit der Feststellung des festen Baus der dynamische Aspekt der Zusammenfügung und des Wachstums. Dieser nimmt zum einen die Vorstellung von der Einigung der Juden und Heiden aus 2,14-18 auf, schaut aber zum anderen nicht mehr auf ein vergangenes Geschehen zurück, sondern interpretiert die Gegenwart der Kirche aus Juden- und Heidenchristen in einer offenen Weise. Die Einheit in dem einen Leib ist noch nicht abgeschlossen, sondern das Wachstum geht weiter. Am "heiligen Tempel" wird gleichsam noch weitergebaut[80].

---

77 Ausgeschlossen aus der Bürgerschaft Israels und in der Welt lebend (Vgl. Philo, Cher. 120f), hatten die Heiden die Stellung von Nichtbürgern oder Zugezogenen mit Teilrechten. Vgl. H.Schlier, Eph 140; J.Gnilka, Eph 153.

78 Wenn auch in Kap. 2 nicht terminologisch von der Ekklesia Gottes gesprochen wird, so berechtigen V. 19 und 22 doch die Zuordnung von Christus und Kirche durch den Begriff der Gottesgemeinde zu kennzeichnen: als Kirche Christi ist die Gemeinschaft von Heiden- und Judenchristen die endzeitliche Heilsgemeinde Gottes.

79 Vgl. H.Merklein, Amt 144-152. Anders z.B. H.Schlier, Eph 142, der an den Schlußstein denkt. Die Argumentation von Merklein ist jedoch einsichtig.

80 Die jüdische Tempelsymbolik (vgl. B.Gärtner, Temple) wird auf die Kirche übertragen, zugleich wechselt die Vorstellung vom Statischen des Baus zum Dynamischen. Die Kirche ist als "heiliger Tempel" noch nicht "perfekt", weil sie die in ihr prinzipiell grundgelegte Universalität noch nicht geschichtlich konkretisiert hat.

V. 22 unterstreicht die Vorstellung vom Wachstum in direkter Anrede der Heidenchristen. Die Bestimmung des Gebäudes, das noch durch den Einbau der Heiden auf sicherer Grundlage weiterwächst, wechselt. An die Stelle des Tempels tritt nun die "Wohnung Gottes". Als Miteingebaute sind die Heiden aufgebaut auf dem Fundament der Apostel und Propheten und haben Anteil an dem Bau, der vom Eckstein Christus seinen inneren Zusammenhalt hat und somit "im" Herrn wächst (V. 21). Dieses Wachstum ist die pneumatische Verwirklichung des Bauprinzips. Es korrespondiert mit der pneumatischen Einheit von Heiden- und Judenchristen in der eschatologischen Schöpfung der Kirche als Leib, die sich vollzieht in der durch Christus vermittelten Ausrichtung auf den Vater (vgl. V. 18).

In den bilderreich formulierten Gedanken von 2,19-22 hat die Vorstellung von der Kirche als Bau zwar eine statische Komponente, die durch die Motive des Fundaments und des Ecksteins nachdrücklich betont ist. Sie wird jedoch ergänzt durch eine dynamisch-pneumatische. Diese wird am Ende bestimmend. Die Blickrichtung ist ganz auf die Gegenwart gerichtet, in der sich die im Kreuzestod grundgelegte Kirche als pneumatische Größe weiterentfaltet, indem die einst fernen Heiden, die jetzt durch den Kreuzestod Christi nahe geworden sind, in den Wachstumsprozeß des Hauses Gottes einbezogen sind. Miteingebaut haben die Heidenchristen Anteil an dem festgegründeten Heil; damit sind sie zugleich aber einbezogen in den Heilsprozeß, der immer neu Ferne zu Nahen macht, ihnen einen Platz im Hause Gottes einräumt und ihnen so durch Christus den Zugang zum Vater (V. 18) erschließt.

5.3 Zusammenfassung der theologischen Aspekte

Nach der exegetischen Untersuchung der Versöhnungsaussage des Eph im
Kontext der Argumentation werden im folgenden Abschnitt die Momente
des Versöhnungsgedankens zusammengestellt, die aufgrund des theologischen Zusammenhangs für die Aussage des Eph kennzeichnend sind und
einen Vergleich mit Paulus und Kol ermöglichen.

5.3.1 Die soziale und heilsgeschichtliche Dimension der Ent-
fremdung

Der Entfremdungsgedanke, der bereits im Kol 1,21 zur Bezeichnung der
Unheilssituation benutzt wurde, ist auch vom Eph aufgenommen, jedoch
gegenüber dem theo-logischen Verständnis des Kol (Fernsein von Gott)
inhaltlich abgewandelt. Vor allem zwei Gesichtspunkte verbinden sich
im Eph mit dem Begriff der Entfremdung bzw. des Fernseins: einmal ist
die Entfremdung die Situation der Trennung zwischen den Heiden und dem
Gemeinwesen Israel, zum anderen bedeutet sie damit zugleich die Ferne
vom Heil überhaupt[81]. Der letzte Aspekt ist bestimmend, zumal die Entfremdung von Israel vom Standpunkt des Eph identisch ist mit dem Getrenntsein von Christus (vgl. 2,12) und sie aufgehoben wird durch das
Wirken Christi, das eine neue Nähe im Kreuzestod konstituiert. Es verbindet sich aber mit dem Verständnis der Entfremdung der Heiden, und
nur von dieser wird explizit gesprochen, auch die Vorstellung der so-
zial-religiösen Distanz und der Feindschaft zwischen den "Unbeschnittenen" und den "Beschnittenen" (V.11). Doch werden die Kriterien dieser Unterscheidung schon im Ansatz vom Autor des Eph relativiert (vgl.
zu Eph 2,11 die Aussage Kol 3,11)[82]. Zudem ist in Eph 2,14-18 impli-

---

81 P.Ewald, Eph 132, betont zu Recht, daß Eph nicht an "eine Entfremdung gegenüber einem zuvor innegehabten Stande" denkt. Unter dem
Vorzeichen des "Einst" in Opposition zum eschatologischen "Jetzt"
ist die Lage der Heiden grundsätzlich die der Entfremdung.

82 Es liegt im Bescheidungsgedanken von Eph 2,11 keine tauftheologische Transformation vor wie in Kol 3,11. Gegen H.Sahlin, Beschnei-

ziert, daß die Juden trotz des Gesetzes, der Beschneidung und der
"Bundesschließungen" zur Teilhabe am Heil der Vernichtung des Gesetzes,
der Neuschaffung, der Versöhnung mit Gott und der Verkündigung des Friedens durch Christus bedürfen, ja daß sie sogar zur Einheit mit den Heiden verbunden werden müssen, um als Versöhnte und Befriedete Zugang zu
Gott zu haben (V. 18). Wenn auch die theologische Bestimmung der Unheilssituation der Heiden "vor dem Horizont Israels" entwickelt wird
und auch die Ekklesiologie diesen Horizont im Ansatz einschließt, so
erscheint doch auch Israel trotz bzw. wegen seiner in 2,11 erwähnten
"Privilegien" auf einen neuen, durch die Heilstat Christi konstituierten eschatologischen Horizont angewiesen. Dieser aber realisiert sich
in der Gegenwart in der ekklesialen Soma-Einheit mit den Heidenchristen,
also mit den Fernen, die jetzt Mitbürger und Hausgenossen Gottes (vgl.
V.19-22), "Miterben, Miteingeleibte und Mitteilhaber der Verheißung"
sind. Israel hat also trotz seiner "Privilegien" nicht die Heilsfülle
im eschatologischen Sinn, sondern muß sich unter Preisgabe des Gesetzes
als Ursache der Feindschaft aufheben lassen durch die endheilszeitliche
Gemeinschaft der universalen, die Heidenchristen mitumfassenden Kirche
Christi[83].

5.3.2 Die Theozentrik der Versöhnung

Wenn auch im Eph Christus als das handelnde Subjekt der Heilstat verstanden wird und sich darin von der Versöhnungsaussage des Paulus (vgl.
oben zu 2 Kor 5,18-20 und Röm 5,10), aber auch zum Teil von der des Kol
(vgl. 1,22) unterscheidet, so hält er doch ebenso entschieden wie Paulus an der Theozentrik der Versöhnung fest (vgl. auch Kol 1,22): Christus versöhnt die in einem einzigen Leib geeinigten Menschheitsgruppen
der Heiden und Juden mit Gott (Eph 2,16). Versöhntsein aber bedeutet
Zugang zu Gott durch Christus "in einem einzigen Geist" (V. 18) und Ein-

---

dung, der einen Kontrast zwischen jüdischer und christlicher Beschneidung (Taufe) herstellt.

83 Dieser Sicht des Eph wird m.E. die Interpretation von F.Mußner, Traktat 45-48, nicht ganz gerecht. Wenn er auch treffend bemerkt, daß
"das Heilsschicksal jenes Israel, das nicht den Weg zum Evangelium
gefunden hat" (im Unterschied zu Paulus, aber im Einklang mit Kol),
nicht explizit thematisiert ist, so sind doch die Implikationen

gebautsein in die wachsende Hausgemeinschaft Gottes (V. 19-22)[84].

Ein besonderes Moment der theozentrischen Struktur des Versöhnungsgedankens im Eph ist darin gegeben, daß sie verbunden ist mit der Vorstellung der Einheit der Menschheitsgruppen im Frieden Christi: als "ein Leib" wird die neue Menschheit (d.h. als Kirche) durch den Kreuzestod Christi mit Gott versöhnt. Darin ist mitausgesagt, daß die Aufhebung des Unterschieds von Fernsein (Heiden) und Nahesein (Juden) Voraussetzung des Vollzugs der neuen Gottesgemeinschaft ist[85].

5.3.3 Die christologischen und staurologischen Dimensionen der Versöhnung

Die christologische Dimension der Versöhnungstheologie ist im Eph dadurch ausgeprägt, daß Christus der versöhnend Handelnde ist. Als versöhnende Tat gilt der Kreuzestod (2,16). Durch ihn werden die Fernen (Heiden) zu Nahen (V. 13; vgl. V.17). Er beseitigt die Ursachen der Feindschaft zwischen den Heiden und Juden und führt den Frieden zwischen ihnen herbei (V. 14f). Mit dem Gekreuzigten ist der Erhöhte in der Proklamation des Friedens an die Fernen und Nahen identisch (V. 17). Christus ist es, der den in einem Leib und einem Geist geeinten Menschheitsgruppen den Zugang zu Gott als Sinnerfüllung der Versöhnung vermittelt.

Die enge Verbindung von Kyrios und Pneuma zeigt sich besonders in den ekklesiologischen Bildaussagen 2,21f: Im Herrn wächst der Bau zum "heiligen Tempel"; im Kyrios werden die Heidenchristen mitauferbaut zu einer Wohnung Gottes im Geist. Für dieses Auferbauungsgeschehen ist es aus der Sicht des Eph auch für die nachapostolische Kirche wichtig, daß Christus der "Eckstein" ist, der das Fundament der Kirche sichert,

---

von Eph 2,11f und 14f als Antwort auf diese Frage zu beachten.

84 Während Kol 1,20.22 vor allem die Kreuzestheologie in der Aufnahme des Versöhnungsgedankens betont (vgl. Röm 5,9f), bezieht Eph das Motiv des Zugangs zu Gott durch Christus kontextuell mit ein (vgl. die theozentrische Umschreibung Kol 1,22b) und unterstreicht damit die Gegenwart des Friedens untereinander in Beziehung zu Gott.
85 Von einem Zugang "jeder für sich" kann keine Rede sein. Gegen

das durch die Apostel und Propheten gebildet wird (vgl. V. 20; 4,11).

So ausgeprägt die Verbindung von Kreuzestod und Versöhnung im Eph ist, so deutlich ist aber auch, daß die gegenwärtige Realisierung der Versöhnung im Zugang zum gemeinsamen Vater durch den Erhöhten gewirkt wird (2,18).

5.3.4 Die Kirche als universale und dynamische Realgestalt der Versöhnung

Eph 2,14-18 (und 19-22) stellt die Kirche aus Heiden- und Judenchristen als die gegenwärtige heilshafte Einheit der durch Christus befriedeten Menschheitsgruppen der Heiden und Juden dar. Als solche steht sie - in Verbindung mit den christologisch-kreuzestheologischen und theozentrischen Momenten der Versöhnungsaussage - im Mittelpunkt des Interesses des Eph. Die universale Kirche erscheint im Zusammenhang von 2,11-22 als der Ort, in dem nicht nur die Distanz zwischen der Menschheit und Gott überwunden ist. Dieser Aspekt ist in seinem konkreten Bezug auf die Heiden- und Judenchristen zwar die Spitze des Gedankens, aber er ist nicht zu trennen von dem ekklesiologischen Thema, daß die Kirche Christi als endheilszeitliche Neuschöpfung ("ein neuer Mensch") der im Kreuzestod begründete "eine Leib" ist, der in seiner durch die Versöhnungstat erschlossenen Hinordnung auf Gott die gegeneinanderstehenden Menschheitsgruppen in sich vereinigt.

Als der eine Leib ist die Kirche für den Eph eine universale Größe, die auf dem Fundament der Apostel und Propheten, die ihr vom Erhöhten gegeben worden sind (vgl. 4,11), und dank des inneren, durch Christus als "Eckstein" vermittelten Zusammenhalts von ihm her als dem Haupt in ihren einzelnen Gliedern und in ihrer Gesamtheit wächst (vgl. 4,16; 2,21; Kol 2,19). In diesem Wachstum greift die Kirche dynamisch in die (Heiden-) Welt hinaus und fügt sich die "Heiden im Fleische", die von Christus getrennt und Israel fremd sind (vgl. 2,11f), ein, so daß sie in der Einheit des ekklesialen Soma Christi mit den Judenchristen zu-

---

K.M.Fischer, Tendenz 80.

sammen die endzeitliche Gemeinschaft der mit Gott Versöhnten bilden (V. 19-22).

Als festgegründeter und von Christus aus wachsender Raum[86] ist die Kirche die geschichtlich universale Realgestalt der Versöhnung der geeinten Menschheit mit Gott und des Friedens der Menschheitsgruppen (Heiden und Juden) untereinander. Den Ursprung der Kirche sieht der Verfasser des Eph im Kreuzestod Jesu, in dem die Fernen zu Nahen geworden sind (2,13) und die Scheidewand des Gesetzes zwischen den Heiden und Juden vernichtet ist[87]. Im Kreuzestod wirkt Christus also dahin, daß das beseitigt wird, was die Fernen zu Fernen von Israel, Christus und Gott macht: das jüdische Gesetz. Es hat für die ekklesiale Heilsgemeinschaft aus Heiden- und Judenchristen keine Geltung mehr. Das aber, worauf die Tat Christi am Kreuz abzielt, ist etwas Neues im eschatologischen Sinne: es ist die ekklesiale Menschheit als der "eine neue Mensch", in dem die Juden und Heiden aufgehen und in dem beide nicht mehr das sind, was sie vorher waren. Es handelt sich dabei nicht um die Integration in einen kosmischen Anthropos, sondern um den christologisch-ekklesiologisch verstandenen. Erfolgt die Teilhabe an diese neue Menschheitsrealität auch nur über die Verkündigung (vgl. V. 17) und die Taufe (vgl. 2,5f), so resultiert die Kirche als endzeitliche Neuschöpfung nicht aus der Bekehrung, sondern ist eine durch die Heilstat Christi vorgegebene Wirklichkeit. Dadurch, daß der Autor des Eph die Bildung des einen neuen Menschen an Christus bindet und den ekklesialen Anthropos (bzw. Leib) als universal-menschheitliche, aus Heiden- und Judenchristen zusammengefügte Größe darstellt, wird deutlich, daß auch die Juden (bzw. die Angehörigen Israels) von diesem eschatologischen Geschehen wesentlich betroffen sind. Das zeigt sich insbesondere auch darin, daß die Erschaffung des universalen Anthropos in den das Gesetz aufhebenden Kreuzestod hineingelegt ist.

Mit der Kategorie des Leibes, die in Parallele zu der des neuen Menschen

---

86 Vgl. hierzu die missionstheologische Auswertung der Eph-Aussagen durch R.P.Meyer, Universales Heil, bes. 144-147.

steht (vgl. 2,15f), verbindet sich die für die Ekklesiologie des Eph zentrale Vorstellung. Der Leib erscheint in dem Zusammenhang von 2, 14-18 ohne Einschränkung einer kosmischen Interpretation (vgl. Kol 1,18) als universal-umfassende und in sich einige Kirche, in der sich die Einheit des durch Christus geschaffenen neuen Menschen aus Heiden und Juden manifestiert. Der ekklesiologische Ansatz, der hier wirksam wird, ist durch Kol vorbereitet, aber nicht so klar formuliert (vgl. Kol 1,20 zusammen mit 18a). Eph geht jedoch darin über den Kol hinaus, daß er die Versöhnung von dem Bezug auf das All befreit und damit den Gedanken des Kol konsequent weiterführt: Christus ist nicht mehr Allversöhner, sondern ausschließlich der Versöhner der im ekklesialen Leib vereinigten Menschheitsgruppen mit Gott. Der Autor des Eph denkt bei der Versöhnung also nicht an den einzelnen Menschen, nicht an die kosmischen Bereiche, sondern nur an die Kirche aus Heiden- und Judenchristen[87]. Indem Eph diese Versöhnung als universale schon im Kreuzestod vollzogen sieht, hebt er die Spannung auf, die Röm 11,15 kennzeichnet. Denn dort räumt Paulus zwar die Versöhnung des Kosmos (d.h. der heidnischen Menschheits-Welt) ein, erwartet aber die volle Heilsteilhabe des ganzen Israel erst für die Zukunft als Akt des Erbarmens Gottes, während Eph die Vollendung für die Kirche eschatologisch antizipiert[88]. Das bedeutet aber nicht, daß für den Eph-Autor mit der Realisiertheit der Versöhnung im ekklesialen Leib jede weitere Perspektive ausgeklammert ist. Im Gegenteil belegt das Bild vom wachsenden Bau im Kontext der Versöhnungsaussage die Vorstellung vom dynamischen Prozeß, in dem die ekklesiale Versöhnungswirklichkeit der Vollendung entgegengeht. Jedoch erscheinen nach 2,22 nur noch die Heiden von der fortschreitenden Eingliederung betroffen. Eine weitere, damit zusammenhängende Perspektive ergibt sich aus der Vorstellung der Anakephalaiosis, auf die unten noch einzugehen ist[89].

---

87 Vgl. H.Merklein, Christus 88-98, bes. 97f.

88 Vgl. zu Röm 11,15 oben 3.2.5.

89 Vgl. unten 5.3.5.

Zur Verdeutlichung dessen, was es heißt, daß die Kirche als Leib die universale und dynamische Realgestalt der Versöhnung ist, in der die einst gespaltene Menschheit nun als Einheit in Frieden durch Christus auf Gott hingeordnet ist, sind noch einige relevante Aussagen des Eph heranzuziehen.

Eine wichtige Ergänzung bietet Eph 1,23, wo in singulärer Weise von der Kirche als Pleroma gesprochen wird. Es geht hier nicht nur darum, das Leibsein der Kirche in Unterscheidung vom Haupt und in Beziehung zum Haupt näher zu kennzeichnen, vielmehr erweitert sich der Blick auf das All, das im Zusammenhang der Versöhnungsaussage des Eph nicht berücksichtigt ist. Eph 1,23 erscheint die Kirche in ihrem Leibsein als der Bereich, der durch die göttliche Lebensfülle des ihr von Gott gegebenen Hauptes erfüllt ist, die ihrerseits auf das All ausgerichtet ist und sich im All wirksam erweist[90]. Nicht das All ist das Pleroma Christi, sondern die Kirche als Leib, dessen Haupt Christus ist. Da aber Christus der alles Erfüllende ist, ist die Kirche als Pleroma mit Christus dem zugewandt, das Christus als der Erfüllende durchdringt. Durch die Kirche als Pleroma Christi wird somit die Welt von Christus her mit dem Pleroma durchwirkt. Versteht man "in allen" personal, dann ergibt sich die Auffassung, daß das erfüllende Wirksamwerden auf die Menschen bzw. die Glaubenden zielt, durch die dann Christus das All erfüllt[91]. Selbst wenn dieses Verständnis trotz guter Gründe nicht gesichert genug erscheint, wird doch in 1,23 angezeigt, daß die Kirche als Pleroma Christi durch das erfüllende Wirken Christi in Bezug auf das "All" ebenso auf die Welt verwiesen ist. Was in der Kirche als Einheit konstituiert ist, hat durch Christus ein Verhältnis zu dem, was nicht Leib und nicht Pleroma ist. Die Welt aber steht als Empfängerin des Pleroma, das die Kirche selbst ist, in einer Beziehung zur universalen Kirche.

---

90 Vgl. J.Ernst, Pleroma 105-120; J.Gnilka, Eph 96-99; I. de la Potterie, Le Christ ; L.Cerfaux, La théologie 274.284.

91 Vgl. R.P.Meyer, Universales Heil 115-125.135-137. - Auch M.-A. Wagenbach erachtet es als wahrscheinlich, daß die kosmische All-Formel "ins Ekklesiologische transponiert" ist (Bedeutung 77).

Die in Eph 1,23 durch die Pleroma-Aussage mitthematisierte Bedeutung
der Kirche für das Erfülltwerden der Welt mit dem Pleroma wird noch
einmal greifbar in 4,15f. Mitberücksichtigt werden muß V. 11-13 (bes.
V. 12b). V. 11 spricht von den charismatischen Gaben, die der Gemeinde vom Erhöhten gegeben worden sind. Das Besondere an diesem Gedanken
ist, daß die Gaben auf die Gesamtgemeinde bezogen sind. Sie sind Dienst-
Gaben für die Qualifizierung der Heiligen, damit sie ihren Dienst an
der Auferbauung des Leibes Christi leisten können.Die Charismen sind
somit funktional auf den Auferbauungsdienst aller ausgerichtet. Dieser zielt nun darauf ab, daß die Kirche auf das Pleroma Christi, das
sie nach 1,23 selbst ist, zuwächst[92]. Die Kirche ist also in dem, was
sie ist, noch die Wachsende und noch nicht Vollendete. Der Wachstumsprozeß hin auf die Fülle Christi wird unterstützt durch das Pleroma
und durch den einwohnenden Christus. Die pneumatische Förderung dient
dazu, daß die Glaubenden zur Erkenntnis der Liebe Christi gelangen,
die jede Erkenntnis übersteigt. Die Erkenntnis aber hat zum Ziel, daß
die Glaubenden "in das ganze Pleroma Gottes hinein erfüllt werden" (3,
19).

Der auf das Pleroma orientierten Diakonie korrespondiert eine nach
außen, in der die, die in der Liebe fest gegründet sind und den Weg
zur Erfüllung im Pleroma gehen, durch das Sagen der Wahrheit das Hin-
einwachsen des "Alls" auf Christus fördern[93]. 4,15 unterstreicht
also die Relation der Kirche zur Welt, die sich auch in ihrer Funktion
als Pleroma gezeigt hat. Denn dadurch, daß das All durch den nach außen
gerichteten Dienst der Kirche zum Haupt hinwächst, verwirklicht sich
die Erfüllung des Alls durch den über alle Himmel hinaufgestiegenen
Christus, der auch die Gaben der Charismen und Dienste der Kirche gewährt, die ihrerseits die Gesamtkirche ("die Heiligen") zum inneren und
zugleich über die bestehende Kirche hinauswirkenden Dienst bereiten[94].

---

92 Die Kirche gelangt zu ihrer Identität als Pleroma Christi im Innern
durch die wachsende Erkenntnis und nach außen in ihrer missionarischen Bewegung.

93 Vgl. R.P.Meyer, Kirche 76f.

94 Der Ursprung, die Mitte und das Ziel des Gesamtprozesses ist der
erhöhte Christus als Haupt der Kirche und des Alls.

Die im ekklesialen Soma Christi geeinte Menschheit, die Kirche aus Juden und Heiden, die im Kreuzestod mit Gott versöhnt worden ist, stellt sich im Eph in zweifacher Weise als Realgestalt der Versöhnung dar: einmal realisiert sie sich durch die Auferbauung des Leibes, deren Ziel die Erfüllung im Pleroma ist. Im Dienste dieser Auferbauung stehen die der Kirche gegebenen Charismen und Amtsträger, die die Kirche in die Auferbauung des Leibes einbeziehen, indem sie die "Heiligen" zurüsten. Zum anderen ist sie Realgestalt der geschehenen Versöhnung darin, daß dem inneren Wachstum ein Wirken nach außen entspricht. Indem sie die Wahrheit verkündet, trägt sie zum Wachstum des Alls auf Christus hin bei. Denn das offenbar gewordene Geheimnis enthüllt, daß die "Heiden im Fleisch" nicht mehr fern sind, wie sie es im Verhältnis zur Gemeinschaft Israels und zu den Bündnissen der Verheißung waren (vgl. 2,11-13), sondern daß sie Mit-Leib sind und an der Verheißung in Christus durch das Evangelium Mitteilhaberschaft erlangt haben (3,8). Dem Eintritt in diese Mitteilhaberschaft dient "Paulus" durch die Verkündigung des Mysterion. An diesem Dienst partizipiert nun die Gesamtgemeinde aufgrund der Zurüstung durch die ihr gegebenen Charismen und Ämter (vgl. 3,1-12; 4,11- 13.15f).

5.3.5 Die Perspektive der Anakephalaiosis

Die Versöhnungsaussage des Eph ist, wie gezeigt wurde, wesentlich ekklesiologisch geprägt. Es geht in ihr um die Versöhnung der in einem einzigen Leib geeinten Menschheitsgruppen mit Gott. Vollzogen wird sie im Kreuzestod Christi. Als Heilshandlung Christi geht sie ein in das den Aposteln und Propheten offenbarte und durch das Evangelium verkündete Mysterion, das den neuen Heilsstatus der Heiden kundtut (vgl. 3,3-6). Im Vergleich mit Kol 1,20 erscheint die dort noch mitausgesagte kosmische Allversöhnung im Eph konsequent ekklesiologisiert.

Eine Schwierigkeit bereitet jedoch Eph 1,10 im Rahmen der Eulogie V.3 bis 14. Dieser Textzusammenhang hat eine intensive Untersuchung erfahren, in deren Mittelpunkt die Fragen nach der verarbeiteten (hymnischen) Tradition, nach der strophischen Gliederung und dem religionsgeschichtlichen Hintergrund standen. Ein Konsens in der Beurteilung der Sachlage konnte jedoch bislang nicht erreicht werden[95]. Für unseren Zusammenhang ist es wichtig, daß Eph 1,10 als sachliche Parallele zu Kol 1, 20 herangezogen wird[96].

Während das in 3,3 angesprochene Mysterion nach seiner inhaltlichen Bestimmung von V. 6 auf das ekklesiologische Heilsverständnis von 2,14 bis 18 und dessen Konkretisierung in V. 19-22 bezogen ist und die heidenchristliche Blickrichtung erneuert, vermittelt 1,10 als Inhalt des Gottesgeheimnisses den Eindruck, daß die für 2,14-20 und damit auch für die Versöhnungsaussage V. 16 charakteristische Ausrichtung der Christologie auf die Ekklesiologie preisgegeben ist und die kosmologische Christologie ähnlich wie in der Tradition von Kol 1,15-20 die Aussage prägt. Nach Eph 1,10 hat nämlich das Mysterion die Anakephalaiosis des Alls in Christus zum Inhalt. Die inhaltliche Bestimmung der Anakephalaiosis ist aus dem Aussagezusammenhang zu gewinnen. In der Interpretation herrscht weithin das Verständnis im Sinne von Wiederherstellung der Einheit bzw. der Ordnung des Alls unter dem Haupt Christus vor. Diese Auffassung steht jedoch in Spannung zur etymologischen Ableitung[97]. Geht man von der vorherrschenden Meinung aus, dann sagt Eph 1,10, daß die All-Einheit in Christus wieder in ihrer Ursprünglichkeit hergestellt wird. Christus hat demnach die eschatologische Funktion für das All, die Kol 1,20 durch die Vorstellung der Versöhnung des Alls auf Christus hin umschrieben ist; nur ist der Vorgang in Eph 1,10 nicht in den Begriff der All-Versöhnung gefaßt, sondern als Allzusammenfassung unter dem Haupt Christus gedeutet. Diese Auffassung kann gestützt werden durch die Einbeziehung von 1,22f und 4,15[98].

---

95 Zur Unterscheidung von Tradition und Redaktion in Eph 1,3-14 (bzw. - 10 oder 12) vgl. z.B.: W.Ochel, Bearbeitung 18-32; Ch.Masson, Eph 148-151; G.Schille, Hymnen 65-73; K.M.Fischer, Tendenz 111-118. Für die Komposition des Eph-Autors unter Aufnahme von vorgegebenen Vorstellungen und Sprechweisen treten ein z.B. H.Schlier, Eph 41; R.Deichgräber, Gotteshymnus 66f; J.Gnilka, Eph 59f; A.Lindemann, Aufhebung 91 (insgesamt 89-106); P.T. O'Brien, Ephesians, bes. 506-509. Vgl. auch die textlinguistische Untersuchung von R.Schnackenburg, Eulogie. S. auch die Analyse von J.T.Sanders, Elements.
96 Vgl. W.Michaelis, Versöhnung 22-26; F.Mußner, Christus 64-71.
97 Vgl. H.Merklein, in: EWNT I 197-199, bes. 198 (z.St.)

98 Vgl. u.a. J.Ernst, Pleroma 190-197.

Von diesem Interpretationsansatz ausgehend, ist sowohl mit Blick auf die ekklesiologische Bedeutung der Versöhnungsaussage Eph 2,16 als auch hinsichtlich der All-Versöhnungsvorstellung von Kol 1,20 zu fragen, ob Eph 1,10 kosmologisch gemeint ist oder ob ein Zusammenhang zu dem Gedanken besteht, daß die Versöhnung der Kirche (als Leib) mit Gott durch den Kreuzestod vollzogen ist und infolgedessen die Kirche die Realgestalt der Heiden und Juden einschließenden Versöhnung darstellt. Die Frage ist aus dem Grunde von Bedeutung, weil in Eph 1,10 und 2,16 zwei Modell-Aussagen mit jeweils anderer Sachorientierung nebeneinander zu stehen scheinen. Während nämlich 2,16 eindeutig (anthropologisch-) ekklesiologisch argumentiert, verwendet 1,10 kosmologische Terminologie, ohne daß eine Korrektur in der Formulierung selbst angezeigt ist (vgl. demgegenüber Kol 1,18a.22). Zudem ist die Thematik im Vergleich mit Kol 1,15-20 (hymnische Tradition) christologisch-eschatologisch akzentuiert, wenn auch im Zusammenhang des Erwählungsgedankens Eph 1,4 das Motiv der "Grundlegung der Welt" eingeführt und an die Erwählung im Präexistenten gebunden ist. Nicht unerwähnt bleiben darf, daß sowohl im Hymnus des Kol als auch in Eph 1,10 ein ausdrücklicher Hinweis auf eine grundlegende Störung im All fehlt.

Bemerkenswert ist im Vergleich mit Kol auch, daß Eph 1,10 ähnlich wie Kol 1,20 nachträglich interpretiert wird: Eph 1,21-22a ist hervorgehoben, daß der von Gott auferweckte und zur Rechten erhöhte Christus eine kosmische Herrschaft ausübt und die kosmischen Potenzen ihm unterworfen sind (vgl. Kol 2,9f.15). Zur Beschreibung dieses eschatologischen Sachverhalts bedient sich Eph ebenso wie 1 Kor 15,27 der Aussage von Ps 8,7. Eph verbindet damit jedoch kein futurisch-eschtologisches Verständnis, während Paulus an die zukünftige Unterwerfung denkt.Die Vorstellung von der Herrschaft über die Mächte entwickelt Kol 2,15 in einer Weise, die trotz der Verbindung mit V. 14 so noch nicht mit der Versöhnungsaussage vorgegeben ist. In Verbindung mit 2,15 ist die All-Versöhnung von 1,20 nicht anders denkbar als im Sinne der Ausschaltung und Unterwerfung der Mächte, wenn auch der leitende Gesichtspunkt im unmittelbaren Kontext (vgl. 1,21f) auf den Menschen in der Kirche zielt.

Auch für Eph 1,10 ist es wichtig, die Aussage im Sinne des Verfassers unter Berücksichtigung des Kontextes zu interpretieren. Demnach ist

die "Allzusammenfassung" Tat Gottes, die in der Hinordnung des Alls
auf Christus die Schöpfung in all ihren Bereichen zu dem sie erfüllenden Ziel führt. Die Aussageform (Aorist) impliziert im übrigen, daß
das "Geheimnis" des Gotteswillens, die Anakephalaiosis, bereits zu seiner Realisierung gekommen ist[99]. Zu derselben Geschehensebene ist der
Aussagezusammenhang 1,20-23 zu rechnen[100]. Hier ist die Erhöhung Christi
als Ein setzung in die Herrschaft über die kosmischen Mächte verstanden; doch darf dieser Aspekt nicht überbetont werden. Wie in V. 10 so
steht hinter dem Geschehen von V. 20-23 Gott als Handelnder[101]. In der
assoziativ naheliegenden und sachlich berechtigten Verknüpfung von V.
10 mit V. 22 wird deutlich, daß die Zusammenfassung des Alls in Christus für den Verfasser nicht auf die kosmische Herrschaft Christi
festgelegt ist, also keine isolierte christologisch-kosmologische Aussage gemacht werden soll. Mit dem Bezug auf den Kosmos (vgl. V. 21)
ergibt sich in V. 22 unmittelbar folgend ein ekklesiologischer Gesichtspunkt, der in V. 23 verstärkt wird. Auf ihn zielt der Gedanke ab.

Zum ersten Mal spricht Eph in 1,22 von der Ekklesia und schlägt damit
ein Thema an, das ihn weiter bewegen wird und im Mittelpunkt des theologischen Interesses von Eph steht. An dieser Stelle kommt es vor allem auf die Verschränkung der kosmologischen mit der ekklesiologischen
Aussage an: Christus ist der Kirche als "Haupt über alles" von Gott
gegeben worden (V. 22b). Damit ist für die weitere ekklesiologische
Entfaltung die universale Bedeutung der Stellung Christi als Haupt in
seiner Beziehung zur Kirche als übergeordneter Verstehenshorizont be-

---

99 Nach H.Merklein (in: EWNT I 198) ist die Anakephalaiosis wegen des
   Aorists "als einmalige, im geschichtlichen Christusgeschehen fixier-
   bare Tat Gottes zu interpretieren".- M.Meinertz, Eph 64f, bringt
   den Gedanken mit der "Menschwerdung Jesu" in Verbindung, durch die
   "am Schluß der vorchristlichen Zeit" die Dinge der Welt "in einer
   bestimmten Person" als "Mittelpunkt" zusammengefaßt worden sind.
   J. Ernst, Pleroma 197, deutet Eph 1,10 von Kol 1,20 her auf die Versöhnung. Nach F.Mußner, Christus 64-68 (hier 68) hat die Anakephalaiosis mit der "Erhöhung Jesu ... bereits begonnen".
100 A.Lindemann, Aufhebung 110, erkennt in 1,10 und 20-23 "im Grunde
   die gleiche Zeitvorstellung", nämlich die Aufhebung der Zeit, jedoch hat m.E. der Gedanke durch die Verlagerung des Akzentes auf

stimmt[102]. Es liegt also im Interesse der Ekklesiologie des Autors,
wenn er die kosmologischen Aspekte der Christologie nicht gänzlich zu-
rückstellt, sondern ekklesiologisch funktionalisiert. Indem die kosmologischen Momente der Herrschaft Christi zur Geltung gebracht werden,
wird zugleich der Kirche in ihrem Verhältnis zu dieser Herrschaft eine
neue Stellung eingeräumt: von Christus her als dem ihr zugeeigneten
Haupt "über alles" partizipiert sie an der Durchsetzung dieser Herrschaft (vgl. 3,10; 4,15).

Betrachten wir unter dieser Rücksicht die Beziehung zwischen der Allzusammenfassung (1,10) und der Versöhnung (2,16), so ist zunächst festzustellen: Beides ist aus der Sicht des Eph prinzipiell geschehen, wie
sprachlich durch die Aoriste zum Ausdruck kommt. Jedoch ist bei der
Allzusammenfassung an die Tat Gottes gedacht, die das All auf den erhöhten Christus als Ziel in endgültiger Weise ausrichtet. Demgegenüber wirkt Christus durch seinen Kreuzestod die Versöhnung mit Gott.
Während die Allzusammenfassung in Christus das Himmlische und das Irdische erfaßt, gilt das Versöhnungsgeschehen den beiden Menschheitsgruppen: die in einem einzigen Leib geeinten Heiden- und Judenchristen
werden der Versöhnung mit Gott teilhaftig, nicht aber das All mit seinen himmlischen und irdischen Bereichen (vgl. dagegen Kol 1,20 und die
konkretisierende Einengung V.22). Das Geschehen am All ist dadurch
vom soteriologischen Verständnis der auf die Menschheitsgruppen bezogenen Tat deutlich unterschieden. Dem entspricht die Vorstellung, daß
die Erwählung derer, die Anteil am Erbe und damit an der Erlösung er-

---

die Kirche (V. 22f) noch eine geschichtliche, raum-zeitliche Dimension bewahrt.

101 Obgleich in der theologischen Konzeption des Eph die Relation Christus - Kirche unter dem Vorzeichen "Jesus Christus, das Heil der
Kirche" (E.Schweizer, Jesus Christus 168-172) und in Weiterführung
des Kol das bestimmende Strukturmerkmal ist, ist nicht zu übersehen, daß das Woher und Woraufhin des Heils letztlich in Gott gegründet sind: der ekklesiale Heilsraum (Leib Christi) ist der geschichtliche, aber nicht-weltliche Vollzugsbereich der heilshaften
Beziehung zum herrscherlichen Haupt Christus, in der sich die Heilsgemeinschaft mit Gott realisiert.
102 Vgl. J.Gnilka, Eph 99ff; F.Mußner, Christus 144-168.

halten, von Gott bereits vor der "Grundlegung des Kosmos" in Christus vollzogen worden ist (1,4) und daß die Zugehörigkeit zu Christus in der Kirche für die Getauften bereits die Versetzung mit Christus in den himmlischen Bereich Gottes bedeutet (2,6). So ist auch nicht das All neu geschaffen, sondern die Heiden- und Judenchristen sind in der Einheit des "neuen Menschen" im Sinne der Neuschöpfung endzeitlich verwandelt (vgl. 2,10.15).

Obgleich der Autor des Eph einen sachlichen Zusammenhang zwischen der kosmologischen Aussage 1,10 und der ekklesiologischen 2,16 nicht ausdrücklich anzeigt, also 1,10 nicht im Sinne einer All-Versöhnung den eschatologischen Zielpunkt der Versöhnung der Menschheitsgruppen mit Gott benennt, sind beide Aussagen aufgrund des ekklesiologischen Kontextes dahin vermittelbar, daß der Raum, in dem sich die Kirche geschichtlich als ein Leib aus Juden und Heiden konstituiert, in dem sie also missionarisch wirkt und dadurch vom Haupt her wächst, selbst in die Beziehung zum herrschenden Christus hineingenommen ist. Die konkrete Gestalt der Christusrelation des Alls im Sinne der eschatologischen Zusammenfassung auf den Zielpunkt der Schöpfung (d.h. Christus) nimmt geschichtlich Form an im Zuge der weltumspannenden Verkündigung des Geheimnisses bzw. der Weisheit Gottes. Durch sie werden die Heiden aus ihrer Hoffnungslosigkeit und Gottlosigkeit im Kosmos (2,12) befreit, in den einen universalen Leib der Kirche "miteinverleibt" und so der Versöhnung mit Gott teilhaftig. Auf diese ekklesiologisch-missionarische Spitze ist der kosmische Aspekt der Christologie und Ekklesiologie, d.h. auch die Vorstellung der Allzusammenfassung in Christus, ausgerichtet (Vgl. 1,22f;3,8-11;4,10-13.15f)[103].

---

103 Vgl. H.Merklein, in: EWNT I 198f. Vor allem die Untersuchungen von R.P.Meyer arbeiten die missionstheologische Relevanz der kosmologischen Aussagen und des Eph insgesamt heraus (dies., Kirche; dies., Universales Heil). Vgl. auch F.Hahn, Mission 131-134. Nach ihm ist in 1,10.22b.23 "unmißverständlich zum Ausdruck gebracht, daß das Heil und die endgültige Einheit des Alls sich über und durch die Kirche vollziehen". H.Kasting, Anfänge 139f.143, geht auf diesen Gesichtspunkt nicht näher ein. Eine gute Zusammenschau bietet H.Schlier, Kirche (zur Anakephalaiosis bes. 169-171); jedoch wird man aufgrund der neueren Forschung die Bedeutung des Urmensch-Erlöser-Mythos für die Exegese des Eph nicht mehr akzeptieren können.

5.4 Rezeptionskritische Aspekte
5.4.1 Die traditionsgeschichtliche Problematik der Versöhnungs- aussage im Kontext von Eph 2,14-18

Die exegetisch-theologische Untersuchung der Versöhnungsaussage des Eph im Aussagezusammenhang von 2,14-18 beschränkte sich auf die syn- chrone Ebene des vorliegenden Textes, also auf den unmittelbaren Kommunikationsbeitrag des Autors. Die Frage nach der diachronen Dimen- sion wurde ausgespart. Das geschah auch deshalb, weil die textliche Gestalt der Vorgeschichte von Eph 2,14-18 nicht in derselben sprach- lichen Eindeutigkeit wie in Kol 1,15-20 erkennbar ist. Für die rezep- tionsgeschichtliche Einordnung und rezeptionskritische Beurteilung des Verhältnisses von Eph 2,16 zu den Versöhnungstexten des Paulus in 2 Kor und Röm und zum Versöhnungsverständnis in Kol 1,20.22 ist jedoch die Klärung des traditionsgeschichtlichen Problems notwendig; denn es hängt von deren Ergebnis ab, ob für den Rezeptionsvorgang im Eph eine von 2 Kor, Röm und Kol (Tradition und Redaktion) zu unter- scheidende literarische Vorlage in Rechnung zu stellen ist.

Der besondere Charakter von Eph 2,14-18 im Gedankengang ist wiederholt notiert worden[104]. Von dieser Beobachtung ausgehend, ist in Analogie zur Erforschung von Kol 1,15-20 versucht worden, eine hymnisch geformte Tradition aus Eph 2,14-18 zu rekonstruieren, indem der Text nach for- malen und/oder inhaltlich-theologischen Gesichtspunkten und unter Be- rücksichtigung religionsgeschichtlichen Vergleichsmaterials[105] analy-

---

Die in diesem Abschnitt vorgenommene Einordnung der Anakephalaiosis- Aussage in eine ekklesiologisch-missionarische Perspektive wird m. E. der ekklesiologischen Ausrichtung der Theologie des Eph und der ekklesiologischen Anwendung kosmologischer Terminologie eher gerecht als die Einbeziehung von Taufe und Eucharistie durch J.Ernst, Plero- ma 195f. Zur missionstheologischen Auswertung des Eph (insbesondere von 1,10.22f) vgl. auch E.D.Roels, God's Mission, bes. 229-248 und 253-276.

104 Nach J.A.Bengel, E.Haupt und P.Ewald vgl. M.Dibelius, Eph 69; H.Con- zelmann; H.Schlier, Eph 112 ("offenbar eine geschlossene Einlage").

105 Zur religionsgeschichtlichen Untersuchung vgl. u.a.: H.Schlier, Eph 122-133 (jüdisch-gnostischer Erlösungsmythos); F.Mußner, Chri-

siert wurde. Als Anhaltspunkte für die Aussonderung von Tradition
bieten sich an: die hymnodische Stilisierung der Aussagen (Partizipien,
Synonymenhäufung, Parallelismus membrorum u.a.), die Terminologie, die
inhaltliche Überfrachtung; Andeutungen einer ursprünglich kosmologischen Soteriologie. Die vorgelegten Hypothesen haben bislang zu keinem Konsens in der Beurteilung von Tradition und Redaktion in Eph 2,
14-18 geführt, zumal noch keine allgemein anerkannte Kriteriologie
für die Zuweisung von Textelementen zur Tradition bzw. zur Redaktion
vorliegt. Einerseits wird ein stärkeres Gewicht auf formale, andererseits mehr auf inhaltlich-theologische bzw. religionsgeschichtlich
relevante Textelemente gelegt. Im wesentlichen stehen sich zwei Positionen gegenüber: die eine geht von einem ursprünglichen Lied bzw.
Fragment aus, die andere betont die Komposition des Textes durch den
Autor[106].

---

stus 96, spricht sich für einen "atl.-rabbinischen Hintergrund"
aus.

106 Eine hymnische Tradition nehmen z.B. an: E.Käsemann, in: RGG II
(³1958) 519; ders., Christus 588; ders., (Eph 2,17-22); G.Schille,
Hymnen 24-30 (ein "Erlöserlied" wie in Kol 2,9-15); K.Wengst, Formeln 181-186 (ein "Versöhnungslied" wie in Kol 2,13-15); J.T. Sanders, Elements, bes. 217; ders., Christological Hymns 14f (zu Eph
2,14-16); K.M.Fischer, Tendenz 131f bzw. -137 ("Fragment aus einem
gnostischen Erlöserlied"); P.Pokorný, Epheserbrief 182f (gnostischer Hymnus); ders., Gnosis 114f (114: "Erlöserlied" als "Auseinandersetzung mit den hellenistisch-spiritualistischen Vorstellungen
von Erlösung"); J.Gnilka, Christus ("Friedens-Erlöserlied"); ders.,
Eph 147-152; G.Giavini, Structure 211 ("une réélaboration paulinienne ... d'un texte précédant" unter Hinweis auf die Sprache von
Eph 2,14f); ähnlich E.Schweizer, Kirche (Antilegomena) 302-305. Er
nimmt für die "Bildsprache" der "kosmisch-physischen Aussagen" von
2,14f den Einfluß einer "christliche(n) Gruppe, wie sie im Hymnus
Kol 1,15-20 noch sichtbar wird", an (ebd. 303). A.Lindemann, Aufhebung 156-187, rekonstruiert einen außerchristlichen "Prosatext"
(ebd. 157; vgl. E.Käsemann). Ch.Burger,Schöpfung 117-133, kommt in
kritischer Auseinandersetzung mit der bisherigen Forschung zu einem
kurzen hymnischen Text von fünf Zeilen (ebd. 133).
Für die Annahme einer vom Verfasser in gehobener Prosa formulierten
Aussage treten z.B. ein: R.Deichgräber, Gotteshymnus 165-167; H.
Merklein, Tradition (kritische Überprüfung der Rekonstruktionen
von G.Schille, J.T.Sanders,J.Gnilka). Merklein rechnet lediglich
in V. 14b mit dem "Fragment eines ursprünglich kosmischen Hymnus"
(ebd. 100.101); vgl. ders., Paulinische Theologie 58-62. J.Ernst,
Eph 319-321, schließt sich der Beurteilung H.Schliers (Eph 122f)

Beschränken wir uns auf die hier interessierende Versöhnungsaussage
Eph 2,16, so zeigt sich in deren Beurteilung durch die traditionsgeschichtliche Forschung ein breites Meinungsspektrum. Zum ursprünglichen, vom Autor des Eph verarbeiteten Traditionsbestand wird gerechnet:

a) "Und (damit) er versöhne die beiden in einem Leib Gott durch das
   Kreuz" (G.Schille)[107]

Inhaltlich wird die Aussage wie folgt gedeutet: "Das Leben im neuen
Raum", von dem 2,15 in Aufnahme des mythologisch-kosmischen Motivs
vom "neuen Menschen" als Einheit zweier vorher getrennten Sphären
spricht, ist die durch das Kreuz realisierte Versöhnung als Versöhnung des zornigen Gottes, also als "teuer bezahlte Rettung aus Gottes Zorn". Wie in Kol 1,20 (vgl. 2,14; Hebr 12,2) ist "durch das
Kreuz" Bestandteil der hymnischen Aussage. Die partizipiale Aussage
"der die Feindschaft in ihm tötete" wird als störende Wiederholung
(vgl. V.14) und als Überfüllung beurteilt und deshalb als Glosse des
Eph-Autors ausgeschieden.

b) "Und (damit) er versöhne die beiden in einem Leib mit Gott"
   (J.T.Sanders)[108]

Auf dem Hintergrund der von G.Schille vorge tragenen Hypothese wird
"durch das Kreuz" unter Verweis auf sekundäre Hinzufügungen in Kol
1,20 und Phil 1,20 als "Paulinismus" eliminiert. Das Feindschaftsmotiv ist in V. 16 (wie in V.14) als Parallele zu der redaktionellen Friedensaussage (V. 15) zur Tradition hinzugefügt. Im Vergleich
mit Kol 1,15-20 hat der ursprüngliche Hymnus Eph 2,14-16 nur die
zweite Strophe des Kol-Hymnus zum Inhalt.

---

an, der die "hymnodische Art" des Textes zwar anerkennt, jedoch
die Gestaltung auf den Verfasser (Paulus) zurückführt (ebd. 123).
Bei Annahme einer hymnischen Vorlage hält Schlier (in Auseinandersetzung mit G.Schille) nur die eines christlichen Hymnus aus
dem jüdisch-gnostisierenden Christentum für denkbar (ebd. Anm. 1).

107 G.Schille, Hymnen 27-29. Vgl. H.Merklein, Tradition 81-86 (kritische Auseinandersetzung mit der Rekonstruktion)

108 J.T.Sanders, Elements 218; ders., Christological Hymns 12-16.

c) "Die Feindschaft tötend in sich (in ihm?)" (J.Gnilka)[109]

Unter Berücksichtigung einer von H.Schlier geäußerten Vermutung[110] wird "durch das Kreuz" als redaktionelle Hinzufügung ausgeklammert. Die redaktionelle Bearbeitung der Tradition bezeugt sachlich und terminologisch (Versöhnung, Kreuz, Soma) eine Verwandtschaft mit Kol 1,20.22 und im Vergleich mit dem vorgegebenen Hymnus "eine neue theologische Schau", die sich durch die Aufnahme der Anthropos-Spekulation (Soma) in die Ekklesiologie des Eph ausdrückt. Damit wird die pl. Soma-Ekklesiologie auf die Gesamtkirche hin ausgelegt. Der Versöhnungsgedanke geht zwar auf Paulus (2 Kor 5,18-20; Röm 5,10) zurück, wird jedoch im Unterschied zu Paulus christozentrisch verstanden. Die Einfügung des Kreuzes vergeschichtlicht die Versöhnung und macht sie und die Befriedung "zu einer unumstößlichen Tat"[111]. Während also der Autor des Eph die Tötung der Feindschaft mit dem Kreuz verbindet, bezieht sie die Tradition auf Christus ("in sich").

d) "Und (damit) er versöhne die beiden mit Gott durch das Kreuz,
   tötend die Feindschaft in sich" (K.Wengst)[112]

Eph 2,16 gehört zu einem Hymnus aus einer heidenchristlichen Gemeinde und ist in der Aussage Kol 1,20 ähnlich[113]. Während Kol die Versöhnung der irdischen und himmlischen Bewohner (d.h. der den Menschen feindlichen Mächte) zum Inhalt hat, zielt Eph unter Aufnahme des gnostischen Anthroposmythos auf die Versöhnung von Menschen in dem (in Christus) geschaffenen neuen Menschen ("Universalmensch"). Das Versöhnungsmittel aber ist schon im Hymnus das Kreuz; sie geschieht nicht durch die Inthronisation. Doch ist das Kreuz nur noch "Chiffre", nicht mehr Sühne

---

Vgl. zu Sanders: H.Merklein, Tradition 86-88.

109 J.Gnilka, Christus 204; ders., Eph 150.151f.-S. dazu H.Merklein, Tradition 88-95.
110 H.Schlier, Eph 135.
111 J.Gnilka, Christus 205; ders., Eph 151.

112 K.Wengst, Formeln 185f.

113 Ders., Formeln 170-179, bes. 172-173.

für die Sünden.

e) "Und (damit) er versöhne die beiden in einem Leib" (Ch.Burger)[114]

Der Hymnus Eph 2,14-17, der bereits dem Kol-Verfasser bei der Bearbeitung des Hymnus Kol 1,15-20 bekannt war[115], wird vom Autor des Eph
aufgrund von Kol 1,20.22 aufgenommen und bearbeitet, indem er sich
die Korrektur des Kol-Hymnus im Kol selbst aneignet und sich zugleich
an der Terminologie des Paulus orientiert[116]. Die ursprüngliche, im
Eph rezipierte Tradition handelt in kosmologischer Terminologie von
der Versöhnung miteinander (d.h. der Bewohner der beiden Weltsphären),
nicht aber von der Versöhnung mit Gott (also einem dritten Partner).
Die Vorstellung von der Versöhnung mit Gott bringt einen neuen Gesichtspunkt ein, den die Wendung "durch das Kreuz" , durch das die
Feindschaft getötet wird, redaktionell verdeutlicht. V. 16c ("tötend
die Feindschaft in ihm", d.h. im Leib) ist wie V. 14f als "Scholie
zur knapp glossierten Aussage der Versöhnung" verstanden, also eine
Variation des dort angesprochenen Gedankens. Im Unterschied zum ursprünglichen Hymnus spricht der kommentierende Eph-Autor von einer
doppelten Versöhnung, die durch die Beseitigung des Gesetzes erfolgt:
Es werden Juden und Heiden miteinander versöhnt; zugleich werden sie
mit Gott versöhnt. Auf das Konto des Eph gehen somit: "mit Gott";
"in einem Leib" (verstanden als Ort der Versöhnung, nicht mehr wie
im Hymnus als Ziel), indem das Soma mit der Kirche identifiziert
wird (vgl. Kol 1,18a.24; 3,15); "durch das Kreuz" (vgl. Kol 1,20.22).

f) V. 16 insgesamt (und damit auch die Versöhnungsaussage) wird als
redaktioneller Eintrag aus dem ursprünglichen Traditionsgut ausgeschieden[117].

---

114 Ch.Burger, Schöpfung 124-128.133.152ff.

115 Vgl. a.a.O. 140-144.

116 Vgl. a.a.O. 157 (Zusammenfassung der Hypothesen zu Kol 1,15-20
und Eph 2,14-18).

117 K.M.Fischer, Tendenz 132; A.Lindemann, Aufhebung 157.166f. Bezüglich V. 16c, der im rekonstruierten Text in Klammern gesetzt ist
(ebd. 157), wird "sekundäre Wiederholung" vermutet.

Zusammenfassend läßt sich feststellen:

Der Ausschnitt der traditionsgeschichtlichen Hinterfragung von Eph 2, 14-18, den die Skizze der Hypothesen zur Versöhnungsau s sage 2,16 bietet, weist weniger auf einen Lösungsweg als auf die Problematik derartiger Analysen und ihrer Voraussetzungen hin. Dieses wird besonders in den Untersuchungen deutlich, die den Text Eph 2,14-18 in einem religionsgeschichtlichen Beziehungsnetz und in der frühchristlichen Entwicklung zu orten versuchen, die selbst wiederum durch Hypothesen belastet sind. Es ist zu fragen, ob die Spannungen, die sich inhaltlich vor allem aus der Sonderstellung von V. 14b und dessen offenkundig universal-ekklesiologischer Auslegung durch V. 15-18 ergeben, allein durch die Rekonstruktion eines formal und sachlich stimmigen, kosmologischen Hymnus beheben lassen. Denn die neutrische Ausdrucksweise in V. 14b als wichtiger Ausgangspunkt (neben anderen sprachlichen, formalen und inhaltlichen Faktoren) läßt sich durchaus grammatikalisch erklären und mit analogen generalisierenden Bezeichnungen der Menschheitsgruppen wie auch weiteren Merkmalen der theologischen Sprache des Eph vergleichen[118]. Auch wortstatistische und stilistische Argumente tragen nicht zur Absicherung der vorgeschlagenen Rekonstruktionen bei, wenn der Gesamtkontext und die sich in ihm ausdrückende sprachliche und theologische Kompetenz des Autors berücksichtigt werden. Demgegenüber scheint der Vorschlag, V. 13-18 als "christologische Exegese von Jes 9,5f; 52,7 und 57,19" zu verstehen[119], eine fruchtbare Perspektive zu eröffnen, wenn berücksichtigt wird, daß sie in kommentierender Weiterführung vorbereitetes Gedankengut aus dem Kol, d.h. aus der Interpretation des Hymnus 1,15-20.21f durch den Autor des Kol, aufnimmt, um die Konzeption einer universalen Kirche aus Heiden- und Judenchristen als gegenwartseschatologisches Heilsphänomen christologisch-soteriologisch zu begründen[120].

---

118 Vgl. dazu P.Stuhlmacher, "Unser Friede" 342-346; bes. der Hinweis auf Bl.-Debr. § 138,1.

119 So der Ansatz von P.Stuhlmacher, "Unser Friede 347-358; vgl. dazu D.C.Smith, Traditions 8-43.190-202.

120 Dieser Gesichtspunkt kommt bei P.Stuhlmacher nicht zum Tragen; vgl. dagegen H.Merklein Christus 88-98; ders., Paulinische Theolo-

5.4.2 Das Rezeptionsverhältnis der Versöhnungsaussage Eph 2,16 zu Kol 1,20.22 und zu 2 Kor 5,18-20; Röm 5,10f; 11,15

Mit Blick auf die Versöhnungsaussage Eph 2,16 in ihrem engeren Kontext V. 14-18 stellt sich die Frage nach der sachlichen Beziehung zwischen dem Verständnis des Eph und dem des Kol, zumal beide nach allgemeinem Urteil durch die pl. (Schul-) Tradition geprägt sind und darüber hinaus eine literarische Abhängigkeit des Eph vom Kol besteht. Konfrontiert man Eph 2,16 und Kol 1,20.22, erweist sich die Aussage des Eph als eigenständige Ausgestaltung eines sich im Kol andeutenden theologischen Ansatzes. Auch unter literarischem Gesichtspunkt sind die Formulierungen von Eph 2,14-18 Umsetzungen der Vorlage des Kol, indem zugleich Jes 9,5f (vgl. Eph 2,14), Jes 52,7 und 57,19 (vgl. Eph 2,17; auch V.13) unter dem leitenden Stichwort des Christusfriedens kombiniert und mit Bezug auf das ekklesiologisch verstandene Heilswerk ausgelegt werden. Das Gesamtprofil der theologischen Konzeption, die Eph auf der Grundlage des Kol aufbaut, verdankt der Autor zu einem nicht geringen Teil seinem Bemühen, das pl. Erbe in einer neuen theologischen und kirchlichen Situation, die jedoch nicht durch eine Häresie (vgl. Kol) in Spannung gehalten ist, fortzuschreiben.

Gegenüber der rezeptionsgeschichtlichen bzw. -kritischen Betrachtung der Versöhnungstexte in 2 Kor, Röm und Kol erweitert sich der Fragekreis insoweit, als im Eph eine Doppelrezeption vorliegt. Wie Kol ist auch das Denken des Eph durch die Wirkungsgeschichte der pl. Theologie geprägt. Sie kommt dadurch wieder zur Geltung, daß die in der gemeindlichen Glaubensentwicklung einflußreiche kosmologische Christologie durch Neuinterpretation ihrer Struktur und Terminologie modifiziert wird. Dieses geschieht jedoch im Eph gleichsam auf den Schultern des Kol. So wird der versöhnungstheologische Standpunkt des Kol, der in den redaktionellen Eintragungen in den Gemeindehymnus und in dessen Kommentierung zum Ausdruck kommt, ekklesiologisch präzisiert.

---

logie, bes. 58-62.

Ein literarischer und theologischer Vergleich von Eph 2,14-18 mit korrespondierenden Aussagen des Kol zeigt folgendes Ergebnis[121]:
Die Kommentierung der redaktionellen Bearbeitung des Hymnus Kol 1,15-20 ist in V. 21f durch das Einst-Jetzt-Schema bestimmt. Dieses Grundmuster hat seine Entsprechung in Eph 2,11-12.13[122] und liegt sowohl der Oppositionsreihe von 2,14-18 als auch V.19a.19b-22 zugrunde. Der Friedensgedanke ist in Kol 1,20 (vgl. 3,15) der Versöhnung zugeordnet und meint die die irdischen und himmlischen Bereiche der Schöpfungswelt betreffende Friedensstiftung durch den Erhöhten (Hymnus) bzw. durch den Kreuzestod (Redaktion des Kol). Diese erfüllt sich in der Christozentrik des versöhnten Kosmos. In Eph 2,14.15.17 wird Christus selbst zum personalen Frieden, der den Frieden im eschatologisch soziologisch-ekklesiologischen Sinne zwischen den Menschheitsgruppen Heiden und Juden durch seine Heilstat der Einigung herbeiführt und ihn proklamiert.

Das Feindschaftsmotiv Eph 2,14.16 ist in Kol 1,21 ("Feinde"; vgl. Röm 5,10) vorgegeben; dort ist ebenso die Vorstellung des Ausgeschlossenseins von Eph 2,12 angelegt. Es besteht jedoch ein Unterschied im Verständnis: Das Feindsein bezieht sich im Kol auf das Verhältnis der vorchristlichen Menschen zu Gott, die Feindschaft im Eph demgegenüber auf das Getrenntsein der Heiden von Israel (vgl. 2,11f), also auf die negative Relation der Menschheitsgruppen zueinander. Ebenso besteht diese Differenz im Begriff des Ausgeschlossenseins im Sinne von Fernsein von Gott (Kol) bzw. vom Gemeinwesen Israel (Eph).

Der eschatologische Schöpfungsakt im Heilsgeschehen, der den "einen neuen Menschen" schafft (Eph 2,15), ist in Kol 1,15f protologisch mit dem

---

121 Zum Vergleich s. die Synopsen von M.A.Wagenführer, Bedeutung (Beilage); C.L.Mitton, Ephesians 289f (Appendix I); H.Merklein, Paulinische Theologie 52f (dazu den Kommentar 58-62); ders., Christus 88-98; auch E.Schweizer, Kirche (Antilegomena) 302-305. .

122 Im Kol vgl. auch 3,7f; sachlich auch 1,12; 3,9f; im Eph schon die Gegenüberstellung in 2,1-3.4-10 und die spätere Wiederaufnahme Eph 5,8 (dazu Kol 1,12f). - Vgl. übrigens auch Eph 2,11 mit Kol 2,11.13; Eph 2,12 mit Kol 1,21; Eph 2,13 mit 1,22 ("jetzt aber"),

Präexistenten verbunden und später in 3,10 tauftheologisch thematisiert.
Zudem ist Kol 1,16 und entsprechend auch V.20 kosmologisch verstanden;
demgegenüber tritt in Eph 2,14.15.16.18 eine soziologisch-ekklesiologische Uminterpretation des kosmologischen Schöpfungsmotivs ein: Anstelle
der Schöpfung auf Christus hin (Kol 1,16), die sich in der Versöhnung
auf ihn hin vollendet (1,20), denkt Eph an die heilshafte Neuschöpfung
der beiden Menschheitsgruppen zu einem (kollektiven) "neuen Menschen",
deren Ursprung und tragender Grund Christus ist (2,15)[123].

Während Kol 1,22 in der kommentierenden Verdeutlichung von der Versöhnung (der angeredeten Christen) "in dem Leib seines Fleisches durch
den Tod" spricht[124], gliedert Eph dieses soteriologische Syntagma auf.
Der "Leib" hat wie in Kol 1,18a (vgl. 2,17.19) eine ekklesiologische
Bedeutung erhalten (Eph 2,16)[125], wobei die Einheit des ekklesialen
Leibes ebenso wie in Kol 3,15 betont ist. Kol aber denkt an die Einheit
der Gläubigen in der Gemeinde; die Leibeinheit ist der Raum, in dem sich
der 'Friede Christi in den Herzen" der angesprochenen Gemeindeglieder
verwirklichen soll. Gleich Kol 1,22 bleibt auch in Eph 2,14 das Stichwort "Fleisch" christologisch-soteriologisch verstanden. Abweichend
von Kol fällt "Tod" im Eph aus[126]. Dafür nimmt Eph 2,16 den redaktionellen Hinweis auf das "Kreuz" aus Kol 1,20 auf, wenn es auch nicht
wie dort mit der Friedensstiftung, sondern mit der Versöhnung verbunden
ist.

---

zur partizipialen Aussage des einstigen Fernseins vgl. Kol 1,21;
S. zu Eph 2,13 auch Kol 2,13 und dazu wieder Eph 2,1.5.

123 Vgl. dazu Kol 3,10f; Eph 4,24 (auf die Taufe bezogen) und 4,13
("vollkommener Mann").

124 Vgl. die tauftheologische Rede vom "Ablegen des Fleischesleibes"
Kol 2,11.

125 Vgl. Eph 1,23; 4,4.12.16; 5,30.

126 Im Eph findet sich kein soteriologischer Gebrauch von "Tod/ster-
ben". Vgl. dazu auch die Differenz zwischen Eph 2,5f (vgl. 1,19f)
und Kol 2,12f; Röm 6,2-11. Die Eph-Aussage betont die Linie von
Kol 3,1. In Eph dominiert also eine erhöhungschristologische Sicht,
der ein präsentisch-eschatologisches Verständnis von Kirche bzw.
Christsein als Auferweckungsexistenz entspricht. Um so auffälliger sind die kreuzestheologischen Akzente in 2,13.14 und 16, die

Andererseits ist das traditionelle soteriologische Motiv des "Blutes" (Kol 1,20) bereits Eph 1,13 (vgl. auch Eph 1,7 und Kol 1,14) verwendet. Der Verweis auf die "bösen Werke" (Kol 1,21) ist im Zusammenhang von Eph 2,14-18 (bzw. 11-18) nicht wiederholt. Dafür spricht der vorausliegende Kontext von der nicht aufgrund von Werken geschehenen Rettung (Eph 2,9) und von dem Lebenswandel in "guten Werken" (V. 10; vgl. Kol 1,10a)[127]. Dasselbe trifft für den Begriff des "Sinnens" zu (vgl. Kol 1,21; Eph 2,3; 4,18a). Der Gedanke des Hinstellens vor Gott (Kol 1,23; vgl. V. 28) ist sachlich entsprechend in Eph 2,18 durch "Zugang zu Gott haben" ausgedrückt[128], worin sich eine Nähe zu Röm 5,1f im Kontext der Versöhnungsaussage V.10f zeigt.

Die mit dem neuen eschatologischen Heilsstatus gegebene Heiligkeit vor Gott (Kol 1,22) ist Eph 2,19 in einen ekklesiologischen Gedanken übertragen (vgl. Kol 1,12)[129]. Eine Abwandlung trifft auch die "Gründung im Glauben" (Kol 1,23) und die "Auferbauung in Christus" (Kol 2,7). Beides wird in Eph 2,20 neu gesehen (vgl. auch 3,17): die Apostel und Propheten bilden das "Fundament" der Kirche; Christus hat die Funktion des "Ecksteins". Damit wird zugleich der Rückbezug auf Paulus in Kol 1,23 generalisiert und durch die Propheten erweitert. Die in Eph 2,19-22 (in Fortführung der auf die Konstitution der Kirche bezogenen Argumentation) ausformulierte Ekklesiologie hat in dem Gedankenzusammenhang von Kol 1,15-23 keine Entsprechung, jedoch wird die Wachstumsvorstellung auch in Kol 2,19 ekklesial gedeutet[130]. Die parallele Ausgestaltung dieser Aussage findet sich in Eph 4,15f[131].

---

ohne Zweifel von Kol 1,20.22 angeregt sind.- Eph 5,2 nimmt (in einem paränetischen Kontext) die Dahingabe-Formel in Verbindung mit dem Opfergedanken auf und legt sie 5,25 ekklesiologisch aus. Vgl. dazu 5,23: Christus als "Retter des Leibes (=Kirche)".

127 Vgl. Eph 5,11 (gegen die "unfruchtbaren Werke der Finsternis").

128 Vgl. das Bild in Anlehnung an das Hochzeitszeremoniell in Eph 5,27: Christus führt sich die Kirche herrlich zu, "heilig und makellos" (vgl. Kol 1,22). S. besonders Eph 3,12.

129 Vgl. auch Eph 1,15 mit Kol 1,4; Eph 1,18 mit Kol 1,5; Eph 3,5 mit Kol 1,26; vgl Eph 3,3. S. weiterhin Eph 3,8.18 (vgl. Kol 2,2); 4,12; 5,3 (Kol 3,5)

130 Vgl. Kol 1,6.10.
131 Vgl. zur Christozentrik des Alls neben Eph 4,15: 1,10 (vgl. Kol 1,20).

Auf einen Einzelaspekt ist besonders hinzuweisen: Eph 2,15 stellt die Heilstat Christi als Vernichtung des "Gesetzes" dar. Das aufwendige Syntagma, das Eph hier zur Bezeichnung des Gesetzes einführt, ist frei in Anlehnung an Kol 2,14 formuliert. Diese Stelle ist deshalb von Interesse, weil Eph sonst nicht mehr vom Nomos und von den "Satzungen" spricht. Lediglich das Stichwort "Gebote" erscheint in Abwandlung noch einmal 6,2. Die in Eph 2,15 implizit gegebene Gesetzeskritik ist in anderer Weise in 2,5.8-10 enthalten, wo man von einem Ansatz der gesetzeskritischen Rechtfertigungstheologie sprechen kann, wobei in 2,5 deutlich die Aussagestruktur von Kol 2,13 nachwirkt (vgl. 1,10 zu Eph 2,10)[132]. Es zeigt sich damit eine paulinisierende Tendenz im Heilsverständnis des Eph an, selbst wenn damit zu rechnen ist, daß ein außerpl. tradierter Zusammenhang von Rechtfertigungslehre und Taufinterpretation unmittelbare Voraussetzung für die Formulierung ist und nicht direkter Einfluß der Paulus-Tradition vorliegt[133]. Einen Anhaltspunkt für den Paulinismus bietet die Zurückweisung des falschen Rühmens und einer Berufung auf die Werke; auch das Gnadenmotiv und die Bezugnahme auf den Glauben bleiben zu beachten, obgleich die Dikaiosyne-Terminologie im Sinne des pl. Rechtfertigungsgedankens nicht mehr durchschlägt und durch die Begriffe der Rettung und der Gnade ersetzt wird. Auch besteht darin ein Unterschied zu Paulus, daß ein präsentisch-eschatologisches Verständnis der bereits vollzogenen Rettung in den Vordergrund tritt[134]. Daß die Gesetzesfrage nicht mehr eine mit Paulus zu vergleichende Bedeutung in der theologischen Konzeption des Eph erlangt, hängt wohl einmal mit der Spätsituation des von Heidenchristen dominierten Gemeindekontextes zusammen, in dem die Kontrahenten für eine Auseinandersetzung fehlen, zum anderen aber mit dem theologischen Ansatz post factum, nämlich der geschichtlich in den Gemeinden zur Wirkung gekommenen Aufhebung des jüdischen Gesetzes, deren soteriologische Grundlage die "Vernichtung" des trennenden Gesetzes durch den Kreuzestod ist.

---

132   Vgl. U.Luz, Rechtfertigung 369; J.Gnilka, Eph 118f; A.Lindemann, Aufhebung 118.133-137; s. auch C.L.Mitton, Ephesians 121.155f.

133   So U.Luz, Rechtfertigung 371.Vgl. dagegen A.Lindemann, Paulus 124.

134   J.Gnilka, Eph 119; U.Luz, Rechtfertigung 372; A.Lindemann, Aufhebung 133-137; ders., Paulus 124; F.Mußner, Modell 326f.

Im Vergleich zwischen Eph 2,14-18 und Kol ist auch das Motiv der weltweiten Verkündigung (Kol 1,23b) zu berücksichtigen. Es wird vom Eph
in dem untersuchten Textzusammenhang abgewandelt in die Vorstellung der
Friedensproklamation durch den Friedensstifter an Ferne und Nahe (2,17),
indem Jes 57,19 und 52,7 christologisch und ekklesiologisch ausgelegt
wird. Daneben gibt es eine weitere Aussageeinheit, die in Parallele zu
den Ausführungen des Apostolatsverständnisses Kol 1,24-2,4 steht, nämlich Eph 3,1-13 (bzw. -21), wo sich abermals eine terminologische Beziehung des Eph zu Kol zeigt. Mit Bezug auf die Kirche wird der Gedanke
der Friedensverkündigung 2,17 in erneuter Anlehnung an Jes 52,7 in
Eph 6,15 wiederholt, um zur Bewahrung des "Evangeliums des Friedens"
in der Verwirklichung der sich mit der Auseinandersetzung gegenüber
den Weltmächten konkretisierenden Friedensaufgabe aufzurufen. Dazu gibt
es keine vergleichbare Sachaussage des Kol.

Einen bemerkenswerten neuen Akzent bringt Eph durch den Hinweis auf die
Pneuma-Dimension der heilshaften ekklesialen Einheit in ihrer durch den
erhöhten Christus vermittelten Beziehung zu Gott ein (2,18). Dafür gibt
es in der christologisch konzentrierten Theologie des Kol keine Entsprechung. Überhaupt gilt für Kol, daß die Pneumatologie sowohl im Vergleich
zu Paulus als auch zur Konzeption des Eph auffällig in den Hintergrund
tritt[135]. Demgegenüber gewinnt im Eph das Verständnis des Pneuma als konstitutive Einheitskraft der Kirche und als Medium der Gottesrelation
wieder an Bedeutung[136]. Hinsichtlich des ekklesialen Zusammenlebens wird
der Friedensgedanke von 2,14.15.17 in 4,3 in einer Weise erneuert, die
die in 2,18.22 entwickelte Vorstellung von der die Einheit der Kirche
wirkenden Kraft des Geistes integriert. Im Anschluß daran wird der Einheitsgedanke von 2,14-16.18 ("ein neuer Mensch", "ein Leib", "ein Geist")
aufgenommen, erweitert und in seiner theozentrischen Ausrichtung verstärkt (4,4-8).

---

135 Vgl. E.Schweizer, Christus und Geist; ders., Eph 38f.

136 Vgl. J.Jervell, Volk des Geistes 92. Zu Eph 2,18 (vgl. Röm 8,15.26;
Gal 4,6; auch Joh 4,23) stellt er fest: "Dass Gott nicht mehr durch
das Gesetz, sondern durch den Geist erreichbar ist, wird ... direkt
auf die Erlebnisse im Gottesdienst zurückgeführt"(ebd.). S. auch R.
Schnackenburg, Christus; E.Percy, Probleme 308f.

Die Übersicht über das Verhältnis von Eph 2,14-18 (bzw. 2,11-22) zu Kol 1,15-20 (bzw. - 23) unter literarischer und theologischer Rücksicht hat das Verfahren einer freien, produktiven Verarbeitung der Vorlage des Kol erkennen lassen, in der - z.T. in der Weise einer fortgeführten Paulinisierung - eine eigene theologische Konzeption zum Tragen kommt. Das Spezifische der Perspektive des Eph muß nun unter Rückbezug auf Kol noch stärker herausgearbeitet werden, so daß sich die Rezeption des Kol durch Eph bezüglich der theologischen Grundstruktur des Eph und vor allem der Versöhnungsvorstellung noch deutlicher abheben kann.

Die Gedankeneinheit Eph 2,14-18 ordnet die schöpfungsmittlerische Thematik von Kol 1,15-17 dem ekklesiologischen Ansatz von Kol 1,18a und 21-23 unter; dadurch erhält die Schöpfungsperspektive eine neue ekklesiologische Ausrichtung: an die Stelle der kosmischen Schöpfung tritt die Erschaffung der einen Kirche in dem "einen neuen Menschen". Damit wird zugleich die Neuschöpfung mit der Heilsstiftung identifiziert. Das Heilswirken betrifft nicht mehr die kosmischen Bereiche des Himmels und der Erde (vgl. Kol 1,16.20), sondern allein die eine Kirche, die in sich als "ein Leib" die heidnischen und jüdischen Völker zu einer neuen eschatologisch qualifizierten Wirklichkeit vereinigt und so zum Raum der Rettung für die Glaubenden (d.h. Heiden- und Judenchristen) wird[137]. Demgemäß werden Versöhnung und Friedensstiftung nicht mehr als Vollzug der vollendenden Hinordnung der kosmischen Sphären auf Christus hin verstanden, sondern sie sind Tat Christi, die die Kirche aus Heiden- und Judenchristen konstituiert und in die Heilsgemeinschaft mit Gott, dem gemeinsamen Vater, hineinstellt. Die soteriologische Christologie verbindet sich mit der Ekklesiologie in der Weise, daß die Kirche selbst im Kreuzestod verwurzelt ist, während Kol 1,20 (Redaktion) die Allversöhnung über die Friedensstiftung an den Kreuzestod gebunden wurde und damit die Kreuzestheologie in die kosmische Christologie einzeichnete, deren Merkmal in der hymnischen Tradition die Zusammenschau

---

137 Das sich der kosmische Lebensraum prinzipiell auch grundlegend verändert hat, ist in Eph 1,10.20-23 ausgesagt und wird im paränetischen Zusammenhang bekräftigt (vgl. 4,8-11.15; 6,11f), aber auch mit einer konkreten Aufgabe verbunden, die einem falschen triumphalistisch-harmonistischem Welt- und Existenzverständnis klare Grenzen zieht. Von den Mächten her (6,11f) besteht die Gefahr von 2,1f

von Präexistenz- und Erhöhungschristologie ist[138]. In der Fortführung der Kol-Redaktion zu einer ekklesiologischen Christologie[139] setzt also Eph einen Akzent dadurch, daß er den ekklesialen Leib in 2,16 kreuzestheologisch in die Christologie einbindet. Der ekklesiale Soma-Begriff löst somit den kosmischen Vorstellungszusammenhang von Kol 1,18a auf und erhält eine soziologisch-ekklesiologische Bedeutung. Die Verankerung dieses Begriffs in der soteriologischen Christologie verleiht auf der anderen Seite der Soteriologie eine ekklesiologische Grundstruktur. Dieser entspricht es, wenn Christus als Retter der Kirche verstanden wird (vgl. 5,23.25).

Von der soziologisch-ekklesiologischen Interpretation des ekklesialen Soma aus ergibt sich auch ein Unterschied zur anthropologisch-ekklesiologischen Kommentierung der All-Versöhnung durch den Autor des Kol in 1,21f. Hier wird das kosmische Heilswerk der Versöhnung und Friedensstiftung durch Christus auf die heidenchristlichen Gemeindeglieder konkretisiert. Eph geht darüber hinaus, indem er den Vollzug der Versöhnung und der Befriedung als Gründungsereignis der Kirche aus Heiden- und Judenchristen versteht. Das heißt gemäß der Adressatenorientierung in 2, 11-13.17.19.22: auch die Heidenchristen gehören als "Nahegewordene" (vgl. 2,13) wesentlich zum Leib der Kirche dazu. Als Bestandteil der Gesamtkirche (also in der ekklesialen Gemeinschaft mit den Judenchristen) partizipieren sie an dem eschatologisch-ekklesialen Christus-Frieden.

In der gesamtkirchlichen Deutung der Versöhnungstat Christi setzt Eph die in Kol angedeutete Perspektive einer Uminterpretation kosmologischer Kategorien und kosmologischer Christologie in eine Konzeption um,

---

auch für die Heidenchristen trotz ihrer bereits transzendenten Auferweckungsexistenz fort. Vgl. E.Brandenburger, Frieden 66f.

138 Nach E.Schweizer, Kirche (Antilegomena) 305, wirkt sich in Kol 1, 15-20 eine Christologie aus, "die in der frühesten Christenheit wurzelt, die die Erhöhung als das eigentliche Heilsereignis ansah und sie später dann physisch-mythisch als Himmel und Erde verbindende Auffahrt verstand" (vgl. ebd. 315).

139 Gegen E.Käsemann betont H.Merklein, Paulinische Theologie 62: "Der Epheserbrief schreibt keine Ekklesiologie neben der Christologie,

die Kol 3,9-12.13 im Kontext einer versöhnungstheologisch grundgelegten Soma-Ekklesiologie durchreflektiert. Der universalisierte, gesamt-
kirchliche Soma-Begriff im Zusammenhang der Versöhnungsaussage wie im
Eph insgesamt weitet die ekklesiologische Implikation der versöhnungstheologischen Deutung des Kreuzestodes in 2 Kor 5,18-20 und Röm 5,10f
(vgl. 11,15) erheblich aus. Indem Eph die ekklesiologischen und anthropologisch-ekklesiologischen Korrekturen der hymnischen Tradition durch
Kol aufnimmt und in einer völkisch-gesamtkirchlichen Schau aufhebt, gelingt es dem Autor des Eph auch, die bei Paulus noch nicht universal-
ekklesiologisch interpretierte Soma-Terminologie neu zu fassen, sie mit
dem Problem des Verhältnisses von Israel und Heidenvölkern im Horizont
gegenwärtigen und zukünftigen Heils (vgl. Röm 9-11) zu verbinden und in
einen christologisch-ekklesiologischen Gedankenzusammenhang zu integrie-
ren. Daraus ergibt sich für Eph, daß nicht mehr von der "Versöhnung des
Kosmos"(d.h. der heidnischen Menschenwelt) auf dem Hintergrund der Verstockung Israels zu sprechen ist (vgl. Röm 11,15 im Kontext), sondern
von der endgültigen Vernichtung des Gesetzes als der Heidenvölker und
Israel trennenden Scheidewand einerseits und von der Versöhnung der in
einem Leib (der Kirche) geeinten Heiden(-christen) und Juden(-christen)
mit Gott andererseits. Was Paulus lediglich von einigen Juden sagen
kann und was er dem zukünftigen Erbarmen Gottes zutraut[140], das wird
im antizipierend-eschatologischen Heilsverständnis des Eph mit Blick
auf die universale, beide Menschheitsgruppen umfassende und miteinander
im Frieden Christi verbindende Kirche, dem durch Christi Heilstod geschaffenen Begegnungsraum der einen Menschheit mit Gott, bereits für
die Gegenwart konstatiert. Ein besonderes Israel-Problem besteht für
Eph nicht; im Mittelpunkt seines Denkens steht die durch Christi Tat
erschlossene und bleibend an ihn gebundene Heils-Universalität in der
ökumenischen, aus Heiden- und Judenchristen bestehenden Kirche[141].

---

sondern eine ekklesiologische Christologie".

140 S. dazu oben 3.2.5 (zu Röm 11,15 und dem Kontext)

141 Vgl. F.Mußner, Modell. S. auch J.Ernst, Ortsgemeinde 131:"Das Wachstum des Leibes und die Erbauung des heiligen Tempels deuten in bild-
hafter Sprache auf die räumliche Ausdehnung der Kirche hin, die sich

Die aktuelle Auslegung dieser Ekklesiologie liegt darin, daß vom Einheitsbegriff her die Teilhabe der Heiden an dem durch Christus vermittelten Heil konkretisiert wird als die gleiche Teilhabe am gleichen Heil in der ekklesialen Gemeinschaft mit den Judenchristen in der gemeinsamen Beziehung zu demselben Vater (vgl. 2,11-22; 4,4-6)[142]. Dieses ist für Eph der spezifische Inhalt des den Aposteln und Propheten geoffenbarten, durch "Paulus" und die Kirche verkündigten und den 'Mächten und Gewalten" zu verkündigenden Christusgeheimnisses (3,4-11; vgl. Kol 1,26-28), das sich dank der Heilstat Christi verwirklicht hat und missionarisch verwirklicht[143].

Abschließend ist noch auf die Korrespondenz in der Theozentrik der Versöhnung zu verweisen, die zwischen Eph und Paulus besteht: eindeutiger als Kol 1,22 ist im Eph Versöhnung als Herstellung der Gemeinschaft mit Gott verstanden; damit folgt Eph der versöhnungstheologischen Tradition von 2 Kor 5,18-20 und Röm 5,10. Unterstrichen ist diese theologische Linie durch das Motiv vom "Zugang zum Vater in einem Geist", in dem 2,14-18 ausklingt und das 3,12 noch einmal herausstellt[144]. In diesem Verständnis der durch Christus vermittelten, gegenwärtig schon realisierten Heilsbeziehung zu Gott, ist sich Eph mit Paulus einig (vgl. Röm 5,1f), wenn auch die futurische Erfüllung dieses Zugangs in der noch ausstehenden Rettung nicht mehr in einer Paulus adäquaten Weise in der Theologie des Eph bewahrt ist[145].

---

jetzt bewußt als die katholische = alles umfassende versteht. An die Stelle der drängenden Naherwartung ist die ökumenische Ausrichtung in der Mission getreten". W.A.Meeks, One Body 215, weist darauf hin, daß die universale Sicht mit ihrem missionarischen Aussenbezug einer "kleinen Gruppe von Gläubigen" gilt.

142 Vgl. E.Percy, Zu den Problemen 188.
143 Vgl. dazu R.P.Meyer, Universales Heil, bes. 126-150. S. auch P. Stuhlmacher, "Unser Friede" 356:"Die Kirche ... ist selbst erst im Werden, d.h. eine auf Vergrößerung und Bewährung angelegte, durch Christus geschaffene Missionsgemeinschaft, deren Grundlage und Lebenswirklichkeit Versöhnung und Friede heißt (vgl. 4,1ff; 6,15)".
144 Ob hierbei an ein höfisches Zeremoniell (so J.Ernst, Eph 319) gedacht ist oder kultische Erfahrungen den Hintergrund bilden (so F.Mußner, Modell 328), ist hier nicht zu entscheiden.
145 Vgl. zur Eschatologie: J.Gnilka, Eph 122-128.

Zusammenfassend läßt sich folgendes Ergebnis notieren:

a) Gemeinsamkeiten:
- Direktes Subjekt ist wie in Kol 1,22 Christus. Er ist der Handelnde im Versöhnungsgeschehen; jedoch wird nachdrücklicher als im Kol (vgl. aber 1,12-14.19) die Heilstat Christi im Heilswillen und -wirken Gottes verankert (vgl. 1,3-10.17-22; 2,4-10; 3,7-11.14-20; 4,6.24.30.32; 5,1f.5).- Versöhnung eröffnet die Gottesrelation.
- Der Versöhnungsbegriff verbindet sich mit dem Friedensgedanken, jedoch verliert dieser seinen kosmologischen Inhalt. Die Friedensstiftung gilt der Aufhebung der Feindschaft zwischen den heidnischen und jüdischen Gruppen der Menschheit.
- Entsprechend der Korrektur an der Allversöhnungsvorstellung des Gemeindehymnus (Kol 1,20.22) ist im Eph eindeutig nicht der Kosmos in seinen himmlischen und irdischen Bereichen Objekt der Versöhnung, sondern die Menschheit, näherhin die Menschheitsgruppen Juden und Heiden in der Kirche, so daß letztlich von der Versöhnung der Kirche zu sprechen ist.
- Die Versöhnung ereignet sich im Kreuzestod.
- Die Partizipation an der Versöhnungswirklichkeit geschieht in der Zugehörigkeit zur Soma-Kirche Christi, zu der die Verkündigung führt. Diese geht im Eph vom Friedensstifter (Christus) selbst aus (2,17) und wird vollzogen von "Paulus" und von der apostolischen Kirche (vgl. 3,7-10; 4,11-13.15f; dazu: Kol 1,23-2,3; 4,2-4).
- Der futurische Horizont der Versöhnung verliert (wie im Kol) an Bedeutung; der Schwerpunkt liegt auf dem Geschehensein der Versöhnung bzw. der Rettung und der Präsenz des Heils in der universalen Kirche Christi.
- Die unmittelbare Verbindung von Versöhnungsgedanke und Rechtfertigungstheologie liegt nicht vor. Einen Ansatzpunkt bietet jedoch im Eph die Bedeutung der Vernichtung des Gesetzes für den Frieden; ebenso ist der rechtfertigungstheologische Reflex im Kontext zu beachten (2,5.8f). Dafür gibt es im Kol kein Analogon.
- Es besteht kein Israel-Problem mehr, wenn auch als Kontrasthintergrund das Thema Israel im Eph noch präsent ist.

b) Differenzen

- Die in der Versöhnung aufgehobene Entfremdung und Feindschaft sind
  nicht mehr primär auf das gestörte Verhältnis zu Gott bezogen, sondern sie bezeichnen die einstige Situation zwischen den Angehörigen der Heidenvölker und Israels.

- Die kosmologische Dimension der Versöhnung (Allversöhnung Kol 1,20)
  ist durch die Ekklesiologisierung im Eph aufgehoben. Kontextuell
  ist aber noch eine kosmologische Christologie präsent, wenn auch in
  Relation zur ekklesiologischen Christologie (vgl. 1,10.20-23;4,
  15f; auch 3,9f).

- Wie schon angedeutet, ist im Eph noch ein rechtfertigungstheologi-
  scher Restbestand erhalten.

- Die missionarische Welt- bzw. Völkerbezogenheit ist im Eph stärker
  herausgestellt und explizit als Aufgabe der Kirche ausgewiesen
  (vgl. bes. 3,9), jedoch gilt die Mission wie im Kol nur den Heidenvölkern.

- Im Unterschied zu Kol thematisiert Eph noch die christologisch-
  pneumatologische Dimension der Ekklesiologie (z.B. 2,18.22;4,4)
  und entwickelt ein differenziertes Modell der apostolischen Kirche (vgl. 2,20; 3,5;4,11.16).

- Die universale, Heiden- und Judenchristen in sich als Einheit umfassende Soma-Kirche Christi ist als Realgestalt der Versöhnung
  und des Friedens nicht nur die Aufhebung des heidnischen Unheils-
  zustandes, sondern auch Israels, indem in ihr die Heidenchristen
  mit den Judenchristen "Mitteilhaber der Verheißung in Christus Jesus durch das Evangelium" (3,6) sind.

Im Vergleich mit Paulus sind an Gemeinsamkeiten zu nennen:
  Eröffnung der Gottesgemeinschaft durch die Versöhnung; Kreuzestod
  als Versöhnungsereignis; Verbindung von Versöhnung und Friedensmotiv (vgl. Röm 5); Versöhnung als Aufhebung von Feindschaft; Realisierung der Gottesgemeinschaft durch den Erhöhten; die Kirche
  als Gemeinschaft der Versöhnten; kontextueller Zusammenhang von
  Versöhnungs- und Rechtfertigungstheologie; Mission.
An Unterschieden sind zu beobachten: Zurücktreten der futurisch-escha-

tologischen Perspektive der Versöhnung (Röm 5,10; 11,15); Christus als
der versöhnend Handelnde; Zentrierung der Versöhnungstheologie im Rahmen einer ekklesiologischen Christologie auf die universale Soma-Kirche
aus Juden- und Heidenchristen; der Kreuzestod als Stiftungsereignis der
Kirche als ein Leib; Ekklesiologisierung des Versöhnungsgedankens als
konsequente Transformierung einer Allversöhnungsvorstellung; Ausfall
der Heilsperspektive für das verstockte Israel als Zukunftshorizont
der Versöhnung der heidnischen Völkerwelt; ekklesiale Neuschöpfung.

Diese hier stichwortartig aufgezählten Gemeinsamkeiten und Differenzen
zielen auf inhaltliche Strukturmomente der jeweiligen versöhnungstheologischen Aussagen. Sie berücksichtigen also im einzelnen nicht die
Frage der weltbildlichen Voraussetzungen, der Situation und Adressaten-
bezogenheit. Auch das traditionsgeschichtliche Verhältnis ist damit
noch nicht vorentschieden. Auf diese Gesichtspunkte ist in der Zusammenfassung der Arbeit zurückzukommen. Für diesen Abschnitt der Untersuchung genügt die Feststellung, daß in der durch Kol vermittelten Rezeption des Versöhnungsgedankens durch Eph die paulinisierende Grund-
tendenz gegenüber einer kosmologischen Christologie und der damit zusammenhängenden Vorstellung der Versöhnung der kosmischen Bereiche
erhalten bleibt und sogar gesteigert wird, wenn auch nicht zu verkennen ist, daß die Theologie des Eph insgesamt und die versöhnungstheologische Soma-Ekklesiologie über Paulus hinausgeht. Dasselbe gilt für
die darin implizierte soziologisch-ekklesiologische bzw. universal-
ekklesiologische Dimension der Versöhnungsaussage, die ausdrücklich
das Friedensverhältnis zwischen den Menschheitsgruppen in der Kirche
als konstitutives Element der Versöhnungstheologie des Eph ausweist.

5.4.3 Das Verhältnis Autor - Epheserbrief - Adressatenkreis

Der Sachverhalt stellt sich zunächst im Eph ähnlich wie im Kol dar: Für das historische Verhältnis des Autors zum Adressatenkreis der nachpl. Gemeinden im kleinasiatischen Bereich lassen sich Gesichtspunkte nur aus den indirekten Andeutungen des pseudonymen Schreibens erschließen. Eine parallele historische Quelle liegt zur Gegenkontrolle nicht vor[146].

1) Für die Situation und Position des Autors ergeben sich folgende Anhaltspunkte: Das Interesse an ekklesiologischen Themen, so vor allem an der Einheit der Kirche, an der Verwirklichung des ekklesialen Aufbaus durch kirchliche Verkündigungs- und Leitungsfunktionen und durch alle Gläubigen, und die Sorge für die Bewahrung und Weitergabe der apostolischen Tradition im Geiste des Paulus lassen vermuten, daß er - vielleicht aufgrund seiner eigenen Gemeindefunktion - eng mit der kirchlichen Entwicklung (auch der kirchlichen Struktur) verbunden war[147]. Auf dem Hintergrund seiner eigenen judenchristlichen Herkunftsgeschichte verfolgt er die Ausbildung vorwiegend hellenistisch-heidenchristlicher Gemeinden mit Aufmerksamkeit und, so darf man von Kap. 2 und 3,6 her sagen, nicht ohne Aufgeschlossenheit und Sympathie[148]. Gegen diese Auffassung lassen sich die vom Autor aufgestellten Antithesen zwischen Heiden und Juden (2,11f) nicht anführen, da diese im Eph selbst bereits direkt und durch die kontextuelle Argumentation relativiert sind (vgl. 2,11; auch V.1-3). Sie zielen vielmehr in der adressatenorientierten Rede auf die Hervorhebung des empfangenen Heils in der von Christus selbst geschaffenen Gemeinschaft der Heiden- mit den Judenchristen. Diese Einheit ins Bewußtsein zu heben, ist das besondere Anliegen, denn in ihr erfüllt sich nach dem Verständnis des Eph das Verheißungsprivileg Israels gerade auch für die einstigen Heiden. Israel und die Verbundenheit mit Israel durch

---

146 Vgl. oben bes. 4.6.2 und 5.1, auch 5.2.1.
147 Vgl. R.Schnackenburg, Christus 294f. H.Merklein, Amt (u.a. 44f.215f), geht von der leitenden Gemeindefunktion des Verfassers aus.
148 Vgl. K.M.Fischer, Tendenz 202:"Die Absicht des Eph. ist nicht polemisch, sondern versöhnend".

Beschneidung und Gesetz sind für Eph nicht heilsrelevant[149]. Heilsent-
scheidend ist für den juden-christlichen Autor allein die Zugehörigkeit
der einstigen Heiden und Juden zu Christus, die sich konkret in dem
Leib Christi, der Kirche, realisiert (vgl. 2,13.14-22; 3,6).

Die ekklesiologische Thematik des Eph, d.h. die Darstellung der universalen Kirche des "einen Leibes" und der Funktion kirchlicher Ämter, wie
auch die Erinnerung der Heidenchristen an die Weise ihres Hinzukommens
und die Umschreibung ihres Status als "Mitbürger" (2,19) bzw. als "Miterben, Miteinverleibte und Mitteilhaber" (3,6) hat zur Annahme zweier
Krisenerscheinungen im Übergang zur nachapostolischen Epoche geführt,
deren historischer Hintergrund eine fundamentale kirchliche Strukturkrise gewesen sei. Zu den Krisenphänomenen werden gerechnet: einmal die
Auflösung der gesamtkirchlichen Gemeinschaft im ursprünglich pl. Mis-
sionsverbund und die Vereinzelung der Ortsgemeinden, in denen sich die
episkopale Kirchenordnung durchsetzt und Ämter zur institutionellen
Größe werden; zum anderen die Emanzipation der Heidenchristen (als Mehrheit in den Gemeinden) von den traditionell enger verbundenen Judenchristen[150].

Beide Gesichtspunkte der Situationsanalyse sind jedoch überzeichnet,
da sich z.B. aus Eph 4,11f keine institutionell fixierte Amts- und Lei-
tungsstruktur ableiten läßt, wenn auch die Gesamtentwicklung dahin geht,
die charismatische Ordnung auf einige wenige und wesentliche Verkündi-
gungs- und Leitungsfunktionen in der kirchlichen Ämterstruktur zu konzentrieren[151]. Für Eph ist es jedoch gegenüber dem Versuch der Legitimierung einer bestimmten lokalen Ämterstruktur wichtiger, daß (erstens)
die gemeindlichen Verkündigungs- und Führungsaufgaben im Sinne der Sach-

---

149 Vgl. J.Gnilka, Eph 17.

150 So die Leitthesen von K.M.Fischer, Tendenz 21-33.39.40-48.79-83.
88-94.201-203.

151 Zur Amtsentwicklung vgl. F.Prast, Presbyter 353-437, zur Beurteilung
des Eph bes. 369-376 (in Auseinandersetzung mit der neueren Forschung); vgl. H.Merklein, Amt (zu 4,7-12 bes. 57-117). - Zur Ekklesiologie und zur Ämterstruktur im Eph vgl. auch: J.Gnilka,99-111;
ders., Kirchenmodell; R.Schnackenburg, Gestalt; J,Ernst, Ortsgemeinde, bes. 129-132.134-138.140-142; s. auch E.Käsemann, (Eph 4,
11-16); F.Mußner, Christus 113-160.

walterschaft für die kirchlich fundamentale Apostel-Tradition, die im Verständnis des Eph geschichtlich wie theologisch durch Paulus repräsentiert wird, vollzogen werden und ihr Wirken in der Kirche entsprechend ihrem Gabencharakter (4,11) funktional dem Wirken Christi, des Hauptes, in dem und durch das Soma zugeordnet bleiben, da von Christus als dem Haupt der Zusammenhalt und das Wachstum durch die Beteiligung aller Glieder (entsprechend ihrer Begnadung und ihrer Zurüstung durch die Leitungsinhaber) ausgeht und zum Ziel geführt wird[152]. Diese Sicht steht im Einklang mit der ekklesiologischen Grundkonzeption, nach der die universale Kirche in der ihr wesentlichen Einheit in der Heilstat Christi gründet und von der bleibend-konstitutiven Beziehung zu Christus als dem ihr von Gott gegebenen Haupt lebt. Da Eph die Einheit und Christusrelation der Kirche nicht statisch-monolithisch, sondern dynamisch-räumlich denkt, konkretisiert sich das innere und äußere Wachstum im kirchlichen Vollzug dadurch, daß die gegenwärtigen Leitungsfunktionen (Evangelisten, Hirten, Lehrer) auf dem kirchlichen Fundament der Apostel und Propheten in ihrer Dienstaufgabe auf alle Gemeindeglieder ausgerichtet sind und dadurch mit allen Gläubigen zusammen zum Wachstum bzw. zur Auferbauung beitragen. Die Verkündigungs- und Leitungsfunktionen stehen wie alle Gläubigen als Teile des ekklesialen Christusleibes in der Bewegung vom Haupt her zum Haupt hin, in der sich die Einheit der Kirche in der Agape verwirklicht (4,15.16).

Auch die Annahme einer Loslösung heidenchristlicher Gemeinden bzw. einer Emanzipation des Heidenchristentums vom Judentum als Phänomen der Strukturkrise läßt sich nicht ohne Abstriche durchhalten, zumal die Anspielungen auf Israel bzw. das Judentum auf wenige Aussagen begrenzt sind. Sie sind zum anderen nicht unabhängig von der Argumentationsstrategie zu betrachten, die nicht auf eine Festigung der judenchristlichen Stellung unter Berufung auf die Kontinuität mit Israel abzielt, sondern eher eine nachpl. Auffassung artikuliert, die auf der Basis der Paulus-

---

152 M.E. setzt 4,16 zwar V. 11f voraus und schließt die dortige Aussage ein, erweitert und konkretisiert V. 11 jedoch im Sinne der Ausrichtung auf V. 12. Es handelt sich in 4,16 um eine Rahmenaussage (vgl. 4,7.11), die die Gabe der Ämter durch den Erhöhten mit dessen Wirken im Leib verbindet und zugleich die "Zurüstung der Heiligen" für den Auferbauungsdienst auf "jedes einzelne Teil" hin differenziert

Tradition einen Konsens nicht über die Frage "Israel und die Kirche",
sondern über die universal-ekklesiologische Konzeption "Christus und
die Kirche aus einstigen Heiden und einstigen Juden" anbietet. Nur unter der Rücksicht der Verheißung (vgl. 2,12; 3,6) haben die ehemaligen
Angehörigen der Beschnittenheit etwas den einstigen Heiden voraus, doch
das Inkraftsetzen der Verheißung ist ihnen wie den Heiden nur in Christus gewährt, nämlich aufgrund der Vernichtung des Gesetzes, der Beseitigung der Feindschaft durch die Friedensstiftung und der Versöhnung
mit Gott durch den Kreuzestod (2,14-18)[153]. Mit Blick auf die Heidenchristen, und diese sind die alleinigen Ansprechpartner in 2,11-22, geht es
demnach dem Eph um folgende Klarstellungen: Sie sind als Nahgekommene
wie die einstigen Juden Vollmitglieder der ekklesialen Heilsgemeinschaft
mit Gott. Dieses präsentisch-eschatologische Bewußtsein von dem "Jetzt"
des Heils bedarf der kritischen Erinnerung des "Einst" und der im Kreuzestod vollzogenen Wende, um nicht zu einem falschen Bewußtsein zu werden, das nicht mehr um das Erbarmen Gottes und die Gnadenhaftigkeit der
Rettung weiß (vgl. 2,4-9). Es bedarf aber ebenso der Erinnerung an das
Miteinverleibtsein, d.h. die Mit-Gliedschaft mit den Judenchristen in
der einen Kirche Christi, um die ekklesiale Dimension der Neuheit des
Heils sich zu vergegenwärtigen und nicht dem geschichtslosen Heilsindi-
vidualismus zu verfallen. Die Betonung der Einheit von Heiden- und Judenchristen in dem einen Leib aber ist notwendig, um die missionarische Ökumenizität der Kirche zu wahren und nicht das Gegenüber von Heiden und Juden in einer neuen Form universaler Partikularität aufgehen
zu lassen, in der sich dann die heidenchristlich-universale Kirche dem
Judentum gegenübergestellt sieht, wie einst die ehemaligen Heiden in
Konfrontation mit Israel standen.

Diese Grundposition des Eph ist bedingt durch das Dominieren des Hei-
denchristentums in der Region, auf die der Autor des Eph mit seinem
Schreiben zielt. Von einem kirchenorganisatorischen Bruch zwischen den
Heiden- und Judenchristen ist sie jedoch nicht verursacht. Vielmehr ent-

---

(vgl. 4,7). S. dazu J.Gnilka, Eph 205f.219f.

153 Ich vermag H.Merklein, Christus 75, nicht darin zu folgen, daß Eph
2,11-13 die soteriologische Nivellierung von Juden und Heiden in 2,
1-3 wieder auflöst:"Er relativiert also den soteriologischen Gedanken, daß alle Sünder und gleich sind. Die Juden sind doch besser

spricht Eph dem Zurücktreten der judenchristlichen Tradition, indem er selbst als Judenchrist aus der pl. Tradition heraus dieser Tendenz in der Weise des theologischen Appells entgegentritt und judenchristlich vertraute Motive (Nahekommen, endzeitlicher Friede) in einer aktualisierenden Exegese von Jes 9,5f; 52,7; 57,19 (vgl. auch Mich 5,4) und in einer christologisch-ekklesiologisch konzentrierten Uminterpretation kosmologischer Christologie (vgl. bes. Kol 1,15-20) zum Verständnis der ekklesialen, präsentisch-eschatologischen, aber kreuzestheologisch fundierten Heilssituation beiträgt[154].

2) Da der Autor des Eph mit einer positiven Reaktion der intendierten Leser seines Schreibens rechnet, kalkuliert er damit, daß gewisse Verstehensvoraussetzungen auf der Seite der Rezipienten gegeben sind: Abgesehen von der generellen Frage, ob und welche Traditionen im Eph verarbeitet sind[155], scheint der Verfasser des Eph davon auszugehen, daß auch für das Glaubensverständnis der kleinasiatischen Adressaten die kosmische Christologie eine wesentliche Funktion hat[156], diese aber nicht zu einem adäquaten Kirchenbegriff führen kann. Vermutlich legt er hierauf den besonderen Akzent gerade auch aus dem Grunde, weil er die Kenntnis solcher Anschauungen, wie sie im Kol-Hymnus vertreten werden, annimmt und die Nachwirkungen der durch den Autor des Kol angebrachten Korrekturen nicht für ausreichend erachtet. Darüber hinaus wird vom Eph erwartet, daß die angesprochenen Heidenchristen der christologisch-ekklesiologischen Auslegung des Friedens zugänglich sind und an der eschatologischen Friedenshoffnung partizipieren[157], wobei diese als religiöse nicht nur eine kosmologische, sondern vor allem eine soziologisch-menschheitliche Komponente haben muß. Schließlich baut der Eph auf die Präsenz von pl. geprägten Verstehensvoraus-

---

daran, weil sie Relation zur Kirche haben"(ebd.). Die Relation zur Kirche geht selbst in der Teilhabe an der Verheißung nur über die Vernichtung des Gesetzes (2,14f) und die Preisgabe des Rühmens aufgrund der Werke (V. 8f)!

154 Vgl. P.Stuhlmacher, "Unser Friede"; M.Wolter, Rechtfertigung 62-73 (mit Hinweis auf Proselytenterminologie und urchristliche Sprachtradition).

155 Vgl. J.Gnilka, Eph 21-29. Zum religionsgeschichtlichen Hintergrund: ebd. 33-45; s. auch P.Pokorný, Epheserbrief; ders., Gnosis;F.Mußner, Beiträge; H.-F.Weiß, Motive.

156 Vgl. R.Bultmann, Theologie 503-505 (gnostischer Ansatz);s. 5.3.5.

setzungen, die die Rückführung des Heils und der Konstitution der Kirche auf den Kreuzestod, die Aufhebung des Gesetzes in ihm und die Gnadenhaftigkeit der Rettung akzeptabel machen.

3) Der Autor weiß um die durch die Herkunftsgeschichte der Glaubenden bedingte Heterogenität der Adressaten in den kleinasiatischen Gemeinden, wenn er diese auch in seiner ekklesiologischen Konzeption aufhebt, indem er eine neue, christologisch-soteriologisch begründete Homogenität der einen Kirche aus Heiden- und Judenchristen entwirft. Für seine subjekt- bzw. adressatenorientierte Sachexplikation intendiert er jedoch einen herkunftsgeschichtlich undifferenzierten Empfängerkreis: die Heidenchristen als Erst-Rezipienten seines Schreibens. Ihren Erfahrungskontext spricht er an, wenn er die Opposition Unbeschnittenheit versus Beschnittenheit ausdifferenziert und in einer soteriologisch-ekklesiologischen Argumentationskette auf einer neuen Ebene auflöst. Die Konstitution des Textes 2,11-18 ist so angelegt, daß dieser Kontext als persönlicher und ekklesialer bewußt wird, wobei sowohl das "Einst" wie auch das "Jetzt" hinsichtlich der überindividuellen, menschheitlichen Konditionen thematisiert werden. Die Aussagefolge zielt darauf ab, die Identität als Heidenchrist durch die Identifikation mit der universalen, Heiden- und Judenchristen in sich einenden Kirche zu finden und die eigene Identität, die in der Heilstat Christi gründet und sich in der Relation durch Christus im Geist zu Gott erfüllt, ekklesial zu realisieren.

4) Die Aufnahme des Schreibens durch die historischen Erst-Rezipienten ist nicht dokumentierbar. Diese Sachlage hat Eph mit Kol und Röm gemeinsam, während aus der Fortsetzung der Korrespondenz des Paulus mit der Gemeinde von Korinth zu entnehmen ist, daß der Brief mit der Versöhnungsaussage nicht zum unmittelbaren Erfolg geführt hat. Der Text des Eph belegt jedoch, daß der Autor des Eph sekundärer Rezipient des

---

157 Vgl. M.Wolter, Rechtfertigung, 95-102; J.Dupont, Réconciliation 19-24; G.v.Rad/W.Foerster, in: ThWNT II 398-416; V.Hasler, in: EWNT I 957-964. Weitere Literatur s. oben (5.2.3.2) S. 474 Anm. 45.

Kol war und seine Rezeption in produktiver Weise vollzog, indem er die
Vorstellung einer kosmischen Versöhnung durch den Auferstandenen und
Erhöhten nach der Vorarbeit des Kol-Autors in eine christologisch-uni-
versalekklesiologische Versöhnungskonzeption uminterpretierte.

5.4.4 Die Versöhnung der Kirche und die Versöhnung der Menschheit. Das Rezeptionspotential der Versöhnungsaussage im ekklesialen Kontext der Gegenwart

Einige theologische Aspekte, die die Versöhnungsaussage in ihrem engeren und weiteren Kontext erschließt, werden im folgenden Teil in den
Verstehens- und Handlungszusammenhang des Gegenwartshorizonts hineingestellt. Es geht hierbei um die Frage, ob sich durch die Konfrontation mit der Versöhnungskonzeption des Eph Ansätze für eine weiterzu-
führende Reflexion ausmachen lassen, deren Bezugshorizont nicht nur
die historisch-kritisch vermittelte Vergangenheit des Textes ist, sondern die - wie im Eph eingeschärft wird - in Treue zur apostolischen
Tradition ihren eigenen Ort im Heute hat.

1) Zunächst ist unter hermeneutischem Gesichtspunkt auf die weltbild-
liche Differenz zwischen Eph (und Kol) einerseits und dem neuzeitlichen
Denken anderseits zu achten, das auch in die europäische und angloame-
rikanische Theologie Eingang gefunden hat. An die Stelle eines relativ
stabilen, statischen Weltordo ist die Geschichte mit ihrer offenen,
zukunftsorientierten Dynamik getreten, für deren Zukunftsprozeß der
Mensch die Verantwortung auf sich nimmt. Während für die Sicht des Eph
kennzeichnend ist, daß der entscheidende Akt bereits gesetzt ist, Heil
Gottes durch Christus da ist, d.h. die Christen schon "in Christus Jesus miterweckt und mitversetzt in die Himmel" sind (2,6; vgl. Kol 2,12;
3,1; auch 1,12-14), sie sich also im Raum der realisierten Zukunft befinden, drängt sich - nach dem Verständnis zeitgenössischer Philosophie
und Theologie - die Zukunft als noch offene, uneingelöste, die Gegenwart in den Prozeß der Veränderung und Umwandlung hineinziehende Verheißung auf. Das Individuum, vorrangig aber die Gesellschaft und die
Kirche werden nicht von der geschehenen Heilsstiftung her, sondern auf
Vollendung hin gedacht. Der Blick wendet sich der "kommenden Welt",

der "ungewordenen Zukunft" (E.Bloch)[158], als Antithese zu "dieser"
Welt zu. Diesem kritischen, eschatologischen (bzw. apokalyptischen,
aber ins Geschichtlich-Gesellschaftliche gewendeten) Verstehensansatz
entspricht es, wenn das Sollen nicht aus dem Sein, sondern aus dem Werden abgeleitet wird. Die Praxis im weltgeschichtlich-gesellschaftlichen
Kontext ist unter die Maxime der verändernden Praxis der Hoffnung gestellt. Diese kann im Zusammenhang einer christlichen Hoffnungstheolo-
gie mit dem appellativen Moment der "Umkehr" verbunden werden[159]: Die
Umkehr, die durch Gottes Freiheit dem Menschen ermöglicht ist, eröffnet
- über die Schuld des Menschen in der Verkehrtheit der Welt hinaus -
dem Menschen wieder eine offene Zukunft und weist den Weg einer neuen
Praxis.

Eine derart futurisch-eschatologisch geprägte, gegenwarts- und gesellschaftskritische Philosophie bzw. Theologie hat in der vorrangig antizipierend-eschatologischen bzw. präsentisch-eschatologischen Konzeption
des Eph einen Gegenpol. Jedoch ist für den Eph zu beachten, daß er im
Unterschied zu einer das hellenistische Weltbild akzeptierenden kosmologischen Christologie, die durch die beiden Pole Präexistenz und Erhöhung strukturiert und auf das All mit seinen beiden kosmischen Bereichen (Himmel - Erde) bezogen ist, doch auch vergeschichtlichende
(Kreuzestod, Kirche, Mission) und dynamische (Wachstum, Erfüllung) Elemente enthält[160] und traditionell geprägte futurisch-eschatologische
Fragmente bewahrt hat[161].

Die Grunddifferenz ist aber nicht zu übersehen: der Antithese von Einst
und Jetzt (bes. Eph 2) opponiert die Antithese von Jetzt und Dereinst
(der uneingeholten Zukunft) des neuzeitlichen, geschichtlichen und nach

---

158 Zitiert von R.Schaeffler, Hoffen 117. Vgl. zu den Ausführungen die-
    ses Abschnitts die Darstellung der katholischen Theologie der Hoff-
    nung auf dem Hintergrund zeitgenössischer Philosophie und evangeli-
    scher Theologie in dem genannten Werk von R.Schaeffler. - Zum Welt-
    bild des Eph vgl. F.Mußner, Christus 14-39; J.Gnilka, Eph 63-66.
159 Vgl. R.Schaeffler, Hoffen 215-223 (bes. zu F.Kerstiens). Vgl. hier
    auch den Zusammenhang von Zukunft und Ethik in der "politischen
    Theologie"; dazu: G.Bauer, Hoffnung 155-188.281-293.
160 Vgl. J.Gnilka, Eph 65, der "die Dynamik des Weltbildes des Eph ...
    als dessen bemerkenswertestes Charakteristikum" wertet.
161 Zur futurischen Eschatologie im Eph vgl. F.-J.Steinmetz, Heils-Zu-
    versicht 32- 35; ders., Parusie-Erwartung.- Zu der hier angespro-

vorne offenen Weltbildes. Diese Gegenüberstellung betrifft den herme-
neutisch bestimmenden Ansatz der beiden Denkweisen, wobei die kritische
Zeichnung des Einst im Eph vom Jetzt aus erfolgt, während in der zweiten Antithese die Kritik am Jetzt (unter Einschluß dessen Vorgeschichte)
vom Standort der Zukunft aus formuliert ist. Diese grobe Charakterisierung ist natürlich im Einzelfall zu differenzieren. So gilt auch für
die Theologie des Eph, daß die genannte Opposition komplexere Züge hat:
Das Einst-Jetzt-Schema betrifft die fundamentale Veränderung der Menschen, die als Glaubende durch ihre Christuszugehörigkeit in der Kirche
aus der vorchristlichen (heidnischen, aber auch jüdischen) Vergangenheit
in die christliche, präsentisch-eschatologisch qualifizierte Gegenwart
hinübergewechselt sind, wobei Vergangenheit und Gegenwart in einem
kontradiktorischen Gegensatz zueinander stehen. Zwischen dem Einst und
dem Jetzt besteht keine sachliche oder zeitlich zu denkende Kontinuität.
Dieser Kontrast kann auch durch die Oppositionen "einst Finsternis versus jetzt Licht (im Herrn)" und "alter Mensch versus neuer Mensch" (5,
8; 4,22.24) - und anderen- mit jeweils entsprechenden inhaltlichen Verdeutlichungen ausgedrückt und ethisch konkretisiert werden. Auch hinsichtlich des Revelationsschemas zeigt sich dieselbe formale dualistische Struktur: Das Mysterion war "einst verborgen" und ist "jetzt offenbar" (vgl. Eph 3,5.9f)[162]. Doch auf der anderen Seite weiß Eph, daß
das Einst außerhalb des kirchlichen Heilsbereichs noch präsent ("Söhne
des Ungehorsams" 2,2; vgl. 5,6) und die christliche Existenzweise durch
den Abfall bzw. Rückfall in das heidnische Verhalten gefährdet ist (vgl.
4,17)[163]. Die Brisanz dieser in die Gegenwart der Kirche hinein-

chenen Divergenz zwischen Eph und dem heutigen geschichtlich - gesellschaftlichen Weltbild vgl. den Versuch F.Mußners, Geschichtstheologie, den Eph als "geschichtstheologische - natürlich auch ekklesiologische - Entfaltung des Christusbekenntnisses zu verstehen.
Er spricht sogar vom "geschichtstheologische(n) Christuskerygma des
Epheserbriefes" (ebd. 63), was m.E. jedoch kritisch differenziert
werden müßte. - Zu Recht betont J.Gnilka, Eph 65, daß das Weltbild
des Eph nicht rein statisch ist. Er stellt schließlich fest, "daß
das auf die Überwindung des faktischen Dualismus orientierte Interesse eine statische Weltbetrachtung hinter sich läßt, so daß die
Dynamik des Eph ... als dessen bemerkenswertestes Chrakteristikum
angesehen werden muß".
162 Vgl. A.Lindemann, Aufhebung 67-77. 163 Vgl. H.Merklein, (Eph 4,1-

reichenden Spannung entspricht es, wenn im paränetischen Kontext die
Auseinandersetzung zwischen dem Jetzt der Heiden-Christen und dem noch
gegenwärtigen Einst als Kampf gegen die "Ränke des Teufels" (6,11;
vgl. 4,27) bzw. "gegen die Mächte, gegen die Gewalten, gegen die Welt-
herrscher dieser Finsternis, gegen die Geister der Bosheit in den himmlischen Bereichen" in atl. und jüdisch-apokalyptischer Bildsprache dargestellt wird (so 6,12-17; vgl. dazu 1,21; 3,10; bes. 2,1f)[164].

Während aber im vergangenen Einst der vorchristlichen Unheilssituation
die (ehemaligen) Heiden den Mächten ausgeliefert waren (2,1f), sind
sie jetzt als Glaubende (als "Kinder des Lichts" 5,8-14) in der kraft-
vollen Stärke des Kyrios (6,10) und in der "Waffenrüstung Gottes" (6,
11.13) fähig, zu widerstehen und zu bestehen (vgl. V. 11.13.14).
Trotz des im Eph dominierenden "Jetzt"-Bewußtseins von der geschehenen
Rettung und vom gegenwärtigen Heil spricht sich in dieser Theologie
kein weltabgewandtes, sondern ein praktisches, jedoch welt-kritisches
Christentum aus, daß die weltliche Umwelt der Kirche nicht verklärt,
sondern als Handlungsfeld versteht, in dem die Kirche als primärer
Herrschaftsraum des Friedensstifters sich gegenüber den Mächten der
Welt zu behaupten hat. In ihrem Weltbezug unter den Bedingungen der
"bösen Tage" (5,16) ist die Kirche als präsente Wirklichkeit des Friedens und der Versöhnung in das universal-kosmische Drama des Konflikts
hineingestellt. Dieser wird nicht politisch konkretisiert oder soziologisch analysiert, sondern hinsichtlich der Heidenchristen, die mit

---

5,20), bes. 208-210. Zum Traditionsmaterial im paränetischen Teil
vgl. J.Gnilka, Paränetische Traditionen.

164 A.Lindemann, Aufhebung 64, deutet das Geschehen als Kampf, den die
Christen vom Himmel aus gegen die gottfeindlichen Mächte führen;
"der Sieg ist für die im Himmel befindlichen geretteten Christen
gewiß, nur aufgrund dieser Gewißheit findet überhaupt der Kampf
statt" (ebd.). M.E. charakterisiert die Ausgangslage treffender
H.Conzelmann, Eph 122: "Der Zwischenraum zwischen Gott und uns
('die Himmel') ist der Sitz der Mächte. Der Mensch steht unter ihnen, im Leib Christi aber ihnen gegenüber". Im Unterschied von dem
durch A.Lindemann herausgestellten Siegesbewußtsein deutet J.Ernst,
Eph 398f (zu 6,12) vorsichtiger: "Es steht trotz des Triumphes Christi noch alles auf dem Spiel". Auch J.Gnilka, Eph 307, sieht m.E.
zu Recht einen Anhaltspunkt dafür, "daß unser Verfasser keineswegs
eine enthusiastische realized eschatology vertritt".

den Judenchristen im ekklesialen Friedensbereich Christi leben, ethi-
siert. Der universale, kosmische Kampf zwischen den "Heiligen" bzw.
den "Kindern des Lichts" (vgl. 5,8) und den Mächten der Finsternis
vollzieht sich im Handeln, das das missionarische Zeugnis einschließt
und nicht zuletzt die betende Wachsamkeit und Fürsorge erfordert (vgl.
6,18-20; Kol 4,2f). Die Adressatenorientierung auf die Heidenchristen
läßt im paränetischen Teil des Eph erkennen, daß es unter ethischem
Vorzeichen um das Unterscheidend-Christliche in Abgrenzung vom Nicht-
Christlichen der heidnischen Umwelt geht, die im Eph nicht in einem
neutralen oder sogar positiven Licht erscheint, sondern als bedrohli-
cher Raum der Finsternis unter dem Einfluß der kosmischen Mächte und
damit in Trennung von Christus (2,12) und Gott (4,18; vgl. 5,5) verstanden wird. Diese Grundopposition von ekklesialem Heilsraum und kos-
mischem Unheilsraum verleitet den Autor aber nicht dazu, einem Kon-
ventikelchristentum das Wort zu reden. Vielmehr entwirft er eine kämp-
ferische, weltzugewandte Universalkirche, die als Raum der Friedensherrschaft Christi dessen Herrschaft auf allen Ebenen des christlichen
Lebens gegenüber den Weltmächten durchsetzt, wobei letztlich die Chri-
stusherrschaft durch die Kirche über die Mächte in der Macht Gottes
begründet ist (vgl. 1,9f.19-22; 2,4-7; 3,9-11.15; 4,6).

2) Auf diesem Hintergrund sollen zwei Rezeptionsperspektiven entfaltet werden, die sich aus der behandelten Friedens- und Versöhnungsthematik des Eph ergeben: einmal die soziologische- bzw. völkisch-ekklesiologische, zum anderen die dynamisch-ökumenische.
Wie es sich gezeigt hat, ist es für Eph charakteristisch, daß das Versöhnungsgeschehen, daß durch den Kreuzestod die Gottesbeziehung herstellt, mit dem christologisch-ekklesiologischen Friedensbegriff verbunden ist. Dieser hat folgende Merkmale: Der Friede ist mit Christus
identifiziert. Dieser beseitigt das Trennende zwischen den Menschheitsgruppen, das Gesetz, und die Feindschaft, konstituiert die neue (im
eschatologischen Sinne) Menschheit in der Einheit der Kirche und richtet den Frieden durch dessen einladende Proklamation auf. Daraus folgt,
daß für den Autor des Eph, wie noch einmal hervorgehoben sein soll,
der Friede keine ausstehende eschatologische oder politisch-soziale Zukunft ist. Er ist als Christus-Friede vielmehr des Merkmal der Heils-

gegenwart, deren konkreter endzeitlicher Erfahrungsort die universal-
eine Kirche als Leib Christi ist. In ihr repräsentiert sich vor der
Menschheit die Communio von vorher Getrennten und in Feindschaft Lebenden. Eph entwickelt also keine "freischwebende" Theorie der Einheit
aufgrund von Pazifizierung und Rekonziliation der Völker, sondern er
begreift Einheit konkret als Beseitigung von Polarisierung zwischen
den die Menschheit in ihrer Gesamtheit darstellenden Gruppen von Heiden und Juden. Die Nüchternheit in der Sache macht es erforderlich,
daß für die Erkenntnis des Ausmasses des Friedensgeschehens die Vorgeschichte des Friedens und der Versöhnung als Konfliktgeschichte
auf ihre Letztursache zurückgeführt wird. Jedoch stellt Eph heraus,
daß der fundamentale Konflikt an die einstige Unheilssituation gebunden ist. Für die in der einen Kirche geeinten Menschheitsgruppen ist
die Ursache der Feindschaft durch Christus ausgeräumt.

Auf dieses Blickfeld ist der Friedensgedanke des Eph konzentriert.
Er findet ausschließlich eine ekklesiologische Konkretion. Eine sozial-
philosophische, gesellschaftskritische oder sogar weltpolitische Konzeption wird daraus nicht entwickelt. Die heutigen Fragen nach Konfliktbewältigung und Friedenssicherung in einem politischen Spannungsfeld
liegen außerhalb des Bezugshorizont des Eph. Deshalb können auch dies-
bezügliche Handlungsstrategien nicht von ihm erwartet werden[165].

Der heutige Rezipient, sei es nun die Kirche in ihrer Gesamtheit, die
jeweilige Lokalkirche oder der einzelne Christ, kann jedoch einen Impuls aus der Sicht des Eph nur aufnehmen und zur Wirkung kommen lassen,
wenn er die Sachaussage in den eigenen Verstehens- und Handlungshorizont hineinstellt. Transponiert man nun den soziologisch-ekklesiologischen Friedensgedanken mit seiner christologisch-soteriologischen
Grundlegung in den gegenwärtigen Kontext, so ergibt sich als kriti-

---

165 Zu Recht vermerkt H.Conzelmann, Eph 99, daß in Eph 2,11-22 "nicht
eine Philosophie der Weltgeschichte" geboten wird. Vgl. auch G.
Friedrich, Verkündigung 115. Er hebt hervor, daß Eph "nicht die
politische Frage des rechten Verhaltens der Völker zueinander behandelt. Es wird nicht erörtert, wie die Beziehungen der Juden und
Römer miteinander neu gestaltet werden oder, um es auf die Gegenwart anzuwenden, wie der Zaun zwischen den Farbigen und Weißen,

scher Ansatz, daß nach Art der Unheilsanalyse des Eph bestehende Konflikte theologisch auf ihre Verursachung durch die "Scheidewand" des Gesetzes zu analysieren und aufzudecken sind[166]. In diesem Sinne geht von dem Wissen um die einmalige, durch Christus vollzogene Heilstat der Befriedung der Menschheitsgruppen in der einen Kirche und deren Versöhnung mit Gott ein auf das Fundament von Unheil und Heil zielender kritisch- befreiender Impuls aus , der gegenüber jeder Art von "Einmauerung" und Abgrenzung eines (ideologisierten) Heilsanspruchs sensibilisiert und auf die offene, kommunikative Einheit des geschenkten Heils hin die innermenschheitlichen Konflikte transformiert.

Wenn auch im Eph trotz seiner universal-menschheitlichen Heilsperspektive keine explizite universale Konkretisierung des Friedens und der Versöhnung mit Bezug auf politische, soziale, ökonomische und religiöse Konflikte erfolgt, so ist damit die kirchliche Rede und Handlung in einem veränderten Bewußtseinshorizont und situativen Kontext nicht davon freigesprochen, unter den gegebenen Umständen bei der Pazifizierung der heutigen Menschheitsgruppen aus der Kraft des geschenkten Christusfriedens die friedensstiftende Herrschaft ihres Hauptes (Christus) zur Wirkung kommen zu lassen. Gerade angesichts der gegenwärtigen Konzentration auf die politischen und sozialen Konfliktpotentiale hat die Kirche als in Christi Kreuzestod gegründete Einheit der befriedeten und versöhnten Menschheit die Aufgabe, den fundamentalen Heilsaspekt des Friedens einzubringen und dadurch die Verengung des Friedensbegriffs aufzubrechen. Indem sie ihren Friedensdienst in inte-

---

zwischen reichen und armen Völkern beseitigt werden kann und eine spannungslose Völkergemeinschaft entsteht...". In der aktualisierenden Weiterführung, die unter historisch-exegetischem Vorzeichen fragwürdig ist, steckt vor allem das hermeneutische und theologische Problem der Rezeption. Denn auch die "Gnadenerweisungen Gottes", auf die G.Friedrich zu Recht nachdrücklich hinweist, stellen - wie von dem Eph-Autor gesehen wird - ein konkretes und sich konkretisierendes Angebot dar.

166 Vgl. H.Brandenburger, Frieden 67. Indem Brandenburger Eph 2,11-22 mit 6,11ff verbindet, kennzeichnet er den in 6,11ff angesprochenen Kampf gegenwartsbezogen als "den Kampf mit mächtigen Verhaltensmustern, zumal auch mit neuen Formen der Gesetzlichkeit, die den eigenen Daseinsentwurf als Weltgesetz proklamieren und durchzusetzen trachten und dabei unter dem systemimmanenten Zwang, die

tegraler Weise vollzieht, wird die Kirche zum wirksamen "Christus-Faktor"[167] in der von Gruppeninteressen, Spannungen, Konflikten und ideologisch verfestigten Feindschaften gezeichneten Menschheit, d.h. zum Zeichen der Einheit im Frieden Christi[168].

3) Von den paränetischen Ausführungen des Eph aus gesehen, liegt der Hauptakzent auf den friedensdienlichen Handlungen im innerkirchlichen Bereich. Hier hat sich die Lebensweise der (Heiden-) Christen in der Konsequenz ihrer "Berufung" (4,1; vgl. Kol 1,10) entsprechend ihrem "Christus-Lernen" (4,20f; vgl. 5,17) zu vollziehen. Aus der christologisch-ekklesiologischen Grundorientierung der Theologie des Eph, nach der die Kirche als Leib Christi die Einheit der im Frieden Christi und in der Versöhnung mit Gott verbundenen Menschheit aus Heiden und Juden ist, ergibt sich ein diesem Sein gemäßer Praxisentwurf, der vom Autor des Eph auf den Binnenraum kirchlichen Lebens hin konkretisiert wird. Die Paraklese ist als "Folgerung" (vgl. 4,1) gleichsam praktische Ekklesiologie.

Es handelt sich somit nicht um eine allgemein-menschheitliche, sondern um eine ekklesiale Friedensethik im Kontrast zur heidnischen Umwelt, deren Handlungsweise wesentlich von der Entfremdung vom Leben Gottes gezeichnet ist (4,18; vgl. 2,12; Kol 1,21). Das Umfeld der Kirche ist der negative Gegenpol zum Friedens- und Versöhnungsbereich des "einen neuen Menschen" (=Kirche; 2,15), in dem die durch Christus Geschaffenen als nach Gott geschaffene "neue Menschen" (2,10; 4,24) leben. Diese Polarisierung[169] prägt die paränetische Anwendung des christologisch-ekklesiologischen Entwurfs besonders in 4,1-5,20 und 6,10-17.

---

selbstgewählte Zielprojektion in der Selbstverwirklichung einholen zu müssen, die Welt in immer neue Sklaverei zu stürzen drohen".
167 Vgl. F,Mußner, Modell: "Christus als der Faktor, der die in der Kirche schon anwesende Einheit der Welt stiftet"(334).
168 Vgl. F.Mußner, a.a.O. 335, weist zu Recht darauf hin, daß das "Programm" von Eph 2 "nur dann in glaubwürdiger Weise von der Kirche prophetisch in der Welt zur Geltung gebracht werden kann, wenn es zuvor in ihr selbst verwirklicht ist". Mußner denkt hier an die Herstellung der ökumenischen Einheit der Kirchen.
169 Vgl. bes. die Opposition "Licht" versus "Finsternis": 5,8-13; vgl. 4,18; 6,12; s. auch 1 Thess 5,4f; Röm 13,12ff; 2 Kor 6,14f; Kol 1, 12f u.a.; bes. das joh Schrifttum (z.B.: Joh 1,5; 3,19-21; 12,35f.

Der Kontrasthintergrund des Heidentums macht somit deutlich, daß sich die innere Einheit der Kirche nicht nur unter soteriologischem Aspekt, sondern folgerichtig auch hinsichtlich des Umgangs der Christen miteinander abhebt[170].

Das Verhaltensmodell, das Eph für die Heidenchristen entwickelt, konzentiert sich auf den primären Erfahrungsbereich derer, die "untereinander Glieder" sind (4,25), wobei mit Blick auf das Verhältnis der Eheleute zueinander die ekklesiologische und die ethische Argumentation in der christologischen Begründung der Beziehung zwischen Frauen und Männern verklammert sind. Kennzeichnend ist, daß die vorgegebene soziale Ordnung akzeptiert wird[171]. Der weitere gesellschaftliche und staatliche oder sogar zwischenstaatliche Rahmen bleibt unbeachtet und wird nicht thematisiert. Eph entwickelt also aus seiner ekklesiologischen Einheitskonzeption keinen Beitrag zur außerkirchlichen Sozial- und Staatsordnung. Innerhalb der ekklesialen Gemeinschaft ist jedoch eine Transformation des Verhaltens untereinander intendiert, so daß der inneren Erneuerung "durch den Geist im Denken" (4,23) eine adäquate christliche Praxis folgt, die sich vom Lebenswandel der Heiden "in der Nichtigkeit ihres Denkens" (4,17) unterscheidet.

Sieht man von den einzelnen Konkretisierungen in der Paränese ab und fragt nach dem leitenden Motiv der innerkirchlichen Friedenspraxis, so kann man auch im Eph nur von einem alles bestimmenden Agape-Ethos sprechen (vgl. Kol 3,14f; Eph 4,2)[172]. Die Liebe ist das Fundament des tugendhaften Lebens, durch das sich die Heidenchristen ihrer Berufung durch Gott würdig erweisen (4,1); sie ist in der Einheit des Leibes, die der Geist wirkt (4,3; vgl. 2,18.22) und zugleich bleibende Aufgabe der Kirche ist (vgl. 4,13), das "Band des Friedens"[173]. Die Reali-

---

45; 1 Joh 1,5-7; 2,8-11). Vgl. J.Gnilka, Eph 251f (Qumran-Belege!).
170 Vgl. hierzu H.Merklein, (Eph 4,1-5,20), bes. 208.210.
171 Vgl. die Haustafel (5,21-6,9), deren Mahnungen der christlichen Hausgemeinschaft (Ehefrauen - Ehemänner; Kinder - Eltern/Väter; Sklaven - Herren) gelten. Vgl. Kol 3,18-4,1, wo im Unterschied zum Eph die Sklavenparänese den größten Umfang hat, während im Eph die Eheleuteparaklese umfangsmäßig und inhaltlich hervortritt. Die Ermahnungen der "Herren" fallen in beiden Schreiben auffällig kurz aus.
172 Das Agape-Thema ist im Eph stärker als im Kol akzentuiert (vgl.

sierung der Agape zwischen den Gläubigen mißt sich in ihrer Radikalität an der Liebestat Christi, die selbst Ausweis und Vollzug der Liebe Gottes ist (vgl. 1,4-6;3,19;5,1f.25; 4,23). Als im Geist Versiegelte
(4,30), in dem einen Geist Geeinte und in der Gemeinschaft Gottes Lebende (vgl. 2,18.22;4,3-6) vollziehen die Gläubigen das Friedensethos
der Agape im Wirkbereich des Alltags[174]: es ist die Liebe, die die
Einheit und den innerkirchlichen Frieden durch das gegenseitige Ertragen (4,2f; vgl. Kol 3,13-15) und Verzeihen (4,32) erhält. Ihre ekklesiale Bedeutung schlägt besonders dort durch, wo die Gemeindeglieder
sich nicht der "windigen" Lehre und den Täuschungsmanövern preisgeben,
sondern die Treue zur Wahrheit des Evangeliums bewahren (vgl. 4,14f.
20f.25.29; 6,14f.17) und im gemeinsamen Aufbaudienst von Funktionsträ-
gern und übrigen Gemeindeangehörigen zum Wachstum des Leibes Christi
beitragen (4,16).

Wer nach dem christlichen Beitrag zur Versöhnungsethik fragt[175], wird
somit durch den Eph auf die Friedensethik der Agape in der allgemein
geltenden gesellschaftlichen Ordnung verwiesen. Das Veränderungspoten-
tial dieses Handlungsmodells ist innerkirchlich an der neuen Verhal-
tensweise der Heidenchristen ausgewiesen, nicht aber kritisch auf die
außerkirchliche Gesellschaft angewandt. Das mag heute als Mangel und
als Desiderat empfunden werden. Doch erinnert die Paränese des Eph daran, daß die Versöhnungsinitiative der Kirche erst und radikal im Ge-
meindeleben zur Wirkung kommen muß, um gesellschaftlich relevant zu
werden. Eph zeichnet nicht das revolutionär-thriumphalistische Pathos
der Befreiung zur neuen Menschheitsgesellschaft aus, sondern die Erinnerung verdankter Freiheit von Feindschaft im Frieden Christi und
dankbarer Bewahrung des Friedens im Mitwirken an der ekklesialen Einheit der Menschheitsgruppen, wobei sich die geschenkte Verzeihung und
die empfangene Liebe durch den Kreuzestod als Movens christlicher Pra-

---

die Konkordanz zum Wortfeld "Agape").
173 Vgl. Kol 3,14: "Band der Vollkommenheit".
174 Vgl. J.Ernst, Eph 345.

175 Vgl. W.Dantine, Versöhnung 102-110; J.M.Lochmann,Versöhnung 87-92.
S. auch J.B.Metz, Theologie 128-131, zur schöpferisch-kritischen
Beteiligung der Christen am "gesellschaftlich-politischen Frie-

xis des Friedens und darin als transformierende Impulse zur Geltung bringen[176].

4) Die oben betonte innerkirchliche Perspektive der praktischen Ekklesiologie ist durch die dynamisch-ökumenische Komponente der ekklesiologischen Christologie des Eph zu ergänzen, die der Realität der einen Kirche aus Heiden- und Judenchristen einen universalen Handlungshorizont eröffnet.

Die "ökumenischen Anstöße", die von der Theologie in Eph 2 ausgehen, sind mit Blick auf die Spaltungen in der Christenheit thematisiert worden[177]. Es wurde dabei herausgearbeitet, daß die Vereinigung der Kirchen nicht zur Preisgabe eigener Tradition führen muß, sondern die Bereicherung der Kirche durch die Verbindung der kirchlichen Traditionen eröffnet. Dieser Gedanke ist theologisch zu vertiefen, wobei Reflexionen aus der evangelisch-orthodoxen Ökumene über die Konziliarität, die wechselseitige Rezeption von Traditionen und die Konsensbildung durch die katholische Theologie aufzunehmen und weiterzuführen sind[178]. Mit Blick auf die ekklesiologische Thematik des Eph lassen sich die Anregungen zu einem ökumenischen Verständnis der Kirche aber auch auf das Verhältnis der "alten" und der "jungen" Kirchen anwenden. Gemeint ist die Beziehung der (heiden-) christlichen Kirchen untereinander, wobei der Tatbestand des Nahegewordenseins sich innerkirchlich differenziert. Sowohl die Gläubigen der "alten" Kirchen als auch die der "jungen" sind der Kategorie der durch Christus nahegewordenen Heidenchristen zuzuordnen, wenn auch die "jungen" Kirchen erst im Zuge des dynamisch-missionarischen Wachstumsprozesses des Leibes sich ausgebildet haben. Damit aber stellt sich auf ekklesialer Ebene die theologische Fragestellung des Eph in einer neuen Weise, da es sich nun

---

denswerk".

176 Vgl. J.B.Metz, Theologie 129.131; J.Moltmann, Mensch 164-167; der., Umkehr 101f.104; J.M.Lochmann, Versöhnung 89f.

177 Vgl. F.Mußner, Modell, bes. 334-336.

178 Vgl. oben 1.3.1.

um die Einheit der heidnischen Menschheitsgruppen in dem einen Leib
Christi handelt, so daß sich der völkisch-ekklesiologische und der
dynamisch-ekklesiale Gedanke des Kirchenverständnisses im Eph unter
heidenchristlichem Vorzeichen verbinden. Diese Perspektive wäre in
einer missionstheologisch-ökumenischen (bzw. katholischen) Ekklesiologie auszuarbeiten, indem zugleich die Frage der Mitteilhabe an der
Verheißung unter Erneuerung des judenchristlichen Zusammenhangs des
Eph (Verheißung Israels) und der Israelproblematik bei Paulus wieder
aufzunehmen wäre.

6. ZUSAMMENFASSUNG DER EXEGETISCHEN ERGEBNISSE

Die exegetisch-theologischen Untersuchungen zu den Versöhnungstexten
in den Paulusbriefen (2 Kor; Röm) und in den deuteropl. Schriften (Kol;
Eph) haben verschiedene Explikationen des einen Versöhnungsgeschehens
erkennen lassen, die je nach Situation und theologischer Fragestellung
den soteriologischen Gedanken der Versöhnung konkretisieren. Im Sinne
einer abschließenden Zusammenschau ist die innerntl. Rezeptionsgeschichte der versöhnungstheologischen Tradition zu skizzieren. Danach sind
die Leitgedanken der ntl. Versöhnungstheologie hinsichtlich der 2 Kor,
Röm, Kol und Eph gemeinsamen Sturkturelemente und der divergierenden
Aspekte zusammenzustellen.

6.1 Die neutestamentliche Rezeptionsgeschichte der versöhnungs-
theologischen Tradition

Von der Versöhnung im soteriologischen Sinne der Katallage sprechen in
verbaler und substantivischer Form im NT nur die Paulusbriefe 2 Kor und
Röm und die deuteropl. Schriften Kol und Eph. Daneben verwendet 1 Kor
7,11a im Zusammenhang der Ehescheidungsfrage den Versöhnungsgedanken
für die Wiederherstellung der ehelichen Beziehung durch die Frau. Die
Frage, ob 1 Kor 7,11a interpoliert worden ist, braucht im Rahmen der
am soteriologischen Sprachgebrauch interessierten Untersuchung nicht
diskutiert zu werden. Mit Ausnahme der Tradition in Kol 1,20 wird Versöhnung durchgängig nicht kosmologisch verstanden. Vielmehr ist die
Neuordnung des Verhältnisses der (Christen gewordenen) Menschen bzw.
der in der einen Kirche vereinigten Menschheitsgruppen zu Gott (oder
zu Christus Kol 1,20) gemeint.

Als traditionsgeschichtlicher Hintergrund deutet sich in 2 Kor 5,19ab
wahrscheinlich das hellenistische Judenchristentum an; Kol 1,20 im Rahmen des Hymnus geht zweifellos darauf zurück. Doch nehmen 2 Kor 5,19ab
und Kol 1,20 (Tradition) nicht Bezug auf dieselbe sprachliche Traditi-
onsgestalt, auch nicht auf dieselbe Versöhnungsvorstellung. Auch in Eph

2,14-18 wirken Anschauungs- und Sprachelemente des hellenistischen Judenchristentums (bzw. des hellenistischen Judentums) hinein; diese
sind aber für die Versöhnungsaussage nicht bestimmend. In Eph 2,16
liegt eine präzisierende Weiterführung des redaktionellen theologischen Ansatzes von Kol 1,20.22 vor. Die religiöse Verwendung des Begriffs der Versöhnung in der pl. und deuteropl. Literatur legt es nahe,
daß die ntl. Sprachtradition durch das hellenistische Judenchristentum aus dem hellenistischen Judentum vermittelt und damit zugleich
wesentlich uminterpretiert worden ist. Denn im NT gibt es weder die
Auffassung, daß zur Herbeiführung der Versöhnung mit Gott der Mensch
initiativ werden muß, noch die Vorstellung, daß sich Gott nicht in die
Versöhnung einläßt[1]. Auf der anderen Seite ist das hellenistische Judentum in seiner Deutung der Versöhnung auch eine Antwort auf die fast
durchgängig nichtreligiöse Verwendung des Versöhnungsgedankens im
griechischen und hellenistischen Sprachbereich, aus dem wahrscheinlich der Anstoß zur Konzeption der Versöhnung des Alls in Kol 1,20
kommt. In der Auslegung der Versöhnung durch Eph verbindet sich mit
der ekklesiologischen Verdeutlichung des in Kol 1,20 ursprünglich kosmologischen, aber bereits durch den Kol-Autor redaktionell korrigierten Konzepts die exegesierende Rezeption von prophetischen Friedens-
aussagen (LXX Jes; auch Mich).

Zur Veranschaulichung des innerntl. Rezeptionsvorgangs bietet sich
folgende Skizze an (R = Rezipient; Trad = Tradition):

(Hellen. Judenchristentum)........(Hellen. Judentum).....(Hellenismus)

$$R_1 \text{------} R_{1'} \text{------} pl.\ Trad \text{------} R_2 \text{------} R_3$$

(2 Kor)   (Röm)   (Kol)   (Eph)

pl. Trad ....

---

1 Vgl. H.Merkel, in:EWNT I 645f; F.Büchsel, in: ThWNT I 254; M.Wol-
  ter, Rechtfertigung, bes. 39-45; vgl. auch 45-89. G.Friedrich, Verkündigung 98-100; J.Dupont, Réconciliation, bes. 10-24

Die Darstellung der Rezeption zeigt an, daß das versöhnungstheologische Modell der Soteriologie seine christlichen Wurzeln im hellenistischen Judenchristentum hat, das seinerseits in der Kontinuität der religiösen Sprachwelt des hellenistischen Judentums steht, das wiederum profane Sprach- und Vorstellungsmomente religiös transformiert. Das allgemeine Umfeld der Anschauung bietet also der Hellenismus, den engeren Bereich bildet das hellenistische Judentum, die unmittelbare traditionsgeschichtliche Quelle der ntl. Versöhnungsvorstellungen ist jedoch das hellenistische Judenchristentum, das sich in der direkt aufgegriffenen hymnischen Tradition des Kol (1,15-20) stärker hellenistisch geprägt erweist als in der von Paulus aufgenommenen Überlieferung. In der Nachfolge des Kol ist Eph ebenfalls mit dem hellenistischen Judenchristentum verbunden, wenn auch die kosmologische Ausrichtung der hellenisierten kosmologischen Christologie und Soteriologie noch entschiedener korrigiert wird, indem an die Stelle der Kosmologie die versöhnungstheologisch bestimmte Ekklesiologie tritt, deren Rahmen ein ekklesiologisch-christologisches Konzept ist.

Die Rezeptionsgeschichte der Versöhnungstexte umfaßt folgende Stufen: R_1 (Paulus = 2 Kor 5,18-20); $R_{1'}$ (Paulus als Eigenrezipient, d.h. Kommentator seines eigenen, in 2 Kor erstmals literarisch greifbaren Versöhnungsverständnisses = Röm 5,10f; 11,15). Das pl. Versöhnungsverständnis geht ein in die pl. Tradition, die interpretiert und aktualisiert weitervermittelt wird. Aus dieser Tradition nimmt der Autor des Kol die Anstöße zur Korrektur der hymnischen Versöhnungstradition auf. Daran knüpft Eph in der weiteren Kommentierung der ihm im Kol vorliegenden Tradition und Redaktion an, wobei er eigenständig Ansätze aus Kol, pl. Tradition und Vorstellungselementen des hellenistischen Judenchristentums und dadurch auch des hellenistischen Judentums verarbeitet.

Der situative und theologische Kontext der Versöhnungsaussagen führt im Verlauf der Traditionsverwertung durch die Rezipienten zu jeweils besonderen Akzentuierungen: Auf der Stufe R_1 (2Kor) wird die allgemeinchristliche, vor allem aber mit den Heidenchristen (Kosmos) verbundene Versöhnungsanschauung apostolatstheologisch ausgearbeitet und auf die Gemeinde Korinths appliziert. $R_{1'}$ versteht in Röm 5 Versöhnung allgemeinchristlich, während Röm 11,15 der Bezug auf die Heidenchristen (in kontrastierender und überbietender Relation zu Israel) nachdrücklich herausgestellt ist. Kol 1,20 (R_2) versteht (sowohl in der Tradition als auch in der Redaktion) Versöhnung kosmologisch-christologisch; demgegenüber kommt in Kol 1,22 die anthropologisch-ekklesiologische Deutung auf die Heidenchristen zum Tragen. R_3 (Eph 2,16) interpretiert Versöhnung konsequent christologisch-ekklesiologisch, jedoch in einem universalisierten Sinne: die Versöhnung mit Gott wird der Kirche aus Heiden (Heidenchristen) und Juden (Judenchristen) durch Christus zuteil.

Der Adressatenorientierung und dem Situationsbezug nach ist die ntl. Konkretisierung des Versöhnungsgedankens folgendermaßen zu differenzieren:

R_1 bringt die Versöhnungsvorstellung in den bestehenden Konflikt zwischen der korinthischen Gemeinde (bzw. Gemeindegruppierung) und Paulus über die Legitimation des Apostolatsanspruchs und über die Manifestation der apostolischen Qualifikation ein.

$R_{1'}$ ist die Versöhnungsaussage Bestandteil der Explikation des pl. Evangeliums gegenüber einer persönlich nicht bekannten Gemeinde (Rom) in Vorbereitung der Missionstätigkeit im westlichen Mittelmeerraum.

R_2 (Trad) preist in einem hellenistisch-judenchristlichen Gemeindehymnus die Allversöhnung durch Christus und auf ihn hin. Die Herkunftsgemeinde ist nicht bekannt.

R_2(Kol) bestätigt die kosmologisch-christologische Versöhnungskonzeption des Hymnus, trägt jedoch kreuzestheologische und anthropologisch-ekklesiologische Korrekturen ein. Die Adressaten sind durch eine synkretistische Irrlehre in ihrem Heilsverständnis verunsichert.

R_3(Eph) entwickelt ein universal-ekklesiologisches Modell auf dem Hintergrund einer bereits durch Kol modifizierten, aber noch weiter wirksamen kosmologischen Christologie. Die unmittelbaren Adressaten sind wie im Kol Heidenchristen in einer hellenistisch geprägten Umwelt. Gegenüber einem Zurücktreten des judenchristlichen Elements in den Gemeinden und deren Selbstverständnis betont Eph die konstitutive Verbundenheit von Heiden- und Judenchristen in der einen Kirche Christi.

Die Versöhnungsaussagen als Auslegungen der soteriologischen Bedeutung des Todes Jesu sind in ihrem theologischen Verständnis und in ihrem Adressatenbezug durch die Situation, auf die hin die Versöhnungsvorstellung von Paulus und den deuteropl. Autoren konkretisiert wird, mitbeeinflußt. Sie sind aber auch mitbedingt durch das Verhältnis der einzelnen Ausprägungen des Versöhnungsgedankens zueinander. Während in 2 Kor Paulus in einer ihn selbst betreffenden Streitsituation seinen Apostolat und die Gemeinde in Beziehung zum Versöhnungsgeschehen setzt, hat der Autor des Kol die Heilsunsicherheit des intendierten Adressatenkreises im Blick. Deren Verständnisvoraussetzungen haben Einfluß darauf, daß der ekklesiologische Ansatz ins Spiel gebracht wird, aber nicht zur vollen Durchführung kommt, weil auch die Vorstellung der kosmischen Versöhnung auf Christus hin zur Verdeutlichung des rechten Heilsverständnisses beizutragen vermag, wenn sie zugleich als Depotenzierung der kosmischen Mächte und als Aufrichtung der Herrschaft Christi zum umfassenden Heil verstanden wird.

Die Situation des Kol- Autors ist aber nicht nur durch den Adressatenkontext mitbestimmt, sondern es wirkt sich auch die theologische Herkunft des Autors aus. Während der Adressatenbezug die Rezeption der hymnisch formulierten Christologie empfahl, steht der Briefverfasser selbst in einem komplexeren Traditionszusammenhang, der sich auf seine kritische Intervention gegen die Irrlehre auswirkt. Besondere Relevanz gewinnt dabei die Verbundenheit mit der pl. Tradition, wie die Einführung der Kreuzestheologie, die Ekklesiologisierung des kosmischen Soma-Begriffs und die anthropologisch-ekklesiologische Uminterpretation der Versöhnungsvorstellung zeigen. Die eigenartige Spannung in der zweiteiligen Versöhnungsaussage (Kol 1,20.22) weist auch darauf hin, daß dem Autor des Kol die Aneignung und Verwendung der hymnischen Tradition von der All-Versöhnung nur durch die Zuordnung zum Verstehenskontext der nachwirkenden pl. Theologie möglich waren,die jedoch nicht mehr in ihrer terminologischen und sachlichen Komplexität durchschlägt, aber trotzdem als Filter und Maßstab dient.

Die Situation des Eph-Autors ist durch die situationsbezogene Theologie des Kol und durch die theologische Tradition des Paulus vorgezeichnet, zum anderen durch die Entwicklung zum dominierenden Heidenchristentum, aus der seine Frage nach dem Konstitutivum der einen Kirche und dem darauf bezogenen adäquaten Selbstverständnis der Heidenchristen resultiert. Diese Ausrichtung der Reflexion ist in der Theologie des Kol nicht bestimmend, da seine Argumentation in einem anderen Situationszusammenhang auf eine andere Problemstellung (Irrlehre) zu antworten hat. Eine Annäherung an Eph bietet sich von Paulus aus in Röm 9-11 an; dort liegt aber der Akzent auf der Universalität des jetzt schon von den Heiden angenommenen Heils und dem daraus erwachsenden Problem der Heilsteilhabe des ganzen Israel, nicht aber auf der Universalität der Kirche als Einheit von Heiden- und Judenchristen dank des beiden geltenden Heilswerkes Christi. Zudem steht Röm 9-11 noch in der Spannung der Erwartung, daß Gott sein Erbarmen auch an Israel in seiner Gesamtheit erweisen wird, während der Autor des Eph mit seiner Konzeption der Versöhnung der Kirche aus Heiden- und Judenchristen das futurisch-eschatologische Ziel des pl. Gedankens ekklesiologisch als realisiert betrachtet. Die heidenchristliche Zukunft der Kirche als solche ist, wenn die Verbundenheit mit der judenchristlichen Tradition und mit den judenchristlichen Gemeindegliedern bewahrt wird, kein Anlaß für die Frage nach der Heilszukunft Israels.

Die verschiedenen Situationen der Autoren und die Adressatenorientierung ihrer Schreiben erweisen sich somit als bedeutsam für die Konkretisierung des Versöhnungsgedankens auf der Autorenseite. Und diese ist im ntl. Zusammenhang am ausgeprägtesten, während die Empfängerseite nur indirekt durch die Texte zugänglich wird. Die rezeptive "Konkretisation" durch die Adressaten und deren Rückantwort sind nicht durch liliterarische Dokumente belegbar. Von den Autoren aus betrachtet, stellt sich also der eine Sachverhalt der Versöhnung in vielen Versöhnungsaussagen dar, wobei die einwirkenden Situationsmomente variieren und dem Verständnis der Versöhnung eine je eigene Aktualität geben: im 2 Kor ist die Rede von der Versöhnung Teil einer Argumentation, durch die Paulus die Legitimität und Qualität seines Apostolats geltend macht; zugleich ist sie unmittelbarer Vollzug des Dienstes der Versöhnung gegenüber der sich im Konflikt mit Paulus befindenden Gemeinde (vgl. 5, 20; 6,1f); in Röm 5 dient der Versöhnungsgedanke neben anderen begrifflichen und motivlichen Elementen zur Explikation des pl. Evangeliums:

der Glaubende ist durch den Kreuzestod und das gegenwärtige Wirken des Kyrios der real Versöhnte, der in der Gottesgemeinschaft auf die künftige Rettung hoffen darf. Röm 11,15 ist die Versöhnungsaussage in die Erörterung der Frage nach dem Heil Israels integriert: die "Versöhnung des Kosmos (der Heidenwelt)" steht im Zusammenhang mit der Unheilssituation des überwiegenden Teils Israels, sie wird aber überboten durch die eschatologische Zukunft des vollen Heils (unter Einschluß Israels). Kontextuell wird unterstrichen, daß es keinen Grund für einen heidenchristlichen Heilstriumphalismus gegenüber Israel gibt. Im Kol wird die nichtpl. Tradition der kosmischen Versöhnungsvorstellung durch den Rückgriff auf die pl. Tradition anthropologisch-ekklesiologisch ausgelegt, um so das Heilsbewußtsein der Adressaten zu stärken, während Eph den theologischen Rezeptionsvorgang nichtpl. Tradition über Kol hinaus fortführt und die paulinisierenden Korrekturen des Kol durch die Ekklesiologisierung der Soteriologie verstärkt. Durch Christus sind die Heidenchristen mit den Judenchristen zusammen in der einen Kirche mit Gott versöhnt; sie haben zusammen den gleichen Zugang zu dem gemeinsamen Vater.

6.2 Versöhnungstheologische Strukturelemente

Die folgende Skizze des inhaltlichen Ergebnisses stellt die wesentlichen Strukturelemente der ntl. Versöhnungsthematik dar. Zu den einzelnen Gesichtspunkten sind die Zusammenfassungen der exegetischen Arbeitsschritte vergleichend hinzuzuziehen.

6.2.1 Die gegenwärtige Wirklichkeit der Versöhnung mit Gott als gemeinsame Basis der neutestamentlichen Versöhnungsaussagen

Den ntl. Versöhnungstexten (2 Kor 5,18-20; Röm 5,10f; Kol 1,20.22; Eph 2,16) ist ein Merkmal gemeinsam: Als soteriologische Aussagen konstatieren sie das Geschehensein der Versöhnung und die gegenwärtige Teilhabe an ihr. In 2 Kor 5,18 gilt dieses in besonderer Weise für den Apostel, in V. 19a erweitert sich der Kreis der Versöhnten auf den "Kosmos" der heidnischen Menschenwelt. Nach Kol 1,20 ist das All mit seinen irdischen und himmlischen Bereichen versöhnt, und V. 22 sieht die angesprochenen Heidenchristen als Versöhnte. Auch für Eph 2,16 ist die Versöhnung der befriedeten und in der Kirche geeinten Menschheitsgruppen mit Gott realisiert. Ebenso zeigt sich Paulus in Röm 5,10f und 11, 15 vom Vollzug der Versöhnung überzeugt.

6.2.2 Die gewährte Versöhnung

Für alle Versöhnungsaussagen gilt, daß in ihnen an keiner Stelle der Mensch zum handelnden Subjekt im Versöhnungsgeschehen wird. Für Paulus ist allein Gott der Handelnde, wenn auch die gegenwärtige Partizipation durch den Erhöhten vermittelt ist. Demgegenüber betonen Kol 1,22 und Eph 2,16 die Tätigkeit Christi, wenn auch kontextuell das Heilsereignis der Versöhnung letztlich auf das Handeln Gottes zurückgeführt wird, wobei in der Gesamtkonzeption des Eph die theozentrische Linie stärker ausgeprägt ist als im Kol. Röm 11,15 setzt zwar voraus, daß die "Versöhnung des Kosmos" kein Werk der Heidenchristen ist, nennt jedoch explizit nicht das Subjekt der Versöhnungstat. Der Kontext der Argumentation läßt aber auf Gott schließen. Während Paulus und Eph 2, 16 von der Versöhnung mit Gott sprechen, denkt Kol 1,20 an die Herstellung der christozentrischen Relation des Alls.

6.2.3 Der Kreuzestod als der grundlegende Versöhnungsakt

Durchgängig ist das Versöhnungsereignis mit dem Kreuzestod Jesu gleichgesetzt. Eine markante Ausnahme macht die Tradition des Kol-Hymnus, die die Versöhnung des Alls durch den erhöhten Pantokrator realisiert sein läßt, während der Kol-Autor demgegenüber den Kreuzestod als Versöhnungsakt herausstellt. Während im 2 Kor vor allem durch den Rahmen der kreuzestheologische Grundzug der Versöhnung mit Gott zur Sprache kommt (vgl. 5,14f.21), thematisiert Röm 5,10a (in Parallele zu V. 9a) ausdrücklich den Tod des Sohnes Gottes als Vollzug der Versöhnung der "Feinde" mit Gott. Auch für Eph steht es wie für Paulus und für Kol 1,20 (Redaktion) und 22) außer Frage, daß die Versöhnung der Kirche durch den Kreuzestod realisiert ist. Daß die gegenwärtige Teilhabe an das Wirken des Erhöhten gebunden ist, macht Röm 5,11 deutlich, wenn vom Empfang der Versöhnung die Rede ist. Sachlich in dieselbe Richtung weisen Röm 5,1 und Eph 2,18 durch das Motiv des "Zugangs", der durch Christus vermittelt ist. Für Paulus verbindet sich mit der gegenwärtigen, im Kreuzestod grundgelegten Versöhnungsexistenz die Zuteilung des Pneuma. 2 Kor bringt diesen Sachverhalt kontextuell neben Kap. 3 durch die Vorstellung der Neuschöpfung zum Ausdruck (vgl. für Röm u.a. 5,5). Auch Eph 2,18 sieht die Gottesrelation der beiden in der Kirche vereinten Menschheitsgruppen durch das Pneuma eschatologisch qualifiziert, während im Kol die pneumatische Dimension zurücktritt.

6.2.4 Versöhnung - Rechtfertigung - Friede

2 Kor 5 und Röm 5 verknüpfen die Versöhnungsaussage mit dem Rechtfertigungsgedanken (2 Kor 5,21; Röm 5,9); demgegenüber hat dieser für Kol 1,20.22 keine Bedeutung. Eph hält der Struktur nach die Rechtfertigungstradition im Kontext der Versöhnungsaussage fest, wenn sich auch die Terminologie und die pl. Perspektive verändern (vgl. bes. 2,8f): An die Stelle der Rechtfertigung ist die vollzogene Rettung getreten.

Auf der anderen Seite wird zum Versöhnungs- das Friedensmotiv hinzugezogen: Röm 5,1 ist mit "Friede" die neue Gottesrelation der Gerechtfertigten bezeichnet. Kol spricht in der Tradition von der Friedensstiftung durch den Erhöhten; der Kol-Autor hält ihre kosmische Dimension zwar noch fest, führt sie aber auf den Kreuzestod zurück. Im Eph benennt "Friede" das neue, durch Christus aufgrund seines Todes hergestellte Verhältnis zwischen den vorher verfeindeten, jetzt aber geeinten Menschheitsgruppen, das die konstitutive Voraussetzung für das Gottesverhältnis beider in der Kirche Christi ist.

6.2.5 Versöhnung - Apostolat - Kirche

Die besondere Fragestellung der Untersuchung zielt auf die apostolatstheologischen und ekklesiologischen Implikationen der ntl Versöhnungsaussagen. Der Ertrag ist wie folgt zu differenzieren.

6.2.5.1 Apostolat als Dienst der Versöhnung

Die versöhnungstheologische Einordnung des Apostolats kommt ausdrücklich im apostolatstheologischen Zusammenhang des 2 Kor zur Sprache. Paulus kennzeichnet 5,18 seinen ihm aufgetragenen Apostolat als "Dienst der Versöhnung". Zwar wird in den Briefen der Paulus-Tradition die universal-missionarische Intention des Paulus-Apostolats als Merkmal ihrer Paulinizität und als Hinweis auf die in der Kirche zu bewahrende Treue zur apostolischen Tradition rezipiert, jedoch ist die Einbindung in das Versöhnungsgeschehen, wie sie 2 Kor 5,18-20 auszeichnet, nicht wiederholt. Auch im Rahmen der authentischen Paulusbriefe hat der Zusammenhang von Versöhnung und Versöhnungsdienst eine Sonderstellung.

Paulus sieht seinen Dienst der Versöhnung ursprungshaft mit der Versöhnungstat verbunden, weil Gott als das auf die Versöhnung hinwirkende Subjekt dieser Tat auch das Subjekt der Stiftung des Dienstes und der Beauftragung ist. Zugleich ist es Gott, der mit der Verkündigung des Wortes der Versöhnung, das ebenfalls im versöhnenden Handeln Gottes gründet, wirksam zu Wort kommt und die Menschen in seine Gemeinschaft ruft. Da Gott selbst die Grundlage dieses Dienstes in der einmaligen Versöhnungstat des Kreuzestodes Jesu legt, den Apostel zum Dienst fähig macht, ihn in der mit dem Dienst verbundenen Leidenssituation durch seine Dynamis erhält, ist der Apostolat als Dienst der Versöhnung nur im Sinne der von der Versöhnungstat ausgehenden heilshaften Wirkung vollziehbar. Für den Paulus-Apostolat bedeutet das: in seinem Wort, in dem Gott selbst spricht und das der Apostel als Beauftragter und in der Kraft des erhöhten Christus einladend an die Gemeinde richtet, wird die geschehene Versöhnung gegenwärtig. Im Wort des Apostels begegnet die Gemeinde dem mit sich versöhnenden Gott.

Kennzeichnend für die eschatologische Qualität und Gültigkeit dieses Dienstes ist die Doxa in den Leiden des Apostels. Diese stehen nicht im Widerspruch zur Präsenz des Pneuma; vielmehr gehören sie zum Ausweis der Pneuma-Qualifikation des im Kreuzestod grundgelegten "Dienstes der Versöhnung" nach dem Verständnis des Paulus dazu. Die Gemeinde selbst ist Beleg dafür, daß der "Dienst der Versöhnung" iden-

tisch ist mit dem "Dienst des Pneuma und der Dikaiosyne" (vgl. 3,8.9),
der seinen Beitrag leistet bei der Auferbauung der pneumatischen Gemeinde durch den Erhöhten (vgl. 3,2f) und mit seinem Wirken darauf abzielt, daß sich die Gemeinde dem Versöhnungsangebot Gottes zuwendet
und als Gemeinde derer, die aufgrund des Kreuzestodes durch die Gemeinschaft mit dem erhöhten Christus der rechten Gottesrelation teilhaft geworden sind, konstituiert (vgl. 5,20.21a).

6.2.5.2 Die Gemeinde vor dem einladenden Wort der Versöhnung

Die Gemeinde ist nach den ntl. Versöhnungstexten nicht Subjekt der
Versöhnung, sondern Empfängerin der von Gott bzw. von Christus gewirkten Versöhnung. Im 2 Kor erscheint sie als Adressatin des apostolischen Wortes der Versöhnung (5,19f). Obgleich sie im Zuge des Wirkens des Apostels durch Christus als pneumatische Gemeinde konstituiert
ist (vgl. 3,2f.17f), bleibt sie auf das Wort, das bittend zur Versöhnung einlädt, angewiesen. Die der Gemeinde gegebene Gnade kann ohne
dauernde Gemeinschaft mit dem Dienst der Versöhnung, d.h. mit dem Apostel, nicht wirksam werden. Sie bedarf des mahnenden und bittenden Zuspruchs des Wortes, in dem ihr das Jetzt der eschatologischen Wirklichkeit der Versöhnung begegnet. Paulus insistiert im 2 Kor auf die
konkrete, für die Gemeinde relevante Funktion des Dienstes der Versöhnung, weil sein Apostolat durch die Gemeinde in Zweifel gezogen
wird. Damit bringt er ein über die Problemsituation hinaus bestimmen-
des Grundverständnis seiner Stellung zum Ausdruck: nur in der Bindung
an den von Gott durch Christus legitimierten Apostel, der "aus Gott
vor Gott in Christus" (2,17) seinen Verkündigungsdienst vollzieht,
empfängt die Gemeinde das Wort der Versöhnung in der lauteren und
heilseröffnenden Form. Im Hören auf den Apostel als Gesandten in der
Vollmacht und Kraft Christi, wird sie der Versöhnung mit Gott, die
durch den Kreuzestod herbeigeführt ist, teilhaftig.

Die adäquate Anwort auf den Empfang der Versöhnung ist einmal die
Gemeinschaft mit dem Apostel (2 Kor), zum anderen der Lobpreis Gottes
(Röm). Durch den Erhöhten, der die Versöhnung zuwendet, antwortet sie
auf die empfangene Gabe.

6.2.5.3 Die Kirche als geschichtlicher Ort kosmischer Versöhnung

Die ekklesiologische Korrektur kosmischer Christologie und deren Weiterführung in der anthropologischen Deutung des Versöhnungsgeschehens
(Kol 1,20.22) impliziert im Kol den ekklesiologischen Ansatz, nach dem
die Kirche (Ekklesia 1,18) als Soma, dessen Haupt Christus ist, der
Ort im Kosmos ist, wo der Mensch an der Versöhnung durch den Tod Jesu
partizipiert. Dieser Aspekt einer ekklesiologischen Christologie ist
jedoch im Kol nicht zur vollen Ausgestaltung gekommen, sondern bleibt
in der Spannung zwischen kosmischer Versöhnung und Versöhnung der
Glaubenden. Über das Verständnis des Paulus-Apostolats deutet sich
aber ein für die missionierende Kirche relevanter Zusammenhang an
zwischen der universalen Kirche als Herrschaftsraum Christi und der
"ganzen Schöpfung unter dem Himmel" (1,23) bzw. den Heiden, denen in
der Verkündigung das Gottesgeheimnis kundgetan wird. Die Kirche als
der Bereich, in dem und durch den die kosmische Herrschaft Christi
sich durchsetzt, ist der vom Kosmos unterschiedene Raum, in dem die
Heiden zum Heil gelangen und in ihrer Zugehörigkeit zum Soma Christi
Anteil an der "Hoffnung auf Herrlichkeit" haben (1,27).

6.2.5.4 Die Kirche als geschichtlicher Ort menschheitlicher
Versöhnung

Eph nimmt die ekklesiologische Perspektive des Kol auf und übersetzt
die All-Versöhnungsanschauung konsequent in die Konzeption einer universalen, Heiden und Juden umfassenden Kirche. Diese erscheint als
der "eine neue Mensch" und der "eine Leib", in dem die Feindschaft
zwischen den Menschheitsgruppen mit der Beseitigung des Gesetzes
ihr Ende gefunden hat und Frieden hergestellt ist. In der durch Christus konstituierten Einheit des einen Leibes wird Heiden und Juden in
gleicher Weise durch den Kreuzestod die Versöhnung mit Gott zuteil.
Obgleich dieses ekklesiologisch ausgerichtete Versöhnungsverständnis
in ein präsentisch-eschatologisches Konzept eingebunden ist und die
gegenwärtige Offenheit des Zugangs zu Gott für beide Menschheitsgruppen betont, enthält die Ekklesiologie des Eph auch ein prozeßhaftes

Moment in der Vorstellung des Wachstums, dessen Prinzip das Haupt ist. In diesem Geschehen verwirklicht sich die Kirche als Pleroma des Hauptes und erschließt den Heiden, die im Bereich des Kosmos getrennt von Christus in der Ferne von Gott leben, die Mitteilhaberschaft der Verheißung (3,6) als Vollbürger des Hauses Gottes (vgl. 2,19-22). Somit zeigt sich wie im Apostolatsverständnis des Kol auch im Eph eine geschichtlich-dynamische Perspektive der universalen, heidenmissionarischen Kirche, deren Stiftung als befriedete Völkergemeinschaft aus Heiden und Juden in gemeinsamer Versöhnung mit Gott der Kreuzestod ist, deren Ziel sich aber erst erfüllt, wenn die Glaubenden zusammen in der Erkenntnis des Gottessohnes zum vollen Mannesalter Christi gelangt sind (4,13), mit dem Wachstum des Leibes zu Christus hingewachsen sind (V.15f).

6.2.5 Der Zukunftshorizont der Versöhnung

Während in 2 Kor, Kol und Eph mit dem einmaligen Geschehen der Versöhnung mit Gott die gegenwärtige Heilspartizipation betont ist, eröffnet Röm eine futurisch-eschatologische Perspektive, die aus der Gegenwart der Versöhnung der Glaubenden (insbesondere der Heidenchristen 11,15) auf die gewisse Zukunft der Vollendung verweist. Bemerkenswert ist, daß im Unterschied zum Eph, der die Unheils- und Heilssituation der Heiden auf dem Hintergrund Israels zu bestimmen sucht, darüber hinaus aber die Frage nach der Heilszukunft Israels aufgrund seiner universalen Ekklesiologie nicht thematisiert, Paulus im Röm das Verhältnis der Heidenchristen zu Israel komplexer reflektiert und dem nicht an der "Versöhnung des Kosmos" teilhabenden Israel die Zukunft des Erbarmens Gottes offenhält, in der sich auch für die Heidenchristen die Versöhnung vollendet. Dieser über die Gemeinde hinausweisende Zukunftshorizont ist in den deuteropl. Briefen abgeschwächt. Selbst der Gedanke des inneren und äußeren Wachstums vermag ihn nicht mehr einzuholen, zumal für den Glaubenden schon jetzt gilt, daß er mit Christus auferweckt ist und die Rettung erfahren hat.

6.3 Schlußbetrachtung

Wenn auch gegenüber der Kritik an einer systematisch-theologischen Überbetonung des Versöhnungsgedankens eingeräumt werden muß, daß terminologisch der Versöhnungsbegriff nicht die ntl. Aussagen über das Heil durchgängig prägt[2], vielmehr im soteriologischen Verständnis nur im pl. und deuteropl. Schrifttum an einigen wenigen Stellen im Rahmen verschiedener theologischer Konzeptionen und verschiedener Kommunikations- und Problemsituationen aufgenommen ist, so kann dennoch nicht übersehen werden, daß dem ntl. Versöhnungsgedanken eine besondere, die Grunddimension des Christ- und Kircheseins erschließende Relevanz zukommt. Dieses ist durch die neuere exegetische Forschung zu Recht stärker ins Bewußtsein gehoben worden[3]; entsprechende Beobachtungen lassen sich auf der Seite der systematischen Theologie machen[4]. Bei einem rechten historisch-exegetischen und theologischen Verständnis ist diese Entwicklung zu begrüßen, zumal von ihnen die Anregung ausgeht, die ntl. Sichtweisen der Versöhnung im Kontext sich verändernder innerkirchlicher und gesellschaftlicher Situationen neu zu reflektieren und zu konkretisieren, wodurch auch für das Selbstverständnis und die Verwirklichung der Kirche als Wirkraum der durch Christus eröffneten Versöhnung mit Gott die ntl. Impulse fruchtbar werden können. Daß die versöhnungstheologisch begriffene Ekklesiologie nicht zur Ekklesiozentrik führt, stellt die Kreuzesstruktur der Versöhnungswirklichkeit sicher. Es handelt sich hierin um die Kreuzeslinien der Theozentrik und der Mitmenschlichkeit mit dem Schnittpunkt des gekreuzigten Christus, die sich in der Christusnachfolge der Existenz des Glaubenden und Getauften einprägen und das Leben der Kirche ursprungshaft bestimmen.

---

2 Vgl. E.Käsemann, Erwägungen.

3 Vgl. bes. die Arbeiten von P.Stuhlmacher, aber auch von F.Hahn, M.Hengel, O.Hofius u.a.; s. oben 1. (Einleitung). Vor allem P.Stuhlmacher bemüht sich um das Konzept einer ntl. Theologie unter dem Leitgedanken der Versöhnung als der "einigenden Mitte" des NT. "Kraft seiner Weite und Klarheit erlaubt es dieser Begriff, das den neutestamentlichen Einzelschriften Wesentliche zusammenzuordnen, ohne ihre spezifischen Eigenaussagen gewaltsam durch ein paulinisches Nadelöhr zu pressen" (ders., Versöhnung in Christus 18). Vgl. dagegen E.Käsemann,a.a.O.!

Verweisen die ntl. Versöhnungsaussagen auf den Kreuzestod als Grund der
Versöhnung mit Gott sowohl des einzelnen Glaubenden als auch der Kirche
in ihrer Gesamtheit, so rufen sie im Kontext gegenwärtiger und gesellschaftlicher Entfremdung die Kirche auf, sich selbst in allen ihren Vollzügen als Antwort auf die durch Christus empfangene und bleibend angebotene Versöhnung mit Gott zu realisieren. Das impliziert auch, daß sie
der Versöhnung mit Gott einladend und bittend Raum gibt, interne Entzweiung, Entfremdung und Unversöhnlichkeit überwindet, dem Sünder die
Versöhnung und Verzeihung Gottes wirksam zuspricht, als Einheit verschiedener Menschheitsgruppen den Frieden Christi in der von Konflikten er-
schütterten und friedenssehnsüchtigen Menschheit bezeugt und sich in
ihrem umfassenden Dienst lokal und weltweit für die Überwindung von Konflikt und Entfremdung engagiert. Zu diesem Dienst, zu dem die Kirche und
der einzelne Christ ihre Kraft und Ausdauer in den unvermeidlichen Leiden und Auseinandersetzungen von der empfangenen Versöhnungen her gewinnen und letztlich - gerade auch im sozialen und politisch-gesellschaftlichen Bereich - die "radikale" Befreiung von Entfremdung und Feindschaft
nur von der Teilhabe an der Versöhnung mit Gott erwarten, erneuert die
Kirche die Erinnerung an die im Kreuzestod Jesu gegen alle menschlichen
Versöhnungsversuche und alle menschliche Versöhnungslosigkeit grundgelegte Versöhnung mit Gott und bezeugt der Menschheit dieser Welt, indem sie
sich selbst in ihrem Zeugnis unter das "Wort der Versöhnung" stellt und
von ihm her lebt, die Erneuerung des Menschen und der Menschheit durch
die Versöhnung, die die Welt aus eigenem Vermögen nicht erreichen kann.

Diese umfassende ekklesiale Versöhnungsperspektive bedarf in mehrfacher
Hinsicht einer theologischen Fundierung und Explikation. Einige relevante Gesichtspunkte sollen abschließend als Desiderate für eine auf der
Basis der ntl. Versöhnungsaussagen und im Kontext heutiger Glaubenspra-
xis und -reflexion zu erarbeitende Versöhnungstheologie genannt werden.

---

4 Vgl. z.B.: W.Dantine, Versöhnung; J.M.Lochman, Versöhnung; J.Moltmann,
Umkehr 98-104 (Versöhnung in Freiheit); ders., Mensch 164-167 (Leben in
der Versöhnung). - Vgl. oben auch 2.4.3; 3.4.4; 4.6.3; 5.4.4.

1) "Versöhnung" als nachösterliche soteriologische Deutungskategorie
des Kreuzestodes Jesu ist zurückzubinden an den soteriologischen Aspekt
der Proexistenz Jesu im Horizont seiner Basileia-Botschaft und -Praxis.

Die Verankerung der Versöhnungstheologie im Wirken und Sterben Jesu, die
zugleich eine Antwort auf die sachlich-theologische Frage nach der Kontinuität mit Jesus zu geben hat, hat sich nicht auf das Verständnis des
eigenen Todes durch Jesus zu konzentrieren, sondern ist umfassender an-
zusetzen. Die Einbeziehung der jesuanischen Basileia-Ansage in Wort-
und Tat-Gestalt, in der die endheilszeitliche Gottesherrschaft provo-
zierend als nahe proklamiert und in ihrer heilshaften Dynamik erfahrbar
wird, läßt von Jesus her folgende für die Versöhnungstheologie relevante Grundstrukturen verdeutlichen: den Zusammenhang von Theozentrik und
Mitmenschlihkeit in der Proexistenz Jesu; die Initiative und den Handlungsprimat Gottes beim Kommen seiner Basileia; das Nahegekommensein
der zukünftigen Gottesherrschaft als Aktivität Gottes im Handeln Jesu;
die eschatologische Radikalität der Veränderung aufgrund der Basileia
Gottes; die Neuorientierung der Haltung und des Handelns des Menschen
aufgrund der Güte Gottes; die Solidarisierung mit Jesus und die Gemein-
schaftlichkeit des Heils angesichts der nahen Basileia; die Radikalität der Proexistenz Jesu bis in den Tod hinein und in Verbindung damit die Nachfolge der Jünger[5].

2) Mit der Theologie der Versöhnung ist eine Versöhnungsethik unter
dem Leitmotiv der Agape zu verbinden. Ihr wesentlicher Grundzug ergibt
sich bereits aus der Handlungsperspektive des Basileia-Verständnisses
und -Wirkens Jesu: aus der vorbehaltlosen Heilszuwendung Gottes erwächst
die Freiheit des Menschen zur vorbehaltlosen Zuwendung zum Menschen[6].
Aus diesem fundamentalen Zusammenhang heraus ist die friedensdienliche
und versöhnende Kraft der Agape von der Radikalität der Proexistenz Jesu aus zu konkretisieren, so daß deutlich wird, welche Handlungsimpul-
se im zwischenmenschlichen und gesellschaftlichen Leben durch die geschenkte Versöhnung freigesetzt werden[7].

---

5 Vgl. zu den genannten Stichpunkten: H.Merklein, Gottesherrschaft;
  W.Thüsing, Ntl. Theologien 60-112.- Bei P.Stuhlmacher herrscht m.
  E. in seiner versöhnungstheologischen Rückfrage nach Jesus der pas-
  sionstheologische Ansatz (Sühne, stellvertretendes Leiden) zu stark
  vor (vgl. ders., Versöhnung in Christus 20-23).

6 Vgl. H.Merklein, Gottesherrschaft, Kap. IV - V.

7 Vgl. dazu W.Dantine, Versöhnung; J.M.Lochman, Versöhnung; s. auch
  die kritische Auseinandersetzung von H.Gollwitzer, Black Theology,
  mit dem Versöhnungsverständnis der radikalen Schwarzen Theologie.

3) Im sakramententheologischen Kontext (besonders der Theologie der Bu -
ße als Sakrament der Versöhnung), der bislang den hauptsächlichen Ort
der katholischen Versöhnungstheologie bildete, ist sowohl in der theologischen Grundlegung als auch im ekklesialen Vollzug der Akzent auf den
Primat des Handelns Gottes und das Geschehensein der Versöhnung im Kreuzestod Jesu zu legen. Für das Bußverständnis bedeutet das, das Handeln
der Kirche im Sinne der einladenden Bitte und des Zuspruchs der zugewandten Güte Gottes und den Bußakt des Gläubigen (in seiner umfassenden
Bedeutung) als dankende Antwort in der Solidargemeinschaft der Brüder
auf die angebotene und empfangene Zuwendung der Versöhnung Gottes durch
Christus im Sinne von 2 Kor 5,20 und Röm 5,11 stärker zur Geltung zu
bringen (vgl. auch Kol 1,22 und Eph 2,16-18).

4) Neben der innerkirchlich-sakramentalen Dimension der Versöhnung, die
mit Blick auf alle Sakramente und auf die sakramentale Wirklichkeit der
Kirche überhaupt zu reflektieren wäre, sind noch zwei Aspekte der ekklesialen Versöhnung anzusprechen: einmal der ekklesial-ökumenische, zum
anderen der universal-missionarische. Sowohl im Zusammenhang von 2 Kor
5,18ff als auch von Eph 2,14-18 hat sich gezeigt, daß die Wirklichkeit
der Versöhnung mit Gott ekklesiologisch die Konstituierung und den Vollzug der Einheit der Kirche beinhaltet, sei es im Sinne der Einheit zwischen dem Gesandten im Dienste der Versöhnung und der Gemeinde, sei es
im Sinne der Einheit der Menschheitsgruppen in dem einen Leib Christi.
Angesichts der geschichtlich gewordenen Spaltungen in der christlichen
Gemeinschaft stellt sich die Wirklichkeitsaussage des Eph als Verheissung dar, die im Rahmen der Ekklesiologie unter dem Gesichtspunkt der
ekklesial -ökumenischen Versöhnung der Vielheit in der einen Kirche zu
durchdenken ist. Das universal-missionarische Moment der Versöhnungstheologie verweist auf die evangelisatorische Zeugnisfunktion der Kirche, durch die sie ihre Apostolizität und Katholizität im Dienst der
Versöhnung unter den Völkern realisiert. Auf dem Hintergrund des nach
dem Vaticanum II entfalteten Verständnisses der lokalen Kirchen in der
Einheit der Kirche ist dieser Aspekt einer versöhnungstheologisch fundierten Ekklesiologie sowohl auf das missionarische Wesen der Kirche in
ihrer Gesamtheit als auch auf die Repräsentation der einen missionarischen Kirche durch die Kirchen in den verschiedenen Kulturen und Völkern
hin zu explizieren. Als besondere Aufgabe stellt sich in diesem Zusammenhang die Hoffnungsperspektive von Röm 11,15: der eschatologische Horizont
der Beziehung der versöhnten Heidenchristen zu Israel[8].

Vgl. hier auch den Ausblick auf die "sozialen Folgen" der Rechtfertigungslehre im Zusammenhang der pragmatischen Analyse der pl. Recht-
fertigungsaussagen: D.Zeller, Pragmatik 216-217.
8   Zur ökumenischen Relevanz des Versöhnungsgedankens vgl. u.a. Th.F.
Torrance, Versöhnung; W.Beinert, Versöhnungsdienst 173f.- Zur missionarischen Dimension (in Verbindung mit dem ökumenischen Aspekt) vgl.
H.-W.Gensichen, Glaube 75.102f.152f.

LITERATURVERZEICHNIS

Die Abkürzungen von Reihen, Sammelwerken, Zeitschriften usw. sind ent-
nommen: S.Schwertner, Internationales Abkürzungsverzeichnis für Theologie und Grenzgebiete (IATG), Berlin-New York 1974.
(Lexikonartikel sind in das Verzeichnis nicht aufgenommen.)

1. Texte (Quellen,Übersetzungen)

Aland,K./M.Black/C.M.Martini/B.M.Metzger/A.Wikgren (Hg.): The Greek
          New Testament, Stuttgart ²1968

Cohn,L./P.Wendland (Hg.): Philonis Alexandrini Opera quae supersunt
          I-VI, Berlin 1896

Hennecke,E./W.Schneemelcher (Hg.): Neutestamentliche Apokryphen in
          deutscher Übersetzung.II. Apostolisches, Apokalypsen und
          Verwandtes, Tübingen ³1964

Kittel,R. (Hg.): Biblia Hebraica, Stuttgart ¹⁴1966

Lohse, E. (Hg.): Die Texte aus Qumran. Hebräisch und deutsch, Darmstadt
          ²1971

Maier,J. (Hg.): Die Texte vom Toten Meer. I:Übersetzung. II. Anmerkun-
          gen, München-Basel 1960

Nestle,E./K.Aland (Hg.): Novum Testamentum Graece cum apparatu critico,
          Stuttgart ²⁵1963

Niese,B. (Hg.): Flavii Josephi Opera I-VI und Indexband, Berlin
          1877-1904

Rahlfs, A. (Hg.): Septuaginta. Id est Vetus Testamentum graece iuxta
          LXX interpretes I-II, Stuttgart ⁸1965

Riessler,P.: Altjüdisches Schrifttum außerhalb der Bibel, Heidelberg
          ³1975

Strack,H.L./P.Billerbeck: Kommentar zum Neuen Testament aus Talmud und
          Midrasch I-VI, München ³1961

2. Hilfsmittel (Konkordanzen, Wörterbücher u.a.)

Balz,H./G.Schneider (Hg.): Exegetisches Wörterbuch zum Neuen Testament
          I-II, Stuttgart-Berlin-Köln-Mainz 1980-1981

Bauer,W.: Griechisch-Deutsches Wörterbuch zu den Schriften des Neuen
          Testaments und der übrigen urchristlichen Literatur, Berlin-
          New York ⁶1971 (durchgesehener Nachdruck der Ausgabe ⁵1963)

Blaß,F.: Grammatik des neutestamentlichen Griechisch. Bearbeitet von A. Debrunner, Göttingen [12]1965

Coenen,L./E.Beyreuter/H.Bietenhard (Hg.): Theologisches Begriffslexikon zum Neuen Testament I-II/2, Wuppertal 1967-1971

Duden. Das große Wörterbuch der deutschen Sprache in 6 Bänden. VI. Hg. und bearbeitet vom Wissenschaftlichen Rat und den Mitarbeitern der Dudenredaktion unter der Leitung von G.Drosdowski, Mannheim-Wien-Zürich 1981

Fries,H. (Hg.): Handbuch theologischer Grundbegriffe I-II, München 1962 -1963

Galling,K. (Hg.): Die Religion in Geschichte und Gegenwart. Handwörterbuch für Theologie und Religionswissenschaft I-VI, Tübingen [3]1957-1962

Höfer,J./K.Rahner (Hg.): Lexikon für Theologie und Kirche I-X, Freiburg [2]1957ff

Kittel,G./G.Friedrich (Hg.): Theologisches Wörterbuch zum Neuen Testament I-X, Stuttgart 1933ff

Kögel,J. (Hg.): Hermann Cremers Biblisches Theologisches Wörterbuch des Neutestamentlichen Griechisch, Stuttgart-Gotha [11]1923

Krause/G./G.Müller (Hg.): Theologische Realenzyklopädie I-III,2/3, Berlin-New Xork 1977-1978

Lidell,H.G/R.Scott: A Greek-English Lexikon, Oxford [9]1958

Moulton,J.H./G.Milligan: The Vocabulary of the Greek New Testament Illustrated from the Papyri and other Non-literary Sources, London 1929

Moulton, W.F./A[4]S.Geden: A Concordance to the Greek Testament, Edinburgh [4]1963

Preisigke,F./E.Kießling, Wörterbuch der griechischen Papyriurkunden mit Einschluß der griechischen Inschriften, Aufschriften, Ostraka, Mumienschildern aus Ägypten I-V, Berlin 1925ff

Rahner,K. (Hg.): Herders Theologisches Taschenlexikon I-VIII (HerBü 451-458), Freiburg-Basel-Wien 1972-1973

---   /A.Darlapp (Hg.): Sacramentum Mundi. Theologisches Lexikon für die Praxis, Freiburg-Basel-Wien 1967-1969

---   /H.Vorgrimler (Hg.): Kleines Theologisches Wörterbuch (HerBü 108-109), Freiburg-Basel-Wien [2]1962

--- /H.Vorgrimler (Hg.): Kleines Konzilskompendium. Alle Konstitu-
tionen, Dekrete und Erklärungen des Zweiten Vaticanums in der
bischöflich beauftragten Übersetzung (HerBü 270-273), Freiburg-
Basel-Wien 1966

III. Sonstige Literatur

Aalen,S.: Begrepet plæróma i Kolosser- og Efeserbrevet, in: TTK 23
(1952) 49-67

Abbott,T.K.: A Critical and Exegetical Commentary on the Epistles to
the Ephesians and to the Colossians (ICC 8), Edinburgh 1897

Ahrens,Th.: Die ökumenische Diskussion kosmischer Christologie seit
1961. Darstellung und Kritik, Lübeck 1969

Alberigo,G.: Wahl - Konsens - Rezeption im christlichen Leben, in: Conc
(D) 8 (1972) 477-483

Alfaro,J.: Die Heilsfunktion Christi als Offenbarer, Herr und Priester,
in: MySal III/1 (1970) 649-710

Allmen,D.von: Reconciliation du monde et christologie cosmique de II
Cor. 5:14-21 à Col. I:15-23, in: RHPhR 48 (1968) 32-45

Allo,E.-B.$_2$: Saint Paul. Seconde épître aux Corinthiens (EtB), Paris
1956

Alpers,H.: Die Versöhnung durch Christus. Zur Typologie der Schule von
Lund, Berlin 1964

Althaus,P.: Der Brief an die Römer (NTD 6), Göttingen [5]1946

Altizer, Th.J.J.: ...daß Gott tot sei. Versuche eines christlichen
Atheismus, Zürich 1968

Anciaux,P.: Das Sakrament der Buße. Geschichte, Wesen und Form der
kirchlichen Buße. Mit einem Anhang über Ursprung und Bedeutung der Ablässe, Mainz 1961

Arai,S.: Die Gegner des Paulus im 1. Korintherbrief und das Problem
der Gnosis, in: NTS 19 (1972/73) 430-437

Asmuth,B./L.Berg-Ehlers: Stilistik (Grundstudium Literaturwissenschaft.
Hochschuldidaktische Arbeitsmaterialien 5), Düsseldorf 1974

Asting,R.: Die Verkündigung des Wortes im Urchristentum. Dargestellt
an den Begriffen "Wort Gottes", "Evangelium" und "Zeugnis",
Stuttgart 1939

Auer,J.: Evangelium der Gnade. Die neue Heilsordnung durch die Gnade
Christi in seiner Kirche (Kleine Katholische Dogmatik V),
Regensburg 1970

Aufermann,J./u.a. (Hg.): Gesellschaftliche Kommunikation und Informa-
    tion. Forschungsrichtungen und Problemstellungen. Ein Arbeits-
    buch zur Massenkommunikation 1-2 (Fischer Athenäum-Taschen-
    buch 4021-4022), Frankfurt a.M. 1973

Aulén,G.: Die drei Haupttypen des christlichen Versöhnungsgedankens,
    in: ZSTh 8 (1930) 501-538

---   Christus victor. La notion chrétienne de Rédemption, Paris
        1949

Bachmann,Ph.: Der zweite Brief des Paulus an die Korinther (KNT VIII),
    Leipzig-Erlangen ⁴1922

Bacht,H.: Vom Lehramt der Kirche und in der Kirche, in: Càth(M) 25
    (1971) 144-167

Baczko,B.: Weltanschauung, Metaphysik, Entfremdung. Philosophische Ver-
    suche (édition suhrkamp 306), Frankfurt 1969

Baillie,D.M.: Gott war in Christus. Eine Studie über Inkarnation und
    Versöhnung (ThÜ 7), Göttingen 1959

Baird,W.: Lettres of Recommendations. A Study of II Cor 3,1-3, in: JBL
    80 (1961) 166-172

Balz,H.R.: Heilsvertrauen und Welterfahrung. Strukturen der paulini-
    schen Eschatologie nach Römer 8,18-39 (BEvTh 59), München 1971

Bardenhewer,O.: Der Römerbrief des heiligen Paulus. Kurzgefaßte Erklä-
    rung, Freiburg 1926

Barner,W.: Produktive Rezeption. Lessing und die Tragödien Senecas,
    München 1973

Barrett,C.K.: ΨΕΥΔΑΠΟΣΤΟΛΟΙ (2 Cor 11.13), in: A.Descamps/A.de Halleux
    (Hg.): Mélanges bibliques (FS B.Rigaux), Gembloux 1970, 377-
    396

---   Paul's Opponents in II Corinthias, in: NTS 17 (1970/71) 233-
        254

---   The Second Epistle to the Corinthias (BNTC), London 1973

Barth,G.: Die Eignung des Verkündigers in 2 Kor 2,14-3,6, in: D.Lühr-
    mann/G.Strecker (Hg.): Kirche (FS G.Bornkamm), Tübingen
    1980, 257-270

Barth,H: Sühne und Versöhnung, in: ders., Existenzphilosophie und neu-
    testamentliche Hermeneutik. Abhandlungen. In Verbindung mit
    H.Grieder und A.Wildenmuth hg. v. G.Hauff, Basel-Stuttgart
    1967, 192-204

---   Das "Wort von der Versöhnung", in: a.a.O. 205-210

Bassarak,G.: Dienst der Versöhnung. Zwanzig Rundfunkpredigten, Berlin
           1972

Bastian,H.-D.: Kommunikation. Wie christlicher Glaube funktioniert (Th
           Th 13), Stuttgart-Berlin 1972

Bates,W.H.: The Integrity of II Cor, in: NTS 12 (1965/66) 56-69

Bauer,G.: Christliche Hoffnung und menschlicher Fortschritt. Die poli-
           tische Theologie von J.B.Metz als theologische Begründung ge-
           sellschaftlicher Verantwortung des Christen, Mainz 1976

Bauer,W. (u.a.): Text und Rezeption. Wirkungsanalyse zeitgenössischer
           Literatur am Beispiel des Gedichtes "Fasensonnen" von Paul
           Celan (Ars poetica 14), Frankfurt/M. 1972

Baum,H.: Mut zum Schwachsein - in Christi Kraft. Theologische Grundele-
           mente einer missionarischen Spiritualität anhand von 2 Kor
           (SIM 17), St. Augustin 1977

Baumann,R.: Mitte und Norm des Christlichen. Eine Auslegung von 1.
           Korinther 1,1-3,4 (NTA NF 5), Münster 1968

Baumert,N.: Täglich Sterben und Auferstehen. Der Literalsinn von 2 Kor
           4,12-5,10 (STANT 34), München 1973

Baumgärtner,K.: Funk-Kolleg Sprache. Eine Einführung in die moderne
           Linguistik I (Fischer Taschenbuch 4473-4475), Frankfurt a.M.
           1973

Baur,F.Ch.: Die christliche Lehre von der Versöhnung in ihrer geschicht-
           lichen Entwicklung von der ältesten Zeit bis auf die neueste,
           Tübingen 1838

---   Geschichte der christlichen Kirche$_3$I. Kirchengeschichte der
           drei ersten Jahrhunderte, Leipzig ^{3}1863 (Neudruck Leipzig 1969)

---   Vorlesungen über neutestamentliche Theologie. Hg. v. F.F.Baur,
           Leipzig 1864 (Neudruck Darmstadt 1973)

---   Paulus, der Apostel Jesu Christi. Sein Leben und Wirken, seine
           Briefe und seine Lehre. Ein Beitrag zu einer kritischen Ge-
           schichte des Urchristentums I-II. Nach dem Tode des Verfassers
           besorgt von E.Zeller, Leipzig ^{2}1866-1867 (Neudruck Osnabrück
           1968)

Becker,J.: Das Heil Gottes. Heils- und Sündenbegriff in den Qumrantex-
           ten und im Neuen Testament (StUNT 3), Göttingen 1964

Becker,W.: Schritte zur Versöhnung zwischen Christen und Juden, in: H. Fries/U.Valske (Hg.): Versöhnung. Gestalten - Zeiten - Modelle, Frankfurt a.M. 1975, 231-245

Beinert,W.: Der Versöhnungsdienst der Kirche, in: Cath(M) 22 (1968) 161-178

--- Christus und der Kosmos. Perspektiven zu einer Theologie der Schöpfung (Theologisches Seminar), Freiburg - Basel - Wien 1974

--- Die ekklesiale Dimension der christlichen Buße, in: ThJb(L) 1975, Leipzig 1975, 475-496

Belser,J.E.: Der Epheserbrief des Apostels Paulus, Freiburg i.Br. 1908

--- Einleitung in das Neue Testament, Freiburg i.Br. 1905

--- Der Zweite Brief des Apostels Paulus an die Korinther, Freiburg i.Br. 1910

Benoit,P.: Leib,Haupt und Pleroma in den Gefangenschaftsbriefen, in: ders., Exegese und Theologie. Gesammelte Aufsätze (KBANT), Düsseldorf 1965, 246-279

--- L'hymne christologique de Col 1,15-20. Jugement critique sur l'état des recherches, in: Christianity, Judaism and Other Greco-Roman Cults (FS M.Smith 1), Leiden 1975, 226-263

Bensow,O.: Die Lehre von der Versöhnung, Gütersloh 1904

Berger,K.: Abraham in den paulinischen Hauptbriefen, in: MThZ 17 (1966) 47-89

--- Exegese des Neuen Testaments. Neue Wege vom Text zur Auslegung (UTB 658), Heidelberg 1977

--- Die impliziten Gegner. Zur Methode des Erschließens von "Gegnern" in neutestamentlichen Texten, in: D.Lührmann/G.Strecker (Hg.): Kirche (FS G.Bornkamm), Tübingen 1980, 373-400

Berner,U.: Die Bergpredigt. Rezeption und Auslegung im 20. Jahrhundert (Göttinger Theologische Arbeiten 12), Göttingen 1979

Berry,R.: Death and Life in Christ. The Meaning of 2 Cor. 5:1-10, in: SJTh (1961) 60-76

Best,E.: One Body in Christ. A Study in the Relationship of the Church to Christ in the Epistles of the Apostle Paul, London 1955

Betz,H.D.: Der Apostel und die sokratische Tradition. Eine exegetische
        Untersuchung zu seiner "Apologie" 2 Korinther 10-13 (BHTh 45),
        Tübingen 1972

---   2 Cor. 6:14-7:1: An Anti-Pauline Fragment?, in: JBL 92 (1973)
        88-108

Beumer,J.: Das Erste Vatikanum und seine Rezeption, in: MThZ 27 (1976)
        259-276

Bieder,W.: Die kolossische Irrlehre und die Kirche von heute (ThSt B
        33), Zollikon-Zürich 1952

---   Der einladende Charakter der paulinischen Versöhnungsbotschaft
        (Zu 2 Kor 5,14-21), in: Zeitschrift für Mission 1 (1975) 134-
        141

---   Das Mysterium Christi und die Mission. Ein Beitrag zur missio-
        narischen Sakramentalgestalt der Kirche, Zürich 1964

Bisping,A.$_3$: Erklärung des zweiten Briefes an die Korinther, Münster
        1883

Bitter,G.: Wandlungen im Erlösungsverständnis, in: D.Emeis (Hg.): Lern-
        prozesse im Glauben. Ein Arbeitsbuch für die Erwachsenenbil-
        dung mit dem Holländischen Katechismus, Freiburg ^{3}1973, 86-142

---   Erlösung. Die religionspädagogische Realisierung eines zentra-
        len theologischen Themas, München 1976

Blank,J.: Paulus und Jesus. Eine theologische Grundlegung (StANT 18),
        München 1968

Boesak,A.A.: Unschuld, die schuldig macht. Eine sozialethische Studie
        über Schwarze Theologie und Schwarze Macht, Hamburg 1977

---   The Relationship between Text and Situation. Reconciliation
        and Liberation in Black Theology, in: Voices of the Third
        World II/1 (1979) 30-40

Bonhoeffer,D.: Widerstand und Ergebung. Briefe und Aufzeichnungen aus
        der Haft. Hg. v. E.Bethge, München 1952

Bornkamm,G.: Paulinische Anakoluthe, in: ders., Das Ende des Gesetzes.
        Paulusstudien (BEvTh 16), München 1952, 76-92

---   Die Häresie des Kolosserbriefes, in: a.a.O. 139-156

---   Die Offenbarung des Zornes Gottes (Röm 1-3), in: a.a.O. 9-33

---   Paulus (Urban-Taschenbuch 119), Stuttgart ^{2}1970

\-\-\-   Die Hoffnung im Kolosserbrief. Zugleich ein Beitrag zur Frage der Echtheit des Briefes, in: ders., Geschichte und Glaube II (Gesammelte Aufsätze IV), München 1971, 206-213

\-\-\-   Der Römerbrief als Testament des Paulus, in: a.a.O. 120-139

\-\-\-   Die Vorgeschichte des sogenannten Zweiten Korintherbriefes, in: a.a.O. 162-194

Borse,U.: Die geschichtliche und theologische Einordnung des Römerbriefes, in: BZ 16 (1972) 70-83

\-\-\-   Zur Todes- und Jenseitserwartung Pauli nach 2 Kor 5,1-10, in: BiLe 13 (1972) 129-138

Bosc,R.: Bemerkungen zur "Versöhnung" als Element christlicher Friedenslehre, in:F.-M.Schmölz (Hg.): Christlicher Friedensbegriff und europäische Friedensordnung (Entwicklung und Frieden. Wissenschaftliche Reihe 12), München-Mainz 1977, 33-37

Bousset,W$_2$: Der zweite Brief an die Korinther (SNT II), Göttingen ^{2}1908

Brandenburger,E.: Adam und Christus. Exegetisch-religionsgeschichtliche Untersuchung zu Röm 5,12-21 (1. Kor 15) (WMANT 7), Neukirchen-Vluyn 1962

\-\-\-   Fleisch und Geist. Paulus und die dualistische Weisheit (WMANT 29), Neukirchen-Vluyn 1968

\-\-\-   Frieden im Neuen Testament. Grundlinien urchristlichen Friedensverständnisses, Gütersloh 1973

Braun,H.: Qumran und das Neue Testament I-II, Tübingen 1966

\-\-\-   Vom Verstehen des Neuen Testaments, in: ders., Gesammelte Studien zum Neuen Testament und seiner Umwelt, Tübingen ^{2}1967, 283-298

Braunroth,M./G.Seyfert/K.Siegel/F.Vahle: Ansätze und Aufgaben der linguistischen Pragmatik (Athenäum Taschenbücher Sprachwissenschaft 2091), Kronberg ^{2}1978

Breuer,D.: Pragmatische Textanalyse, in: ders. (u.a.) (Hg.), Literaturwissenschaft. Eine Einführung für Germanisten (Ullstein Taschebuch 2941), Frankfurt a.M.-Berlin-Wien 1972, 213-340

\-\-\-   Die Einführung in die pragmatische Texttheorie (UTB 106), München 1974

Breuning,W.: Zur Lehre von der Apokatastasis, in: IKZ 10 (1981) 19-31

Brockhaus,U.: Charisma und Amt. Die paulinische Charismenlehre auf dem
    Hintergrund der frühchristlichen Gemeindefunktionen, Wuppertal
    1972

Brox,N.: Falsche Verfasserangaben. Zur Erklärung der frühchristlichen
    Pseudepigraphie (SBS 79), Stuttgart 1975

Brunner,E.: Der Mittler. Zur Besinnung über den Christenglauben, Tübin-
    gen 1927

Buck,A.: Die Rezeption der Antike in den romanischen Literaturen der
    Renaissance (Grundlagen der Romanistik 8), Berlin 1976

Budiman,R.: De realisering der verzoening in het menselijk bestaan.
    Een oderzoek naar Paulus' opvatting van de gemeenschap van
    Christus' lijden als een integrerend deel der verzoening, Delft
    1972

Büchsel,F.: Theologie des Neuen Testaments. Geschichte des Wortes Got-
    tes im Neuen Testament, Gütersloh 1935

Bujard,W.: Stilanalytische Untersuchungen zum Kolosserbrief als Beitrag
    zur Methodik von Sprachvergleichen (StUNT 11), Göttingen 1973

Bultmann,R.: Der Stil der paulinischen Predigt und die kynisch-stoische
    Diatribe (FRLANT 13), Göttingen 1910

---   Glaube und Verstehen (Gesammelte Aufsätze 1), Tübingen [3]1958

---   Neues Testament und Mythologie, in: H.-W.Bartsch (Hg.): Keryg-
    ma und Mythos I, Hamburg [4]1960, 15-53

---   Jesus Christus und die Mythologie. Das Neue Testament im Lichte
    der Bibelkritik (Stundenbuch 47), Hamburg 1964

---   Theologie des Neuen Testaments (NTG), Tübingen [5]1965

---   Römer 7 und die Anthropologie des Paulus, in: ders., Exegeti-
    ca. Aufsätze zur Erforschung des Neuen Testaments. Hg. v. E.
    Dinkler, Tübingen 1967, 198-209

---   Glossen im Römerbrief, in: a.a.O. 278-284

---   Exegetische Probleme des zweiten Korintherbriefes, in: a.a.O.
    298-322

---   Adam und Christus nach Römer 5, in: a.a.O. 424-444

---   Der zweite Brief an die Korinther (KEK. Sonderband), Göttingen
    1975

Burger,Ch.: Schöpfung und Versöhnung. Studien zum liturgischen Gut im

Kolosser- und Epheserbrief (WMANT 46), Neukirchen-Vluyn 1975

Burger,C.H.A.: Der zweite Brief Pauli an die Korinther, Erlangen 1860

Buri,F.: Dogmatik als Selbstverständnis des christlichen Glaubens. II:
Der Mensch und die Gnade, Bern-Tübingen 1962

--- Das dreifache Heilswerk Christi und seine Aneignung im Glauben
(ThF 28), Hamburg- Bergstedt 1962

Bussmann,C.: Themen der paulinischen Missionspredigt auf dem Hintergrund
der spätjüdisch-hellenistischen Missionsliteratur (EHS.T 23,3),
Bern-Frankfurt/M. 1971

Cambier,J.: Connaissance channelle et spirituelle de Christ dans 2 Cor
5,16, in: Littérature et théologie pauliniennes (Recherches
Bibliques 5), Paris 1960, 72-92

--- La Bénédiction d'Eph 1,2-14, in: ZNW 54 (1963) 58-104

Campenhausen, H.von: Der urchristliche Apostelbegriff, in: StTh 1
(1947/48) 96-130

--- Kirchliches Amt und geistliche Vollmacht in den ersten drei
Jahrhunderten (BHTh 14), Tübingen ²1963

Cerfaux,L.: En faveur de l'authenticité des épîtres de la captivité.
Homogénéité doctrinale entre Ephésiens et les grandes épîtres,
in: Littérature et Theologie paulinienne (RechBib 5), Brügge-
Paris 1960, 60-71

--- Le chrétien de la théologie paulinienne (LeDiv 33), Paris 1962

--- Christus in der paulinischen Theologie, Düsseldorf 1964

--- La théologie de l'Eglise suivant saint Paul (Unam Sanctam 54),
Paris 1965 (nouvelle édition mise à jour et augmentée)

Clemen,C.: Die Einheitlichkeit der paulinischen Briefe an Hand der bisher mit Bezug auf sie aufgestellten Interpolations- und Kompi-
lationshypothesen geprüft, Göttingen 1894

Collange,J.-F.: Enigmes de la Deuxième Epître de Paul aux Corinthiens.
Etude exégétique de 2 Cor. 2:14-7:4 (MSSNTS 18), Cambridge
1972

Colpe,C.: Die religionsgeschichtliche Schule (FRLANT 78), Göttingen
1961

--- Zur Leib-Christi-Vorstellung im Epheserbrief, in: W.Eltester
(Hg.), Judentum, Urchristentum, Kirche (FS J.Jeremias) (BZNW
26),Berlin ²1964, 172-187

Cone,J.H.: Schwarze Theologie. Eine christliche Interpretation der
Black-Power-Bewegung, München-Mainz 1971

---   Schwarze Theologie im Blick auf Revolution, Gewaltanwendung
und Versöhnung, in: EvTh 34 (1974) 4-16

Congar,Y.: Die Rezeption als ekklesiologische Realität, in: Conc(D) 8
(1972) 500-514 (auch in: ThJb(L) 1974, 447-470)

Conzelmann,H.: Grundriß der Theologie des Neuen Testaments (EETh 2),
München ²1968

---   Der erste Brief an die Korinther (KEK 5), Göttingen ¹¹1969

---   Geschichte des Urchristentums (GNT 5), Göttingen 1969

---   Paulus und die Weisheit, in: ders.: Theologie als Schriftauslegung. Aufsätze zum Neuen Testament (BEvTh 65), München 1974,
177-190

---   /A.Lindemann: Arbeitsbuch zum Neuen Testament (UTB 52),
Tübingen ³1977

---   Der Brief an die Epheser. Der Brief an die Kolosser (NTD 8),
Göttingen ¹⁵1981

Cornely,R.: Epistola ad Romanos (Commentarius in S. Pauli Apostoli
Epistolas I), Paris 1896

---   Epistolas ad Corinthios altera et ad Galatas (Commentarius
in S. Pauli Apostoli Epistolas III), Paris ²1909

Coutts,J.: The Relationship of Ephesians and Colossians, in: NTS 4
(1957/58) 201-207

Crouch,J.E.: The Origin and Intention of the Colossian Haustafel
(FRLANT 109), Göttingen 1972

Czempiel,E.-O.: Schwerpunkte und Ziele der Friedensforschung (Entwicklung und Frieden 4), München-Mainz 1972

Dalmer,J.: Die Heilsbedeutung des Todes Christi nach der Darstellung
des Apostels Paulus (Diss.theol.), Greifswald 1886

Dantine,W.: Versöhnung. Ein Grundmotiv christlichen Glaubens und Handelns (Gütersloher Taschenbücher 265), Gütersloh 1978

Dassmann,E.: Der Stachel im Fleisch. Paulus in der Frühchristlichen
Literatur bis Irenäus, Münster 1979

Dautzenberg,G.: Theologie und Seelsorge aus Paulinischer Tradition.
Einführung in 2 Thess, Kol, Eph, in: J.Schreiner (Hg.), Ge-

stalt und Anspruch des Neuen Testaments, Würzburg 1969, 96-119

Davies,W.D.: Paul and Rabbinic Judaism. Some Rabbinic Elements in Pauline Theology, London ^{2}1955

Deichgräber,R.: Gotteshymnus und Christushymnus in der frühen Christenheit. Untersuchung zu Form, Sprache und Stil der frühchristlichen Hymnen (StUNT 5), Göttingen 1967

Deissmann,A.: Licht vom Osten. Das Neue Testament und die neuentdeckten
Texte der hellenistisch-römischen Welt, Tübingen ^{3}1923

De la Potterie,J.: Le Christ, Plérôme de l'Eglise (Eph 1,22-23), in:
Bib 58 (1977) 500- 524

Delling,G.: Die Botschaft des Paulus, Berlin 1965

---   Der Kreuzestod Jesu in der urchristlichen Verkündigung, Berlin 1971

---   Die Bezeichnung "Gott des Friedens" und ähnliche Wendungen in
den Paulusbriefen, in: E.E.Ellis/E.Gräßer (Hg.): Jesus und
Paulus (FS W.G.Kümmel), Göttingen 1975, 76-84

Dembowski,H.: Schleiermacher und Hegel. Ein Gegensatz, in: Neues Testament und christliche Existenz (FS H.Braun). Hg. v. H.D.Betz/
L.Schottroff, Tübingen 1973, 115-141

Demke,Ch.: Zur Auslegung von 2. Korinther 5,1-10, in: EvTh 29 (1969)
589-602

Denis, A.-M.: L'investiture de la fonction apostolique par "apokalypse".
Etude thématique de Gal. 1,16, in: RB 64 (1957) 335-362

Derrett,J.D.M.: 2 Cor 6,14ff. a Midrash on Dt 22,10, in: Bib 59 (1978)
231-250

De Wette, W.M.L.: Kurze Erklärung der Briefe an die Colosser, an Philemon, an die Ephesier und Philipper (Kurzgefaßtes exegetisches
Handbuch zum Neuen Testament II), Leipzig ^{2}1847

---   Kurze Erklärung des Briefes an die Römer (Kurzgefaßtes exegetisches Handbuch zum Neuen Testament II), Leipzig ^{4}1847

Dibelius,M.(-M.Greeven): An die Kolosser, Epheser, an Philemon (HNT 12),
Tübingen ^{3}1953

---   Paulus. Hg. v. W.G.Kümmel (SG 1160), Berlin 1964

---   Geschichte der urchristlichen Literatur. Neudruck der Erstaus-
gabe von 1926 unter Berücksichtigung der Änderungen der engl.
Übersetzung von 1936. Hg. v. F.Hahn (TB 58) München 1975

Dinkler, E.: Die Verkündigung als eschatologisch-sakramentales Geschehen. Auslegung von 2 Kor 5,14-6,2, in: Die Zeit Jesu (FS H. Schlier), Freiburg-Basel-Wien 1970, 169-189

---   Eirene. Der urchristliche Friedensgedanke (SHAW.PH 1), Heidelberg 1973

Dodd,Ch.H.: The Epistle of Paul to the Romans (MNTC 6), London [14]1960

Doman,G./P.Lippert: Versöhnung - Ende der Konflikte? Konfliktbewältigung in Gruppe und Gemeinde, Limburg 1975

Doulière,R.R.: La justice qui fait vivre. L'Epître aux Romains, Neuchâtel 1975

Dugandzic,I.: Das "Ja" Gottes in Christus. Eine Studie zur Bedeutung des Alten Testaments für das Christusverständnis des Paulus (FzB 26), Würzburg 1977

Dunn,J.D.G.: 2 Cor III.17 - "The Lord is the Spirit", in: JThS NS 21 (1970) 309-320

Dupont,J.: Le chrétien, miroir de la grace divine, d'après 2 Cor. 3:18, RB 56 (1949) 392-411

---   La Réconciliation dans la Théologie de Saint Paul (ALBO II/32), Bruges-Paris 1953

---   Le problème de la structure littéraire de l'épître aux Romains, in: RB 62 (1955) 365-397

---   Gnosis. La connaissance religieuse dans les Epîtres de saint Paul (Universitas Catholica Lovaniensis II/40), Louvain-Paris [2]1960

Duquoc,Ch.: Reale und sakramentale Versöhnung, in: Conc(D) 7 (1971) 11-17

Durand,A.: Klassenkampf und christliche Versöhnungshoffnung, in: Conc (D) 11(1975),601-607

Ebeling,G.: Dogmatik des christlichen Glaubens I-II, Tübingen 1979

Eckart,K.-G.: Exegetische Beobachtungen zu Kol 1,9-20, in: ThViat 7 (1959/60) 87-106

Eckert,J.: Die urchristliche Verkündigung im Streit zwischen Paulus und seinen Gegnern nach dem Galaterbrief (BU 6), Regensburg 1971

---   Die Verteidigung der apostolischen Autorität im Galaterbrief
        und im zweiten Korintherbrief, in: ThGl   (1975) 1-19

---   Zu den Voraussetzungen der apostolischen Autorität des Paulus,
        in: J.Hainz (Hg.): Kirche im Werden. Studien zum Thema Amt und
        Gemeinde im Neuen Testament. In Zusammenarbeit mit dem Collegi-
        um Biblicum München, München-Paderborn-Wien 1976

Ecklin,G.A.F.: Erlösung und Versöhnung. Ein Beitrag zum Verständnis der
        Geschichte dieser Heilslehren, mit besonderer Berücksichtigung
        der Lehrweisen des XIX. Jahrhunderts bis und mit Ritschl, Basel
        1903

Eichholz,G.: Die Theologie des Paulus im Umriß, Neukirchen-Vluyn ^{2}1977

Elert,W.: Redemptio ab hostibus, in: ThLZ 72 (1947) 265-270

---   Der christliche Glaube. Grundlinien der lutherischen Dogmatik
        (bearb. u. hg. v. E.Kinder), Hamburg ^{5}1960

Ellis,E.E.: 2 Cor 5,1-10 in Pauline Eschatology, in: NTS 6 (1959/60)
        211-224

Eltester, F.-W.: Eikon im Neuen Testament (BZNW 23), Berlin 1958

Ernst,J.: Amt und Autorität im Neuen Testament, in: ThGl 58 (1968)
        170-183

---   Pleroma und Pleroma Christi. Geschichte und Deutung eines Be-
        griffs der paulinischen Antilegomena (BU 5), Regensburg 1970

---   Die Briefe an die Philipper, an Philemon, an die Kolosser, an
        die Epheser (RNT), Regensburg 1974

---   Von der Ortsgemeinde zur Großkirche, dargestellt an den Kir-
        chenmodellen des Philipper- und Epheserbriefes, in: J.Hainz
        (Hg.): Kirche im Werden. Studien zum Thema Amt und Gemeinde im
        Neuen Testament. In Zusammenarbeit mit dem Collegium Biblicum
        München, München-Paderborn-Wien 1976, 123-142

Eröss,A.: Die Lehre von der Erlösung im 19. Jahrhundert. Auszug aus der
        Inauguraldissertation "Das Erlösungswerk Christi nach der Lehre
        M.J.Scheebens" an der theologischen Fakultät der Päpstlichen
        Universität Gregoriana, Rom 1937

Estius,G.: In omnes canonicas Apostolorum Epistolas II, Mainz 1859

Ewald,P.: Die Briefe des Paulus an die Epheser, Kolosser und Phile-
        mon (KNT 10), Leipzig ^{2}1910

Exeler,A.: Umkehr und Versöhnung, in: ders. (Hg.): Die neue Gemeinde, Mainz ²1968, 80-109

---   "Befreiung der Gefangenen", in: P.Hünermann/A.Exeler/B.Kötting, Entzweien, Befreien, Versöhnen. Gedanken nicht nur zum Heiligen Jahr, Kevelaer 1975, 19-29

Faulstich,W.: Domänen der Rezeptionsanalyse. Probleme - Lösungsstrategien - Ergebnisse (Empirische Literaturwissenschaft 2), Kronberg/Ts. 1977

Faut,S.: Die Christologie seit Schleiermacher. Ihre Geschichte und ihre Begründung, Tübingen 1907

Fee,G.D.: II Corinthians VI.14-VII.1 and Food Offered to Idols, in: NTS 23 (1976/77) 140-161

Feine,P.: Theologie des Neuen Testaments, Berlin ⁸1951

Feuillet,A.: Le demeure céleste et la destinée des chrétiens. Exégèse de II Cor., v, 1-10 et contribution à l'étude des fondements de l'eschatologie paulinienne, in: RSR 43 (1956) 161-192. 360-402

---   Le Christ Sagesse de Dieu d'après les épîtres pauliniennes (EtB), Paris 1966

Fischer,K.M.: Die Bedeutung des Leidens in der Theologie des Paulus (masch.schriftl. Diss.), Berlin 1966

---   Tendenz und Absicht des Epheserbriefes, Berlin 1973

Fitzer,G.: Der Ort der Versöhnung nach Paulus. Zu der Frage des "Sühnopfers Jesu", in: ThZ 22 (1966) 161-183

Fitzmyer,J.A.: Qumran and the Interpolated Paragraph in 2 Cor 6,14-7,1, in: CBQ 23 (1961) 271-280

Foerster,W.: Grundriß des Neuen Testaments. Kurzgefaßtes Repetitorium der urchristlichen Schriften (Stundenbücher 60), Hamburg ²1966

Forster,K. (Hg.): Vergebung - Versöhnung - Friede (Theologie interdisziplinär 2), Donauwörth 1976

Frankemölle,H.: Das Taufverständnis des Paulus. Taufe, Tod und Auferstehung nach Röm 6 (SBS 47), Stuttgart 1970

Fraser,J.W.: Paul's Knowledge of Jesus: II Corinthians V. 16 once more, in: NTS 17 (1970/71) 293-313

Friedrich,G.: Die Gegener des Paulus im 2. Korintherbrief, in: Abraham unser Vater (FS O.Michel) (AGSU 5), Leiden-Köln 1963, 181-215

---   Die Verkündigung des Todes Jesu im Neuen Testament (Biblisch-Theologische Studien 6), Neukirchen-Vluyn 1982

Fries,H.: Entmythologisierung und theologische Wahrheit, in: J.B.Metz (u.a.) (Hg.), Gott in Welt I (FS K.Rahner), Freiburg-Basel-Wien 1964, 366-391

Frör,K.: Biblische Hermeneutik. Zur Schriftauslegung in Predigt und Unterricht, München ²1964

Fuchs,E.: Die Freiheit des Glaubens. Römer 5-8 ausgelegt (BEvTh 14), München 1949

Fuchs,H.: Augustin und der antike Friedensgedanke, Berlin 1926

Fuchs, O.: Sprechen in Gegenstätzen. Meinung und Gegenmeinung in kirchlicher Rede, München 1978

Fürst,W.: 2 Korinther 5,11-21. Auslegung und Meditation, in: EvTh 28 (1968) 221-238

Gabathuler,H.J.: Jesus Christus. Haupt der Kirche - Haupt der Welt (AThANT 45), Zürich-Stuttgart 1965

Gabriel,W.: Kulturelle Gewalt - Kulturelle Versöhnung, in: WissWeltb 28 (1975) 307-312

Gadamer,H.-G.: Wahrheit und Methode. Grundzüge einer philosophischen Hermeneutik, Tübingen ³1972

Gärtner,B.: The Temple and the Community in Qumran and the NT (MSSNTS 1), Cambridge 1965

Gäumann,N.: Taufe und Ethik. Studien zu Römer 6 (BEvTh 47), München 1967

Gassmann,G.: Rezeption im ökumenischen Kontext, in: ÖR 26 (1977) 314-327

Gaugler,E.: Der Römerbrief I-II (Prophezei), Zürich 1945-1952

Gensichen,H.-W.: Glaube für die Welt. Theologische Aspekte der Mission, Gütersloh 1971

Georgi,D.: Die Gegner des Paulus im 2. Korintherbrief. Studien zur religiösen Propaganda in der Spätantike (WMANT 11), Neukirchen-Vluyn 1964

---   Die Geschichte der Kollekte des Paulus für Jerusalem (ThF 38), Hamburg-Bergstedt 1965

Gerber,U.: Christologische Entwürfe. Ein Arbeitsbuch. I. Von der Reformation bis zur Dialektischen Theologie, Zürich 1970

Gese,H.: Die Sühne, in: ders.: Zur biblischen Theologie. Alttestament-
liche Vorträge (BEvTh 78), München 1977, 85-106

Giavini,G.: La structure littéraire d'Eph. II. 11-22, in: NTS 16
(1969/70) 209-211

Gibbs,J.G.: Creation and Redemption. A Study in Pauline Theology (NT.
S 26), Leiden 1971

Girardi,G.: Solidarität für den Frieden. Theologische Überlegungen zum
gemeinsamen Friedensengagement, in: R.Hörl (Hg.): Die Politik
und das Heil. Über die öffentliche Verantwortung des Christen,
Mainz 1968, 26-37

Glinz,H.: Textanalyse und Verstehenstheorie I-II (Studienbücher zur
Linguistik und Literaturwissenschaft 5-6), Frankfurt a.M.
1973. Wiesbaden 1978
Gnilka,J.: 2 Kor 6,14-7,1 im Lichte der Qumranschriften und der Zwölf-
Patriarchen-Testamente, in: Neutestamentliche Aufsätze (FS J.
Schmid), Regensburg 1963, 86-99

---   Der Philipperbrief (HThK X/3), Freiburg-Basel-Wien 1968

---   Christus unser Friede - ein Friedens-Erlöserlied. Erwägungen
zu einer neutestamentlichen Friedenstheologie, in: Die Zeit
Jesu (FS H.Schlier), Freiburg-Basel-Wien 1970, 190-207

---   Paränetische Traditionen im Epheserbrief, in: Mélanges Bibliques (FS B.Rigaux), Gembloux 1970, 397-410

---   Das Kirchenmodell des Epheserbriefes, in: BZ 15 (1971) 161-184

---   Der Epheserbrief (HThK X/2), Freiburg-Basel-Wien ^{2}1977

---   Martyriumsparänese und Sühnetod in synoptischen und jüdischen
Traditionen, in: R.Schnackenburg/J.Ernst/J.Wanke (Hg.): Die
Kirche des Anfangs (FS H.Schürmann, Freiburg-Basel-Wien 1978,
223-246

---   Der Kolosserbrief (HThK X/1), Freiburg-Basel-Wien 1980

---   Das Paulusbild im Kolosser- und Epheserbrief, in: P.-G.Müller/
W.Stenger (Hg.): Kontinuität und Einheit (FS F.Mußner), Freiburg-Basel-Wien 1981, 179-193

Gogarten,H.: Die Verkündigung Jesu Christi. Grundlagen und Aufgabe,
Heidelberg 1948

Goguel,M.: Esquisse d'une solution nouvelle de l'épître aux Ephésiens, in: RHR 111 (1935) 254-284; 112 (1936) 73-94

Goldstein,H.: Das Gemeindeverständnis des ersten Petrusbriefes. Exegetische Untersuchung zur Theologie der Gemeinde im 1 Pt (Kath. Theol.Diss.), Münster 1973

Golla,E.: Zwischenreise und Zwischenbrief. Eine Untersuchung der Frage, ob der Apostel Paulus zwischen dem Ersten und Zweiten Korintherbrief eine Reise nach Korinth unternommen und einen uns verlorengegangenen Brief an die Korinther geschrieben habe (BSt F 20,4), Freiburg i.Br. 1922

Gollwitzer,H.: Why Black Theology?, in: G.S.Wilmore/J.H.Cone (Hg.): Black Theology: A Documentary History 1966-1979, New York 1979, 152-173

Goppelt,L.: Versöhnung durch Christus, in: ders.: Christologie und Ethik. Aufsätze zum Neuen Testament, Göttingen 1968, 147-164

---   Theologie des Neuen Testaments II. Vielfalt und Einheit des apostolischen Christuszeugnisses, Göttingen 1976

Goudge,H.C.: The Second Epistle to the Corinthians. With Introduction and Notes (WC), London 1927

Grabner-Haider,A.: Paraklese und Eschatologie bei Paulus. Mensch und Welt im Anspruch der Zukunft Gottes (NtlAbh NF 4), Münster 1968

Gräßer,E.: Freiheit und apostolisches Wirken bei Paulus, in: EvTh 15 (1955) 333-342

---   Kol 3,1-4 als Beispiel einer Interpretation secundum homines recipientes, in: ZThK 64 (1967) 139-168

Grassmann,G.: Rezeption im ökumenischen Kontext, in: ÖkR 26 (1977) 314-327

Greshake,G.: Der Wandel der Erlösungsvorstellungen in der Theologiegeschichte, in: L.Scheffczyk (Hg.): Erlösung und Emanzipation (QD 61), Freiburg-Basel-Wien 1973, 69-101

Grillmeier,A.: Konzil und Rezeption. Methodische Bemerkungen zu einem Thema der ökumenischen Diskussion der Gegenwart, in: Mit ihm und in ihm. Schristologische Forschungen und Perspektiven, Freiburg-Basel-Wien 1975, 303-334

---   Die Rezeption des Konzils von Chalkedon in der römisch-katholischen Kirche, in: a.a.O. 335-370

Grimm,G. (Hg.): Literatur und Leser. Theorien und Modelle zur Rezeption
    literarischer Werke, Stuttgart 1975

---   Rezeptionsgeschichte. Grundlegung einer Theorie. Mit Analysen
    und Biographie (UTB 691), München 1977

Grimm,W.: Weil ich dich liebe. Die Verkündigung Jesu und Deuterojesaja
    (ANTJ 1), Frankfurt/M.-Bern ²1981

Groeben,N.: Rezeptionsforschung als empirische Literaturwissenschaft.
    Paradigma - durch Methodendiskussion an Untersuchungsbeispie-
    len (Empirische Literaturwissenschaft 1), Kronberg/Ts. 1977

Grosheide,F.W.: De tweede Brief aan de Kerk te Korinthe (NiCK), Kampen
    1959

Grosse,H.: Die Idee des ewigen und allgemeinen Weltfriedens im Alten
    Orient und im Alten Testament (TTSt 7), Trier ²1967

Grün,A.: Erlösung durch das Kreuz. Karl Rahners Beitrag zu einem heuti-
    gen Erlösungsverständnis, Münsterschwarzach 1975

Gülich,E./W.Raible: Liguistische Textmodelle. Grundlagen und Möglich-
    keiten (UTB 130), München 1977

Günther,E.: Die Entwicklung der Lehre von der Person Christi im XIX.
    Jahrhundert, Tübingen 1911

Güttgemanns,E.: Der leidende Apostel und sein Herr. Studien zur pauli-
    nischen Christologie (FRLANT 90), Göttingen 1966

Gumbrecht,H.U.: Konsequenzen der Rezeptionsästethik oder Literaturwis-
    senschaft als Kommunikationssoziologie, in: Poetica 7 (1975)
    388-413

Gutbrod,W.: Die paulinische Anthropologie, Stuttgart-Berlin 1934

Guthmüller,H.-B.: Die Rezeption Mussets im Second Empire (Ars poetica
    17), Frankfurt/M. 1973

Häring,B.: Die große Versöhnung. Neue Perspektiven des Bußsakramentes,
    Salzburg 1970

Hahn,F.: Das Verständnis der Mission im Neuen Testament (WMANT 13),
    Neukirchen-Vluyn 1963

---   "Siehe, jetzt ist der Tag des Heils". Neuschöpfung und Versöh-
    nung nach 2 Korinther 5,14-6,2, in: EvTh 33 (1973) 244-253

---   Der Apostolat im Urchristentum. Seine Eigenart und seine Voraus-
    setzungen, in: KuD 20 (1974) 54-77

---   Christologische Hoheitstitel. Ihre Geschichte im frühen Chri-
         stentum (FRLANT 83), Göttingen ⁴1974

---   Taufe und Rechtfertigung. Ein Beitrag zur paulinischen Theolo-
         gie in ihrer Vor- und Nachgeschichte, in: J.Friedrich/W.Pöhl-
         mann/P.Stuhlmacher (Hg.): Rechtfertigung (FS E.Käsemann), Tü-
         bingen-Göttingen 1976, 95-124

Hainz,J.: Ekklesia. Strukturen paulinischer Gemeinde-Theologie und Ge-
         meindeordnung (BU 9), Regensburg 1972

---   Amt und Amtsvermittlung bei Paulus, in: ders.(Hg.): Kirche im
         Werden. Studien zum Thema Amt und Gemeinde im Neuen Testament.
         In Zusammenarbeit mit dem Collegium Biblicum München, München-
         Paderborn-Wien 1976, 102-122

Haller,E.: Die Strukturen paulinischer Eschatologie in den Korinther-
         briefen (masch.schriftl. Diss. theol.), Heidelberg 1966/67

Hamerton-Kelly,R.G.: Pre-Existenz, Wisdom and the Son of Man. A Study
         of the Idea of Pre-Existenz in the New Testament (MSSNTS 21),
         Cambridge 1973

Hanhart,K.: Paul's Hope in the Face of Death, in: JBl 88 (1969) 445-457

Hanson,S.: The Unity of the Church in the New Testament. Colossians and
         Ephesians (ASNU XIV), Uppsala-Kopenhagen 1946

Harrison,P.N.: Paulines and Pastorales,London 1964

Haseloff,O.W. (Hg.): Kommunikation (Forschung und Information 3), Ber-
         lin 1969

Hasenhüttl,G.: Der Glaubensvollzug. Eine Begegnung mit Rudolf Bultmann
         aus katholischem Glaubensverständnis (Koin. 1), Essen 1963

Haubst,R.: Anselms Satisfaktionslehre einst und heute, in: TThZ 80
         (1971) 88-109

Haupt,E.: Die Gefangenschaftsbriefe (KEK 8.9), Göttingen ⁶·⁷1897

Hegel,G.W.F.: Vorlesungen über die Philosophie der Religion I-II (Theo-
         rie-Werkausgabe 16-17), Frankfurt a.M. 1969

---   Grundlinien der Philosophie des Rechts oder Naturrecht und
         Staatswissenschaft im Grundrisse (Theorie-Werkausgabe 7),
         Frankfurt a.M. 1970

Hegermann,H.: Die Vorstellung vom Schöpfungsmittler im hellenistischen
         Judentum und Urchristentum (TU 82), Berlin 1961

Heim,K.: Die Haupttypen der Versöhnungslehre, in: ZThK NS 19 (1938)

304-319

---   Jesus der Weltvollender. Der Glaube an die Versöhnung und Welt-
verwandlung, Hamburg ³1952

Heinen,W.: Theologie für Menschen des 20. Jahrhunderts, in: ders. (Hg.):
      Bild - Wort - Symbol in der Theologie, Würzburg 1969, 9-33

---   Fragen und Forderungen an die Moraltheologie, in: A.-Th.Khoury/
M.Wiegels (Hg.): Weg in die Zukunft (FS A.Antweiler), Leiden
1975, 26-44

Heinrici,C.F.G.: Das zweite Sendschreiben des Apostels Paulus an die
      Korinther, Berlin 1887

Hengel,M.: Der Kreuzestod Jesu Christi als Gottes souveräne Erlösungs-
tat. Exegese über 2. Korinther 5,11-21, in: Theologie und Kirche. Reichenau-Gespräche. Hg. v. d. Evangelischen Landessyno-
de in Württemberg, Stuttgart 1967, 60-89

---   Der Sohn Gottes, Tübingen 1975

---   Der stellvertretende Sühnetod Jesu. Ein Beitrag zur Entstehung
des urchristlichen Kerygmas, in: IKZ 9 (1980) 1-25.135-147

Hēring,J.: La seconde Epître de Saint Paul aux Corinthiens (CNT N VIII),
      Neuchâtel 1958

Hermann,I.: Kyrios und Pneuma. Studien zur Christologie der paulinischen Hauptbriefe (StANT 2), München 1961

---   Begegnung mit der Bibel. Eine Einübung, Düsseldorf 1962

Hettlinger,R.F.: 2 Corinthians 5,1-10, in: SJTh 10 (1957) 174-194

Heuser,A.: Die Erlösungslehre in der Katholischen deutschen Dogmatik
      von B.P.Zimmer bis M.Schmaus (BNGKT 4), Essen 1963

Hill,D.: Greek Words and Hebrew Meanings: Studies in the Semantics of
      Soteriological Terms (MSSNTS 5), Cambridge 1967

Hoffmann,P.: Die Toten in Christus. Eine religionsgeschichtliche und
      exegetische Untersuchung zur paulinischen Eschatologie (NTA
NF 2), Münster 1966

Hofius,O.: Erwägungen zur Gestalt und Herkunft des paulinischen Ver-
      söhnungsgedankens, in: ZThK 77 (1980) 186-199

---   "Gott hat unter uns aufgerichtet das Wort von der Versöhnung"
(2 Kor 5,19), in: ZNW 71 (1980) 3-20

Hofmann,J.Ch.K. von: Der Schriftbeweis I-II, Nördlingen 1852-1855

Hofstätter,P.R.: Gruppendynamik, Reinbek bei Hamburg 1957

Hohendahl,P.U. (Hg.): Rezeptionsforschung (LiLi 4. H. 15), Göttingen 1974

--- (Hg.): Sozialgeschichte und Wirkungsästhetik. Dokumente zur empirischen und marxistischen Rezeptionsforschung (Schwerpunkte Germanistik), Frankfurt 1974

Holmberg,B.: Paul and Power. The Structure of Authority in the Primitive Church as Reflected in the Pauline Epistles (CB.NT 11), Lund 1978

Holtzmann, H.J.: Kritik der Epheser- und Kolosserbriefe auf Grund einer Analyse ihres Verwandtschaftsverhältnisses, Leipzig 1872

Hooker,M.D.: Were there False Teachers in Colossae?, in: Christ and Spirit in the NT (FS C.F.D. Moule), Cambridge 1973, 315-331

Houlden,J.L.: Christ and Church in Ephesians, in: StEv 6 (1973) 267-273

Howe,G./H.E.Tödt: Frieden im wissenschaftlich-technischen Zeitalter. Ökumenische Theologie und Zivilisation, Stuttgart-Berlin 1966

Hryniewicz,W.: Die ekklesiale Rezeption in der Sicht der orthodoxen Theologie, in: ThGl 65 (1975) 250-266

--- Ökumenische Rezeption und konfessionelle Identität, in: US 36 (1981) 116-131

Huber,M.: Jesus Christus als Erlöser in der liberalen Theologie. Vermittlung, Spekulation, Existenzverständnis, Winterthur 1956

Hünermann,P.: Entzweiung - Entfremdung - Versöhnung, in: ders./A.Exeler/B.Kötting: Entzweien, Befreien, Versöhnen. Gedanken nicht nur zum Heiligen Jahr, Kevelaer 1975, 7-17

Hugede,N.: La métaphôre du miroir dans les épître de Saint Paul aux Corinthiens, Neuchâtel-Paris 1957

Hunzinger,C.-H.: Die Hoffnung angesichts des Todes im Wandel der paulinischen Aussagen: Leben angesichts des Todes. Beiträge zum theologischen Problem des Todes (FS H.Thielecke), Tübingen 1968, 69-88

Hyldahl,N.: Die Frage nach der literarkritischen Einheit des Zweiten Korintherbriefes, in: ZNW 64 (1973) 299-306

Ihwe,J. (Hg.): Literaturwissenschaft und Linguistik. Eine Auswahl Texte zur Theorie der Literaturwissenschaft I-II (FAT 2015-2016),

Frankfurt a.M. 1972-1973

Imbach,J.: Vergib uns unsere Schuld. Sünde, Umkehr und Versöhnung im
    Leben des Christen (Topos-Taschenbücher 69), Mainz 1978

Iser,W.: Der Akt des Lesens. Theorie ästhetischer Wirkung (UTB 636),
    München 1976

---   Der implizite Leser. Kommunikationsformen des Romans von Bun-
         yan bis Beckett (UTB 163), München 1972

.Israel,J.: Der Begriff Entfremdung. Makrosoziologische Untersuchung von
    Marx bis zur Soziologie der Gegenwart (rde 1080), Reinbek
    1977

Iwand,H.J.: Zur Versöhnungslehre, in: ders.: Um den rechten Glauben
    (TB 9), München 1959, 214-221

Jauß,H.R,: Literaturgeschichte als Provokation (edition suhrkamp 418),
    Frankfurt a.M. ⁵1974

---   Der Leser als Instanz einer neuen Geschichte der Literatur,
         in: Poetica 7 (1975) 325-344

---   Zur Fortsetzung des Dialogs zwischen "bürgerlicher" und "mate-
         rialistischer" Rezeptionsästhetik, in: G.Warning (Hg.), Rezep-
         tionsästhetik. Theorie und Praxis (UTB 303), München 1975,
         343-352

Jeremias,J.: Der Schlüssel zur Theologie des Apostels Paulus (Calwer
    Hefte 115), Stuttgart 1971

Jervell,J.: Imago Dei. Gen 1,26f im Spätjudentum, in der Gnosis und in
    den paulinischen Briefen (FRLANT 76), Göttingen 1960

---   Das Volk des Geistes, in: ders./W.A.Meeks (Hg.): God's Christ
         and His People (FS N.A.Dahl), Oslo-Bergen-Tromsö 1977, 87-106

Josuttis,M.: Konflikte in der Versöhnungsgemeinschaft Kirche, in: Diak.
    (1977) 91-100

Journel,P.: La liturgie de la rêconciliation, in: MD 117 (1974) 7-37

Jülicher,A.: Der Brief an die Römer (SNT II), Göttingen ²1908

Jüngel,E.: Die Autorität des bittenden Christus, in: ders.: Unterwegs
    zur Sache. Theologische Bemerkungen (BEvTh 61), München 1972,
    179-188

---   Thesen zur Grundlegung der Christologie, in: a.a.O. 274-295

---   Gott als Geheimnis der Welt. Zur Begründung der Theologie des
         Gekreuzigten im Streit zwischen Theismus und Atheismus,

Tübingen [3]1978

Kaczynski,R.: Erneuerte Bußliturgie, in: ThPQ 122 (1974) 209-221

Kähler,M.: Zur Lehre von der Versöhnung. Dogmatische Zeitfragen.
Alte und neue Ausführungen zur Wissenschaft der christlichen
Lehre II, Leipzig 1898

Käsemann,E.: Leib und Leib Christi. Eine Untersuchung zur paulinischen
Begrifflichkeit (BHTh 9), Tübingen 1933

--- Die Legitimität des Apostels. Eine Untersuchung zu II Korinther
10-13 (Libelli 33), Darmstadt 1956

--- Erwägungen zum Stichwort "Versöhnungslehre im Neuen Testament",
in: E.Dinkler (Hg.): Zeit und Geschichte (FS R.Bultmann),
Tübingen 1964, 47-59

--- Eine urchristliche Taufliturgie, in: ders.: Exegetische Versuche und Besinnungen I, Göttingen 1964, 34-51

--- Zum Verständnis von Römer 3,24-25, in: a.a.O 96-100

--- Epheser 2,17-22, in: a.a.O. 280-283

--- Paulus und Israel, in: ders.: Exegetische Versuche und Besinnungen II, Göttingen [3]1968, 194-197

--- Paulinische Perspektiven, Tübingen 1969

--- An die Römer (HNT 8a), Tübingen [3]1974

Kallmeyer,W. (u.a.) (Hg.): Lektürekolleg zur Textlinguistik I-II (Fischer Athenäum Taschenbücher. Sprachwissenschaft 2050-2051),
Frankfurt a.M. 1974

Kamlah,E.: Die Form der katalogischen Paränese im Neuen Testament (WUNT
7), Tübingen 1964

Kamphaus,F.: Von der Exegese zur Predigt. Über die Problematik einer
schriftgemäßen Verkündigung der Oster-, Wunder- und Kindheits-
geschichten, Mainz 1968

Kasper,W.: Exegese - Dogmatik - Verkündigung, in: Diak. 1 (1966) 3-12

--- Die Methoden der Dogmatik. Einheit und Vielfalt (KSTh), München 1967

--- Jesus der Christus, Mainz 1974

Kasting,H.: Die Anfänge der urchristlichen Mission. Eine historische
Untersuchung (BEvTh 55), München 1969

Keck,L.E.: The Post-Pauline Interpretation of Jesus' Death in Rom 5,6-7, in: C.Andresen/G.Klein (Hg.): Theologia crucis - Signum crucis (FS E.Dinkler), Tübingen 1979, 237-248

Kehl,N.: Der Christushymnus im Kolosserbrief (SBM 11), Stuttgart 1967

--- Erniedrigung und Erhöhung in Qumran und Kolossä, in: ZThK 91 (1969) 364-394

Kehrer,G.: Religionssoziologie (SG 1228), Berlin 1968

Kennedy, H.A.A.: The Theology of the Epistles, London 1923

Kern,J.: Versöhnung - im Klassenkampf?, in: IDZ 6 (1973) 198-200

Kertelge,K. (Hg.): Der Tod Jesu. Deutungen im Neuen Testament (QD 74), Freiburg 1976

--- "Durch die Gnade Gottes bin ich, was ich bin" (1 Kor 15,10). Die Bekehrung des Apostels Paulus und der Heilsweg der Christen, in: BiKi 23 (1968) 1-5

--- Das Apostelamt des Paulus, sein Ursprung und seine Bedeutung, in: BZ 14 (1970) 161-181

--- Der Brief an die Römer (Geistliche Schriftlesung 6), Leipzig 1971

--- "Rechtfertigung" bei Paulus. Studien zur Struktur und zum Bedeutungsgehalt des paulinischen Rechtfertigungsbegriffs (NTA NF 3), Münster ^{2}1971

--- Gemeinde und Amt im Neuen Testament (BiH 10), München 1972

--- Apokalypsis Jesou Christou (Gal 1,12), in: J.Gnilka (Hg.): Neues Testament und Kirche (FS R.Schnackenburg), Freiburg - Basel - Wien 1974. 266-281

--- Das Verständnis des Todes bei Paulus, in: ders.(Hg.), Der Tod Jesu (QD 74), Freiburg - Basel - Wien 1976, 114-136

Kessler,H.: Die theologische Bedeutung des Todes Jesu. Eine traditionsgeschichtliche Untersuchung, Düsseldorf ^{2}1971

--- Erlösung als Befreiung (patmos-Paperback), Düsseldorf 1972

--- Erlösung als Befreiung?, in: StZ 191 (1973) 849-853

--- Erlösung als Befreiung?, in: StZ 192 (1974) 3-16

Kinoshita,J.: Romans - Two Writings Combined, in: NT 7 (1964/65) 258-277

Kirk,J.A.: Apostelship since Rengstorf: Towards a Synthesis, in: NTS 21 (1975) 249-264

Klaes,N.: Stellvertretung und Mission, Essen 1968

Klappert,B.: Israel und die Kirche. Erwägungen zur Israellehre Karl Barths (TEH 207), München 1980

Klein,G.: Der Abfassungszweck des Römerbriefes, in: ders.: Rekonstruktion und Interpretation. Gesammelte Aufsätze zum Neuen Testament (BEvTh 50), München 1969, 129-144

Klein,U.: Rezeption, in: D. Krywalski (Hg.): Handlexikon zur Literaturwissenschaft II (rororo 6222), Reinbeck bei Hamburg 1978, 409-413

Klinzing,G.: Die Umdeutung des Kultus in der Qumrangemeinde und im Neuen Testament (StUNT 7), Göttingen 1971

Kloepper,A.: Kommentar über das zweite Sendschreiben des Apostels Paulus an die Gemeinde zu Korinth, Berlin 1874

Knoch,O.: Zur Diskussion über die Heilsbedeutung des Todes Jesu, in: ThPQ 124 (1976) 3-14

--- Die Heilsbedeutung des Todes Jesu, in: ThPQ 124 (1976) 221-237

Koch,K.: Sühne und Sündenvergebung um die Wende zur nachexilischen Zeit, in: EvTh 26 (1966) 217-239

Koch,T./K.-M.Kodalle/H.Schweppenhäuser: Negative Dialektik und die Idee der Versöhnung. Eine Kontroverse über Th.W.Adorno (Urban-Taschenbuch 850), Stuttgart 1973

König,R.: Freiheit und Selbstentfremdung in soziologischer Sicht, in: ders.: Studien zur Soziologie. Themen mit Variationen (Fischer Bücherei 6078), Frankfurt a.M., 69-86

Köster,H.: Einführung in das Neue Testament im Rahmen der Religionsgeschichte der hellenistischen und römischen Zeit (GLB), Berlin-New York 1980

Krätzl,H.: Die apostolischen Leiden des hl.Paulus und ihre Wirkung für die Gemeinden (masch.schriftl. Diss. theol.), Wien 1959

Kremer,J.: Was an den Leiden Christi noch mangelt. Eine interpretationsgeschichtliche und exegetische Untersuchung zu Kol 1,24b (BBB 12), Bonn 1956

Kremer,W.: Christos, Kyrios, Gottessohn. Untersuchungen zu Gebrauch und Bedeutung der christologischen Bezeichnungen bei Paulus

und in den vorpaulinischen Gemeinden (AThANT 44), Zürich-Stuttgart 1963

Kredel,E.M.: Der Apostelbegriff in der neueren Exegese, in: ZKTh 78
(1956) 169-193.257-305

Krikorian,M.: Die Rezeption der Konzilien, in: Der christliche Osten 6
(1973) 187-196

Kroeschell,K.: Deutsche Rechtsgeschichte 1 (bis 1250) (rororo studium 8),
Reinbek bei Hamburg 1972

Krysmanski,H.J.: Soziologie des Konflikts. Materialien und Modelle
(RDE 362), Reinbek bei Hamburg 1971

Kümmel,W.G.: Die Theologie des Neuen Testaments nach seinen Hauptzeugen
Jesus - Paulus - Johannes (GNT 3), Göttingen 1971

--- Die Probleme von Römer 9-11 in der gegenwärtigen Forschungslage,
in: L. de Lorenzi (Hg.), Die Israelfrage nach Röm 9-11, Rom
1977,13-33

--- (P.Feine/J.Behm): Einleitung in das Neue Testament, Heidelberg
18 1978

Küng,H.: Rechtfertigung. Die Lehre Karl Barths und eine katholische Besinnung. Mit einem Geleitwort von K.Barth (Horizonte 2), Einsiedeln 1957

--- Wahrhaftigkeit. Zur Zukunft der Kirche (ÖF. Kleine Ökumenische
Studien 1), Freiburg-Basel-Wien 1968

--- Menschwerdung Gottes. Eine Einführung in Hegels theologisches
Denken als Prolegomena zu einer künftigen Christologie (ÖF. S
II/1), Freiburg-Basel-Wien 1970

Küppers,W.: Rezeption. Prolegomena zu einer systematischen Überlegung,
in: L.Vischer (Hg.): Konzile und Ökumenische Bewegung (SÖR 5),
Genf 1968, 81-104

Kürzinger,J.: Συμμόρφους τῆς εἰκόνος τοῦ υἱοῦ αὐτοῦ (Röm 8,29), in: BZ
2 (1958) 294-299

Kuhn,H.W.: Enderwartung und gegenwärtiges Heil. Untersuchungen zu den
Gemeindeliedern von Qumran, mit Anhang über Eschatologie und
Gegenwart in der Verkündigung Jesu (StUNT 4), Göttingen 1966

--- Der irdische Jesus bei Paulus als traditionsgeschichtliches
und theologisches Problem, in: ZThK 67 (1970) 295-320

Kuhn,K.G.: Der Epheserbrief im Lichte der Qumrantexte, in: NTS 7 (1960/
61) 334-346

Kuss,O.: Die Briefe an die Römer, Korinther und Galater (RNT 6), Regensburg 1940

---   Der Römerbrief (1.-3. Lieferung), Regensburg ^{2}1963-1978

Lachenschmid,R.: Christologie und Soteriologie, in: H.Vorgrimler/R.
Vander Gucht (Hg.): Bilanz der Theologie im 20. Jahrhundert
III, Freiburg-Basel-Wien 1970, 82-120

Lähnemann,J.: Der Kolosserbrief. Komposition, Situation und Argumentation (StNT 3), Gütersloh 1971

Lambrecht,J.: The Fragment 2 Cor VI 14 - VII 1. A Plea for its Authen-
ticity, in: Miscellanea Neotestamentica 2 (NT.S 48), Leiden
1978, 143ff

Lang,F.G.: 2 Korinther 5,1-10 in der neueren Forschung (BGBE 16), Tübingen 1973

Langkammer,H.: Die Einwohnung der "absoluten Seinsfülle" in Christus.
Bemerkungen zu Kol 1,19, in: BZ 12 (1968) 258-263

Larsson,E.: Christus als Vorbild. Eine Untersuchung zu den paulinischen
Tauf- und Eikontexten (ASNU XXIII), Uppsala 1962

Leenhardt,F.-J.: L'Epître de Saint Paul aux Romains (CNT.N VI), Neuchâtel 1957

Lehmann,K.: Der hermeneutische Horizont der historisch-kritischen Exegese, in: J.Schreiner (Hg.): Einführung in die Methoden der
biblischen Exegese, Würzburg 1971, 40-80

---   Über das Verhältnis der Exegese als historisch-kritische Wissenschaft zum dogmatischen Verstehen, in: R.Pesch/R.Schnak-
kenburg (Hg.): Jesus und der Menschensohn (FS A.Vögtle), Freiburg-Basel-Wien 1975, 421-434

Lengsfeld,P.: Konziliare Gemeinschaft und christliche Identität, in:
ders.(Hg.): Ökumenische Theologie. Ein Arbeitsbuch, Stuttgart
1980, 355-367

Leroy,H.: Friede und Versöhnung nach dem Neuen Testament, in: K.For-
ster (Hg.): Vergebung - Versöhnung - Friede, Donauwörth 1976,
9-29

Lietzmann,H.: An die Korinther I-II (HNT 9), Tübingen ^{5}1969

---   An die Römer (HNT 8), Tübingen ^{5}1971

Limbeck,M.: Versöhnung auf christlich. Eine bibeltheologische Besinnung,
in: K.Jocking/W.Massa (hg.): Ein Jahr der Versöhnung. Gedanken
und Materialien (Am Tisch des Wortes. Neue Reihe. Beiheft 1),

Stuttgart 1974, 20-35

Lindbeck,G.: Der Zusammenhang von Kirchenkritik und Rechtfertigungslehre, in: Conc(D) 12 (1976) 481-486

Lindemann,A.: Die Aufhebung der Zeit. Geschichtsverständnis und Eschatologie im Epheserbrief (StNT 12), Gütersloh 1975

---   Bemerkungen zu den Adressaten und dem Anlaß des Eph, in: ZNW
67 (1976) 235ff

---   Paulus im ältesten Christentum. Das Bild des Apostels und die
Rezeption der paulinischen Theologie in der frühchristlichen
Literatur bis Marcion (BHTh 58), Tübingen 1979

Link,H.-G.: Geschichte Jesu und Bild Christi. Die Entwicklung der Christologie Martin Kählers in Auseinandersetzung mit der Leben-
Jesu-Theologie und der Ritschl-Schule, Neukirchen 1975

Link,H.: Rezeptionsforschung. Eine Einführung in Methoden und Probleme
(Urban-Taschenbuch 215), Stuttgart 1976

Linton,O.: Das Problem der Urkirche in der neueren Forschung. Eine kritische Darstellung (UUA), Uppsala 1932 (Nachdruck 1960)

Lippert,P.: Schuld und Versöhnung in der heutigen Glaubenssituation,
in: F.Schlösser (Hg.): Schuldbekenntnis - Vergebung - Umkehr.
Zum neuen Verständnis der Bußliturgie. Mit Modellen für Buß-
gottesdienste (Offene Gemeinde 13), Likburg 1971, 79-102

Lochmann,J.M.: Versöhnung und Befreiung. Absage an ein eindimensionales
Heilsverständnis (Gütersloher Taschenbücher 241), Gütersloh
1977

Löwe,H.: Bekenntnis, Apostelamt und Kirche im Kolosserbrief, in: D.
Lührmann/G.Strecker (Hg.): Kirche (FS G.Bornkamm), Tübingen
1980, 299-314

Lohfink,G.: Paulus vor Damaskus. Arbeitsweisen der neuen Bibelwissen-
schaft. Dargestellt an den Texten Apg 9,1-11; 22,3-21; 26,9-
18 (SBS 4), Stuttgart ^{3}1967

---   Paulinische Theologie in der Rezeption der Pastoralbriefe,
in: K.Kertelge (Hg.): Paulus in den neutestamentlichen Spätschriften. Zur Paulusrezeption im Neuen Testament (QD 89),
Freiburg-Basel-Wien 1931, 70-121

Lohmeyer,E.: Vom göttlichen Wohlgeruch (SHAW.PH 9), Heidelberg 1919

---   Die Briefe an die Philipper, Kolosser und an Philemon (KEK 9),
Göttingen ^{13}1964

Lohse,E.: Märtyrer und Gottesknecht. Untersuchungen zur urchristlichen
       Verkündigung vom Sühnetod Jesu (FRLANT 64), Göttingen ²1963

---   Die Briefe an die Kolosser und an Philemon (KEK 9/2), Göttingen
       1968

---   Die Mitarbeiter des Apostels Paulus im Kolosserbrief, in: Veri-
       tas Verborum (FS G.Stählin), Wuppertal 1970, 189-194

---   Grundriß der neutestamentlichen Theologie (ThW 5), Stuttgart
       1974

---   "Das Amt, das die Versöhnung predigt", in: J.Friedrich/W.Pöhl-
       mann/P.Stuhlmacher (Hg.): Rechtfertigung (FS E.Käsemann),
       Tübingen-Göttingen 1976, 339-349

Lorenzmeier,Th.: Exegese und Hermeneutik. Eine vergleichende Darstellung
       der Theologie Rudolf Bultmanns, Herbert Brauns und Gerhard Ebe-
       lings, Hamburg 1968

Ludwig,H.: Der Verfasser des Kolosserbriefes. Ein Schüler des Paulus
       (masch.schriftl. Diss.theol.), Göttingen 1974

Lueken,W.: Der Brief an Philemon, an die Kolosser und an die Epheser
       (SNT 2), Göttingen ³1917

Lührmann,D.: Das Offenbarungsverständnis bei Paulus und in den paulini-
       schen Gemeinden (WMANT 16), Neukirchen-Vluyn 1965

---   Rechtfertigung und Versöhnung. Zur Geschichte der paulinischen
       Tradition, in: ZThK 67 (1970) 437-452

---   Der Brief an die Galater (ZBK 7), Zürich 1978

Lütgert,W.: Der Erlösungsgedanke in der neueren Theologie, Gütersloh
       1928

Luz,U.:   Rechtfertigung bei den Paulusschülern, in: J.Friedrich/W.Pöhl-
       mann/P.Stuhlmacher (Hg.): Rechtfertigung (FS E.Käsemann),
       Tübingen-Göttingen 1976, 365-383

---   Der alte und der neue Bund bei Paulus und im Hebräerbrief, in:
       EvTh 27 (1967) 18-35

---   Das Geschichtsverständnis des Paulus (BEvTh 49), München 1968

---   Zum Aufbau von Röm 1-8, in: ThZ 25 (1969) 161-181

Lyonnet,S.: Note sur le plan de l'épître aux Romains, in: RSR 39 (1951/
       52) 301-316

---   L'hymne christologique de l'Epître aux Colossiens et la fête
        juive de Nouvel An, in: RSR 48 (1960) 95-100

---/L.Sabourin: Sin, Redemption and Sacrifice. A Biblical and Patristic
        Study (AnBib 48), Rom 1970

Maas,U./D.Wunderlich: Pragmatik und sprachliches Handeln. Mit einer
        Kritik am Funkkolleg "Sprache" (Athenaion-Skripten Linguistik
        2), Frankfurt/M. ³1974

Maier,F.W.: Israel in der Heilsgeschichte nach Röm 9-11 (BZfr XII/11.
        12), Münster 1929

Maly,K.: Mündige Gemeinde. Untersuchungen zur pastoralen Führung des
        Apostels Paulus im 1. Korintherbrief (SBM 2), Stuttgart 1967

Mandel,H.: Christliche Versöhnungslehre. Eine systematisch-historische
        Studie, Leipzig 1916

Mann,U.: Theologische Religionsphilosophie im Grundriß, Hamburg 1961

Manson,T.W.: 2 Cor 2:14-17: Suggestions toward an Exegesis, in: Studia
        Paulina in Honorem J. de Zwaan, Haarlem 1953, 155-162

Margull,H.J. (Hg.): Die ökumenischen Konzile der Christenheit, Stuttgart
        1961

Marlé,R.: Bultmann und die Interpretation des Neuen Testamentes, Pader-
        born 1959

Marsch,W.-D.: Gegenwart Christi in der Gesellschaft. Eine Studie zu
        Hegels Dialektik, München 1965

---   Philosophie im Schatten Gottes. Bloch - Camus - Fichte - Hegel-
        H.Marcuse - Schleiermacher (Gütersloher Taschenbücher 77),
        Gütersloh 1973

Martyn,J.L.: Epistemology at the Turn of the Ages: 2 Corinthians 5,16
        in: W.R.Farmer (u.a.) (Hg.): Christian History and Interpre-
        tation (FS J.Knox), Cambridge 1967, 269-287

Marxsen,W.: Einleitung in das₄Neue Testament. Eine Einführung in ihre
        Probleme, Gütersloh ⁴1978

Masson,Ch.: L'épître de Saint Paul aux Colossiens (CNT/N 10), Neu-
        chatel-Paris 1950

Mattern,L.: Das Verständnis des Gerichtes bei Paulus (AThANT 47),
        Zürich 1966

Maurer,C.: Der Schluß "A minori ad majus" als Element paulinischer
        Theologie, in: ThLZ 85 (1960) 149-152

Mayer,A.: Friede mit Gott durch Versöhnung mit der Kirche. Kritisches zur Theologie des neuen Bußordo, in: Gottesdienst 9 (1975) 129-131

Mayer,B.: Unter Gottes Heilsratschluß. Prädestinationsaussagen bei Paulus (FzB 15), Würzburg 1974

Mayer,C.: Von der Satisfactio zur Liberatio? Zur Problematik eines neuen Ansatzes in der Soteriologie, in: ZKTh 96 (1974) 405-414

Mayerhoff,E.T.: Der Brief an die Colosser, mit vornehmlicher Berücksichtigung der drei Pastoralbriefe kritisch geprüft, Berlin 1838

Mealand,D.L.: "As Having Nothing, and yet Possessing Everything" 2 Cor 6,10c, in: ZNW 67 (1976) 277-279

Meeks,W.A.: In one Body: The Unity of Humankind in Colossians and Ephesians, in: J.Jervell/ders.: God's Christ and His People (FS N.A.Dahl), Oslo-Bergen-Tromsö 1977, 209-221

Meinertz,M.: Der Epheserbrief. Der Kolosserbrief (HSNT VII), Bonn [4]1931

---   Einleitung in das Neue Testament (WH.T), Paderborn [5]1950

Merk,O.:Handeln aus Glauben. Die Motivierung der Paulinischen Ethik (MThSt 5), Marburg 1968

Merkel,H.: Bibelkunde des Neuen Testaments. Ein Arbeitsbuch, Gütersloh 1978

Merklein,H.: Das kirchliche Amt nach dem Epheserbrief (StANT 33), München 1973

---   Christus und die Kirche. Die theologische Grundstruktur des Epheserbriefes nach Eph 2,11-18 (SBS 66), Stuttgart 1973

---   Zur Tradition und Komposition von Eph 2,14-18, in: BZ 17 (1973) 79-102

---   Die Gottesherrschaft als Handlungsprinzip. Untersuchung zur Ethik Jesu (FzB 34), Würzburg 1978

---   Die Ekklesia Gottes. Der Kirchenbegriff bei Paulus und in Jerusalem, in: BZ 23 (1979) 48-70

---   Eph 4,1-5,20 als Rezeption von Kol 3,1-17 (zugleich ein Beitrag zur Pragmatik des Epheserbriefes), in: P.-G.Müller/W. Stenger (Hg.): Kontinuität und Einheit (FS F.Mußner), Freiburg-Basel-Wien 1981, 194-210

---   Paulinische Theologie in der Rezeption des Kolosser- und Epheserbriefes, in: K.Kertelge (Hg.), Paulus in den neutestamentlichen Spätschriften. Zur Paulusrezeption im Neuen Testament

(QD 89), Freiburg-Basel-Wien 1981, 25-69

Metz,J.B.: Zur Theologie der Welt, Mainz-München 1968

---   Erlösung und Emanzipation, in: L.Scheffzyk (Hg.), Erlösung
         und Emanzipation (QD 61), Freiburg-Basel-Wien 1973, 120-140

Meurer,S.: Das Recht im Dienst der Versöhnung und des Friedens. Studie
         zur Frage des Rechts nach dem Neuen Testament (AThANT 63),
         Zürich 1972

Meyer,H.B.: Der Bußakt der Meßfeier. Möglichkeiten und Probleme, in:
         Th.Maas-Eward/K.Richter (Hg.), Gemeinde im Herrenmahl. Zur
         Praxis der Meßfeier, Einsiedeln-Zürich-Freiburg-Wien 1976,
         209-216

Meyer,R.P.: Kirche und Mission im Epheserbrief (SBS 86), Stuttgart
         1977

---   Universales Heil, Kirche und Mission. Studien über die ekkle-
         sial-missionarischen Strukturen in der Theologie K.Rahners
         und im Epheserbrief (SIM 22), St. Augustin 1979

Michaelis,W.: Versöhnung des Alls. Die frohe Botschaft von der Gnade
         Gottes, Gümlingen-Bern 1950

Michel,O.: "Erkennen dem Fleisch nach" (2. Kor. 5,16), in: EvTh 14
         (1954) 22-29

---   Der Brief an die Römer (KEK 4), Göttingen [14]1977

Michl,J.: Die "Versöhnung" (Kol 1,20), in: ThQ 128 (1948) 422-462

Mieth,D.: Friede, in: Wörterbuch Christlicher Ethik. Hg. v. B.Stoeckle
         (HerBü 533), Freiburg i.Br. 1975, 96-98

---   Konflikt, in: a.a.O. 162-164

Mitton,C.L.: The Epistle to the Ephesians. Its Autorship, Origin and
         Purpose, Oxford 1951

Möller,J.: "Befreiung von Entfremdung" als Kritik am christlichen Erlö-
         sungsglauben, in: L.Scheffczyk (Hg.), Erlösung und Emanzipa-
         tion (QD 61), Freiburg-Basel-Wien 1973, 102-119

Molinski,W. (Hg.): Versöhnen durch Strafen? Perspektiven für die Straf-
         fälligenhilfe, Wien-Freiburg-Basel-Göttingen 1979

Moltmann,J.: Umkehr zur Zkunft (Siebenstern-Taschenbuch 154), München-
         Hamburg 1970

---   Gott versöhnt und befreit, in: ders.: Die Sprache der Befreiung.

Predigten und Besinnungen, München 1972, 52-57

---   Kirche in der Kraft des Geistes. Ein Beitrag zur messianischen Ekklesiologie, München 1975

---   Mensch. Christliche Anthropologie in den Konflikten der Gegenwart (GTB Siebenstern 338), Gütersloh 1979

Moule,C.F.D.: St.Paul and Dualism - The Pauline Conception of Resurrection, in: NTS 12 (1965/66) 106-123

---   The Epistle of Paul the Apostle to the Colossians and to Philemon (CGTC), Cambridge 1957

Mügge,M.: Reconciliatio cum Ecclesia. Eine dogmengeschichtliche Untersuchung über den ekklesiologischen Aspekt des Bußsakramentes (masch.schriftl. Diss. theol.), Münster 1974

Müller,A.: Unversöhnte Kirche?, in: Diak. 9 (1977) 73-100

Müller,Ch.: Gottes Gerechtigkeit und Gottes Volk. Eine Untersuchung zu Römer 9-11 (FRLANT 86), Göttingen 1964

Müller,G.: Spekulation - Ethizismus - Kerygmatismus. Haupttypen moderner Christologie, in: ThZ 27 (1971) 117-134

Müller,H.: Rezeption und Konsens in der Kirche, in: ÖAKR 27 (1976) 3-21

Müller,K.: Anstoß und Gericht. Eine Studie zum jüdischen Hintergrund des paulinischen Skandalon-Begriffs (StANT 19), München 1969

Münderlein,G.: Die Erwählung durch das Pleroma. Bemerkungen zu Kol. 1, 19, in: NTS 8 (1961/62) 264-276

Munck,J.: Paulus und die Heilsgeschichte (AJut. T 26,1), Kopenhagen 1954

---   Christus und Israel. Eine Auslegung von Röm 9-11 (AJut T 7), Aarhus-Kopenhagen 1956

Mundle,W.: Der Glaubensbegriff des Paulus. Eine Untersuchung zur Dogmengeschichte des ältesten Christentums, Darmstadt 1977 (Nachdruck der Ausgabe Leipzig 1932)

Mußner,F.: Christus, das All und die Kirche. Studien zur Theologie des Epheserbriefes (TThSt 5), Trier 1955

---   Beiträge aus Qumran zum Verständnis des Epheserbriefes, in: Neutestamentliche Aufsätze (FS J.Schmid), Regensburg 1963, 185-198

---   Der Brief an die Kolosser (Geistliche Schriftlesung 12/1), Leipzig 1964

---   Der Jakobusbrief (HThK XIII,1), Freiburg-Basel-Wien 1964

---   Eph 2 als ökumenisches Modell, in: J.Gnilka (Hg.), Neues Testament und Kirche (FS R.Schnackenburg), Freiburg-Basel-Wien 1974, 325-336

---   Der Galaterbrief (HThK IX), Freiburg-Basel-Wien 1974

---   Petrus und Paulus - Pole der Einheit. Eine Hilfe für die Kirche (QD 76), Freiburg-Basel-Wien 1976

---   Traktat über die Juden, München 1979

Musulin, J. von: Der fremde Bruder. Rassen und Minderheiten in Kampf und Versöhnung (Kriterien 7), Einsiedeln 1966

Nauck,W.: Freude im Leiden. Zum Problem einer urchristlichen Verfolgungstradition, in: ZNW 46 (1955) 68-80

Neugebauer,F.: In Christus. Eine Untersuchung zum paulinischen Glaubensverständnis, Göttingen 1961

Nierth,W.: "Die Zukunft der Versöhnung". Plädoyer für die Möglichkeiten Gottes gegenüber unserer Wirklichkeit - aus Anlaß eines Buches, in: KuD 24 (1978) 32-52

Nissiotis,N.: Die Theologie der Tradition als Grundlage der Einheit, in: J.R.Nelson/W.Pannenberg (Hg.): Um Einheit und Heil der Menschheit (FS W.A. Visser't Hooft), Göttingen 1973, 201-211

Nolde,O.F.: Versöhnung in internationalen Beziehungen, in: ÖkR 18 (1969) 412-419

Norden,E.: Agnostos Theos. Untersuchungen zur Formgeschichte religiöser Rede, Berlin 1913 (Nachdruck Darmstadt [5]1971)

Nordhues,P.: Versöhnung als christlicher Auftrag, in: Cath(M) 31 (1977) 102-121

Nygren,A.: Die Versöhnung als Gottestat (SLA 5), Gütersloh 1932

---   Der Römerbrief, Göttingen [3]1959

O'Brien,P.T.: Ephesians 1: An Unusual Introduction to a New Testament Letter, in: NTS 25 (1979) 504-516

Ochel,W.: Die Annahme einer Bearbeitung des Kolosserbriefes im Epheserbrief in einer Analyse des Epheserbriefes untersucht, Marburg 1934

Oepke,A.: Das neue Gottesvolk in Schriftum, Schauspiel, bildender Kunst und Weltgestaltung, Gütersloh 1950

---   Der Brief des Paulus an die Galater (ThHK 9), Berlin [2]1957

Olivieri,O.: Della differenza di tono tre I-IX e X-XIII della 2[a] Lettera
          ai Corinti, in: Bib. 19 (1938) 383-410

Ollrog,W.H.: Paulus und seine Mitarbeiter. Untersuchungen zu Theorie
          und Praxis der paulinischen Mission (WMANT 50), Neukirchen-
          Vluyn 1979

Osten-Sacken,P. von der: Römer 8 als Beispiel paulinischer Soteriolo-
          gie (FRLANT 112), Göttingen 1975

Ott,L.: Grundriß der katholischen Dogmatik, Freiburg i.Br. 1970

Pannenberg,W.: Grundzüge der Christologie, Gütersloh [4]1972

---   Wissenschaftstheorie und Theologie, Frankfurt a.M. 1973

Paul VI: Adhortatio Apostolica "Paterna cum benevolentia", in: AAS 67
          (1975) 5-23

---   Allocutio (9.5.1873), in: AAS 65 (1973) 322-325

Paulsen,H.: Überlieferung und Auslegung in Römer 8 (WMANT 43), Neukir-
          chen-Vluyn 1974

Pax,E.: Der Loskauf. Zur Geschichte eines neutestamentlichen Begriffs,
          in: Anton. 37 (1962) 239-278

Percy,E.: Der Leib Christi in den paulinischen Homologumena und Anti-
          legomena, Lund-Leipzig 1942

---   Die Probleme der Kolosser- und Epheserbriefe (SHVL 39), Lund
          1946

---   Zu den Problemen des Kolosser- und Epheserbriefes, in: ZNW 43
          (1950/51) 178-194

Pesch,R.: "Christus dem Fleische nach kennen" (2 Kor 5,16)? Zur theolo-
          gischen Bedeutung der Frage nach dem historischen Jesus, in:
          ders./H.A.Zwergel, Kontinuität in Jesus. Zugänge zu Leben,
          Tod und Auferstehung, Freiburg-Basel-Wien 1974, 9-34

Petri,H.: Exegese und Dogmatik in der Sicht der katholischen Theolo-
          logie (APPR 11/12), München-Paderborn-Wien 1966

Plag,C.: Israels Wege zum Heil. Eine Untersuchung zu Röm 9-11 (AzTh I
          40), Stuttgart 1969

Plummer,A.: A Critical and Exegegetical Commentary on the Second Epistle
          of St. Paul to the Corinthians (The International Critical
          Commentary), Edinburgh 1915 (repr. 1956)

Pöhlmann,H.G.: Abriß der Dogmatik, Gütersloh [3]1980

Pöhlmann,W.: Die hymnische All-Prädikationen in Kol 1,15-20, in: ZNW 64 (1973) 53-74

Pokorný,P.: Epheserbrief und gnostische Mysterien, in: ZNW 53 (1962) 160-194

---   Der Epheserbrief und die Gnosis. Die Bedeutung des Haupt-Glieder-Gedankens in der entstehenden Kirche, Berlin 1965

Polhill,J.B.: The Relationship between Ephesians and Colossians, in: RExp 70 (1975) 439- 450

Popkes,W.: Christus traditus. Eine Untersuchung zum Begriff der Dahingabe im Neuen Testament (AThANT 49), Zürich 1967

Porter,F.C.: Does Paul Claim to Have Known the Hisorical Jesus? A Study of 2 Corinthians 5,16, in: JBL 47 (1928) 257-275

Preuß,H.D./K.Berger: Bibelkunde II. Bibelkunde des Alten und Neuen Testaments. Zweiter Teil: Neues Testament (UTB 972), Heidelberg 1980

Prümm,K.: Israels Kehr zum Geist. 2 Kor. 3,17a im Verständnis der Erstleser, in: ZKTh 72 (1950) 385-442

---   Die katholische Auslegung von 2 Kor 3,17a in den letzten vier Jahrzehnten, in: Bib. 31 (1950) 316ff.459ff; 32 (1951) 1ff

---   Zur Struktur des Römerbriefes in: ZThK 72 (1950) 333-349

---   Diakonia Pneumatos. Der Zweite Korintherbrief als Zugang zur Apostolischen Botschaft. Auslegung und Theologie I-II/2, Rom-Freiburg-Wien 1960- 1967

Rad,G. von: Theologie des Alten Testaments I-II , München I [6]1969. II [5]1968

Rader,W.: The Church and Racial Hostility. A History of Interpretation of Ephesians 2:11-22 (BGBE 20), Tübingen 1978

Rahner,K.: Biblische Theologie und Dogmatik in ihrem wechselseitigen Verhältnis, in: LThK [2]II (1958) 449-451

---   Exegese und Dogmatik, in: H.Vorgrimler (Hg.): Exegese und Dogmatik, Mainz 1962, 25-52

---   Hl.Schrift und Tradition, in: HThG II (1963) 517-525

---   Die Christologie innerhalb einer evolutiven Weltanschauung, in: ders.: Schriften zur Theologie V. Neuere Schriften, Einsiedeln-Zürich- Köln [2]1964, 183-221

--- Vergessene Wahrheiten über das Bußsakrament, in: Schriften zur Theologie II, 143-183

--- Der eine Mittler und die Vielfalt der Vermittlungen, in: ders.: Schriften zur Theologie VIII, Einsiedeln-Zürich-Köln 1967, 218-225

--- Das Sakrament der Buße als Wiederversöhnung mit der Kirche, in: Schriften zur Theologie VIII, 447-471

--- Schriften zur Theologie XI. Frühe Bußgeschichte in Einzeluntersuchungen. Bearbeitet von K.H.Neufeld, Zürich-Einsiedeln-Köln 1973

--- Repräsentation, in: Herders Theologisches Taschenlexikon 6, Freiburg i.Br. 1973, 283f

--- Grundkurs des Glaubens. Einführung in den Begriff des Christentums, Freiburg-Basel-Wien [2]1976

Ramaroson,L.: "L'Eglise, corps du Christ" dans les ẻcrits pauliniennes, in: ScEc 30 (1978) 129-141

Ratzinger,J.: Stellvertretung, in: HThG II (1963) 566-575

--- Dogma und Verkündigung, München-Freiburg 1973

--- Vorfragen zu einer Theologie der Erlösung, in: L.Scheffczyk (Hg.), Erlösung und Emanzipation (QD 61), Freiburg-Basel-Wien 1973, 141-155

Rendtorff,H.: Der Brief an die Epheser. Der Brief an die Kolosser (NTD 8), Göttingen 1949

Rese,M.: Die Vorzüge Israels in Röm 9,4f und Eph 2,12. Exegetische Anmerkungen zum Thema Kirche und Israel, in: ThZ 31 (1975) 211-222

Reuss,J.: Die Kirche als "Leib Christi" und die Herkunft dieser Vorstellung bei dem Apostel Paulus, in: BZ 2 (1958) 103-127

Richardson,P.: Israel in the Apostolic Church (SNTS 10), Cambridge 1969

Riedel,M.: Verstehen oder Erklären? Zur Theorie und Geschichte der hermeneutischen Wissenschaft, Stuttgart 1978

Rigaux,B.: Paulus und seine Briefe. Der Stand der Forschung (BiH 2), München 1964

Rischer,Ch.: Literarische Rezeption und kulturelles Selbstverständnis
      in der deutschen Literatur der "Ritterrenaissance" des 15.
      Jahrhunderts (Studien zur Poetik und Geschichte der Litera-
      tur 29), Stuttgart-Berlin-Köln-Mainz 1973

Rissi,M.: Studien zum zweiten Korintherbrief. Der alte Bund - Der Pre-
      diger - Der Tod (AThANT 56), Zürich 1969

Ritschl,A.: Die christliche Lehre von der Rechtfertigung und Versöhnnung
      I-III, Bonn 1870-1874

Ritz,E.: Entfremdung, in: HWP II (Basel-Stuttgart 1972) 509-525

Roberts,J.D.: Liberation and Reconciliation. A Black Theology, Phila-
      delphia 1970

Robinson, J.A.: St.Paul's Epistle to the Ephesians, London 1903

Robinson,J.M.: A Formal Analysis of Col 1,15-20, in: JBL 76 (1957) 270
      -287

Roels,E.D.: God's Mission. The Epistle to the Ephesians in Mission
      Perspective (Diss. Vrije Universiteit te Amsterdam), 1962

Rohrmoser,G.: Herrschaft und Versöhnung. Ästhetik und die Kulturrevolu-
      tion des Wesens (rombach hochschul paperback 43)? Freiburg
      1972

Roller,O.: Das Formular der paulinischen Briefe (BWANT 4.F.,H.6),
      Stuttgart 1933

Roloff,J.: Apostolat - Verkündigung - Kirche. Ursprung, Inhalt und
      Funktion des kirchlichen Apostelamtes nach Paulus, Lukas
      und den Pastoralbriefen, Gütersloh 1965

Romaniuk,K.: L'amour du père et du fils dans la sotériologie de Saint
      Paul (AnBib 15), Rom 1961

Rombold,G.: Identität und Entfremdung, in: ThPQ 126 (1978) 335-340

Rosenkranz,G.: Die christliche Mission. Geschichte und Theologie,
      München 1977

Ruijs, R.C.M.: De struktuur van de Brief aan de Romeinen. Een stilisti-
      sche, vormhistorische en thematische analyse van Rom 1,16-3,23
      (with a Summary in English), Utrecht-Nijmegen 1964

Saabe,M.: Enkele Aspecten van het Apostolaat bij Paulus, in: CBG 3
      (1957) 507-521

Sabourin,L.: Rédemption sacrificielle. Une enquête exégétique (Studia

11), Paris 1961

--- Christ Made "Sin" (2 Cor 5:21): Sacrifice in the History of a Formula, in: S.Lyonnet/ders.: Sin, Redemption, and Sacrifice. A Biblical and Patristic Study (AnBib 48),Rom 1970, 187-296

Sahlin,H.: Die Beschneidung Christi. Eine Interpretation von Eph 2,11-22 (SyBU 12), Lund 1950, 5-22

--- Einige Textemendationen zum Römerbrief, in: ThZ 9 (1953) 92-100

Sand,A.: Der Begriff "Fleisch" in den paulinischen Hauptbriefen (BU 2), Regensburg 1967

Sanders, J.N.: The Case of the Pauline Autorship, in: F.L.Cross (Hg.): Studies in Ephesians, London 9-20

Sanders,J.T.: Hymnic Elements in Ephesians 1-3, in: ZNW 56 (1965) 214-232

--- The New Testament Christological Hymns. Their Historical Religious Background (MSSNTS 15), Cambridge 1971

Sass,G.: Zur Bedeutung von δοῦλος bei Paulus, in: ZNW 40 (1941) 24-32

--- Apostelamt und Kirche. Eine theologisch-exegetische Untersuchung des paulinischen Apostelbegriffs (FGLP IX/2), München 1939

Sauter,G.: Versöhnung und Vergebung. Die Frage der Schuld im Horizont der Christologie, in: EvTh 36 (1976) 34-52

Schaefer,A.: Erklärung des Briefes an die Römer, Münster 1891

--- Erklärung der beiden Briefe an die Korinther, Münster 1903

Scheele,P.-W.: Fragen zum christlichen Amt im Blick auf die kirchliche Rezeption, in: Cath(M) 27 (1973) 386-400 (abgedruckt in: ThJb(L) 1975, 554-566)

Scheffczyk,L. (Hg.): Erlösung und Emanzipation (QD 61), Freiburg-Basel -Wien 1973

Scheit,H.: Geist und Gemeinde. Zum Verhältnis von Religion und Politik bei Hegel (Epimeleia. Beiträge zur Philosophie 21), München-Salzburg 1973

Schelkle,K.H.: Die Passion Jesu in der Verkündigung des Neuen Testaments. Ein Beitrag zur Formgeschichte und zur Theologie des Neuen Testaments, Heidelberg 1949

--- Entmythologisierung und Neues Testament, in: J.B.Bauer (Hg.): Evangelienforschung. Ausgewählte Aufsätze deutscher Exegeten, Graz -Wien-Köln 1968, 59-74

--- Theologie des Neuen Testaments II. Gott war in Christus (KBANT), Düsseldorf 1973

Schellong,D.: Karl Barth als Theologe der Neuzeit, in: K.G.Steck/ders.: Karl Barth und die Neuzeit (TEH 173), München 1973, 34-102

--- Versöhnung und Politik. Zur Aktualität des Darmstädter Wortes, in: K.G.Steck/ders.: Umstrittene Versöhnung. Theologische Aspekte und politische Brisanz (TEH 196), München 1977,35-66

Schenk,W.: Der 1. Korintherbrief als Briefsammlung, in: ZNW 60 (1969) 219-243

--- Die Gerechtigkeit Gottes und der Glaube Christi. Versuch einer Verhältnisbestimmung paulinischer Strukturen, in: ThZ 97 (1972) 161-174

--- Zur Entstehung und zum Verständnis der Adresse des Epheserbriefes, in: Theol. Versuche 6 (1975) 73-78

Schenke,H.-M.: Der Gott "Mensch" in der Gnosis. Ein religionsgeschichtlicher Beitrag zur Siksussion über die paulinische Anschauung von der Kirche als Leib Christi, Göttingen 1962

--- Das Weiterwirken des Paulus und die Pflege seines Erbes durch die Paulusschule, in: NTS 21 (1974/75) 505-518

--- /K.M.Fischer: Einleitung in die Schriften des Neuen Testaments I. Die Briefe des Paulus und Schriften des Paulinismus, Gütersloh 1978

Schering,E.: Leibniz und die Versöhnung der Konfessionen (AzTh I/28), Stuttgart 1966

Schettler,A.: Die paulinische Formel "Durch Christus", Tübingen 1907

Schildenberger,J.: 2 Kor 3,17a: "Der Herr aber ist der Geist" im Zusammenhang des Textes und der Theologie des hl. Paulus, in: Stud. Paul. Congr. Intern. Cath. I, Rom 1963, 451-460

Schille,G.: Frühchristliche Hymnen, Berlin 1965

--- Das älteste Paulus-Bild. Beobachtungen zur lukanischen und zur deuteropaulinischen Paulus-Darstellung, Berlin 1979

Schillebeeckx,E.: Exegese, Dogmatik und Dogmenentwicklung, in: H. Vorgrimler (Hg.): Exegese und Dogmatik, Mainz 1962, 91-114

--- Christus und die Christen. Die Geschichte einer neuen Lebenspraxis, Freiburg-Basel-Wien 1977

Schlatter,A.: Gottes Gerechtigkeit. Ein Kommentar zum Römerbrief, Stuttgart ^{5}1975

Schleiermacher,F.: Über Koloss. 1,15-20, in: ThStKr V/1 (1832) 497-537

--- Der christliche Glaube nach den Grundsätzen der evangelischen
Kirche im Zusammenhang dargestellt, Berlin ^{6}1884

Schlier,H.: Biblische und dogmatische Theologie, in: ders.: Besinnung
auf das Neue Testament. Exegetische Aufsätze und Vorträge II,
Freiburg-Basel-Wien 1964, 25-34

--- Der Brief an die Epheser. Ein Kommentar, Düsseldorf ^{5}1965

--- Der Brief an die Galater (KEK 7), Göttingen ^{14}1971

--- Die "Liturgie" des apostolischen Evangeliums (Röm 15,14-21),
in: Das Ende der Zeit. Exegetische Aufsätze und Vorträge,
Freiburg i.Br. 1971, 169-183

--- Vom Wesen der apostolischen Ermahnung. Nach Römerbrief 12,1-2,
in: ders.: Die Zeit der Kirche. Exegetische Aufsätze und Vorträge, Freiburg ^{5}1972, 74-89

--- Die Kirche nach dem Brief an die Epheser, in: a.a.O. 159-186

--- Das Mysterium Israels, in: a.a.O. 232-244

--- Der Römerbrief (HThK VI), Freiburg-Basel-Wien 1977

--- Grundzüge einer paulinischen Theologie, Freiburg 1978

Schlösser,F.: Bußliturgie - Pastoral - theologische Ortsbestimmung und
Modelle, in: ders. (Hg.): Schuldbekenntnis - Vergebung - Um-
kehr. Zum neuen Verständnis der Bußliturgie. Mit Modellen für
Gottesdienste (Offene Gemeinde 13), Limburg 1971

Schlüter,H.W.: Diplomatie der Versöhnung. Die Vereinten Nationen und
die Wahrung des Weltfriedens, Stuttgart 1966

Schmid,H.H.: Frieden ohne Illusionen. Die Bedeutung des Begriffs scha-
lom als Grundlage für eine Theologie des Friedens, Zürich
1971

--- Šalôm. "Frieden" im Alten Orient und im Alten Testament (SBS
51), Stuttgart 1971

Schmid,J./(A.Wikenhauser): Einleitung in das Neue Testament, Freiburg-
Basel-Wien ^{6}1973

Schmidt,H.: Frieden (ThTh 3), Stuttgart-Berlin 1969

Schmidt,H.W.: Der Brief des Paulus an die Römer (ThHK VI), Berlin 1962

Schmidt,S.J.: Texttheorie. Probleme einer Linguistik der sprachlichen Kommunikation (UTB 202), München ²1976

Schmiedel,P.W.: Die Briefe an die Thessalonicher und an die Korinther (HC II/1), Freiburg 1891

Schmithals,W.: Die Gnosis in Korinth. Eine Untersuchung zu den Korintherbriefen (FRLANT 66), Göttingen ²1965

--- Jesus Christus in der Verkündigung der Kirche. Aktuelle Beiträge zum notwnedigen Streit um Jesus, Neukirchen-Vluyn 1972

--- Die Korintherbriefe als Briefsammlung, in: ZNW 64 (1973) 263-288

--- Der Römerbrief als historisches Problem (StNt 9), Gütersloh 1975

Schnackenburg,R.: Die Heilsgeschichte bei der Taufe nach dem Apostel Paulus. Eine Studie zur paulinischen Theologie (MThS.H 1), München 1950

--- Die Kirche im Neuen Testament (QD 14), Freiburg-Basel-Wien 1961

--- Zur dogmatischen Auswertung des Neuen Testaments, in: H.Vorgrimler (Hg.): Exegese und Dogmatik, Mainz 1962, 115-133

--- Gottes Herrschaft und Reich. Eine biblisch-theologische Studie, Freiburg ³1963

--- Die Johannesbriefe (HThK XIII/3), Freiburg-Basel-Wien 1963

--- Neutestamentliche Theologie. Der Stand der Forschung (BiH), München 1963

--- Von der Formgeschichte zur Entmythologisierung des Neuen Testaments, in: Kerygma und Mythos V. Hg. v. H.Bartsch 1968, 83-100

--- Die Aufnahme des Christushymnus durch den Verfasser des Kolosserbriefes, in: EKK (Vorarbeiten 1), Zürich-Neukirchen 1969, 33-50

--- Zur Auslegung der Heiligen Schrift in unserer Zeit, in: ders.: Schriften zum Neuen Testament. Exegese in Fortschritt und Wandel, München 1971, 57-77

---   Gestalt und Wesen der Kirche nach dem Epheserbrief, in: a.a.O.
            268-287

---   Christus, Geist und Gemeinde (Eph. 4:1-16), in: B.Lindars/St.S.
            Smalley (Hg.): Christ and Spirit in the New Testament (FS Ch.F.
            D.Moule), Cambridge 1973, 279-295

---   Die große Eulogie Eph 1,3-14. Analyse unter textlinguistischen
            Aspekten, in: BZ 21 (1977) 67-87

---   Die Funktion der Exegese in Theologie und Kirche, in: ders.:
            Maßstab des Glaubens. Fragen heutiger Christen im Licht des
            Neuen Testaments, Freiburg-Basel-Wien 1978, 11-36

Schnedermann,G.: Die Briefe Pauli an die Korinther (KK 3)', Nördlingen
            1887

Schneider,B.: Dominus autem Spiritus. Studium exegeticum, Rom 1951

Schneider,G.: Die Idee der Neuschöpfung beim Apostel Paulus und ihr
            religionsgeschichtlicher Hintergrund, in: TrThZ 68 (1959)
            257-270

---   Neuschöpfung oder Wiederkehr? Eine Untersuchung zum Geschichts-
            bild der Bibel, Düsseldorf 1961

---   Christologische Präexistenzaussagen im Neuen Testament, in:
            IKZ 6 (1977) 31-40

Schneider,N.: Die rhetorische Eigenart der paulinischen Antithese
            (HUTh 11), Tübingen 1970

Schoonenberg,P.: Bund und Schöpfung, Zürich-Einsiedeln-Köln 1970

Schottroff,L.: Der Glaubende und die feindliche Welt, Neukirchen 1970

Schrage,W.: Römer 3,21-26 und die Bedeutung des Todes Jesu Christi bei
            Paulus, in: P.Rieger (Hg.): Das Kreuz Jesu (Forum 12), Göttin-
            gen 1969,65-88

---   Leid, Kreuz und Eschaton. Die Peristasenkataloge als Merkmale
            paulinischer theologia crucis und Eschatologie, in: EvTh 34
            (1974) 141-175

---   Zur Ethik der neutestamentlichen Haustafeln, in: NTS 21 (1975)
            1-22

Schreiber,A.: Die Gemeinde in Korinth. Versuch einer gruppendynamischen
            Betrachtung der Entwicklung der Gemeinde von Korinth auf der
            Basis des ersten Korintherbriefes (NTA NF 12), Münster 1977

Schrenk,G.: Studien zu Paulus (AThANT 26), Zürich 1954

Schürmann,H.: Die apostolische Existenz im Bilde. Meditationen über
2 Kor 2,14-16a, in: ders.: Ursprung und Gestalt. Erörterungen
und Eesinnungen zum Neuen Testament (KBANT), Düsseldorf 1970,
229-235

--- Jesu Todesverständnis im Verstehenshorizont seiner Umwelt,
in: ThGl 70 (1980) 141-160

Schulz,S.: Die Decke des Moses. Untersuchungen zu einer vorpaulinischen
Überlieferung, in: ZNW 49 (1958) 1-30

--- Die Charismenlehre des Paulus. Bilanz der Probleme und Ergebnisse, in: J.Friedrich/W.Pöhlmann/P.Stuhlmacher (Hg.): Rechtfertigung (FS E.Käsemann), Tübingen-Göttingen 1976,443-460

Schumacher,H.: Das biblische Zeugnis von der Versöhnung des Alls. Eine
Untersuchung der wesentlichen Schriftworte und Einwände mit
eingehenden Literaturvergleichen, Stuttgart 1959

Schupp,F.: Glaube - Kultur - Symbol. Versuch einer kritischen Theorie
sakramentaler Praxis, Düsseldorf 1974

Schuster,H.: Umkehr und Buße im Leben der Kirche, in: ThJb(L) 1975,
351-370

Schwantes,H.: Schöpfung der Endzeit. Ein Beitrag zum Verständnis der
Auferweckung bei Paulus (Arbeiten zur Theologie I/12),
Stuttgart 1963

Schweizer,E.: Erniedrigung und Erhöhung bei Jesus und seinen Nachfol-
gern, Zürich 1955

--- The Church as the Missionary Body of Christ, in: ders.: Neotestamentica. Deutsche und englische Aufsätze 1951-1963,
Zürich 1963, 317-329

--- Zur Frage der Echtheit des Kolosser- und des Epheserbriefes,
in: a.a.O. 429

--- Die Kirche als Leib in den paulinischen Antilegomena, in:
a.a.O 293-316

--- Die Kirche als Leib in den paulinischen Homologumena, in:
a.a.O. 272-292

--- Kirche als der missionarische Leib Christi, in: V.Schurr/
B.Häring (Hg.), Kirche heute (Theologischer Brennpunkt 2),
Bergen-Enkheim 1965, 19-29

--- Jesus Christus im vielfältigen Zeugnis des Neuen Testaments
(Siebenstern-Taschenbuch 126), München-Hamburg 1968

---   Die Leiblichkeit der Menschen: Leben - Tod - Auferstehung, in: EvTh 29 (1969) 40-55

---   Kolosser 1,15-20, in: EKK (Vorarbeiten 1), Zürich-Neukirchen 1969,7-31 (auch in: Beiträge zur Theologie des Neuen Testaments, Zürich 1970, 113-145; mit Nachtrag)

---   Die "Elemente der Welt" Gal 4,3.9; Kol 2,8.20, in: ders.: Beiträge zur Theologie des Neuen Testaments, Zürich 1970,147-163

---   Christus und Geist im Kolosserbrief, in: B.Lindars/St.S.Smalley (Hg.): Christ and Spirit in the New Testament, Cambridge 1973, 297-313

---   Versöhnung des Alls (Kol 1,20), in: Jesus Christus in Historie und Theologie (FS H.Conzelmann), München 1975, 477-501

---   Der Brief an die Kolosser (EKK), Zürich-Neukirchen 1976

---   Zur neueren Forschung am Kolosserbrief (seit 1970), in: J. Pfammatter/F.Furger (Hg.), Theologische Berichte 5, Zürich-Einsiedeln-Köln 1976, 163-191

Schwenninger,P./F.Schlösser: Versöhnung - Aus der Isolation befreien, Limburg 1974

Seiler,Ch.: Die theologische Entwicklung Martin Kählers (BFCHTh 51), Gütersloh 1966

Sekretariat der Deutschen Bischofskonferenz (Hg.): Der Priester im Dienst der Versöhnung. Wort der deutschen Bischöfe an die Priester (Die Deutschen Bischöfe 14), Bonn 14.11.1977

Semmelroth,O.: Dogmatik und Exegese als glaubenswissenschaftliche Disziplinen, in: Schol. 36 (1961) 497-511

Sevenster,J.N.: Paul and Seneca (NT.S 4), Leiden 1961

Seybold,M.: Versöhnung in der Kirche. Das Apostolische Schreiben Papst Paul VI. zum Heiligen Jahr 1975, in: StZ 193 (1975) 839-846

Sickenberger,J.: Die beiden Briefe des Heiligen Paulus an die Korinther und sein Brief an die Römer (HSNT 5), Bonn 1921

---   Kurzgefaßte Einleitung in das Neue Testament (HTG), Freiburg 1925

Sjöberg,E.: Wiedergeburt und Neuschöpfung im palästinischen Judentum, in: StTh 4 (1950) 44-85

---   Neuschöpfung in den Toten-Meer-Rollen, in: StTh 9 (1955) 131-136

Slenczka,R.: Geschichtlichkeit und Personsein Jesu Christi. Studien zur christologischen Problematik der historischen Jesusfrage (FSÖTh) Göttingen 1967

Smith,D.C.: Jewish and Greek Traditions in Ephesians 2:11-22, Diss. Yale University 1970

Sölle,D.: Stellvertretung. Ein Kapitel Theologie nach dem "Tode Gottes" (Gütersloher Taschenausgaben 65), Gütersloh 1972

Souček,J.B.: Wir kennen Christus nicht mehr nach dem Fleisch, in: EvTh 19 (1959) 300-314

Staab,K.: Die Lehre von der stellvertretenden Genugtuung Christi, Paderborn 1908

---   Die Gefangenschaftsbriefe (RNT 7. Paulusbriefe II), Regensburg ³1959

---   Briefe des Apostels Paulus (EB. Das Neue Testament 2), Würzburg ²1968

Stackelberg, J. von: Literarische Rezeptionsformen. Übersetzung - Supplement - Parodie, Frankfurt/M. 1972

Stan,L.: Über die Rezeption der Beschlüsse der ökumenischen Konzile seitens der Kirche, in: L.Vischer (Hg.): Konzile und Ökumenische Bewegung (SÖR 5), Genf 1968, 72-80

Stanley,D.M.: Christ's Resurrection in Pauline Soteriology (AnBib 13), Rom 1961

Steck,K.G.: Versöhnung oder Entfremdung?, in: ders./O.Schellong: Umstrittene Versöhnung. Theologische Aspekte und politische Brisanz (TEH 196), München 1977, 7-34

Steege,H.: Die Versöhnung Gottes und der Frieden unter den Menschen. Ein Gang durch die Geschichte vor allem des 19. Jahrhunderts (Schriften des Ökumenischen Archivs 6), Soest 1969

Steinmetz,F.-J.: Protologische Heils-Zuversicht. Die Strukturen des soteriologischen und christologischen Denkens im Kolosser- und Epheserbrief (FTS 2), Frankfurt a.M. 1969

---   Parusie-Erwartung im Epheserbrief? Ein Vergleich, in: Bib. 50 (1969) 328-336

Steinmüller,U.: Kommunikationstheorie. Eine Einführung für Literatur- und Sprachwissenschaftler (Urban-Taschenbücher 257), Stuttgart-Berlin-Köln-Mainz 1977

Stephenson,A.M.G.: Partition Theories on II Corinthians, in: StEv II (1964) 639-646

Steyer,G.: Satzlehre des neutestamentlichen Griechisch (Handbuch für das neutestmaentliche Griechisch 2), Gütersloh 1972

Stobbe,H.G.: Konflikt um Identität. Ein Studie zur Bedeutung von Macht in interkonfessionellen Beziehungen und im ökumenischen Prozeß, in: P.Lengsfeld (Hg.), Ökumenische Theologie. Ein Arbeitsbuch, Stuttgart 1980, 190-237

---   Hermeneutik - ein ökumenisches Problem. Eine Kritik der katholischen Gadamer-Rezeption (Ökumenische Theologie 8), Zürich-Köln-Gütersloh 1981

Stock,A.: Umgang mit theologischen Texten. Methoden -Analysen - Vorschläge (Arbeits- und Studienbücher Theologie), Zürich-Einsiedeln-Köln 1974

Stöger,A.: Die Paulinische Versöhnungstheologie, in: ThPQ 122 (1974) 118-131

Strachan,R.H.: The Second Epistle of Paul to the Corinthians (MNTC), London ⁴1946

Strecker,G.: Befreiung und Rechtfertigung. Zur Stellung der Rechtfertigungslehre in der Theologie des Paulus, in: J.Friedrich/W. Pöhlmann/P.Stuhlmacher (Hg.): Rechtfertigung (FS E.Käsemann), Tübingen-Göttingen 1976, 479-508

Stückrath,J.: Historische Rezeptionsforschung. Ein kritischer Versuch zu ihrer Geschichte und Theorie, Stuttgart 1979

Stuhlmacher,P.: Gerechtigkeit Gottes bei Paulus (FRLANT 87), Göttingen ²1966

---   Erwägungen zum ontologischen Charakter der καινὴ κτίσις bei Paulus, in: EvTh 27 (1967) 1-35

---   Das paulinische Evangelium. I. Vorgeschichte (FRLANT 95), Göttingen 1968

---   Zur Interpretation von Römer 11,25-32, in: H.W.Wolff (Hg.): Probleme biblischer Theologie (FS G. von Rad), München 1971, 555-570

---   "Er ist unser Friede" (Eph 2,14). Zur Exegese und Bedeutung von Eph 2,14-18, in: J.Gnilka (Hg.), Neues Testament und Kirche (FS R.Schnackenburg), Freiburg-Basel-Wien 1974, 327-358

--- Zur neueren Exegese von Röm 3,24-26, in: E.E.Ellis/E.Gräßer (Hg.): Jesus und Paulus (FS W.G.Kümmel), Göttingen 1975, 315-333

--- Jesus als Versöhner. Überlegungen zum Problem der Darstellung Jesu im Rahmen einer Biblischen Theologie des Neuen Testaments, in: G.Strecker (Hg.): Jesus in Historie und Theologie (FS H. Conzelmann), München 1975, 87-104

--- Achtzehn Thesen zur paulinischen Kreuzestheologie, in: J.Friedrich/W.Pöhlmann/P.Stuhlmacher (Hg.): Rechtfertigung (FS E.Käsemann), Tübingen-Göttingen 1976, 509-525

--- Das Evangelium von der Versöhnung in Christus. Grundlinien und Grundprobleme einer biblischen Theologie des Neuen Testaments, in: ders./H.Claß: Das Evangelium von der Versöhnung in Christus (Calwer Paperback), Stuttgart 1979

--- Vom Verstehen des Neuen Testaments. Eine Hermeneutik (GNT 6), Gütersloh 1979

Suhl,A.: Paulus und seine Briefe. Ein Beitrag zur paulinischen Chronologie (StNT 11), Gütersloh 1975

Synge,F.C.: St. Paul's Epistle to the Ephesians. A Theological Commentary, London 1941

Gemeinsame Synode der Bistümer in der Bundesrepublik Deutschland. Beschlüsse der Vollversammlung. Offizielle Gesamtausgabe I. Hg. im Auftrag des Präsidiums der Gemeinsamen Synode der Bistümer in der Bundesrepublik Deutschland und der Deutschen Bischofskonferenz v. L. Bertsch u.a., Freiburg-Basel-Wien 1976

Szennay,A.: Zum Thema "Konflikt und Versöhnung". Eine theologische Meditation, in: IDZ 6 (1973) 194-198

Tachau,P.: "Einst" und "Jetzt" im Neuen Testament. Beobachtungen zu einem urchristlichen Predigtschema in der neutestamentlichen Briefliteratur und zu seiner Vorgeschichte (FRLANT 105), Göttingen 1972

Tannehill,R.C.: Dying and Rising with Christ. A Study in Pauline Theology (BZNW 32), Berlin 1967

Tasker,R.V.G.: The Unity of 2 Cor, in: ET 47 (1935/36) 55-58

Theißen,G.: Soteriologische Symbolik in den paulinischen Schriften, in: KuD 20 (1974) 282-304

--- Legitimation und Lebensunterhalt: Ein Beitrag zur Soziologie urchristlicher Missionare, in: NTS 21 (1975/76) 192-221

Theunissen,M.: Hegels Lehre vom absoluten Geist als theologisch-politischer Traktat, Berlin 1970

Tholuck,A.: Die Lehre von der Sünde und vom Versöhner, oder: Die wahre Weihe des Zweiflers, Gotha ⁹1871

Thomasius,G.: Christi Person und Werk. Darstellung der evangelisch-lutherischen Dogmatik vom Mittelpunkt der Christologie aus.
I. Die Voraussetzungen der Christologie, Erlangen ²1856
II. Die Person des Mittlers, Erlangen ²1857
III/1.2. Das Werk des Mittlers, Erlangen 1862-1863

Thompson,J.: The Doctrine of Reconciliation, in: BibTh 27 (1977) 43-53

Thraede,K.: Zum historischen Hintergrund der "Haustafeln" im Neuen Testament, in: Pietas (FS B.Kötting), Münster 1980, 359-368

Thrall,M.E.: Christ Crucified or Second Adam? A Christological Debate between Paul and the Corinthians, in: Christ and Spirit in the New Testament (FS Ch.F.D.Moule), Cambridge 1973, 143-156

--- The Problem of II Cor. VI.14-VII.1 in some recent Discussion, in: NTS 24 (1977/78) 132-148

Thüsing,W.: Per Christum in Deum. Studien zum Verhältnis von Christozentrik und Theozentrik in den paulinischen Hauptbriefen (NTA NF 1), Münster ²1969

--- Die Erhöhung und Verherrlichung Jesu im Johannesevangelium (NTA XXI. 1/2), Münster ²1970

--- Neutestamentliche Zugangswege zu einer transzendentaldialogischen Christologie, in: K.Rahner/ders.: Christologie - systematisch und exegetisch. Arbeitsgrundlagen für eine interdisziplinäre Vorlesung (QD 55), Freiburg-Basel-Wien 1972, 81-315

--- Rechtfertigungsgedanke und Christologie in den Korintherbriefen, in: J.Gnilka (Hg.): Neues Testament und Kirche (FS R. Schnackenburg), Freiburg-Basel-Wien 1974 , 301-324

--- Die neutestamentlichen Theologien und Jesus Christus I. Kriterien aufgrund der Rückfrage nach Jesus und des Glaubens an seine Auferweckung, Düsseldorf 1981

Thyen,H.: Studien zur Sündenvergebung im Neuen Testament und seinen alttestamentlichen und jüdischen Voraussetzungen (FRLANT 96), Göttingen 1970

Tiililä,O.: Das Strafleiden Christi. Beitrag zur Diskussion über die Typeneinteilung der Versöhnungslehre (AASF B 48,1), Helsinki 1941

Tillard,J.M.: Das Brot und der Kelch der Versöhnung, in: Conc(D) 7 (1971) 17-26

Tillich,P.: Systematische Theologie I-III, Stuttgart 1956-1966

---   Entfremdung und Versöhnung im modernen Denken, in: ders.: Gesammelte Werke IV. Hg. v. R.Albrecht, Stuttgart 1961, 183-199

---   Die neue Wirklichkeit (dtv 70), München 1962

Tillmann,F.: Die Verwirklichung der Nachfolge Christi. Die Pflichten gegen sich selbst und gegen den Nächsten (HKSL IV,2), Düsseldorf o.J. (3.Aufl.)

Torrance,Th.T.: Die Versöhnung und das Eine-Sein der Kirche, in: EvTh 15 (1955) 1-22

Trillhaas,W.: Dogmatik, Berlin-New York [3]1972

Tutu,D.M.B.: Versöhnung ist unteilbar. Interpretationen biblischer Texte zur Schwarzen Theologie, Wuppertal 1977

Usteri,L.: Entwicklung des Paulinischen Lehrbegriffs in seinem Verhältnis zur biblischen Dogmatik des Neuen Testaments. Ein exegetisch- dogmatischer Versuch, Zürich [5]1834

Valeske,U.: Votum Ecclesiae I-II, München 1962

Van Roon,A.: The Autenticity of Ephesians (NT.S 39), Leiden 1974

Van Unnik, W.C.: De semitische achterground in het Nieuwe Testament (MNAW. L NS 25), 1965

Viard,A.: Saint Paul. Epitre aux Romains (SBi), Paris 1975

Vielhauer,Ph.: Paulus und die Kephaspartei in Korinth, in: NTS 21 (;974/75) 341-352

---   Geschichte der urchristlichen Literatur. Einleitung in das Neue Testament, die Apokryphen und die Apostolischen Väter (GLB), Berlin-New York 1975

Viering,F. (Hg.): Zur Bedeutung des Todes Jesu. Exegetische Beiträge, Gütersloh 1967

Vischer,L.: Ökumenische Skizzen, Frankfurt 1972

---   Die Kirche als konziliare Bewegung, in: J.R.Nelson/W.Pannenberg (Hg.): Um Einheit und Heil der Menschheit (FS W.A. Visser't Hooft), Frankfurt a.M. 1973,235-247

Vischer,W.: Versöhnung zwischen Ost und West. Zwei Bibelstudien (TEH 56), München 1957

Vodička,F.: Die Struktur der literarischen Entwicklung (Theorie und Geschichte der Literatur und der schönen Künste. Texte und Abhandlungen 34), München 1976

Vögtle,A.: Die Entmythologisierung des NT als Forderung einer zeitgemässen Theologie und Verkündigung, in: Freiburger Dies Universitatis IV (1955-56) 9-46

---   Das Neue Testament und die Zukunft des Kosmos (KBANT), Düsseldorf 1970

Vogels,H.J.: Grundriß der Einleitung in das Neue Testament (Lehrbuch zum Gebrauch beim theologischen und philosophischen Studium), Münster i.W. 1925

Volz,P.: Eschatologie der jüdischen Gemeinde im neutestamentlichen Zeitalter, Tübingen ^{2}1934

Wagenführer,M.-A.: Die Bedeutung Christi für Welt und Kirche. Studien zum Kolosser- und Epheserbrief, Leipzig 1941

Waldmann,G.: Kommunikationsästhetik 1. Die Ideologie der Erzählform. Mit einer Modellanalyse von NS-Literatur (UTB 525), München 1976

Walther,Ch.: Die Kategorie der Versöhnung, in: Handbuch der Christlichen Ethik. Hg. v. A.Hertz u.a., Freiburg-Basel-Wien ^{2}1979, 459-473

Warning,R. (Hg.): Rezeptionsästhetik. Theorie und Praxis (UTB 303), München 1975

Weber,H.-D.: Rezeptionsgeschichte oder Wirkungsästhetik. Konstanzer Diskussionsbeiträge zur Praxis der Literaturgeschichtsschreibung (Literaturwissenschaft - Gesellschaftswissenschaft 34), Stuttgart 1978

Weber,O.: Grundlagen der Dogmatik I-II, Neukirchen I ^{3}1964. II 1962

Weibel(-Spirig),R.: Christus und die Kirche. Das ökumenische Gespräch über die Kirche, Zürich-Einsiedeln-Köln 1972

Weinel,H.: Biblische Theologie des Neuen Testaments. Die Religion Jesu und des Urchristentums (GThW III/2), Tübingen ^{4}1928

Weiß,H.-F.: Gnostische Motive und antignostische Polemik im Kolosser- und im Epheserbrief, in: K.-W.Tröger (Hg.): Gnosis und Neues Testament. Studien aus Religionswissenschaft und Theologie, Gütersloh 1973, 311-324

---   "Volk Gottes" und "Leib Christi". Überlegungen zur paulini-
           schen Ekklesiologie, in: ThLZ 102 (1977) 411-420

Weiß,J.: Das Urchristentum, Göttingen 1917

---   Der Erste Korintherbrief. Neudruck der völlig neubearbeiteten
           9. Aufl. 1910 (KEK 5), Göttingen 1970

Welte,B.: Glaube an Gott und Entfremdung, in: ders.: Zeit und Geheimnis,
           Freiburg 1975, 139-148

Wendelborn,G.: Versöhnung und Parteilichkeit. Alternative oder Einheit?,
           Berlin 1974

Wendland,H.-D.: Die Briefe an die Korinther (NTD 7), Göttingen [12]1968

Wengst,K.: Christologische Formeln und Lieder des Urchristentums (StNT
           7), Gütersloh 1972

---   Versöhnung und Befreiung. Ein Aspekt des Themas "Schuld und
           Vergebung" im Lichte des Kolosserbriefes, in: EvTh 36 (1976)
           14-26

Westermann,C.: Der Frieden (shalom) im Alten Testament, in: Studien
           zur Friedensforschung I. Hg. v. E.Picht und H.E.Tödt, Stutt-
           gart 1969, 144-177

Whiteley,D.E.H.: The Theology of St. Paul, Oxford [2]1974

Wieacker,F.: Privatrechtsgeschichte der Neuzeit, Göttingen [2]1967

Wiederkehr,D.: Glaube an Erlösung. Konzepte der Soteriologie vom Neu-
           en Testament bis heute, Freiburg-Basel-Wien 1976

---   Konfrontationen und Integrationen der Christologie, in: Theo-
           logische Berichte II. Zur neueren christologischen Diskussion.
           Hg. im Auftrag der Theologische Hochschule Chur von J.Pfammat-
           ter und der Theologischen Fakultät Luzern von F.Furger, Zürich-
           Einsiedeln-Köln   1973,11-119

Wiencke,G.: Paulus über Jesu Tod. Die Deutung des Todes Jesu bei Paulus
           und ihre Herkunft (BFChTh.M II/42), Gütersloh 1939

Wiersinga,H.: De verzoening in het theologische diskussie, Kampen
           [3]1971

Wikenhauser,A.: Die Kirche als der mystische Leib Christi nach dem
           Apostel Paulus, Münster i.W. [2]1940

---   Einleitung in das Neue Testament, Leipzig [5]1964

Wilckens,U.: Der Abfassungszweck und Aufbau des Römerbriefes, in: ders.:

Rechtfertigung als Freiheit. Paulusstudien, Neukirchen-Vluyn 1974, 110-170

\--- Christologie und Anthropologie im Zusammenhang der paulinischen Rechtfertigungslehre, in: ZNW 67 (1976) 64-82

\--- Der Brief an die Römer I-II (EKK VI/1-2), Zürich-Einsiedeln-Köln- Neukirchen 1978-1980

Wildberger,H.: Das Abbild Gottes. Gen. 1,26-30,in: ThZ 21 (1965) 245-259.481-501

Wiles,M.: Der Mythos der Theologie, in: J.Hick (Hg.): Wurde Gott Mensch? Der Mythos vom fleischgewordenen Gott, Gütersloh 1979

Wilkens,E.: Vertreibung und Versöhnung. Die Synode der EKD zur Denkschrift "Die Lage der Vertriebenen und das Verhältnis des deutschen Volkes zu seinen östlichen Nachbarn", Stuttgart-Berlin 1966

Willems,B.A.: Erlösung in Kirche und Welt (QD 35), Freiburg 1968

Wilson,R.McL.: How Gnostic were the Corinthians, in: NTS 19 (1972/73) 65-74

Windisch,H.: Der Zweite Korintherbrief (KEK 6), Göttingen 1970 (Neudruck der Ausgabe Göttingen [9]1924)

\--- Friedensbringer - Gottessöhne. Eine religionsgeschichtliche Interpretation der 7. Seligpreisung, in: ZNW 24 (1925) 240-260

Wolfinger,F.: Die Rezeption theologischer Einsichten und ihre theologische und ökumenische Bedeutung: Von der Einsicht zur Verwirklichung, in: Cath(M) 31 (1977) 202-233

Wolter,M.: Rechtfertigung und zukünftiges Heil. Untersuchungen zu Röm 5,1-11 (BZNW 43), Berlin 1978

Wrege,H.-Th.: Wirkungsgeschichte des Evangeliums. Erfahrungen, Perspektiven und Möglichkeiten, Göttingen 1981

Wunderlich,D.: (Hg.): Linguistische Pragmatik (Schwerpunkte Linguistik und Kommunikationswissenschaft 12), Wiesbaden [2]1975

Zahn,Th.: Der Brief des Paulus an die Römer, Leipzig [3]1925

Zauner,W.: Biblische Versöhnungstheologie und ihre pastoralen Konsequenzen, in: Diak. 8 (1977) 75-91

Zeilinger,F.: Der Erstgeborene der Schöpfung. Untersuchung zur Formalstruktur und Theologie des Kolosserbriefes, Wien 1974

---   Die Träger der apostolischen Tradition im Kolosserbrief, in:
        A.Fuchs (Hg.): Jesus in der Verkündigung der Kirche (SNTU A/1),
        Linz 1976, 175-190

Zeller,D.: Sühne und Langmut. Zur Traditonsgeschichte von Röm 3,24-26,
        in: ThPh 37 (1968) 51-75

---   Juden und Heiden in der Mission des Paulus. Studien zum Römer-
        brief (FzB 8), Stuttgart 1976

Ziegenaus,A.: Umkehr-Versöhnung - Friede, Freiburg-Basel-Wien 1975

Zima,P.V.: "Rezeption" und "Produktion" als ideologische Begriffe, in:
        ders. (Hg.): Textsemiotik als Ideologiekritik (edition suhr-
        kamp 796), Frankfurt a.M. 1977, 271-311

Zimmermann,B.: Literaturrezeption im historischen Prozeß. Zur Theorie
        einer Rezeptionsgeschichte der Literatur, München 1977

Zimmermann,H.: Jesus Christus. Geschichte und Verkündigung, Stuttgart
        1973

Zmijewski,J.: Der Stil der paulinischen "Narrenrede". Analyse der
        Sprachgestaltung in 2 Kor 11,1-12,10 als Beitrag zur Methodik
        von Strukturuntersuchungen neutestamentlicher Texte (BBB 52),
        Bonn 1978

Zulehner,P.M.: Umkehr: Prinzip und Verwirklichung. Am Beispiel Beichte
        (Beiträge zur Praktischen Theologie. Erwachsenenbildung),
        Frankfurt a.M. 1979

IV. Nachtrag

Barth,K.: Die Kirchliche Dogmatik (I/1 - IV/4), Zollikon-Zürich 1932-
        1967

Bieder,W.: Brief an die Kolosser (Prophezei), Zürich 1943

Giavini,G.: La structure littéraire d'Eph. II.11-22, in: NTS 16 (1969/
        1970) 209-211

Goppelt,L.: Israel und die Kirche, heute und bei Paulus, in: ders.:
        Christologie und Ethik. Aufsätze zum Neuen Testament, Göttingen
        1968, 165-189

Grayston,K.: ΙΛΑΣΚΕΣΘΑΙ and Related Words in LXX, in: NTS 27 (1981)
        640-656

Grillmeier,A.: Die altkirchliche Christologie und die moderne Hermeneu-
        tik. Zur Diskussion um die chalzedonensische Christologie heu-
        te, in: Theologische Berichte I. Hg. im Auftrag der Theologi-
        schen Hochschule Chur von J. Pfammatter und der Theologischen

Fakultät Luzern von F.Furger, Zürich-Einsiedeln-Köln 1972, 69-169

Gubler,M.-L.: Die frühesten Deutungen des Todes Jesu. Eine motivgeschichtliche Darstellung aufgrund der neueren exegetischen Forschung, Göttingen 1977

Judick,G.: Klassenkampf und Klassenversöhnung?, in: IDZ 6 (1973) 289-293

Masson,Ch.: L'Epître de Saint Paul aux Ephèsiens (CNT/N 9), Neuchâtel-Paris 1953

Meuzelaar,J.J.: Der Leib des Messias. Eine exegetische Studie über den Gedanken vom Leib Christi in den Paulusbriefen, Assen 1961

Meyers-Herwartz,Ch.: Die Rezeption des Antirassismus-Programms in der EKD, Stuttgart 1979

Müller, U.B.: Zur Rezeption gesetzeskritischer Jesusüberlieferung im frühen Christentum, in: NTS 27 (1980/81) 158-185

Mußner,F.: Die Geschichtstheologie des Epheserbriefes, in: Stud. Paul. Congr. Intern. (AnBib 17/18), Rom 1963, 59-63

Prast,F.: Presbyter und Evangelium in nachapostolischer Zeit. Die Abschiedsrede des Paulus in Milet (Apg 20,17-38) im Rahmen der lukanischen Konzeption der Evangeliumsverkündigung (FzB 29), Stuttgart 1979

Schaeffler,R.: Was dürfen wir hoffen? Die katholische Theologie der Hoffnung zwischen Blochs utoprischem Denken und der reformatorischen Rechtfertigungslehre, Darmstadt 1979

Stuhlmacher,P.: Der Begriff des Friedens im Neuen Testament und seine Konsequenzen, in: Studien zur Friedensforschung 4, Stuttgart 1970, 21-69

Vos,J.S.: Traditionsgeschichtliche Untersuchungen zur Paulinischen Pneumatologie (GTB 47), Assen 1973

Wiederkehr,D.: Konfrontationen und Integrationen der Christologie, in: Theologische Berichte III. Zur neueren christologischen Diskussion. Hg. im Auftrag der Theologischen Hochschule Chur von J. Pfammatter und der Theologischen Fakultät Luzern von F. Furger, Zürich-Einsiedeln-Köln 1973, 11-119